Staub | Hehli Hidber (Hrsg.)
Management von Anwaltskanzleien

Management von Anwaltskanzleien

Erfolgreiche Führung von Anwaltsunternehmen

Herausgegeben von

Leo Staub und Christine Hehli Hidber

Deutscher AnwaltSpiegel MANZ Schulthess § 2012

Bibliografische Information der Deutschen Nationalbibliothek

Die Deutsche Nationalbibliothek verzeichnet diese Publikation in der Deutschen Nationalbibliografie; detaillierte bibliografische Daten sind im Internet über http://dnb.d-nb.de abrufbar.

ISBN 978-3-7255-6448-4

ISBN 978-3-941389-14-4 Deutscher AnwaltSpiegel
ISBN 978-3-214-01232-8 MANZ'sche Verlags- und Universitätsbuchhandlung GmbH Wien

Titelbild: Fotolia © Crashoran – Fotolia.com

www.schulthess.com
www.deutscheranwaltspiegel.de
www.manz.at

Vorwort

Seit nunmehr fünf Jahren existiert an der Executive School of Management, Technology & Law der Universität St. Gallen (ES-HSG) ein Lehrgang, der in die Grundzüge des Managements von Rechtsabteilungen und Anwaltskanzleien einführt. Ebenso lange schon engagiert sich die ES-HSG in der internen Weiterbildung von Associates und Partnern bedeutender Anwaltskanzleien.

Wesentliches aus diesen Aktivitäten ist im vorliegenden Buch zusammengetragen. Es bietet einen Überblick über alle Aspekte des Managements einer Anwaltskanzlei. Der inhaltliche «rote Faden», der sich am bekannten St. Galler Management-Modell orientiert, wird durch die jedem Kapitel vorangestellte Einführung und Übersicht von Leo Staub sichergestellt. Erfahrene Praktikerinnen und Praktiker aus renommierten Kanzleien und Rechtsabteilungen sowie weitere Fachleute sorgen mit ihren Beiträgen für Vertiefung, Praxisnähe und Anschaulichkeit. So ist ein Werk entstanden, das sich als umfassendes Führungskompendium für Anwälte in kleinen, mittelgrossen und grossen Kanzleien versteht. Ihnen, liebe Kolleginnen und Kollegen, sei dieses Buch denn auch gewidmet!

Folgenden Personen schulden wir unseren herzlichen Dank: MLaw Oliver Schmid für die Hilfe bei der wissenschaftlichen Recherche, MLaw Nils Grehn, Iris Staub und Leo Staub sr. für die Unterstützung beim Lektorat, Raffaela Fanciullo und Christiane König bei der Erstellung des Sachregisters sowie Marco Gianini und Ulrich Gaebler vom Schulthess Verlag für ihre Geduld und die professionelle verlegerische Betreuung. Unser grösster Dank aber gilt natürlich den über 60 Autorinnen und Autoren, die dieses Buch mit ihren Beiträgen zu einem lebendigen Abbild modernen Kanzleimanagements machen. In unseren Dank einschliessen möchten wir auch unsere Ehegatten und Kinder, die das aufwendige Hobby ihrer «schreibenden» Familienmitglieder geduldig ertragen und nach Kräften gefördert haben.

Im Text des Buches wurde jeweils konsequent die männliche Form verwendet. Diese steht aber natürlich immer auch für die Anwältinnen.

St. Gallen, im Frühjahr 2012

Leo Staub und Christine Hehli Hidber, Herausgeber

Inhaltsverzeichnis

Autorenverzeichnis

ALBRECHT, ANDREAS C.

Dr. Andreas C. Albrecht ist Rechtsanwalt und Notar. Er hat in Basel und in New York studiert und ist Managing Partner der Kanzlei VISCHER, die mit rund 80 Anwältinnen und Anwälten in Zürich und Basel präsent ist. Andreas Albrecht ist Präsident und Mitglied von Oberleitungsgremien verschiedener, teilweise börsenkotierter Schweizer Unternehmungen.

BECK, FILIPPO TH.

Filippo Th. Beck, M.C.J., ist Partner in der Anwaltskanzlei Wenger Plattner. Er ist in der Schweiz sowie in den US-Gliedstaaten New York und Connecticut als Rechtsanwalt zugelassen. Als Co-Leiter der Fachgruppe Private Clients ist Filippo Th. Beck hauptsächlich in den Bereichen Nachlassplanung und Erbschaftsabwicklung sowie allgemeines Vertragsrecht, Sportrecht, Banken- und Finanzmarktrecht und internationale Rechtshilfe tätig. Als Compliance Officer ist er für die Geldwäschereiorganisation von Wenger Plattner verantwortlich. Filippo Th. Beck ist überdies Präsident oder Mitglied von Verwaltungsräten diverser Schweizer Unternehmen.

BÜCHI, RAFFAEL

Dr. Raffael Büchi ist Rechtsanwalt und zuständig für Know-how und Business Development bei Bär & Karrer. Nachdem er seine berufliche Laufbahn im Jahr 2001 als Corporate Counsel bei Clariant begonnen hatte, war er bei Bär & Karrer von 2003 bis 2007 als Anwalt in den Bereichen M&A und Kapitalmarktrecht tätig. Von 2007 bis 2008 war er – wiederum als Corporate Counsel – im Legal M&A Team von Novartis u.a. für Knowledge Management verantwortlich. Im Jahr 2008 kehrte er zu Bär & Karrer zurück, wo er sich ganz auf Aufgaben im Bereich Kanzleimanagement – insbesondere in den Bereichen Wissensmanagement, Aus- und Weiterbildung, Personal und Marketing – konzentriert.

BÜHLER, CHRISTOPH B.

Christoph B. Bühler ist Managing Partner bei Böckli Bodmer & Partner, Advokatur & Notariat in Basel; er ist anerkannter Emittentenvertreter und Mitglied der unabhängigen Beschwerdeinstanz der SWX Swiss Exchange sowie Mitglied im Verwaltungsrat einer international tätigen Industrieunternehmung mit Sitz in der Schweiz. Er war von 2002 bis 2003 als Visiting Associate bei Sullivan & Cromwell LLP in New York tätig und praktiziert heute hauptsächlich in den Bereichen des nationalen und internationalen Gesellschafts- und Finanzmarktrechts. Christoph B. Bühler ist promovierter und habilitierter Jurist und hält zudem einen Master of Laws in International Business Law (LL.M.). Er ist Privatdozent für Schweizerisches und Internationales Handels- und Wirtschaftsrecht an der Universität Zürich sowie Lehrbeauftragter für Internationales Finanzmarktrecht an der Universität Basel.

BRUCH, NICHOLAS

Nicholas Bruch has more than five years of experience in researching strategy, international expansion and operational change. He has worked on projects in over twenty countries and in nearly every sector, focusing on increasing market share, reducing costs and facilitating internal change strategies. He has lived and worked in six countries on four continents. At Huron Consulting Group, Nicholas Bruch specialises in advising legal departments and law firms on a variety of strategic, operational and management issues. He has worked on cross-border mergers, short- and long-term strategic reviews, large-scale operational change projects and international expansion strategies. Nicholas Bruch has an undergraduate degree in Philosophy and Economics and is currently pursuing a graduate degree in International Business at The Fletcher School where he was named Emerging Markets Fellow for 2010–2012.

CHAIN, JULIA

Julia Chain is a Managing Director of Huron Legal, one of the world's leading consultancies specializing in providing services to in-house legal departments and law firms. Educated at Cambridge University, Julia began her career at Shearman & Sterling in New York and then returned to the UK qualifying as a corporate lawyer at Herbert Smith. After some years working principally as an M&A lawyer, Julia Chain was appointed Managing Partner of Garrets, the law firm associated with Andersen, becoming the first women partner of a top 100 law firm and only one of three Andersen equity partners in the UK. Julia Chain then joined the board of T-Mobile UK as General Counsel and a member of the executive management committee. In 2004 Julia Chain left T-Mobile to found the Kite Consultancy which provided operational and strategic advice to law firms and in-house legal departments. Kite merged with H4 partners in 2008 and was acquired by Huron Legal in 2009. As well as regularly speaking and writing at numerous events for the legal profession, Julia Chain is a visiting professor of practice and former member of the Academic Counsel of BPP University College in England and vice chair of a major UK charity for children with social care needs and adults with learning disabilities. Julia Chain is a form Deputy Chair of the Commission for Racial Equality.

DALMAS, VICTORIA

Victoria Dalmas is the Chief Executive Officer of LawInContext Pte. Ltd., the interactive knowledge and training venture of Baker & McKenzie. Prior to her role at LawInContext, Victoria Dalmas was in the tax practice group of Baker & McKenzie practicing with the Zurich and Singapore offices. As part of her role in running LawInContext, Victoria Dalmas works with a number of banks and multinationals seeking to achieve change through a focus on training and knowledge, leveraging the substantial legal talent within Baker & McKenzie and contributing firms worldwide. Victoria Dalmas is a member of the Massachusetts and New York Bars.

DIEM, FRANK E. R.
Frank E. R. Diem ist Gründungspartner der Wirtschaftskanzlei DIEM & PARTNER in Stuttgart. Er praktiziert als Rechtsanwalt im Gesellschaftsrecht und begleitet Unternehmen als Mitglied ihrer Aufsichtsgremien. Daneben ist er Lehrbeauftragter an der Universität Tübingen sowie des Justizministeriums für die Referendarausbildung in Baden-Württemberg. Frank E. R. Diem beschäftigt sich mit Anwaltsmarketing und Themen der Organisation mittelständischer Freiberuflergesellschaften. Schliesslich ist er als Präsident der Rechtsanwaltskammer Stuttgart und Mitglied der Satzungsversammlung der Bundesrechtsanwaltskammer berufspolitisch engagiert.

FELLMANN, WALTER
Prof. Dr. Walter Fellmann ist praktizierender Rechtsanwalt bei Fellmann Tschümperlin Lötscher in Luzern, Fachanwalt SAV für Haftpflicht- und Versicherungsrecht und Professor für schweizerisches und europäisches Privatrecht an der Universität Luzern. Er ist Mitglied der Fakultätsleitung der Rechtswissenschaftlichen Fakultät und Direktor von Weiterbildung Recht, der Weiterbildungsstelle der Fakultät. Walter Fellmann ist überdies Mitglied der Redaktion der Zeitschrift Haftpflicht und Versicherung (HAVE). Er lehrt und forscht vorwiegend im Gebiet des Vertrags- sowie des Haftpflicht- und Versicherungsrechts und des Anwaltsrechts.

FINKEN, MANFRED
Manfred Finken ist Rechtsanwalt in Düsseldorf. Er war 30 Jahre Partner der internationalen Anwaltssozietät Freshfields Bruckhaus Deringer und deren Vorgängerkanzleien in Deutschland. Von 2004 bis 2010 führte er als Regional Managing Partner die Geschäfte der Sozietät in Deutschland und Österreich mit sieben Büros und mehr als 500 Berufsträgern. Seit seinem altersbedingten Ausscheiden als Partner bei Freshsfields Anfang 2011 ist Manfred Finken als Einzelanwalt freiberuflich tätig. Er berät Familienunternehmen und deren Inhaber in Fragen des Gesellschaftsrechts, der Corporate Governance und der Unternehmensnachfolge. Daneben beschäftigt er sich mit der Entwicklung des Rechtsmarkts, dem Management von Anwaltskanzleien und der Fortbildung von Anwälten.

FRANKE, HORST
Prof. Horst Franke ist Rechtsanwalt und Seniorpartner und Gesellschafter von HFK Rechtsanwälte LLP, Professor für Baurecht und für nationales sowie EU-Vergaberecht an der Universität Wuppertal sowie Schiedsrichter und Mediator in grossen Bau- und Anlagenbauverfahren. Horst Franke berät und vertritt Auftraggeber und Bieter in umfangreichen Vergabeverfahren und PPP-Vorhaben bei Liefer- und Dienstleistungsprojekten, bei Infrastruktur- und Hochbauprojekten, im Anlagenbau sowie bei Privatisierungen

und Kooperationsmodellen. Er ist Vorsitzender der Deutschen Gesellschaft für Baurecht e.V., Präsidialmitglied des Instituts für Deutsches und Internationales Baurecht e.V. an der Humboldt-Universität Berlin, Mitherausgeber der Zeitschrift «baurecht» und Mitglied im Beirat der Zeitschrift «vergaberecht».

Frick Hans-Peter
Dr. iur. Hans Peter Frick LL.M. ist heute Mitglied der Verwaltungsräte der Galenica AG und der Vifor Pharma AG sowie im Beirat der Mentor Group in Boston. Er ist zudem als Berater in einem postgraduate Fortbildungsprojekt für Anwälte und Unternehmensjuristen in Frankreich tätig und aktiv in verschiedenen Berufsorganisationen involviert. Er ist Emeritus Verwaltungsrat des CPR International Institute for Conflict Prevention and Resolution. Früher war er Leiter der Rechtsabteilung der Nestlé-Gruppe und in verschiedenen Verwaltungsräten von deren Tochtergesellschaften. Hans Peter Frick war Mitglied der Darrois-Kommission von Präsident Sarkozy, die einen Bericht und Vorschläge über die Rechtsberufe in Frankreich verfasste. Er ist zudem vom International Law Office als Global General Counsel of the Year 2009 erkoren worden.

Furter, Robert
Dr. Robert Furter ist praktizierender Rechtsanwalt im Zürcher Büro Pestalozzi. Er war lange Jahre Hiring Partner und ist seit 2002 Managing Partner. Er praktiziert im internationalen und nationalen Banken- und Finanzmarktrecht und betreut private M&A-Transaktionen. Er hat Einsitz in verschiedenen Verwaltungsräten schweizerischer Unternehmen und ist ehemaliger Chairman von Lex Mundi, the World's Leading Association of Independent Law Firms.

Gebsattel Georg
Dr. iur., Dipl. Verwaltungswirt (FH) Georg Gebsattel ist ein in Deutschland praktizierender Rechtsanwalt und war insbesondere im Bereich des Umwelt- und Strafrechts tätig. Mit Gründung seiner Beratungsgesellschaften (Rechtsberatung per Telefon und via Internet) und einer bundesweit tätigen Anwaltsgenossenschaft, deren Vorstand er ist, reduzierte er seine rein anwaltlichen Tätigkeiten und widmet sich bis dato insbesondere diesen interessanten Rechtsdienstleistungsmärkten. Er ist überdies in der Schweiz als EU-Anwalt zugelassen.

Gehrer, Carole
Dr. Carole Gehrer, LL.M., ist Rechtsanwältin und öffentliche Notarin bei SwissLegal asg. advocati, St. Gallen. Ihre bevorzugten Tätigkeitsbereiche sind Vertrags-, Gesellschafts- und Handelsrecht, öffentliches Bau- und Beschaffungswesen sowie Prozessführung vor Gerichten. Sie publiziert regelmässig im Vertrags- bzw. Gesellschaftsrecht und ist Lehrbeauftragte an der Universität Zürich.

Gurovits, András
Dr. András Gurovits, MBA, ist Partner bei Niederer Kraft & Frey AG. Er berät in- und ausländische Unternehmen unter anderem in M&A-Transaktionen, schwergewichtig in den Branchen Technologie, Telekommunikation, Infrastruktur und IT, sowie bei nationalen und internationalen Outsourcing-Projekten. Er verfügt interdisziplinär auch über eine akademische Ausbildung und praktische Erfahrungen in den Gebieten Management und Organisation. Er betreut derzeit bei Niederer Kraft & Frey AG die betriebsinterne Infrastruktur und Administration.

Hadorn, Marcel
Lic. iur. et M.Sc. Marcel Hadorn berät als Rechtsanwalt bei Niederer Kraft & Frey in- und ausländische Banken und Finanzinstitute in regulatorischen Fragen aller Art. Zudem ist er insbesondere im Bereich von nationalen und grenzüberschreitenden Outsourcing-, IT/IP-, Telekommunikations- und Infrastrukturprojekten tätig. Er bringt interdisziplinär vertiefte Erfahrungen in den Bereichen IT-Technologie und IT-Management sowie im Bereich der alternativen Anlageklasse der Hedge Funds mit. Marcel Hadorn ist überdies als Ersatzrichter und Gerichtsschreiber an einem Bezirksgericht tätig.

Hartung, Markus
Markus Hartung ist praktizierender Rechtsanwalt und Mediator. Er leitet das Bucerius Center on the Legal Profession, das Studien über den deutschen Rechtsmarkt erstellt und Weiterbildungsangebote für Juristen in Rechtsabteilungen und wirtschaftsberatenden Sozietäten anbietet. Seine Lehr- und Forschungsschwerpunkte liegen im Bereich Management und strategische Führung von Kanzleien. Er hat langjährige Erfahrung als Partner in grossen wirtschaftsberatenden Sozietäten: Ab 1999 war er Managing Partner von Oppenhoff & Rädler, der erste Fulltime-Managing Partner in Deutschland. In dieser Zeit begleitete er die Sozietät in die Fusion mit Linklaters und war von 2001 bis 2008 Managing Partner von Linklaters in Deutschland sowie Mitglied im Global Executive Committee von Linklaters. Er ist Vorsitzender des Berufsrechtsausschusses im Deutschen Anwaltverein (DAV) und Mitglied im Ausschuss Anwaltliche Berufsethik des DAV sowie im Ausschuss Internationale Sozietäten der Bundesrechtsanwaltskammer (BRAK). Zu seinen anwaltlichen Schwerpunkten gehören Konfliktmanagement sowie das anwaltliche Berufs- und Haftungsrecht.

Hehli Hidber, Christine
Dr. iur. Christine Hehli Hidber ist praktizierende Rechtsanwältin und Partnerin bei Binder Rechtsanwälte in Baden. Nach Abschluss ihrer Ausbildung an der Universität Basel arbeitete sie zehn Jahre im Rechtsdienst einer Grossbank, davon ein Jahr in London und fünf Jahre in leitender Funktion als Head Corporate Legal. Per 2009 eröffnete sie ihre eigene, auf Wirtschaftsrecht ausgerichtete Kanzlei in Lenzburg. 2010 schloss sie das berufsbegleitende Nachdiplomstudium Management for the Legal Profession an

der Executive School der Universität St. Gallen ab. Sie ist Präsidentin der Alumni-Organisation der Nachdiplomstudiengänge der Executive School. Christine Hehli Hidber ist schwergewichtig im nationalen und internationalen Wirtschaftsrecht tätig.

HEIDBRINK, MARKUS
Marcus Heidbrink ist promovierter Wirtschaftspsychologe und als Dozent und Unternehmensberater tätig. Derzeit arbeitet er als Hauptdozent für Führung und Persönlichkeitsentwicklung an der Executive School der Universität St. Gallen, an der International Academy der RWTH Aachen sowie an der Hochschule Fresenius in Köln. Sein Forschungsschwerpunkt liegt auf der Untersuchung der Erfolgsprinzipien von Hochleistungsteams in Wirtschaft, Kultur und Spitzensport.

HESS, BEAT
Dr. Beat Hess ist Rechtsanwalt und war bis zu seiner Pensionierung im Januar 2011 Group General Counsel und Mitglied der Konzernleitung von Royal Dutch Shell plc. Er studierte an den juristischen Fakultäten der Universitäten Genf, Freiburg und Miami. In den Jahren 1977 bis 2003 arbeitete er als Rechtskonsulent und General Counsel für den BBC Brown Boveri und späteren ABB Konzern. Heute ist Beat Hess als Mitglied des Verwaltungsrates internationaler Unternehmen und für Institute des internationalen Rechts tätig.

HEUFLER, WOLFGANG MAURIZIO
Prof. Dr. Wolfgang Maurizio Heufler promovierte 1981 an der Universität Innsbruck und schloss das Rechtsanwaltsexamen 1986 mit ausgezeichnetem Erfolg ab. Er betreibt seither eine Allround-Kanzlei mit Schwerpunkt Schadenersatz, Liegenschaftsrecht und Organisationsberatung, Signaturrecht und IT-Recht. 1998 wurde er als Dozent für Recht und Wirtschaft an die HTL Ottakring berufen und ist seit 1999 Vortragender an der Donauuniversität Krems zum Thema Qualitätsmanagement und Recht. Er ist Syndikus und Beirat der A-Trust Gesellschaft für Sicherheit im elektronischen Datenverkehr GmbH, Wien, und akreditierter Zertifizierungsdiensteanbieter nach Signaturgesetz. 2001 übernahm er den Vorsitz des Arbeitskreises EDV und Organisation im ÖRAK. 2003 kam das Amt als ernannter Prüfer für die Richteramtsprüfung und Rechtsanwaltsprüfung in Wien hinzu. Seit 2005 nun ist er Geschäftsführer der anwaltseigenen Archivium Dokumentenarchiv GmbH als Betreiber des hochsicheren anwaltlichen Urkundenarchives für Firmenbuch und Grundbuch. Im Jahre 2007 wurde ihm der Berufstitel Professor verliehen.

HOHENSTATT, KLAUS STEFAN
Dr. Klaus-Stefan Hohenstatt ist Regional Managing Partner der internationalen Anwaltssozietät Freshfields Bruckhaus Deringer LLP für Deutschland und Österreich. Im Übrigen berät er deutsche und internationale Unternehmen in Vorstandsangelegenheiten

und auf dem Gebiet des Arbeitsrechts und ist Lehrbeauftragter für Betriebsverfassung und Unternehmensmitbestimmung an der Bucerius Law School, Hamburg.

HUNGERBÜHLER, IVO
Dr. iur. Ivo Hungerbühler studierte an der Universität Zürich (lic. iur., Dr. iur.) und der University of Virginia (LL.M.). Nach einer Tätigkeit am Bezirksgericht Meilen und der Erlangung des Zürcher Anwaltspatents arbeitete er als Anwalt in Zürich. 2006 wurde er Partner der Kanzlei Wiederkehr Forster, die sich 2008 zur überregionalen Kanzlei Bratschi Wiederkehr & Buob mit Büros in Zürich, Bern, St. Gallen, Basel und Zug zusammenschloss. Ivo Hungerbühler ist im Wirtschafts- und Prozessrecht tätig.

HÜPPI, MICHAEL
Dr. Michael Hüppi ist als praktizierender Rechtsanwalt hauptsächlich im allgemeinem Vertragsrecht, Handels- und Gesellschaftsrecht tätig. Er ist überdies Präsident oder Mitglied von Verwaltungsräten und Stiftungsräten diverser Ostschweizer Unternehmen und Stiftungen. Als öffentlicher Notar befasst er sich mit erb-, ehe- und handelsregisterrechtlichen Beurkundungen. Er war Präsident des St. Gallischen Anwaltsverbandes und ist derzeit Vorstandsmitglied des Schweizerischen Anwaltsverbandes sowie Mitglied der staatlichen Aufsichtskommission über die Rechtsanwälte.

JEANNERET, VINCENT
Vincent Jeanneret ist Partner im Bereich Dispute Resolution bei Schellenberg Wittmer in Genf und leitet das Team Restructuring and Insolvency dieser Kanzlei. Sein Spezialgebiet sind komplexe internationale Rechtstreitigkeiten im Handels- und Bankbereich. Er zählt zu den wenigen Spezialisten im Bereich der Betreuung grosser Insolvency-Verfahren in der Schweiz und weltweit. Im Rahmen von Wirtschaftskriminalitätsverfahren auf Bundes- oder Landesebene sowie in internationalen Rechtshilfeverfahren wird er oft als Anwalt oder Experte herangezogen. Seit 2007 ist er Mitglied des vierköpfigen Management Committee der Kanzlei und seit Mai 2009 deren Managing Partner.

KELLERHALS, ANDREAS
Prof. Dr. Andreas Kellerhals ist praktizierender Rechtsanwalt und Partner bei Swisslegal (Zürich) AG und Titularprofessor für Privatrecht, Wirtschafts- und Europarecht an der Universität Zürich sowie ebendort Direktor des Europa Instituts und Direktor des LL.M.-Lehrgangs Internationales Wirtschaftsrecht. Er lehrt und forscht heute vorwiegend zu Themen im schweizerischen, europäischen und internationalen Wirtschafts- und Wettbewerbsrecht, Handelsrecht sowie Compliance in Unternehmen. Andreas Kellerhals unterrichtet im Weiteren an den Universitäten St. Gallen, Tulane (USA) und Hong Kong. Er ist überdies als Mitglied aktiv in der Schweizerischen Wettbewerbskommission und als Schiedsrichter tätig.

Klarer, Heinz

Dr. Heinz Klarer ist praktizierender Rechtsanwalt und verfügt über langjährige Erfahrung im Bereich des Managements von Anwaltskanzleien. Als Managing Partner einer mittelgrossen Züricher Anwaltskanzlei hat er sich seinerzeit im Bereich des Qualitätsmanagements zusätzlich ausgebildet und das nach ISO 2000 zertifizierte Qualitätsmanagement der Kanzlei aufgebaut. Neben der Betreuung des «eigenen» Qualitätsmanagements hat er andere Kanzleien beim Aufbau von Managementsystemen beraten. Er befasste sich über mehrere Jahre mit politischen Aufgaben in der Exekutive und ist als Präsident resp. Mitglied von Verwaltungsräten verschiedener Schweizer Unternehmen tätig.

Krämer, Andreas

Dr. Andreas Krämer ist Gründer und Vorstandsvorsitzender der exeo Strategic Consulting AG. Nach Studium der Agrarwissenschaften, Assistententätigkeit (u.a. Lehrauftrag für demoskopische Marktforschung) und Promotion an der Universität Bonn arbeitete er als Berater bei Simon Kucher & Partners (1997–99) in Bonn sowie bei Roland Berger Management Consultants (1999–2000) in Frankfurt. Im Jahr 2000 gründete Dr. Krämer seine eigene Beratungsgesellschaft, die wenig später umfirmiert wurde. Die exeo Strategic Consulting AG mit Sitz in Bonn ist spezialisiert auf die datengetriebene Entscheidungsunterstützung im Marketing, speziell in den Bereichen Pricing und Customer Relationship Management. Ein besonderer Interessenschwerpunkt liegt seit seiner Assistententätigkeit bei den Themen Vermarktung sowie Vergütung von Beratungsleistungen. Hierzu veröffentlichte er mehrere Bücher und zahlreiche Aufsätze und hält Vorträge auf Fachtagungen und Konferenzen, u.a. für den Bund Deutscher Unternehmensberater (BDU), den Berufsverband Deutscher Markt- und Sozialforscher e.V. (BVM), das Deutsche Anwaltsinstitut (DAI) und den Schweizerischer Anwaltsverband (SAV).

Loges, Rainer

Dr. Rainer Loges ist Rechtsanwalt und Diplom-Kaufmann und seit 2008 Managing Partner einer der führenden deutschen Anwaltssozietäten, Gleiss Lutz. Er ist spezialisiert auf die Bereiche Mergers & Aquisitions, Private Equity und Gesellschaftsrecht und überwiegend in Transaktionen mit internationalem Bezug tätig.

Marcovici, Philip

Philip Marcovici is a graduate of the law schools of the University of Ottawa (magna cum laude) and Harvard University and is admitted to practice law in New York, England and Wales, Hong Kong and British Columbia, Canada. Philip Marcovici joined the Hong Kong office of Baker & McKenzie in 1982 and was based in the Firm's Zurich office from 1995 to 2010. Among others, Philip Marcovici was one of the founders of the Baker & McKenzie global wealth management and Asian tax practices and was the chair of the Firm's European Tax Practice. Philip Marcovici was the founder of LawInContext, the interactive knowledge and training venture of Baker & McKenzie. Now retired from legal practice, Philip Marcovici continues to be the Chairman of LawInContext, and consults and teaches in Asia and elsewhere. Philip Marcovici is on the boards of a small group of private banks and others involved in global wealth management, and advises several global families in relation to their succession structures.

Mascello, Bruno

Dr. Bruno Mascello, LL.M., Rechtsanwalt, arbeitete als COO Group Legal der Zurich Financial Services Group. Er betreute operative Aspekte der weltweiten Rechtsfunktion und die mit dem Panel externer Anwälte zusammenhängenden Fragen. Zuvor war er bei der Zurich in anderen leitenden Funktionen tätig und dabei unter anderem auch verantwortlich für die juristische Betreuung der verschiedenen gruppenweiten Beschaffungsrahmenverträge der Zurich. Bevor er zur Zurich stiess, arbeitete er als Rechtsanwalt in einer wirtschaftsorientierten Anwaltskanzlei in Zürich. Heute ist er als Vizedirektor im Geschäftsbereich Law & Management der Executive School der Universität St. Gallen aktiv.

Maurenbrecher, Benedikt

Dr. Benedikt Maurenbrecher ist Wirtschaftsanwalt, stellvertretender Leiter des Praxisteams Banken und Finanz und Mitglied des Strategieausschusses bei Homburger. Er verfügt über breite transaktionale und regulatorische Erfahrung im Banken-, Finanz- und Kapitalmarktrecht und vertritt Marktteilnehmer regelmässig in aufsichtsrechtlichen Verfahren und zivilrechtlichen Streitigkeiten. Daneben publiziert und referiert er regelmässig zu Themen des Banken-, Kapitalmarkt- und Gesellschaftsrechts.

Mornell, Adina

Born in Los Angeles, Adina Mornell is a classical pianist and recording artist who studied Music, American Literature, Musicology, and Psychology, receiving degrees in the United States, Germany, and Austria, the latter being a doctorate in Music Psychology. She is currently Professor of Instrumental and Vocal Pedagogy (IGP) at the University of Music and Performing Arts in Munich, Germany. Her book on stage fright, «Lampenfieber und Angst bei ausübenden Musikern», is one of the few scientific publications on the topic in the German language. She was responsible for the 2009 publication «Art in Motion. Musical and Athletic Motor Learning and Performance», and regularly writes articles about art and science. In addition to her empirical research on musical performance and expertise, and her career as a concert artist, she is active as an educator for musicians and music teachers, as well as for executives and managers, at institutions of higher education in both Europe and the United States.

Naegeli, Georg

Dr. Georg Naegeli ist Partner bei der Anwaltskanzlei Homburger und Mitglied von Homburgers Praxisteam Prozesse und Verfahren und der Fachgruppe Insolvenz. Er war früher als Richter am Bezirksgericht Zürich und Ersatzrichter am Zürcher Obergericht und Handelsgericht tätig. Georg Naegeli vertritt Mandanten in Handelsstreitigkeiten aller Art vor Gericht und internationalen Schiedsgerichten. Er referiert regelmässig zu zivilprozessualen und schiedsrechtlichen Themen und hat zahlreiche Publikationen zu verfahrens- und vollstreckungsrechtlichen Fragestellungen veröffentlicht. Neben Artikeln zu aktuellen Themen hat er wesentliche Beiträge zum Kurzkommentar zur Zivilprozessordnung und zum Handkommentar zum Lugano-Übereinkommen geschrieben.

NORDMANN, PHILIPPE
Dr. Philippe Nordmann, LL.M., ist Partner in der Anwaltskanzlei Wenger Plattner. Seit dem Jahre 2000 arbeitet er als Wirtschaftsanwalt, nachdem er zuvor als wissenschaftlicher Assistent für Arbeits- und Zivilprozessrecht an der Universität Basel tätig war. Im Jahre 2002 hat Philippe Nordmann in New York einen Master of Laws (LL.M.) erlangt. Philippe Nordmann ist Leiter der Fachgruppe Human Resources. Zu seinen Tätigkeitsschwerpunkten gehören die Beratung von Unternehmen und Privatpersonen im Zusammenhang mit sämtlichen arbeitsrechtlichen Fragen sowie die Prozessführung in verschiedenen Gebieten des Privat- und des öffentlichen Personalrechts. Ausserdem ist Philippe Nordmann Mitglied der Fachgruppe Private Clients, welche sich hauptsächlich mit Nachfolgeplanung, Willensvollstreckung sowie Vermögensstrukturierungen beschäftigt. Philippe Nordmann ist überdies Mitglied von Verwaltungsräten diverser Schweizer Unternehmen und im Stiftungsrat von mehreren Schweizer Stiftungen.

NUNN, CHRISTIAN
Dr. Christian Nunn ist Rechtsanwalt und Gesellschafter von HFK Rechtsanwälte LLP. Er war zunächst fünf Jahre Syndikusanwalt in einem international tätigen Baukonzern. Er war dort neben der Betreuung einer Inlandshauptniederlassung auch für die Beratung der Auslandsabteilung zuständig. Seit 1999 ist Christian Nunn bei HFK Rechtsanwälte tätig. Er leitet das Münchener Büro. Seit 2003 ist er Gesellschafter der Kanzlei. Er berät im Wesentlichen im Bereich des Immobilienwirtschafts- sowie des Baurechts.

PESTALOZZI, CHRISTOPH M.
Dr. Christoph M. Pestalozzi, M.C.J. (NYU School of Law), ist Partner der Wirtschaftsanwaltskanzlei VISCHER AG in Zürich und Basel. Er ist hauptsächlich als Schiedsrichter in der internationalen Handelsschiedsgerichtsbarkeit und als Anwalt in grossen, komplexen Forderungsprozessen vor staatlichen Gerichten tätig. Ausserdem ist er Mitglied von Verwaltungsräten in der Finanz-, Luftfahrt- und Pharmaindustrie. Er präsidiert eine grosse, gemeinnützige Stiftung mit Sitz in Zürich. Publiziert hat er v.a. im Bereich der Schiedsgerichtbarkeit, des Handels- und Vertragsrechts, und er war während Jahren Lehrbeauftragter an der juristischen Fakultät der Universität Zürich.

PFEIFER, MICHAEL
Dr. iur. Michael Pfeifer, M.B.L. HSG, Rechtsanwalt und Notar in Basel, ist Partner bei VISCHER AG, Zürich und Basel. Er ist Lehrbeauftragter an der Universität Basel und St. Gallen. Schwerpunktmässig im Gesellschafts- und Vertragsrecht tätig, ist er auch Präsident oder Mitglied von Verwaltungsräten diverser Schweizer Unternehmen.

RAGGENBASS, CHRISTOF
Christof Raggenbass ist praktizierender Rechtsanwalt, Mediator und Managing Partner bei Raggenbass Rechtsanwälte, Amriswil und Kreuzlingen (TG). Er befasst sich vertieft mit den Fachgebieten Gesellschafts- und Erbrecht sowie mit Fragen der Unternehmensnachfolge. Darüber hinaus bekleidet er diverse Verwaltungsrats- und Stiftungsratsmandate.

RITVAY, ALEXANDER
Dr. Alexander Ritvay ist Corporate Partner der Kanzlei Noerr LLP und Co-Head der Praxisgruppe Corporate/M&A. Er ist auf Mergers & Acquisitions, Unternehmensfinanzierung und grenzüberschreitende Transaktionen spezialisiert und berät Grossunternehmen, multinationale Konzerne und Private-Equity-Häuser bei Ihren Transaktionen. Über besondere Expertise verfügt Alexander Ritvay im Sportvermaktungs- und Medienbereich, wo er u.a. Chairman und Geschäftsführer der Formel Eins in London, Sportgeschäftsführer der KirchMedia (u.a. Fussball-WM-Rechte, Bundesligarechte) und Chairman der grössten englischen Kinokette Odeon Cinemas war.

ROŠ, MIRKO
Dr. Mirko Roš, LL.M., ist praktizierender Rechtsanwalt und Fachanwalt SAV Erbrecht. Er leitet eine mittelgrosse Anwaltskanzlei in Zürich. Mirko Roš war Präsident des Zürcher Anwaltsverbandes sowie des Verbands Europäischer Rechtsanwaltskammern / Fédération des Barreaux d'Europe (FBE), die 210 europäische Rechtsanwaltskammern mit über 800 000 Mitgliedern umfasst. Im Schweizerischen Anwaltsverband hat er sich massgeblich für die Schaffung des Fachanwalts SAV eingesetzt.

RUFENER, ADRIAN
Adrian Rufener ist praktizierender Rechtsanwalt und schwergewichtig im Haftpflicht- und Sozialversicherungsrecht, Privatversicherungsrecht und im Verwaltungsrecht tätig. Er war Geschäftsführer des St. Gallischen Anwaltsverbandes und ist seit Jahren in den Bereichen Kanzleiorganisation tätig. Er hat diverse Kanzleien in der Optimierung von Kanzleiprozessen und im Einsatz von Informatikmitteln unterstützt und beraten.

RÜTSCHE, PATRICK
Patrick Rütsche ist Rechtsanwalt und Finanzplaner CFP. Er leitet bei der UBS AG das Desk für Rechtsanwälte, Treuhänder und Notare der Region Ostschweiz. Vor seinem Wech-

sel in die Vermögensverwaltung der UBS war Patrick Rütsche sechs Jahre als Kundenberater im Firmenkundengeschäft der UBS Ostschweiz tätig.

Sangiorgio, Didier

Dr. Didier Sangiorgio ist Partner der Anwaltskanzlei Walder Wyss AG in Zürich. Als Mitglied und Delegierter des Verwaltungsrats ist er für den Bereich Marketing verantwortlich. Als Anwalt praktiziert er seit über zwanzig Jahren in verschiedenen, die Informationstechnologie berührenden Branchen- und Transaktionsbereichen. Er ist überdies Präsident oder Mitglied von Verwaltungsräten diverser Schweizer Unternehmen.

Schärer, Heinz

Heinz Schärer ist Managing Partner von Homburger und stellvertretender Leiter des Praxisteams Gesellschaftsrecht | M&A. Er arbeitet vorwiegend auf den Gebieten Firmenkäufe und -zusammenschlüsse (M&A), Joint Ventures, Venture-Capital- und Private-Equity-Transaktionen, Gesellschafts- und Kapitalmarktrecht sowie Unternehmensfinanzierungen. Er ist ein von der SIX Swiss Exchange anerkannter Emittentenvertreter.

Schirwinski, Katrin

Katrin Schirwinski ist als HR Manager Learning and Development seit dem Jahr 2001 bei Freshfields Bruckhaus Deringer tätig. In ihren Aufgabenbereich fallen die Konzeption, Realisierung und Evaluierung von Aus- und Fortbildungsprogrammen für Juristen sowie Mitarbeiter der Business Services im deutschsprachigen Raum. Sie verfügt über langjährige Erfahrungen im Bildungsmanagement und hat den kanzleiinternen Prozess zum Aufbau und der Neugestaltung des Qualifizierungsprogramms begleitet.

Schranner, Matthias

Matthias Schranner startete seine Karriere als Verhandlungsführer und Ausbilder für Verhandlungsführung am Ministerium des Inneren. In einer Spezialeinsatzgruppe war er für schwierigste Verhandlungen wie Geiselnahmen und Kidnapping verantwortlich. Heute unterstützt er als Berater globale Unternehmen und politische Parteien in schwierigen Verhandlungen. Er ist Autor der Bücher «Verhandeln im Grenzbereich», «Der Verhandlungsführer» und «Teure Fehler», Co-Autor von «Best Practice im Key Account Management» der Universität St. Gallen und Verfasser zahlreicher Publikationen. Matthias Schranner ist CEO des Negotiation Institutes AG in Zürich.

Schriefers, Marcus

Dr. Marcus Schriefers war mehr als 20 Jahre Partner bei verschiedenen namhaften Anwaltskanzleien in Stuttgart tätig und ist seit Januar 2011 Partner der Heussen Rechtsanwaltsgesellschaft. Er kommt ursprünglich aus dem Bereich des Gesellschafts- und Kartellrechts, ein Bereich, in dem er in den ersten zehn Jahren seines Berufslebens massgeblich tätig war. Heute ist sein Tätigkeitsschwerpunkt das Vertriebsrecht, insbesondere das Vertriebskartellrecht. Ein weiteres Schwergewicht von Marcus Schriefers bildet der Bereich der Vertragsgestaltung. Er entwickelt Verträge, begleitet dazu aber auch die entsprechenden Projekte, z.B. eines Joint Ventures, oder auch der völlig neuen Konzeptionierung eines Vertriebs in Deutschland oder Europa. Darüber hinaus dient sein Engagement der Union Internationale des Avocats, einer der grossen internationalen Anwaltsorganisationen, die sich insbesondere um die Verteidigung aber auch Weiterentwicklung der Rechte und beruflichen Umstände des Anwaltsberufes kümmert.

SCHULTZE, JÖRG-MARTIN
Dr. Jörg-Martin Schultze ist Gründungspartner der im September 2010 neu gegründeten und ausschliesslich auf das Kartellrecht spezialisierten Kanzlei Commeo LLP in Frankfurt am Main. Zusammen mit drei Partnerinnen und derzeit drei Associates berät Jörg-Martin Schultze im Rahmen von Commeo in allen Bereichen des Kartellrechts. Zu den Beratungsschwerpunkten gehören die Fusionskontrolle, das Vertriebs- und Vertragskartellrecht und die Vertretung von Unternehmen in Kartellverfahren sowie in Rechtsstreitigkeiten mit kartellrechtlichem Fokus.

SCHULZ, MARTIN
Prof. Dr. Martin Schulz, LL.M. (Yale) ist Professor für deutsches und internationales Privat- und Unternehmensrecht an der German Graduate School of Management and Law (GGS), Heilbronn, sowie Rechtsanwalt und Knowledge Management Lawyer im Frankfurter Büro der internationalen Sozietät Freshfields Bruckhaus Deringer. Er lehrt, forscht und publiziert zu den Themen deutsches und internationales Privat- und Unternehmensrecht, Managerhaftung, Compliance sowie Wissensmanagement für Juristen in deutscher und englischer Sprache.

SEISLER, HARALD
Dr. Harald Seisler ist Rechtsanwalt und Notar a.D. und war mehr als 20 Jahre im Kanzlei-Management tätig, zuletzt als Mitglied des International Executive Committee und Regional Managing Partner für Kontinentaleuropa bei Lovells (heute HoganLovells). Seit 2009 ist er als Berater in Fragen der Unternehmensführung und als Mitglied in Aufsichtsgremien tätig.

STAUB, LEO
Prof. Dr. Leo Staub ist praktizierender Rechtsanwalt und Titularprofessor für Privat- und Wirtschaftsrecht an der Universität St. Gallen sowie Akademischer Direktor der Executive School of Management, Technology & Law der Universität St. Gallen (ES-HSG). Er lehrt und forscht heute vorwiegend zu Themen im Kanzleimanagement und zur Funktion Recht und Compliance in Unternehmen. Leo Staub verantwortet an der ES-HSG unter

anderem Nachdiplom-Lehrgänge zur betriebswirtschaftlichen Fortbildung von Anwälten und Unternehmensjuristen. Er ist überdies Präsident oder Mitglied von Verwaltungsräten diverser Schweizer Unternehmen und Mitglied eines ständigen Schiedsgerichts.

Steck, Kai-Uwe
Dr. Kai-Uwe Steck ist eine ausgewiesene Fachkraft in den Gebieten Bank- und Bankaufsichtsrecht, Regulierung von Investmentfonds, Hedge Fonds, Private Equity Fonds und Immobilienfonds, sowie Versicherungsaufsichtsrecht. Er hat sich in den letzten Jahren in Fachkreisen mit seinen kreativen Lösungsansätzen einen Ruf für innovative Produkteentwicklung erarbeitet und wird vom JUVE-Handbuch 2009/2010 im Bereich Investmentaktiengesellschaften – unter anderem wohl auch dank seiner Publikation als Herausgeber des Kommentars zum InvestmentG und InvestmentsteuerG 2010 – als Trendsetter und marktführend bezeichnet. Dr. Kai-Uwe Steck ist zugelassener Rechtsanwalt in Deutschland und Mitglied der Rechtsanwaltskammer Frankfurt am Main. Er erwarb 1997 sein erstes Staatsexamen an der Universität Osnabrück an welcher er, nach einem Auslandsjahr an der Universität von New York, im Jahr 2000 seinen Doktor erlangte und 2001 mit dem zweiten Staatsexamen abschloss.

Tanner, Urs
Urs Tanner führt seit über 30 Jahren ganze Unternehmungen oder Business Units. Seit Januar 1995 ist er als Delegierter des VR der Medela Holding tätig. In dieser Funktion führt er sämtliche gerichtlichen Auseinandersetzungen in den USA direkt. Er ist überdies Vizepräsident oder Mitglied von Verwaltungsräten diverser Schweizer Unternehmen und sitzt im Beirat der Executive School of Management, Technology & Law der Universität St. Gallen (ES-HSG).

Theusinger, Ingo
Dr. Ingo Theusinger ist Rechtsanwalt und seit 2009 Associated Partner der international tätigen Sozietät Noerr LLP. Zuvor war er seit 2002 in einer anderen internationalen Anwaltssozietät tätig. Der Schwerpunkt seiner Beratung liegt im Kapitalgesellschaftsrecht und im Bereich Compliance. Dr. Ingo Theusinger trägt regelmässig zu Themen aus seinem Tätigkeitsbereich vor und veröffentlicht regelmässig in Fachpublikationen.

Tracey, Keith
Keith Tracey is Managing Director of AON Professional Services Aon Ltd, London. Keith Tracey has over 30 years experience in the UK and London markets, Canada and USA. He has specialised for the last 25 years in professional service firm risk. In that time he has been involved in designing and placing international professional indemnity programmes for lawyers, accountants and consulting firms. He has advised on issues such as International programme strategies and structures, Network liability and local compliance as well as Captive formation, strategy and administration, claim systems, claims

advocacy and premium allocation and Reinsurance programmes for captives. He holds a history degree, is an Associate of the Chartered Insurance Institute and an alumnus of London Business School and IMD.

Triebold, Oliver

Dr. Oliver Triebold ist Partner im Bereich Mergers & Acquisitions und Gesellschaftsrecht bei Schellenberg Wittmer in Zürich. Er schloss sein Rechtsstudium 1990 an der Universität Basel ab und promovierte 1993 zum Dr. iur. 1994 wurde er als Rechtsanwalt zugelassen und erwarb 1996 den Master of Comparative Jurisprudence (M.C.J.) an der New York University. Nach praktischer Tätigkeit bei einer internationalen Anwaltskanzlei in New York trat er im Jahr 1997 bei Schellenberg Wittmer ein und wurde 2003 Partner. Von 2003 bis 2009 gehörte er dem vierköpfigen Management Committee der Kanzlei an und war von 2007 bis 2009 deren Managing Partner.

Tschäni, Rudolf

Dr. Rudolf Tschäni, Partner und Leiter Corporate und M&A bei Lenz & Staehelin, berät hauptsächlich im Gesellschaftsrecht und in Akquisitionen und Zusammenschlüssen von Unternehmen (M&A). Er ist sowohl bei internationalen als auch inländischen Transaktionen beratend tätig, eingeschlossen öffentliche Übernahmeangebote und Private-Equity-Transaktionen. Rudolf Tschäni wird zudem oft als Schiedsrichter in internationalen handelsrechtlichen Streitfragen ausgewählt, vor allem in M&A-bezogenen Streitigkeiten. Er leitet bei Lenz & Staehelin Zürich die Fachgruppe Corporate und M&A und wird von vielen Ratingagenturen regelmässig als führender Rechtsexperte genannt.

Ulbricht, Carsten

Dr. Carsten Ulbricht ist auf Internet und Social Media spezialisierter Rechtsanwalt bei der Stuttgarter Kanzlei Diem & Partner mit den Schwerpunkten IT-Recht, Marken-, Urheber- und Wettbewerbsrecht sowie Datenschutz. Im Rahmen seiner anwaltlichen Tätigkeit berät Carsten Ulbricht nationale und internationale Mandanten in allen Rechtsfragen des E- und Mobile Commerce sowie zu allen Themen im Bereich Social Web. Seine Schwerpunkte liegen dabei auf der rechtlichen Prüfung internetbasierter Geschäftsmodelle und Vermeidung etwaiger Risiken bei Aktivitäten in und über die Sozialen Medien, datenschutzrechtlichen Themen, aber auch dem Umgang mit nutzergenerierten Inhalten. Neben seiner umfangreichen Referententätigkeit berichtet er regelmässig in seinem Weblog zum Thema «Web 2.0, Social Media & Recht» unter www.rechtzweinull.de nicht nur über neueste Entwicklungen in Rechtsprechung, Diskussionen in der Literatur und über eigene Erfahrungen, sondern analysiert auch neue Web-2.0-Geschäftsmodelle auf ihre rechtlichen Erfolgs- und Risikofaktoren.

UWER, DIRK

Dr. Dirk Uwer ist Partner der Sozietät Hengeler Mueller in Düsseldorf. Nach dem Studium der Rechts-, Verwaltungs-, Sprach- und Literaturwissenschaften in Trier, Ferrara, Speyer, Berlin und Newcastle und der Assistenzzeit beim heutigen Bundesverfassungsrichter Udo Di Fabio und seinem Lehrstuhlvorgänger Michael Kloepfer promovierte er an der Humboldt-Universität (s.c.l.) mit einer Dissertation zur Europäischen Menschenrechtskonvention und graduierte zum Master of Laws (LL.M.) und zum Magister der Verwaltungswissenschaften (Mag.rer.publ.). Als Rechtsanwalt in Düsseldorf seit 1999 – mit längeren Stationen in Berlin und London –, ist er auf das Öffentliche Wirtschaftsrecht spezialisiert, mit Schwerpunkten im Umwelt-, Energie- und Arzneimittelrecht. Er ist Autor von mehr als 40 Veröffentlichungen; Lehraufträge und Gastvorträge führen ihn regelmässig an Universitäten im In- und Ausland.

VÖGELI GALLI, NICOLE

Dr. Nicole Vögeli Galli ist selbständig praktizierende Rechtsanwältin und Partnerin bei Engel & Küng Rechtsanwälte in Kloten. 2007 erwarb sie den Fachanwaltstitel SAV Arbeitsrecht. Sie betreut vorwiegend Mandate aus dem Arbeits- sowie Sozialversicherungsrecht. Nicole Vögeli Galli lehrt zudem an der Zürcher Hochschule für angewandte Wissenschaften (ZHAW) Arbeitsrecht im Studiengang Wirtschaftsrecht und unterrichtet Module im Kurs CAS Arbeitsrecht der ZHAW. Sie publiziert, hält Vorträge und gibt Weiterbildungen zu arbeitsrechtlichen oder damit verbundenen Themen für verschiedene Medien und Veranstalter.

VON THUN, FRANK

Frank von Thun ist in München zugelassener Rechtsanwalt und Inhaber und Managing Director der Unternehmensberatung LLM – GROUP (www.llm-group.com), Wirtschaftsjurist UNI Bayreuth und Wirtschaftsmediator. Er ist darauf spezialisiert, Anwaltskanzleien und Rechtsabteilungen wirtschaftlich zu beraten. Er hat hierfür den Ansatz LLM – Lean Law Management® entwickelt, ein moderner, speziell für die Ansprüche von Anwaltskanzleien entwickelter Ansatz, der Lean-Management-Grundsätze anwendet, um die Prozesse in Anwaltskanzleien effizienter zu gestalten, um dadurch Kosten zu sparen und den Umsatz zu steigern. Frank von Thun startete seine juristische Karriere bei PriceWaterhouseCoopers Veltins und bringt seine langjährige Beratungserfahrung aus der Industrie zum Wohle seiner Kunden ein.

WÄLCHLI, URS

Urs Wälchli ist Unternehmensjurist, Rechtsanwalt und Executive M.B.L.-HSG und hat langjährige Erfahrung im internationalen Legal Management. Urs Wälchli ist Leiter Recht & Personal und Geschäftsleitungsmitglied der V-Zug AG. In seiner vorherigen Funktion war er als Group General Counsel verantwortlich für die Bereiche Legal, Compliance und Insurance eines globalen Personaldienstleistungs-Unternehmens. Zudem unterstützte er als Corporate Secretary den Verwaltungsrat der Gruppe in rechtlichen, Corporate Governance und organisatorischen Belangen. Davor war Urs Wälchli in leitenden Positionen bei einem internationalen Technologiekonzern und in der Versicherungs- und Finanzwirtschaft tätig. Urs Wälchli hat Lehraufträge für Legal Management an der Executive School of Management, Technology & Law der Universität St. Gallen und für Kartell- und Wettbewerbsrecht an der Universität Konstanz.

WEILER, JOHANNES H.

Johannes H. Weiler ist praktizierender Rechtsanwalt, Betriebswirt (VWA) und Lehrbeauftragter an der Hochschule Rosenheim. Er gründete 1987 die Kanzlei Weiler & Partner, leitet dort den China Desk und ist schwerpunktmässig tätig in den Bereichen Handels- und Gesellschaftsrecht, Produktsicherheits- und Produkthaftungsrecht sowie im Bereich Forderungsmanagement. Johannes H. Weiler ist Leiter des Wirtschaftsförderungsbüros der Stadt Unterschleissheim in Hangzhou, China. Er ist überdies in Deutschland, Korea und China als Dozent tätig.

WEISS, WOLFGANG

Prof. Dr. Wolfgang Weiss studierte Rechts- und Wirtschaftswissenschaften an den Universitäten Bayreuth und Augsburg und promovierte im internationalen Steuerrecht. Er war Steuerassessor und Richter am Finanzgericht und wechselte anschliessend in die Industrie in den Funktionen als Syndikus, kaufmännischer Geschäftsführer und Sprecher der Geschäftsführung (Unternehmen der Automobilzulieferer-, Chemiefaserindustrie und Luft- und Raumfahrt). Er arbeitet als Professor am internationalen MBA-Programm Financial Management der Hochschule Coburg und ist darüber hinaus als Rechtsanwalt zugelassen und in der Unternehmensberatung tätig. Aktuell ist er Head of Management der Region Deutschland der Linklaters LLP. Er ist darüber hinaus Mitglied des deutschen Führungsorgans, des German Executive Teams, des European Committee, des globalen Business-Service-Leadership-Teams und leitet die Business-Service-Funktionen der Kanzlei. Wolfgang Weiss wurde Managing Partner/COO des Jahres 2011 bei den PMN Management Awards 2011.

WILLIAMS, GEORGE M. JR.

George M. Williams jr. ist Partner im New Yorker Büro der internationalen Kanzlei Dewey & LeBoeuf LLP. Er betätigt sich vornehmlich auf den Gebieten des Bank-, Gesellschafts- und Wertpapierrechts, ist Vorsitzender des Legal Opinion Committee von Dewey & LeBoeuf und Mitglied des TriBar Opinion Committee, einer Gruppe von Anwälten, die sich bemüht, die Funktion, den Inhalt und die Formulierung von sogenannten Closing Opinions oder Third-Party Legal Opinions besser zu verstehen und in sorgfältigen Berichten für den Gebrauch amerikanischer Anwälte zu beschreiben. Er ist auch promovierter Sprachwissenschaftler und untersucht juristische Argumentationspraktiken.

WOLFF, UWE

Uwe Wolff ist Kommunikationsberater und Geschäftsführer der NAIMA Strategic Legal Services GmbH (Berlin/Brüssel), der ersten auf Litigation-PR/strategische Rechtskommunikation spezialisierten Kommunikationsagentur. Er berät nationale und internationale Unternehmen, Banken, Verbände, Organisationen bei juristischen Auseinandersetzungen. Er ist Autor des ersten deutschsprachigen Standardwerkes zur Litigation-PR «Im Namen der Öffentlichkeit – Litigation-PR als strategisches Instrument bei juristischen Auseinandersetzungen» und des Buches «Medienarbeit für Rechtsanwälte – Ein Handbuch für effektive Kanzlei-PR». Uwe Wolff publiziert regelmässig zum Thema Litigation-PR, hält zu diesem Thema Vorlesungen an Hochschulen und wird als Redner zu Symposien und Fachtagungen eingeladen.

WRATZFELD, KURT

Dr. Kurt Wratzfeld ist Rechtsanwalt in Wien und geschäftsführender Gesellschafter der Fellner Wratzfeld & Partner Rechtsanwälte GmbH. Er ist vorwiegend im Bereich des Arbeitsrechts, Betriebspensionsrechts und Gesellschaftsrechts tätig. Kurt Wratzfeld publiziert regelmässig Aufsätze und Beiträge in österreichischen juristischen Fachzeitschriften und ist als Fachvortragender tätig.

ZINDEL, GAUDENZ G.

Dr. Gaudenz G. Zindel, Rechtsanwalt, LL.M., befasst sich seit vielen Jahren mit den Entwicklungen des anwaltlichen Berufsrechts in der Schweiz. Er war Präsident des Zürcher Anwaltsverbandes 2001/2002, ist Mitglied des Fachausschusses Anwaltsrecht des Schweizerischen Anwaltsverbandes und wirkt im Expertenkomitee zur Erarbeitung des neuen Schweizerischen Anwaltsgesetzes mit. Er ist Mitherausgeber des «Kommentars zum Anwaltsgesetz» (Fellmann/Zindel, 2. Auflage 2011) und Redaktor der «Schweizerischen Juristen-Zeitung». Er ist ferner Mitglied des Vorstandes des Europa Instituts an der Universität Zürich und leitet die jährlichen Aktienrechtstagungen.

Kapitel 1
Festlegung der Kanzleistrategie

A. Einführung und Übersicht

LEO STAUB

1. Mehr Wettbewerb im Anwaltsmarkt

Der Wettbewerb im Markt für anwaltliche Dienstleistungen nimmt kontinuierlich an Intensität zu[1]: die Zahl der Anbieter wächst, neuen Anbietern gelingt es, anwaltliche Angebote zu substituieren, und die Erwartungen der Mandanten steigen[2]. 1

1.1 Anbieter rechtlicher Dienstleistungen

Die Zahl praktizierender Anwälte ist über die vergangenen Jahrzehnte bis heute kontinuierlich angestiegen[3]. Vor zehn Jahren wies der Schweizerische Anwaltsverband (SAV) noch 6456 Mitglieder aus. Heute sind es 8620[4]. Das entspricht einem Anstieg in dieser Periode von 33,5% oder mehr als 3% pro Jahr. Noch wesentlich akzentuierter verlief die Entwicklung im selben Zeitraum in Deutschland. Praktizierten dort im Jahr 2001 noch 110367 Anwälte, waren es 2011 bereits 155679[5], was einem Zuwachs in den letzten zehn Jahren von 41% gleichkommt, durchschnittlich also von über 4% pro Jahr. 2

Der Markt für anwaltliche Dienstleistungen geriet aber nicht nur durch den blossen Zuwachs an Anwälten unter Druck. Der Tarifschutz für Anwälte ist in vielen Jurisdiktionen aus wettbewerbsrechtlichen Gründen weitgehend weggefallen, die in Rechtsabteilungen von Unternehmen beschäftigten Kolleginnen und Kollegen werden ebenfalls zahlreicher (und kompetenter[6]) und bemühen sich selbstbewusst um die Zuerkennung 3

---

1 Hartung, Markus: Strategische Ausrichtung von Kanzleien. In: Schieblon, Claudia (Hrsg.): Kanzleimanagement in der Praxis, Wiesbaden 2011, S. 26 ff.

2 Damit steht der Anwaltsmarkt nicht allein. Michael Porter hat diese Phänomene bereits in den Neunzigerjahren in seinem «Fünf-Kräfte-Modell» beschrieben. Vgl. dazu von Krogh, Georg: Strategie als Ordnungsmoment. In: Dubs, Rolf / Euler, Dieter / Rüegg-Stürm, Johannes / Wyss, Christina E. (Hrsg.): Einführung in die Managementlehre 1, 2. Auflage, Bern 2004, S. 400. Danach ist die Wettbewerbsintensität in einer Branche abhängig vom Verhalten der Lieferanten und Kunden, von potenziellen neuen Konkurrenten und von Substitutionsmöglichkeiten für ein bestehendes Angebot.

3 Heussen, Benno: Die Anwaltsdichte in der Schweiz, Österreich und Deutschland im Verhältnis zu anderen Staaten – Ein internationaler Vergleich. In: Anwalts Revue 10/2006, S. 392 ff.

4 Vgl. http://www.swisslawyers.com/de/04_sav/04_Mitgliederstatistik/00_mitgliederstatistik.htm (Abfrage vom 1. April 2011). Davon sind knapp 24% Frauen.

5 Vgl. http://www.brak.de/seiten/08_02.php (Abfrage vom 1. April 2011).

6 Heineman, Ben: The General Counsel as Lawyer-Statesman: A US Perspective. In: Hambloch-Gesinn, Sylvie / Hess, Beat / Meier, Andreas L. / Schiltknecht, Reto / Wind, Christian (Hrsg.): In-house Counsel in internationalen Unternehmen. Basel 2010, S. 29.

anwaltlicher Privilegien (Anwaltsgeheimnis)[7]. «Para-anwaltliche» Dienstleister schliesslich wie Treuhandunternehmen, Unternehmensberater, Rechtsauskunftsstellen von Verbänden, Banken, Versicherungen oder Brokern bewegen sich immer prominenter in einem Markt, der traditionell Anwälten vorbehalten war[8]. Wo noch vor wenigen Jahrzehnten klar war, dass rechtlicher Rat und Beistand beim freischaffenden Anwalt gesucht werden mussten, sieht sich der potenzielle Mandant heute einer Vielzahl von Anbietern gegenüber[9].

1.2 Nachfrager rechtlicher Dienstleistungen

4 Im selben Zeitraum ist als Folge der zunehmenden «Verrechtlichung» von Gesellschaft und Wirtschaft[10] bei gleichzeitig gestiegener Bereitschaft von Menschen und Unternehmen, immer höhere Risiken einzugehen, und dem damit einhergehenden Bedürfnis, diese Risiken möglichst gut abzusichern, zwar auch die Nachfrage nach juristischen Dienstleistungen gewachsen. Dennoch: Der Wettbewerb im Anwaltsgeschäft ist härter geworden, und zwar in allen Segmenten des Anwaltsmarktes!

1.2.1 Preisdruck und abnehmende Mandantentreue

5 Insbesondere im Markt für wirtschaftsrechtliche Dienstleistungen ist ein enormer Druck auf die Honorarsätze zu beobachten. Ein immer grösserer Teil dieser Dienstleistungen wird von nachfragenden Unternehmen als Commodity betrachtet, als nicht exklusives Gut also, das von einer Vielzahl von Anbietern bezogen werden kann. Due Diligences etwa, Beratungsleistungen im Rahmen von gängigen Vertragstypen, beispielsweise im Bankgeschäft, oder nicht allzu komplexe Börsengänge werden heute zu Honorarsätzen vergeben, die deutlich unter denen liegen, die noch vor wenigen Jahren zu erzielen waren. Kommt hinzu, dass vor allem grössere Unternehmen dazu übergegangen sind, anwaltliche Dienstleistungen im normalen Beschaffungsprozess einzukaufen, wie er auch für den Erwerb von Rohstoffen oder Büromaterial zur Anwendung kommt. Selbst Anwaltskanzleien, mit denen eine langjährige Beziehung besteht, werden von Unternehmensmandanten heute bei grösseren Projekten aufgefordert, ihre Dienstleistungen im Wettbewerb mit anderen Kanzleien zu offerieren. Und: Die Entwicklung weg von der

7 Schiltknecht, Reto: Zum Berufsgeheimnis des Unternehmensjuristen – eine Auslegeordnung aus schweizerischer Sicht. In: Hambloch-Gesinn, Sylvie / Hess, Beat / Meier, Andreas L. / Schiltknecht, Reto / Wind, Christian (Hrsg.): In-house Counsel in internationalen Unternehmen. Basel 2010, S. 189 ff.; Henrich, Martin: Ein Berufsgeheimnis für Unternehmensanwältinnen und Unternehmensanwälte. In: Anwalts Revue 2/2008, S. 55 ff.

8 Heussen, Benno: Anwaltsunternehmen führen. München 2009, S. 14 f.

9 Staehelin, Ernst: Der Rechtsanwalt im Wandel der Zeit. In: Anwalts Revue 9/2009, S. 439.

10 Staub, Leo: Recht in der Unternehmensführung. In: io new management, Heft Nr. 6/Juni 2011, S. 57–59; derselbe: Wie viel Recht ist recht? In: Finanz und Wirtschaft vom 9. Februar 2011, Leitartikel S. 1.

simplen Abrechnung des getätigten Aufwandes im Mandat hin zu für den Mandanten attraktiveren alternativen Honorarmodellen ist ein immer deutlicher sichtbarer Trend[11].

Folge dieser Entwicklung ist nicht nur ein gestiegener Preisdruck im Verhältnis zu Unter- 6
nehmensmandanten, sondern auch eine Abnahme der Mandantentreue. Wo früher die einzige «Hauskanzlei» praktisch ein Beratungs- und Vertretungsmonopol hatte, verkehren Unternehmen heute oft mit mehreren ausgewählten Kanzleien – meist in sogenannten «Panels» organisiert – und schliessen mit diesen Rahmenvereinbarungen ab, in denen unter anderem unentgeltliche Leistungen zugunsten des Mandanten (z.B. Schulungsleistungen) und reduzierte Honorarsätze[12] verabredet werden. Im Gegenzug stellen diese Unternehmen dann den betreffenden Kanzleien Mandate in Aussicht, oft ohne jedoch in der Regel eine feste Verpflichtung zur Mandatsvergabe einzugehen.

1.2.2 Gestiegene Anforderungen an Anwaltskanzleien als Folge der Globalisierung der Wirtschaft

Grossen Einfluss auf die Nachfrage nach (wirtschafts-)rechtlichen Dienstleistungen hat 7
auch die Globalisierung der Wirtschaft[13]. Das ist nicht nur ein Phänomen, das Grossunternehmen betrifft. Eigentliche Globalisierungsgewinner sind nämlich häufig – und typischerweise – KMU, die als Zulieferer oder Nischenanbieter den Weltmarkt erobern. Diese Unternehmen sind auf anwaltliche Dienstleistungen angewiesen, die bis vor kurzem ausschliesslich durch grosse Anwaltsfirmen oder durch sogenannte Anwaltsboutiquen in den Finanzzentren erbracht wurden. Regional oder lokal tätige Anwaltskanzleien, die solche KMU betreuen und die Erosion ihrer Unternehmensklientel verhindern wollen, müssen ihr Angebot deshalb weiterentwickeln. Die betreffenden Kanzleien müssen Spezialisten einstellen, unter Umständen eine aufwendigere IT-Infrastruktur betreiben, eventuell sogar weitere Standorte in wichtigen Zentren eröffnen. Diese Entwicklung geht regelmässig mit einem Anstieg der Kanzleikosten einher, der oft nicht ohne Weiteres auf die Preise überwälzt werden kann.

International tätige Anwaltsfirmen sind dem Trend zur Globalisierung ohnehin unge- 8
bremst ausgesetzt. Für sie gilt es, ihren Mandanten in bisher fremde Länder und Märkte

11 Staub, Leo: Der In-house Legal Counsel und die Rechtsabteilung im Jahre 2020. In: Hambloch-Gesinn, Sylvie / Hess, Beat / Meier, Andreas L. / Schiltknecht, Reto / Wind, Christian (Hrsg.): In-house Counsel in internationalen Unternehmen. Basel 2010, S. 49; Krämer, Andreas: Mehr Bewegung bei der Honorargestaltung. In: Anwalts Revue 1/2005, S. 7 ff.; Wolf, Mark / Notestine, Kerry: Controlling Outside Counsel Costs through an Alternative Billing Model. In: ACC Docket, May 2008, S. 70 ff.

12 Watter, Rolf: Gedanken eines langjährigen Rechtsberaters von Unternehmen. In: Hambloch-Gesinn, Sylvie / Hess, Beat / Meier, Andreas L. / Schiltknecht, Reto / Wind, Christian (Hrsg.): In-house Counsel in internationalen Unternehmen. Basel 2010, S. 254 f.

13 Hommerich, Christoph: Mit Strategie zum Erfolg – Anwaltskanzleien im Wettbewerb. In: Anwalt, April 2001, S. 28; Drolshammer, Jens: Internationalisierung der Rechtsausbildung und Forschung – eine Agenda für die interdisziplinär ausgerichtete Ausbildung zum in Wirtschaft und Management tätigen International Lawyer. Basel 2000, S. 13 ff.

zu folgen, neue Standorte zu begründen oder das Korrespondentennetz auszuweiten. Immer häufiger genügt es zudem nicht mehr, sich in einer Jurisdiktion oder in einem bestimmten Rechtsgebiet gut auszukennen. Gefragt ist zunehmend die Fähigkeit, komplexe Grossmandate über Landesgrenzen hinweg mit Methoden modernen Projektmanagements professionell zu führen, sich in verschiedenen Kulturen und Sprachen zurechtzufinden und über die Kompetenz zu verfügen, Schnittstellen zu anderen Disziplinen zu beherrschen.

2. Notwendigkeit und Ziele strategischer Planung

9 In diesem Umfeld ist es unerlässlich, dass sich die Anwaltskanzlei bewusst strategisch positioniert. Sie muss ihren Platz im Markt finden und durch systematische strategische Planung sicherstellen, dass sie langfristig erfolgreich ist[14].

10 In den letzten zwei Jahrzehnten ist deutlich geworden, dass sich der Anwaltsmarkt immer klarer in zwei Hauptangebotssegmente teilt: Es gibt einen Markt für anspruchsvolle wirtschaftsrechtliche Dienstleistungen zugunsten von national und international ausgerichteten Unternehmen einerseits und einen solchen für die juristische Grundversorgung von Privatpersonen und regional tätigen Unternehmen anderseits. Beide Märkte funktionieren nach je eigenen Regeln und Gesetzmässigkeiten. Der eine verlangt nach Spezialisten, ausgebauten Stellvertretungsregelungen, arbeitsteiligem Vorgehen, exzellenten Sprachkenntnissen, internationalen Verbindungen und einer gewissen Grösse der Kanzlei, der andere nach Generalisten, flexiblen Arbeitsprozessen, einem tragfähigen Beziehungsnetz und guter Verankerung im lokalen Umfeld. Beiden Märkten gemeinsam ist, dass gute Fachkenntnisse und hohe soziale Kompetenz notwendig sind, um erfolgreich zu sein. Wirtschaftlich können beide Märkte sehr interessant sein, auch wenn das Partnereinkommen in erfolgreichen Wirtschaftskanzleien im Durchschnitt wohl höher ist als in einer typischen lokalen Allgemeinpraxis.[15] Dafür liegen die Vorteile einer günstigen Kostenstruktur eher bei den juristischen Grundversorgern. Es gilt jedenfalls, sich im Markt zu positionieren. Dazu braucht es eine Strategie.

11 Zu den Begriffen «Strategie» und «strategische Planung» existieren zahlreiche Definitionen. Ihnen allen ist gemeinsam, dass darunter die Festlegung langfristiger Zielsetzungen für das Unternehmen verstanden wird[16]. Diese Zielsetzungen sollen Antworten auf die Fragen geben, welche Produkte und Dienstleistungen wir welchen Kunden auf

---

[14] Hartung, Markus: (K)Ein Bermudadreieck – Anwälte, Strategien, Konflikte. In: Deutscher AnwaltSpiegel, Printausgabe 2009/2010, S. 26 ff.; Heussen, Benno: Anwaltsunternehmen führen, 2. Auflage München 2011, S. 54 ff.; Müller-Stewens, Günter / Drolshammer, Jens: Managing the International Law Firm: Nuisance or Necessity? In: European Journal of Law Reform, Vol. 2/Issue4/2000, S. 630.

[15] Staub, Leo: Strategieentwicklung in der Anwaltskanzlei. In: Anwalts Revue 6–7/2009, S. 300–304.

[16] Müller-Stewens, Günter / Lechner, Christoph, Strategisches Management, 4. Auflage Stuttgart 2011, S. 7 ff.; Sander, Gudrun / Bauer, Elisabeth: Strategieentwicklung kurz und klar, Bern 2006, S. 15 f.; Fueg-

welchen Märkten anbieten und wie wir das tun wollen. Die Strategie eines Unternehmens soll so gefasst werden, dass potenzielle Kunden das Unternehmen in seiner «Einzigartigkeit» erkennen und bereit sind, dessen Produkte und Dienstleistungen zu einem für das Unternehmen interessanten Preis zu erwerben[17].

Damit ist der Zweck jeder Strategie angesprochen: Letztlich geht es darum, eine Strategie zu finden und zu verfolgen, die den Wert der Kanzlei erhöht und deren langfristige Existenz sicherstellt. Die Kanzlei muss ihre Entscheidungen im Praxisalltag an dieser Strategie ausrichten können. Die Strategie soll Leitlinie sein und gewährleisten, dass die richtigen Dinge richtig gemacht werden[18]. 12

3. Strategische Perspektiven

Die Definition von «Strategie» als langfristige Festlegung auf erarbeitete Ziele ist auf den ersten Blick einfach. Wessen Interessen sollen aber bestimmend für die Zielfindung sein? Oder anders ausgedrückt: Muss eine Strategie den Anspruch erfüllen, den Interessen der Kanzleieigner zu genügen oder den Bedürfnissen der Mandantschaft? Soll sie den nachhaltigen Betrieb der Kanzlei in definierten Bahnen *(run the business)* gewährleisten oder sicherstellen, dass die Kanzlei in der Lage ist, sich verändernden Umständen möglichst flexibel anzupassen *(change the business)?* Soll die Strategie den Standards nacheifern, welche die Besten der Branche setzen, oder will die Kanzlei mit ihrer Strategie möglichst markante Unterschiede zum Auftritt ihrer Mitbewerber schaffen? 13

Diese Fragen zeigen, dass es den einen Königsweg zu einer erfolgreichen Strategie nicht gibt. Im Prozess der Strategiefindung muss vielmehr im Sinne einer Auslegeordnung ein Überblick über die verschiedenen strategischen Perspektiven geschaffen werden. Widersprüche müssen ausgeräumt, und es muss der Versuch unternommen werden, eine Strategie zu erarbeiten, die im Licht all dieser Perspektiven in sich stimmig ist. 14

3.1 Eignerstrategie

Hier geht es darum, herauszufinden, was den Partnern bei der Festlegung der langfristigen Kanzleiziele wichtig ist. In der Praxis kommen sehr unterschiedliche Positionsbezüge vor: 15

---

listaller, Urs / Müller, Christoph / Volery, Thierry: Entrepreneurship, Wiesbaden 2004, S. 124 f.; Thommen Jean-Paul: Managementorientierte Betriebswirtschaftslehre, 7. Auflage, Zürich 2004, S. 716.

[17] Hommerich, Christoph, 2001, S. 29 f., Jahn, Joachim: Mit Strategie zum Profil. BRAK Magazin, Ausgabe 2/2006, S. 11.

[18] Rüegg-Stürm, Johannes: Das neue St. Galler Management-Modell, 2. Auflage, Bern 2003, S. 37.

3.1.1 Einkommen und Vermögensbildung versus Idealismus

16 Viele Anwälte sehen in ihrem Beruf heute weniger die Position als Organ der Rechtspflege[19]. Für sie ist der Betrieb einer Kanzlei ein Geschäft wie jedes andere, vergleichbar mit weiteren sogenannten professionellen Dienstleistern wie etwa Steuerberatern, Wirtschaftsprüfern, Unternehmensberatern oder Ingenieurunternehmen. Neben der Befriedigung, sich im Beruf mit hoch interessanten juristischen Fragestellungen beschäftigen zu dürfen, spielt vor allem das wirtschaftliche Fortkommen eine grosse Rolle[20]. Man will ein angemessen hohes Einkommen generieren, das einen schönen Lebensstandard und die Bildung eines kleineren oder grösseren Vermögens ermöglicht.

17 Der entgegengesetzte Positionsbezug könnte mit «idealistisch» umschrieben werden. Hier verstehen sich Anwälte in erster Linie als Diener des Rechts, oft mit weltanschaulicher Prägung. In solchen Kanzleien setzen sich Anwälte beispielsweise als Strafverteidiger, Mieter- oder Arbeitnehmervertreter für sozial Benachteiligte ein. Sie fechten etwa für die Durchsetzung politischer Rechte oder Menschenrechte, oder sie sehen sich als Kämpfer für Patientenrechte.

3.1.2 Lebens- und Unternehmenszyklus

18 In eher kleineren Verhältnissen ist oft zu beobachten, dass Anwälte ihre Kanzlei auf ihren eigenen beruflichen Lebenszyklus hin massschneidern. Der Betrieb einer Kanzlei wird nicht als unternehmerisches Projekt verstanden, das neben der Person des betreffenden Anwalts eine eigenständige Bedeutung hat. Die Kanzlei wird mit dem Eintritt des Anwalts in das Berufsleben gegründet und dann vielleicht noch um ein paar Gleichgesinnte erweitert, die miteinander die Kanzleikosten teilen. Gegen Ende des Berufslebens hin nehmen die Kanzleiaktivitäten ab, schlafen ganz ein oder werden durch einen jungen Nachfolger und unter neuem Namen weitergeführt[21]. Der Lebenszyklus der Kanzlei stimmt mit dem Lebenszyklus des Anwalts überein. Im Kanzleinamen sind meist alle gegenwärtig aktiven Partner aufgeführt.

19 Mittlere und grössere Kanzleien hingegen streben in der Regel nach einer unternehmerischen Verstetigung und nach einer gewissen Unabhängigkeit von einzelnen Partnern. Die Kanzlei soll deren Partner als Unternehmen überleben. Sie hat eigene Bedürfnisse und ist nicht nur Plattform für die Befriedigung der Bedürfnisse ihrer Partner. Die Kanzlei trägt in diesem Verständnis Verantwortung als Arbeitgeberin, als Ausbildnerin oder als langfristige Partnerin ihrer Mandanten. In jüngerer Zeit sind es insbesondere solche

[19] Baumann, Robert: Der Anwalt im Visier des Staates – Erwartungen des Gesetzgebers an die Rolle des Anwaltes in einer freien Marktwirtschaft. In: AJP 1/2008, S. 43 ff.

[20] Weber, Bruno / Siegert, Theo / Gomez, Peter: Firmen kaufen und verkaufen – ein M&A-Leitfaden für Unternehmer und Manager, Frankfurt 2007, S. 15 ff.; Fueglistaller/Müller/Volery, 2004, S. 46 ff.

[21] Miescher, Matthias / Galli, Patrik: Anwaltsbüro: Nachfolgeregelung. In: Anwalts Revue 9/2008, S. 410 ff.

Kanzleien, die über ihre Umwandlung in Kapitalgesellschaften festere korporative Strukturen schaffen. Typisch ist für solche Kanzleien auch, dass sie nicht nur blosse Kostentragungsgemeinschaften bilden, sondern eben auch die Kanzleierträge in einen Topf legen und nach Abzug der Kosten mittels eines festgelegten Schlüssels auf die Partner aufteilen. Die Bezeichnung der Kanzlei ist oft nur noch eine mehr oder weniger abstrakte Firma, die keinen oder lediglich einen beschränkten Bezug zu den Namen der Partner hat.

3.2 Wettbewerbsstrategie

Bei der Festlegung einer Strategie spielt das Verhältnis zum Wettbewerb eine bedeutende Rolle: Geht es der Kanzlei darum, in gewissen Aspekten gleich wahrgenommen zu werden wie die (erfolgreichen) Mitbewerber? Oder soll im Gegenteil ein Auftritt angestrebt werden, der sich möglichst von jenem der Konkurrenten abhebt? Wie gelingt es, die sich kaum stark unterscheidenden Erwartungen bestimmter Mandantensegmente an die Leistungen einer Anwaltskanzlei zu erfüllen, sich gleichzeitig aber so zu positionieren, dass die eigene Kanzlei aus dem Feld der Anbieter rechtlicher Dienstleistungen hervorsticht? Wie schliesslich soll der Erfolg der Kanzlei im Verhältnis zu den Mitbewerbern gemessen werden: Geht es darum, höhere durchschnittliche Partnereinkommen ausweisen zu können, oder ist die Anzahl der Berufsträger, der Erfolg bei der Rekrutierung der besten Studienabgänger oder die Nennung in den nationalen und internationalen Rankings der entscheidende Massstab? 20

Die Erarbeitung einer eigenständigen, vom Wettbewerb sich unterscheidenden Position im Markt ist wichtig. Eine solche Wettbewerbsstrategie ist in einem relativ homogenen Angebotsumfeld oft die einzige Orientierungshilfe für Mandanten. Es geht hier also darum, Elemente der eigenen Strategie herauszuarbeiten, die im Verhältnis zum Wettbewerb als einzigartig wahrgenommen werden[22]. Die Möglichkeiten für eine entsprechende Profilierung sind zahlreich: So kann beispielsweise ein besonders enger Bezug von Partnern zu einer akademischen Tätigkeit angestrebt werden, ein Engagement von Partnern in Gesellschaft, Politik oder Kultur, eine bewusste Beschränkung auf hochqualifizierte, prestigeträchtige Dienstleistungen, eine führende Stellung bei Internet-basierten Angeboten oder die besondere (fachliche oder regionale) Nähe zu einer bestimmten Industrie. 21

In der Praxis besonders bedeutsam aber ist die Entscheidung der Frage, ob die Kanzlei sich über ihr Angebot oder über ihre Preise profilieren will. Es geht also darum, ob eine möglichst grosse Differenzierung im Angebot oder ob die Kosten- und damit die Preisführerschaft angestrebt wird[23]. Eine Differenzierungsstrategie kann bedeuten, dass 22

[22] Axmann, Mario / Degen, Thomas A.: Der Weg zum Kanzleierfolg – Der Businessplan als Anwaltsstrategie. In: BRAK Magazin, Ausgabe 2/2006. S. 5.

[23] Von Krogh, 2004, S. 403 f.; Müller-Stewens, Günter: Strategische Entwicklungsprozesse. In: Dubs, Rolf / Euler, Dieter / Rüegg-Stürm, Johannes / Wyss, Christina E. (Hrsg.): Einführung in die Management-

ich ein breiteres oder – gestützt auf Spezialisierung – engeres Dienstleistungsportfolio anbiete als meine Wettbewerber oder dass ich eine besonders hohe Beratungsqualität in speziell komplexen Rechtsfragen anstrebe. Wählt die Kanzlei die Differenzierungsstrategie, so wird sie im Vergleich zum Wettbewerb höhere Kosten haben, aber in der Regel eben auch höhere Honoraransätze durchsetzen können. Wählt sie hingegen die Kosten- und Preisführerschaft als ihre Strategie, so wird sie darauf achten, dass sie in der Erstellung ihrer Dienstleistung einen möglichst hohen Standardisierungsgrad erreicht. Sie wird in dazu geeigneten Fällen mit Vertrags- und Schriftsatzvorlagen arbeiten und sich auf die Erbringung von nicht allzu komplexen Dienstleistungen konzentrieren. Gelingt es ihr, die Kosten der Erstellung ihrer Dienstleistungen über eine Optimierung der Prozesse und Beschaffungskosten (namentlich die Lohn-, IT- und Mietkosten) tief zu halten, kann sie diese Dienstleistungen auf dem Markt günstig anbieten. Dank Standardisierung und tiefer Produktionskosten werden trotzdem eine vernünftige Marge und ein angemessenes Partnereinkommen resultieren[24].

3.3 Produkt-/Marktstrategie

23 Entscheidend für die Erarbeitung einer Kanzleistrategie ist die Definition einer überzeugenden Produkt-/Marktstrategie. Hier geht es also um die Frage, mit welchen Dienstleistungen ich welche Mandanten ansprechen möchte. Bei der Erarbeitung einer solchen Strategie wird üblicherweise mit folgender Matrix gearbeitet:

Rückzug	Produktkonstante Marktverdichtung	Progressive Marktverdichtung	**Abbau der Märkte**
Marktkonstante Produktverdichtung	Marktdurchdringung	Produktentwicklung	**Gegenwärtig bediente Märkte**
Progressive Produktverdichtung	Marktentwicklung	Diversifikation	**Neue Märkte**
Abbau der Produkte/ Dienstleistungen	**Gegenwärtig angebotene Produkte/ Dienstleistungen**	**Neue Produkte/ Dienstleistungen**	

Abb. 1: Produkt-/Marktmatrix[25]

24 Alle möglichen Entscheidungsoptionen im Spannungsfeld zwischen dem Dienstleistungssortiment der Kanzlei und ihren Märkten (geografisch und nach Mandantensegmenten

lehre 2, Bern 2004, S. 58; Fueglistaller/Müller/Voléry, 2004, S. 127 f.; vgl. dazu auch hinten Kapitel 2 Abschnitt 2.4.

[24] Krämer, Andreas / Mauer, Reinhold: Anwaltliche Low-Cost-Beratung – Gefahr und/oder Chance für den Berufsstand. In: Anwalts Revue 5/2006, S. 197 ff.

[25] Müller-Stewens/Lechner, 2011, S. 255.

differenziert) sind in dieser Matrix aufgetragen. So wird die Kanzlei möglicherweise darauf bedacht sein, in bestehenden Märkten und mit bestehenden Dienstleistungen ihre Marktdurchdringung zu verbessern und sich vielleicht das Ziel setzen, einen höheren Marktanteil zu erreichen. Oder sie wird danach trachten, sich mit neuartigen Dienstleistungen bei bestehenden Mandanten ein höheres Honorarvolumen zu erarbeiten. Vielleicht nimmt sie sich aber auch vor, ihre bestehenden Dienstleistungen über eine Erweiterung der Vertriebswege (internet-basierte Dienstleistungen oder neue Standorte) in neue Märkte hineinzutragen. Je nachdem, wie sich die Kanzlei in dieser Matrix positioniert, wird sie Entscheidungen in den Themen

- Entwicklung neuer Dienstleistungen oder Reduktion des Dienstleistungsangebotes;
- Entwicklung neuer geografischer Märkte und Erschliessung neuer Mandantensegmente oder Rückzug aus gewissen Märkten;
- Konzentration der Anstrengungen auf die Bearbeitung bisheriger Märkte mit bewährten Dienstleistungen

treffen müssen.

3.4 Wachstumsstrategie

25 Eine wichtige Weichenstellung muss auch in der Entscheidung zur Frage erfolgen, ob die Kanzlei wachsen möchte oder nicht. Wachstum ist ein zentrales Thema in jeder Unternehmensstrategie. In Gesprächen mit Anwaltskanzleien taucht zwar dann und wann die Äusserung auf: «Wir wollen nicht wachsen! So, wie es jetzt ist, ist es uns wohl.». Heute ist aber die Erkenntnis gesichert, dass Wachstum ein Zeichen für die Gesundheit eines Unternehmens ist. Nur wenn es wächst, ist eine vitale Entwicklung gewährleistet, bleibt es attraktiv für Kunden und Mitarbeiter und ist es nachhaltig erfolgreich[26]. Es gibt keine Gründe, die dagegen sprechen, dass dies auch für eine Anwaltskanzlei gilt[27].

26 Wachstum in Anwaltskanzleien ist aber immer auch mit Risiken verbunden: Vertragen sich die neuen Partner und Mitarbeiter mit dem bestehenden Team? Genügen die bisherigen organisatorischen Vorkehrungen zur internen Kommunikation, zur Entscheidungsfindung und zur Qualitätssicherung, oder wird die Kanzleiorganisation durch das Wachstum schwerfälliger? Kann die Führungsarbeit in der Kanzlei wie bisher durch die freiwillige Übernahme von Führungsaufgaben geleistet werden, oder braucht es eine

26 Ferlic, Flora / Gomez, Peter / Raisch, Sebastian: Wie ihr Unternehmen gesund wächst. In: Harvard Business Manager 2009, S. 105 ff.

27 Ringlstetter, Max / Kaiser, Stephan / Bürger, Bernd: Strategische Entwicklungsoptionen für Professional Services Firms. In: Betriebs Berater Beilage 111, Heft 41/2005, S. 5 ff. sprechen gar von einem «inhärenten Wachstumszwang», den sie mit zunehmender Wettbewerbsintensität und den Anreizsystemen und Karriereversprechungen für Associates begründen.

vollamtliche Führungsmannschaft, die keine oder nur noch wenig Mandatsarbeit leistet? Steigt der Fixkostenblock mit zunehmender Organisationsdichte? Daneben gibt es aber natürlich auch Risiken, die direkt mit der gewählten Wachstumsmethode oder mit der Frage zu tun haben, wie weit die angedachte Ausweitung des Geschäftsfeldes der Kanzlei vom ursprünglichen Kerngeschäft entfernt ist.

27 Untersuchungen an der Universität St. Gallen haben gezeigt, dass Wachstum innerhalb eines bestimmten Korridors erfolgen muss, damit es nachhaltig rentabel ist[28]. Dieser Korridor wird beschrieben einerseits durch eine untere und eine obere Begrenzung. Die Untergrenze des Wachstums von Unternehmen ergibt sich aus dem Wettbewerbsumfeld: Unternehmen müssen mindestens so schnell wachsen wie ihre direkten Mitbewerber, wie Kanzleien also mit vergleichbarer Grösse und Marktposition. Wir sprechen in diesem Zusammenhang von der sogenannten «kompetitiven Wachstumsrate», gemessen am durchschnittlichen Honorarwachstum der wichtigsten Konkurrenten. Die Obergrenze gesunden Wachstums ergibt sich aus der sogenannten «nachhaltigen Wachstumsrate». Das ist jenes Wachstum, welches die Kanzlei aus Eigenmitteln bzw. aus Mitteln der Partner finanzieren kann, ohne neue Schulden einzugehen. Daraus ergibt sich die Formel, dass jene Kanzleien besonders erfolgreich sind, die schneller als ihre Wettbewerber, aber innerhalb ihrer Möglichkeiten zur Eigenfinanzierung wachsen.

28 Rentabilität ist aber natürlich nur ein Kriterium unter vielen, die bei der Festlegung auf eine Wachstumsstrategie eine Rolle spielen. Massgeblich sind namentlich auch inhaltliche und vorgehensorientierte Kriterien. Wenn man unter diesem Aspekt über Wachstum nachdenkt, sollte man das in zwei Dimensionen tun – in der Dimension «Wachstumsmechanik» und in der Dimension «Wachstumsmethode». Bei der Wachstumsmechanik stellt sich die Frage, wie eng die Ausweitung des Geschäfts mit dem Kerngeschäft des Unternehmens zusammenhängt. Steht die Wachstumsmechanik fest, geht es bei der Wachstumsmethode um die Wahl des Weges zum Ziel.

---

[28] Ferlic/Gomez/Raisch, 2009, S. 109.

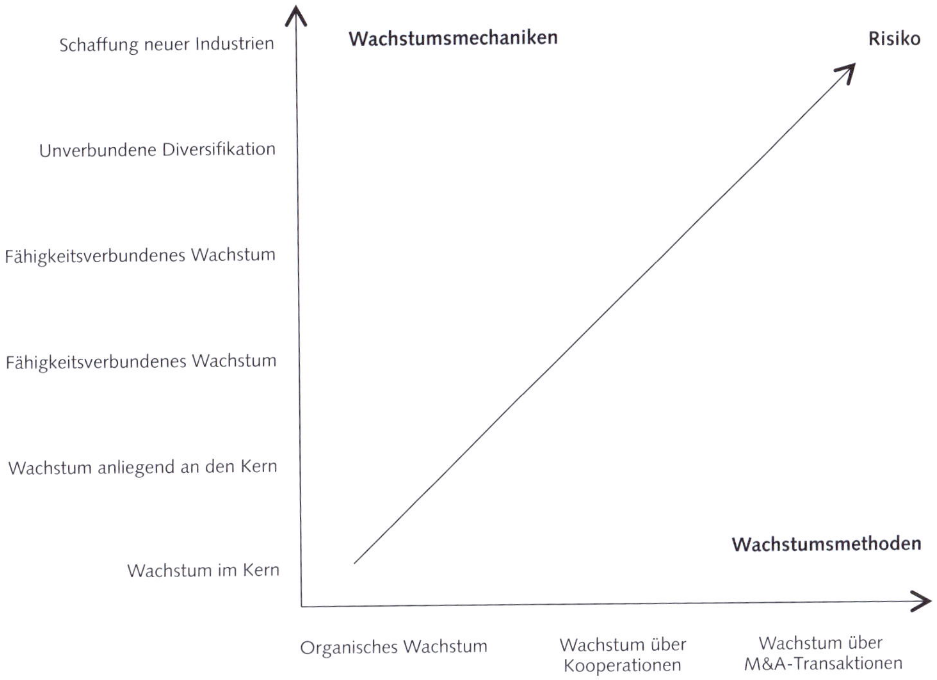

Abb. 2: Wachstumsmatrix[29]

3.4.1 Wachstumsmechaniken

3.4.1.1 Wachstum im Kern

Hier geht es im Wesentlichen darum, mehr von dem zu tun, das man kennt und mit dem man vertraut ist. Die Kanzlei bleibt also bei ihrem Kerngeschäft. Sie bietet weiterhin Dienstleistungen in den bisherigen Rechtsgebieten an. 29

3.4.1.2 Wachstum anliegend an den Kern

Wachstum anliegend an den Kern bedeutet, dass man die Geschäftstätigkeit über den eng gefassten Kern der bisherigen Aktivitäten hinaus erweitert. Die Kanzlei bietet neue Dienstleistungen an und ergänzt ihr Angebotsportfolio beispielsweise um ein Notariat, ein Family Office oder eine Steuerberatung. Oder der Mandantenkreis wird ausgeweitet, indem die bisher nur auf Banken ausgerichtete aufsichtsrechtliche Beratung auf Versicherungen ausgedehnt wird. 30

29 Lechner, Christoph: Wachstumsstrategien: Ansätze und Risiken. In: io new management 4 (2006), S. 24–28.

3.4.1.3 Fähigkeitsverbundenes Wachstum

31 Hier verlässt die Kanzlei das angestammte Geschäft. Sie nutzt aber weiterhin Fähigkeiten, die sie im bisherigen Kernbereich erfolgreich gemacht haben. Die Kanzlei hat beispielsweise eine Software entwickelt, mit welcher die Kanzleiprozesse geführt werden können. Sie pflegt und vertreibt diese Software nun gewinnbringend an andere Kanzleien.

3.4.1.4 Unverbundene Diversifikation

32 Die Kanzlei entwickelt sich über eine unverbundene Diversifikation in einen Bereich hinein, der nichts mehr mit ihrem bisherigen Geschäft zu tun hat. Beispiel: Eine Kanzlei hat Mandanten in Mitteleuropa beim Aufbau einer Vermögensverwaltungsbank beraten. Den Partnern der Kanzlei wird angeboten, sich an dieser Bank zu beteiligen.

3.4.1.5 Schaffung neuer Industrien

33 Die Schaffung neuer Industrien im Rahmen sogenannter *Blue Ocean*-Strategien ist selten zu beobachten, kommt aber natürlich vor. Als Google vor wenigen Jahrzehnten eine Suchmaschine entwickelt, oder als Facebook erstmals eine Plattform geschaffen hat, mittels der soziale Netzwerke aufgebaut werden konnten, ist der Grundstein für bislang völlig unbekannte Industrien gelegt worden.

3.4.2 Wachstumsmethoden

3.4.2.1 Organisches Wachstum

34 Der «natürliche» Weg zu mehr Mandaten und zu höherem Honorarertrag führt über organisches oder internes Wachstum. Kanzleien beschreiten diesen Weg, wenn sie erfolgreich neue Mandanten akquirieren oder wenn es ihnen gelingt, die Geschäftsbeziehung mit bisherigen Mandanten zu intensivieren. Die Kanzlei braucht mehr Personal und Raum, vielleicht sogar neue Standorte, an die sie aus der Zentrale heraus Teams entsendet. In jüngerer Zeit hat die Anstellung erfahrener Anwältinnen und Anwälte im Vergleich zur Akquisition junger Absolventen an Bedeutung zugenommen. Nicht selten ist der Zugang ganzer Teams, die dann natürlich auch – mindestens zum Teil – ihre bisherigen Mandantenbeziehungen einbringen, zu einer neuen Kanzlei zu beobachten[30]. Obwohl die Integration dieser erfahreneren Kolleginnen und Kollegen in die Kanzleigemeinschaft oft mit systemisch und kulturell anspruchsvollen Fragen verbunden ist, ist das organische Wachstum in der Regel die wohl profitabelste Wachstumsmethode[31].

[30] Ringlstetter / Kaiser / Bürger, 2005, S. 9 f.; Pothe, Christian: Business Services in der Kanzlei. In: Schieblon, Claudia (Hrsg.): Kanzleimanagement in der Praxis, Wiesbaden 2011, S. 120.

[31] Scott, Mark: The Professional Service Firm, Ashridge/Berkhamsted 2001, S. 8

Wachstum erfordert immer auch ein Überdenken der Prozesse und Strukturen in der Kanzlei[32]. Der Erfolg einer Wachstumsstrategie hängt wesentlich davon ab, dass das Wachstum im richtigen organisatorischen «Gefäss» stattfindet. Es kann sich deshalb beispielsweise empfehlen – unter Umständen zeitlich begrenzt –, besondere Teams zu schaffen, die sich wachstumsstarken Geschäftsfeldern widmen und diese mit eigenen Ressourcen auszustatten[33]. 35

3.4.2.2 Wachstum über Kooperationen

Kanzleiwachstum über Allianzen und Netzwerke ist ein bewährter Weg. Sowohl in der Schweiz wie in Deutschland, aber auch in vielen anderen Jurisdiktionen sowie länderübergreifend existieren solche Netzwerke, in denen mehr oder weniger intensiv zusammengearbeitet wird[34]. In der Regel unterstützen sich die Netzwerkpartner, indem gemeinsam Schulungsaktivitäten abgehalten, Praktikanten ausgetauscht, gemeinsam Offerten für grössere Mandate abgegeben oder gegenseitig Mandate vermittelt werden. Gelegentlich nutzen solche Netzwerke gar eine gemeinsame Bezeichnung für die angeschlossenen Kanzleien oder bündeln die Kräfte bei der Beschaffung von IT-Systemen und Internet-Lösungen. In der Regel ist die Kooperationsstruktur aber schwach. Die Weiterentwicklung der Zusammenarbeit muss immer wieder in meist langwierigen Aushandlungsprozessen vertraglich vereinbart werden. Bei Kooperationen zwischen Anwaltskanzleien sollte zudem darauf geachtet werden, dass möglichst kein Konkurrenzverhältnis zwischen den Kooperationspartnern besteht, und es muss bei der Auswahl der Kooperationspartner sichergestellt werden, dass sich die für die einzelnen Mitglieder der Kooperation ergebenden Vor- und Nachteile der Zusammenarbeit in etwa die Waage halten[35]. 36

Daneben gibt es aber natürlich auch vielfältige Formen der Kooperation mit Partnern, die nicht Anwaltskanzleien sind. Die mehr oder weniger enge Zusammenarbeit von Kanzleien mit Steuerberatern, Wirtschaftskanzleien, Treuhandunternehmen, Banken oder Versicherungen, die als Mandatsmittler für die Kanzlei tätig sind, ist oft zu beobachten. 37

---

32 Gomez, Peter: Strukturen als Ordnungsmoment. In: Dubs, Rolf / Euler, Dieter / Rüegg-Stürm, Johannes / Wyss, Christina E. (Hrsg.): Einführung in die Managementlehre 1, 2. Auflage, Bern 2004, S. 429 ff.

33 Raisch, Sebastian: Balanced Structures: Designing Organizations for Profitable Growth. In: Lan Range Planning Vol. 41 (2008), S. 501. Raisch unterscheidet Organisations-«Gefässe» (1) mit zeitlicher Seperation, (2) struktureller Separation und (3) Parallelstrukturen. (1) Er empfiehlt die zeitliche Separation in den (seltenen) Fällen, in denen eine radikale Richtungsänderung stattfinden soll. (2) Die strukturelle Separation mit hoher Autonomie der neuen Einheit ist zu bevorzugen, wenn ein neues Geschäft aufgebaut werden soll. (3) Parallelstrukturen schliesslich sollen dazu dienen, bewährte Dienstleistungen und Produkte in neue Märkte hineinzutragen.

34 Davis, Tim R.V.: Different service firms, different international strategies. In: Business Horizons 47/6, November-December 2004, S. 53.

35 Ringlstetter/Kaiser/Bürger, 2005, S. 12.

3.4.2.3 Wachstum über M&A-Transaktionen

38 In den letzten zehn bis fünfzehn Jahren sind in den angelsächsischen Ländern und auch etwa in Deutschland[36] zahlreiche Grosskanzleien auf dem Weg der Fusion oder Übernahme entstanden. Viele dieser Grosskanzleien – den grössten gehören mehrere Tausend Anwälte an – sind in verschiedenen Ländern tätig und trachten danach, multinationale Unternehmen überall dort «aus einer Hand» zu beraten, wo diese tätig werden. Auch wenn der Grad der Integration der verschiedenen Partner in den einzelnen internationalen oder gar globalen Kanzleien recht unterschiedlich ist: Gemeinsam ist all diesen Konstrukten, dass sie über eine gemeinschaftliche oberste Führung verfügen und einen vergleichsweise hohen Organisationsgrad aufweisen. Was ihre Führungsstrukturen und Prozesse betrifft, so finden sich kaum mehr Unterschiede zu Investment-Banken oder grossen, weltweit aktiven Wirtschaftsprüfungsgesellschaften.

39 Die Integration zweier oder mehrerer Kanzleien in einem neuen Gebilde kann ausserordentlich attraktiv sein: Es winken grössere Mandate, bessere Profitabilität durch Skaleneffekte oder auch etwa stärkere Anziehungskraft für Talente[37]. Eine Integration verschiedener Kanzleien im Zuge einer Fusion ist aber natürlich auch sehr anspruchsvoll[38]. Im Verlauf dieses Prozesses ist denn auch häufig zu beobachten, dass Partner und Associates sich neu orientieren und die Kanzlei verlassen[39]. Die Zusammenlegung von Standorten und IT-Strukturen sowie die Schaffung eines neuen Kanzleiauftrittes verursachen zudem in der Regel hohe Initialkosten, die nur über einen langen Zeitraum wieder erwirtschaftet werden können. Praktische Probleme verursachen sodann häufig auch allzu grosse Unterschiede in der Kanzleirendite (Partnereinkommen). Es ist deshalb wohl ratsam, eine Fusion nur unter Kanzleien anzustreben, die in wesentlichen kulturellen und betriebswirtschaftlichen Aspekten bereits grosse Ähnlichkeit aufweisen.

40 Aufwendig kann die Bereinigung der Mandantenstruktur als Folge einer Fusion sein. Hier entstehen Probleme, wenn in der neuen Konstellation Interessenkonflikte drohen. Entsprechende Konfliktrisiken müssen sauber bereinigt werden, unter Umständen unter Inkaufnahme von Mandatsverlusten oder der Trennung von bisherigen Mandanten. Daraus entstehende finanzielle Nachteile für einzelne Partner müssen möglicherweise in die Fusionsrechnung eingesetzt und auf geeignete Weise kompensiert werden.

---

[36] Hommerich, 2001, S. 28 f.; Müller-Stewens/Drolshammer, 2000, S. 632 ff.

[37] Bower, Ward: Merging Law Firms. In: Altman Weil Inc. (Hrsg.): Report to Legal Management, February 2008, Vol. 35, Number 5, S. 5 ff.

[38] Müller-Stewens, Günter: Post Merger Integration: Zum Stand des Wissens. In: Müller-Stewens, Günter / Kunisch, Sven / Binder, Andreas: Mergers & Acquisitions – Analysen, Trends und Best Practices. Stuttgart 2010, S. 198 ff., insbesondere S. 207; Hess, Markus / Brechbühl, Beat: Überregionaler Kanzleizusammenschluss – Ein Erfahrungsbericht. In: Anwalts Revue 5/2008, S. 230 ff.

[39] Ringlstetter / Kaiser / Bürger, 2005, S. 11.

3.5 Weitere strategische Perspektiven

Neben den hier einlässlich besprochenen strategischen Perspektiven gibt es noch weitere. Dazu gehören etwa die konfigurationale Strategie[40], die Wertschöpfungsstrategie[41] oder die Innovationsstrategie[42]. Auf einzelne Aspekte dieser strategischen Perspektiven wird an anderer Stelle in diesem Buch einzugehen sein. 41

4. Prozess der Strategieentwicklung – Entwicklung einer Kanzleistrategie in sechs Schritten

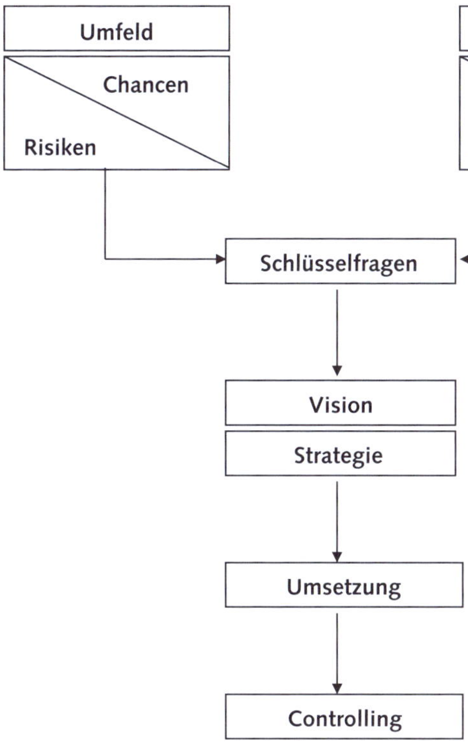

Abb. 3: Prozess der Strategieentwicklung

---

40 Darauf wird in Kapitel 3 ausführlich eingegangen.

41 Hier wird die Frage diskutiert, welche Stufen der Wertschöpfungskette das Unternehmen mit eigenen Ressourcen bewirtschaften will und welche ausgelagert werden (*Make-or-buy*-Strategie). Vgl. dazu Müller-Stewens/Lechner, 2011, S. 354 ff. und nachstehend Abschnitt 8.2.4.

42 Müller-Stewens/Lechner, 2011, S. 401 ff.

5. SWOT-Analyse[43]

42 Am Beginn eines jeden Strategieprozesses müssen zwei Fragen stehen:

- Welches sind die künftigen Entwicklungen im Umfeld der Kanzlei, die sich als Risiko oder Chance auf die Kanzlei auswirken?
- Welches sind die in der Kanzlei bereits vorhandenen Stärken und Schwächen, die in der Planung der künftigen Entwicklung berücksichtigt werden müssen?

5.1 Analyse der Risiken und Chancen

43 In diesem Teil der SWOT-Analyse wird versucht, die Entwicklungen und Trends im Kanzleiumfeld zu erfassen und dann zu einem Urteil darüber zu kommen, ob es sich dabei um Risiken oder um Chancen für die Kanzlei handelt[44]. Die systematische Suche nach relevanten Entwicklungen wird erleichtert, wenn in einem ersten Schritt entsprechende Suchfelder definiert werden. Für jedes dieser Suchfelder werden anschliessend die relevanten Trends herausgefiltert und als Risiko oder Chance qualifiziert. Oft ist es im Übrigen so, dass künftige Entwicklungen im Kanzleiumfeld sowohl Risiko wie auch Chance sind. Die Auswirkungen dieser Trends werden qualitativ erfasst und beschrieben, mit dem entsprechenden Vorzeichen versehen und gewichtet. Letzteres dient der Priorisierung von Trends im Rahmen der Strategieplanung.

Thema	Trend	Tendenz	Priorität (1 bis 3)
Rechtsentwicklung und Politik	Beispiele: • Trend zur verstärkten Regulierung in vielen Industrien (Bank, Versicherung, Pharma, Chemie, Energie etc.) • Abnehmende Sorgfalt im Gesetzgebungsprozess	Chance Risiko	1 3
Anwaltsausbildung und Arbeitskräftemarkt	Beispiele: • Zunahme des Anteils weiblicher Absolventen in juristischen Studiengängen • Zunehmende Bedeutung Work-Life Balance für juristische Berufseinsteiger	Chance/Risiko Risiko	2 2

43 Die Abkürzung SWOT steht für *Strengths, Weaknesses, Opportunities and Threats.*

44 Müller-Stewens, 2004, S. 56 f.; Hartung, 2011, S. 36 ff.

Thema	Trend	Tendenz	Priorität (1 bis 3)
Wirtschaft	Beispiele: • Konjunkturzyklen • Strukturelle Veränderungen in der Wirtschaft (z.B. globale Beschaffung oder Outsourcing)	Risiko/Chance Chance/Risiko	1 1
Lehre und Rechtsprechung	Beispiele: • «Amerikanisierung» des Haftungsrechts • Entwicklung von Lehre und Rechtsprechung in Anlehnung an ausländisches oder supranationales Recht	Chance Chance	3 2
Anwaltsmarkt	Beispiele: • Trend zur Spezialisierung • Zunehmende durchschnittliche Kanzleigrösse	Chance/Risiko Risiko/Chance	1 2
Bevölkerungsentwicklung	Beispiele: • Zunehmende Überalterung • Zunehmende Immigration	Risiko/Chance Risiko/Chance	3 3
Mandanten	Beispiele: • Zunehmende Preissensibilität • Steigende Bedeutung der Servicequalität bei anwaltlichen Dienstleistungen	Risiko Chance	1 1
Wettbewerber	Beispiele: • Fachliche Qualität der Dienstleistungen unserer Hauptwettbewerber • Neugründungen und Kanzleispaltungen im Marktgebiet	Risiko Risiko	2 2

Abb. 4: Analyse der Risiken und Chancen im Kanzleiumfeld

5.2 Analyse der Stärken und Schwächen

In einem nächsten Schritt wird nun der Blick nach innen gerichtet. Wo liegen die Stär- 44
ken der Kanzlei, wo ihre Schwächen? Als Referenz für die Beantwortung dieser Frage dienen jene Wettbewerber, mit denen wir uns im Werben um die Gunst der angepeilten Mandanten zu messen haben. Auch hier geht es wieder darum, die Ergebnisse der Analyse qualitativ zu erfassen und zu gewichten.

Thema	Faktor	Tendenz	Priorität (1 bis 3)
Mandanten	Beispiele: • Konzentration auf Finanzwirtschaft • Vorwiegend international ausgerichtet	Stärke/Schwäche Stärke	2 1
Partner	Beispiele: • Durchschnittsalter 55 • Vorwiegend Generalisten	Schwäche Stärke/Schwäche	1 2
Associates	Beispiele: • Frauenanteil 10% • Durchschnittliche Verweildauer unter 3 Jahren	Schwäche Schwäche	2 1
Reputation	Beispiele: • Kaum Einträge in internationalen Verzeichnissen • Hohes Ansehen einzelner Partner	Schwäche Stärke	3 2
Finanzen	Beispiele: • Kein Fremdkapital • Hohes Partnereinkommen	Stärke Stärke	2 1
Attraktivität als Arbeitgeber	Beispiele: • *Up-or-out Policy*[45] • Gutes Weiterbildungsangebot	Schwäche Stärke	3 1
Qualität	Beispiele: • Hohe fachliche Qualität • Zu lange Bearbeitungszeiten	Stärke Schwäche	1 1
Organisation	Beispiele: • Hohe Belastung von Partnern mit Führungsaufgaben • Kurze Entscheidungswege	Schwäche Stärke	2 2
Systeme	Beispiele: • Leistungsfähige IT • Repräsentative Praxisräumlichkeiten	Stärke Stärke	2 3
Dienstleistungen	Beispiele: • Vollsortiment im Wirtschaftsrecht • Keine klar erkennbaren Schwerpunkte	Stärke Schwäche	2 1

Abb. 5: Analyse der Stärken und Schwächen der Kanzlei

[45] Pfeil, Marcus: Das Klub-Prinzip. In: Brand Eins, 09/2010, S. 124; *Up-or-out Policy* bedeutet, dass die maximale Verweildauer von Associates in der Kanzlei von vorneherein feststeht. Ist diese Dauer abgelaufen, wird der betreffende Associate entweder Partner, oder er muss die Kanzlei verlassen und einem Studienabgänger Platz machen.

6. Acht Schlüsselfragen als Kriterien, denen die Strategie standhalten muss

Nach Durchführung der SWOT-Analyse ist ein Bild über die Chancen und Gefahren im Umfeld der Kanzlei und über ihre Stärken und Schwächen gewonnen. Auf der Grundlage dieser Eindrücke stellen sich nun ein paar wesentliche Fragen[46]. Diese Fragen stellen die Kriterien dar, an denen die Qualität der zu erarbeitenden Strategie gemessen werden kann. 45

- Trägt die Strategie zur Steigerung des Kanzleiwertes bei? 46

  Strategie- und damit Unternehmensentwicklung ist nicht Selbstzweck. Sie muss in eine messbare Steigerung des Kanzleiwertes münden. Diese Wertsteigerung zeigt sich in einer Erhöhung des Partnereinkommens.[47]

- Können wir für die Kanzlei eine Strategie formulieren, mit der es uns gelingt, den Markt zu schlagen? 47

  Die Festlegung strategischer Zielsetzungen muss sich in Qualität und Quantität immer am Standard orientieren, den die besten Wettbewerber in unserem Markt setzen. Das ist einerseits eine sehr anspruchsvolle Aufgabe. Tröstlich ist aber andererseits, dass es nicht darum geht, sich in absoluten Werten gemessen an die Spitze einer Entwicklung zu setzen. Die relative Spitzenposition im Vergleich zu unseren Wettbewerbern ist der relevante Massstab.

- Wo liegen die wirklichen Vorteile der Kanzlei im Vergleich zu ihren Wettbewerbern? 48

  Hier geht es darum zu prüfen, ob die Stärken der Kanzlei möglichst gut in die Vorteile einer eigenständigen Positionierung umgesetzt sind. Machen wir das, wozu wir besonders gut befähigt sind und hilft uns das, uns im Urteil unserer Mandanten gegenüber dem Wettbewerb abzusetzen?

- Ist der Markt der Kanzlei (Dienstleistungssortiment, Mandantensegmente, Marktgebiet) ausreichend abgegrenzt, damit auch klar feststeht, in welchen Bereichen wir Wettbewerbsvorteile entwickeln müssen? 49

  In der Praxis mangelt es vielen Kanzleistrategien an einer ausreichenden Festlegung. Damit eine Strategie Profil hat, darf sie nicht zu ausladend sein. Das Geheimnis erfolgreicher Strategien liegt darin, dass sie sich beschränken. Ich will nur das tun, was ich wirklich gut kann. Alles andere lasse ich weg.

---

[46] In Anlehnung an Bradley, Chris / Hirt, Martin / Smit, Sven: Have you tested your strategy lately? In: McKinsey Quarterly, January 2011, S. 1–14

[47] Weiss, Wolfgang: Profitabilitätsmanagement. In: Schieblon, Claudia (Hrsg.): Kanzleimanagement in der Praxis, Wiesbaden 2011, S. 26 ff. vgl. dazu sodann Kapitel 5 und 6.

50 • Auf welche Trends muss die Kanzlei Antworten finden, damit sie eine Vorreiterrolle einnehmen kann?

Zukunftsgerichtete Strategiearbeit besteht nicht darin, jedem Trend – und damit auch jeder Mode – hinterherzulaufen. Es muss vielmehr versucht werden, die für das Anwaltsgeschäft wesentlichen Trends zu erkennen und auf die damit verbundenen Herausforderungen überzeugende Antworten zu finden.

51 • Wie erlangen wir möglichst grosse Sicherheit, dass die von uns als wichtig erachteten Trends in Zukunft auch für unsere Mandanten entscheidend sein werden, um die Leistungsfähigkeit einer Kanzlei zu beurteilen?

Mit dieser Frage ist die Qualität der Informationen angesprochen, auf der unsere Strategiearbeit beruht. Es ist unerlässlich, mit den Mandanten der Kanzlei über deren Ansichten zu wichtigen Trends zu sprechen und sich laufend und differenziert mit deren Bedürfnissen auseinanderzusetzen.

52 • Gelingt es uns, eine Strategie zu formulieren, welche die Balance zwischen Festlegung und Flexibilität herstellt?

Wenn wir heute eine Kanzleistrategie erarbeiten und dabei künftige Entwicklungen im Umfeld und im Innern der Kanzlei in Anschlag bringen müssen, ist diese Arbeit zwingend mit Ungewissheit verbunden. Selbst eine seriöse Auseinandersetzung mit der Zukunft wird nie Gewissheit über künftige Entwicklungen erzeugen können. Es ist deshalb entscheidend, dass eine Strategie formuliert wird, die einerseits ausreichend festgelegt ist, um Entscheidungsorientierung im Kanzleialltag zu bieten, andererseits aber so flexibel ausgestaltet ist, dass bei unvorhergesehenen Änderungen der Marktanforderungen Handlungsalternativen da sind und auch wahrgenommen werden können[48].

53 • Wehren wir uns bei der Erarbeitung der Strategie ausreichend gegen Voreingenommenheit in bestimmten Fragen?

Vieles, was die Kanzleipartner im Strategieentwicklungsprozess diskutieren, ist Ergebnis ihrer Meinungen und Haltungen. Diese wiederum beruhen auf oft jahrelangen Erfahrungen im Anwaltsgeschäft. Das ist natürlich überaus wertvoll, gleichzeitig aber auch gefährlich. Zu einer werthaltigen Analyse von Vergangenheit und Gegenwart und damit zu einer soliden Einschätzung der Zukunft wird man nur kommen, wenn man versucht, die Strategiediskussion unvoreingenommen zu führen.

[48] Heussen, 2011, S. 24

7. Formulierung einer Vision

Die Vision einer Kanzlei stellt eine Art Leitstern dar. An diesem Leitstern soll man sich bei der zu erarbeitenden Strategie und an den in der Folge zu treffenden unternehmerischen Entscheidungen immer orientieren können. Die Frage sollte dann jeweils lauten: Nützt uns dieses Strategieelement oder nützt uns diese Entscheidung beim Bestreben, unserer Vision näher zu kommen? 54

Die Arbeit an einer kurzen, einprägsamen Vision ist ein entscheidender Punkt des Strategieprozesses[49]. Wo wollen wir in fünf oder zehn Jahren stehen? Wenn es gelingt, den Kern der gemeinsamen Vorstellungen für die Zukunft der Kanzlei so zu formulieren, dass alle Partner mit Überzeugung dahinterstehen können, erhält die Strategie ein solides Fundament. Hier geht es also darum, dass auf den Punkt gebracht wird, was die Kanzlei eindeutig im Markt positionieren soll. Will die Kanzlei im Urteil der Nachfrager die Nummer 1 bei der Bewältigung hoch komplexer Mandate im Kapitalmarktrecht sein? Will sie eine überlegene Stellung im Vertrieb anwaltlicher Dienstleistungen über das Internet werden? Möchte sie die kostengünstigste Partnerin von Versicherungen bei der Erstbeurteilung von Anfragen Rechtsschutzversicherter werden? Will sie die besten jungen Talente mittels eines innovativen Arbeitszeit- und Förderungsmodells anziehen? 55

Eine gute, der Strategiearbeit förderliche Vision soll immer auch ein taugliches sogenanntes *mission statement* sein. Das ist dann der Fall, wenn es gelingt, in der Vision die Aufgabe, welche die Kanzlei für sich sieht im Markt, möglichst einprägsam zu beschreiben. Weshalb braucht es unsere Kanzlei im Markt? Was fehlt unseren Mandanten, wenn wir als Anbieter in unserem Markt ausscheiden? 56

Die Vision soll sodann deutlicher Ausdruck der Werthaltungen sein, welche für die Kanzlei wichtig sind. Sie bietet deshalb im besten Fall auch normative Orientierung über alle Kanzleiaktivitäten hinaus, selbst wenn diese in der eigentlichen Strategie keine Erwähnung finden: Wie wichtig ist uns kulturelle oder geschlechtliche Diversität, wie wichtig Internationalität? Welchen Stellenwert messen wir der Integration unserer Arbeit in den Nutzenkanon unserer Mandanten bei? Gibt es eine weltanschauliche Ausrichtung, die im Marktauftritt der Kanzlei zur Geltung kommen soll? 57

[49] Zilahi-Szabo, Miklós G.: Kanzleistrategien mittels Balanced Scorecard. In: Betriebswirtschaftliche Mandantenbetreuung, IWW Nr. 11, 2004 S. 281 ff.; Hartung, 2011, S. 32; Schluep, Thomas: Visionsentwicklung für Anwaltskanzleien. In Anwalts Revue 10/2007, S. 439 f.; Brandstetter, Franz: Rechtsabteilung und Unternehmenserfolg, 2. Auflage, Wien 2011, S. 87 ff.

8. Erarbeitung der Strategie mit dem Ziel, «einzigartig» zu sein

58 Ist die Vision formuliert, geht es nun an die Erarbeitung der strategischen Zielsetzungen in allen wichtigen Bereichen. Dabei ist für jede Kanzlei individuell zu entscheiden, welche Themen für sie besonders wichtig und damit eben von strategischer Bedeutung sind. Jede Strategie enthält aber einen Kernbereich, der nicht fehlen darf. In diesem Kern werden die Fragen beantwortet, welche Dienstleistungen die Kanzlei für welche Mandanten, wo und wie erbringen will.

8.1 Dienstleistungssortiment

59 Wenn über das Dienstleistungssortiment der Kanzlei nachgedacht wird, stellen sich wiederum drei Fragen: Wie breit soll das Sortiment sein, wie tief soll es sein, und: Wollen wir alle angebotenen Dienstleistungen selber herstellen, oder zählen wir dabei auf die Mitarbeit von Geschäftspartnern ausserhalb der Kanzlei?

8.2 Sortimentsbreite

8.2.1 Differenzierung nach Dienstleistungstyp

60 Anwaltliche Dienstleistungen können grob unterschieden werden in Beratungs- und Vertretungsmandate. Heute setzt sich mehr und mehr die Überzeugung durch, dass diese Unterscheidung zwar in grösseren Kanzleien wichtig ist für die Zuordnung der einzelnen Anwälte mit ihren Fähigkeiten und Fertigkeiten zu entsprechenden Praxisgruppen innerhalb der Kanzlei. Ausser Frage aber steht, dass eine Kanzlei in aller Regel sowohl Beratung wie – im Konfliktfall – auch die Vertretung ihrer Mandanten vor Gerichten und Verwaltungsbehörden anbieten muss.

61 Dabei hat es aber oft nicht sein Bewenden. Einzelne Wirtschaftsrechtskanzleien etwa sind in jüngerer Zeit dazu übergegangen, wieder mehr auf Themen im Wirtschaftsstrafrecht zu setzen und haben Angebote im Bereich Compliance Management entwickelt. Diese Angebote gehen teilweise weit über die materiell-rechtliche Mandatsarbeit hinaus und schliessen Dienstleistungen zum Aufbau und zum Betrieb von Compliance-Management-Systemen mit ein. Damit haben sie ein Standbein geschaffen, das als eine Art spezialisierter Unternehmensberatung neben der klassischen juristischen Beratung und Vertretung ihrer Mandanten existiert.

62 Da immer mehr vor allem grössere Unternehmen in den letzten Jahren vor die Herausforderung gestellt wurden, einen sogenannten Whistleblowing-Prozess[50] aufzusetzen,

[50] Damit möchten Unternehmen sicherstellen, dass Mitarbeiter oder andere Ansprechpartner des Unternehmens anonym Vorfälle melden können, bei denen sie davon ausgehen, dass sie unrechtmässig sind.

gibt es heute auch Kanzleien, die solchen Unternehmen die Auslagerung der entsprechenden Meldestelle in die Kanzlei anbieten. Oder es gibt Kanzleien, die für mittelgrosse Unternehmen ohne eigene Rechtsabteilungen als externe Dienstleister in deren Aufsichtsrats- bzw. Verwaltungsratssekretariate führen. Kanzleien, die für ihre Mandantschaft eigentliche Vermögensverwaltungstätigkeiten ausüben oder solche, die neben ihrem Kerngeschäft auch Services als Family Offices entwickelt haben, sind bereits verbreitet anzutreffen. Gleiches gilt für Kanzleien, die unter ihrem Dach Steuerberatungen anbieten oder – insbesondere gilt dies für Kanzleien in gewissen Kantonen der Schweiz – auch Notariate betreiben.

8.2.2 Differenzierung nach Rechtsgebiet

Hier steht zuallererst die Frage im Raum, ob die Kanzlei in einem bestimmten Markt 63
ein Vollsortimenter sein will oder sie sich auf ein eingeschränktes fachliches Angebot beschränken will. Grosse Wirtschaftsrechtskanzleien oder auch kleinere, regional tätige Kanzleien möchten für ihre Mandanten in der Regel umfassende rechtliche Dienstleistungen in allen sie betreffenden Rechtsgebieten erbringen. Damit stellen sie die Weichen für eine enge, auf Dauermandaten beruhende, umfassende Kundenbeziehung. Mindestens jene Anwälte der Kanzlei, welche für die Pflege der Mandantenbeziehung zuständig sind, müssen folgerichtig über ein gewisses Generalistenwissen verfügen. Sie sind ja regelmässig erster Ansprechpartner, wenn beim Mandanten rechtliche Fragestellungen auftauchen. Ganz anders die «Anwalts-Boutique»: Sie beschränkt sich im Gegensatz zum Vollsortimenter bewusst auf eines oder wenige Rechtsgebiete, profiliert sich dort als Spezialistin und verzichtet auf eine umfassende Betreuung ihrer Mandanten[51]. Die Boutique wird denn auch nur beigezogen, wenn es um die Lösung ganz spezifischer Rechtsfragen geht, die oft fundierte Kenntnisse des wirtschaftlichen Umfeldes voraussetzen, in welchem sich der Mandant bewegt[52]. In der Praxis sind solche Boutique-Strategien besonders häufig etwa im Medienrecht, im Immaterialgüterrecht, im Baurecht oder im Steuerrecht zu beobachten.

Damit verbunden ist die Frage, ob sich die Kanzlei als eine Art ausgelagerte Rechtsab- 64
teilung des Mandanten positionieren will oder sich eher als Feuerwehr in Notsituationen sieht. Im ersten Fall wird sie vielleicht auch proaktiv tätig, bietet ihren Mandanten

Man verspricht sich davon Erfolge beispielsweise bei der Aufdeckung von Korruptions-, Geldwäscherei- oder Insiderdelikten, die von Unternehmensangehörigen, deren Kunden oder Lieferanten begangen werden. Portmann, Dominique / Wohlmann, Herbert: Whistleblowing. In: SJZ 103 (2007), S. 179 ff.; Strasser, Othmar, Whistleblowing als Element guter Corporate Governance. In: Rechtliche Rahmenbedingungen des Wirtschaftsstandortes Schweiz, Zürich / St. Gallen 2007, S. 485 ff.

51 Casley Gera, Rav: The Sector Specialisation Survey. In: The American Lawyer, Summer 2008, S. 30 ff. In jüngerer Zeit scheint der Trend zur Ausbildung von Boutique-Strategien – mindestens in England – etwas gebrochen (Tromans, Richard: Niche work if you can get it. In: the European Lawyer, October 2007, S. 22 ff.).

52 Tromans, 2007, ebenda.

Schulungsdienstleistungen, Früherkennungssysteme für rechtliche Risiken oder Informationsservices (z.B. über Entwicklungen in wichtigen Rechtsgebieten) an. Im zweiten Fall verhält sie sich eher passiv, wartet, bis ihre Dienstleistungen in Anspruch genommen werden und pflegt ihre Mandanten im Wesentlichen über soziale Kontakte ausserhalb der Mandatsarbeit.

8.2.3 Differenzierung nach Angebotstiefe

65 Hier muss entschieden werden, wie tief das Angebot gehen soll: Will die Kanzlei bei Unternehmenstransaktionen nur die Ausarbeitung der entsprechenden Verträge anbieten, oder sollen auch die aufsichts-, kartell- und steuerrechtliche Beratung sowie die Erbringung von Due-Diligence-Dienstleistungen dazu gehören? Oder: Berät die Kanzlei Unternehmensmandanten zwar in Compliance-Fragen, überlässt aber die Strafverteidigung anderen? Bietet sie gesellschaftsrechtliche Beratung an, schliesst jedoch die Einsitznahme von Partnern in Aufsichts- oder Verwaltungsräten anwaltlich betreuter Unternehmen aus? Berät sie Unternehmer bei Fragen der Unternehmensnachfolge auch in familien- und erbrechtlichen Fragen, führt aber keine Scheidungs- oder Erbteilungsprozesse?

66 Angesprochen ist hier also die strategische Entscheidung, welche Teile des Problemlösungsprozesses für einen Mandanten die Kanzlei abdecken will. Aus Sicht des Mandanten ist oft erwünscht, dass alle Teile dieses Prozesses aus einer Hand betreut werden. Entscheidungen der Kanzlei für eine Beschränkung auf gewisse Aktivitäten oder für den Ausschluss bestimmter Dienstleistungen, beispielsweise zur Vermeidung von Interessenkonflikten, können diesem Mandanteninteresse aber zuwiderlaufen.

8.2.4 Differenzierung nach Wertschöpfungstiefe[53]

67 Diese Differenzierung ist eng mit der Festlegung der Angebotstiefe verknüpft. Es geht um die Frage: *Make or buy?* Hier entscheidet sich die Kanzlei zwar, im Verhältnis zum Kunden ein Gesamtangebot über alle nachgefragten Problemlösungsteile zu unterbreiten. Sie wird aber – immer mit dem Einverständnis der betreffenden Mandanten – nicht alle Teile selber «herstellen». Es wird beispielsweise ein externer Wirtschaftsprüfer als Gutachter zu einer komplexen Preisberechnungsformel in einem Aktienkaufvertrag beigezogen. Oder in einem Wirtschaftsstraffall stützt man sich auf einen besonders erfahrenen Kollegen einer anderen Kanzlei als Strafverteidiger.

68 Besonders häufig und durchaus üblich ist in der Praxis die Vergabe von Untermandaten an lokale Kanzleien, wenn es um die Bearbeitung von Rechtsfragen in fremden Rechtskreisen geht. Auch bei Grosskanzleien kommt man in solchen Fällen nicht auf den Gedanken, im betreffenden Land immer gleich auch eigene Kanzleistandorte zu eröff-

[53] Zum Begriff der Wertschöpfung vgl. Müller-Stewens, 2004, S. 61 ff.

nen. Ähnlich verhält es sich, wenn eine Stuttgarter Kanzlei einen Prozess in Lübeck führen oder ein ostschweizerischer Anwalt eine Verwaltungseingabe in Genf machen soll. Es wird dann in der Regel ein lokal tätiger Kollege beigezogen.

Kanzleien, die den Schwerpunkt ihrer Tätigkeit auf die Erbringung von Dienstleistun- 69
gen in hoch komplexen Themen legen, gehen sodann in jüngerer Zeit gar gelegentlich dazu über, Teile ihrer Mandate, die als Commodities qualifiziert werden, durch darauf spezialisierte, oft viel kostengünstigere Kanzleien bearbeiten zu lassen. So werden heute immer öfter osteuropäische oder gar asiatische Dienstleister mandatiert, wenn es um grössere Due Diligences geht oder auch etwa um die Erstellung oder Prüfung von umfangreichen Vertragssystemen für das Retailgeschäft von Banken.

8.3 Mandanten

Die zweite strategische Kernfrage betrifft jene nach der anzupeilenden Mandantschaft. 70
Diese Frage kann aufgegliedert werden in die Frage nach dem Mandantenprofil und jener nach der Segmentierung von Mandanten.

8.3.1 Mandantenprofil

In einem ersten Schritt müssen die Kriterien zur Beschreibung dieses Profils definiert wer- 71
den. In der Praxis können beispielsweise folgende Attribute zur Formung eines Mandantenprofils beobachtet werden:

- Unternehmens- vs. Privatmandanten
- Grosse vs. kleinere und mittlere Unternehmen
- Börsennotierte vs. nicht börsengelistete Unternehmen
- Lokale, regionale, nationale, internationale oder globale Mandanten
- Mandanten aus bestimmten Industrien
- Dauer- vs. Einzelfallmandanten
- Arbeitgeber vs. Arbeitnehmer, Vermieter vs. Mieter, Schädiger vs. Geschädigte

Eine strategische Positionierung entlang dieser Kriterien wird immer wichtiger. Haft- 72
pflichtversicherer etwa legen zunehmend Wert darauf, dass ihre Anwaltskanzlei sich entscheidet, ob sie grundsätzlich Haftpflichtige (und damit sekundär die Versicherung) vertreten will oder Geschädigte. Vor Arbeitsgericht ist der Auftritt eines Anwalts wohl glaubwürdiger, wenn er konsequent entweder Arbeitgeber- oder Arbeitnehmerinteressen vertritt. Konzentriert sich eine Kanzlei auf die Beratung und Vertretung von Banken, wird sie im Markt bald einmal als Spezialistin wahrgenommen. Sammelt sie systematisch Erfahrung in der Beratung von Familienunternehmen, lebt sie sich leichter ein in Problemstellungen rund um die Unternehmensnachfolge, die in der Beratung beson-

deres – auch psychologisches – Geschick erfordern. Richtet sie sich aus auf die Betreuung internationaler Unternehmen, wird sie attraktiv für entsprechend interessierte junge Anwaltstalente, die sich in einem internationalen Umfeld entwickeln möchten.

73 Eine Ausrichtung der Kanzleistrategie auf klar definierte Mandantenprofile trägt wesentlich zur Schärfung der Positionierung im Markt bei und ist ein wichtiger Faktor zur Steigerung der Profitabilität der Kanzlei[54]. Davon beeinflusst sind dann auch zahlreiche kanzleiinterne Entscheidungen. Das Anforderungsprofil für die Associates bezüglich Fach- und Sprachkenntnissen, deren Mobilität oder Bereitschaft zur Weiterbildung beispielsweise, die IT-Infrastruktur, die Gestaltung der Kanzleiräumlichkeiten, die Standortentscheidung oder die Ausstattung des Sekretariats hängen unter anderem von der Ausrichtung der Kanzlei auf ein bestimmtes Mandantenprofil ab.

8.3.2 Mandantensegmente

74 Mit der Festlegung auf ein Mandantenprofil oder auf mehrere Mandantenprofile ist es noch nicht getan. In einem Folgeschritt muss auch darauf geachtet werden, dass die «Wunschmandanten» der Kanzlei zu sinnvollen Mandantensegmenten zusammengefügt werden können[55]. Nur die Möglichkeit zur Segmentierung von Mandanten erlaubt den Aufbau sinnvollen Kanzleimarketings. Ziel ist es, Mandantensegmente zu definieren, die in sich weitgehend homogene Mandantengruppen bilden und so deren effiziente und damit rentable «Bewirtschaftung» durch die Kanzlei ermöglichen.

75 Die Mandantensegmentierung erfolgt in der Praxis bei grösseren Kanzleien häufig entlang von Industrien und Branchen. Es werden entsprechende Gruppen gebildet (Finanzunternehmen, Corporates, Medienunternehmen, Pharmaunternehmen etc.), für die dann beispielsweise besondere Dienstleistungsangebote kreiert werden können. Auch in kleineren Kanzleien ist die Bildung von Mandantensegmenten möglich. Es können Unternehmen und Private unterschieden werden, oder aber Dauer- und Einzelfallmandanten. Oder es wird differenziert zwischen privaten Unternehmen und öffentlich-rechtlichen Körperschaften.

76 Praktisch wichtig kann auch die Unterscheidung sein, ob es sich bei den Mandanten um Unternehmer und oberste Führungskräfte von Unternehmen handelt oder die Mandatsvergabe und -steuerung über die Rechtsabteilung von Unternehmen erfolgt. Je nachdem wird nämlich die Gestaltung der Kommunikation der Kanzlei, die Ansprache der Mandanten oder werden die Anforderungen an die Anwälte, welche die Mandatsarbeit leisten, unterschiedlich sein: Dort, wo Anwälte direkt mit der obersten Unterneh-

[54] Matsuno, Ken / Mentzer, John T.: The Effects of Strategy Type on the Market Orientation – Performance Relationship. In: Journal of Marketing, Vol. 64 (October 2000), S. 9.

[55] Hommerich, 2001, S. 30 f.; Fluri, Edgar / Weibel, Peter: Strategisches Management von Professional Service Firms. In: Müller-Stewens, Günter / Drolshammer, Jens / Kriegmeier, Jochen (Hrsg.): Professional Service Firms. Frankfurt 1999, S. 161 f. Mehr zur Sinnhaftigkeit der Mandantensegmentierung in Kapitel 2.

mensführung in Kontakt stehen, sind vor allem Seniorität, breites Wissen, hoher Grad an sozialer Übereinstimmung mit den Gesprächspartnern, aber auch durch Erfahrung geschärfte juristische Intuition gefragt. Im Kontakt mit Rechtsabteilungen sind vielleicht aktuellstes Spezialwissen, Branchenkenntnisse, Verständnis für operationelle Abläufe und Entscheidungswege im Unternehmen sowie hohe Verfügbarkeit und grosse Mobilität wichtiger.

Unterwirft sich die Kanzlei der strategischen Forderung nach Mandantensegmentierung, 77 wird sie im Einzelfall automatisch vor die Entscheidung gestellt, für sich allein genommen auch durchaus interessante Mandanten einmal ablehnen zu müssen. Das mag im betreffenden Fall bedauerlich sein. Die Einsicht in die Notwendigkeit einer klaren Festlegung auf gewisse Mandantensegmente aber hilft, eine langfristig eindeutige strategische Positionierung der Kanzlei zu erlangen.

8.4 Märkte

Im vorliegenden Zusammenhang ist mit dem Begriff «Markt» die geografische Zuord- 78 nung von Mandanten und Aktivitäten der Kanzlei gemeint.

Anwendung internationalen Rechts	Lokal, regional oder national ausgerichtete Kanzlei mit inländischen Mandanten, die auch Bezug zum Ausland haben und deshalb auch in internationalen Rechtsfragen beraten werden	International oder global ausgerichtete Kanzlei, die international oder global aktive Mandanten im In- und Ausland berät
Anwendung nationalen Rechts	Lokal oder regional ausgerichtete Kanzlei ohne Bezug zum internationalen Recht	Lokal, regional oder national ausgerichtete Kanzlei, die auch ausländische Mandanten mit Bezug zum Inland in Fragen inländischen Rechts berät
	Mandanten mit Sitz im Inland	**Mandanten mit Sitz im Ausland**

Abb. 6: Kanzleityp nach geografischer Zuordnung von Mandanten und Aktivitäten

Hier muss im Strategieprozess diskutiert werden, wo die Kanzlei ihre Mandanten sucht. 79 Sollen es inländische oder ausländische Mandanten sein? Wenn es inländische Mandanten sind, stellt sich die weitere Frage, ob es solche mit rein inländischen Aktivitäten (Beziehungen zu Kunden und Lieferanten, Sitze und Betriebsstätten, Wohnsitz der Mitarbeiter) sind oder solche, die in Beziehung zum Ausland stehen. Wenn es (auch) ausländische Mandanten sein sollen, ist wieder zu fragen, ob die Beratung dieser Mandanten nur in Fragen erfolgen soll, die deren Bezug zum Standortland der Kanzlei aufwirft, oder ob die rechtliche Begleitung dieser Mandanten in allen ihren internationalen oder gar globalen Aktivitäten angestrebt ist.

8.5 Vertrieb

80 Auf den ersten Blick löst die Verwendung des Begriffes «Vertrieb» in Zusammenhang mit anwaltlichen Dienstleistungen bei vielen Kanzleien Befremden aus. Bei näherer Betrachtung ist dieser vierte Kernaspekt jeder Strategieentwicklung aber natürlich auch für Anwaltskanzleien zentral. In vielerlei Hinsicht ist hier eine Positionierung möglich und auch notwendig:

8.5.1 Vertriebstechnologie

81 Soll die Beratungsleistung der Kanzlei in deren Räumlichkeiten und aus diesen Räumlichkeiten heraus erfolgen? Oder verzichtet die Kanzlei in einer radikalen Ausformung auf die standortgebundene Beratung und bietet sie ihre Leistungen über Internet an? Schafft sie auf ihrer Website einen Bereich zu ihren Mandanten, zu dem diese über eine technische Zugangsschleuse Zutritt haben und beispielsweise ihre Verträge selbst verwalten oder Muster und Checklisten herunterladen können?[56]

8.5.2 Vertriebsprozesse

82 Die traditionelle Vorstellung des Vertriebsprozesses für eine anwaltliche Dienstleistung ist durch zwei Aspekte geprägt: Zum einen ist die Vorstellung dominant, dass Kanzleien auf Anfragen von Mandanten reagieren, also nicht proaktiv Mandantenbedürfnisse identifizieren und befriedigen. Diese Vorstellung geht vom Modell aus, dass der Mandant in seiner Sphäre eine Fragestellung mit rechtlichem Bezug identifiziert. Er trägt sie aus seiner Sphäre hinaus zur Anwaltskanzlei, die sich dann in ihrer Sphäre der Lösung dieser Frage widmet. Ist die Lösung da, wird sie dem Mandanten präsentiert. Beide Parteien dieses Prozesses agieren jenseits einer klar definierten Schnittstelle.

83 Zum andern aber ist klar, dass die Erstellung einer anwaltlichen Dienstleistung ein interaktiver Prozess ist. Dieser Prozess ist durch zwei Eigenheiten gekennzeichnet: (1) Die Dienstleistung entsteht als Ergebnis der Interaktion zwischen Anwalt und Mandant, und (2) es ist die Beratungsdienstleistung eines Anwaltes im gleichen Moment konsumiert, in dem sie erbracht wird.[57]

[56] Susskind, Richard: The End of Lawyers? – Rethinking the Nature of Legal Services. Oxford 2008, S. 69 ff.; Auf der Maur, Rolf: Internet und Anwalt: Die Reise hat erst begonnen. In: Anwalts Revue 9/2008, S. 396 f.

[57] Lehmann, Axel: Qualitätsstrategien für Dienstleistungen – Bausteine zum Management von Dienstleistungsqualität. In: Seghezzi, H./Hansen, J. (Hrsg): Qualitätsstrategien. München/Wien 1993, S. 111 f.;

Der traditionelle Vertrieb anwaltlicher Dienstleistungen hat deshalb einerseits zur Folge, dass der Kontakt zwischen Anwalt und Mandant in der Regel nur punktuell ist, eben nur dann stattfindet, wenn der Mandant ein Beratungsbedürfnis identifiziert hat und damit zum Anwalt geht. Im Beratungsprozess selbst ist dann zwar eine enge, im Idealfall von Vertrauen geprägte Interaktion zwischen Anwalt und Mandant da. Ist die Beratungsleistung aber erbracht, trennt man sich wieder. Das hat zur Folge, dass der Aufbau von dauerhaften, in eigentliche Dauermandate mündende Beziehungen zwischen Mandant und Anwalt sehr anspruchsvoll ist. 84

Es ist eine wichtige strategische Herausforderung für die Kanzlei, diese nur punktuelle Berührung zum Mandanten zu verstetigen. Eine Möglichkeit besteht darin, den Vertriebsprozess (zum Teil) in die Sphäre des Mandanten zu verlegen. In der Praxis geschieht dies häufig dadurch, dass Kanzleien sich ihren Unternehmensmandanten als externe Rechtsabteilung anbieten, oft verknüpft mit einer zeitweisen oder permanenten Präsenz von Kanzleianwälten im Unternehmen (gelegentlich in Form sogenannter Secondments[58]). Vorstellbar ist aber auch eine enge Verknüpfung zwischen Kanzlei und Unternehmensmandant bei der Bewältigung des Prozesses zum Management rechtlicher Risiken im Unternehmen. Kanzleien können beispielsweise Prozesswissen zur Identifikation, Bewertung, Steuerung und Berichterstattung über rechtliche Risiken anbieten und die entsprechenden Prozesse im Unternehmen auch selbst betreiben. Tun sie dies, wird natürlich eine bedeutend intensivere – und vor allem permanente – Beziehung zum Mandanten hergestellt, als dies mittels eines Verständnisses des Vertriebsprozesses als singulärem Kontakt möglich ist. 85

8.5.3 Vertriebsformen

Immer häufiger erwarten Unternehmensmandanten von ihren Anwälten, dass sie Anstrengungen unternehmen, welche das Unternehmen befähigen, rechtliche Fragen selber zu entscheiden. Anwaltskanzleien eröffnet sich hier ein breites Feld von Möglichkeiten zum Ausbau ihres Vertriebs. So können beispielsweise regelmässige Schulungsveranstaltungen für Verkaufsmitarbeiter des Unternehmens im Vertriebsrecht angeboten werden. Oder es wird für häufig auftretende und anspruchsvolle Themen eine 24-Stunden-Hotline zwischen Unternehmen und Kanzlei eingerichtet, über die zum Beispiel die Redaktion einer Fernsehstation zeitnah in Fragen des Presserechts oder des Persönlichkeitsschutzes beraten wird. In der Praxis sieht man immer wieder auch Unternehmen, die von ihren Anwaltskanzleien auf regelmässiger Basis mit Informationen zur Rechts- 86

Staub, Leo: Legal Management – Management von Recht als Führungsaufgabe. 2. Auflage, Zürich 2006, S. 251 f.

[58] Damit ist die vorübergehende Platzierung von meist jungen Anwälten beim Mandanten zur Bewältigung beispielsweise von Belastungsspitzen gemeint, die in grossen Projekten auftreten können.

entwicklung in schwierig zugänglichen Jurisdiktionen versorgt werden[59] und dazu periodisch Workshops anbieten.

87 Neu ist auch der Einsatz sogenannter Social Media im Vertrieb anwaltlicher Dienstleistungen zu beobachten. Es ist denkbar, auf solchen Plattformen eng mit Mandanten beispielsweise aus Rechtsabteilungen zusammenzuarbeiten und diese – sofern Probleme rund um das Anwaltsgeheimnis sauber gelöst werden können – auch untereinander zu verknüpfen, sodass eigentliche «Wissens-Gemeinschaften» entstehen.[60]

8.6 Mitarbeiter

88 Neben diesen vier strategischen Kernfragen gibt es für Unternehmen in der Regel auch zahlreiche weitere Themen, die für sie strategisch von grosser Bedeutung sind. Für Anwaltskanzleien ist eines dieser Themen sicher die Frage nach den richtigen Mitarbeitern. Letztlich ist die Schlacht um Erfolg im Markt nur mit talentierten, treuen und hart arbeitenden Anwältinnen und Anwälten zu gewinnen. Es lohnt sich deshalb, im Zuge der Erarbeitung der Kanzleistrategie grundlegende Aussagen zur Frage zu erarbeiten, welche Mitarbeiter die Kanzlei braucht, wie diese rekrutiert, wie für ihre Leistung kompensiert und wie sie weiterentwickelt werden sollen.

89 In einer Mitarbeiterstrategie wird im Übrigen auch sehr gut die Werteorientierung der Kanzlei sichtbar. Studienabgänger achten immer häufiger darauf, wie eine Kanzlei in dieser Frage positioniert ist[61]. Sind wertebasierte Elemente einer Kanzleikultur im Umgang mit ihren Mitarbeitern erkennbar, und werden sie auch wirklich gelebt? Wird nur die in verrechenbaren Stunden messbare Leistung junger Mitarbeiter honoriert, oder kommt es auch darauf an, ob und wie junge Anwältinnen und Anwälte zum Wohlbehagen im Team oder zum Funktionieren der Kanzleiorganisation beitragen? Wie steht die Kanzlei zu weiblichen Mitarbeitern, die danach streben, Engagement in Beruf und Familie in eine Balance zu bringen? Gibt es Konzepte, wie jungen Mitarbeitern, die nicht Partner werden können, das berufliche Fortkommen nach dem Ausscheiden aus der Kanzlei erleichtert werden kann?

[59] Wind, Christian: Früherkennungssystem und Informationsbeschaffung: Welche Rolle kommt dem Inhouse Counsel zu? In: Hambloch-Gesinn, Sylvie / Hess, Beat / Meier, Andreas L. / Schiltknecht, Reto / Wind, Christian (Hrsg.): In-house Counsel in internationalen Unternehmen. Basel 2010, S. 158

[60] Hein, Frank Martin et al.: Social Software als Treiber für Veränderungen in Unternehmen. In: Back, Andrea / Gronau, Norbert / Tochtermann, Klaus (Hrsg.): Web 2.0 in der Unternehmenspraxis. 2. Auflage, München 2009, S. 83 ff.

[61] Müller, Catherine / Sander, Gudrun: Innovativ führen mit Diversity-Kompetenz. Bern/Stuttgart/Wien 2009, S. 29 ff.

9. Festlegung von Massnahmen zur Umsetzung der Strategie

Der Strategieprozess ist nicht abgeschlossen, bevor nicht Massnahmen zur Umsetzung der Strategie beschlossen sind. Es ist wichtig, so viele Massnahmen anzuordnen und auch durchzuführen, wie für die Umsetzung der Strategie notwendig sind. Gleichzeitig sollen es aber auch so wenig wie möglich sein. Der «Karren» darf nicht überladen werden. Die (personellen und finanziellen) Möglichkeiten der Kanzlei sind ja limitiert. Es sollen deshalb sportliche, aber nicht unrealistische Zielsetzungen formuliert werden. Und: Es ist sinnvollerweise für jedes der beschriebenen Strategiefelder mindestens eine wirksame Massnahme zur Umsetzung zu definieren. 90

Ein entsprechender Massnahmenplan sollte folgende Elemente umfassen: 91

- Formulierung der strategischen Zielsetzung, welche mit dem entsprechenden Projekt bzw. der entsprechenden Massnahme erreicht werden soll. Wenn möglich ist das Ziel zu quantifizieren;
- Beschrieb des Projektes bzw. der Massnahme;
- Festlegung von Etappenzielen für jedes Projekt (sogenannte Meilensteine). Sie strukturieren den Prozess und erleichtern die Projektumsetzung;
- Bezeichnung der Verantwortlichen für das Projekt oder die Durchführung der Massnahme. In kleineren Projekten genügen eine Person und die Festlegung, an wen diese Person über den Projektfortschritt rapportieren muss. Grössere Projekte erfordern oft eine eigentliche Projektorganisation mit Projektaufsicht, Projektsteuerung, Projektmanagement und Arbeitsgruppen;
- Festlegung der zeitlichen Ziele für das Erreichen der Meilensteine und des Projektabschlusses. Die zeitliche Auslegung von Massnahmen und Projekten zur Strategieumsetzung soll straff sein. Es können vier Dringlichkeitsstufen unterschieden werden[62]:

  (1) «Normale» Projekte sind zwar nicht kritisch für den Bestand der Kanzlei, müssen aber dennoch in einem gewissen Takt durchgezogen werden, wenn man das Momentum nicht verlieren will.

  (2) Projekte, welche Auswirkungen auf die Wettbewerbsfähigkeit haben, wenn also *time to market* wichtig ist, sollen in einem kurzen Zeitraum realisiert werden.

[62] Shenhar, Aaron J. / Dvir, Dov: Reinventing Project Management, Boston 2007, S. 123 ff.

(3) Schliesslich gibt es Massnahmen, die im eigentlichen Sinne zeitkritisch sind, die also ihre Bedeutung verlieren, wenn deren Umsetzung nicht zeitnah erfolgt. Diese müssen schnell und mit hoher Priorität verfolgt werden.

(4) Am Ende dieser Dringlichkeitsskala stehen zweifellos Projekte, von denen man sich eine unmittelbare Verbesserung der Situation beispielsweise in einer Krise erhofft. Da kann jeder Zeitverzug gefährlich sein.

- Festlegung operationeller Ziele für die einzelnen strategischen Projekte[63]. Diese können qualitativ umschrieben sein (z.B. Verabschiedung eines Organisationsreglementes) oder auch quantitativ (z.B. Steigerung der durchschnittlichen Verweildauer von Associates auf 3,5 Jahre).

92 Wichtig ist natürlich auch, dass für die Projekte entsprechende Projektbudgets beschlossen werden, über die dann die Projektverantwortlichen verfügen können.

10. Strategisches Controlling

93 Abgeschlossen ist der Strategieentwicklungsprozess, wenn er über die Einführung eines strategischen Controllings im Führungsprozess der Kanzlei fest verankert ist. Die in der Kanzlei festgelegten strategischen Zielsetzungen sollten regelmässig – zum Beispiel einmal im Jahr – einer gründlichen Überprüfung unterzogen werden: Haben sich die Annahmen, die der Strategie zugrunde liegen, im Rückblick als gültig erwiesen? Führen die Antworten zu den Schlüsselfragen zu befriedigenden Ergebnissen?[64] Gibt es Bedarf nach Änderungen in der Strategie?

94 Gestützt auf diese Prüfung ist dann in einem zweiten Schritt nach dem Fortschritt der Umsetzungsprojekte zu fragen[65], und es sind gegebenenfalls neue Massnahmen zur Weiterentwicklung der Kanzlei im Sinne der festgelegten Strategie zu beschliessen. Diese Massnahmen wirken sich auf die kurz- und mittelfristige Finanzplanung aus. Entsprechende Beträge müssen also ins Budget der Kanzlei aufgenommen werden.

95 Die im Massnahmenplan festgelegten Meilensteine werden nun im Rahmen einer straffen Berichterstattung verfolgt. Gibt es Abweichungen, müssen die Ursachen analysiert und entsprechende Vorkehrungen getroffen werden, damit die betreffenden Projekte wieder auf Kurs gebracht werden können. Das Erreichen der Projektziele muss überwacht werden und müssen sich im Ergebnis der Kanzlei (Partnereinkommen) niederschlagen.

---

63 Zhilahi-Szabo, 2004, S. 283.

64 Vgl. vorstehend Abschnitt 6.

65 Müller-Stewens, 2004, S. 72 ff. unterscheidet zwischen Prämissenkontrolle (Stimmen die Annahmen?), Durchführungskontrolle (Stimmt die Umsetzung?) und Wirksamkeitskontrolle (Stimmen die Ergebnisse/ Inhalte?).

Legende:
MP Managing Partner
PV Partnerversammlung
PA Partnerausschuss

Abb. 7: Strategisches Controlling in der Kanzlei

B. Strategische Optionen im Anwaltsgeschäft

MANFRED FINKEN

1. Einleitung

1 Wie Staub[1] in der Einleitung zu Recht dargelegt hat, sind Anwaltskanzleien heute Dienstleistungsunternehmen, die sich in einem extrem wettbewerbsintensiven Markt behaupten müssen. In diesem Kapitel beschäftigen wir uns mit dem Umbruch im anwaltlichen Berufsbild, der zunehmenden Professionalisierung anwaltlicher Tätigkeit, verschiedenen Kanzleitypen, die sich über die letzten beiden Jahrzehnte am Markt herausgebildet haben und den Auswirkungen, die diese Marktentwicklungen für das Berufsbild und die beruflichen Perspektiven der Anwälte (Partner und Associates) haben. Am Beispiel unserer eigenen Kanzlei Freshfields Bruckhaus Deringer LLP soll aufgezeigt werden, vor welche Entscheidungen sich die Partner gestellt sahen und warum sie sich letztlich dafür entschieden haben, aus ursprünglich lokalen und regionalen Kanzleien mit Freshfields Bruckhaus Deringer eine internationale Grosskanzlei zu formen, die heute weltweit tätig ist und zu den zehn grössten Anwaltskanzleien der Welt gehört. Der Schwerpunkt der Betrachtung liegt auf der Entwicklung in Deutschland und wird aus der Perspektive eines (früheren) deutschen Partners einer internationalen Grosskanzlei dargestellt. Viele Entwicklungen sind indessen nicht auf den deutschen Markt beschränkt, sondern finden Parallelen – bei allen Unterschieden in wichtigen Einzelheiten – auch in anderen europäischen Ländern, vor allem auf dem europäischen Kontinent.

2. Der Rechtsmarkt in Deutschland – ein kurzer Überblick

2 Der Rechtsmarkt in Deutschland wird von sachkundigen Beobachtern zu Recht als «schwieriges Umfeld»[2] gekennzeichnet.

2.1 Freier Zugang zum Anwaltsberuf

3 Aufgrund der verfassungsrechtlich (Artikel 12 Grundgesetz) verbürgten Berufsfreiheit hat grundsätzlich jeder, der Jura studiert, die Referendarzeit absolviert, zwei Staatsexamina erfolgreich bestanden und damit die Befähigung zum Richteramt nach dem Deutschen Richtergesetz erlangt hat, einen Anspruch auf Zulassung zur Anwaltschaft. Es gibt lediglich einige wenige in der Person eines Bewerbers begründete Ablehnungsgründe

[1] Vgl. obenstehende Einleitung zu Kapitel 1.
[2] Hartung, Markus, Strategische Ausrichtung von Kanzleien. In: Schieblon, Claudia (Hrsg.): Kanzleimanagement in der Praxis, Wiesbaden 2011, S. 26.

(etwa Vermögensverfall oder «Unwürdigkeit» aufgrund einer vorangegangenen strafrechtlichen Verurteilung), im Übrigen bestehen aber keine Zulassungsbeschränkungen. Erst recht gibt es keine Bedarfsprüfung im Unterschied etwa zur Zulassung von Notaren. 1954 lag die Zahl der in Deutschland («alte» Bundesrepublik und Westberlin) zugelassenen Rechtsanwälte bei rund 16300.[3] In weniger als sechs Jahrzehnten hat sich diese Zahl fast verzehnfacht: Zu Beginn des Jahres 2011 waren bereits knapp 156000 Anwälte und Anwältinnen in Deutschland zugelassen. Zwar ist auch die Zahl von Steuerberatern und Wirtschaftsprüfern in den vergangenen Jahrzehnten gestiegen, aber nicht annähernd in diesem Ausmass. Die Zahl der Wirtschaftsprüfer (ohne WP-Gesellschaften und vereidigte Buchprüfer) liegt in Deutschland bei rund 14000,[4] die der Steuerberater (ohne Steuerberatungsgesellschaften und Steuerbevollmächtigte) bei gut 77000.[5] Deutschland hat mit einer Anwaltsdichte von einem Anwalt pro 525 Einwohner noch längst nicht die USA erreicht (1:270), die Anwaltsdichte ist aber etwa doppelt so hoch wie in der Schweiz (1:1032)[6].

2.2 Wirtschaftliche Folgen der stark wachsenden Anwaltszahlen

Das Honoraraufkommen hielt mit diesem stürmischen Wachstum der Anwaltszahlen 4
nicht Schritt. Es gibt zahlreiche Statistiken mit zum Teil differierenden Zahlen.[7] Alle Statistiken weisen trotz unterschiedlicher methodischer Ansätze übereinstimmend einen klar erkennbaren Trend aus: Pro Kopf gehen Umsatz und Ertrag aus der Anwaltstätigkeit seit Jahren zurück. So lag in Deutschland der Gesamtumsatz aus der reinen Rechtsberatung durch Rechtsanwälte (ohne Notariate, Patentanwälte und sonstige Rechtsberatung) im Jahre 1997 bei knapp 8,7 Mrd. Euro. Im Jahr 2007 betrug die Vergleichszahl gut 12,8 Mrd. Euro. Das entspricht einer Steigerung von knapp 50%. Im gleichen Zeitraum stieg jedoch die Zahl der zugelassenen Anwälte um mehr als 60%.[8] Eine vom Institut für Freie Berufe (IFB) erstellte Übersicht[9] zeigt die Auswirkungen dieser Disproportionalität auf den Umsatz und Gewinn eines in Vollzeit tätigen Rechtsanwalts in Westdeutschland (alte Bundesländer): Sein Durchschnittsumsatz lag 1996 bei 136000 Euro, 2008 jedoch nur bei 121000 Euro. Der Gewinn (Überschuss) belief sich 1996 auf 55000 Euro und lag im Jahre 2008 bei 53000 Euro. Wenn man die Entwicklung des Verbraucherpreis-

[3] Krenzler, Michael, Zum quantitativen Wachstum der Anwaltschaft (sog. Masseproblem) und seine Folgen. In: BRAK-Mitt. 1/2006, S. 12 ff.

[4] Wirtschaftsprüferkammer, Statistische Information zu unseren Mitgliedern, Stand 1.7.2011, www.wpk.de.

[5] Bundessteuerberaterkammer, Jahresbericht 2011, Berufsstatistik, www.bstk.de.

[6] Vgl. http://de.wikipedia.org/wiki/rechtsanwaelte S. 4 (Abfrage vom 30. Juli 2011).

[7] Hartung, Markus / Weberstaedt, Jakob, Marktentwicklung bei grossen wirtschaftsberatenden Kanzleien in Deutschland. In: AnwBl 8+9/2011, S. 607 Fn. 5 mit zahlreichen weiteren Hinweisen.

[8] Hagenkötter, Andreas, Umsatzentwicklung deutscher Anwaltskanzleien von 1977 bis 2007. In: AnwBl 4/2010, S. 276.

[9] Eggert, Kerstin, Institut für Freie Berufe, Nürnberg, Umsatz- und Einkommensentwicklung der Rechtsanwälte 1996 bis 2008. In: BRAK-Mitt. 3/2011, S. 118 ff.

index für den genannten Zwölfjahreszeitraum einbezieht, dann zeigt sich das ganze Bild der Misere: Der Index stieg in diesem Zeitraum um fast 21%. Preisbereinigt (unter Berücksichtigung des Kaufkraftverlustes) erzielte ein Einzelanwalt im Jahre 2008 nur noch knapp 80% des ohnehin schon nicht üppigen Gewinns von 1996.

5 Wie immer bei Statistiken sind auch diese Daten mit einer gewissen Vorsicht zu geniessen. So lässt sich aus vom Statistischen Bundesamt herausgegebenen Lohn-, Einkommensteuer- und Umsatzsteuerstatistiken der klare Trend ablesen, dass der prozentuale Anteil der selbständig freiberuflich tätigen Anwälte an der Gesamtzahl der Anwälte seit 1992 kontinuierlich sinkt. In der Zwischenzeit liegt er bei unter 34%.[10] Demgegenüber steigt die Zahl der angestellten Anwälte.

2.3 Gegenläufiger Trend bei den grössten Kanzleien

6 Es gibt noch einen weiteren Gesichtspunkt, den man bei einer Betrachtung der statistischen Durchschnittszahlen nicht aus den Augen verlieren darf: Während der statistische Durchschnittsumsatz und -ertrag pro Kopf rückläufig waren, gelang es den nach Umsatz 50 grössten deutschen Kanzleien, den Gesamtumsatz und den Umsatz pro Berufsträger – Letzteres eine Schlüsselkennziffer für die Produktivität eines Anwalts – von Jahr zu Jahr zu steigern. Der Umsatz pro Anwalt lag in diesen Grosskanzleien für das Jahr 2010 nach Presseangaben bei rund 482 000 Euro.[11] Das ist ein Vielfaches dessen, was ein Einzelanwalt in seiner Kanzlei erzielen konnte. Die Vergleichszahlen für die umsatzstärksten Top-Kanzleien liegen sogar noch deutlich über dieser Grössenordnung. Angaben über den Gewinn von Anwaltskanzleien werden im Allgemeinen in Deutschland nicht veröffentlicht. Basierend auf den Umsatzangaben ist allerdings die in der Tendenz sicherlich zutreffende Aussage möglich, dass die grossen Kanzleien in dem genannten Zeitraum auch ihre Gewinne insgesamt und pro Partner mehr oder weniger deutlich steigern konnten. Dieser Trend ist erst ab 2009 in der unmittelbaren Folge der weltweiten Finanz- und Wirtschaftskrise gestoppt worden.[12] Aber auch «im Jahre 4 nach Lehman» liegen die wirtschaftlichen Schlüsselkennziffern für die grössten Kanzleien immer noch deutlich höher als die der kleineren Kanzleien oder der Einzelanwälte.

7 Zwischen den freiberuflich tätigen Anwälten klaffen gewaltige Unterschiede im Hinblick auf Umsatz, Gewinn und Einkommen. Der Eindruck trügt nicht, dass man von «den» Anwälten und «der» Anwaltschaft im Sinne eines einheitlich geprägten Berufsstandes in Deutschland kaum mehr sprechen kann.[13] Zwar verbindet die Anwaltschaft

---

[10] Hommerich, Christoph / Kilian, Matthias, Strukturwandel und wirtschaftliche Situation der Anwaltschaft. In: AnwBl 4/2010, S. 277 (278).

[11] Poppelbaum, Jörn, Der kleine Unterschied. In: JUVE Rechtsmarkt 10/11 S. 71.

[12] Hartung/Weberstaedt, Marktentwicklung bei grossen wirtschaftsberatenden Kanzleien in Deutschland, S. 608, 611.

[13] Anderer Auffassung die deutsche Bundesjustizministerin Sabine Leutheusser-Schnarrenberger, Einheitliches Berufsrecht sichert die Einheit des Anwaltsberufs. In: AnwBl 8+9/2011, S. 662.

in Deutschland immer noch die im Wesentlichen einheitliche Ausbildung mit dem Studium der Rechtswissenschaften, dem ersten Staatsexamen, der Referendarzeit und dem abschliessenden zweiten Staatsexamen. Verbindend sind vor allem die gesetzlich und satzungsrechtlich festgelegten grundlegenden Berufspflichten und Prinzipien *(core values)*, zu denen die Verschwiegenheit, die Unabhängigkeit und das Verbot der Vertretung widerstreitender Interessen gehören. Ein verbindendes Element ist ferner die (Zwangs-)Mitgliedschaft in der Rechtsanwaltskammer und die freiwillige Interessenvertretung, die durch den Deutschen Anwaltverein (DAV) organisiert wird.[14] Doch spätestens dann trennen sich die Wege.

2.4 Kein Teilmarkt für Grosskanzleien

Die Auseinanderentwicklung in der deutschen Anwaltschaft in den beiden letzten Jahr- 8
zehnten hat zu der Frage geführt, ob die Anwälte in Deutschland überhaupt noch in einem Markt tätig sind. Zum Teil wird die Auffassung vertreten, dass die Gruppe der 30 umsatzstärksten wirtschaftsberatenden Kanzleien eine Art eigenen Teilmarkt bilde und dass es möglicherweise Markteintrittsschranken für diesen Teilmarkt gebe.[15] Ob diese weitreichende These zutreffend ist, halte ich für zweifelhaft. Denn es mag zwar richtig sein, dass es ohne einen langjährig am Markt eingeführten, etablierten Kanzleinamen schwierig ist, in die Spitzengruppe der wirtschaftsberatenden Kanzleien in Deutschland aufzusteigen. Ausgeschlossen ist das aber nicht, wie der Erfolg der grossen angelsächsischen Kanzleien zeigt, von denen es einigen auch ohne Fusion mit einer deutschen Kanzlei gelungen ist, im deutschen Markt Fuss zu fassen und sich erfolgreich als Wettbewerber zu etablieren. Auch zeigt der Erfolg von fachlich spezialisierten «Boutiquen», die oft durch Abspaltung aus Grosskanzleien entstanden sind, dass es in bestimmten Teilbereichen (zum Beispiel Arbeitsrecht, gewerblicher Rechtsschutz, Regulierungsfragen) durchaus möglich ist, den «Grossen» erfolgreich Konkurrenz zu machen.

Festzuhalten bleibt, dass sich der deutsche Rechtsmarkt aufgrund verschiedener Fak- 9
toren für alle Anwälte, vor allem aber für die Wirtschaftskanzleien, in den letzten zwei Jahrzehnten grundlegend gewandelt hat mit unmittelbaren Auswirkungen auf das berufliche Selbstverständnis, das Berufsbild und die beruflichen Perspektiven jedes Anwalts und jeder Anwältin.

14 Mitglieder des DAV sind weniger als die Hälfte aller zugelassenen Anwälte.

15 So einschränkend als «Denkanstoss» bezeichnet Hartung/Weberstaedt, Marktentwicklung bei grossen wirtschaftsberatenden Kanzleien in Deutschland, S. 611.

3. Dienstleister und «Organ der Rechtspflege»

3.1 Organ der Rechtspflege als gesetzliches Leitbild

10 Nach § 1 Bundesrechtsanwaltsordnung (BRAO) ist der Rechtsanwalt ein «unabhängiges Organ der Rechtspflege». Darunter wird allgemein verstanden, dass für das Berufsbild des Anwalts der Rechtsstaatsbezug seiner Tätigkeit kennzeichnend ist. Dieser Rechtsstaatsbezug – manche sprechen auch vom Gemeinwohlbezug – der anwaltlichen Tätigkeit wird ausdrücklich auch noch einmal in § 1 Abs. 2 der Berufsordnung für Rechtsanwälte (BORA) betont, in der es – etwas pathetisch – heisst: «Die Freiheitsrechte des Rechtsanwalts gewährleisten die Teilhabe des Bürgers am Recht. Seine Tätigkeit dient der Verwirklichung des Rechtsstaats.» Das betrifft vor allem die Tätigkeit der Anwälte vor Gericht und gegenüber Behörden, sei es als Prozessvertreter oder im Strafverfahren als Verteidiger. Der Anwalt trägt durch seine (Prozess-)Vertretung entscheidend dazu bei, dass ein wirkungsvoller Rechtsschutz gewährleistet ist.[16] Durch die anwaltliche Tätigkeit sollen grundlegende rechtsstaatliche Prinzipien wie «Waffengleichheit» und ein «faires Verfahren» für den Mandanten gewährleistet werden. Die Tätigkeit als Prozessvertreter in Zivil-, Verwaltungs- und vor allem in Strafverfahren prägt noch heute ganz massgeblich das Bild der Anwaltschaft in breiten Kreisen der Öffentlichkeit.

3.2 Vom Generalisten zum Spezialisten

11 Die traditionelle Rolle des Anwalts als Prozessvertreter ist jedoch im Berufsalltag längst nicht mehr so dominant, wie es der hehre Grundsatz in § 1 BRAO vermuten lässt. Für wirtschaftsrechtlich ausgerichtete Kanzleien ist schon seit Jahrzehnten der Schwerpunkt ihrer anwaltlichen Tätigkeit das Beratungsgeschäft und die aussergerichtliche Vertretung der Interessen ihrer Mandanten. Aber auch für den Einzelanwalt oder die kleinere Sozietät spielt die aussergerichtliche Interessenvertretung eine zunehmend grössere Rolle. Die Anwaltschaft und ihre berufsständischen Interessenvertreter in den Kammern und in den Anwaltvereinen haben, wenn auch sehr spät und erst nach einem schmerzlichen (Selbst-)Erkenntnisprozess, die Zeichen der Zeit erkannt und auf die Veränderungen des rechtlichen und wirtschaftlichen Umfelds reagiert. Die Notwendigkeit, sich fachlich zu spezialisieren und auf bestimmte Schwerpunkte zu konzentrieren, wird nach meinem Eindruck heute von einer Mehrheit der Anwälte auch in kleineren Kanzleien als richtig und notwendig anerkannt. Kürzlich stiess ich auf die Internetseite einer auf Familien- und Erbrecht spezialisierten kleineren Kanzlei, die ihre Unternehmensphilosophie in folgenden Sentenzen vorstellte: «Wer vielen vieles oder gar allen alles bieten will, der verzettelt sich.» Qualität und Effizienz, so heisst es sinngemäss weiter, liessen sich nur mit Spezialisierung und Fokussierung erreichen. Diese zutreffende Erkenntnis stellt

[16] Gaier, Reinhard, Berufsrechtliche Perspektiven der Anwaltstätigkeit unter verfassungsrechtlichen Gesichtspunkten. In: BRAK-Mitt. 1/2006, S. 2 ff.

eine deutliche Abkehr von dem – immer noch – in § 3 Abs. 1 BRAO niedergelegten «Allzuständigkeitsprinzip» dar. Danach ist der Anwalt der berufene unabhängige Berater und Vertreter «in allen Rechtsangelegenheiten». Wer diesem Anspruch des Generalisten gerecht werden will, wird in einem so wettbewerbsintensiven Markt in Zukunft beruflich scheitern.

Der Wandel des Anwaltsberufs von dem ganz massgeblich durch die Prozessvertretung 12
geprägten «Organ der Rechtspflege» zu einem modernen, auf dem Rechtsmarkt tätigen Dienstleistungsunternehmen hat vielfältige Ursachen. Am Beispiel der Wirtschaftskanzleien in ihrer heutigen Ausprägung soll auf einige wesentliche Gesichtspunkte eingegangen werden, die diese Entwicklung vorangetrieben haben.

4. Die Entwicklung der Wirtschaftskanzleien

4.1 Wegfall berufsrechtlicher Schranken

Wirtschaftskanzleien gibt es in Deutschland nicht erst seit dem Ende des Zweiten Welt- 13
kriegs. Eine der Vorgängerkanzleien von Freshfields war die im Hamburg ansässige Kanzlei Stegemann Sieveking & Lutteroth, die ihre Wurzeln bis in das Jahr 1840 zurückverfolgen kann. Alle diese Kanzleien hatten jedoch einen starken lokalen oder allenfalls regionalen Schwerpunkt. Aufgrund der damals geltenden berufsrechtlichen Einschränkungen war es ihnen bis 1989 nicht erlaubt, Büros in einer anderen Stadt zu unterhalten oder sich gar mit einer Sozietät in einer anderen Stadt zu einer überörtlichen Sozietät zusammenzuschliessen. Auch waren die Anwälte bis vor zwei Jahrzehnten nur bei einem Landgericht zugelassen (und in einigen Bundesländern gleichzeitig auch an einem Oberlandesgericht). In zivilrechtlichen Streitigkeiten durften sie ausserhalb ihres Landgerichtsbezirks nur gemeinsam mit einem Anwalt, der beim Prozessgericht örtlich zugelassen war, vor Gericht auftreten.

Im Unterschied zu vielen unserer europäischen Nachbarländer ist Deutschland nicht nur 14
politisch ein föderal gegliedertes Land, sondern hat auch mindestens ein halbes Dutzend wichtige Wirtschaftszentren, in denen namhafte Banken, Versicherungen, Handels- und Industrieunternehmen und andere Dienstleister ihren Sitz haben. Vor diesem Hintergrund waren die bis Ende der Achtzigerjahre geltenden restriktiven berufsrechtlichen Regelungen, insbesondere das Verbot der überörtlichen Sozietät, ein Hemmschuh für die Entwicklung der Wirtschaftskanzleien. Das änderte sich erst mit der sogenannten «Bastille»-Entscheidung des Bundesverfassungsgerichts vom 14. Juli 1987.[17] Die Entscheidung wird zu Recht so genannt nicht nur wegen des Datums 14. Juli, sondern auch wegen der geradezu revolutionären Bedeutung, die dieser Entscheidung für das anwaltliche Berufsrecht, das berufliche Selbstverständnis und die weitere Entwick-

---

[17] BVerfGE 76, 171.

lung der Anwaltschaft in Deutschland insgesamt zukommt. Mit dem Urteil wurden die bis dahin geltenden Standesrichtlinien mit ihren zahlreichen Einschränkungen als verfassungswidrig in den «Mülleimer der Geschichte» geworfen. Der eigentliche Big Bang für die Entwicklung der grossen Wirtschaftskanzleien war jedoch eine Entscheidung des Bundesgerichtshofs (BGH) vom September 1989.[18] Der BGH als höchstes deutsches Zivilgericht erklärte die überörtliche Sozietät für zulässig. Erst damit war eine der Grundvoraussetzungen erfüllt, dass sich auch in Deutschland schlagkräftige Wirtschaftskanzleien mit einer Präsenz in mehreren wichtigen Wirtschaftszentren bildeten. Diese Entwicklung setzte 1989 und dann verstärkt in den Neunzigerjahren ein. Grosse Fusionswellen rollten durch das Land.

4.2 Entstehen von Grosskanzleien durch Fusionen

15 Ich selbst war damals Partner bei Bruckhaus Kreifels Winkhaus & Lieberknecht, einer der grossen deutschen Wirtschaftskanzleien am Standort Düsseldorf. Sie schloss sich im Jahre 1990 mit der schon erwähnten Hamburger Kanzlei Stegemann Sieveking & Lutteroth und der Frankfurter Kanzlei Westrick & Eckholt zu einer überörtlichen Sozietät zusammen. Damals waren wir rund 100 Anwälte an den vier Standorten in Hamburg, Düsseldorf, Frankfurt und Berlin. Heute ist allein ein Standort wie Düsseldorf grösser als damals die gesamte durch die Fusion entstandene neue Sozietät unter dem Namen «Bruckhaus Westrick Stegemann».

16 Die eigene Selbständigkeit zugunsten einer überörtlichen Sozietät aufzugeben fiel keinem der Beteiligten leicht. Die übergrosse Mehrheit der Anwälte zeichnet sich von jeher nicht durch eine besondere Fortschrittsgläubigkeit, sondern eher durch ein gewisses Beharrungsvermögen aus. Deshalb wurde der Zusammenschluss der drei Gründersozietäen Bruckhaus, Westrick und Stegemann zu einer integrierten überörtlichen Sozietät im Jahre 1990 mehr als ein Jahr lang sehr sorgfältig überlegt und gründlich vorbereitet. Vorbehalte gegen die Bildung einer – aus damaliger Sicht im Hinblick auf die schiere Grösse fast schon riesig anmutenden – Grosskanzlei gab es durchaus. Die Gründe für einen Zusammenschluss mit unseren Hamburger und Frankfurter Kollegen und späteren Partnern überwogen jedoch bei Weitem die anfänglich befürchteten Nachteile. Es waren im Wesentlichen zwei Überlegungen, die im Vordergrund standen:

17 Für die Düsseldorfer und Hamburger Partner von Bruckhaus bzw. Stegemann war eine Präsenz am wichtigsten Finanzplatz in Deutschland, in Frankfurt am Main, ein «Muss». Wer für Unternehmen, die entweder börsennotiert waren oder auf andere Art und Weise den Kapitalmarkt in Anspruch nehmen wollten, beratend tätig sein wollte oder wer die in Frankfurt konzentrierten in- und ausländischen Finanzinstitute beraten wollte, der konnte dies erfolgreich nur mit einem eigenen Büro in Frankfurt umsetzen. Auch die

[18] BGHZ 108, 290 = NJW 1989, 2890.

im Rhein-Main-Gebiet vorhandene Zusammenballung wichtiger in- und ausländischer Industrieunternehmen erforderte zwingend eine eigene Präsenz in Frankfurt.

Die Alternative zu einer Fusion war, mit eigenen Kräften und eigenen finanziellen Mitteln eine Frankfurter «Niederlassung» aufzubauen. Das hätte aber nicht nur Jahre Zeit gekostet, sondern wahrscheinlich die Ressourcen jeder einzelnen Gründerkanzlei aufs Äusserste strapaziert, wenn nicht sogar überfordert. Die Fusion mit einer in Frankfurt seit vielen Jahren etablierten, im Markt anerkannten erstklassigen Kanzlei war die erfolgversprechendere Alternative. Für die Frankfurter Kollegen war es demgegenüber interessant, sich durch den Zusammenschluss den Zugang zu den grossen Industrieunternehmen an Rhein und Ruhr und zu namhaften Familienunternehmen in West- und Norddeutschland leichter zu erschliessen. Die Stärken der Gründersozietäten in ihrer jeweiligen Region und ihre unterschiedlichen fachlichen Schwerpunkte liessen sich so vortrefflich miteinander kombinieren und boten im Sinne komplementärer Eigenschaften beste Voraussetzungen, um gemeinsam das Mandantenpotenzial besser auszuschöpfen und beträchtlich zu erweitern. 18

4.3 Gründung von Büros im Ausland

Ein zweiter wichtiger Faktor war die von den Gründersozietäten gesehene Notwendigkeit, an wichtigen Finanz- und Wirtschaftszentren ausserhalb Deutschlands mit eigenen Büros Flagge zu zeigen. 19

In den Neunzigerjahren verstärkten sich die Internationalisierung und Globalisierung der Wirtschaft. Die auch damals schon sehr stark exportorientierte deutsche Wirtschaft baute ihre Auslandsaktivitäten etwa durch Gründung ausländischer Tochtergesellschaften, Verlagerung von Produktion nach Asien oder in die osteuropäischen Staaten aus. Joint Ventures und andere Formen der Kooperation im Energiebereich, zum Beispiel in Russland, spielten zunehmend eine wichtige Rolle. Die Finanz- und Kapitalmärkte wuchsen zu einem globalen Markt zusammen. Für eine führende deutsche Wirtschaftskanzlei stellte sich vor diesem Hintergrund die Frage, wie sie ihre Mandanten in ausländischen Jurisdiktionen beraten und vertreten wollte. Viele der führenden deutschen Wirtschaftskanzleien, auch die gerade fusionierte Kanzlei Bruckhaus Westrick Stegemann, entschlossen sich dazu, neben der Pflege der bestehenden Kooperationen mit ausländischen Kanzleien in einigen wichtigen Wirtschafts- und Finanzzentren eigene Büros zu unterhalten, so in Brüssel, New York, Tokio, Schanghai und Moskau. Aufbau und Betrieb solcher Büros erfordern beträchtliche personelle und finanzielle Ressourcen, die letztlich nur einer grossen Kanzlei zur Verfügung stehen. 20

Die Neunzigerjahre waren in Deutschland Boomjahre für das Anwaltsgeschäft der Wirtschaftskanzleien. Neben dem Wegfall berufsrechtlicher Schranken und der schon erwähnten Globalisierung gab es weitere politische und wirtschaftliche Entwicklungen, die zusammentrafen und wie wechselseitig sich überlagernde Wellen den Aufwärtstrend 21 kräftig verstärkten: der Zusammenbruch des Kommunismus, die deutsche Wiedervereinigung, die Vollendung des Binnenmarkts in der Europäischen Gemeinschaft (EG, jetzt EU), die Einführung des Euro und der Aufstieg der Schwellenländer vor allem in Asien.

5. Der Schritt in die *global law firm*

22 Das wiedervereinigte Deutschland mit einem nunmehr weitgehend liberalisierten Berufsrecht und einem dynamisch wachsenden Rechtsmarkt entwickelte sich im Laufe der Neunzigerjahre zu einem attraktiven Standort für internationale Sozietäten, vor allem solchen aus dem Vereinigten Königreich (UK) und den USA. Die meisten dieser grossen angelsächsischen Law Firms erschlossen sich den Zugang zum deutschen Rechtsmarkt über Fusionen mit namhaften deutschen Sozietäten. Meine eigene Sozietät Freshfields Bruckhaus Deringer ist auf diese Weise im Jahre 2000 entstanden durch Fusion der deutsch-österreichischen Sozietät Bruckhaus mit der deutschen Sozietät Deringer und der englischen Law Firm Freshfields.

5.1 Die zweite Fusionswelle und ihre Gründe

23 An dieser zweiten grossen Fusionswelle schieden sich die Geister der Partner in den führenden deutschen Wirtschaftskanzleien. Die einen betrachten den Zusammenschluss zu einer internationalen, weltweit tätigen Kanzlei *(global law firm)* als eine strategische Notwendigkeit, um im Zeitalter der Globalisierung und Internationalisierung weiterhin erfolgreich am Markt bestehen zu können. Das dahinter stehende Konzept lässt sich auf eine einfache Formel bringen: Wenn die eigenen Mandanten weltweit expandieren und sich zu einem Global Player entwickeln, sollten ihre engsten Berater diesen Schritt mit vollziehen und ihren Mandanten jedenfalls in den wichtigsten Wirtschafts- und Finanzzentren der Welt Dienstleistungen aus einer Hand mit gleichbleibend hoher Qualität *(seamless service)* anbieten. Dieses Ziel lässt sich am besten in einer global tätigen integrierten Kanzlei *(one firm)* umsetzen. Die bis dahin verfolgten Konzepte, die allesamt auf mehr oder weniger losen Kooperationen basierten, hatten sich nach unserer Überzeugung als nicht tragfähig erwiesen. Eine globale Anwaltskanzlei aus eigener Kraft aufzubauen, war keine ernsthaft in Betracht kommende Alternative, weil die eigenen Kräfte dafür bei Weitem nicht ausreichten.

5.2 Wahl eines internationalen Fusionspartners

24 Bei der Wahl möglicher Fusionspartner richtete sich unser Augenmerk ziemlich schnell auf die führenden englischen und amerikanischen Law Firms. Beiden war gemeinsam, dass sie an den wichtigsten Finanzplätzen – London und New York – präsent waren, über erhebliche Erfahrungen in internationalen Transaktionen verfügten und in der Mehrzahl mit der Gründung von ausländischen Büros bereits entscheidende Schritte hin zum Auf-

bau einer weltweit agierenden Law Firm unternommen hatten. Mit einem dem auch nur annähernd vergleichbaren Angebot konnte keine der führenden kontinentaleuropäischen Sozietäten aufwarten. Die zahlreichen Sondierungsgespräche – jeder sprach mit jedem – führten relativ schnell zu dem Ergebnis, dass die führenden amerikanischen Law Firms der Wall Street zu einem gleichberechtigten Zusammenschluss *(merger of equals)* aus vielerlei Gründen nicht bereit waren. Sie sind es anscheinend bis heute nicht. Im Unterschied dazu waren die führenden englischen Law Firms, namentlich aus dem *Magic Circle,* durchaus gewillt, den Zusammenschluss mit einer grossen deutschen Kanzlei zu wagen. Gemeinsames Ziel der drei Fusionspartner Freshfields, Bruckhaus und Deringer war es, die Präsenz auf dem Markt in Europa (UK und Kontinent) weiter auszubauen und gemeinsam eine erstklassige, führende globale Kanzlei aufzubauen mit eigenen Büros in den wichtigsten Finanz- und Wirtschaftszentren der Welt.

5.3 Der andere Weg: *best friends*

Andere deutsche Kanzleien sind den Schritt in eine grenzüberschreitende, internationale Fusion nicht gegangen, sondern sind im Kern deutsche Kanzleien geblieben. International verfolgen sie eine Strategie mithilfe des Konzepts von *best friends*. Das sind bekannte Anwaltskanzleien im Ausland, mit denen die deutsche Anwaltskanzlei in der jeweiligen Jurisdiktion regelmässig eng zusammenarbeitet. Die Kooperation wird auch offiziell den Mandanten mitgeteilt, zum Teil sogar auf dem Briefbogen publiziert. Im Unterschied zu den früheren losen Kooperationen ist die Zusammenarbeit zwischen den *best friends* deutlich enger gestaltet, auf Nachhaltigkeit angelegt und in einem gewissen Umfang auch institutionalisiert (zum Beispiel durch regelmässige Treffen, gemeinsame Ansprache von Mandanten, Austausch von Anwälten, bestimmte Mechanismen der Interessenkonfliktprüfung). Der wesentliche Unterschied zur integrierten weltweit tätigen Grosskanzlei liegt in der rechtlichen und wirtschaftlichen Unabhängigkeit der einzelnen Kooperationspartner mit allen sich daraus ergebenden Konsequenzen, auch mit Blick auf die Stabilität eines solchen Verbunds. 25

5.4 Grenzüberschreitende Lösungskompetenz – ein Muss

Für beide Kanzleitypen kommt es bei der Vertretung der Interessen von international agierenden Unternehmen entscheidend darauf an, dass die Kanzlei in der Lage ist, in internationalen Transaktionen, Rechtsstreitigkeiten oder Regulierungsangelegenheiten grenzüberschreitende Lösungen aus einer Hand und aus einem Guss anzubieten. Dabei spielen auch die zunehmende Komplexität der Rechtssysteme und die stark an Bedeutung gewinnende internationale Regulierung eine immer wichtigere Rolle. Nur wer in der Lage ist, auf höchstem professionellen Niveau international agierende Unternehmen auch grenzüberschreitend zu vertreten, kann auf dieser «Weltbühne» erfolgreich mitspielen. 26

6. Organisation und Struktur von Grosskanzleien

6.1 Grosskanzleien als Partnerschaften

27 Es gibt heute in Deutschland etwa 30 Kanzleien mit mehr als 100 Berufsträgern.[19] Freshfields Bruckhaus Deringer hat zurzeit in Deutschland 511 Berufsträger, weltweit sind es etwa 2700, davon 487 Partner (jeweils nach Köpfen). Es liegt auf der Hand, dass eine so grosse Kanzlei mit zahlreichen Büros im In- und Ausland anders organisiert ist und geführt wird als eine kleine Kanzlei mit nur einem Büro und einer überschaubaren Zahl von Partnern. Bemerkenswert ist dabei die Tatsache, dass selbst die grössten weltweiten Kanzleien nach wie vor als Partnerschaften organisiert sind und sich auch als Partnerschaften verstehen.[20] Hierdurch unterscheiden sich Anwaltskanzleien von den Investmentbanken, die sich – mit wenigen Ausnahmen – in den letzten Jahrzehnten in börsennotierte Kapitalgesellschaften umgewandelt haben. Die grossen Wirtschaftsprüfungsgesellschaften *(Big Four)* sind zwar nicht börsennotiert, aber gleichwohl Kapitalgesellschaften und in ihrer gesamten Corporate Governance-Struktur deutlich stärker hierarchisch organisiert als die grossen Anwaltssozietäten.

6.2 Die Partner als Eigentümer und Unternehmer

28 Die Gründe für diese Unterschiede sind vielfältig. Wirtschaftliche Erwägungen – wie etwa im Falle der grossen Investmentbanken der enorme Kapitalbedarf zur Finanzierung ihres Geschäfts – spielen ebenso eine Rolle wie das bei den Anwälten traditionell sehr restriktive Berufsrecht, das zum Beispiel in Deutschland erst seit den Neunzigerjahren die Kapitalgesellschaft als Rechtsform für die Ausübung anwaltlicher Tätigkeit zulässt. Mindestens ebenso wichtig wie diese rechtlichen Rahmenbedingungen sind allerdings das berufliche Selbstverständnis und die Rolle, in der sich Anwälte, allen voran die Partner, in einer solchen Partnerschaft sehen. Die besten Köpfe gewinnt und behält nur die Kanzlei, der es gelingt, für alle Berufsträger einen möglichst grossen Freiraum zu schaffen, in dem sich der einzelne Anwalt beruflich verwirklichen kann. Die Partner einer Kanzlei wie Freshfields Bruckhaus Deringer wollen keine Angestellten mit Gewinnberechtigung sein, sondern sehen sich als Eigentümer und Unternehmer, die in den Angelegenheiten der Sozietät «etwas zu sagen» haben. Dieses Recht zur und das Bedürfnis nach Partizipation – übrigens nicht nur der Partner, sondern in einer abgestuften Form auch der Associates, die in der Regel angestellte Anwälte sind – stehen in einem natürlichen Spannungsverhältnis zu dem betriebswirtschaftlichen Erfordernis einer professionellen Managementstruktur. Alle Grosskanzleien verfügen heute, wenn auch in

[19] Schieblon, Claudia, Management in Kanzleien. In: Schieblon, Claudia (Hrsg.): Kanzleimanagement in der Praxis, Wiesbaden 2011, S. 22, 23 unter Hinweis auf in der Zeitschrift «JUVE» veröffentlichte Daten.

[20] Ob sich hieran in Grossbritannien durch die seit kurzem zulässigen *«Alternative Business Structures»* (Möglichkeit der Betätigung von Nichtanwälten an Anwaltskanzleien) etwas ändern wird, bleibt abzuwarten.

verschiedener Art und Weise und in unterschiedlicher Intensität, über solche Managementstrukturen mit fachlich qualifizierten Mitarbeitern in den verschiedenen Stabsbereichen wie Personalwesen (HR), IT, Finanz- und Rechnungswesen, Marketing und Öffentlichkeitsarbeit.

6.3 Entwicklung von Managementstrukturen in der Partnerschaft

Derartige Strukturen aufzubauen kostete Zeit, Kraft und viel Überzeugungsarbeit. Denn 29 der Begriff Management war für deutsche Anwälte im Hinblick auf ihre eigene Kanzlei und deren Organisation über viele Jahrzehnte ein Fremdwort: Sie wollten nicht «gemanagt» werden, sondern sich selbst organisieren. Und noch heute gibt es eine nicht kleine Zahl von Partnern, die dem «Kanzleimanagement» grundsätzlich eine gewisse Skepsis, ja manchmal sogar Vorbehalte entgegenbringen. Interessanterweise gibt es hier spürbare Unterschiede in den persönlichen Befindlichkeiten zwischen deutschen und beispielsweise englischen Partnern. Letztere sind eher bereit, dem Management einen Vertrauensvorschuss einzuräumen und Handlungsspielräume zu gewähren.

Für deutsche Grosssozietäten ist das Kanzleimanagement eine relativ neue Entwicklung, 30 die erst mit den Fusionen in den Neunzigerjahren, und dann verstärkt nach der Jahrtausendwende eingesetzt hat. Auch grössere Kanzleien hielten bis dahin eisern an dem Prinzip fest, dass die Partner untereinander für alle Angelegenheiten der Sozietät verantwortlich waren, vom Finanz- und Rechnungswesen angefangen bis hin zur Bibliothek. Natürlich griffen die Kanzleien auch schon damals zur Unterstützung auf fachlich qualifizierte Kräfte zurück, die nicht Anwälte waren, so vor allem im Finanz- und Rechnungswesen, zum Teil auch in der Bibliothek. Für die allgemeine Büroorganisation war ein Bürovorsteher verantwortlich, der oder die als «graue Eminenz» im Hintergrund die Fäden zog. Aber seine bzw. ihre Zuständigkeiten waren auf den eigentlichen Bürobetrieb beschränkt; in allen wichtigen Angelegenheiten entschieden stets die Partner.

In unserer Kanzlei begannen wir nach der ersten – innerdeutschen – Fusion (Bruck- 31 haus Westrick Stegemann) im Jahr 1990 mit dem Aufbau einer Managementstruktur, die sich auf die an den einzelnen Standorten vorhandenen Strukturen stützte. Als koordinierendes Gremium wurde ein Verwaltungsausschuss gegründet, der sich aus Partnern der verschiedenen Standorte zusammensetzte. Im Übrigen verwalteten sich die Standorte nach den dort üblichen Regeln weitgehend autonom. Der Verwaltungsausschuss konnte anstelle der Partnerversammlung in einem bestimmten Umfang selbst Entscheidungen treffen. Ansonsten bereitete er die Beschlüsse der Partner vor, die entweder in Standorttreffen jeweils auf lokaler Ebene gefasst wurden oder in regelmässig stattfindenden Partnerversammlungen. Einen Managing Partner oder gar einen Senior Partner gab es nicht. Erst einige Jahre nach der Fusion wurde den Partnern mit zunehmender Grösse der Sozietät bewusst, dass ein sechsköpfiges (später: achtköpfiges) Gremium zu schwerfällig war, um schnell und effizient agieren zu können. In der zweiten

Hälfte der Neunzigerjahre wurde deshalb ein Mitglied des Verwaltungsausschusses als «Geschäftsführender Partner» damit betraut, die Arbeit des Verwaltungsausschusses zu koordinieren und selbst Entscheidungen im Tagesgeschäft zu treffen. Die Rolle dieses mit eng begrenzten Exekutivbefugnissen ausgestatteten Partners wurde bewusst nicht stark hervorgehoben. Nach wie vor war es das Selbstverständnis der Partner, dass alle wichtigen Angelegenheiten in lokalen oder nationalen Partnerversammlungen diskutiert und entschieden wurden.

6.4 Abschied von basisdemokratischen Strukturen

32 Von dieser aus heutiger Sicht «basisdemokratisch» anmutenden Führungsstruktur verabschiedete sich unsere Sozietät nach der Fusion zwischen Freshfields, Bruckhaus und Deringer im Jahre 2000. Es war allen Beteiligten klar, dass in einer weltweiten Partnerschaft mit mehr als 400 Partnern, verteilt über mehr als 25 Büros, eine derartige Verfassung nicht mehr zeitgemäss war. Dennoch wurde um die Corporate Governance während der Fusionsverhandlungen hart gerungen. So spielte beispielsweise die Frage eine zentrale Rolle, ob die jeweiligen Leiter der weltweiten Praxisgruppen zentral vom Management, repräsentiert durch die beiden Senior Partner, bestellt oder ob sie in demokratischer Urwahl von den Partnern der jeweiligen Praxisgruppe gewählt werden sollten. Am Ende entschied man sich für einen Kompromiss, der sich bis heute als praktikabel und tragfähig erwiesen hat: Das zentrale Management, repräsentiert durch den Senior Partner, bestellt den jeweiligen Praxisgruppenleiter nach eingehender Konsultation und mit Billigung der Partner in der betroffenen Praxisgruppe. Faktisch bedeutet das, dass keine Seite der anderen einen Kandidaten oktroyieren kann. Ähnliche Grundsätze gelten auch für die Besetzung anderer Managementfunktionen (z.B. Regional Managing Partner, Office Managing Partner).

33 Ein solches Auswahlverfahren muss zwei Zielen Rechnung tragen, die im Idealfall übereinstimmen, jedenfalls aber nicht zueinander in Widerspruch stehen sollten: Die Partizipationsrechte der Partner in wichtigen Personalangelegenheiten werden gewahrt. Der Partner in einer Managementfunktion geniesst das Vertrauen seiner Partner und stützt darauf die Legitimation zur Führung. Das zweite Ziel ist es, auf diese Weise den «richtigen» Partner (Frau oder Mann) an die richtige Stelle zu setzen. Es nutzt der Kanzlei nichts, in einem noch so demokratischen Verfahren einen ungeeigneten Kandidaten für eine bestimmte Führungsfunktion zu wählen. Eine Anwaltskanzlei ist in erster Linie ein Unternehmen, das an seinem Erfolg gemessen wird. Daran müssen sich Entscheidungen über die «richtige» Besetzung von Managementfunktionen orientieren.

34 Die Schaffung professioneller Managementstrukturen war die Folge aus der Transformation von drei Kanzleien in eine weltweit agierende Law Firm. Heute überlegen auch Anwaltssozietäten, die nicht zu den Grosskanzleien zählen, den Schritt in eine stärker

«gemanagte» Struktur. Die sich rasch verändernden Marktbedingungen und die steigende Wettbewerbsintensität legen dies nahe.[21]

7. Änderung des Geschäftsmodells von Grosskanzleien

Die Schaffung von Managementstrukturen war mit ihren Auswirkungen für Partner, Associates und andere Mitarbeiter ein Novum. Weitaus spürbarer sind jedoch die Veränderungen im Geschäftsmodell der grossen nationalen und internationalen Anwaltskanzleien in den letzten zehn Jahren. Es würde den Rahmen dieses Beitrags sprengen, das ganze Ausmass dieser Änderungen nachzuzeichnen. Ich möchte mich auf einige wichtige Punkte beschränken. 35

7.1 Zahlenverhältnis zwischen Partnern und Associates (Leverage)

Das Verhältnis zwischen der Zahl der Partner und der der angestellten Anwälte (im Fachjargon *gearing* oder auch Leverage genannt) spielte bis in die Neunzigerjahre hinein für das Wohl und Wehe einer Wirtschaftskanzlei aus der Sicht der Partner eine eher untergeordnete Rolle. Alle Anwaltskanzleien, auch die grösseren, waren traditionell «Partnerkanzleien». Deren Zahl überwog die der angestellten Anwälte in aller Regel deutlich. Als ich Ende 1977 als junger Anwalt bei Bruckhaus anfing, war das Verhältnis zwischen der Zahl der Partner und der Associates etwa 2:1. Zwei Partner teilten sich einen anwaltlichen Mitarbeiter – eine Art «umgekehrte» Leverage. Teamarbeit gab es zwar auch, war aber eher die Ausnahme. Jeder Partner bearbeitete «seine» Mandate und liess sich bei Bedarf und je nach Verfügbarkeit von einem oder mehreren Associates unterstützen. Heute stehen einem Partner bei Freshfields Bruckhaus Deringer in Deutschland im Durchschnitt gut 2,5 Associates gegenüber (Leverage: 1:2,6). Teamarbeit ist eine Selbstverständlichkeit. Natürlich arbeitet ein Partner auch weiterhin selbst unmittelbar an Mandaten. Aber Organisation und Koordination des Teams sind ein ebenso wichtiger Teil seiner täglichen Arbeit. Das ist für jüngere Partner, die in diesem Umfeld von Anfang an gearbeitet haben, eine Selbstverständlichkeit. Für die älteren Partner bedeutete das eine gewaltige Umstellung, hatten sie doch in der Mehrzahl ihre anwaltliche Sozialisation in einem Umfeld erfahren, in dem «Einzelkämpfer»-Charaktere dominierten. 36

7.2 Sprungbrett für eine andere Karriere

Das völlig veränderte Zahlenverhältnis zwischen Partnern und Associates hat unmittelbare Auswirkungen auf die Chancen der jungen Kolleginnen und Kollegen, selbst Partner zu werden. Früher trat ein junger Anwalt in die Dienste einer Wirtschaftskanzlei mit 37

[21] Rizor, Stefan, Rolle und Aufgaben des Managing Partners einer Kanzlei. In: Schieblon, Claudia (Hrsg.): Kanzleimanagement in der Praxis, Wiesbaden 2011, S. 54.

der Erwartung, bei entsprechender Eignung und Bewährung eine realistische Chance auf Aufnahme in die Partnerschaft zu haben. Die Chance, *(equity)* Partner in einer Grosskanzlei zu werden, dürfte heute im Durchschnitt unter 10% liegen. Zwar versuchen die Kanzleien mit unterschiedlichen Modellen, verschiedene Formen der Partnerschaft anzubieten (gestufte Partnerschaftsmodelle, z.B. Salary Partner). Aber auch in die Partnerränge ausserhalb des *equity* gelangt jeweils immer nur eine kleine Minderheit der Associates. Das hat zwangsläufig Auswirkungen auf die Beweggründe, die eine junge Anwältin oder einen jungen Anwalt dazu bewegen, sich einer Grosskanzlei anzuschliessen. Es ist nicht mehr die konkrete Aussicht auf die Partnerschaft, sondern es sind andere Faktoren, so zum Beispiel ein hervorragendes Arbeitsumfeld, herausfordernde Mandate, eine sehr gute Bezahlung, ausgezeichnete Aus- und Weiterbildungsangebote, um nur einige wichtige Gründe zu nennen. Die Tätigkeit als Associate in einer Grosskanzlei dient heute der grossen Mehrheit der jungen Kolleginnen und Kollegen als Sprungbrett für die eigene Karriere ausserhalb dieser Kanzlei. Die immanente zeitliche Befristung der Tätigkeit von Associates macht es erforderlich, in einem kontinuierlichen Prozess erstklassigen juristischen Nachwuchs zu rekrutieren. Der Wettbewerb auf dem Nachwuchsmarkt um die besten Köpfe ist ausserordentlich hart und intensiv, zumal aufgrund der demografischen Entwicklung in Deutschland der Talentpool zahlenmässig schrumpft. Die Rekrutierung ist deshalb eine Managementaufgabe von höchster Priorität.

7.3 Der Partner als Unternehmer

38 Für die Partner hat sich die Welt ebenfalls grundlegend verändert. Strategische Planung, Budgets, Geschäftspläne, Schlüsselmandanten *(key clients)*, Vertrauenspartner für bestimmte Mandanten *(client relationship partner)* – das alles waren früher für einen Partner einer Wirtschaftskanzlei Begriffe, die er allenfalls aus der Welt seiner Mandanten kannte, nicht aber als feste Bestandteile seines eigenen Geschäfts in seiner Kanzlei. Heute ist es für eine Kanzlei wie Freshfields Bruckhaus Deringer selbstverständlich, dass für jedes Jahr ein Gesamtbudget und für einzelne Regionen, Standorte und Geschäftsbereiche Teilbudgets aufgestellt werden, in denen die erwarteten Einnahmen und Ausgaben in einer detaillierten Form dargestellt sind. Es ist auch selbstverständlich, dass Quartalsabschlüsse erstellt und mit den budgetierten Zahlen verglichen werden. Damit nicht genug: Jeder Partner erstellt für seinen eigenen Bereich jährlich einen Geschäftsplan (Businessplan), in dem es nicht in erster Linie um Zahlen geht, sondern um eine inhaltlich qualitative Darstellung dessen, was für das Geschäftsjahr im Hinblick auf die Entwicklung bestimmter Mandate und Mandanten erwartet wird. Das Zahlen- und Datenwerk ist kein Selbstzweck, sondern dient dem Management dazu, die richtige strategische Ausrichtung der Kanzlei und eine vernünftige Allokation der verfügbaren Ressourcen zu gewährleisten. Für den einzelnen Partner ist es eine Orientierungshilfe, in welche Richtung und mit welchem Schwerpunkt sein eigenes anwaltliches Geschäft

entwickelt werden soll (z.B. im Hinblick auf den Ausbau bestehender Mandatsverbindungen oder bei der Akquisition neuer Mandanten).

7.4 Mandantenstruktur und Mandatsportfolio

Die Entscheidung über die Annahme oder Ablehnung eines angetragenen Mandats war 39
früher eine Art «Königsrecht» jedes einzelnen Partners, das er vorbehaltlich der Grenzen, die das anwaltliche Berufsrecht zog, nach eigenem Ermessen unter Wahrung der Gesamtinteressen der Sozietät ausüben konnte. Zwar hat auch heute noch der einzelne Partner ein wesentliches Mitwirkungsrecht, aber er entscheidet nicht mehr in alleiniger Verantwortung. Je nach der Bedeutung des Mandats oder seiner potenziellen Konfliktträchtigkeit (im weitesten Sinne verstanden) muss eine Mandatsannahme in einem abgestuften Verfahren mit verschiedenen Partnern in Führungsfunktionen (Sektorgruppenleiter, Praxisgruppenleiter, Managing Partner) abgestimmt werden. Schon die berufsrechtliche Interessenkonfliktprüfung übersteigt bei einer internationalen Kanzlei wegen der häufig anzuwendenden verschiedenen Berufsrechtsordnungen in unterschiedlichen Jurisdiktionen in der Regel das Mass dessen, was eine nationale Kanzlei in diesem Zusammenhang prüfen und berücksichtigen muss. Selbst wenn ein Interessenkonflikt berufsrechtlich nicht vorliegt, wird immer noch geprüft, ob nicht die Rücksichtnahme auf bereits vorhandene Mandanten eine Ablehnung des Mandats notwendig macht. Schliesslich spielen auch strategische («kanzleipolitische») und wirtschaftliche Überlegungen eine Rolle. Wenn ein Mandat nicht in die Mandantenstruktur oder das Mandatsportfolio passt, wird die Annahme des Mandats in der Regel abgelehnt. Das gilt erst recht, wenn ein Mandat die Reputation der Kanzlei gefährden könnte.

8. Schlussbemerkungen

Für Wirtschaftskanzleien bilden die Unternehmen den grössten Teil der Mandantschaft. 40
Bei den Unternehmen handelt es sich in der Regel um erfahrene, marktkundige Nachfrager. Vor allem für die Grossunternehmen ist die Mandatierung einer Anwaltskanzlei heute im Grundsatz ein ähnlicher Beschaffungsvorgang wie der Einkauf von Waren oder sonstigen Dienstleistungen. Deshalb gibt es eine Tendenz, dass die für die Beschaffung zuständigen Einkaufsabteilungen der Unternehmen bei der Mandatierung von Anwaltskanzleien ein entscheidendes Wort mitreden – nicht immer zur Freude der Rechtsabteilungen und der betroffenen Anwaltskanzleien.

Die Anwaltskanzleien sind miteinander in scharfem Wettbewerb stehende Anbieter, 41
die um Mandate konkurrieren, dies zunehmend auch über den Preis. Das alles vollzieht sich in einem durch das Berufsrecht regulierten Umfeld. Abgesehen von den berufsrechtlichen Besonderheiten gelten die in einer Marktwirtschaft üblichen Spielregeln von Angebot und Nachfrage auch auf dem Rechtsmarkt. Das mag der eine oder andere als

eine – unerwünschte – «Kommerzialisierung» beklagen. Ich würde eher von einer Professionalisierung sprechen. Wie dem auch sei, ein Zurück in die – vermeintlich – «guten alten Zeiten» gibt es nicht mehr. Alle – vom Einzelanwalt bis zur internationalen Grosskanzlei – müssen sich im rauen Wind des Wettbewerbs behaupten.

42 Ein erfolgreiches Kanzleimanagement zeichnet sich dadurch aus, dass es in der Lage ist, die Kanzlei in einem sich rasch verändernden Umfeld mit einem eigenen Profil im Markt zu positionieren, diese Marktstellung auch bei hoher Wettbewerbsintensität zu behaupten und, wo immer möglich, weiter auszubauen. Dabei gilt es, die Belange der Partnerschaft, vor allem ihre strategische Ausrichtung am Markt, mit den persönlichen Interessen des einzelnen Anwalts so in Einklang zu bringen, dass sich die verfügbaren Potenziale optimal entfalten können – keine leichte Aufgabe.

C. Produkt-/Marktstrategien im Anwaltsgeschäft

JOHANNES H. WEILER

Zu Beginn meiner Anwaltstätigkeit habe ich einen von mir höchst geschätzten, ausserordentlich erfolgreichen und bekannten Anwalt gefragt, wie man denn zu Mandaten komme. Die Antwort war kurz und eindeutig: «Mandanten werden im privaten Bekanntenkreis akquiriert». Meine Reaktion hierauf war, dass es auf diesem Wege sehr schwer sei, an Mandate zu kommen. Daraufhin meinte er: «Ich habe mir auch immer gedacht, eine Würstelbude um die Ecke, das wärs. Man könnte zwei- bis dreihundert Würstchen am Tag verkaufen und ein paar Getränke. Die Kunden kommen von alleine und die eine oder andere Wurst lässt sich auch ohne Bonierung verkaufen. Der Verdienst wäre sicherlich nicht schlecht; aber der dauernde Würstchengeruch!». 1

Als Anwalt ist man schnell geneigt zu sagen, eine «gute Reputation» ist das Wichtigste. Diese gute Reputation lässt sich mit «guter Arbeit» erzielen. Gute Arbeit ist mit steter Weiterbildung erreichbar. Ist ein Mandant zufrieden, wird er den Anwalt weiterempfehlen, so die – teilweise auch berechtigte – Hoffnung. Ausserdem benötigt man «gute Beziehungen». Für gute Beziehungen machen Anwälte vieles. Manche machen den Jagdschein, andere werden Mitglied in einem Verein oder nehmen in anderer besonderer Weise am gesellschaftlichen Leben teil, um eben die begehrten Mandate zu akquirieren. Auch die Betätigungen als Autor und Dozent werden als wirksame Mittel der Akquise angesehen. Vielfach sind das die drei Komponenten der Strategie, welche ein Allgemeinanwalt verfolgt und teilweise auch verfolgen muss mit dem Ziel des «Erfolgsreichseins». 2

Unterscheidet sich ein solcher Anwalt, der für seine Kanzlei die (Mit-) Verantwortung trägt, wirklich von dem spezialisierten und international tätigen Anwalt einer grossen Kanzlei? Ein solcher Anwalt besucht nämlich meistens nicht einen örtlichen Verein, aber dann doch den «überörtlichen». Seine Beziehungen sind überörtlich, häufig international ausgerichtet. Vorträge halten und Autorentätigkeit gehören ebenfalls zum Standardrepertoire. Der Dreiklang dieser Komponenten spielt wohl bei beiden eine zentrale Rolle. Beide unterscheiden sich scheinbar lediglich in der Mandantenstruktur und dem Angebotsportfolio. Ihren «Erfolg» messen beide in Geld. 3

Dennoch unterscheiden sich die Anwälte. Die Zielsetzung ist vielfältig und unterschiedlich, abhängig von der Persönlichkeit des Anwaltes. Der eine will Einzelanwalt bleiben als «Vollsortimenter». Der andere möchte sich spezialisieren und klein bleiben. Andere wollen regional und national wachsen, andere wollen international tätig sein. Persönlichen Zielsetzungen bestimmen letztlich die Marktstrategie und Produktstrategie. 4

Weiler & Kollegen verfolgt das Ziel, als deutsch-chinesische Kanzlei mit Standorten in Deutschland und China im Marktsegment der Gründung und Betreuung von Nie- 5 derlassungen und Tochtergesellschaften chinesischer Unternehmen und Unternehmer überdurchschnittlichen Erfolg zu haben. Die Erreichung dieses Zieles benötigt eine entsprechende Strategie und daraus abgeleitete wegweisende Entscheidungen. Wie die Umsetzung geschieht und teilweise bereits erfolgt ist, wird in diesem Beitrag ausgeführt.

6 In einer Vorüberlegung werden die Entwicklung und die Ausgangsposition der Kanzlei dargestellt, aus welcher heraus ein Ziel definiert und eine Strategie entwickelt wurde (1). Im Anschluss daran folgt die Ausarbeitung der Strategie (2). In einem weiteren Abschnitt werden eingetretene Konsequenzen der strategischen Festlegung dargestellt (3). Die Schlussbetrachtung beleuchtet die Treiber (4).

1. Entwicklung und Ausgangslage

7 Weiler & Kollegen ist aus einer Einzelkanzlei entstanden. Das bestimmende Ziel war von Anfang an die Entwicklung hin zu einer grossen Einheit. Im Nachhinein betrachtet war dieses Ziel undefiniert, mehr Hoffnung und vor allem auch eine eher diffuse Vision. Nur folgerichtig war auch der Weg dorthin, die Strategie, unklar. Die Mandate entstanden aus dem privaten Umfeld und aus Empfehlungen. Bald ergaben sich so viele Mandate, dass ein Kollege hinzugeholt werden konnte. Und anlässlich dieser ersten Erweiterung um «100%» musste die erste grundlegende Entscheidung getroffen werden: Anstellung oder freiberufliche Mitarbeit bei Umsatzbeteiligung. Die Entscheidung fiel aus Kosten- und Sicherheitsgründen zugunsten der freiberuflichen Zusammenarbeit. Die Strategie «Übernahme aller Mandate» war bedingt erfolgreich. Es fehlte an einer Ausrichtung im Markt und auch an einer Ausrichtung im Portfolio. Letztlich war die Kanzlei «Vollsortimenter» auf unterster Stufe.

8 Eine wesentliche Änderung trat ein mit der Gründung der Partnerschaft. Die Kanzlei konnte sich nun bis zu einer Grösse von acht Kolleginnen und Kollegen entwickeln, wobei ein Kollege fest angestellt war und die weiteren auf freiberuflicher Basis tätig waren. In diesem Stadium stellte sich erstmals ernsthaft die Frage nach der Ausrichtung des Anwaltsbüros. Die gemeinsame Vorstellung war, eine Einheit zu schaffen, die ein abgestimmtes Produktportfolio anbietet. Über die Einbindung weiterer Kolleginnen und Kollegen wollten wir in Richtung Vollsortimenter fortschreiten, mit spezialisierten Anwälten in ihren selbst gewählten Rechtsgebieten. Diese Ausrichtung wurde von allen Beteiligten getragen. Der Aussenauftritt in Form von Homepage und CI (Corporate Identity) wurde gemeinsam gestaltet. Die Kanzlei schien auf einem guten Entwicklungsweg zu sein. Es wurde eine Attraktivität im Aussenbereich geschaffen. In der Sprache der Physik würde man sagen, dass eine Gravitationskraft entstand, aber die Kernkräfte waren zu gering. Dies führte z.B. dazu, dass eine Kollegin mit Unterstützung der Kanzlei sich zur Fachanwältin spezialisierte und ein grösseres Mandat mit guten und regelmässigen monatlichen Umsätzen gewinnen konnte. Diese Akquise war nur erfolgreich aufgrund

der Spezialisierung der Kollegin und der Grösse der Kanzlei, in deren Rahmen die Akquise der Kollegin stattfand. Da die persönliche Bindung jedoch nicht stark genug war, verliess die Kollegin die Kanzlei in ein Umfeld, das ihr besser schien.

Diese und andere Erfahrungen mit freiberuflich tätigen Kollegen bewirkte ein Umdenken hin zur Festanstellung. Die Festanstellung, so die Annahme, bewirke eine bessere Integration in die Einheit Kanzlei und damit auch eine bessere persönliche Bindung. Aber angestellte Anwälte mussten trotz ausgewogenem Portfolio wieder entlassen werden, weil der monetäre Erfolg ausblieb. Festanstellung allein bewirkt zwar eine grössere Bindung, aber die Eigenakquise ist geringer, so die weitere Erfahrung. 9

Es musste also etwas fehlen, was über die allgemeinen Vorstellungen hinaus für den Aufbau einer Kanzlei erforderlich ist. Es mangelte nicht nur an einem inneren Zusammenhalt aller Anwälte, auch die Partnerschaft selbst strebte auseinander. Dies zeigte sich vor allem in den unterschiedlichen Vorstellungen der Partner. Es standen sich die Ansichten gegenüber: Für zwei Anwälte reichen die Mandate und die künftigen Möglichkeiten zur Akquise aus für ein gutes Einkommen, Herunterfahren der Kosten, mehr Stabilität und Sicherheit einerseits, Festhalten am Wachstumsziel, Untersuchen der Gründe für das bisherige Scheitern und Neustart mit Zielsetzung und einer zu entwickelnden ganzheitlichen Strategie andererseits. 10

Parallel zu diesen erzwungenen Einsichten zeigten sich auch positive Entwicklungen. Über das private Umfeld hatte sich eine chinesische Kollegin vorgestellt mit dem Wunsch, mit ihren Erfahrungen einen China-Desk in der Kanzlei aufzubauen. Dieses Ziel fand bei beiden Partnern – wenn auch unterschiedlich grosses – Interesse, und die neue Mitarbeiterin wurde angestellt. Es war klar, dass es sich um eine Investition handeln würde, die sich über einen gewissen Zeitraum amortisieren musste. Dies war die Geburt der heutigen Kanzlei Weiler & Kollegen. 11

Der Aufbau des China-Desk hatte zum Ziel, deutsche Mandanten auf dem Weg nach China zu begleiten und in China zu betreuen. Zu diesem Zweck wurde ein Büro in Peking angemietet und ein Beratungsunternehmen nach chinesischem Recht gegründet. Parallel dazu entstand eine Kooperation mit einer grösseren Kanzlei in Peking mit dem Vorteil für beide Seiten, den Mandanten aus dem eigenen Land bei wirtschaftlicher Betätigung im anderen Land rechtliche Unterstützung gewähren zu können. Diese Beziehung hat sich mit den Jahren sehr bewährt. Inzwischen wurde die Anmietung eines separaten Büros beendet und mit der Partnerkanzlei in Peking eine Office-in-Office-Regelung getroffen. 12

Der Partner, der sich für ein «Kleinbleiben» entschieden hatte, stagnierte mit den von ihm in seinem Bereich akquirierten Umsätzen und erzielte gleichzeitig steigende Umsätze durch den China-Desk. Der andere Partner erzielte trotz grosser zeitlicher Einbindung in Fortbildungsmassnahmen und den Aufbau einer Struktur innerhalb der Kanzlei grosse Umsatzzuwächse, von denen die gesamte Kanzlei profitierte. Diese Dynamik hatte eine 13 insgesamt sehr positive Aussenwirkung. Der China-Desk steigerte die Attraktivität der Kanzlei auch bei den deutschen Mandanten.

14 Die Chinaaktivitäten führten auch dazu, dass ein Partner inzwischen die Leitung des Wirtschaftsförderungsbüros der Stadt Unterschleissheim in Hangzhou übernehmen konnte. Diese Tätigkeit führte zu einem weiteren Schub in der Entwicklung des Chinageschäftes.

15 Die bisherige Entwicklung der Kanzlei hat zu folgenden grundlegenden Erkenntnissen geführt:

- Es gibt drei Kategorien, in welchen der Anwalt tätig sein kann und muss: Akquise, Mandatsbearbeitung, Kanzleientwicklung. Der eingangs erwähnte Kollege fasste dies zusammen in *finder, grinder, minder*. Erst ab einer gewissen Kanzleigrösse lassen sich diese drei Bereiche schwerpunktmässig aufteilen.
- Die Beziehung zum Mandanten lässt sich in zwei Kategorien einteilen: persönlich und sachlich. In beiden Kategorien ist ein hohes fachliches Können erforderlich, um den Mandanten zu halten.
- Die Mandanten lassen sich in zwei Kategorien einteilen: spezifisch und unspezifisch. Ein unspezifischer Mandant hat ein rechtliches Problem und benötigt einen Anwalt. Welcher Anwalt beauftragt wird, ist letztlich von geringerer Bedeutung, auch wenn natürlich hohe Ansprüche an die Qualität der vom Anwalt zu erbringenden Leistung bestehen. Ein spezifischer Mandant hat – immer wiederkehrende – spezifische rechtliche Probleme, will einen entsprechend spezialisierten Anwalt oder eine Kanzlei beauftragen und ein Vertrauensverhältnis aufbauen.
- Ein Einzelanwalt hat die Möglichkeit, über eine hohe Spezialisierung und über persönliche Beziehungen Mandate zu gewinnen. Eine Gemeinschaft von Anwälten kann über die Synergieeffekte und das grössere Angebotsspektrum grössere und vor allem auch überregionale und internationale Mandate gewinnen. Die Akquisemöglichkeit endet – auch bei besten Mandantenbeziehungen – immer dort, wo die bestehende Gemeinschaft die Bedürfnisse des Mandanten nicht mehr bedienen kann.
- Bis zu einer Grösse von drei bis fünf Kollegen lässt sich die Kanzlei ohne besondere Strategie und Managementwerkzeuge steuern. Ab Überschreitung dieser Grösse müssen ein Ziel und eine Strategie entwickelt werden. Die Kanzlei bedarf ausserdem einer klaren Struktur, einer klaren Führung, einer ständigen internen Kommunikation und einer Vision.
- Weiler & Kollegen kann aufgrund seiner Grösse kein Vollsortimenter sein. Ein Erfolg im Markt kann nur über Spezialisierung im Portfolio und über die Konzentration auf ein Mandantensegment erreicht werden.

- Grössere Kanzleien sind weniger flexible Organisationen als kleinere Kanzleien. Es besteht bei den «Grossen» ein gewisser Druck auf die Mandanten, sich den Vorgaben der Grosskanzlei anzupassen, weil die Anwälte die internen Vorgaben einhalten müssen. Kleine Kanzleien sind beweglicher und können sich besser auf die Wünsche von Mandanten einstellen.
- Für eine Kanzlei in Deutschland gilt im Prinzip: Der Markt ist bekannt und gesättigt, und die Produkte sind allen Beteiligten bekannt. Es besteht ein Verdrängungswettbewerb in einem gesättigten Markt. Ob man sich in einem solchen Verdrängungswettbewerb behaupten und durchsetzen kann, ist eine Frage der Attraktivität der angebotenen eigenen Leistung.
- Noch prinzipiell anders als in Deutschland ist die Marktsituation in China: Dort besteht immer noch ein für Anwälte sich entwickelnder Markt. Der Konkurrenzdruck ist ein anderer als in Deutschland. Die Beziehungen zwischen Kanzleien und Mandanten sind noch nicht so gefestigt wie in Deutschland. Daraus wird auch verständlich, dass in China Kanzleien entstehen können, die in wenigen Jahren 50 bis 100 und mehr Anwälte beschäftigen.

2. Ausarbeitung der Strategie

2.1 Ausgangssituation

Eine Strategie setzt ein Ziel voraus. Die Marktstrategie setzt demzufolge ein Ziel im Hinblick auf den Markt voraus. Und in gleicher Weise gilt dies für das Produkt. Dabei ist auch nicht übersehbar, dass Markt und Produkt in einer besonderen Abhängigkeit stehen. Für eine Dienstleistung als Produkt, dies gilt besonders für Anwälte, darf bemerkt werden, dass diese erst durch den Markt bzw. im Markt entsteht. Man kann eben nicht die Dienstleistung vorhalten und dann von der Stange schon fertig zum Verkauf dem Klienten irgendwie übertragen. Wie der Hersteller eines Werkes ist der Hersteller einer Dienstleistung, so auch der Anwalt, davon abhängig, dass er eine Leistung anbietet, für die es einen Markt gibt, und dass die Leistung so angeboten wird, dass diese für die Marktteilnehmer attraktiv genug ist im Hinblick auf eine Beauftragung. Dies gilt auch für einen sogenannten «neuen Markt» und auch für sogenannte «neue Produkte». Markt und Produkt müssen füreinander attraktiv sein. 16

Den Begriff «Attraktivität» kann man in diesem Zusammenhang ohne Weiteres mit dem Begriff «Qualität» gleichsetzen, um dann gleich die Frage zu stellen, was denn unter Qualität zu verstehen ist. Qualität ist ein relativer Begriff. Im bestehenden Vertragsverhältnis bedeutet Qualität mangelfreie Vertragserfüllung. Im Produkthaftungsrecht bedeutet Qualität Sicherheit des Produktes. In der Beziehung zum Mandanten hat das Leistungsangebot einer Kanzlei dann Qualität, wenn es die Bedürfnisse des Mandan- 17 ten befriedigt. Schon daraus lässt sich ersehen, dass die Auswahl des Mandantensegmentes für die Qualität des Portfolios einer Kanzlei wesentlich ist.

18 Weiler & Kollegen hatte sein Produktportfolio ausgerichtet auf Wirtschaftsrecht, Arbeitsrecht und Steuerrecht. Der Bereich Steuerrecht wird in Form einer Kooperation extern bedient. Der Bereich Wirtschaftsrecht beinhaltet Handels- und Gesellschaftsrecht, Produkthaftungsrecht, IT-Recht, Markenrecht, Wettbewerbsrecht.

19 Der China-Desk entwickelte sich dahingehend, dass immer mehr chinesische Firmen betreut wurden bei ihrem Engagement in Deutschland. Diese Entwicklung entspricht der weltwirtschaftlichen Lage. Seit den Reformen 1978 zur Ablösung der Planwirtschaft haben Ausländer in China als neuen Markt und Markt der Zukunft zunehmend investiert. Demgegenüber haben die Chinesen erst seit wenigen Jahren begonnen, im Ausland zu investieren. Die Investitionstätigkeit chinesischer Unternehmer im Ausland steht immer noch am Anfang. Der richtige Aufschwung wird in den nächsten Jahren zu verzeichnen sein. Die Kanzlei Weiler & Kollegen hat diese Entwicklung vorausgesehen und sich darauf eingestellt. Weiler & Kollegen hat sich zum Ziel gesetzt, als deutsch-chinesische Kanzlei mit Standorten in Deutschland und China im Marktsegment der Gründung und Betreuung von Niederlassungen und Tochtergesellschaften chinesischer Unternehmen und Unternehmer überdurchschnittlichen Erfolg zu haben.

2.2 Chancen

20 Der Trend chinesischer Unternehmen, im Ausland zu investieren, ist eine grosse Chance für Weiler & Kollegen. In Europa wollen die Chinesen tendenziell im grössten Markt investieren, also in Deutschland. München liegt im Herzen Europas. Alle wichtigen Metropol- und Wirtschaftsregionen können in wenigen Stunden mit dem Flugzeug erreicht werden. Der Flughafen München bietet eine ausgezeichnete internationale Anbindung. Die Stadt München geniesst einen hervorragenden Ruf auf der ganzen Welt, so auch in China. Als Nachteil des Standortes München wäre zu erwähnen, dass die Stadt München bislang keine Partnerschaft mit einer chinesischen Stadt eingegangen ist und sich nicht um die Ansiedlung chinesischer Unternehmen bemüht.

21 Die Zahl chinesischer Jurastudenten in Deutschland mit abgeschlossenem chinesischem Jurastudium nimmt zu. Es ist zu beobachten, dass neben dem Abschluss LL.M. mit nachfolgender Doktorarbeit auch ein Vollstudium in Jura angestrebt wird. Diese Entwicklung erhöht die Chance auf die Gewinnung von chinesischen Kollegen, die sich als deutsche Anwälte niederlassen können. Ein wichtiger Gesichtspunkt ist, dass chinesische Unternehmen, die in Deutschland tätig sind, von chinesischen Mitarbeitern betreut werden wollen. Aber auch deutsche Unternehmen, die in China engagiert sind, sind bemüht, chinesische Studenten nach deren Abschluss als Mitarbeiter zu gewinnen.

Weiler & Kollegen steht in Konkurrenz zu den in China bereits seit Jahren engagierten deutschen und internationalen Kanzleien, die alle wesentlich grösser sind. Der Vorteil von Weiler & Kollegen ist die bereits bestehende Bekanntheit in Unternehmerkreisen in China, so insbesondere in dem Segment Erneuerbare Energien und speziell im Bereich Photovoltaik. Ein weiterer wesentlicher Vorteil ist die grössere Flexibilität und Anpassungsfähigkeit an die spezifischen Bedürfnisse der chinesischen Mandanten. 22

In China zugelassenen chinesischen Rechtsanwälten ist es erlaubt, sich in Deutschland als chinesischer Rechtsanwalt niederzulassen und auf dem Gebiet des chinesischen Rechts zu beraten. 23

2.3 Vision

Weiler & Kollegen strebt an, eine deutsch-chinesische Wirtschaftskanzlei zu sein: «Weiler & Kollegen will als deutsch-chinesische Wirtschaftskanzlei die führende Anwaltskanzlei in der Betreuung chinesischer KMU in Deutschland sein.» 24

Führende Rolle bedeutet, dass Weiler & Kollegen in herausragender Weise die Wünsche und Bedürfnisse der chinesischen Tochtergesellschaften und Niederlassungen in Deutschland bedienen kann. Das ist nur über ein hohes Mass an Verständnis der chinesischen Kultur und doch auch gleichzeitig ein ebenso hohes Mass an Authentizität erreichbar. 25

2.4 Strategie

Eine Strategie muss natürlich belastbar sein. Es genügt nicht, sich eine Strategie auszudenken und zu hoffen, sie wird schon zum Ziel führen. Die Strategie muss den Markt, die Ausgangslage der eigenen Unternehmung und die Wettbewerber beachten. Man muss sich auf Produkte und deren Abnehmer konzentrieren. Schöner ist es noch, wenn man einen sich abzeichnenden Trend erkennt und diesen als einer der Ersten nutzen kann. Die Strategie muss ausreichend Halt bieten und doch auch Flexibilität für notwendige Änderungen gewähren. Hervorzuheben wäre allenfalls die Wichtigkeit der Beachtung der Bedürfnisse des Marktes bzw. der (möglichen) Mandanten. Hat man die Bedürfnisse erkannt, lassen sich Problemlösungen erarbeiten, die im Vergleich zu Wettbewerbern erfolgreicher sein können. 26

Die nachfolgend dargestellten Punkte der Strategie beruhen auf den eigenen Erfahrungen der letzten Jahre und den allgemeinen Informationen aus der Wirtschaft. 27

2.4.1 Dienstleistungen

Chinesische Unternehmen und Unternehmer sind in Deutschland tätig mit Niederlassungen und Tochtergesellschaften oder in Form von Joint Ventures. Diese Primäraktivi- 28 täten verlangen Dienstleistungen aus den Bereichen Gesellschaftsrecht und Steuerrecht. Im Bereich Steuerrecht nutzt Weiler & Kollegen die Dienstleistungen befreundeter Steuerberatungs- und Wirtschaftsprüfungskanzleien. Den Bereich Gesellschaftsrecht deckt Weiler & Kollegen selbst ab. Soweit grössere Mandate im Raum stehen, werden diese in Kooperation mit befreundeten Wirtschaftskanzleien bearbeitet. Dies wird vor allen im Bereich M&A der Fall sein.

29 Bereits im Rahmen des Markteintrittes entsteht für die chinesischen Unternehmen zwingend Betreuungsbedarf in der Materie Aufenthaltsrecht. Diesen Bereich deckt Weiler & Kollegen vollständig ab.

30 Im Rahmen der nachfolgenden wirtschaftlichen Betätigung ergeben sich Fragen vor allem aus den Bereichen Handelsrecht und Arbeitsrecht. Auch diese Rechtsgebiete werden von Weiler & Kollegen bedient.

31 Deutsche Unternehmen (KMU) benötigen Betreuung in allen angesprochenen Rechtsbereichen ausser in der Materie Ausländerrecht. Dafür macht das Forderungsmanagement einen wesentlichen Teil des Betreuungsbedarfs aus. Diesen Bereich deckt Weiler & Kollegen vollständig ab.

2.4.2 Mandanten

32 Weiler & Kollegen vertritt und berät KMU. Schwerpunkte bilden KMU aus den Branchen Photovoltaik und Erneuerbare Energien, Automobilindustrie, Pharma- und Medizinprodukte sowie Handel.

2.4.3 Markt

33 Weiler & Kollegen betreut in Deutschland ansässige Unternehmen/Unternehmer sowie Unternehmen und Unternehmer aus China, die sich in Deutschland wirtschaftlich betätigen.

34 In gleicher Weise betreut Weiler & Kollegen in Kooperation mit chinesischen Anwaltskanzleien in Peking, Schanghai und Hangzhou Unternehmen und Unternehmer aus dem deutschsprachigen Raum, die sich in China wirtschaftlich betätigen wollen.

35 Weiler & Kollegen ist eine international ausgerichtete Kanzlei, tätig auf dem chinesischen und dem deutschen Markt mit Mandanten aus China und dem deutschsprachigen Raum.

2.4.4 Vertrieb

36 Weiler & Kollegen betreut die Mandanten aus dem genannten Portfolio umfassend in Form von Eigenleistung oder durch Hinzuziehung befreundeter Kanzleien. Als beson-

derer Service werden die Mandanten in ihren Firmen besucht. Es werden In-Haus-Schulungen angeboten und eine 24-Stunden-Erreichbarkeit garantiert.

Die Bekanntheit von Weiler & Kollegen wird durch Werbemassnahmen auf chinesischen Internetseiten und die Einrichtung einer eigenen chinesischen Internetseite unterstützt und gesteigert. Gleiches gilt für die aktive Mitarbeit in deutsch-chinesischen Vereinen. 37

Alle Kolleginnen und Kollegen sind verpflichtet, Dozenten- und Vortragstätigkeit zu erbringen. Dies ist eine Möglichkeit zur Akquise und fördert den Bekanntheitsgrad des Vortragenden und der Kanzlei. 38

2.4.5 Mitarbeiter

Grundlegende Voraussetzung bei den anwaltlichen Mitarbeitern sind Sprachkenntnisse in Deutsch, Englisch und Chinesisch. Voraussetzung ist auch eine positive Einstellung zu kulturellen Unterschieden und ein Interesse an chinesischer und deutscher Kultur. 39

Die Mitarbeiter müssen es wollen, engagiert und treu mitzuarbeiten. Eine Selbstverständlichkeit ist es, dass jeder Mitarbeiter überdurchschnittlich qualifiziert ist und sich stets weiterbildet. In entsprechender Weise wird eine Beteiligung am erzielten Erfolg gewährt. Die Bezahlung ist der erbrachten Leistung angemessen. 40

Die Mitarbeiter werden an den grundlegenden Entscheidungsfindungsprozessen der Kanzlei beteiligt. In regelmässigen Intervallen finden Besprechungen statt. Es ist besonders in kleineren Kanzleien hilfreich, dass alle Mitarbeiter, die wesentlich zum Erfolg der Kanzlei beitragen, in die anstehenden Entscheidungsprozesse eingebunden werden, soweit diese ihre Position in der Kanzlei tangieren. Durch diese Beteiligung wird eine engere Bindung an die Kanzlei erzielt. 41

Private Besonderheiten können frei angesprochen werden und finden bestmöglich Berücksichtigung, z.B. Teilzeit oder anderweitige Einbindung bei zu betreuenden Kindern usw. 42

2.5 Umsetzungsmassnahmen

Vision, gesetztes Ziel und Strategie bedeuten für Weiler & Kollegen einen Wandel, der mit betriebswirtschaftlichen Werkzeugen gesteuert wird. Die Probleme liegen dabei weniger im Aufbau eines Modells als in der praktischen Umsetzung. Denn diese erfordert neben erheblichen Ressourcen auch eine persönliche Befähigung. 43

In einer ersten Besprechung wurden Vision, das Ziel der Kanzlei, die Erforderlichkeit einer angemessenen Struktur und Organisation der Kanzlei, notwendige Inhalte, Aussenauftritt, CI und persönliches Erscheinungsbild sowie die Betätigungsbereiche hinsichtlich Produktportfolio und Markt entfaltet, ohne konkrete Umsetzungsmassnahmen zu 44 besprechen. Jeder Mitarbeiter hat seine persönliche Vorstellung zu diesen einzelnen Punkten eingebracht und problematisiert.

45 Folgebesprechungen hatten die vorstehenden Punkte 2.1 bis 2.4 zum Gegenstand. Darauf aufbauend wurden die Umsetzungsmassnahmen besprochen. Die Gestaltung des Wandels stellt die wesentliche Voraussetzung für den Wandel dar. Denn die Gestaltung erfordert für jeden einzelnen Mitwirkenden ein klares Bewusstsein von seinem persönlichen Beitrag, den er für den Erfolg leistet und auch leisten muss. Die Veränderungsarbeit findet in der ganzen Organisation selbst statt. Ein solches Projekt lässt sich in Teilprojekte zerlegen. Die Beteiligten sollen erkennen, weshalb der Wandel erfolgt und wie ihr Beitrag in Form jeder einzelnen Aufgabenstellung lautet.

46 • Die Festlegung des gewünschten Zieles wird sorgfältig kommuniziert und den beteiligten Akteuren vermittelt. Erforderlich ist dessen Akzeptanz bei den Beteiligten. Jedem muss bewusst sein, worum es geht, nämlich um einen grundlegenden Wandel, der einer Gestaltung bedarf. Um diesen Grundstein legen zu können, bedarf es einer klaren Beschreibung des Zieles. Ziel ist es, Weiler & Kollegen hin zu einer deutsch-chinesischen Kanzlei zu entwickeln, die führend für chinesische Tochtergesellschaften in Deutschland (KMU) tätig ist. Das damit erworbene Know-how und die gewonnenen Beziehungen können parallel dafür eingesetzt werden, in steigendem Masse Unternehmen aus dem deutschsprachigen Raum bei ihrem Engagement in China zu betreuen. Dieser Effekt ist derzeit bereits spürbar.

47 • Um das Ziel zu erreichen, muss eine zielgerecht funktionierende Organisation (Aufbau und Ablauf) eingerichtet sein und regelmässig justiert werden. Dies beinhaltet sowohl das Abstimmen der Beiträge jedes Einzelnen zu dem Wandel und die Planung der erforderlichen Gewinnung von weiteren geeigneten Mitarbeitern im Hinblick auf die Zielerreichung. Dazu gehört auch die Bereitstellung aller erforderlichen Arbeitsmittel, damit die derzeitige und künftige Organisation auch technisch befähigt ist. Die Mitarbeiteranzahl muss mit der Zeit ausgewogen angehoben werden. Das Verhältnis der chinesischen und deutschen juristischen Mitarbeiter benötigt eine Ausgeglichenheit, auch im Hinblick auf den steigenden Arbeitsanfall. Die Leistungsfähigkeit künftiger Mitarbeiter ist sorgfältig zu prüfen, bevor eine Eingliederung stattfinden kann. Die technischen Hilfsmittel müssen einen reibungslosen Austausch mit China ermöglichen.

48 • Im Rahmen der bestehenden und künftigen Organisation müssen die Akteure genannt werden. Jedem Akteur muss die Bedeutung seiner Rolle im Vollzug des Wandels bewusst sein, er muss voll hinter seiner Aufgabe stehen. Als Akteure sind auch Rechtsanwaltsfachangestellte zu benennen. Bei Weiler & Kollegen wurden alle derzeitigen Mitarbeiter in die Besprechungen eingebunden. Dabei wurde diskutiert, wie das Wachstum der Kanzlei in personeller Hinsicht ausse-

hen soll und welche Aufgaben die einzelnen Mitarbeiter übernehmen müssen. Die chinesischen Mandanten wollen von chinesischen Mitarbeitern betreut werden, die Arbeitsleistung wird von deutschen Mitarbeitern erbracht. Weitere Fragestellungen hängen damit zusammen: Wie werden chinesische Mandanten akquiriert? Wer übernimmt dabei welchen Part? Wie werden chinesischsprachige Flyer erstellt und eingesetzt? Was ist chinesischen Mandanten wichtig? Was kann und muss getan werden, und wer übernimmt welche Einzelaufgabe?

- Die Festlegung von Zeitabschnitten für Entwicklungsstufen gibt jedem Akteur 49 Orientierung und kann bei sinnvoller Bemessung im positiven Sinne förderlich sein. Solches Timing von Entwicklungsstufen ist eine besondere Hilfe für alle Beteiligten, wenn es eine Entwicklungslogik enthält. Bei richtigem Timing wird der Spannungsbogen bei den Akteuren aufrechterhalten und die Erreichbarkeit der Etappenziele gewährleistet. Konkret wurde – neben Einzelprojekten – festgelegt, in welchen Entwicklungsstufen Umsatzsteigerungen erzielt werden sollen und wie diese über Akquise und Optimierung erreicht werden können.
- Die Umsetzungsmassnahme bedarf auch der Festlegung von Zuständigkeiten 50 und damit die Benennung von Verantwortlichen. Verantwortlichkeit führt zu Bewusstsein für den Aufgabenbereich und fördert die Motivation. Jeder Mitarbeiter hat seinen Verantwortungsbereich.
- Festlegung regelmässiger Besprechungen zum Zwecke des Berichtes, des Aus- 51 tausches, der Verbesserung und der Kontrolle. Diese finden regelmässig jeden Monat statt. Bei Erledigung eines Einzelprojekts wird ein neues Einzelprojekt gestartet.
- Die Festlegung des Abschlusses des Projekts ist ein sehr kritischer Punkt. Denn 52 die Bestimmung des komparativen Begriffes «überdurchschnittlicher Erfolg» erfordert eine besondere Festlegung: Führend in der Anzahl chinesischer Mandanten, führend im Erfolg gemessen an Umsatz oder Gewinn, führend im Bekanntheitsgrad usw. Die Innehabung der Führerschaft kommt einer Behauptung gleich, die nur schwer überprüfbar ist. Vor diesem Hintergrund soll das Projekt nach einem Zeitraum von drei Jahren abgeschlossen sein. Die damit verbundene Bestandsaufnahme wird zu einer Neuausrichtung führen. Bis dahin muss Weiler & Kollegen eine klare Ausrichtung auf die Betreuung chinesischer Mandanten in Deutschland erreicht haben. Liegt der Schwerpunkt gemessen am Umsatzvolumen klar in dieser Ausrichtung, kann der überdurchschnittliche Erfolg bereits deshalb angenommen werden, weil keine andere Kanzlei in Deutschland eine solche Gewichtung aufweist. Parallel dazu müsste eine signifikante Ausrichtung auf deutsche Mandanten entstanden sein, die von Weiler & Kollegen im Chinageschäft betreut werden wollen.

3. Konsequenzen der strategischen Festlegung

53 Eine wesentliche Konsequenz dieser strategischen Festlegung ist die Notwendigkeit, gleichmässig chinesische und deutsche Mitarbeiter zu gewinnen, die jeweils ein gesundes Mass an Neugier für die andere Kultur mitbringen und ausreichend Geduld für die Andersartigkeit. Diese Konsequenz ergibt sich daraus, dass nicht eine deutsche Kanzlei mit chinesischen Mitarbeitern angestrebt wird.

54 Die deutschen Mitarbeiter müssen bereit sein, nach China zu reisen und dort – mittelfristig betrachtet – auch langfristig zu arbeiten und die chinesische Sprache zu erlernen. Die chinesischen Mitarbeiter hingegen müssen bereit sein, langfristig in Deutschland zu arbeiten und die deutsche Sprache gut zu erlernen. Das Beherrschen der englischen Sprache wird – jedenfalls für die deutschen Kollegen – zur Pflicht.

55 Da Weiler & Kollegen eine kleine Kanzlei ist, also ein KU, ist die Organisationstiefe nicht ausgeprägt. Neben einem Partner verzeichnet die Kanzlei anwaltliche Mitarbeiter. Zusätzlich gibt es chinesische Assistenten und deutsche Jurastudenten und Rechtsreferendare. Dennoch kann eine Konsequenz festgestellt werden: Eine Beteiligung der chinesischen Kollegen am Erfolg ist hilfreich für die Leistungsbereitschaft und damit wichtig für das Gelingen.

56 Die Ausarbeitung einer Vision, die gemeinsame Festlegung des Zieles, die gemeinsame Erarbeitung der Strategie und Festlegung der Massnahmen brachten einen Schub an Einsatzfreude und haben eine Aufbruchstimmung entstehen lassen. Es ist nun geradezu Pflicht, an dieser Entwicklung festzuhalten, sie aufzubauen und den eingeschlagenen Weg zu gehen. Denn die Freude an der Mitarbeit an einem solchen Projekt zählt mehr als Geld.

4. Schlussbetrachtung

57 Ein Zusammenschluss mehrerer Anwälte zu einer Einheit bedarf folgender Zutaten: Vision, Ziel und Strategie, Führung, Struktur, stetige interne Kommunikation und Kontrolle. Was bringt Weiler & Kollegen dazu, diesen «Aufwand» zu betreiben? Es ist die Freude an der Zusammenarbeit und am gemeinsamen Erfolg. Es ist die Erkenntnis eines jeden Mitarbeiters, einen Beruf auszuüben und nicht einen Job. Die Entwicklung der Kanzlei und die Mithilfe eines jeden beim erfolgreichen Aufbau ist zentraler Motor. Es ist die Erkenntnis, etwas über den eigenen Beruf Hinausgehendes schaffen zu können, einen persönlichen Erfolg erzielen zu können und nicht nur eine Leistung erbringen zu müssen, teilzuhaben am Aufbau einer erfolgreichen Kanzlei und an diesem Erfolg zu partizipieren.

58 Die Aufgabe der Führung ist es, zu motivieren, zu bestätigen, eine Aufbruchstimmung zu schaffen und neue Ziele zu vermitteln. Auch diese Aufgaben sind motivierend.

Vielleicht geht es letztlich auch immer um die Überwindung des Alltags. Es kann nicht jeder Vordenker sein. Aber jeder ist einer Motivation und einer Begeisterung zugänglich. Wenn man bedenkt, dass man mindestens ein Drittel seiner Zeit für den Beruf verwendet, ist auch die Arbeit in einer motivierenden Umgebung ein Treiber. 59

D. Wachstumsstrategien im Anwaltsgeschäft

WALTER FELLMANN

1. Wachstum als Strategie?

1 Nach der Auffassung von Fredmund Malik darf Wachstum kein oberstes Unternehmensziel sein. Man dürfe daher Wachstumsziele nicht als Vorgabe, als Input für eine Strategie verwenden, Wachstum sei vielmehr das Ergebnis, der Output einer guten Strategie. Wichtig sei es nicht so sehr, ständig zu wachsen, wichtig sei vielmehr, ständig besser zu werden.[1] Darf man Malik widersprechen, einem der führenden Managementexperten in Europa? Ist also schon der Titel dieses Beitrags falsch? Darf Wachstum gar keine Strategie sein?

2 Nein, Wachstum darf (Teil der) Unternehmensstrategie sein, wenn davon der Erfolg abhängt. Dann muss es sogar ein oberstes Unternehmensziel sein! Auch Malik räumt ein, dass es Fälle gibt, in denen eine starke Wachstumsphase zwingend erforderlich sei.[2] Nach meiner Meinung gilt dies auch für Anwaltskanzleien. Wann die Voraussetzungen aus der Sicht einer mittelgrossen Kanzlei aus der Zentralschweiz dafür erfüllt sind, Wachstum zu einem Unternehmensziel zu machen, lege ich sogleich dar, zuerst aber noch eine Selbstverständlichkeit:

3 Dass organisches Wachstum zum Leben, ja zum Überleben einer Kanzlei gehört, dass Wachstum nicht Bedingung für Erfolg sein muss, sondern aus Erfolg entstehen kann, versteht sich von selbst und ist daher nicht Thema dieses Beitrags. Dass aber auch dieses, gemeinhin als «organisch» bezeichnete Wachstum für eine kleine Kanzlei auf dem Weg zur Grösse tückische Gefahren birgt, wenn es unreflektiert erfolgt, muss als Erfahrung beim Entscheid für eine Wachstumsstrategie berücksichtigt werden. Auf diesen Aspekt werde ich daher besonders hinweisen.

2. Wachstum als Bedingung für Erfolg

2.1 Einleitung

4 Vorauszuschicken ist, dass Wachstum bei Anwaltskanzleien selten die Bedingung für Erfolg ist. Zwar gibt es Aufträge, etwa die juristische Begleitung einer Übernahme mit Due Diligence, bei denen ein grösseres Team von Anwälten zum Einsatz kommt und die

[1] Malik, Fredmund: Strategie, Navigieren in der Komplexität der Neuen Welt, Frankfurt / New York 2011, S. 54.

[2] Malik (Fn. 1), S. 54.

daher nur von grösseren Kanzleien erfolgreich ausgeführt werden können. Sich allein deshalb einer Wachstumsstrategie zu unterziehen, erscheint aber nur in Ausnahmefällen sinnvoll. Für eine Anwaltskanzlei in der Zentralschweiz oder sonst wo «hinter den sieben Bergen bei den sieben Zwergen» wäre das ohnehin kein Weg, um solche Aufträge zu akquirieren. Die werden in Zürich oder in Genf (wenn überhaupt noch in der Schweiz!) und auch dort nur an bewährte Teams vergeben.

5 Zu Wachstum und Wachstumsstrategien von (allenfalls bereits sehr grossen) Wirtschaftskanzleien in den Wirtschaftszentren der Schweiz (und erst recht des Auslands) werde ich im Folgenden nichts schreiben. Dafür fehlt mir die Erfahrung. Hier stellen sich auch ganz andere Fragen als für kleine und mittlere Kanzleien ausserhalb der grossen Wirtschaftszentren.[3]

2.2 Grösse und Mode

6 Trotzdem kann Grösse auch ausserhalb der grossen Ballungszentren ein Erfolgsfaktor sein, sodass Wachstum als Weg zur Grösse zum Thema wird. Da ist einmal die Mode als Grund zu nennen, das gesellschaftliche Phänomen, dass die Leute (und zu ihnen zählen auch potenzielle Klienten) Grösse mit Erfolg gleichsetzen. Haben Sie die «Prozess-News» im Strafverfahren gegen Jörg Kachelmann verfolgt? Hoffentlich nicht! Sie haben aber eine Beobachtung verpasst: Selten war dort von Kachelmanns Anwalt die Rede. Die Presse sprach von «Kachelmanns Anwälten», vom «Verteidiger-Team». Von der Verteidigerin war nur, und selbst dann nur unter dem Titel «Tag der Abrechnung für Kachelmanns Anwälte», die Rede, wenn der Fokus auf Andrea Combé und der Hinweis, sie sei eine exzellente Strafverteidigerin, dem sensationshungrigen Leser noch mehr Spannung versprachen.[4] Es gehört also zum guten Ton, sich mehrere Anwälte zu halten, am besten gleich ein Team, «Ein Moderator, fünf Anwälte».[5]

7 Machen wir uns nichts vor: Solche Dinge können bei der Wahl eines Anwalts durchaus eine Rolle spielen. Eine Kanzlei mit vielen Anwälten suggeriert Kompetenz, aber auch Macht und damit Sicherheit. Grund für eine Wachstumsstrategie? Eher nicht, meine ich.

8 Aber das kann sich ändern. Beobachtet man die Entwicklung in Deutschland, so könnte allein das Bestreben, am Markt neben den mächtigen Konkurrenten sichtbar zu bleiben, nach einer Wachstumsstrategie rufen, damit die Kunden nicht weglaufen und die Kanz-

---

3 Vgl. dazu etwa Müller-Stewens, Günter / Drolshammer, Jens: Managing the International Law Firm: Nuisance or Necessity? In: A Timely Turn to the Lawyer? Globalisierung und die Anglo-Amerikanisierung von Recht und Rechtsberufen – Essays, Zürich / St. Gallen 2009, hrsg. von Jens Drolshammer, S. 499 ff.

4 So etwa Spiegel Online am 24. Mai 2011, http://www.spiegel.de/panorama/justiz/0,1518,764725,00.html (besucht am 23. Juli 2011).

5 Sueddeutsche.de vom 6. September 2010, http://www.sueddeutsche.de/panorama/prozess-gegen-joerg-kachelmann-ein-moderator-fuenf-anwaelte-1.996570 (besucht am 23. Juli 2011).

lei für den Nachwuchs attraktiv bleibt.[6] Eine solche Möglichkeit muss man daher auch in der Zentralschweiz im Auge behalten. Was aber kann heute schon für eine Wachstumsstrategie sprechen?

2.3 Pool von Spezialisten

9 Spezialisierung! Nochmals Fredmund Malik: «Spezialisierung ist wichtig und nötig. Eine moderne Gesellschaft hat erstens, nur noch Spezialisten; etwas anderes gibt es praktisch nur noch selten [...]. Zweitens, sie braucht auf jedem Gebiet hoch ausgebildete Spezialisten. Anders ist die nötige Leistung heute überhaupt nicht mehr zu erreichen und vor allem wird es ohne sie keine Chance geben, besser zu sein als andere, konkurrenzfähig zu bleiben oder zu werden.»[7]

10 Das gilt auch für den Anwaltsberuf und zwingt zu Wachstum, wenn sich das Angebot einer Kanzlei nicht auf einige wenige, besser noch – weil eben spezialisierter – auf ein Rechtsgebiet beschränkt, man mithin den Markt als «Boutique» erobern will. Zu Recht sprach Karlheinz Quack schon am deutschen Anwaltstag des Jahres 1975 von einem «Trend zur Kooperation» und stellte sich den Anwalt in seiner Zukunftsvision vor «im Team mit andern, spezialisiert auf bestimmte Rechtsgebiete, universell durch die Kooperation einer Vielzahl von Spezialisten».[8]

11 Diese Vision ist Wirklichkeit geworden, jedenfalls für die Kanzleien, die begriffen haben, dass langfristig erfolgreich nur diejenigen sind, die sich den veränderten Umweltbedingungen anpassen.[9] Und diese Umweltbedingungen sind klar: Die potente Geschäftswelt ruft für ihre Rechtsberatung und wenn es einen Prozess zu führen gilt, auch in der Zentralschweiz längst nach Spezialisten. Und mittlerweile begreift auch die private Kundschaft, dass zwangsläufig erfolgreicher ist, wer sich voll darauf konzentriert, die gleiche Leistung immer besser zu machen, als jemand, der seine Kräfte auf alle möglichen Aktivitäten zersplittert und am Ende gar nichts richtig macht.[10]

12 Der Allgemeinpraktiker, der «Feld-, Wald- und Wiesenanwalt», wird zwar auch in der Zentralschweiz nicht aussterben,[11] aber im Anwaltsberuf ist sein Einsatzgebiet ein ganz anderes als in der Medizin: Kein Mensch verweist den Rechtsuchenden zuerst an den juristischen Generalisten, schon gar nicht eine Krankenkasse aus Kostengründen, wie dies in der Medizin geschieht. Und hier wie dort verdient der Allgemeinpraktiker deut-

---

[6] Heussen, Benno: Anwaltsunternehmen führen, 2. Aufl., München 2011, S. 104.

[7] Malik, Fredmund: Führen Leisten Leben, Wirksames Management für eine neue Zeit, Frankfurt / Main 2006, S. 102.

[8] Quack, Karlheinz: Sinn und Grenzen anwaltlicher Unabhängigkeit heute, NJW 1975, S. 1341.

[9] Friedrich, Kerstin / Malik, Fredmund / Seiwert, Lothar: Das grosse 1x1 der Erfolgsstrategie, 13. Aufl., Offenbach 2009, S. 11.

[10] Friedrich/Malik/Seiwert (Fn. 9), S. 21.

[11] Siehe dazu Streck, Michael: Beruf Anwalt/Anwältin, 2. Aufl., München 2011, S. 66 f.

lich weniger als der Spezialist und hier wie dort stresst der tägliche Kleinkram. Es lohnt sich daher schon, der eigenen Positionierung in Ruhe zwei, drei Gedanken zu widmen.

Will eine Kanzlei eine möglichst grosse Zahl von Rechtsgebieten anbieten, um möglichst viele Kunden akquirieren und auch komplexe, oft speziell lukrative Mandate mit eigenen Teams umfassend bearbeiten zu können, wird sie also eine Vielzahl von Spezialisten unter ihrem Dach zusammenführen (und zusammenhalten) müssen, kurzum: Sie muss wachsen! Karl-Peter Winters folgerte schon vor über zwanzig Jahren, gezielte Spezialisierung erfordere eine gewisse Grösse der Anwaltskanzlei; effektiv und sinnvoll könne sie erst ab drei bis vier Sozien geplant werden. Dabei gelte die Faustregel: Je grösser die Spezialisierung, je stärker der Zwang zur grösseren Anwaltskanzlei.[12] 13

Ein unter dem Dach einer gemeinsamen Kanzlei koordiniertes[13] Team von Spezialisten kann dann auch vom Wunsch vieler Mandanten nach einem *one-stop shopping* profitieren, dem Wunsch bei der gleichen, vertrauten Adresse Antworten auf unterschiedlichste Rechtsfragen zu finden.[14] Anzumerken bleibt freilich, dass dieser Wunsch nach *Full Service*-Betreuung, der noch vor wenigen Jahren das Dienstleistungsangebot vieler Anwaltskanzleien prägte,[15] auch in der Zentralschweiz in den letzten Jahren bei vielen Unternehmen spürbar kleiner geworden ist. Sie suchen sich die Topleute aus verschiedenen Kanzleien selbst zusammen. So wird man heute immer öfters vom Rechtsdienst eines Unternehmens als Unternehmensanwalt zu Sitzungen gerufen, wo man sich dann mit anderen Anwälten (aus anderen Kanzleien) trifft, die alle «nur» ihr Spezialgebiet vertreten. Es ist zu erwarten, dass sich diese Tendenz auch bei privaten Kunden verbreiten wird. Man muss also schon die Besten im Hause haben, wenn man auch in Zukunft viele Kunden umfassend beraten will. Und das führt uns sogleich zum – so meine ich – wichtigsten Grund für Wachstum zur Grösse. Zuerst aber noch ein weiterer Hinweis: 14

Die Positionierung als «Vollsortimenter», wie sie gerade ausserhalb der grossen Wirtschaftszentren der Schweiz oft angestrebt wird, ist gar nicht so einfach. Ralf B. Abel weist nämlich zu Recht darauf hin, dass Kanzleien, die sich als «Alleskönner» verstehen, unter Profillosigkeit litten, weil sie – in der Sprache der Marketingtheoretiker – ein diffuses Imageprofil hätten.[16] Dies gilt es beim Entscheid für den Pool von Spezialisten und beim Marketing für diese Art der Zusammenarbeit im Auge zu behalten. Es funktioniert nur, wenn der gute Ruf der einzelnen Spezialisten mindestens gleich stark leuchtet wie 15

[12] Winters, Karl-Peter: Der Rechtsanwaltsmarkt, Chancen, Risiken und zukünftige Entwicklung, Köln 1990, S. 165.

[13] Vgl. dazu auch Winters (Fn. 12), S. 83, wonach die Zusammenführung der Beratungsergebnisse hochqualifizierter Spezialisten zu einer eigenen Managementaufgabe und damit zu einem Qualitätsmerkmal qualifizierter Beratung geworden sei.

[14] Abel, Ralf B.: Spezialisierung, in: Pepels, Werner / Steckler, Brunhilde, Anwalts-Marketing, München 2003, N 8.

[15] Vgl. Winters (Fn. 12), S. 83.

[16] Abel (Fn. 14), N 63.

der Name der Kanzlei. Das kann freilich gerade für junge Leute auch eine Chance sein: Sie können sich unter ihrem Namen profilieren, was in den grossen Wirtschaftskanzleien, die bewusst nur ihre Firma zum Leuchten bringen, nicht mehr möglich ist. Nun aber definitiv zum wichtigsten Grund für Wachstum:

2.4 Attraktivität für die Besten

16 Bei der Analyse des Desasters einer Anwaltsprüfung, bei der auch viele Absolventen der Universität Luzern durchfielen, haben wir anlässlich einer Fakultätssitzung im Gespräch mit Vertretern der Anwaltsprüfungskommission des Kantons Luzern festgestellt, dass die besten Studierenden dieses Jahrgangs gar nicht angetreten sind. Als wir der Sache nachgingen, entdeckten wir, dass viele der leistungsstarken und leistungswilligen Studierenden nach Abschluss ihres Studiums der Innerschweiz den Rücken kehren. Seither beobachten wir mit Sorge einen veritablen *brain drain,* weg von der Innerschweiz in den Wirtschaftsraum von Zürich.

17 Viele der besten Studierenden nutzen schon während des Studiums die Angebote für Mobilität, was die Rechtwissenschaftliche Fakultät der Universität Luzern, wo immer es geht, ermöglicht (beispielsweise mit vorgezogenen Prüfungen) und wozu wir Professoren die Studierenden ausdrücklich auffordern: «Die Rechtswissenschaftliche Fakultät empfiehlt den Studierenden, im Verlaufe des Studiums ein oder zwei Semester an einer anderen Universität zu absolvieren.»[17]

18 Mit der Erfahrung eines Auslandaufenthalts im Schulsack ist es nun aber nur noch ein kleiner Schritt, nach dem Master das Anwaltspraktikum in Zug, Zürich oder sogar in Genf zu absolvieren, vor allem, wenn man schon während des Studiums dem Lockruf einer grossen Wirtschaftskanzlei folgt, dort einen Sommerkurs besucht und – hervorragend betreut – als künftiger Praktikant (mit Potenzial für eine Anstellung als Mitarbeiter nach der Anwaltsprüfung) angeheuert wird. Hinzu kommt, dass die Innerschweizer Kanzleien im gesamtschweizerischen Vergleich die schlechtesten Praktikantenlöhne bezahlen und damit ihre Chance, Praktikanten unter den Besten auszuwählen, zusätzlich verschlechtern, schlimmer noch, dies tun, ohne die Konsequenzen ihres Tuns auch nur zu sehen.

19 Was sich im Anwaltspraktikum abzeichnet, erhält während der Lehr- und Wanderjahre junger Anwältinnen und Anwälte definitiv Kontur! Die Leistungsstarken und die Leistungswilligen wissen, wo sie – solid betreut und in laufender Weiterbildung durch bestandene Kollegen – wertvolle Berufserfahrung gewinnen können: In den grossen Anwaltskanzleien im Wirtschaftsraum von Zürich oder Genf. Zwar vermögen sich nur wenige in den Partnerstatus durchzukämpfen, aber gerade künftige *performer,* Leute, die eine ganze Kanzlei mitreissen, scheuen den Kampf nicht. Und die Hoffnung, dass

[17] Vgl. http://www.unilu.ch/deu/mobilitaet--outgoings_322762.html (besucht am 23. Juli 2011).

sie nach verlorener Schlacht um den Partnerstatus Zürich oder Genf den Rücken kehren, um sich in der Peripherie, beispielsweise in Luzern, Altdorf, Stans oder Sarnen zu bewähren, erfüllt sich selten. Die Grossstadt ist eben für interessierte und deshalb interessante junge Leute nicht nur als Partner einer grossen Kanzlei und schon gar nicht allein als Arbeitsort attraktiv.

Die Konkurrenz mit «den Grossen», die systematisch (vielleicht in Umsetzung einer Wachstumsstrategie) Umschau nach den Besten halten, kann also auch Kanzleien in St. Gallen, in Bern, in Aarau, in Zug, in Lausanne, in Neuenburg oder in Luzern zum Wachstum zwingen, wenn sie für die Elite der jungen Anwältinnen und Anwälte interessant sein oder interessant werden wollen. Denn sind wir ehrlich: Auch wenn Schul- und Universitätsnoten noch nicht endgültig über den Erfolg im Leben entscheiden, wird als Kanzlei doch erfolgreicher sein, wer immer unter den besten Universitätsabgängern die Leute auswählen kann, die sich auch in der Praxis, namentlich im Anwaltspraktikum und als spätere Mitarbeiter, bewähren. Eine Kanzlei, deren Partner sich aus den besten Absolventen der Universitäten und den bewährtesten Anwältinnen und Anwälten zusammensetzt, wird auf Dauer einfach besser sein. Und in noch etwas sollten wir uns nicht (selbst) täuschen: Das merken auf Dauer auch die Klienten, jedenfalls viele der Klienten, die lukrative Mandate zu vergeben haben! Mit den Besten und Bewährtesten an Bord wird die ganze Mannschaft erfolgreicher sein als jene, die sich mit Mittelmass begnügen und einfach nur ein Auskommen als Anwalt oder Anwältin suchen. 20

2.5 Zu Wachstum verdammt

Was sich viele nicht überlegen, die sich zu Wachstum entschlossen haben: Es gibt kein Zurück! Zuerst einmal sind es die Kosten, die eine Kanzlei mindestens solange zu Wachstum zwingen, bis die erweiterte Infrastruktur und der vergrösserte Mitarbeiterstab wieder (kosten-) optimal genutzt wird. Dann sind es die mit der Vergrösserung zwangsläufig verbundenen Mehrkosten, welche die beteiligten Anwälte zu mehr Umsatz und damit zur Vergrösserung des Teams treiben werden. Meiner Meinung nach sind es gerade diese Mehrkosten, die Kosten für permanente Schulung, für immer anspruchsvollere EDV-Lösungen, für den Ausbau der Bibliothek, für prestigeträchtige Kanzleiräume und – last but not least – für das immer aufwendigere Marketing, die mittelgrossen Kanzleien die Weiterexistenz in den kommenden Jahren schwer machen werden. Diese Mehrkosten werden sie zwingen, finanzstärker, also grösser zu werden. 21

Und dann das Prestige! Eine Kanzlei, die sich verkleinert, verkleinern muss, trägt das Stigma des Misserfolgs, wenn sie dafür keine überzeugenden Gründe (etwa die Fokussierung auf ein Rechtsgebiet) vortragen kann. Das gilt auch und gerade bei einem Generationenwechsel, wenn sich bekannte Anwaltspersönlichkeiten aufs Altenteil zurückziehen (warum sonst wäre für Senior Partner der Status des Konsulenten geschaffen worden). Für das rechtsuchende Publikum wird der Umstand, dass die Kanzlei kleiner 22 wird, Beweis dafür sein, dass «die Jungen» halt weniger erfolgreich sind. Man beginnt, nach Alternativen Umschau zu halten. Selbst der blosse Schein kann also zu Wachstum zwingen, will man auf Dauer am Markt bestehen.

3. Zwischenergebnis

23 Es gibt also auch für eine mittelgrosse Kanzlei in der Zentralschweiz viele gute Gründe, die sie dazu bringen können, sich für Wachstum zu entscheiden. Ob man dann gleich von einer Strategie und nicht bescheidener von einem Ziel sprechen will, ist eine Frage des Geschmacks. Eine Priorität kann Wachstum aber allemal sein. Dann haben sich die Partner der Kanzlei zu fragen, welche Schwerpunkte sie dafür vor dem Hintergrund ihrer langfristigen Politik und der gegebenen Lage in der nächsten Geschäftsperiode setzen wollen.[18] Dazu zählt auch die Frage, wie das angestrebte Wachstum bewerkstelligt werden soll. Zur Diskussion stehen in der Regel das sogenannte «organische Wachstum», das Wachstum durch Zusammenschlüsse oder das Wachstum durch den Beitritt weiterer Partner mit eigenem Klientenstamm.

24 Zum organischen Wachstum zähle ich das Wachstum der Klienten in den angestammten Rechtsgebieten, das zur Entlastung des bestehenden Juristenstabs (und damit auch zur Qualitätssicherung) die Anstellung weiterer Mitarbeiter erforderlich macht. Organisch wäre das Wachstum für mich aber auch, wenn es durch Erweiterung des Dienstleistungsportfolios insofern aus eigener Kraft erfolgte, als sich die Partner entschlössen, für ein neues Rechtsgebiet einen neuen Mitarbeiter anzustellen, der sich darauf fokussierte und entsprechende Klienten akquirierte. Ich spreche im Konjunktiv, weil solche Entscheide selten getroffen werden. Den Partnern von mittelgrossen Kanzleien fehlt in der Regel der Mut für das finanzielle Engagement, vor allem aber das Vertrauen, dass es sich auszahlen könnte.

25 Wenden wir uns nun zuerst dem organischen Wachstum im bestehenden Dienstleistungsportfolio zu, weil sich hier die Gefahren von Wachstum und die Konsequenzen, die daraus für gezieltes Wachstum zu ziehen sind, am besten zeigen lassen.

4. Gefahren organischen Wachstums

4.1 Wachstum in Harmonie

26 Der Begriff des organischen Wachstums lehnt sich am Organismus und dessen Entwicklung an, am Körper eines Lebewesens, der selbständig wächst und sich so von selbst, ohne gedankliche Arbeit, den Anforderungen des Lebens stellt. Damit verbunden wird die Idee eines harmonischen Wachstums, in dem sich Bestehendes und Neues ohne

[18] Zur Bestimmung solcher Prioritäten vgl. Malik (Fn. 7), S. 310.

Reibung vereinen. Die Zustimmung für ein solches organisch-harmonisches Wachstum ist von den Partnern einer Kanzlei daher billig zu haben und damit beginnt die Katastrophe!

4.2 Vom «Vierer ohne Steuermann» zum «Achter mit Steuermann»

Benno Heussen schildert das organische Wachstum einer Kanzlei in anschaulichen Bildern. Es beginnt in der Regel als «Segelklub»: «Man teilt sich einen Trainer, die Trainingsräume und sonstigen Hilfsdienste, gibt sich gegenseitig Tipps, aber segeln muss jeder auf seine Weise und auf eigenes Risiko. Es reicht ihnen, wenn bei Wettbewerben eine gemeinsame Flagge über ihnen weht.»[19] Der nächste organische Wachstumsschritt führt zum «Vierer ohne Steuermann»: «So ist die Mehrzahl der deutschen Sozietäten organisiert, deren Managementprobleme so überschaubar sind, dass sie keinen Steuermann brauchen. Sie können sich zwar während der Arbeit nicht umdrehen und nach vorne sehen, aber wenn sie lange genug zusammen sind, und die Herausforderungen sich in typischen Standardsituationen bewegen, stellt sich der Takt von selber ein.»[20] 27

Das geht dann vermeintlich organisch und mit Begeisterung über auf den «Achter». Aber jetzt ändern sich die Anforderungen! Es gibt nur den «Achter mit Steuermann»: Wie Heussen richtig beobachtet, braucht es bei so vielen Leuten und bei der Geschwindigkeit, die sie erzeugen, jemanden, der nach vorn schaut, um den Takt zu geben und die Richtung zu korrigieren.[21] 28

Von Heussens «Hochseejachten» wollen wir in diesem Zusammenhang gar nicht sprechen, weil sie schon am nächsten Felsen zerschellen, wenn nicht «alles bis ins Kleinste perfekt organisiert ist, und alle ohne Rücksicht auf ihre persönlichen Stärken und Schwächen Tag und Nacht bereit sind, gemeinsam die festgesetzten Ziele zu erreichen».[22] Auch der Achter geht aber unter, wenn eine Kanzlei einfach organisch zu dieser Grösse wächst, ohne sich über ihr Wachstum grundsätzliche Gedanken zu machen. 29

4.3 Anwälte ans Ruder!

Das Perfide an dieser Entwicklung ist, dass es irgendwann beim Übergang vom Vierer zum Achter auch Kanzleien trifft, die sich vermeintlich vorbildlich organisiert und ihre Managementaufgaben einem Büroleiter, einem Kanzleichef, übertragen haben, von dem sie hofften, er könne das besser als sie, weil er nicht Anwalt sei. Beim weiteren Wachstum zeigt sich nun aber unvermittelt, dass dieser Profi strukturell bald einmal überfor- 30

[19] Heussen (Fn. 6), S. 31.
[20] Heussen (Fn. 6), S. 31.
[21] Heussen (Fn. 6), S. 31.
[22] Heussen (Fn. 6), S. 31.

dert ist.[23] Die Erfahrung gibt Fredmund Malik Recht: «Ein noch so guter Manager, der selbst nicht Jurist ist» kann «eine Rechtsabteilung oder Law Firm kaum erfolgreich zu managen hoffen, schon allein deshalb, weil ihn die Juristen nicht als Chef akzeptieren werden, eben weil er vom Recht nichts versteht».[24] Es rächt sich dann, dass Anwälte für Managementaufgaben meistens zu wenig Zeit reservieren, weil sie sie für unproduktiv, für blosses Beiwerk ihrer juristischen Tätigkeit halten und möglichst schnell loswerden wollen.[25]

31 Beim Wechsel von der Kanzleigemeinschaft zur Law Firm müssen also – um bei den Bildern von Benno Heussen zu bleiben – die Anwälte selbst auf Deck. Ans Ruder muss – neben dem Kanzleichef, den braucht's auch – ein Führungsausschuss von Anwälten oder, besser noch, ein Managing Partner. In jedem Fall müssen sich die Beteiligten zu einem geeigneten Führungssystem in der Hand von Anwälten entscheiden oder ein solches System entwickeln.[26] Karl-Peter Winters stellte schon 1990 in seinem Katalog der «Thesen zur erfolgreichen Anwaltskanzlei der Zukunft» den Leitsatz auf: «Moderne Anwaltskanzleien kommen ohne Kanzlei-Management nicht mehr aus»[27] und folgerte: «Die Fähigkeit zur Unternehmensführung und eine entsprechende Management-Struktur zeichnen in Zukunft die erfolgreiche Anwaltskanzlei aus. […] Eine moderne Anwaltskanzlei ist ohne einen ‹Managing-Partner›, der seine Arbeitskraft teilweise oder ganz – abhängig von der Grösse der Kanzlei – dem Management widmet, nicht denkbar».[28]

32 Und jetzt wird es schwierig, weil nicht mehr nur die Eigenschaften gefragt sind, die ein Anwalt zur erfolgreichen Ausübung des Anwaltsberufs braucht, die also in einer wachsenden Kanzlei vorhanden sein sollten, sondern professionelles, richtiges und gutes Management.[29] Und das ist ein eigener Beruf, der erlernt werden will[30] und für dessen erfolgreiche Ausübung, namentlich bei der Führung von Stars oder einer Prima Donna es einige (Lebens-)Erfahrung, ab und zu eine starke Hand und immerwährend die weise Einsicht braucht, dass im Anwaltsberuf letztlich die Stars die Kasse klingeln lassen.[31]

4.4 Abschied von der Irrmeinung, Konsens sei wichtig

33 Und noch etwas auf dem Weg vom Vierer zum Achter (und weiter zur Hochseejacht) schafft fast unüberwindliche Schwierigkeiten. Es ist ein Problem, das Fredmund Malik

[23] Koch, Ludwig: Einleitung, in: Hartung, Wolfgang / Römermann, Volker: Marketing- und Management-Handbuch für Rechtsanwälte, München 1999, S. 17 N 74.
[24] Malik (Fn. 7), S. 379.
[25] Koch (Fn. 23), S. 17 N 74.
[26] Vgl. dazu eingehend Heussen (Fn. 6), S. 28 ff.
[27] Winters (Fn. 12), S. 284.
[28] Winters (Fn. 12), S. 285.
[29] Malik (Fn. 7), S. 21 ff.
[30] Statt aller Malik (Fn. 7), S. 20 ff.
[31] Vgl. dazu auch Heussen (Fn. 6), S. 96 ff.

in seinem Buch «Führen Leisten Leben, Wirksames Management für eine neue Zeit» im Kapitel über «Entscheiden» unter «Missverständnisse und Irrtümer» einordnet, nämlich «Die Meinung, Konsens sei wichtig».[32] Was hat es damit auf sich?

Im «Vierer ohne Steuermann» ergab sich der gemeinsame Takt noch aus sportlicher Freundschaft. Dissens hätte das Boot versenkt. Daraus entwickelt sich über die Zeit ein «allgemeines Harmoniestreben»,[33] das den Entscheiden, die im «Achter mit Steuermann» und erst recht auf Hochseejachten laufend anstehen (und durchzusetzen sind!), einigermassen hilflos gegenübersteht. Nun stehen plötzlich Entscheidungen an über die Strategie der Kanzlei oder einen Strategiewechsel, über die Trennung von Überkommenem,[34] über die Gewinnverteilung, über die Mandatsannahme, wenn dem einen Partner ein lukratives Mandat winkt, von dem ein anderer aber viel mehr versteht, oder über die Ablehnung von Mandaten, wenn eine Interessenkollision droht, über Qualitätssicherung und ihre Durchsetzung, über ökonomischen Personaleinsatz oder über Kündigungen gar und über viel anderes und täglich über mehr. 34

Auf dem «Vierer ohne Steuermann» fehlt meistens die Einsicht (weil auch nicht lebensnotwendig), die Malik für den Entscheidungsprozess als zentral herausgearbeitet hat, dass wirklich wichtig nicht der Konsens, sondern der Dissens ist, weil «wirklich tragfähiger Konsens, jener Konsens nämlich, der dann, wenn die Realisierungsschwierigkeiten kommen (und sie kommen immer) auch wirklich hält, [...] nicht aus allgemeinem Harmoniestreben, sondern nur aus ausgetragenem Dissens» entsteht und dass es «nur drei Methoden» gibt, «Dissens auszutragen, und zwar – erstens offen, zweitens offen und drittens offen».[35] 35

Kanzleien, welche diese Erkenntnis missachten und sich mit Schattenmanagement und Kabinettspolitik durchwursteln, «taumeln am Rande des Chaos».[36] Das Steuer herumreissen kostet – um hier ein letztes Mal Malik zu zitieren – «Zeit und Arbeit und ist gelegentlich mit Emotionen verbunden, und man kann sich auf diese Weise nicht unbedingt beliebt machen. Aber es führt zu besseren Entscheidungen und es führt in der Realisierung zu besseren Ergebnissen. Das ist es, was zählt».[37] 36

Das zu lernen ist für Teamplayer und «Konsens-Kultur-Apostel»[38] ein hartes Brot. Daran führt aber beim Wachstum vom «Vierer ohne Steuermann» zum «Achter mit Steuermann» kein Weg vorbei. 37

32 Malik (Fn. 7), S. 209 ff.
33 Malik (Fn. 7), S. 209.
34 Vgl. dazu Malik (Fn. 7), S. 359 ff.
35 Malik (Fn. 7), S. 209.
36 Heussen (Fn. 6), S. 34.
37 Malik (Fn. 7), S. 210.
38 Malik (Fn. 7), S. 210.

5. Zweites Zwischenergebnis

38 Wachstum heisst also Abschiednehmen von unreflektiertem Harmoniestreben, weg vom Entscheid per Akklamation. Das ist für ein eingeschworenes Team der erste Schock, aber es ist der einzige Weg zur Professionalität; Dilettantismus führt in den Abgrund. Ferner erfordert Wachstum den rechtzeitigen Aufbau eines Managementsystems, bei dem Anwälte am Ruder stehen, für Ziele sorgen, organisieren, Entscheide treffen, deren Umsetzung kontrollieren und junge Mitarbeiter entwickeln und fördern.[39]

39 Soll das alles wirklich gelingen, ist ein organisches, reibungslos harmonisches, aber eben unreflektiertes Wachstum nicht möglich. Es braucht das gemeinsame Ziel, den bewussten Entscheid für Wachstum – mit all seinen anstrengenden Konsequenzen! Wenn sich eine Kanzlei erst einmal darauf vorbereitet und ein tragfähiges und wirkungsorientiertes Managementsystem aufgebaut hat, ist die Wahl der Form des Wachstums ziemlich belanglos. Trotzdem möchte ich auch dazu noch einige Überlegungen anstellen, allein schon, um den Auftrag der Herausgeber zu erfüllen:

6. Formen des Wachstums

6.1 Einleitung

40 Die Herausgeber dieses Buchs haben mir zusammen mit der Bitte, etwas über Wachstumsstrategien zu schreiben, einige Schlüsselfragen gestellt: «Wie wird Wachstum in der Kanzlei Fellmann Tschümperlin Lötscher angestrebt: Über die Akquisition zusätzlicher Mandanten, eine Aufstockung der personellen Ressourcen, eine Erweiterung des Dienstleistungsportfolios oder über andere Aktivitäten? Kommt für die Kanzlei neben einer organischen Entwicklung auch Wachstum über Zusammenschlüsse mit anderen Kanzleien infrage?»

41 Diese Fragen beantworte ich nun am Schluss meiner Überlegungen zu Wachstumsstrategien. Dabei muss ich freilich betonen, dass das meine persönliche Einschätzung ist, die sich mit der Meinung meiner Partner nicht zu decken braucht.

6.2 Organische Entwicklung

42 Fellmann Tschümperlin Lötscher ist – Bescheidenheit ist eine Zier, doch weiter kommt man ohne ihr – primär durch den eigenen Erfolg «organisch» gewachsen. Immer wenn die Arbeitsüberlastung in der bestehenden Crew unerträglich wurde, hat man sich zur Anstellung eines neuen Mitarbeiters entschlossen, von denen ein Teil dann Partner wurde.

---

39 Das sind nach Malik (Fn. 7), S. 171 ff. die Aufgaben wirksamer Führung.

Eine Ausnahme ist unsere Filiale in Emmen: Hier haben familiäre Beziehungen den Kontakt mit diesem, in der Praxis bereits etablierten, Kollegen und seinen Zuzug als Partner ermöglicht. Eine weitere Ausnahme ist die Fortsetzung der bewährten Seilschaft eines Partners mit einem Freund aus der Studienzeit, der aus der Bankenwelt in die Advokatur wechseln wollte. 43

Im Zuge dieses Wachstums haben wir natürlich versucht, das Dienstleistungsangebot auszuweiten, um, immer den Vollsortimenter für die Zentralschweiz im Auge, allmählich zu einem Pool von Spezialisten zu werden. Das erfolgte aber – nun ist wieder Bescheidenheit angesagt – wenig systematisch, ist aber trotzdem nicht schlecht gelungen, Glück eben. Nichts Spektakuläres also, worüber man hätte schreiben müssen – ich vermute: schweizerischer Durchschnitt. Dass dieses Wachstum nicht immer gezielt, strategisch, erfolgte, liegt auch daran, dass die Partner der ersten Stunde, der Schreibende eingeschlossen, erst allmählich die Notwendigkeit der Spezialisierung erkannt und sich dann vom Allgemeinpraktiker zum Spezialisten gemausert haben. Vor 25 Jahren waren in der Zentralschweiz die meisten Anwälte Allgemeinpraktiker; Prof. Dr. Alois Troller und seine Kanzlei waren die Ausnahme. 44

Ein weiterer Grund für ein etwas gezielteres Wachstum war dann der Aufbau einer jüngeren Generation, die das Begonnene dereinst allein soll fortsetzen können. Das ist auf dem Weg; hier besteht aber noch eine Baustelle. 45

6.3 Zuzug von Anwälten mit eigenem Klientenstamm

Vom Zuzug eines selbständigen Anwalts mit eigenem Klientenstamm aus familiären Gründen war bereits die Rede. Der gezielte Versuch, das Dienstleistungsangebot durch Aufnahme eines weiteren Partners mit eigenem Klientenstamm zu erweitern, scheiterte kläglich. Selbstverschulden! Der Entscheid war wenig durchdacht und wir haben ihn recht sorglos vorbereitet. Vor allem unterliessen wir es, die Qualitäten des Kandidaten «auf Herz und Nieren» zu prüfen. Es war ein *emptio spei*, ein Hoffnungskauf, zu dem niemandem geraten werden kann, weil er trotz vorerst lockerer Bindung mit viel Aufwand verbunden war, hüben wie drüben die Emotionen hochgehen liess und letztlich als Misserfolg zu verbuchen war. 46

Seriös geplant und durchgeführt kann ich mir den Zuzug eines weiteren Partners mit eigenem Klientenstamm zur Erweiterung des Dienstleistungsangebots einer Kanzlei aber gut vorstellen, wenn (und nur dann!) die vorne beschriebenen Hausaufgaben zur Sicherung der Seetüchtigkeit des Achters mit Steuermann gemacht sind. Man müsste bis zum definitiven Entscheid wohl eine Übergangslösung mit Spezialstatus schaffen, jedenfalls dann, wenn sich der oder die Neue nicht anstellen liesse. Und ein definitiver Entscheid nach Ablauf einer Probezeit muss vorbehalten bleiben, weil ein «Beschnuppern» im Berufsalltag nicht zu umgehen ist. 47

48 Ein Vorbehalt ist freilich anzubringen: Wenn sich das Dienstleistungsangebot aller (selbst spezialisierter) Anwälte einer Provinzkanzlei auf die Region beschränkt, wächst mit der Zahl der Anwälte auch die Zahl der Interessenkollisionen. Das erfordert zum einen immer aufwendigere Massnahmen,[40] um mögliche Kollisionen zu erkennen[41] und führt zum andern immer öfters dazu, dass Mandate abgelehnt werden müssen. Dies stösst bei ehemaligen Klienten oft auf Unverständnis und sägt so am mühsam aufgebauten Klientenstamm.

6.4 Zusammenschluss mit einer anderen Kanzlei

49 Diese Frage lag bei Fellmann Tschümperlin Lötscher noch nie mit ihrem ganzen Gewicht auf dem Tisch. Ein kurzes Techtelmechtel erwies sich nicht als ernsthafte Möglichkeit und fiel daher schnell einmal ausser Abschied und Traktanden. Zu diesem Thema spricht bzw. schreibt Fellmann daher ganz alleine, und der ist zum einen unbelehrbar unternehmungslustig, wenn ihn ein Projekt interessiert, und hat zum andern ein Lebensmotto: «*Never say never*», prüfe jede Möglichkeit, vielleicht ist es eine Chance! Ich also wäre dafür zu haben, wenn es dereinst für den Erfolg notwendig sein sollte. Es wäre aber nicht mehr bloss eine Strategie, sondern ein Strategiewechsel, der in all seinen Konsequenzen und in allen denkbaren Alternativen sorgfältig und gewissenhaft geprüft werden müsste.

50 Die Fusion mit einer Kanzlei in Luzern wäre eine Möglichkeit, erscheint mir aber wenig realistisch, weil hier allfällige Wachstumsziele aus eigener Kraft und so einfacher zu erreichen sind. Zudem würde weiteres Wachstum am Ort die bereits beschriebenen Probleme mit Interessenkollisionen nochmals vermehren. Denkbar wäre vor allem deshalb ein Zusammenschluss in einer überörtlichen Sozietät. Ich kann mir nämlich eine Entwicklung, wie sie in Deutschland vonstatten ging, auch in der Schweiz gut vorstellen: Wie Benno Heussen berichtet, blieb dort in den letzten zwanzig Jahren kein Stein auf dem anderen. Dort hätten vor allem die international tätigen Sozietäten die heimischen Kanzleien gezwungen, sich zu vergrössern, um im Markt sichtbar und für den begabten Nachwuchs attraktiv zu bleiben und um zu verhindern, dass die Klienten scharenweise zu den Anwaltskonzernen überliefen.[42] Das Fazit ist klar. «Es sind die Mandanten und die Mandate, die die Art und Weise bestimmen, wie Anwälte sich strukturieren und organisieren müssen.»[43] Mich selbst könnte man mit der Attraktivität für junge Talente

[40] Zum Erfordernis organisatorischer Massnahmen, um mögliche Kollisionen rechtzeitig zu erkennen vgl. Fellmann, Walter: Kommentar zum Anwaltsgesetz, hrsg. von Walter Fellmann und Gaudenz G. Zindel, 2. Aufl., Zürich 2011, Art. 12 N 85a mit Hinweis auf einen Entscheid der Anwaltskammer Appenzell I.Rh. vom 17. August 2009.

[41] Zu Interessenkollisionen in Kanzlei- und Anwaltsgemeinschaften Fellmann, Walter: Anwaltsrecht, Bern 2010, N 313 ff.

[42] Heussen (Fn. 6), S. 104.

[43] Heussen (Fn. 6), S. 18.

überzeugen. Dass uns in der Zentralschweiz derzeit laufend die Besten abhanden kommen, ist meine grösste Sorge, denn ohne herausragende juristische Qualität ist Erfolg nicht zu haben und nicht zu halten!

Auch eine Fusion ist aber nur denkbar, wenn die Hausaufgaben im Management gemacht 51
sind, also nur mit Steuermann! Glaubt man Benno Heussen, so wären die Chancen, dass es funktioniert, für eine kleine Kanzlei aus der Zentralschweiz freilich nicht schlecht, konstatiert er doch als «bittere Wahrheit»: «Fusionen sind nur dann erfolgreich, wenn ein grösseres Anwaltsunternehmen ein kleineres aufnimmt und die dort tätigen Partner die neuen Unternehmensstrukturen und -kulturen akzeptieren und weiter entwickeln.»[44] Darüber müssten wir sprechen, wenn der grosse Bruder bei uns anklopfen sollte.

7. Epilog

Wachstum kann also auch für eine Kanzlei ausserhalb der grossen Wirtschaftszentren 52
ein Unternehmensziel sein. Die Realisierung dieses Ziels ist aber wesentlich schwieriger als das Wachstum grosser Wirtschaftskanzleien in Zürich oder Genf. Diese sind regelmässig auf Wirtschaftsrecht spezialisiert und ihre Kunden wissen meistens von vornherein, welche Dienstleistungen sie wollen. Solche Kanzleien verlieren daher mit Wachstum nicht an Profil; im Gegenteil: Die Grösse verschafft ihnen eine grandiose Statur, die Klienten imponiert. In der Provinz sieht es anders aus: Hier streben grössere Kanzleien mit ihrem Wachstum in der Regel den Status des «Alleskönners» an, um mit grossen Netzen möglichst viele Fische zu fangen. Wenn ihre Partner dann kein scharfes Profil haben, besteht die Gefahr, dass sie in die Profillosigkeit abgleiten und erhebliche Marketingleistungen vollbringen müssen, um «als Marke» am Leben zu bleiben.

Persönlich halte ich es daher doch eher mit Fredmund Malik: «Wichtig ist nicht so sehr, 53
ständig zu wachsen, sondern wichtig ist, ständig besser zu werden.»[45] Dann ist es möglich, mit der Spezialisierung selbst zu wachsen und als Spezialist überregional (etwa als Luzerner in Zürich) tätig zu werden. Mit einer solchen Profilierung fällt auch das Marketing leichter. Stimmt die Qualität der Dienstleistung, vergrössert das den Kundenkreis beträchtlich und führt letztlich zu einem Wachstum als Spezialist – wenn Wachstum denn unbedingt sein muss, mit welcher Frage ich an den Anfang meiner Überlegungen zurückkehre. Entscheiden müssen Sie, liebe Leserin, lieber Leser! Patentrezepte gibt es nicht.

---

[44] Heussen (Fn. 6), S. 105.
[45] Malik (Fn. 1), S. 54.

E. HFK – mit einer Boutique-Strategie zum Erfolg

Christian Nunn

1. Einführung

1 Die Praxis der selbständigen anwaltlichen Rechtsberatung kennzeichnet sich heute grundsätzlich durch drei in Ansatz und Wirkung verschiedene Angebotsstrategien: (1) Juristische «Grundversorger» – in der Regel Einzelanwälte oder kleine Kanzleien – «Vollsortimenter» für Private und kleine Unternehmen, (2) Wirtschaftsrechtskanzleien – insbesondere Grosskanzleien nationaler und internationaler Ausrichtung – mit einer grösseren oder kleineren Spanne wirtschaftsrechtlicher Angebote und zugleich ebenfalls «Vollsortimenter» für mittlere und grosse Unternehmen sowie für Unternehmer, (3) sogenannte «Boutiquen» – meist mittelständische Kanzleien, die sich bewusst auf ein oder einige wenige Fachgebiete konzentrieren und sich auf diese spezialisieren. Über die theoretischen Grundlagen der Entwicklung und Verfolgung einer bestimmten Strategie gibt es ausführliche und fundierte Literatur[1]. Diese sollen nicht Gegenstand dieser Ausführungen sein.

2 HFK hat sich für eine Boutique-Strategie entschieden und fokussiert im Wesentlichen auf Bau- und Planungsrecht sowie auf Immobilien- und Vergaberecht. Hierzu sollen die den Praktiker bewegenden Fragen beleuchtet werden: Was hat die Kanzlei dazu bewogen, auf diese Strategie zu setzen? Welchen Nutzen verspricht sie sich davon für ihre Mandanten und für sich selbst? Wie ist die Kanzlei positioniert im Wettbewerb mit grossen Wirtschaftskanzleien, die im Rahmen ihres «Vollsortiments» ebenfalls solche Dienstleistungen anbieten? Und schliesslich: Wie beurteilt HFK die Zukunft für Anwaltskanzleien, die eine Boutique sein wollen?

2. Was hat HFK dazu bewogen, auf eine Boutique-Strategie zu setzen?

2.1 Historische Entwicklung

3 Die Gründung von HFK geht auf das Jahr 1975 zurück. Anwaltsboutiquen waren zu dieser Zeit eher eine Ausnahmeerscheinung. Anwälte agierten, entsprechend dem historischen Berufsbild, meist als klassische Generalisten. Der Anwalt erledigte die Arbeit für seinen Mandanten. Die Mandatsbeziehung beruhte ganz überwiegend auf persön-

[1] Überblick zum Beispiel: Leo Staub, Strategieentwicklung in der Anwaltskanzlei, in: Schweizerische Anwaltsrevue 6-7/2009 S. 300 ff.

lichem Kontakt und war nicht massgeblich geprägt von der speziellen Kompetenz des rechtlichen Beraters auf ein Rechtsgebiet. Mit Ausnahme des Strafrechts, das von je her ein sehr eng begrenztes Rechtsgebiet bildet, waren auf dem Anwaltsmarkt kaum spezialisierte Anwaltskanzleien präsent.

Die Spezialisierung von HFK – zunächst auf das zivile Baurecht – begann bereits zu jener 4
Zeit und beruhte darauf, dass die Gründer der Kanzlei aufgrund ihres beruflichen Werdegangs den Schwerpunkt ihrer Tätigkeit von Anbeginn im privaten Baurecht hatten. Zu nennen sind insoweit zwei der Namensgeber von HFK (vorher: Heiermann Franke Knipp), Prof. Wolfgang Heiermann und Prof. Horst Franke, die zuvor beim Hauptverband der Deutschen Bauindustrie e.V. tätig waren. Prof. Franke war Hauptgeschäftsführer. Prof. Heiermann war Hauptabteilungsleiter. Heiermann und Franke wiesen mithin schon vor Beginn ihrer Tätigkeit als Anwälte eine Spezialisierung auf das Baurecht auf. Die als Hauptgeschäftsführer beim Hauptverband der Deutschen Bauindustrie e.V. gewonnenen Erfahrungen und Kenntnisse sowie die dort geknüpften Kontakte prägten die Struktur von HFK. Insofern waren es wohl weniger detaillierte Planung und Umsetzung einer theoretisch entwickelten Strategie, die damals verfolgt wurde, als vielmehr die erfolgreiche Vermarktung von Kontakten und Kompetenz in der täglichen Praxis. Hinzu kam, dass bereits im Jahre 1975 die erste Auflage des Handkommentars zur VOB Teil B erschienen war, eines heute in 12. Auflage befindlichen Standardwerks im Baurecht. Die Kanzlei war zunächst nur am Standort Frankfurt tätig. Die stark nachgefragte Beratungsleistung der Kanzlei, insbesondere bei grossen überregionalen Infrastrukturprojekten, liess das Unternehmen in den Neunzigerjahren stark wachsen. Aus der kleinen Frankfurter Spezialkanzlei wurde eine überregionale, bundesweit tätige Baurechtskanzlei. Heute, im Jahr 2011, sind bei HFK 65 Berufsträger in sieben Büros in Deutschland tätig.

Aus der Praxis der Beratung heraus kamen zum Baurecht das Immobilienwirtschaftsrecht 5
und das Vergaberecht als Beratungsfelder hinzu. Beide Bereiche stellen sich als konsequente Verfolgung der ursprünglichen Fokussierung auf das Baurecht dar: Öffentliche (Bau-)Aufträge mussten ausgeschrieben werden. Mandanten, die sich an solchen Ausschreibungen beteiligen wollten, brauchten Rechtsrat. Dieser Beratungsbedarf wurde von HFK erkannt und als folgerichtige Erweiterung in das Angebot der Kanzlei integriert. Aufgrund konkreter Nachfrage durch Mandanten bildete das Immobilienwirtschaftsrecht den nächsten Baustein und zugleich eine Erweiterung der Spezialisierung. Nach der Wiedervereinigung Deutschlands boomte das Geschäft der Projektentwicklung und veranlasste auch die klassischen Bauunternehmen, sich in diesem Bereich zu betätigen. HFK begleitete die Mandanten mit zielgerichtet ausgebautem Fachwissen.

2.2 Bewusste Strategie

Seit dieser Zeit verfolgt HFK die Boutique-Strategie bewusst und konsequent. HFK ver- 6
steht sich als Dienstleister rund um die Immobilie. Das Beratungsspektrum umfasst deren

gesamten Lebenszyklus. Hierzu gehören der Grunderwerb, das öffentliche und private Baurecht ebenso, wie die Verwertung und die Vermarktung der Immobilie. Diese Strategie hat gleichzeitig zur Folge, dass weitere Bereiche, wie Gesellschaftsrecht *(share deal)*, Facility Management, Mietrecht, und Abfallrecht (Altlasten), die dem definierten Beratungsangebot zuwuchsen, zu weiteren Kernkompetenzen von HFK ausgebaut wurden, ohne die Ausrichtung der Kanzlei als «Boutique» zu verlieren.

3. Langjährige Spezialisierung – Gewinn für den Mandanten, die Kanzlei und den Anwalt

3.1 Allgemeine Tendenz zur Spezialisierung

7 Strategisch bedeutet eine Spezialisierung die Fokussierung auf bestimmte Fachgebiete und somit zugleich auf eine klar definierte Zielgruppe. Die jahrelange vertiefte Tätigkeit in thematisch abgegrenzten Bereichen und die damit verbundene Ansammlung hoher Erfahrungswerte führt bei entsprechendem Engagement zu hervorragender Sachkompetenz. Im Fokus steht dabei eine enge Zusammenarbeit zwischen Anwälten und Mandaten.

8 Eine Studie des Soldan Instituts für Anwaltsmanagement mit dem Titel «Strukturwandel der deutschen Anwaltschaft» macht sichtbar, dass die Tendenz zur Spezialisierung ungebrochen besteht: «Als Reaktion auf den hohen Wettbewerbs- und Expansionsdruck sind verstärkt Spezialisierungstendenzen in der Anwaltschaft festzustellen. Indiz hierfür ist neben der ständigen zunehmenden Zahl von Fachanwälten (...) auch die gestiegene Variationsbreite der beruflichen Zusatzqualifikation»[2].

9 Gemäss des § 43c der Bundesrechtsanwaltsordnung (BRAO) kann dem Rechtsanwalt, der besondere Kenntnisse und Erfahrungen in einem Rechtsgebiet erworben hat, die Befugnis verliehen werden, eine Fachanwaltsbezeichnung zu führen. Die Befugnis darf für höchstens drei Rechtsgebiete erteilt werden. Voraussetzung für die Erteilung der Erlaubnis, eine Fachanwaltsbezeichnung zu führen, ist der Nachweis über den Erwerb besonderer Kenntnisse und Erfahrungen. Dies erfolgt regelmässig über die Teilnahme an einem Fachanwaltslehrgang (einschliesslich der Pflichtklausuren) und dem Nachweis der besonderen praktischen Erfahrungen. Hierfür muss der Rechtsanwalt eine bestimmte Zahl an praktischen Fällen (je nach Fachgebiet bis zu 120) nachweisen. Nach Erlangung des Fachanwaltstitels muss der Anwalt sich jährlich auf diesem Gebiet fortbilden und entsprechende Nachweise vorlegen.

---

[2] Wolf, Thomas (M.A.), Strukturwandel der deutschen Anwaltschaft, in: JURAcon Jahrbuch 2009/2010, S. 28. Folgerichtig haben auch die Berufsordnungen diesem Wandel Rechnung getragen. In Deutschland gibt es 20 verschiedene Fachanwaltschaften. Der Schweizerische Anwaltsverband (SAV) zertifiziert fünf Fachanwaltsabschlüsse (Arbeitsrecht, Bau- und Immobilienrecht, Haftpflicht- und Versicherungsrecht, Erb- und Familienrecht).

Entsprechend dieses Trends nimmt auch eine steigende Zahl an Anwälten ihre Tätigkeit selbst als Spezialisierung wahr. In der jährlichen Statistik der Bundesrechtsanwaltskammer ist die genaue Anzahl der Fachanwälte für das Jahr 2011 aufgelistet. Hiernach stieg die Gesamtzahl der erworbenen Fachanwaltstitel auf 41 569. Zahlenmässig stärkste Fachanwaltschaft ist weiterhin die für Arbeitsrecht (8701), gefolgt von der Fachanwaltschaft für Familienrecht (8397). Starken Zuwachs verzeichnen die Fachanwaltschaften für Verkehrsrecht (2744 = 13,39%), für Miet- und Wohnungseigentumsrecht (2441 = 11,92%) und für Bau- und Architektenrecht (2163 = 7,45%). 10

Der Anteil der Fachanwälte an der Gesamtzahl der zugelassenen Rechtsanwälte steigt weiter. Das hat nicht allein mit der gestiegenen Zahl der Fachbereiche zu tun, auf welche Fachanwaltstitel vergeben werden. Bereits bei Berufsanfängern ist eine Tendenz zur Spezialisierung festzustellen. Von den in den letzten fünf Jahren zur Anwaltschaft zugelassenen Kollegen bezeichnet sich nur ein Drittel der Befragten als Generalist. Demgegenüber haben sich eigenen Aussagen zufolge bereits 54 Prozent auf bestimme Rechtsgebiete und 11 Prozent auf bestimmte Zielgruppen fokussiert[3]. 11

3.2 Ursachen der Spezialisierung

3.2.1 Wachsender Konkurrenzdruck

Die Spezialisierung folgt der stetig wachsenden Zahl der Anwälte und dem damit einhergehenden steigenden Konkurrenzdruck. Letztlich sind Anwälte Unternehmer und Anwaltskanzleien Wirtschaftsunternehmen. Hier geht es darum, ein Alleinstellungsmerkmal zu setzen und sich so von der grossen Zahl der Mitbewerber abzugrenzen. Je höher die Spezialisierung, umso höher das Unterscheidungsmerkmal. Die Anwälte reagieren somit auf den stärker werdenden Konkurrenzdruck zunehmend durch ihre Spezialisierung auf bestimmte Rechtsgebiete. 12

Die Tendenz zur Spezialisierung ist je nach Typus der Kanzlei unterschiedlich ausgeprägt: Einzelanwälte bezeichnen sich zu 62% als Spezialisten, in grösseren Sozietäten mit bis zu 100 Anwälten beträgt der Anteil der Spezialisten bis zu 90%, und in Sozietäten mit mehr als 100 Anwälten sind nahezu alle anwaltlichen Berufsträger spezialisiert (95%)[4]. 13

3.2.2 Umsatzzahlen

Neben dem Bedürfnis der Alleinstellung um einem stärker werdenden Konkurrenzdruck entgegen zu treten, sprechen auch die Umsatzzahlen für eine Spezialisierung. 14

---

3 Wolf, Thomas (M.A.), Strukturwandel der deutschen Anwaltschaft, in: JURAcon Jahrbuch 2009/2010, S. 29.

4 Wolf, Thomas (M.A.), Strukturwandel der deutschen Anwaltschaft, in: JURAcon Jahrbuch 2009/2010, S. 28.

15 In einer Pressemitteilung des Soldan Instituts für Anwaltmanagement vom 10.5.2010 mit dem Titel «Fachanwälte agieren erfolgreich im Markt» sind die wirtschaftlichen Folgen der Zugehörigkeit der Fachanwaltschaft aufgeführt. Das Institut hatte im April 2010 Fachanwälte schriftlich zu den Auswirkungen des Erwerbs des Fachanwaltstitels auf die anwaltliche Tätigkeit befragt. An der Befragung beteiligten sich 2200 Fachanwälte. 55 Prozent der befragten Rechtsanwälte verbesserten nach dem Erwerb des Fachanwaltstitels nach eigener Einschätzung ihre Markstellung. 44 Prozent der Befragten schätzten die wirtschaftlichen Folgen der Zugehörigkeit zu einer Fachanwaltschaft als positiv ein. Besonders starke Zuwächse berichten Fachanwälte für Steuerrecht, Medizinrecht, Insolvenzrecht und Arbeitsrecht (jeweils mehr als 50 Prozent). Dass Fachanwälte in grösserem Ausmass Mandate aus Rechtsgebieten verlieren, die nicht von ihrer Fachanwaltschaft umfasst sind, bestätigte die Untersuchung nicht: nur 13 Prozent der befragten Fachanwälte teilten solche Mandatsverluste als Folge ihrer Spezialisierung mit[5].

3.3 Erfahrungen mit Spezialisierung am Beispiel HFK

16 Aufgrund der Marktpräsenz über viele Jahre und dessen Beobachtung von innen und von aussen, hat HFK sowohl die Vorteile als auch die Nachteile der Spezialisierung und damit der Boutique-Strategie erfahren.

3.3.1 Vorteile

17 Vorteile der Spezialisierung ergeben sich sowohl für den Mandanten als auch für die Kanzlei insgesamt und den einzelnen Anwalt.

18 Im Unterschied zur Betreuung innerhalb einer Grosskanzlei haben Mandanten in der Regel den gleichen Anwalt als Vertreter und Ansprechpartner. Ziel dieser dadurch erlangten Kontinuität in der Betreuung ist der Aufbau eines ausserordentlichen Vertrauensverhältnisses. Das Beratungschema ist individuell und persönlich ausgerichtet. Die oberste Priorität liegt beim Mandanten. Sollte der jeweilige Anwalt doch einmal verhindert sein, ist durch die gleichgerichtete Spezialisierung innerhalb der Kanzlei gewährleistet, dass der Vertreter die gleiche Kompetenz aufweist und der Mandant gut aufgehoben ist und betreut wird.

19 Die Spezialisierung ermöglicht in weit grösserem Masse die Entwicklung einer hohen bis höchsten Fachkompetenz, als dies durch einen Generalisten zu erreichen ist. Diese hohe und höchste Fachkompetenz hat neben der Maximierung der Vertretung der Interessen der Mandanten den weiteren Vorteil der verbesserten Effizienz der Arbeitsleistung und der permanent notwendigen Fortbildung, denn die Bereiche bleiben thema-

[5] Soldan Institut für Anwaltsmanagement, Fachanwälte agieren erfolgreich im Markt, Pressemitteilung vom 10.5.2010, auf: http://www.soldaninstitut.de/index.php?id=pmdat2010 (besucht am 1. November 2011).

tisch begrenzt und somit überschaubar. Nicht zuletzt eröffnet sich so die Möglichkeit, höhere Vergütungen zu erlangen, da die bessere Leistung, die zudem in kürzerer Zeit erbracht wird, vom Mandanten selbstverständlich honoriert wird.

Zu den positiven Aspekten, die nicht zuletzt eine ausreichende Auslastung der Kanz- 20
lei sichert, zählt die weitgehende Marktdurchdringung, die sich aufgrund des Rufs der Spezialisierung (vorausgesetzt, die Kompetenz ist tatsächlich vorhanden und wird täglich unter Beweis gestellt) ergibt und zu einer hohen Dichte der Kontakte in der gesamten Branche führt. Dies umfasst beide Seiten, also Auftraggeber und Auftragnehmer, Projektentwickler und Investoren, Verkäufer und Käufer.

Durch die Spezialisierung erfährt die gesamte Kanzlei eine enge Einbindung in branchen- 21
spezifische Organisationen (z.B. ARGE Baurecht[6], Deutsche Gesellschaft für Baurecht e.V.[7]), und durch diese Einbindung werden sowohl die Kontakte zu Mandanten als auch die Qualität der Beratungsleistung immer weiter gefordert und gefördert. Dies bedeutet die Aufstellung und Weiterentwicklung eines gemeinsamen Beratungsverständnisses, Förderung von Koordination, Weiterbildung, Interdisziplinarität, Reflexion, Entwicklung von Qualitätssicherung und Rahmenstandards. Es kommt zur Zusammenarbeit sowohl mit nationalen als auch mit internationalen Organisationen ähnlicher Zielsetzung.

Die Spezialisierung vereinfacht die Gründung und Durchführung von Kooperationen 22
mit anderen in- und ausländischen Kanzleien, da aufgrund der bestehenden und fortentwickelten Spezialisierung ein Wettbewerbsverhältnis, das die Zusammenarbeit ausschliessen oder zumindest erheblich erschweren würde, nicht besteht.

Die Spezialisierung führt zu einer hohen Akzeptanz aller Anwälte der Kanzlei (insbe- 23
sondere auch der jungen Kollegen) bei Mandanten und Gerichten. Dies ermöglicht insbesondere Berufseinsteigern ein deutlich schnelleres berufliches Vorwärtskommen und führt zu einem Wettbewerbsvorteil der Kanzlei. Darüber hinaus besteht die Möglichkeit, sich innerhalb der Spezialisierung der Kanzlei («Rund um die Immobilie») weiter zu spezialisieren (z.B. auf Architektenrecht, Mietrecht etc.).

Das Arbeiten in kleinen Teams, in denen jedes Mitglied eine hohe spezifizierte Kom- 24
petenz aufweist, ermöglicht eine direkte und schnelle Kommunikation. Umständlichen und langwierigen Prozessabläufen wird entgegengearbeitet.

Die Kanzlei und der einzelne Anwalt profitieren von der Möglichkeit, sich kurzfristig 25
zu spezialisieren. Für die Kanzlei bedeutet dies ein verbessertes Recruiting durch hohes Interesse bei Bewerbern, da diesen die Möglichkeit der schnellen Einarbeitung in Gebiete ihres besonderen Interesses eröffnet wird. Für den einzelnen Anwalt heisst dies, dass er sich mit Rechtsgebieten befassen kann, die seinen Interessen entsprechen, und er

6 Vgl. www.arge-baurecht.de.

7 Vgl. www.dg-baurecht.de.

in stetem und engem Austausch mit Kollegen und Kolleginnen ähnlicher oder gleicher Interessenlagen steht.

26 Sowohl der Kanzlei als auch dem einzelnen Anwalt wird die Möglichkeit gegeben, sich im Markt eine Alleinstellung zu erarbeiten. Gelingt dies, profitiert der einzelne Anwalt von der Alleinstellung der Kanzlei und die Kanzlei von einer Alleinstellung des Einzelnen. Dies wirkt sich unmittelbar steigernd auf das Ansehen gegenüber Mandanten und im Kollegenkreis aus. Dadurch wird zum einen wiederum die Motivation zur Arbeit hoch gehalten und kann zum anderen der Ertrag gesteigert werden.

27 Zu nennen sind schliesslich die verbesserte Möglichkeit, Fachteams innerhalb der Kanzlei – auch standortübergreifend – zu bilden und Fachthemen, nicht zuletzt durch Publikationen und Vortragstätigkeiten, konkret aufzuarbeiten.

3.3.2 Nachteile

28 Auch wenn die Vorteile der Spezialisierung augenfällig sind, darf die Kehrseite der Medaille nicht vergessen werden.

29 Die Fokussierung der Kanzlei auf ein besonderes Rechtsgebiet führt dazu, dass die Erweiterung der Spezialisierung und damit die zusätzliche Platzierung der Kanzlei in anderen Rechtsgebieten häufig nur schwer gelingen. In der Regel ist die Kanzlei bei bestehenden und potenziellen Mandanten «in eine Schublade» einsortiert. Dies hat zur Folge, dass Mandanten zwar an diese Kanzlei bezüglich Fragen deren Spezialgebiets vorrangig denken, im Umkehrschluss jedoch dieser Kanzlei in anderen Fragen ggf. keine besondere Kompetenz zugestanden wird. Dies zu ändern und die Kanzlei in einem weiteren Gebiet zu etablieren – also das «Angebot der Boutique» zu erweitern – ist schwierig.

30 Die Spezialisierung kann im Einzelfall dazu führen, dass Mandanten – jedenfalls in besonderen Fällen – bezüglich bestimmter Rechtsfragen, die ausserhalb des Fokus liegen, nicht beraten werden können. Dieser Problematik kann dadurch begegnet werden, dass die Kooperation mit anderen Spezialkanzleien gesucht und gepflegt wird, sodass gegenüber dem Mandanten zumindest eine Empfehlung ausgesprochen werden kann und er damit gut betreut wird und bleibt.

31 Die Spezialisierung beinhaltet die Gefahr, nicht mehr «über den Tellerrand hinaus zu sehen», also von der Entwicklung in anderen Rechtsgebieten abgekoppelt zu werden. Hier ist indes jeder einzelne Anwalt aufgefordert, solchen Gefahren durch Studium nicht nur «seiner» Fachpublikationen zu begegnen. Durch die aufmerksame Verfolgung der generellen Entwicklungen auch in anderen Bereichen kann der Nachteil, keine Impulse aus anderen Rechtsgebieten zu erhalten, vermindert oder vermieden werden.

3.4 Folgerungen

Den potenziellen Nachteilen der Spezialisierung kann am besten durch Aufbau und Pflege von Kooperationsnetzwerken zwischen den einzelnen Spezialanbietern begegnet werden. Diese gewährleisten eine schnelle Rekrutierung auch in Fragen des nicht angebotenen Spezialgebiets zugunsten des Mandanten. Auf diese Weise wird der Erhalt des ganzheitlichen Rechtsrates gesichert und zugleich die wünschenswerte feste Mandantenbindung gepflegt. 32

In heutiger Zeit, in der der Trend immer mehr zu kleinen spezialisierten Kanzleien geht, muss deutlich an einem klaren Alleinstellungsmerkmal, dem herausragenden Leistungsmerkmal der Kanzlei, gearbeitet werden. Um sich Vorteile gegenüber der Konkurrenz zu verschaffen, müssen das Profil geschärft und der Aufwand der Öffentlichkeitsarbeit erhöht werden. Hohe Ansprüche an die Qualifikation der Mitarbeiter sowie eine gezielte Marketingstrategie sind gefordert. Das Alleinstellungsmerkmal muss zielgruppenorientiert und wirtschaftlich sein, sowie in Preis, Zeit und Qualität erreicht werden. 33

4. Wie ist die Kanzlei im Wettbewerb mit grossen Wirtschaftskanzleien, die im Rahmen ihres «Vollsortiments» ebenfalls solche Dienstleistungen anbieten, positioniert?

Als Anwaltsboutique sieht sich HFK im Wettbewerb um Mandanten gut aufgestellt. 34 Diese Einschätzung basiert darauf, dass die Spezialisierung regelmässig eine sehr hohe Beratungstiefe garantiert, die derjenigen der «Vollsortimenter» in allen Fällen zumindest gleichkommt, von aussen betrachtet sich in der Regel aber als überlegen darstellt.

Dazu kommt, dass eine Spezialkanzlei im Vergleich mit den Vollsortimentern eine höhere 35 Marktpräsenz aufweist und in den kompakten, schlagkräftigen Strukturen sowohl der einzelnen Standorte als auch standortübergreifend das gesamte Networking und die Synergien besser genutzt werden können, als dies in Grosskanzleien möglich ist. Eine grössere Anzahl an Spezialisten ist im jeweiligen Rechtsgebiet tätig, kann dadurch höhere Erfahrung sammeln und Kompetenzen aufbauen, um diese sodann an alle Anwälte der Kanzlei weiter zu gegeben.

Die «Boutique» ist, da in geringerer «Mannschaftsstärke» aufgestellt als die grossen 36 Anwaltskanzleien, wesentlich flexibler als diese und kann besser auf Marktschwankungen und Veränderungen reagieren.

Gerade im Bereich des Baurechts ist festzustellen, dass grössere Kanzleien in zunehmen- 37 der Anzahl die Beratung in diesem Rechtsgebiet nicht länger anbieten wollen. Dadurch bieten sich weitere Marktchancen für die Spezialanbieter, und Wachstumsmöglichkeiten ergeben sich dadurch, dass erfahrene Kollegen auf dem Markt zur Verfügung stehen.

5. Wie beurteilt HFK die Zukunft für Anwaltskanzleien, die eine Boutique sein wollen?

38 HFK sieht in der Spezialisierung von mittelständischen Anwaltskanzleien eine erfolgreiche Strategie für die Zukunft. Die grössere Flexibilität gegenüber Grosskanzleien sowie die hohe Marktpräsenz und -durchdringung ermöglichen, sich kurzfristig und zielgerichtet auf den steten Wandel und neue Tendenzen einzustellen. Als Beispiele hierfür können aus der Erfahrung von HFK folgende genannt werden.

39 Ab Mitte des Jahres 2008 kam der Markt für Immobilientransaktionen infolge der Wirtschafts- und Finanzkrise (sogen. «Lehman-Pleite»), nahezu vollständig zum Erliegen. Auf der anderen Seite bestand der Anspruch der Immobilienbesitzer, ihre Liegenschaften bestmöglich zu unterhalten und zu verwalten, um deren Wertverfall zu vermeiden und den laufenden Ertrag zu sichern oder gar zu steigern. Ein effizientes Facility Management, welches auch die rechtlichen Optimierungsmöglichkeiten aufzeigt, erschien in dieser besonderen Marktsituation als ein geeignetes Instrument, diese Zielsetzungen zu erreichen. Unverzüglich erarbeiteten die verschiedenen Fachteams von HFK ein umfassendes Kompendium der für ein rechtssicheres und effektives Facility Management massgeblichen Gesichtspunkte. Dies wurde im Jahr 2009 den Mandanten und weiteren Interessenten zur Verfügung gestellt. Damit war HFK Vorreiter im Markt und konnte sich in diesem Bereich, dessen rechtliche Dimension bis dato kaum herausgearbeitet worden war, gut platzieren. Die wirtschaftliche Folge: Das Honoraraufkommen im Bereich des Immobilienwirtschaftsrechtes konnte in Zeiten der Wirtschaftskrise trotz des erheblichen Rückgangs der Transaktionsberatung gehalten werden. Auch gelang es auf diese Weise, neue Mandanten zu gewinnen.

40 Als erste Anwaltskanzlei ging HFK das Thema *green building* an und startete in diesem Zusammenhang eine Initiative für umweltorientierte Technologien und nachhaltige Infrastruktur, die in der Publikation *Legal Green Solution* mündete. Diese Thematik erhielt durch die sogenannte «Energiewende», die im Frühjahr 2011 durch das Erdbeben und die infolgedessen ausgelöste Kernschmelze im Kernkraftwerkskomplex des japanischen Fukushima eingeleitet wurde, eine besondere Aktualität.

41 Neben der Ausrichtung der Kanzlei als Spezialanbieter ist jedoch ein zweiter Aspekt von entscheidender Bedeutung: der stetige Auf- und Ausbau eines Netzwerks weiterer Spezialanbieter (anderer Boutiquen) mit möglichst ebenso hohen Ansprüchen an die Qualität.

42 Eigene Spezialisierung und Ausbau des Netzwerks mit anderen Spezialisten bildet den zutreffenden Ansatz, um auch in Zukunft erfolgreich am Markt präsent zu sein.

F. Prozess der Strategieentwicklung in einer regional tätigen Anwaltskanzlei

Christof Raggenbass

1. Einführung

Bei dem nachfolgenden Praxisbericht geht es um den Prozess der Strategieentwicklung und -umsetzung. Im Vordergrund stehen daher nicht die inhaltlichen Aspekte der Strategie, sondern die Vorgehensweise an sich. Ziel dieser Einführung ist es, die Grundüberzeugungen, deren Anpassungen und nicht zuletzt Neuausrichtungen aus verschiedenen Blickwinkeln zu vermitteln und zu vertiefen. 1

«Und jedem Anfang wohnt ein Zauber inne ...», schrieb Hermann Hesse 1941 in seinem Gedicht «Stufen». Auf das Thema Strategieentwicklung trifft dieser Satz mit Sicherheit zu. Indes: Vor zwanzig Jahren, als wir bei Raggenbass Rechtsanwälte uns erstmals mit der Entwicklung einer grundlegenden Strategie auseinandersetzten, war «Strategieentwicklung in der Anwaltskanzlei» für die wenigsten regional tätigen Anwälte ein Thema. Die Branche durfte sich standesorientiert im Markt nur zurückhaltend präsentieren, war wenig fokussiert, trug den Nimbus des Erhabenen und pflegte diesen auch. Der Zauber des Anfangs hatte also einen Bruder, nämlich den Respekt vor dem Neuen. 2

Da wir aufgrund unserer Ausbildung wirtschaftsrechtlich orientiert waren, gaben bei meinem Bruder, Dr. Hansueli Raggenbass, und mir 1992 folgende, unverändert gültige Faktoren den Ausschlag dafür, dass es einer ausformulierten Strategie bedurfte: 3

- Internationalisierung, Globalisierung und verstärktes Wachstum führten zu stetig anspruchsvolleren und komplexeren Mandaten, zumal sich die Mandanten mit einer zunehmenden Flut an nationalen und internationalen Normen konfrontiert sahen.
- Der Wettbewerb von Rechtsanwaltskanzleien um Mandate und Mandanten wurde sukzessive schärfer. Branche und Markt standen vor einem tiefgreifenden Wandel.
- Die Mandanten wurden – auch aufgrund des zunehmenden Drucks, dem sie selber ausgesetzt waren – anspruchsvoller im Hinblick auf den anwaltlichen Nutzen und sensibler hinsichtlich der Kosten.
- Der Zeitdruck im Mandat nahm laufend zu.
- Der Gründer von Raggenbass Rechtsanwälte, Dr. Hansueli Raggenbass, wurde durch ein im Jahre 1991 aufgenommenes politisches Mandat massiv beansprucht.

4 Für Raggenbass Rechtsanwälte war diese Entwicklung in der damaligen Konstellation (zwei Partner, je ein angestellter Rechtsanwalt und Jurist, zwei Administrationskräfte) auf Dauer nicht mehr beherrschbar und persönlich auch nicht mehr tragbar. Vor die Wahl gestellt, weiter zu machen wie gehabt, sich mit einer anderen Kanzlei zusammenschliessen oder aber zu wachsen und sich damit zu verändern, entschieden wir uns für Letzteres.

5 Wachstum – mittlerweile eine profan anmutende Erkenntnis – hat keinen Wert an sich. Als unverzichtbare Leitlinie definierten wir daher zunächst unsere wichtigsten übergeordneten Wertvorstellungen und Ziele:

- Wir streben als Unternehmen und im Team ein unabhängiges, interessantes und herausforderndes Berufsleben an, das sich auf kameradschaftlicher Basis begründet und an hohen ethischen Massstäben orientiert ist.
- Wir wollen eine führende Wirtschaftsrechtskanzlei in der Ostschweiz sein.
- Die Qualitätssteigerung und -sicherung unserer anwaltlichen Dienstleistungen sind unabdingbar.
- Die Strategie unserer Anwaltskanzlei soll zu einer Konzentration auf definierte Mandatsgruppen führen, um eine Spezialisierung und damit eine anspruchsvolle Beratung zu ermöglichen und zu verhindern, dass sich Partner und Mitarbeiter im Tagesgeschäft aufreiben.

6 Für die Umsetzung war und ist wichtig, dass die Strategie im Partnerkreis formuliert und an den jährlichen Strategiemeetings unter stufenweisem Miteinbezug der Konsulenten, angestellten Anwälte und weiteren Mitarbeiter erläutert und diskutiert wird. Ziel dieser zweitägigen Workshops ist es, ein gemeinsames Verständnis für die Strategie zu schaffen, mithin diese auch kritisch zu hinterfragen, weiterzuentwickeln und Massnahmen für die Umsetzung zu erarbeiten.

2. Eine gute Strategie gleicht einem Gefüge

7 Zu bedenken ist: Die Entwicklung und Umsetzung einer Strategie ist immer heikel. Zumal, wenn diese Strategie zu einschneidenden Veränderungen in einem auf Vertrauen basierenden Umfeld führt. Dies gilt gleichermassen für menschliche Beziehungen (zum Beispiel Ehe, Freundschaft), als auch für die vielfältigen Beziehungsgeflechte innerhalb einer Rechtsanwaltskanzlei. «Umsicht» und «Klarheit» waren deshalb bei uns die zwei herausragenden Attribute, mit denen wir die Weiterentwicklung unserer Strategie vorantreiben wollten.

8 In diesem Kontext waren wir früh auch mit der Frage konfrontiert, in welches Umfeld unsere Kanzlei eingebettet war, sprich: «Wer sind unsere Stakeholder, welchen Interes-

sen haben wir im Rahmen der Strategieentwicklung Rechnung zu tragen?» Hier waren neben den Mandanten selbstverständlich auch die Partner, Konsulenten, die angestellten Anwälte und Juristen, Kooperationspartner, die Mitarbeiterinnen der Administration sowie die einschlägigen Mandatsmittler zu berücksichtigen.

Die umfangreiche Analyse der unterschiedlichen Interessen dieser Stakeholder machte 9 uns bewusst, dass die zu entwickelnde Strategie für jeden der jeweiligen Stakeholder unter dem Strich einen Mehrwert bieten musste. Dieser mochte rechtlich, sicherheitsspezifisch, monetär, beruflich oder auch persönlich sein. Daraus leiteten wir dann den Charakter unserer künftigen Strategie und des angepeilten Ergebnisses ab: Beide – also die Strategie und das daraus entstehende veränderte Unternehmen – mussten in sich stimmige, zukunftsfähige, organisch weiter entwickelbare und dynamische Gefüge sein, die zu uns passen.

Eine derartige Aussage mag lapidar anmuten. In Tat und Wahrheit ist ihre Berücksich- 10 tigung für den Prozess der Strategieentwicklung essentiell, weil sich nur so Brüche in den erfolgsbestimmenden Bereichen Qualität, Kanzleierfolg, Kultur, Mitarbeiter, Mandanten etc. ausschliessen lassen.

Als wir uns 1992 entschieden, eine grundlegende Strategie zu entwickeln, kristallisierte 11 sich nach und nach heraus: Keine Struktur, keine Rolle, kein Prozess der Leistungserbringung oder Administration, kein Aspekt durfte als «heilig» erachtet und damit vernachlässigt oder gar übersehen werden. Andernfalls hätten wir die Notwendigkeit des permanenten Nachbesserns heraufbeschworen. Bei aller Dringlichkeit war uns also von Anfang an bewusst, dass Geduld, umfassende Konzeptarbeit und wohlüberlegtes, konsequentes Handeln nicht nur fromme Tugenden, sondern auch wichtige Erfolgsvoraussetzungen darstellen.

Blenden wir von 1992 ab dreizehn Jahre zurück, also ins Jahr 1979, dem Gründungs- 12 jahr von Raggenbass Rechtsanwälte: Damals waren die Mandantschaft und der Markt relativ überschau- und berechenbar. Man hatte seine Spezialgebiete, seine mehrheitlich treuen Mandanten, seinen Aktionsradius und seine Netzwerke. Das Verhältnis zwischen Mandanten und Kanzlei war ähnlich geprägt wie einst jenes zwischen Hausarzt und Patient oder noch früher, wie zwischen Pfarrer und Kirchgänger.

Spätestens Anfang der Neunzigerjahre aber zeigte sich: Die veränderten Erwartungen 13 der Mandanten und das härter werdende Wettbewerbsumfeld erfordern eine stärker fokussierte Betätigung, mithin eine Spezialisierung und eine grössere Stringenz bei der Entwicklung, Vermarktung und Erbringung unserer Dienstleistungen.

Im Rahmen der Analysephase untersuchten wir zunächst die Anwaltsbranche und die 14 Mandanten und durchleuchteten Kanzleien in den Kantonen Thurgau, St. Gallen und Zürich hinsichtlich ihrer Ausrichtung, ihres jeweiligen Spezialisierungsgrades, Grösse, Aktionsradius etc. Die Resultate bestätigten unsere Einschätzung: Je weiter die Kanzleien von Zürich entfernt waren, desto häufiger waren sie als Einzelkanzleien oder als Zusammenschluss von Einzelkämpfern organisiert, die mit einem breiten Spektrum an Dienstleistungen die Grundversorgung für unterschiedliche Klientengruppen sicherstellten. Bei den Kanzleien in Zürich hatte sich dagegen längst ein hoher Grad an Spezialisierung durchgesetzt.

15 Es lag auf der Hand, dass sich diese Entwicklung in den folgenden Jahren fortsetzen und noch verschärfen würde. Als diesbezüglicher Frühindikator erwies sich die – ebenfalls untersuchte – dynamische Entwicklung im Umfeld der Mandanten: Auch kleine und mittelgrosse Unternehmen (KMU) in ländlichen Regionen agierten in diesen Jahren mehr und mehr international oder bereits global und standen damit oft vor zunehmend komplexeren Herausforderungen in rechtlicher Hinsicht.

3. Emotionalität ist normal

16 Von den Ergebnissen unserer ersten Analyse inspiriert, formulierten wir schliesslich unsere wirtschaftsrechtlich orientierte Vision – Teil 1: «Raggenbass Rechtsanwälte ist eine regional verankerte Kanzlei, die sämtliche anwaltlichen Dienstleistungen für kleine und mittelgrosse Unternehmen (auch solche der Öffentlichen Hand) und Unternehmer erbringt.» Ein Mandant sollte sich somit bei uns in allen ihn unternehmerisch wie persönlich betreffenden rechtlichen Fragen zu Hause fühlen.

17 Teil 2 der Vison lautete: «Raggenbass Rechtsanwälte erbringen ihre Dienstleistungen auch für Privatkunden, so deren Bedarf mit unseren Fachgebiets-Kompetenzen abgedeckt werden kann.»

18 In der Weiterung hiess dies für die Leistungserbringung: Raggenbass Rechtsanwälte fokussieren sich auf die Kerngebiete Wirtschaftsrecht, Immobilienrecht, Familien- und Erbrecht sowie Steuerrecht, ohne jedoch die weiteren Rechtsgebiete für die Realisierung der Vision zu vernachlässigen.

19 Als nächstes mussten diverse SWOT-Analysen (***S****trengths* [Stärken], ***W****eaknesses* [Schwächen], ***O****pportunities* [Chancen] und ***T****hreats* [Risiken]) angestellt werden. Diese dienten der Klärung, ob und inwieweit unsere Kanzlei und deren Beschäftigte aus Sicht der Mandanten über die zur Realisierung unserer Vision erforderlichen Fähigkeiten, Qualitäten und Prozesse verfügen und ob unsere Organisation dieser Art von Herausforderung standhalten würde. Die Ergebnisse unserer Analysen zeigten einen umfangreichen Entscheidungs- und Veränderungsbedarf auf. Deutlich wurde in dieser noch immer frühen Phase, dass «Strategieentwicklung in der Anwaltskanzlei» alle Prozesse und Bereiche, von der eigentlichen Leistungserbringung beim Mandanten über die Supportprozesse und das Sekretariat bis hin zur Frage, wie die Entscheidungsabläufe konzentriert, vereinfacht und beschleunigt werden können, in ihrer ganzen Tiefe erfasst. Oder anders ausgedrückt: Im Zweifelsfall bleibt kein Stein auf dem anderen. So haben wir uns bei-

spielsweise in dieser Phase von einem angestellten Anwalt getrennt und dafür zwei junge, dem künftigen Anforderungsprofil entsprechende Rechtsanwälte rekrutiert.

All dies löst in der Regel bei den Beteiligten häufig Unruhe und Unsicherheit, nicht selten auch Angst aus. Das war bei uns nicht anders. Die mit jeder Veränderung einhergehenden emotionalen Reaktionen unter den Mitarbeitern mögen profan anmuten. Sie sind indes – gerade auch in ihrer möglichen Wirkung – alles andere als dies. Es ist normal, wenn sich ein langjähriger Mitarbeiter angesichts eines veränderten Anforderungsprofils fragt: «Will ich das? Kann ich das? Schaffe ich das?» Wer als Führungsverantwortlicher derartige Reaktionen vernachlässigt oder kleinredet, gefährdet den Erfolg der neuen Strategie. Denn «Strategieänderung» heisst ja nicht einfach, als Unternehmen eine mehr oder minder brachiale Kursänderung auf dem Papier zu vollziehen. Vielmehr entscheidet am Ende über den Erfolg der Strategie, dass jeder Mitarbeiter bereit ist, sein individuelles Denken, Handeln und Verhalten zu überprüfen und gegebenenfalls zu verändern. 20

Exakt an diesem Punkt der Strategieentwicklung entschieden wir uns, den Kreis der Insider schrittweise zu öffnen. Nun wurden die angedachten und bereits beschlossenen Schritte kommuniziert. Es ging darum, diesen rasch wachsenden Kreis von Betroffenen zu mitdenkenden und mitwirkenden Beteiligten zu machen. Rückblickend lässt sich sagen, dass der frühe Einbezug von und der Austausch mit nach und nach allen Mitarbeitern über den beabsichtigten und dann eingeschlagenen Unternehmenskurs wesentlich zum Erfolg unserer Strategieumsetzung beitrugen. Die beiden 1993 rekrutierten jungen Anwälte bekräftigen noch heute, dass dieser Miteinbezug sie damals freute und mit Stolz erfüllte und massgeblich dazu beitrug, dass seitdem alle am gleichen Strang ziehen. 21

Theoretisch gliedert sich der Prozess der Strategieentwicklung und -umsetzung in die Phasen 22

- Erarbeitung einer Vision,
- Analyse von Chancen und Risiken sowie von Stärken und Schwächen,
- Formulierung eine Strategie,
- Umsetzung der Massnahmen und Pilotierung von Kernelementen,
- Überprüfung und Anpassung.

In der Praxis lassen sich diese einzelnen Phasen nicht immer scharf voneinander trennen. Es kann passieren und es passierte uns, dass spätestens bei der Strategieformulierung «Rückkommensanträge» zu stellen waren, weil sich gewisse Annahmen oder Zielsetzungen zum Beispiel als kurzfristig zu gewagt oder umgekehrt als zu wenig ehrgeizig entpuppten. Gründlichkeit hat – so unsere Erfahrung – das Primat vor der Eile, und Aufrichtigkeit hinsichtlich der erfolgreichen Realisierung von Zielen kommt vor übertriebenem Ehrgeiz und Zeitdruck. 23

24 Gerade in den diesbezüglichen vielfältigen Gesprächen mit den Beschäftigten unserer Kanzlei, vor allem aber bei der nun folgenden eigentlichen Formulierung der Strategie wurde beinahe mit Händen greifbar, was Strategieentwicklung letztlich auch ist: die bewusste und gezielte Vorwegnahme der angepeilten Realität. Dabei muss eine Strategie von Grund auf so angelegt sein, dass sie von Zeit zu Zeit justierbar ist, damit sich das Unternehmen laufend an die sich ändernden Gegebenheiten und an die während der Umsetzung gemachten Erfahrungen anpassen, beziehungsweise diese gestalten kann.

4. Knochenarbeit

25 Die Formulierung unserer Strategie liess mehr und mehr plastisch werden, wie unsere Kanzlei dereinst «aussehen» würde. Aus Visionen und Absichten wurden klar definierte Dienstleistungen und Strukturen; Mandanten und komplexe Mandatsbeziehungen wurden erkennbar. Der Fokus auf Unternehmen, Unternehmer und auf die unser spezialisiertes Leistungsportfolio nachfragenden Privatkunden sowie der Mix an Disziplinen entstanden nicht, wie man vielleicht vermuten könnte, aufgrund der innerhalb der Kanzlei zur Verfügung stehenden Fähigkeiten. Ausschlaggebend war vielmehr die aus der Erfahrung resultierende «Verweisungslogik» zwischen den einzelnen Rechtsgebieten im anwaltlichen Praxisalltag.

26 Erst jetzt wurde allen Beteiligten bewusst, was nun unmittelbar bevorstand: die eigentliche Knochenarbeit. Damit sich Raggenbass Rechtsanwälte erfolgreich zum «anwaltlichen Komplettdienstleister für Unternehmen und Unternehmer» weiterentwickeln konnten, mussten aus der Soll-Perspektive (interdisziplinär beratender und begleitender Komplettdienstleister) heraus sämtliche Erfolgstreiber unseres künftigen Unternehmens neu definiert und umgesetzt werden.

27 Insbesondere:

- Rekrutierung von geeigneten Mitarbeitern,
- Rollen, Aufgabenprofile, Schnittstellen und Know-how-Transfer,
- Unterstellungsverhältnisse,
- Entscheidungsprozesse auf Partnerebene und auf Mandatsebene,
- Leistungsentwicklungs- und -erstellungsprozesse,
- Support- und Administrationsprozesse,
- Marketing- und Vertriebsprozesse.

28 Die Komplexität dieser wichtigsten Erfolgstreiber speiste sich aus unserem Verständnis als künftiger anwaltlicher Komplettdienstleister, der ja zunehmend interdisziplinär abzuhandelnde Mandate akquirieren, betreuen und führen sollte.

Organisatorisch ergab sich aus der Neuentwicklung o.g. Massnahmenfelder eine Viel- 29
zahl von elementaren Erkenntnissen. Hier die Wichtigsten:

- Unsere – notabene seit der Umsetzung der neuen Strategie kontinuierlich ge- 30
  wachsene – Organisation ist nicht mehr länger einfach *top-down* führbar. Die angepeilten komplexeren und interdisziplinären Mandate sind nur steuerbar, wenn die direkte Verantwortung für die jeweiligen Mandate schrittweise delegiert wird. Dementsprechend benötigen wir eine schlanke Aufbauorganisation, die sich auf verschiedene Teams (mit je einem Mandatsleiter und einem Stellvertreter) stützt.
- Die Leistungserstellung muss so angelegt werden, dass die generalistische Grund- 31
  kompetenz und die Fachgebietskompetenz im jeweiligen Mandat einander nicht behindern, sondern ergänzen. Dementsprechend benötigen wir einen definierten Auftragsablauf auf Grundlage standardisierter Formulare. Anzumerken ist, dass gerade diese Forderung immer wieder für Irritationen sorgte. Ein Anwalt, so der gelegentlich gehörte Einwurf, wisse schliesslich, wie er ein Mandat zu führen hat. Eine eingehende Analyse der künftigen Mandatsgrössen belehrte die Zweifler rasch eines Besseren: Die in interdisziplinären Mandaten und Prozessen herrschende Komplexität ist derart hoch, dass schon aus Gründen der Qualitätssicherung, des Zeitdrucks und der effizienten Umsetzung auf eine Standardisierung dieser Prozesse nicht verzichtet werden kann.
- Insbesondere auf Mandatsebene benötigen die jeweiligen Mandatsleiter (und 32
  deren Stellvertreter!) die passenden Fähigkeiten und Fertigkeiten zum Führen der jeweiligen Mandate. Die Implementierung von Mandatsleitungsrichtlinien ist unabdingbar.
- Informationen über das jeweilige Mandat müssen innerhalb des jeweiligen Teams 33
  offengelegt und für alle Beteiligten transparent sein. Statt «Herrschaftswissen» Einzelner braucht es das «Allgemeinwissen» aller am jeweiligen Mandat beteiligten Mitarbeiter.
- Innerhalb der interdisziplinären Teams bedarf es effektiver wie effizienter Ab- 34
  stimmung, sprich: Die Partner, Anwälte, Konsulenten, Juristen und allfällige beigezogene Kooperationspartner müssen intensiver und effektiver miteinander kommunizieren, als dies in den bisherigen, eher linear verlaufenden Projekten erforderlich war.
- Die Spezialisierung erfordert einen institutionalisierten Know-how-Transfer in 35
  und zwischen den einzelnen Teams und eine systematisch angelegte Weiterbildung auf allen Ebenen.
- Lücken im Angebot werden durch Konsulenten und Kooperationspartnerschaf- 36
  ten geschlossen.

37 In jedem Strategieentwicklungsprozess stellt sich spätestens an diesem Punkt die Frage: «Wollen und können wir all diese Veränderungen überhaupt mit den eigenen Mitarbeitern realisieren oder brauchen wir dazu auch eine Blutauffrischung von aussen?» Die Entscheidung war schnell gefällt: Wir wollten diese organische Entwicklung von innen heraus mit jungen, teamfähigen und kompetenten Anwälten realisieren. Denn so verlockend die Akquisition von oder die Fusion mit einer anderen Kanzlei auf den ersten Blick auch sein mochte: Der eigentliche Prozess der Strategieentwicklung und deren Umsetzung wären dadurch mit Sicherheit nicht einfacher geworden.

38 Die bisher aufgezeigte Komplexität macht es schon deutlich: Auf jeden Mitarbeiter kam eine Reihe neuer Herausforderungen zu, deren Bewältigung nicht einfach verordnet werden konnte. Zunächst ging es darum, bei den betroffenen Mitarbeitern selbst eine Sensibilität für die eigenen Fähigkeiten und Fertigkeiten zu schaffen und aus den jeweiligen Erkenntnissen die erforderlichen Massnahmen (Weiterbildung, Spezialisierung, Neuzuordnung von Aufgaben etc.) abzuleiten und systematisch, d.h. nach einem klar strukturierten Massnahmen- und Zeitplan – neben dem Tagesgeschäft –, umzusetzen.

39 Teilweise parallel zu diesen intern zu realisierenden prozessualen Massnahmen begann schliesslich die Neuentwicklung und Implementierung der Vertriebsprozesse. Ein wichtiges, rasch Klarheit und Sicherheit vermittelndes Instrument war das neu erstellte Marketingkonzept, in dem neben den klassischen Werkzeugen auch Regelungen zum Corporate Design, dem Corporate Behaviour und zum Aufbau einer eigenen Marke festlegt wurden.

40 Sollte Raggenbass Rechtsanwälte zum anwaltlichen Komplettdienstleister für Unternehmen und Unternehmer avancieren, machte dies auch eine Ausweitung der direkten Kundenansprache und Kundenstammpflege erforderlich: Dies erfolgte durch Infoletter, Weiterbildungsveranstaltungen und institutionalisierte Kontaktpflege bei teils geschäftlichen, teils privat gehaltenen Veranstaltungen.

41 Als nicht minder wichtiger Hebel zur Gewinnung neuer Mandate wurden darüber hinaus die Annahme von Verwaltungsrats- und Stiftungsratsmandaten, eines Verbandssekretariats und die Pflege von Mandatsmittlern (Banken, Treuhand- und Wirtschaftsprüfungsbüros, Unternehmensberater, Bezugspersonen, inländische und v.a. ausländische Anwaltskooperationspartner im Dreiländereck etc.) identifiziert.

42 Wie erwähnt: 1992 starteten wir mit den Vorbereitungen zur Entwicklung unserer Strategie. Die Umsetzung begannen wir ein gutes Jahr später. Natürlich geschah dies nicht auf einen Schlag. Wir hatten darauf zu achten, dass das laufende Tagesgeschäft keinen Schaden nimmt und die mit der Umsetzung betrauten Partner und Mitarbeiter nicht überlastet werden. Es galt also, die richtige Umsetzungsgeschwindigkeit zu finden: Eine zu hohe Geschwindigkeit hätte unweigerlich zu kaum kalkulierbaren Risiken geführt, die den ganzen Prozess gar hätten ins Wanken bringen können. Zu langsames Voran-

schreiten wiederum barg die Gefahr, dass wir möglicherweise den Glauben an die zuvor verkündeten und geforderten Veränderungen verlieren würden.

Es ging also darum, das richtige Mass, die richtige Geschwindigkeit zu finden, mithin Prioritäten zu setzen. Wir wandten in diesem Falle einen einfachen Schlüssel an: Die Massnahmen, die rasch messbare Resultate bringen würden, wurden zuerst umgesetzt. Dabei handelte es sich u.a. um die Rekrutierung des anwaltlichen Nachwuchses, die sukzessive Etablierung der Schwerpunktgebiete, die Standardisierung des Mandatsablaufs und um erste Marketing- und Kommunikationsmassnahmen. 43

5. Strategieentwicklung – ein Selbstläufer

Nicht alles lässt sich in einem Strategieumsetzungsprozess steuern und messen. Unsere Erfahrung in diesem Kontext ist: Verläuft der Start erfolgreich, findet er nach und nach positive Resonanz bei den Mitarbeitern, Konsulenten, Partnern und ersten ausgesuchten Mandanten. Es entsteht eine Art Sogwirkung. Alle Beteiligten erwarten, dass es weitergeht, dass weitere Veränderungen greifen und positive Resultate eintreten. Je kontinuierlicher diese Entwicklung voranschreitet und Erfolge gefeiert werden können, umso mehr Vertrauen bekommen die daran Beteiligten in den gesamten Prozess. 44

Natürlich gibt es in derartigen Phasen und auch später immer wieder Momente, in denen etwas nicht so gut läuft, weil Korrekturen oder Feinjustierungen vorzunehmen sind oder weil in der Rekrutierung und Betreuung von Mitarbeitenden Fehler gemacht wurden. Entscheidend ist in derartigen Situationen die durchgängig gelebte Haltung: «Es gibt keine Deutungshoheiten, Besitztümer oder ewige Errungenschaften, sondern nur ein Problem, das jetzt gelöst werden muss.» Und in diesem Fall setzt man sich eben an einen Tisch, bringt das jeweilige Problem zur Sprache, entscheidet und geht dessen Lösung gemeinsam an. 45

Dieses nicht nur im Konfliktfall wichtige Vorgehen, die vorangegangenen Ausführungen haben es schon angedeutet, ist essenziell: Eine teamorientierte Anwaltskanzlei verträgt keine Einzelkämpfer oder Primadonnen mit Starallüren. Erfolgreich kann nur sein, wer es schafft, ein Team zu formen, das zuallererst hervorragend miteinander kommuniziert, sich abstimmt, plant, entwickelt, zuarbeitet und schliesslich leistet, was dem Mandanten nützt. Diese Form der Zusammenarbeit basiert auf dem Prinzip «Teilen statt Herrschen». Und dieses «Teilen statt Herrschen» gilt gleichermassen für sämtliche mandatsrelevanten Informationen, Entscheidungsprozesse und insbesondere in der Umsetzung oder bei der Aufarbeitung von Problemen. 46

Da ein Team nur so stark sein kann wie dessen schwächstes Mitglied, sind für die Umsetzung von unserer Strategie «Teambildung» und «Persönlichkeitsentwicklung» wichtig. Die diesbezüglichen Massnahmen ergänzen sich und wurden in den vergangenen Jahren sukzessive weiterentwickelt. Hier die wichtigsten Koordinaten: 47

48 • Eine Strategie, die nur darauf abzielt, das betroffene Unternehmen, seine Leistungen und die monetären Aspekte zu verbessern, ist zum Scheitern verurteilt. Der Erfolg anwaltlicher Tätigkeit in interdisziplinären Teams hängt zuvorderst von der Persönlichkeit jedes Mitarbeitenden ab. Deshalb muss die Persönlichkeitsentwicklung aller Mitarbeitenden auch mit im Vordergrund jeder Strategie stehen.

49 • Identifikation mit der eigenen Kanzlei und mit dem Mandat ist essenziell für jeden Einzelnen. Das Team von Raggenbass Rechtsanwälte definierte in den sehr frühen Phasen der Strategieentwicklung den Fokus auf spezifische anwaltliche Dienstleistungen. Ebenso wurden bestimmte Klientenkategorien ausgeschlossen. Dies schafft bei den Mitarbeitenden Identifikation und Verständnis für das Mandantenanliegen.

50 • Im Rahmen der Weiterentwicklung unserer Strategie luden wir 2008 alle unsere Mitarbeitenden ein, mit einem *Self-Assessment-Test* ihre eigene Persönlichkeitsstruktur präzise zu erfassen.

51 • Im Rahmen des Strategieworkshops 2011 haben wir unter Miteinbezug aller Mitarbeitenden unser Rekrutierungs- und Betreuungskonzept für Anwaltsnachwuchs verfeinert.

52 Aus dieser Aufzählung geht schon hervor: Die 1992 entwickelte und 1993 sukzessive umgesetzte Strategie wurde laufend ergänzt und konkretisiert. Neben der kontinuierlichen Verbesserung der Prozesskette längs unserer Leistungserbringung sind als wesentliche Konsequenzen zu nennen:

53 • Im Jahre 2006 entschieden wir uns, den Aktionsradius der Kanzlei auszuweiten. Um im grenznahen Bereich mit Anbindung an den Euroraum stärker als bisher tätig werden zu können, gründeten wir einen weiteren Standort in Kreuzlingen (TG).

54 • Im gleichen Jahr entschieden wir, den Bereich Steuerberatung als Schwerpunktbereich verstärkt zu fördern. Für den nachhaltigen Erfolg ist die stringente Führung des Teams durch einen Steuerspezialisten entscheidend.

6. Strategieentwicklung – eine Managementaufgabe

55 Jedes Jahr findet ein zweitägiges Strategiemeeting statt. In diesem werden zum einen die gemachten Erfahrungen sowie sämtliche erfolgskritische Faktoren der Leistungsentwicklung, -vermarktung sowie -erbringung analysiert und hinterfragt. Einen grossen Teil dieser Meetings nehmen aber zum anderen die Einzel- und Teamgespräche ein. In diesen wird explizit darüber gesprochen, wo der einzelne Mitarbeiter persönlich, familiär und professionell steht, wie er sich weiterentwickeln will und ob er auch über genü-

gend persönliche Freiräume und Entfaltungsmöglichkeiten verfügt. Es gilt das Prinzip: Nur ein Mitarbeiter, der sich wohl fühlt, ist ein guter Mitarbeiter. Wir verhalten uns dabei nicht selbstlos, denn wir verfolgen damit eine klare Strategie. Wer im hart umkämpften Markt der anwaltlichen Dienstleistungen weiterhin profitabel wachsen will, muss junge, kompetente Kräfte gewinnen und an sich binden. Dies funktioniert nur, wenn man mehr bietet als die Konkurrenz.

Nebst diesen sozialen Aspekten anlässlich der in inspirierender Atmosphäre durchgeführten Strategieworkshops wird der Teamgeist unter anderem durch zweitägige Büroausflüge sowie gemeinsame sportliche und gesellschaftliche Aktivitäten gefördert. Eine als Unternehmen verstandene Anwaltskanzlei hat nur Erfolg, wenn sie als eingespielte Mannschaft auftritt. In dieser Mannschaft spielen erfahrene Führungsspieler zusammen mit jüngeren Spielern, die ihren Fähigkeiten und Neigungen gemäss eingesetzt werden und somit optimale Beiträge zum Ergebnis leisten. 56

Natürlich wurde der Prozess der Strategieentwicklung und -umsetzung von uns nicht stets alleine und auf eigene Faust durchgeführt, sondern unter Begleitung von Strategieberatern und Moderatoren. Dies ist auch empfehlenswert. Denn die ins Tagesgeschäft wie in die Strategieentwicklung eingebundenen Beteiligten verfügen in diversen Fragen über zu wenig Distanz oder methodisches Fachwissen, um kreativ neue Ideen und Möglichkeiten entwickeln und ausloten zu können. 57

7. Was zählt, sind Resultate

Strategieentwicklung 1992 – Strategieumsetzung 1993 – neuer Fokus – neue Organisation, neue Rollen und Prozesse, neue Positionierung – jährliche Strategieworkshops – Gründung Standort Kreuzlingen 2006 – Steuerberatung als verstärktes Schwerpunktgebiet: Was haben all diese Entwicklungsschritte unter dem Strich gebracht? 58

Seit 1993 verzeichnen wir ein kontinuierliches Wachstum. Ferner ist es uns gelungen, uns in der Ostschweiz als ein führender anwaltlicher Komplettdienstleister für Unternehmen und Unternehmer erfolgreich zu etablieren. 59

Die personelle Entwicklung von Raggenbass Rechtsanwälte mag diese Erfolge verdeutlichen: 60

- 1993 – 6 Beschäftigte: 2 Partner, 2 Anwälte, 2 Administrationsmitarbeiterinnen
- 2002 – 12 Beschäftigte: 4 Partner, 3 Anwälte, 1 Jurist, 4 Administrationsmitarbeiterinnen
- 2006 – 15 Beschäftigte: 5 Partner, 3 Anwälte, 1 Steuerberater, 1 Jurist, 5 Administrationsmitarbeiterinnen

- 2007 – 19 Beschäftigte: 5 Partner, 5 Anwälte, 2 Steuerberater, 1 Jurist, 6 Administrationsmitarbeiterinnen
- 2008 – 21 Beschäftigte: 5 Partner, 7 Anwälte, 2 Steuerberater, 1 Jurist, 6 Administrationsmitarbeiterinnen
- 2011 – 24 Beschäftigte: 6 Partner, 7 Anwälte, 3 Steuerberater, 1 Jurist, 7 Administrationsmitarbeiterinnen

61 Mindestens ebenso wichtig wie diese Zahlen ist jedoch das Faktum: Raggenbass Rechtsanwälte sind seit der Entwicklung ihrer neuen Strategie ein zukunftsfähiges Unternehmen, dessen weiteres Wachstum durch eine noch intensivere Spezialisierung in den Fachbereichen gesichert ist.

62 Raggenbass Rechtsanwälte haben sich somit seit 1992 vom Kleinbetrieb zu einem mittelgrossen Unternehmen entwickelt. Die Rolle eines Managing Partner wurde 1993 eingeführt, wobei die anderen Partner zunächst einzelne Aufgabenbereiche wie Kooperationen, Finanzen, Compliance oder Personelles übernommen haben. Die zunehmende Komplexität und Schnittstellenproblematik erforderten indes, dass der Managing Partner seit 2009 auch für diese Aufgabenbereiche verantwortlich ist. Er bereitet die strategischen Entscheide vor und ist verantwortlich für die laufende Weiterentwicklung der Strategie sowie für deren Umsetzung.

63 «Strategieentwicklung in der Anwaltskanzlei» ist tatsächlich eine unendliche Geschichte. Gerade dieser Umstand garantiert den Erfolg und die Zukunftsfähigkeit einer Kanzlei. Oder, um es mit Hermann Hesse zu sagen: «Kaum sind wir heimisch einem Lebenskreise / Und traulich eingewohnt, so droht Erschlaffen / Nur wer bereit zu Aufbruch ist und Reise / Mag lähmender Gewöhnung sich entraffen.»

Kapitel 2
Anwaltsmarketing

A. Einführung und Übersicht

LEO STAUB

1. Das Wesen anwaltlicher Dienstleistungen

Bevor über das Marketing anwaltlicher Dienstleistungen nachgedacht wird, lohnt es sich, das Wesen dieser Dienstleistung einer eingehenden Betrachtung zu unterziehen. In Gesprächen mit Kolleginnen und Kollegen in Kanzleien über Anwaltsmarketing wird immer wieder vorgebracht, die üblichen Grundsätze des Marketings seien im Anwaltsgeschäft nicht anwendbar. Die anwaltliche Dienstleistung sei zu speziell, als dass sie sich in das Schema des «normalen» Produkt- und Dienstleistungsmarketings pressen lasse. Tatsächlich weist die anwaltliche Dienstleistung einige Besonderheiten auf, die deren Vermarktung vom Verkauf von Produkten und auch namentlich von der Erbringung «industriell» hergestellter Dienstleistungen unterscheidet. Bei der Betrachtung dieser Besonderheiten ist zu unterscheiden zwischen der Rechtsberatung einerseits und der anwaltlichen Vertretung von Mandanten vor Gerichten und Behörden andererseits. 1

1.1 Besonderheiten der Rechtsberatung

1.1.1 Beratungsprozess

1.1.1.1 Wissensdifferenz zwischen Mandant und Anwalt

Die Beziehung zwischen Mandant und Anwalt lässt sich ökonomisch als Beziehung zwischen «Principal» und «Agent» erklären. Der Mandant ist der Principal. Er hat ein Problem, das sich ohne die Expertise des Anwalts, seines Agenten, nicht lösen lässt. Das Honorar, das der Anwalt für seine Dienstleistung verlangen kann, ist demnach (auch) die Funktion der positiven Wissensdifferenz zwischen ihm und seinem Mandanten. Je grösser die Wissensasymmetrie im konkreten Fall ist, desto höher kann der Preis für den anwaltlichen Rat angesetzt werden. Oder umgekehrt: Je besser das Honorar ist, desto grösser der Anreiz des Anwalts, sich für seinen Mandanten zu engagieren. 2

Der Mandant kann als Folge der Wissensasymmetrie nicht vollständig beurteilen, wie gut der rechtliche Rat ist, den er erhält. Er muss seinem Anwalt deshalb weitgehend vertrauen. Die Entstehung von Vertrauen zwischen Mandant und Anwalt ist das Ergebnis einer gegenseitigen Zusage der Verlässlichkeit in deren (Geschäfts-)Beziehung.[1] Diese implizite Zusage macht der Anwalt, indem er dem Mandanten einen von diesem als einwandfreie Dienstleistung erkennbaren Rat erteilt. Da der Mandant den erteilten Rat wegen des fehlenden Fachwissens häufig juristisch nicht gültig beurteilen kann, hält er 3

1 Cooter, Robert / Ulen, Thomas: Law & Economics, 4. Auflage, Boston 2004, S. 226–229.

sich in hohem Mass an Verlässlichkeitssignale, die sich aus den Serviceelementen der anwaltlichen Dienstleistung ergeben: Termintreue, Erreichbarkeit, Erscheinungsbild des Schriftgutes, Freundlichkeit im persönlichen Umgang oder Empathie.[2]

1.1.1.2 Ungewissheit über das Ergebnis des Beratungsprozesses

4 Die Rechtsberatung findet sodann typischerweise in einem Prozess statt, bei dem für den Mandanten als Nachfrager der Dienstleistung zu Beginn nicht feststeht, wie dessen Ergebnis aussieht. Der Mandant wendet sich mit einer mehr oder weniger offenen Fragestellung an den Anwalt: «Ich habe ein Problem (oder eine komplexe Fragestellung). Bitte beurteilen Sie die Sach- und Rechtslage und empfehlen Sie mir eine Lösung!» Der Mandant hat in der Regel zwar eine Vorstellung vom Lösungsvorschlag («Ich bin überzeugt, dass der Lieferant verpflichtet ist, uns zu diesen Konditionen zu beliefern.»), welcher ihm sein Anwalt erarbeiten soll. Gleichzeitig muss er aber in Kauf nehmen, dass die am Schluss des Beratungsprozesses tatsächlich vorliegende Empfehlung von jener, die er erwartet hat, abweicht («Sie haben zwar ein Problem bei der Durchsetzung ihres Vertrages mit dem Lieferanten. Das ist aber keine Frage der Vertragsauslegung, sondern rührt daraus, dass der Vertrag gegen Kartellrecht verstösst.»). Die Erwartung an das Beratungsergebnis und das tatsächlich erzielte Ergebnis können also stark voneinander abweichen.

5 Diese Unsicherheit in der Mandantenerwartung bedingt, dass der Mandant seinem Anwalt vertraut.[3] Ohne dieses Vertrauen wird die «Ent-Täuschung» über nicht erfüllte Erwartungen – der Mandant hat sich bezüglich des Ergebnisses des Beratungsprozesses getäuscht und wird jetzt «ent-täuscht» – in eine Krise der Geschäftsbeziehung zwischen Mandant und Anwalt münden.

1.1.1.3 Immaterielle Natur der Dienstleistung

6 Die anwaltliche Dienstleistung ist natürlich immaterieller Natur. Das Ergebnis der Dienstleistung ist nicht stofflich, sondern bestenfalls an einen materiellen Träger, an Papier oder eine Datendiskette beispielsweise, gekoppelt[4].

1.1.1.4 Zusammenfallen von Dienstleistungserbringung und -konsum

7 In vielen Fällen – typischerweise im Beratungsgespräch – wird die anwaltliche Dienstleistung im gleichen Moment konsumiert wie sie erbracht wird[5]. Sie ist damit in hohem

---

[2] Vgl. dazu auch nachstehend Kapitel 3 und 4.

[3] Möllers, Thomas M.J. / Mederle, Daniela: Werbung von Rechtsanwälten. In: Wettbewerb in Recht und Praxis, Heft 07/2008, S. 873.

[4] Möllers / Mederle, 2008, S. 872 f.

[5] Lehmann, Axel: Qualitätsstrategien für Dienstleistungen – Bausteine zum Management von Dienstleistungsqualität. In: Seghezzi, Hans / Hansen, J. (Hrsg.): Qualitätsstrategien. München/Wien 1993, S. 111 f.

Grade flüchtig, lässt sich nicht festhalten und ist – wenn sie nicht schriftlich oder auf andere Weise fixiert wird – nach deren Erbringung weg.

1.1.1.5 Ergebnis der Interaktion zwischen Mandant und Anwalt

Typisch für die anwaltliche Beratungsleistung ist zu guter Letzt, dass sie das Ergebnis der 8
Interaktion zwischen Mandant und Anwalt ist.[6] Namentlich die Erstellung des Sachverhaltes ist ohne die Mitwirkung des Mandanten nicht vorstellbar. Ausserdem nimmt dieser immer dort Einfluss, wo es um die Auswahl unter verschiedenen Handlungsalternativen oder um die Gewichtung von Entscheidungskriterien geht.

1.1.2 Konsequenzen der Besonderheiten des Beratungsprozesses

Aus diesen Besonderheiten der anwaltlichen Beratungsleistung ergeben sich verschie- 9
dene Konsequenzen. So kommt – wenig überraschend – der Beziehungsqualität zwischen Anwalt und Mandant eine überragende Bedeutung für das Gelingen der Beratung zu. Die Beziehungsqualität ist im Wesentlichen bestimmt durch die Servicequalität der Dienstleistung. Diese wiederum besteht aus Faktoren, die wenig mit der juristischen Kernleistung zu tun haben, sondern hauptsächlich Ausfluss einer Haltung des Anwalts sind, der sich als Dienstleister (Darin steckt der Begriff «dienen»!) sieht.

Nur das Vertrauen des Mandanten in den Anwalt, das seine Basis in der Dienstleistungs- 10
qualität hat, hilft dem Mandanten, die aus Wissensasymmetrie und Erwartungsunsicherheit resultierende Ungewissheit bezüglich des Ergebnisses des Beratungsprozesses zu ertragen. Für den Anwalt gilt, dass er wegen der Flüchtigkeit der Beratungsleistung und wegen ihres immateriellen Charakters immer dann, wenn er mit dem Mandanten in Interaktion steht, einen einwandfreien Service erbringen muss.[7] Qualitätsmängel auf der Kontaktebene können kaum mehr kompensiert werden. Die Chancen, die sich in der Begegnung mit dem Mandanten bieten, sind bei Fehlverhalten des Anwalts auf der Vertrauensebene in der Regel unwiederbringlich vertan[8].

Zu diesen Risiken auf der Beziehungsebene kommen Risiken hinzu, die sich aus dem 11
Umstand ergeben, dass der Beitrag des Mandanten zur Lösungsfindung wesentlich für die juristisch-fachliche Qualität der Beratungsdienstleistung ist. Der Mandant entscheidet ja schliesslich mit darüber, ob die Schilderung und Dokumentation des Sachverhal-

---

6 Möllers/Mederle, 2008, S. 872 f.; Staub, Leo: Legal Management, Zürich 2006, S. 208 und 251 f.; derselbe: Qualität im Anwaltsbüro. In: Management & Qualität, 1–12/97, Olten 1997, S. 50 ff.

7 Staub, Leo: Ausblick: Der In-house Legal Counsel und die Rechtsabteilung im Jahre 2020 – stetig wachsende Herausforderungen im Zeitalter der Globalisierung? In: Hamblock-Gesinn, Sylvie/Hess, Beat/Meier, Andreas L./Schiltknecht, Reto/Wind, Christian (Hrsg.): In-house Counsel in internationalen Unternehmen, Basel 2010, S. 42.

8 Jan Carlzon, ehemaliger Präsident der Scandinavian Airlines, nennt diese flüchtige Chance des Dienstleisters, mit Service zu überzeugen, in seinem gleichnamigen Buch «Moments of Truth» (Cambridge 1987, S. 6).

tes gegenüber seinem Anwalt vollständig und richtig ist. Der Mandant gewichtet die Kriterien für die Abwägung zwischen verschiedenen Handlungsalternativen, und er ist es, der – vom Anwalt beraten – darüber befindet, wie viel Risiko er in einer Entscheidungssituation nehmen will.

12 Damit ist klar: Die Dienstleistung «anwaltliche Beratung» ist typischerweise in mehrfacher Hinsicht anspruchsvoller als etwa der Verkauf eines Konsum- oder Industriegutes oder die Erbringung einer industriellen Dienstleistung, wie es der Zahlungsverkehr einer Bank, der Abschluss einer Autohaftpflichtversicherung oder die Ausgabe einer Kreditkarte sind. Darauf wird Rücksicht zu nehmen sein, wenn nachstehend die Grundsätze modernen Marketings mit Blick auf das Anwaltsgeschäft diskutiert werden.

1.2 Besonderheiten der anwaltlichen Vertretung vor Gerichten und Behörden

13 Der anwaltliche Leistungskatalog erschöpft sich aber nicht in der Rechtsberatung und in der Vertretung von Mandanten in unstreitigen Fällen. Anwälte treten auch als Prozessvertreter in zivil-, straf- und verwaltungsrechtlichen Verfahren auf. In aller Regel geht einem Vertretungsmandat die Beratung des Mandanten voraus. Entwickelt sich aus der Beratung ein Vertretungsmandat, ergibt sich eine weitere Besonderheit, die anwaltliche Dienstleistungen von anderen Produkten und Dienstleistungen unterscheiden.

14 Anwälte sind im Rahmen der Vertretung ihrer Mandanten vor Gerichten und Behörden nämlich immer auch Organ der Rechtspflege.[9] Diese Stellung des Anwalts ist (auch, aber nicht nur) nicht einfach Ausfluss eines traditionellen Rollenverständnisses des Anwaltes. Prozesse und Verfahren in rechtsstaatlichen Jurisdiktionen sind praktisch durchgängig tripolar und kontradiktorisch gestaltet. «Tripolar» bedeutet, dass zwei Parteien ihren Fall je aus ihrer Sicht einer Instanz vortragen, welche die Sache in Anwendung der einschlägigen Rechtsnormen entscheidet. «Kontradiktorisch» heisst, dass die Parteien ihre Sache allein aus ihrer subjektiven Sicht darstellen dürfen – «parteiisch» eben[10] – und keine Rücksicht auf Ausgewogenheit nehmen müssen. Letzteres ist die Pflicht der urteilenden Instanz.

15 In diesem Rollenspiel sind Anwälte einerseits zwar Vertreter der Interessen ihrer Mandanten, haben deren Anweisungen zu befolgen und die von ihnen gesetzten Ziele anzustreben. Sie sind aber eben auch Organe der Rechtspflege und haben sich als solche an inhaltliche und formale Beschränkungen zu halten, welche ihnen durch ihre Rolle im Verfahren vor staatlichen oder quasi-staatlichen Entscheidungsinstanzen auferlegt sind.

9 Baumann, Robert: Der Anwalt im Visier des Staates. In: AJP/PJA 1/2008, S. 50.

10 Hierzu gibt es natürlich Ausnahmen, etwa wenn Strafanklagebehörden zur Ermittlung und zum Vortrag aller be- und aller entlastenden Umstände für den Angeklagten verpflichtet sind, in Verfahren, in denen das Offizialprinzip gilt, wie zum Beispiel in gewissen familienrechtlichen Prozessen oder in vielen verwaltungsrechtlichen Verfahren.

Dieser Umstand ist ja im Wesentlichen auch Rechtfertigung für die Existenz von Standes- und Berufsregeln für Anwälte[11]. Anwälte sollen unabhängig vom einzelnen Mandat und neben den Handlungsanforderungen, die sich aus der Treuepflicht zu ihrem Mandanten ergeben, in ihren Vertretungsmandaten minimale Verhaltensstandards befolgen, die ihnen die Ausübung ihrer Aufgabe in den entsprechenden Verfahren auferlegt. Berechenbare und korrekte Mandatsführung ist also nicht nur im Interesse des Mandanten geboten, sondern auch zur Sicherstellung eines zuverlässigen und rechtsstaatlich einwandfreien Verfahrens unerlässlich. Letzteres aber ist ein übergeordnetes Interesse der Rechtspflege, das unabhängig vom Interesse des Mandanten Ansprüche an den Anwalt und seine Vertretungsdienstleistung stellt. Auch dieser Aspekt ist in der nachfolgenden Diskussion des Marketings anwaltlicher Dienstleistungen zu berücksichtigen.

2. Sechs Schritte zu einem integrierten Anwaltsmarketing

Oft wird der Begriff «Marketing» von Anwälten und Anwaltsverbänden in erster Linie als «Werbung» verstanden. Dieses Verständnis von Marketing ist nun aber stark verkürzt und führt in eine Sackgasse. Marketing ist viel mehr als nur Werbung. Das moderne Marketingverständnis geht nämlich von einem integrierten Ansatz aus, der die konsequente Ausrichtung des Unternehmens auf die Bedürfnisse seines Marktes und seiner Kunden zum Ziel hat.[12] Alle Prozesse und Aktivitäten des Unternehmens werden aus der Perspektive des Kunden gesehen und entsprechend konfiguriert.[13] 16

Die oben besprochenen Besonderheiten der anwaltlichen Dienstleistung vor Augen, geht es nun deshalb darum, über sechs Schritte einen integrierten Ansatz des Anwaltsmarketings zu entwickeln. Anwaltsmarketing soll die konsequente Ausrichtung der Strukturen, Prozesse und Aktivitäten der Kanzlei auf den Mandanten sein. Das bedeutet, dass die Kanzlei (1) die relevanten Bedürfnisse (2) einer wirtschaftlich interessanten Mandantengruppe (3) mit einer massgeschneiderten Problemlösung (4) besser als der Wettbewerb (5) nach Ansicht der Mandanten (6) dauerhaft zufriedenstellen kann.[14] 17

---

[11] Ein weiterer Grund für den Bestand dieser Beschränkungen in der freien Mandatsausübung ist selbstverständlich auch das Schutzbedürfnis des Rechtssuchenden, das sich aus der Wissensasymmetrie ergibt, wie es vorstehend besprochen wurde (vgl. vorstehend Ziff. 1.1.1.1.).

[12] Thommen, Jean-Paul: Managementorientierte Betriebswirtschaftslehre, 8. Auflage, Zürich 2008, S. 123 ff.; vgl. auch die American Marketing Association 2007 (http://www.marketingpower.com/About AMA/Pages/DefinitionofMarketing.aspx, Abfrage vom 31. Mai 2011), die den Begriff Marketing wie folgt umschreibt: «Marketing is the activity, set of institutions, and processes for creating, communicating, delivering, and exchanging offerings that have value for customers, clients, partners, and society at large.»

[13] Staub, Leo: Marketing in der Anwaltskanzlei. In: Anwalts Revue 8/2009, S. 369.

[14] Schögel, Marcus: Marketing. Skriptum ES-HSG im MLP-HSG, St. Gallen 2011, S. 2 ff.; Meffert, Heribert: Marketing – Grundlagen marktorientierter Unternehmensführung. 9. Aufl., Wiesbaden 2000 S. 8 f.; Teile dieses Abschnittes 2. über die «Sechs Schritte zu einem integrierten Anwaltsmarketing» sind bereits in

2.1 Schritt 1: Erkennen der Mandantenbedürfnisse

2.1.1 Mandantenwahrnehmung

18 In den letzten Jahren sind verschiedene Studien[15] durchgeführt worden, welche der Frage nachgehen, wie Mandanten anwaltliche Dienstleistungen wahrnehmen. Zwar beziehen sich diese Studien meist auf die Dienstleistungen von Wirtschaftsrechtskanzleien für Unternehmenskunden. Deren Ergebnisse sind aber wohl für die ganze Branche aufschlussreich.

19 Anwälten wird generell bescheinigt, professionelle juristische Beratungs- und Vertretungsdienstleistungen zu erbringen. Kritischer wird die Fähigkeit von Anwälten beurteilt, den betriebswirtschaftlichen Hintergrund, vor dem ein Rechtsrat erteilt wird, zu verstehen. Ausserdem wird bemängelt, dass Anwälte eher problem- statt lösungsorientiert arbeiten. Zu wünschen übrig lässt offenbar gelegentlich auch die Zeit, die Anwälte für eine Kontaktnahme mit ihren Mandanten und die Beantwortung ihrer Fragen brauchen. Die von Anwälten in ihren Schriftsätzen verwendete Sprache wird von Unternehmen zudem gelegentlich als umständlich und schwer verständlich empfunden. Es wird Anwälten sodann vorgeworfen, dass sie sich in ihren Empfehlungen nicht immer klar festlegen. Die anwaltliche Honorarpolitik sowie die Art und Weise der Rechnungsstellung wird als intransparent und kaum voraussehbar beurteilt. Umfragen in der Bevölkerung ergeben schliesslich regelmässig, dass die Berufsgruppe der Anwälte als Ganzes kein überaus hohes Vertrauen geniesst. Ärzte, Lehrer oder etwa die Polizei rangieren deutlich vor der Anwaltschaft.[16]

20 In der Praxis leiten Kanzleien ihre Beurteilung der Zufriedenheit von Mandanten im Wesentlichen aus dem Umstand ab, dass es ihnen gelingt, Dauermandanten zu gewinnen oder aufgrund von guter Mund-zu-Mund-Propaganda zu neuen Mandanten zu kommen. Die Mandanten selbst beurteilen die anwaltliche Dienstleistung aber offenbar durchaus auch kritisch. Die Innen- und die Aussensicht auf anwaltliche Dienstleistungen unterscheiden sich damit möglicherweise in einzelnen Aspekten wesentlich. Ein integriertes Anwaltsmarketing wird darauf abzielen müssen, dieser unterschiedlichen Perzeption Beachtung zu schenken und dort, wo die Mandantenwahrnehmung schlechter als die Selbstbeurteilung ausfällt, Potenzial für Verbesserungen zu suchen.

---

einem früheren Beitrag von Leo Staub (Marketing in der Anwaltskanzlei. In: Anwalts Revue 8/2009, S. 369–375) zum Anwaltsmarketing erschienen.

[15] Von Escher, Hadumoth: KMU-Beratung durch Rechtsanwälte – eine rechtstatsächliche Untersuchung. Diss. Luzern 2008, S. 212 ff.; Westermann, Maarten: Measuring metrics that matter. Studie General Counsel Roundtable, London, 2007, S. 2 ff.; Staub, Leo: Unternehmungen, Recht und Anwälte – Studie zur Akzeptanz rechtlicher Entscheidungsfaktoren im Management und zum Ansehen von Rechtsanwälten in Unternehmungen. In: Recht und Internationalisierung. Festgabe der Juristischen Abteilung der Universität St. Gallen zum Juristentag 2000, Zürich 2000, S. 397 ff.

[16] GFK-Vertrauensindex 2011.

2.1.2 *Means-end-chain*

Konkrete Dienstleistungs-eigenschaften	Abstrakte Dienstleistungs-eigenschaften	Funktionale Bedürfnisse	Psychosoziale Bedürfnisse	Instrumentelle Werte	Endwerte

Abb. 1: «means-end-chain»[17]

Zur Identifikation und Kategorisierung der Mandantenbedürfnisse eignet sich die sogenannte *means-end-chain* als Orientierungshilfe.[18] Die *means-end-chain* kategorisiert die Erwartungen von Kunden an Produkte und Dienstleistungen in sechs verschiedenen Bedürfnissphären. 21

2.1.2.1 Konkrete Dienstleistungseigenschaften

Im Vordergrund steht natürlich das Interesse des Mandanten an den konkreten Eigenschaften der erbrachten anwaltlichen Dienstleistung. Es geht also darum, ob etwa der erteilte Rechtsrat juristisch korrekt ist, in der gegebenen Situation aus mehreren Alternativen die richtige (beste) Empfehlung ausgewählt oder die Interessen des Mandanten im Prozess optimal vertreten wurden. Damit aber hat es noch nicht sein Bewenden. Zu den konkreten Dienstleistungseigenschaften gehören auch ihre Serviceelemente: die Erreichbarkeit und Verfügbarkeit des Anwalts beispielsweise, die Antwortzeit auf Anfragen, die Pünktlichkeit, Fremdsprachenkenntnisse oder professionelle Sekretariats-Dienstleistungen. 22

Wahrgenommen wird in dieser Bedürfnissphäre also die eigentliche Kernleistung des Anwalts oder der Kanzlei. Diese findet ihre – juristische – Entsprechung im Auftragsrecht, das Anwälte dazu anhält, ihre Dienstleistung mit der erforderlichen Sorgfalt (lege artis) zu erbringen. 23

2.1.2.2 Abstrakte Dienstleistungseigenschaften

Ebenso wichtig wie die konkreten sind die abstrakten Dienstleistungseigenschaften. Das Bedürfnis des Mandanten nach diesen abstrakten Dienstleistungseigenschaften besteht unabhängig von jenem nach der Kernleistung des Anwalts. Darunter ist die «Verpackung» der Dienstleistung zu verstehen. Im anwaltlichen Kontext sind dies etwa die Verständlichkeit der Sprache des Anwalts im mündlichen und schriftlichen Verkehr, das 24

[17] Kuss, Alfred / Tomczak, Torsten: Käuferverhalten, Stuttgart 2004, S. 61 f.

[18] Herrmann, Andreas: Nachfrageorientierte Produktgestaltung – ein Ansatz auf Basis der «means-end»-Theorie, Wiesbaden 1996.

Erscheinungsbild der Schriftsätze und der Korrespondenz oder die Angemessenheit der räumlichen Ausstattung der Kanzlei.

2.1.2.3 Funktionale Bedürfnisse

25 Hier geht es in erster Linie um den ökonomischen Nutzen der anwaltlichen Dienstleistung. Dieser ist nur gegeben, wenn der anwaltliche Rat geeignet ist, das Problem des Mandanten zu lösen. Ausschliesslich daran ist dieser interessiert. Mit anderen Worten: Es geht dem Mandanten nicht darum, von seinem Anwalt eine spannende Erörterung juristischer Fragen rund um einen von ihm präsentierten Sachverhalt zu bekommen. Er will ein real vorhandenes Problem gelöst haben!

26 Die Erwartungen des Mandanten an die Lösung einer rechtlichen Problemstellung lässt sich in vielen Fällen quantifizieren: der Angeklagte möchte einen Freispruch oder eine möglichst geringe Strafe, die geschiedene Ehefrau eine existenzsichernde Abfindung ihrer eherechtlichen Ansprüche, der Käufer eines Unternehmens einen günstigen und vernünftig zu finanzierenden Kaufpreis usw. Oft ist die Umsetzung juristischer Handlungsempfehlungen eines Anwalts aber auch mit Opportunitätskosten verbunden, von denen der Mandant erwartet, dass sie möglichst tief sind. So möchte er beispielsweise im Falle einer notwendigen Umstrukturierung seines Unternehmens möglichst tiefe Implementierungskosten für das von seinem Anwalt erarbeitete Konzept und eine möglichst geringe, von seinem Management noch gut zu beherrschende Umsetzungskomplexität.

2.1.2.4 Psychosoziale Bedürfnisse

27 Damit ist der emotionale Nutzen angesprochen, den ein Mandant sich von der Arbeit seines Anwalts verspricht. Der Mandant beurteilt die Zusammenarbeit mit dem Anwalt wesentlich auch danach, ob sich dieser ihm gegenüber als empathisch erweist, ihm zuhört, er sich verstanden fühlt und er spürt, dass sich der Anwalt auch wirklich für sein Anliegen engagiert.[19]

2.1.2.5 Instrumentelle Werte

28 Hinter dieser Bezeichnung verbirgt sich das Bedürfnis des Mandanten, sich die Beziehung zu seinem Anwalt zur Steigerung seines sozialen Status zunutze zu machen. Es geht hier namentlich um die Erwartung, dem eigenen Anwalt gelinge es, den Geschäftspartner des Mandanten, seinen Prozessgegner oder ein Gericht so zu beeindrucken, dass davon etwas auf den Mandanten zurückfällt. Die Reputation des für die Führung eines Mandates ausgewählten Anwaltes ist natürlich auch bedeutsam, wenn eine Führungskraft dem Vorstand gegenüber begründen muss, warum er sich gerade für diesen und

[19] Stieger-Gmür, Regula: Empathie als Schlüssel zur guten Klientenbeziehung. In: Anwalts Revue 8/2009, S. 380 ff.

für keinen anderen Anwalt entschieden hat. Fällt die Wahl auf einen Anwalt oder eine Kanzlei, die in den einschlägigen Ranglisten hoch oben steht und sich im betreffenden Rechtsgebiet einen Namen gemacht hat, ist die betreffende Führungskraft bei Nichtgelingen eines Mandates vor einem eventuellen Tadel besser geschützt, als wenn sie sich für einen unbekannten Anwalt entschieden hätte.

2.1.2.6 «Endwerte»

Zu guter Letzt hat der Mandant auch das Bedürfnis, dass der von ihm beauftragte Anwalt die Akzeptanz seines sozialen Umfeldes findet. In der Praxis geschieht es gar nicht selten, dass ein Mandant im Gespräch mit Geschäftspartnern, Mitarbeitern oder Freunden stolz den Namen eines Anwaltes erwähnt, der ihn betreut oder vertritt. Er tut dies in der Erwartung, dass sein eigenes Umfeld positiv darauf reagiert und ihn in der Überzeugung stärkt, den «richtigen» Anwalt an seine Seite gerufen zu haben. 29

2.2 Schritt 2: Mandantensegmentierung

Viele Kanzleien treffen ihre Entscheidung, in welchem Markt sie tätig sein wollen, allein nach geografischen Kriterien. Sie legen fest, ob sie lokal, regional, national oder international tätig sein wollen und streben dann nach einer möglichst grossen Marktabdeckung in diesem Gebiet und nach einer möglichst hohen Marktdurchdringung. Dieser Beschreibung des eigenen Marktes liegt oft das Selbstverständnis der betreffenden Kanzlei als generalistisch tätige Kanzlei zugrunde. 30

Immer häufiger aber gehen Kanzleien dazu über, sich auf eine bestimmte Gruppe von Mandanten festzulegen, die sie bedienen wollen. Sie umschreiben ihren Markt nicht mehr (nur) geografisch, sondern versuchen, weitgehend homogene, für die Kanzlei wirtschaftlich interessante Kundensegmente zu identifizieren[20]. Ziel jeder Segmentierung ist es, eine Mandantengruppe zu formieren, auf die das eigene Fähigkeitsprofil möglichst gut zugeschnitten ist und die es erlaubt, anfallende Mandate effizient und auf hohem fachlichem Niveau zu bearbeiten. Je homogener seine Mandanten und deren rechtliche Fragestellungen sind, desto fachkundiger und wirtschaftlicher kann der Anwalt arbeiten[21]. 31

Ein hoher «Reinheitsgrad» der Mandantensegmente führt dazu, dass sich die Kanzlei ein grosses Wissen um die Bedürfnisse der betreffenden Branchen und Industrien sowie eine entsprechende Expertise in den Rechtsgebieten aneignet, die von den betreuten Man- 32

[20] Bieger, Thomas / Tomczak, Torsten / Reinecke, Sven: Marktorientierte Gestaltung und Führung der Geschäftsprozesse – Marketingkonzept. In: Managementlehre Bd. 3, Bern 2004, S. 125.

[21] Staub, 2009, S. 371. Je enger die Segmente gefasst sind, desto eher besteht freilich auch die Gefahr von Interessenkollisionen. Diesem Risiko kann dadurch begegnet werden, dass bei hoher Fokussierung auf bestimmte Mandantensegmente ein geografisch möglichst weit gefasster Markt bearbeitet wird oder ein Standort gewählt wird, an dem die Konzentration der angepeilten Zielmandanten möglichst hoch ist.

dantensegmenten typischerweise nachgefragt werden. Damit ist dann auch eine deutliche Positionierung der Kanzlei im Markt als «Spezialistin» verbunden, die es erlaubt, interessante Stundensätze zu verrechnen.

33 Voraussetzung für das Bilden klarer Mandantensegmente ist die Fähigkeit und der Wille der Kanzlei zur Fokussierung. Dies gelingt ihr nur, wenn sie nicht jedes Mandat führt, das ihr angetragen wird, sondern sie auch konsequent «Nein» sagt, wenn Mandatsanfragen nicht in ihrem Zielsegment liegen. In ihrer entschiedensten Ausformung führt die Mandantensegmentierung zu einer eigentlichen Boutique-Strategie[22]. Immer öfter sind Bemühungen zur Segmentierung von Mandanten und Märkten aber insbesondere auch bei Wirtschaftskanzleien zu beobachten. Sie finden ihren Niederschlag in der organisatorischen Struktur der Kanzlei dann in sogenannten Industrie- oder Sektorgruppen, in denen sich Anwälte sammeln, die über spezifisches Wissen um die Funktionsweise bestimmter Märkte (z.B. im Bank- oder Versicherungswesen, in der Pharmaindustrie, im Medienbereich oder in der Automobilindustrie) verfügen[23].

34 Innerhalb der gebildeten Mandantensegmente ist auch der Selektion einzelner «Ziel-Mandanten» die notwendige Beachtung zu schenken. Attraktiv sind besonders jene Mandanten, mit denen sich hohe Honorarumsätze bei gleichzeitiger hoher Rentabilität erzielen lassen.[24] Zur systematischen Identifizierung solcher Mandanten eignen sich Mandantenportfolio-Analysen.[25]

Effektiver Umsatz / Umsatz-Potenzial	gering	hoch
hoch	«Stars» von morgen? Potenziale ausbauen	«Stars» Potenziale ausbauen?
gering	«Mitnahme»-Mandanten	«Ertrags»-Mandanten Potenziale ausbauen?

Abb. 2: Mandantenportfolio-Analyse[26]

[22] Vgl. dazu vorne Kapitel 1.
[23] Casley Gera, Rav: The Sector Specialisation Survey. In: Special Edition of American Lawyer, Summer 2008, S. 30 ff.; vgl. dazu ausserdem hinten Kapitel 3.
[24] Bieger, Thomas/Schuh, Günther/Friedli, Thomas/Tomczak, Torsten/Fahrni, Fritz/Reinecke, Sven: Struktur der Geschäftsprozesse. In: Einführung in die Managementlehre, Bd. 3, Bern 2004, S. 72.
[25] Dieselben, S. 73 f.; Richter, Wolfgang: Im Mittelpunkt steht der Mandant. In: Schieblon, Claudia (Hrsg.): Kanzleimanagement in der Praxis, Wiesbaden 2011, S. 153.
[26] Dieselben, S. 73.

2.3 Schritt 3: Massgeschneiderte Problemlösung

Die eingangs zu diesem Abschnitt zitierten Studien zeigen, dass Anwälte von ihren Mandanten oft als Bedenkenträger und weniger als Problemlöser gesehen werden[27]. Die kunstvollste juristische Abhandlung nützt eben nichts, wenn sie nicht in eine Empfehlung mündet, die zu einer Lösung für das Problem des Mandanten führt. Die Lösung muss auf die Bedürfnisse des Mandanten hin massgeschneidert sein, darf nicht im Generischen stecken bleiben. Ihre Qualität wird vom Mandanten insbesondere auch daran gemessen, ob sie ihm einen ökonomischen Nutzen verschafft. Oft genügt zudem die Aufarbeitung rechtlicher Aspekte einer Problemstellung nicht, um diese einer befriedigenden Lösung zuzuführen. Es wird vom Anwalt der Einbezug auch ausserrechtlicher Lösungsbeiträge erwartet. Dies erfordert Kompetenz bei der Bewirtschaftung von Schnittstellen zu anderen als juristischen Disziplinen, Kenntnisse im Projektmanagement, die Beherrschung von Fremdsprachen, das Verständnis für fremde Kulturen oder die Fähigkeit, mit Projektpartnern umgehen zu können, die nicht Anwälte sind. 35

Am Wert dieses Lösungspaketes für den Mandanten bemisst sich dann auch, welchen Preis der Mandant zu zahlen bereit ist. Je mehr die Lösung, die der Anwalt bietet, mit Elementen angereichert ist, die dem Mandanten Nutzen bescheren, desto besser ist der Preis dafür. Und: Je wertvoller die zusätzlich zur juristischen Kernleistung gebotenen Dienstleistungen des Anwaltes für den Mandanten sind, desto weniger vergleich- und austauschbar ist der Anwalt mit seiner Leistung am Markt. Auch dies führt dazu, dass der Mandant letztlich einen Preis für die Dienstleistung als angemessen erachtet, der über den Aufwandkosten für die nackte juristische Kernleistung liegt. 36

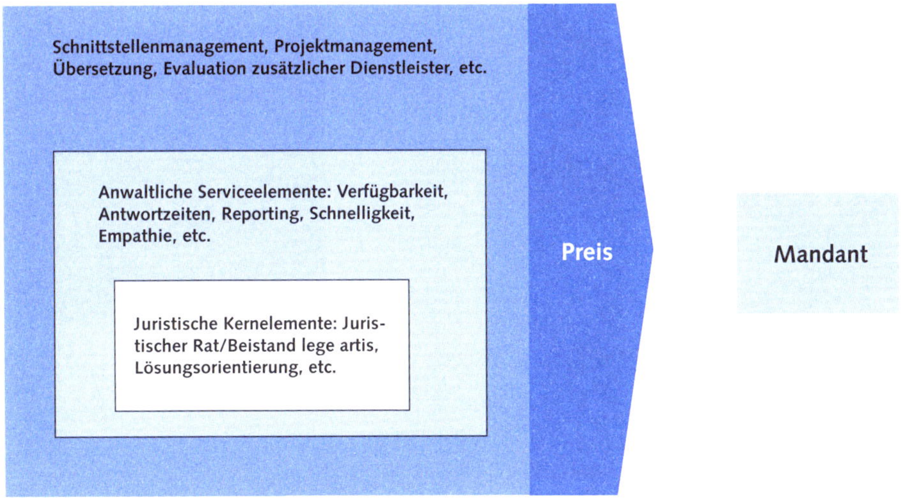

Abb. 3: Konfiguration einer massgeschneiderten Problemlösung

[27] Vgl. dazu vorstehend Fn. 15 der Einleitung zu Kapitel 2.

2.4 Schritt 4: Positionierung im Wettbewerb

37 Bereits im Thema «Strategieentwicklung» ging es um die Erörterung der Frage, wie die Strategie der Kanzlei beschaffen sein muss, damit eine ausreichende Differenzierung im Wettbewerb erfolgt[28]. Auch wenn es um die Erarbeitung eines Marketingkonzepts geht, spielt die Referenzgrösse «Wettbewerb» wieder eine entscheidende Rolle: Wie muss das anwaltliche Dienstleistungsangebot positioniert werden, und wie muss die Preispolitik der Kanzlei aussehen, damit die Kanzlei aus Sicht der Mandanten im Verhältnis zu ihren Wettbewerbern ein eigenständiges Profil erhält?

38 Massstab für die Schärfe der Ausprägung des Kanzleiprofils sind die Leistungen und Aktivitäten der Konkurrenz. Der Massstab ist daher immer relativ. Ziel ist es, besser als der Wettbewerb im Markt positioniert zu sein. Das ist zwar einerseits anspruchsvoll, muss aber andererseits auch reichen! Grundsätzlich stehen der Kanzlei zur Positionierung im Wettbewerb drei Alternativen zur Verfügung: die Preisstrategie, die Präferenzstrategie und die Preis-/Präferenzstrategie[29].

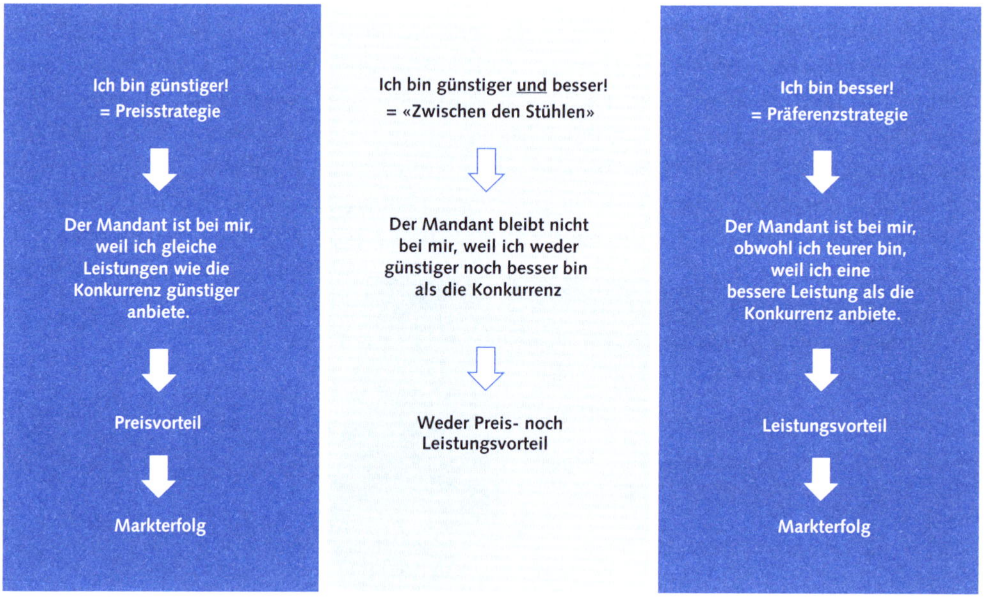

Abb. 4: Positionierung im Wettbewerb[30]

---

[28] Vgl. vorne Kapitel 1, Abschnitt 3.2.

[29] Thommen, 2008, S. 815 ff.; Müller-Stewens, Günter/Lechner, Christoph: Strategisches Management, 4. Auflage, Stuttgart 2011, S. 105., Staub, Leo, 2009, S. 131, 259, 261.

[30] Grafik in Anlehnung an Schögel 2011. S. 2 ff.

2.4.1 Preisstrategie

Diese Strategie besteht darin, bei gleich guter Leistung wie die Konkurrenz günstiger als diese zu sein. Der Mandant hat also einen Preisvorteil. In den letzten Jahren sind in den grossen Zentren, aber auch an Standorten ausserhalb wichtiger wirtschaftlicher Ballungsgebiete – häufig als sogenannte Spin-offs bekannter Wirtschaftsrechtskanzleien – kleinere Kanzleien entstanden, die ganz offensichtlich in der Lage sind, qualitativ hochstehende wirtschaftsrechtliche Dienstleistungen für mittlere und grössere Unternehmen zu erbringen. Ihr Vorteil ist, dass sie mit tieferen Infrastruktur- und Betriebskosten rechnen können. Werden diese Kostenvorteile an die Mandanten weitergegeben, resultiert – bei immer noch ansehnlichem Partnereinkommen – ein tieferer Preis in Form geringerer Stundensätze oder Pauschalhonorarverabredungen. Die betreffende Kanzlei also ist bei vergleichbarer Leistung günstiger als die Konkurrenz der Grosskanzleien. Sie verfolgt auf hohem Niveau zwar, aber dennoch nichts anderes als eine Preisstrategie. 39

Ebenfalls eine Preisstrategie verfolgen Kanzleien, die sich auf die hoch standardisierte anwaltliche Beratung zur juristischen Grundversorgung von Privaten verlegt haben. Oft an eher zweitklassigen Lagen in Stadtzentren gelegen, können sich dort Rechtssuchende ohne Voranmeldung an einen Anwalt wenden, der in einer zum Voraus definierten Zeit (z.B. in 30 Minuten) eine erste Beurteilung der Rechtslage vornimmt und einen Ratschlag für das weitere Vorgehen erteilt. Ähnliche Modelle sind bei Rechtsberatungsdienstleistungen zu beobachten, die über das Internet oder ausschliesslich über das Telefon angeboten werden. Ziel all dieser Kanzleien ist es, bei möglichst geringen Produktionskosten eine Dienstleistung zu erbringen, die ihren Mandanten zu einem tiefen Preis eine erste Orientierung über die Rechtslage ermöglicht und einfachere rechtliche Probleme schnell und unbürokratisch einer Lösung zuführt.[31] 40

2.4.2 Differenzierungs- oder Präferenzstrategie[32]

Die Differenzierungsstrategie ist das genaue Gegenteil der Preisstrategie. Hier entscheidet sich die Kanzlei, teurer als die Konkurrenz anzubieten, weil sie der Überzeugung ist, besser als diese zu arbeiten. 41

Merkmale von Kanzleien mit einer klaren Differenzierungsstrategie sind der hohe Spezialisierungsgrad in den angebotenen Fachgebieten oder die eindeutige Festlegung auf ausgewählte Mandantensegmente mit anspruchsvollen Fragestellungen. Diese Merkmale kommen dann in der Regel in der Kanzleistruktur dadurch zum Ausdruck, dass die Anwälte in Praxis- und Sektorgruppen organisiert sind. 42

---

[31] Krämer, Andreas / Mauer, Reinhold: Anwaltliche Low-Cost-Beratung – Gefahr und/oder Chance für den Berufsstand? In: Anwalts Revue 5/2006, S. 197 ff.

[32] Die beiden Begriffe werden hier synonym verwendet.

43 Um mit einer Differenzierungsstrategie erfolgreich sein zu können, ist die Kanzlei darauf angewiesen, die besten juristischen Talente rekrutieren zu können. Gelingt es, in gewissen Gebieten tatsächlich zu den Besten zu gehören, wird die Kanzlei die damit verbundenen höheren Gehaltskosten über höhere Honorare wettmachen und so einen vom Markt bezahlten Leistungsvorteil erzielen können.[33]

44 In jüngerer Zeit ist eine Tendenz zu beobachten, dass Dienstleistungen, die noch vor wenigen Jahren von ausgesprochenen Spezialisten zu hohen Honoraransätzen angeboten wurden (z.B. Due Diligence-Dienstleistungen oder die Redaktion von Standardverträgen für den Bankverkehr), vom Markt als Commodities, also als Dienstleistungen mit einem geringen Anspruchsprofil qualifiziert werden. Setzt sich dieser Trend fort, werden sich grosse Wirtschaftsrechtskanzleien vor die Entscheidung gestellt sehen, diese Commodities zu günstigen Sätzen in eigens dafür geschaffenen, kostengünstigen Teams oder gar durch externe Erbringer, die mit tiefen Salärkosten (z.B. in Niedriglohnländern) arbeiten, herzustellen bzw. herstellen zu lassen (Preisstrategie) oder aber, sich von diesem Markt für rechtliche Commodities abzuwenden und sich konsequent auf Dienstleistungen zu konzentrieren, die unter Einsatz teurer Ressourcen höchsten Ansprüchen bezüglich Qualität und Innovation genügen (Differenzierungsstrategie).

2.4.3 Preis-/Differenzierungsstrategie

45 Mit einer solchen Strategie setzt sich die Kanzlei «zwischen die Stühle». Sie ist weder besser noch günstiger als die Konkurrenz. Wenn eine renommierte Top-Kanzlei mit Sitz in einem Finanzzentrum sich beispielsweise dazu entschliesst, mittelständische Unternehmen aus ländlichen Regionen als Mandanten gewinnen zu wollen, ohne gleichzeitig Leistungen anzubieten, die von regionalen Kanzleien nicht erbracht werden können, und sie ihre Preise nicht den in der Region herrschenden Standards anpasst, wird sie möglicherweise mit einem Misserfolg rechnen müssen. Gleich wird es wohl jener Kanzlei ergehen, die sich mit Tiefpreis-Angeboten an Mandate heranwagt, die Anforderungen weit über dem Qualifikationsniveau ihrer Anwälte stellt. Auch sie wird scheitern.

2.5 Schritt 5: Kommunikation

2.5.1 Authentizität der Kommunikation

46 Jede Verlautbarung der Kanzlei nach aussen bedeutet, dass sie mit dem Markt kommuniziert.[34] Der Auftritt ihrer Anwälte in Verhandlungen und Besprechungen, vor Gericht oder an Networking-Veranstaltungen, der Empfang von Mandanten durch Sekretariatsmitarbeiterinnen am Telefon oder in den Kanzleiräumlichkeiten, die Website, das Schriftgut, das Logo, die Kanzleibroschüre oder Inserate in Zeitungen sind nur eine kleine Auswahl

[33] Staub, 2009, S. 372 f.
[34] Bieger/Tomczak/Reinecke 2004, S. 145; vgl. dazu auch Kapitel 8 nachstehend.

von Kommunikation, welche die Kanzlei betreibt. Ob gewollt oder nicht, schwingen bei jeder Kommunikation die Strategie und die Kultur der Kanzlei mit. Fehlt es an einer glaubwürdigen und konsistenten Strategie oder herrscht keine mandantenfreundliche Kultur in der Kanzlei, wird der Adressat der Botschaft dies bemerken. Die Kommunikation bleibt wirkungslos oder richtet gar Schaden an. Mit anderen Worten: Die Kommunikation der Kanzlei mit dem Markt ist nur dann erfolgreich, wenn sie authentisch und nicht widersprüchlich ist. Damit ist die Minimalanforderung an eine gute Kommunikation formuliert. Nur eine weitestgehende Übereinstimmung von Form und Inhalt der Kommunikation mit der Strategie und der Kultur der Kanzlei wird im besten Fall auch dazu führen, dass es der Kanzlei gelingt, eine starke Marke (Brand) aufzubauen.[35]

2.5.2 Eigenständigkeit und Emotionalität der Kommunikation

Wichtig ist sodann, dass die Kommunikation in Form und Inhalt eine gewisse Eigen- 47
ständigkeit aufweist.[36] Tut die Kanzlei lediglich das, was schon alle anderen tun, wird der Nutzen der entsprechenden Massnahmen gering sein oder ausbleiben. In der Eigenständigkeit soll das strategische Profil der Kanzlei zum Ausdruck kommen. Was macht uns besonders?[37] Weshalb sollen sich Mandanten mit ihren Fragen gerade an uns und nicht an einen Konkurrenten wenden? Gibt es Neuigkeiten bei der Weiterentwicklung unserer Wettbewerbsvorteile? Wie wollen wir zusätzlichen Nutzen für unsere Mandanten schaffen? Die Kommunikation soll in diesem Sinne auch fokussiert sein. Den Markt interessiert Nebensächliches («Wir haben unsere Website überarbeitet!») oder Banales («Dr. Fritz Meier ist neu Mitarbeiter in unserer Kanzlei!») kaum. Kommunikation ist dann gut, wenn sie Entscheidendes für den Erfolg der Kanzlei immer wieder herauszustreichen vermag.

Kommunikation kann auf einer kognitiven und einer emotionalen Ebene erfolgen.[38] 48
Anwälte sind oft gute Kommunikatoren, wenn es um die gedankliche Durchdringung eines Themas, um die Vermittlung intellektuellen Mehrwertes für den Kommunikationsadressaten geht. Letzterer ist aber eben auch ansprechbar auf der emotionalen Ebene[39]. Bilder, Begegnungssituationen, die Ausstrahlung einer Persönlichkeit oder eine Gesprächsatmosphäre sind ebenso geeignet, beim Mandanten einen Eindruck vom Dienstleistungsangebot und von den Möglichkeiten der Zusammenarbeit mit einer Kanzlei zu schaffen wie ein perfekt gestalteter, sauber ausdifferenzierter Text. Kommunika-

[35] Hartung, Markus: Anwälte als Marke. In: Betriebs-Berater, BB 28-29.2009 vom 6. Juli 2009, S. M16.

[36] Heussen, Benno: Anwaltsunternehmen führen, 2. Auflage München 2011, S. 161 ff.

[37] Bei Galla, Franz / Pöbacker, Sabine: Praxisserie Anwaltsmarketing – Kommunikation als Schlüssel zum Erfolg. In: Österreichisches Anwaltsblatt 2006/06, S. 309, findet sich eine treffende Formulierung: «Die Werbebotschaft «Wir können alles!» mag zwar nicht notwendigerweise falsch sein, wird aber dem Werbenden ... nicht ohne weiteres abgenommen.»

[38] Bieger/Tomczak/Reinecke 2004, S. 146.

[39] Koenen, Jens / Telgheder, Maike: Anwaltskanzleien auf dem Marketingtrip. In: Handelsblatt Nr. 051 vom 12. März 2004, S. 17.

tion ist nur dann gut, wenn sowohl die kognitive wie auch die emotionale Ebene der Kommunikationsadressaten angesprochen werden.

2.5.3 Klarheit der Kommunikation

49 Die Kommunikation muss klar sein.[40] Dieses Postulat zu erfüllen, fällt Anwälten bisweilen schwer. Wo fünf Worte genügen, werden oft fünf Sätze (oder fünf Abschnitte) geschrieben. In der Praxis hilft hier ein kleiner Trick: Gelingt es, eine Botschaft in eine kurze Zeile zu fassen (eine sogenannte *tag line*), in einem Bild oder in einer einfachen Grafik auszudrücken und gibt dieser Ausdruck den Gehalt der Information klar wieder, ist die Chance gross, dass die Kommunikation gut ist. Diese «9er-Probe» der Kommunikation stellt sicher, dass hinter der Botschaft auch ein klarer Gedanke steht.

50 Immer dort, wo (potenzielle) Mandanten direkt angesprochen werden, ist es sodann überaus wichtig, ein Argumentarium für die Vermarktung der Dienstleistungen der Kanzlei aufzubauen, das sich am Nutzen des Mandanten orientiert. Woraus besteht sein Vorteil im Vergleich zum Nutzen, den ihm auch ein Wettbewerber bieten kann?

51 Und schliesslich: Kommunikation ist immer auch Sprache. Sie muss der «Welt» des Mandanten angepasst sein. Im besten Fall spricht der Anwalt die gleiche Sprache wie sein Mandant, versteht, wie dessen Märkte funktionieren, welche – auch nicht-rechtlichen – Sorgen ihn umtreiben.[41] Dazu gehört auch, dass der Anwalt seinem (potenziellen) Mandanten zuhört, mit ihm in einen Dialog tritt und nicht einfach «doziert».[42]

2.5.4 Kommunikationsmittel

52 Obwohl Anwälte im deutschsprachigen Raum bis vor Kurzem praktisch einem Werbeverbot unterlagen und noch heute längst nicht jede Werbung als erlaubt gilt[43], hat sich in den letzten Jahren eine grosse Zahl von Kommunikationsmitteln herausgebildet, die von Kanzleien genutzt werden.[44] Dabei kann unterschieden werden zwischen werblichen Massnahmen, die vor allem die Bindung zu bestehenden Mandanten zum Ziel haben und solchen, die der Gewinnung von neuen Mandanten dienen. Viele dieser Massnahmen bedienen natürlich beide Schwerpunkte.

---

[40] Thommen 2008, S. 201 ff.

[41] Hartung, Markus: Die eigentliche Herausforderung ist die Umsetzung von Maister's Prinzipien. In: JUVE Rechtsmarkt 01/06, S. 54 f.

[42] Richter, 2011, S. 151 ff.; Maister, David / Kelly, Lois: Marketing is a Conversation. In: www.davidmaister.com, 2006, S. 2 ff.

[43] Fellmann, Walter: Anwaltsrecht, Bern 2010, N. 369 ff.; Möllers / Mederle 2008, S. 874 ff.

[44] Gostomzyk, Tobias: Anwaltsmarketing: Wie funktionieren Medien? In: Anwaltsblatt 5/2010, S. 308 ff.; Heussen, 2011, S. 170.

Fokus auf der Bindung bestehender Mandanten	Massnahmen mit Wirkung sowohl auf bestehende wie auf potenzielle neue Mandanten	Fokus auf der Gewinnung neuer Mandanten
• Erstklassige Dienstleistungsqualität auf allen Kanzleistufen • Sicherstellung jederzeitiger Verfügbarkeit und kurzer Antwortzeiten • Sorgfältige Auswahl der Anwälte mit Kundenkontakt • Regelmässige und saubere Kommunikation mit dem Mandanten über den Verlauf der Mandatsarbeit (Erwartungsmanagement!) • *Service Level Agreements* für Unternehmenskunden im Dauermandat • Retainer-Vereinbarungen mit Mandanten • Mithilfe beim Prozessdesign im *Legal Management* • *Secondments* • *Value Added* durch Ermöglichung des Mandantenzugriffs auf Knowledge-Datenbanken • Bezeichnung von Relationship Partners • *Wallet*-Marketing über die sorgfältige Evaluation von Mandantenbedürfnissen • *«Make your client look good!»* • Aktive Beziehungspflege auf Partnerebene • Etc.	• Vernetzungsanlässe mit Mandanten • Spezialisierung mit Fachausweis und Fachbezeichnung • Wissenschaftliche Beiträge in Fachpublikationen • Veranstaltung von Mandantenseminaren • Kanzleianlässe • Corporate Behaviour • Website • Pressearbeit (Interviews, Zitate, Artikel) • Attraktive Gestaltung der Kanzleiräumlichkeiten • Newsletter • Aktivitäten zur Förderung des eigenen Nachwuchses • ALUMNI-Vereinigung ehemaliger Associates • Kooperationen zur angewandten Forschung • Sponsoring • Etc.	• Darstellung *Practice Groups* • Darstellung *Sector Groups* • Referate in Unternehmen und Vereinigungen • Mitgliedschaft in Berufs-, Fach- und Branchenvereinigungen • Annahme von Lehrverpflichtungen • Teilnahme an Werbeaktivitäten des Anwaltsverbandes • Inserate bei Mutationen • Imageinserate • Mitgliedschaft in politischen, wirtschaftlichen, sozialen und kulturellen Organisationen • Beziehungen mit Mandatsmittlern • Corporate Design • Kanzleibroschüre • Eintrag in Anwaltsverzeichnisse • Teilnahme an Ausschreibungen für grössere Mandate • Etc.

Abb. 5: Kommunikationsmittel für Anwaltskanzleien

2.5.5 Akquisition

Die Kommunikation der Kanzlei ist der entscheidende Erfolgsfaktor, wenn es um die Akquisition neuer Mandanten geht. Form und Inhalt der Kommunikation fallen hier besonders ins Gewicht, weil der potenzielle neue Mandant bei der Beurteilung der Kanzlei nicht auch bisher gemachte Erfahrungen mit berücksichtigen kann. 53

Auch wenn die Anstrengungen der Kanzlei zur Betreuung bisheriger Mandanten gegenüber jenen zur Gewinnung neuer Mandanten der Vorzug zu geben ist[45], spielt die Akquisition natürlich eine bedeutende Rolle. Erst ein stetiger Zufluss neuer Mandanten garantiert letztlich die nachhaltige Entwicklung einer Kanzlei.[46] 54

---

45 Vgl. dazu nachstehend Abschnitt 2.6

46 Dabei ist es wichtig, dass ausreichend Kontakte mit potenziellen Mandanten hergestellt werden, die in einem eigentlichen Akquisitionsprozess selektiert und in einem definierten Ablauf möglichst nahe an den Punkt der Mandatsvergabe herangeführt werden (Bieger/Schuh/Friedli/Tomczak/Fahrni/Reinecke 2004,

55 In den letzten Jahren sind viele Unternehmen dazu übergegangen, Mandate in sogenannten *pitches* zu vergeben. In deren Rahmen wird eine Anzahl von qualifizierten Kanzleien gebeten, sich im Unternehmen zu präsentieren, Lösungsvorschläge für ein gegebenes Problem zu unterbreiten und die Konditionen (Zeitbedarf, Teameinsatz, Meilensteine, Honorar etc.) zu nennen, unter denen die Kanzlei bereit ist, das Mandat zu führen[47]. Den eingeladenen Kanzleien werden in der Regel inhaltliche und formale Auflagen für den *pitch* gemacht, so dass die Präsentationen vergleichbar sind. Dem Auftritt der Kanzlei kommt in solchen Situationen natürlich eine überragende Bedeutung zu. Er muss fachlich überzeugend, klar (*straight forward*) und in der Präsentation attraktiv sein. Grosse Kanzleien nutzen für solche Fälle die Unterstützung interner Fachleute, die auf die Qualität der Kommunikation, insbesondere auf die gestalterische Professionalität des Auftrittes und der abgegebenen Unterlagen achten.

2.6 Schritt 6: Aufbau und Verstärkung der Mandantenbindung

56 Ziel jeden Marketings muss es sein, über eine hohe Kundenzufriedenheit eine möglichst feste Bindung der Mandaten zur Kanzlei zu erreichen. Die Ressourcen, die ins Marketing investiert werden, sind nachweislich viel besser angelegt, wenn die Investition in die Pflege des bestehenden Kundenstammes statt in die Akquisition von Neukunden getätigt wird.[48] Oder mit anderen Worten: Die Investition zur Pflege bestehender Mandanten ist für die Kanzlei wesentlich rentabler als jene in die «Kaltakquisition» von neuen Mandanten. Kundenbindung ist also zentral für den Erhalt und den Ausbau des Geschäftspotenzials einer Mandantenbeziehung!

57 Aufbau und Erhalt einer festen Kundenbindung im Anwaltsgeschäft sind überaus anspruchsvoll. Die juristische Qualität anwaltlicher Arbeit ist die Grundlage einer gefestigten Geschäftsbeziehung und wird vom Kunden einfach vorausgesetzt. Sie ist aber nur Teil der im Minimum erwarteten Leistung und führt – wenn die diesbezüglichen Erwartungen des Mandanten vollständig erfüllt sind – dazu, dass der Kunde nicht unzufrieden ist. Die eigentliche Profilierung erfolgt über vom Mandanten nicht zwingend erwartete Dienstleistungskomponenten[49]: beispielsweise eine sorgfältige und professionelle Kommunikation über den Verlauf der Mandatsarbeit, unentgeltlich erbrachte Informa-

S. 65 und 67 f.). Zur Illustration dieses Prozesses eignet sich der Trichter: Wenn möglichst viele relevante Kontakte in die Trichteröffnung hineinkommen, ist die Chance gross, dass am Trichterausgang auch eine vernünftige Anzahl von Neumandaten herauskommt.

47 Grosse Unternehmen haben damit begonnen, sogenannte Panels von Anwaltskanzleien zu bilden, aus denen sie im konkreten Fall jene Kanzlei auswählen, welche mit der Mandatsführung betraut wird. Wichtige Mandate werden aber selbst beim Vorhandensein solcher Panels in *pitches* unter den Panel-Kanzleien vergeben.

48 Lechner, Christoph / Kreutzer, Markus: Dimensionen der Führung von Beratungsunternehmen – Ergebnisse einer Studie. In: ZUb 2/07, S. 56; Maister, David: Wie echte Professionals ihr Geschäft entwickeln. In: JUVE Rechtsmarkt 01/06, S. 52; Meffert 2000, S. 947.

49 Meffert 2000, S. 366 ff.; Thommen 2008, S. 131.

tions- und Fortbildungsleistungen, das Engagement wichtiger Kanzleipartner als «Beziehungsverantwortliche», eine überzeugende Handhabung des Reklamationswesens oder auch die konsequente Beherzigung des Grundsatzes, wonach es überaus wichtig ist, den Mandanten und seine Beiträge zur Lösungsfindung in den Vordergrund zu stellen und nicht die vorzügliche Arbeit der Kanzlei übermässig herauszustreichen. Letzteres ist insbesondere dann wichtig, wenn in wirtschaftsrechtlichen Mandaten der Ansprechpartner des Anwalts ein Kollege aus der Rechtsabteilung des Mandanten ist. Ihm wird dann besonders gut geholfen, wenn die Zusammenarbeit mit ihm im Mandat ausdrücklich und angemessen gewürdigt wird *(Make your client look good!)*.

Ganz besonderes Gewicht für die Erhaltung einer Mandantenbeziehung kommt den 58
Massnahmen zu, die den Gewöhnungseffekt verhindern, der dazu führt, dass die Kanzlei eine bestehende Beziehung mit einem Mandanten und den permanenten Mandatsfluss als selbstverständlich erachtet. Auch um bestehende Mandanten muss im direkten Kontakt geworben werden, wie wenn es um die erstmalige Vergabe eines Mandates gehen würde. Dazu gehören proaktive (Verfügbarkeit, Responsezeiten, Kommunikation auch zwischen einzelnen Mandaten, etc.) und reaktive Massnahmen (Beschwerdewesen, Rückgewinnung abtrünniger Mandanten oder Reaktivierung inaktiver Mandanten).[50]

Mandantenzufriedenheit darf sodann nicht einfach das Ergebnis des zufälligen Zusam- 59
menfallens günstiger Einflüsse sein: Es hatte gerade derjenige Anwalt Zeit zur Übernahme des Mandates, der innerhalb der Kanzlei dazu am besten geeignet ist, der Telefonkontakt mit dem Mandanten erfolgte über eine besonders freundliche Sekretariatskraft, weil die übliche Besetzung gerade im Urlaub war, und das Sitzungszimmer war aufgeräumt, weil kurz vor dessen Benutzung die einmal pro Woche stattfindende Reinigung erfolgt ist. Es ist vielmehr notwendig, einen sorgfältig konfigurierten Prozess zu etablieren, der mit einer hohen Zuverlässigkeit gewährleistet, dass die Erwartungen des Mandanten erfüllt werden, er zufrieden ist und mit jedem bearbeiteten Mandat ein Baustein für eine robuste Bindung des Mandanten an die Kanzlei gesetzt wird.[51]

3. Vertrieb

3.1 Vertrieb am Kanzleistandort

Ebenso wichtig wie die Kommunikation («Was sagen wir unseren Mandanten und wie 60
tun wir das?») ist die Frage, wie anwaltliche Dienstleistungen vertrieben werden.[52] Der klassische Ansatz ist der Vertrieb am Kanzleistandort. Darüber hinaus gibt es aber natürlich zahlreiche weitere Möglichkeiten, direkt mit dem Kunden in Kontakt zu treten und seine Beratungsbedürfnisse zu befriedigen. Schulungen und Weiterbildungsveranstal-

[50] Bieger/Schuh/Friedli/Tomczak/Fahrni/Reinecke 2004, S. 70 f.
[51] Vgl. dazu Kapitel 3 nachstehend.
[52] Bieger/Tomczak/Reinecke 2004, S. 150.

tungen für Mandanten (beispielsweise Frühstücks- oder Feierabendseminare, Inhouse-Kurse im Unternehmen des Mandanten oder die Betreuung von Erfa-Gruppen), die institutionalisierte Einbindung der Kanzlei in Entscheidungsprozesse direkt beim Mandanten (im Sinne einer externen Rechtsabteilung, zum Beispiel mit festen Präsenzzeiten in dessen Unternehmen), Secondments[53], die Verwaltung von Verträgen des Mandanten mittels webbasierter Software der Kanzlei oder die automatisierte Informationsvermittlung (über Maildienstleistungen oder die Eröffnung eines Zuganges auf einen geschützten Bereich der Kanzlei-Website) sind nur einige der Vertriebswege, die in jüngerer Zeit von Anwaltskanzleien immer stärker genutzt werden. Namentlich Kanzleien mit international tätigen Mandanten sind aber auch vor die Frage gestellt, ob sie ihren Mandanten dahin folgen sollen, wo diese ihre Aktivitäten haben. Immer mehr Grosskanzleien haben so in den letzten Jahren Standorte in Asien, Osteuropa oder Nordamerika begründet.

3.2 Vertrieb über Korrespondentennetze

61 Im Vertrieb anwaltlicher Dienstleistungen spielen seit jeher Korrespondentennetze eine bedeutende Rolle. Der Aufbau und die Pflege solcher Netze gehören namentlich für Schweizer Grosskanzleien zu den zentralen Elementen ihres Geschäftsmodells. Hierzulande hat sich die korporative Eigenständigkeit international tätiger Kanzleien als die dominante Erscheinungsform durchgesetzt, während im Ausland grenzüberschreitende Kanzleifusionen oder Kooperationen unter gemeinsamer Firma häufig geworden sind. Daneben existieren auch gegen aussen als solche auftretende Netzwerke, deren Funktion in erster Linie die Vertriebsunterstützung der angeschlossenen Kanzleien ist.

3.3 Vertrieb über Mandatsmittler

62 Für viele Kanzleien von grosser Bedeutung sind Beziehungen zu Mandatsmittlern. Damit sind – neben anwaltlichen Korrespondenten – Banken, Versicherungen, Verbände, Unternehmensberatungen, Steuerberatungen, Treuhand- oder Revisionsunternehmen gemeint, die der Kanzlei Mandate vermitteln. Tatsächlich sind viele dieser Mandatsmittler eng mit potenziellen Nachfragern anwaltlicher Dienstleistungen verbunden. Kann sich die Kanzlei als professionelle «Lieferantin» rechtlicher Lösungsmodule für solche Dienstleister profilieren oder gelingt es ihr sogar, als deren Partnerin mit eigenständiger Funktion direkt mit der Mandatsführung betraut zu werden, kann sich die Zusammenarbeit mit Mandatsmittlern als erfolgreicher Vertriebsweg erweisen.[54]

[53] Als *Secondments* werden Einsätze von Kanzleianwälten über einen gewissen Zeitraum im Unternehmen des Mandanten bezeichnet, wobei die Mandatsarbeit an einem Arbeitsplatz in eben diesem Unternehmen geleistet wird.

[54] Beachtung muss in diesem Zusammenhang selbstverständlich die Frage der anwaltlichen Unabhängigkeit finden, insbesondere dann, wenn der Mandatsstrom über einen Mandatsmittler einen grossen Umfang annimmt. Tritt eine solche Konstellation ein, wird auch das dadurch entstandene Klumpenrisiko seriös beurteilt werden müssen.

4. Prozess zur Erarbeitung eines Marketingkonzepts

Ausgangspunkt für die Erarbeitung des Marketingkonzeptes ist natürlich immer die Kanzleistrategie. Wesentliche Fragen der Marktpositionierung wurden schon im Prozess der Strategieentwicklung beantwortet.[55] In einem nächsten Schritt geht es nun hier um den Weg von der Strategie zu einem umsetzungsreifen Marketingkonzept. Dieses muss sicherstellen, über einen möglichst hohen Mandantennutzen die Wertschöpfung in der Kanzlei und damit deren Rentabilität hoch zu halten. 63

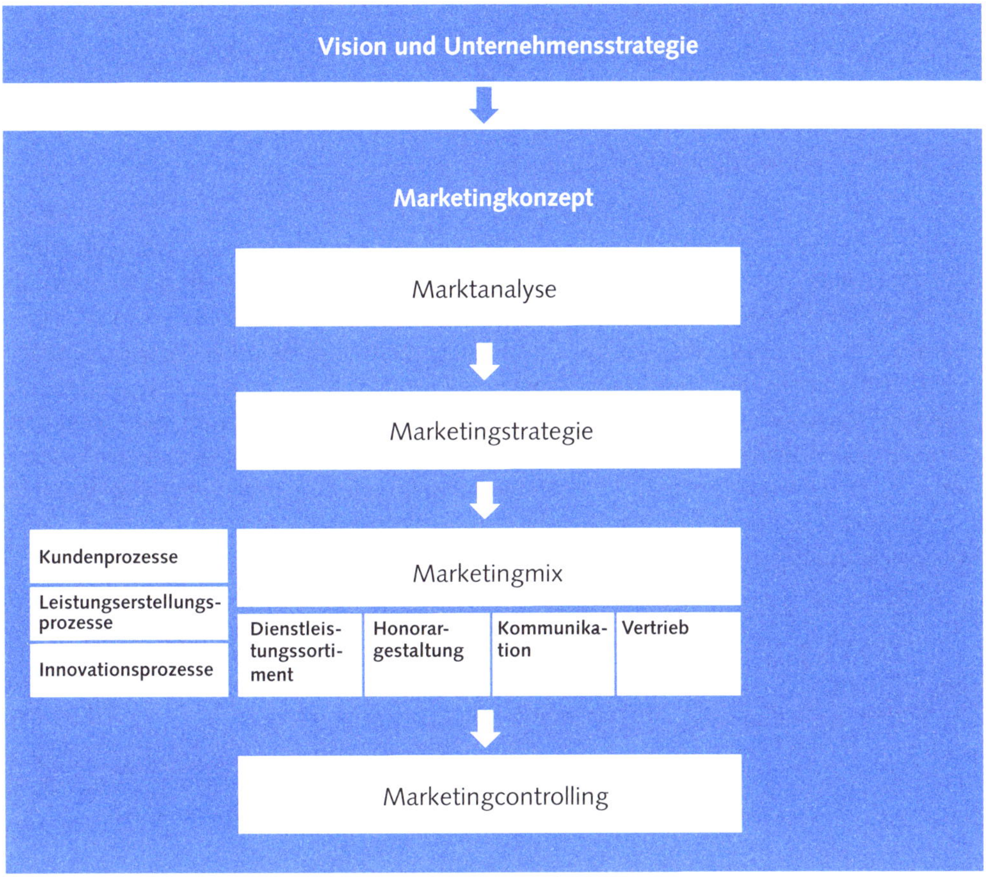

Abb. 6: Prozess zur Erarbeitung eines Marketingkonzepts[56]

[55] Vgl. vorstehend Kapitel 1.
[56] In Anlehnung an Bieger/Tomczak/Reinecke 2004, S. 132.

4.1 Marktanalyse

64 Die Marktanalyse lehnt sich eng an die im Strategieprozess durchgeführte SWOT-Analyse an. Es geht also um die Analyse der Stärken und Schwächen der Kanzlei sowie von deren Chancen und Risiken mit Blick auf die Entwicklungen im Umfeld der Kanzlei. Die Perspektive der SWOT-Analyse verengt sich hier dabei auf die Themen Dienstleistungssortiment, Honorargestaltung, Kommunikation und Vertrieb.

4.2 Marketingstrategie

65 Ziel jeder Marketingstrategie ist ein Dreifaches: (1) die «Kanzleimarke» und damit die Reputation der Kanzlei zu pflegen und zu fördern, (2) neue Mandanten zu gewinnen sowie (3) bisherige Mandanten dauerhaft an die Kanzlei zu binden und das Mandatspotenzial mit diesen Mandanten besser auszuschöpfen[57].

66 Gestützt auf die Ergebnisse der Marktanalyse werden nun in den vier Themen Dienstleistungssortiment[58], Honorargestaltung[59], Kommunikation und Vertrieb Marketingziele definiert. Diese Ziele sollen so weit als möglich operationell ausgestaltet, das heisst als messbare Grössen definiert werden. Messbarkeit der strategischen Ziele ist auf zwei Ebenen anzustreben: Zum einen ist das Ziel an sich zu quantifizieren («Wir wollen unser Dienstleistungssortiment bis Ende nächsten Jahres um den Bereich Luftverkehrsrecht ausbauen, dazu ein Team von drei Anwälten bilden, mindestens fünf neue Mandanten dazu gewinnen und ein Honorarvolumen im ersten Jahr von … erreichen.»), andererseits aber auch eine genaue Vorstellung davon zu entwickeln, wie sich die Verwirklichung der Zielsetzung auf die Kanzleiziele (z.B. auf Wachstum, Rentabilität, Marktanteil, Marktposition) auswirken soll.

67 Im Rahmen der Definition der Marketingziele müssen zwei wesentliche Entscheidungen getroffen werden: Welchen Markt peile ich mit dem betreffenden Ziel an (Zielmarktentscheidung), und wie will ich mich damit in diesem Markt positionieren (Positionierungsentscheid)[60]? Im Dienstleistungsmarketing werden üblicherweise Marktsegmente gebildet.[61] Die Vorteile sind evident: die Erkennbarkeit der Kanzlei im Markt steigt, der (potenzielle) Mandant kann unmittelbarer und zielgenauer angesprochen werden, und es ist eine Befriedigung segmentspezifischer Mandantenbedürfnisse mög-

---

57 Letzteres wird gemeinhin als *wallet marketing* bezeichnet.

58 Hier geht es um die Pflege und Verbesserung bestehender Dienstleistungen einerseits und um die Erarbeitung neuer Dienstleistungsangebote andererseits.

59 Krämer, Andreas / Mauer, Reinhold: Preiskommunikation in der Beratungspraxis – Zur Bedeutung der Kommunikation von Honorarmodellen und -höhen durch Anwaltskanzleien. In: Anwalts Revue 8/2005, S. 316 ff.

60 Bieger 2004, S. 38.

61 Vgl. dazu auch Abschnitt 2.2 vorstehend. Für den Anwaltsmarkt gilt diese Aussage nur beschränkt. Hier ist ein segmentsspezifisches Marketing zwar immer häufiger zu sehen, aber noch keineswegs selbstverständlich. So auch Kääb, Ottheinz: Marketing in Anwaltskanzleien. In: BRAK Mitteilungen I/2003, S. 2.

lich.[62] Im Rahmen der Akquisition grösserer Mandate wird sogar regelmässig sogenanntes *One-to-one-Marketing* betrieben werden müssen. Die Kanzlei erstellt dabei eine Liste mit «Ziel-Mandanten» (*target list*) und spricht diese Mandanten alle direkt und einzeln an. In der Praxis wird dies oft so gemacht, dass die Aufgabe der Mandantenansprache den einzelnen Sektor- oder Fachgruppen in der Kanzlei übertragen wird und die verantwortlichen Partner unter anderem auch daran gemessen werden, wie viele der «Ziel-Mandanten» als tatsächliche Mandanten gewonnen werden können.

4.3 Marketingmix

In einem nächsten Schritt geht es nun darum, die Marketingstrategie mit Massnahmen 68
zu unterlegen. Es ist mit anderen Worten zu entscheiden, wie die definierten Zielsetzungen erreicht werden sollen. Steht einmal fest, welche Massnahmen ergriffen werden, ist zu prüfen, wie sich diese Massnahmen auf die Interaktionsprozesse mit den Mandanten und auf die Leistungserstellungsprozesse auswirken. Ziel ist es, die Leistungserbringung unter Einbezug der festgelegten Marketingmassnahmen vom ersten Mandantenkontakt über die Instruktion und die Projektarbeit im Mandat bis zur Fakturierung möglichst effizient (wirtschaftlich) und effektiv (wirksam) zu gestalten. Unter Umständen müssen bestehende Kanzleiabläufe angepasst oder gar neue Prozesse konfiguriert werden. In diesem Fall muss auch ein eigentlicher Innovationsprozess in Gang gesetzt werden. In der Praxis wird dazu häufig eine Arbeitsgruppe, bestehend aus Partnern, angestellten Anwälten und Managementpersonal, ins Leben gerufen, die nach klaren Projektvorgaben aufzeigt, welche Möglichkeiten existieren, um die angedachte Innovation in die Kanzleiorganisation zu integrieren.

[62] Bieger/Tomczak/Reinecke 2004, S. 124

Ausbau des Dienstleistungssortiments um den Bereich Luftverkehrsrecht							
Dienstleistung	**Honorargestaltung**	**Kommunikation**	**Vertrieb**	**Umsatz & Wachstum**	**Rentabilität**	**Marktanteil**	**Marktposition**
Vollsortiment für nationale und internationale Luftverkehrsunternehmen	Honorarstellung im oberen Bereich des Angebotsmarktes	Eigenes, auf diese Innovation fokussiertes Kommunikationskonzept	Aus einem zentralen Standort heraus	• Euro … im dritten Jahr • Wachstum von 10% p.a.	…% vom Honorarumsatz	…%	Top 5 für Luftverkehrsrecht in DE nach drei jahren
Schaffung einer eigenen Praxisgruppe	Zweistufiges Honorarmodell für spezialisierte und generelle Dienstleistungen	Fortbildungsangebot für Mandanten als Mix von akademischen und praktischen Inputs	Ausbau Standort Frankfurt	Umsatzziel pro Partner / Associate: Gewinnbeitrag pro Partner / Associate:			
Promotion eines geeigneten Associate zum Partner Anwerbung eines externen Anwalts samt Team	Hohe Sätze für Partner, tiefe für Associates bei spez. DL Attraktiver Mischansatz bei generellen DL	Schaffung von Erfa-Gruppen mit Rechtsabteilungen von Luftverkehrsunternehmen Forschungskooperation mit Uni		• Spezieller Bonus für ganzes Team bei Erreichen des 3-Jahres-Ziels • Schaffung einer *Counsel*-Stelle bei Erreichen des 3-Jahres-Ziels in Aussicht stellen			

Abb. 7: Beispiel für einen Marketingmix zum Ausbau des Dienstleistungssortiments

69 Wichtig ist sodann, dass auf ein stimmiges Ganzes im Marketingmix für die verschiedenen Zielsetzungen der Marketingstrategie geachtet wird.[63] Es verträgt sich eine Kampagne für die Vermarktung von günstigen Standarddienstleistungen nicht ohne Weiteres mit einer solchen für wissenschaftsnahe *High-end*-Services der gleichen Kanzlei. Will man – beispielsweise als Vollsortimenter – beides unter einem Dach anbieten, empfiehlt es sich unter Umständen, die entsprechenden Dienstleistungssegmente in der Kommunikation sauber zu trennen. Der Volkswagen-Konzern etwa kommuniziert auch eigenständig über sein Angebot für Luxusfahrzeuge einerseits und über jenes der Mittelklasse andererseits.

[63] Pothe, Christian: Business Services in der Kanzlei. In: Schieblon, Claudia (Hrsg.): Kanzleimanagement in der Praxis, Wiesbaden 2011, S. 126; Creutz, Markus: Akquirieren, akquirieren, akquirieren. In: Handelsblatt Nr. 100 vom 24. Mai 2006, S. 26; Bieger/Tomczak/Reinecke 2004, S. 155.

5. Marketingcontrolling

Wie bereits ausgeführt, müssen für jede Massnahme im Marketingmix und für eine Kampagne als Ganzes messbare Zielsetzungen für die Massnahmenwirkung definiert werden.[64] Dabei darf es aber natürlich noch nicht sein Bewenden haben: Die Einhaltung dieser Zielsetzungen ist im Rahmen eines systematischen Controllings zu überprüfen.[65] Es muss also regelmässig danach gefragt werden, ob «Ist» und «Soll» übereinstimmen. Dort, wo dies nicht der Fall ist und Ziele nicht erreicht werden, müssen Massnahmen festgelegt werden, um die Lücke zwischen «Ist» und «Soll» zu eliminieren. 70

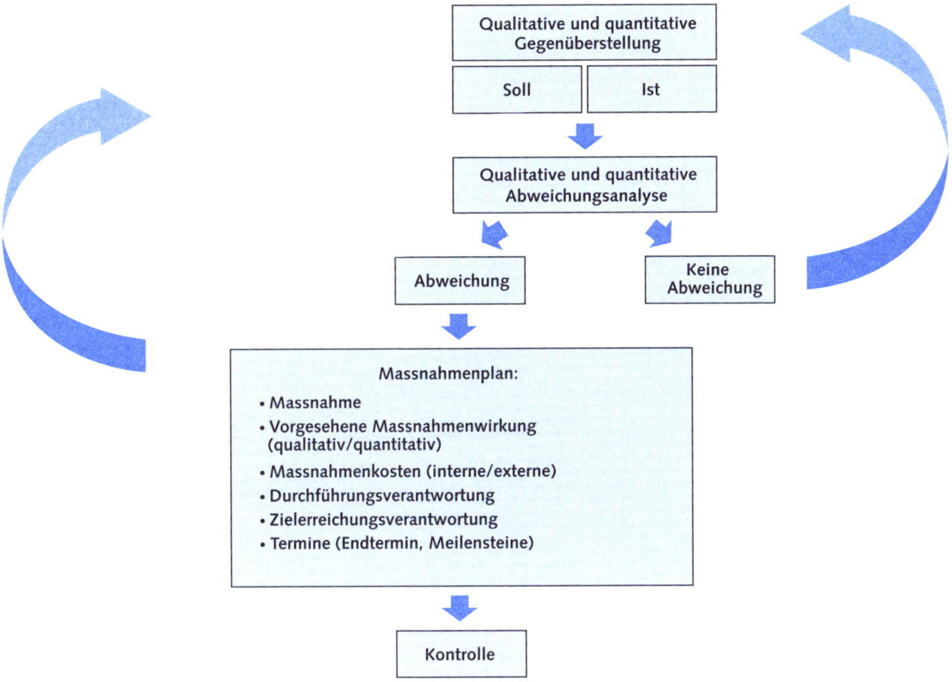

Abb. 8: Problemlösungsprozess Zielüberwachung[66]

Die Aufwendungen, die zur Erreichung festgesetzter Ziele notwendig sind, müssen sodann für eine Rechnungsperiode budgetiert werden.[67] Es empfiehlt sich, gerade grös- 71

[64] Bieger/Tomczak/Reinecke 2004, S. 161 ff.

[65] Dieselben, S. 163 ff.

[66] Staub 2006, S. 84

[67] Creutz, Marcus: Anwälte nutzen Marketingpotenzial. In: Handelsblatt Nr. 070 vom 11. April 2007, S. 20, beziffert gestützt auf eine Umfrage unter den 75 grössten Kanzleien Deutschlands die Aufwendungen für Produktentwicklung, Öffentlichkeitsarbeit und Werbung auf bis zu 3% des Jahresumsatzes der befragten Kanzleien.

sere Marketingprojekte mit einem eigenen Budget zu versehen und dieses auch im Rahmen des ordentlichen Controlling separat zu verfolgen.

B. Identifikation und Berücksichtigung von Mandantenbedürfnissen[1]

Heinz Schärer

1. Vorbemerkungen

Die Literatur zum Kanzleimanagement geht bei vielen Themen, so auch beim Thema der Bedürfnisse von Mandanten, von der Idealsituation aus, beim vorliegenden Thema also von einem strukturierten Prozess der Beraterauswahl, Mandatserteilung und Mandatsabwicklung. Auch ich gehe im nachfolgenden Beitrag grundsätzlich von diesem Idealzustand aus und entschlage mich dem Vorwurf der Realitätsfremdheit mit der Vorbemerkung, dass der Weg in und durch ein Mandat nicht immer nach idealem Vorbild abläuft. Dies ist für das vorliegende Thema entscheidend, denn auch der Anwalt, der das Geschäft des Mandanten kennt, muss sich durch Fragen Kenntnis des spezifischen Mandats und der Mandantenbedürfnisse verschaffen. 1

Darum vorweg drei scheinbar banale, aber wichtige Feststellungen:

Erstens, die Identifikation der Bedürfnisse des Mandanten geschieht durch Fragen und Antworten, denn «entscheidend ist nicht, was dem Rechtsanwalt sinnvoll erscheint, sondern das, was die Mandanten wirklich wollen»[2]. 2

Zweitens, die Bedürfnisse der Mandanten sind individuell verschieden und erfahrungsgemäss, aber auch gemäss den mir bekannten Untersuchungen, nicht immer alle «unter einen Hut zu kriegen»[3]. 3

---

1 Meine Ausführungen beziehen sich auf eine Tätigkeit in einem wirtschaftsrechtlichen Umfeld sowie auf Situationen, in denen der Anwalt direkt vom Mandanten mandatiert und instruiert wird. Bei Mandatierungen im Unterbeauftragtenverhältnis (wenn z.B. ein Anwalt eine andere Anwaltskanzlei als Unterbeauftragte mandatiert, was in internationalen Verhältnissen oft der Fall ist) ist die Identifikation und Berücksichtigung der Mandantenbedürfnisse wesentlich anders, in der Regel schwieriger und insbesondere stark abhängig von der Position, dem Willen, den Organisationsfähigkeiten und der Fairness des Unterauftraggebers.

2 Reiner Ponschab, Das Mandantengespräch, oder: Was sagen Sie, nachdem Sie Guten Tag gesagt haben? In: Anwaltsrevue 8/2009, S. 379; dieses Zitat steht unter dem Zwischentitel «Was ist wichtig? Was will der Mandant wirklich?», was Ponschab als Phase 3 bezeichnet, nach Phase 1 (Aufbau von Vertrauen) und Phase 2 (Was ist passiert? Worum geht es?).

3 Die mir bekannten Untersuchungen beziehen sich nicht auf die Schweiz. Mit der Schweiz am ehesten vergleichbar sind wahrscheinlich die Untersuchungen in Deutschland: Dazu Benno Heussen: Anwaltsunternehmen führen. 2. Auflage München 2011, S. 149 ff. mit weiteren Hinweisen; Heussen kommentiert: «Die Hälfte der Mandanten verlangt gleichzeitig Spezialkenntnisse und die Kenntnisse vieler Rechtsgebiete. Zwischen 75 und 83% wollen gleichzeitig eine schnelle Umsetzung ihrer Vorgaben und die sorgfältige Erarbeitung langfristiger Lösungen. Die Mandanten suchen also den «sympathischen, schnellen

4 *Drittens*, das Verhältnis von Mandant und Anwalt ist ein gesetzlich sanktioniertes besonderes Vertrauensverhältnis, das die vom Mandanten gegenüber dem Anwalt offengelegten Informationen besonders schützt und darum für die Offenlegung auch von heiklen Informationen geeignet ist. Hier liegt aber der Kernpunkt, der in der heutigen Geschäftswelt vielfach von den Beteiligten ausser Acht gelassen wird oder als Selbstverständlichkeit in Vergessenheit gerät: Integrität und Vertrauen – das ist der Kern der Beziehung zwischen Mandant und Anwalt, wobei auch hier gilt: Vertrauen kann man nicht verlangen, es ist zu verdienen.

5 Die nachfolgenden Ausführungen sollen helfen, die Identifikation von Mandantenbedürfnissen zu verbessern und zu erleichtern, und zwar, so meine Hoffnung, für Mandanten und Anwälte gleichermassen.

2. Was sind die Mandantenbedürfnisse?

6 Kurz gesagt kann man als Anwalt davon ausgehen, dass der Mandant vom Anwalt eine Beratungs- und Vertretungsleistung erwartet, die richtig, rechtzeitig, möglichst kurz und prägnant und adressatengerecht ausgestaltet ist und resultatorientiert zu einem adäquaten Preis erbracht wird. Dies kann als axiomatische Grunderwartung bezeichnet werden[4]. Um im konkreten Einzelfall die Bedürfnisse der Mandanten zu erkennen, sollte der Anwalt versuchen, sich Kenntnis über folgende Punkte zu verschaffen, wobei der Umfang der erforderlichen Informationen bei der Instruktion durch einen neuen Mandanten in der Regel umfangreicher sein wird als bei einem neuen Mandat eines bestehenden Mandanten:

1. Um was geht es? Was ist bisher geschehen und warum ist es so geschehen?
2. In welchem wirtschaftlichen Umfeld findet oder fand das Mandat bzw. der Sachverhalt statt und wie hat sich dies verändert?
3. Welches sind die agierenden Hauptpersonen und ihre Beziehungen zueinander?
4. Welche Ziele (und Zwischenziele) will der Mandant erreichen?
5. Welche Aspekte bearbeitet der Mandant selbst und welche will er von der Anwaltskanzlei (oder anderen Beteiligten) bearbeitet haben?
6. Wie ist die interne und externe Projektorganisation?

Spezialisten» (JUVE 03/05), oder – wie man in Bayern zu sagen pflegt – die eierlegende Wollmilchsau.» Benno Heussen a.a.O. S. 149 f.

[4] Ähnlich Leo Staub, Marketing in der Anwaltskanzlei. In: Anwaltsrevue 8/2009, S. 370; auf der psychologischen Ebene erwartet der Mandant (meines Erachtens wahrscheinlich vielfach unbewusst) Resonanz, was eine gewisse Empathie der handelnden Personen, insbesondere auch des Anwalts voraussetzt. Dazu vgl. Regula Stieger-Gmür, Empathie als Schlüssel zur guten Klientenbeziehung. In: Anwaltsrevue 8/2009, S. 380 f.

7. Was sind die konkreten Schritte und Arbeitsprodukte?
8. In welchem zeitlichen Rahmen soll das Mandat bearbeitet werden?
9. Was ist das Wichtigste am Auftrag an die Anwaltskanzlei?
10. Was erwartet der Mandant über die enge Rechtsberatung bzw. Verfahrensführung hinaus oder was könnte bzw. sollte er erwarten?

Hat der Anwalt zu diesen Punkten eine richtige und vollständige Antwort, kann er auf sicherem Grund zur Mandatsbearbeitung schreiten bzw. fortfahren. Selten wird der Anwalt zu Beginn eines Mandats Klarheit über all diese Punkte haben, obwohl dies manchmal nötig oder zumindest hilfreich wäre. In vielen Fällen genügt es aber, wenn darüber zeitnah nach Mandatserteilung oder vor entscheidenden Weichenstellungen Klarheit herrscht. Die Beteiligten müssen sich allerdings im Klaren sein, dass vor allem bei grösseren Projekten der Zeitaufwand, um diese Punkte klarzustellen, beträchtlich sein kann, und der Anwalt von verschiedenen Projektbeteiligten unterschiedliche Antworten auf die gleiche Frage erhält. In vielen Fällen ist es zunächst dem Anwalt überlassen, unterschiedliche Antworten zu beurteilen und sich periodisch ein Bild zu machen über den Stand seiner Instruktion. 7

Um die richtigen Fragen zu stellen und die Antworten schneller und besser zu verstehen, wird heute zu Recht erwartet, dass der Anwalt Geschäft und Tätigkeit des Mandanten und sein wirtschaftliches Umfeld im Grundsatz kennt und bei Dauermandanten die verfügbaren Informationen laufend verfolgt und verarbeitet. Letzteres gehört heute zur täglichen Arbeit des Anwalts und jedes anderen Beraters im wirtschaftlichen Umfeld. Zu weit gegriffen ist aber der Schluss, dass sich aus der Kenntnis der zugänglichen Informationen auch die Kenntnis über die konkreten Probleme in einem Projekt oder Verfahren ergäbe. In aller Regel sind die wirklichen Probleme in ihrer realen Ausgestaltung nicht aus den öffentlich zugänglichen Informationen beurteilbar. Dessen müssen sich Anwälte und Mandanten bewusst sein. Häufig sind die Probleme im Unternehmen vernetzt und von aussen auch nicht erkennbar. Nur der Anwalt, der die wirklichen Probleme eines Unternehmens in ihrer realen Ausgestaltung kennt, kann die Bedürfnisse des Mandanten vollumfänglich erkennen. Dazu bedarf es in der Regel eines gewissen Masses an Instruktion. Damit der Anwalt die Probleme des Mandanten in einem bestimmten Fall oder Projekt wirklich versteht, bedarf es in der Regel auch einer spezifischen Instruktion durch den Mandanten. 8

Hat der Anwalt Antworten auf die ersten drei vorstehend gestellten Fragen erhalten, so kann er mit der Frage nach den Zielen auch die Erwartungen des Mandanten ausloten. Häufig wird das Gespräch über diese Frage zu einer Art Neunerprobe in Bezug auf die vorangegangenen Antworten. Wenn nämlich die Zielvorstellungen unrealistisch sind, kommt es fast zwingend zu Nachfragen zu den vorgängigen Fragen und danach in gewissen Fällen zu einer Revision oder einer Ergänzung der Instruktionen. Mit 9 anderen Worten: Unrealistische Zielvorstellungen sind häufig darin begründet, dass die Beteiligten selbst die Vorgeschichte, das wirtschaftliche Umfeld und die Konstellation der Personen unterschiedlich einschätzen. Erkennt der Anwalt diese Situation, sollte er sie so schnell als möglich bereinigen, am besten durch nochmaliges Durchgehen der Instruktionspunkte, um sich dann mit dem Mandanten auf realistische Ziele zu einigen. Unrealistische Ziele beziehen sich nicht selten auf zeitliche Verhältnisse, manchmal nach dem Motto: Unmögliches muss zeitnah erledigt werden, Wunder müssen sofort geschehen. In dieser Situation hilft vielfach nur noch eine offene Diskussion und entweder die Revision der Ziele oder eine Einigung darüber, was in der verfügbaren oder gesetzten Zeit erzielbar ist.

3. Die wesentlichen Mandantenbedürfnisse im Einzelnen

10 Nach erfolgter Instruktion und Festlegung der Ziele stellt sich die Frage nach den Bedürfnissen und Erwartungen des Mandanten im Rahmen der Erfüllung des Mandats. Diese betreffen in der Regel folgende Gesichtspunkte:

3.1 Richtig

11 Richtig heisst zunächst sachlich richtig und vollständig. Weitere Elemente sind adressatengerecht, richtig verpackt, sprachlich klar, einfach zugänglich.

12 Der Lackmus-Test bei der Frage der «richtigen» Beratung kommt in aller Regel in Situationen, in denen das Recht (unter Einschluss der Praxis und Literatur) kein eindeutiges Resultat ergibt. Dann ist es die «vornehmste» Aufgabe des Anwalts, aufgrund seiner Sachverhalts- und Rechtskenntnis seine eigene Meinung und gestützt darauf seinen Rat zu formulieren. Dabei hat er der Adressatengerechtigkeit eine hohe Priorität einzuräumen. So dürfte es in der Regel einen wesentlichen Unterschied in der Darstellung und Länge eines Dokuments oder einer Präsentation ausmachen, ob der Adressat ein Vertreter der internen Rechtsabteilung, ein kollektives Entscheidungsgremium oder der Unternehmer ist. Sofern sinnvoll, hat der Anwalt auch Alternativen sowie deren Vor- und Nachteile zu präsentieren. Arbeitsprodukte sind sprachlich sorgfältig und eindeutig abzufassen. Nicht nur, aber besonders im wirtschaftlichen Umfeld muss der Anwalt eingedenk der Tatsache handeln, dass Mandanten komplexe, profitorientierte Projekte führen, bei denen der Anwalt eine von häufig mehreren Spezialistenfunktionen wahrnimmt. Dabei ist es wichtig, dass sich der Anwalt ins Team eingliedert, also die Interessen des Teams (und damit des Mandanten) an erste Stelle stellt.[5]

---

[5] Primadonnahaftes Stargetue wird heute zu Recht wenig geschätzt; vgl. zu den Erwartungen der Mandanten im Allgemeinen Peter Kurer, Lawyers in the Business Environment: Part of it or Exiles Singing from a Distant Place? In: GesKR 1/2011, S. 2 ff.

Ob die Verpackung eines Arbeitsprodukts eine wesentliche Rolle spielt, ist erfahrungsgemäss abhängig vom Mandanten und dessen Umfeld bzw. deren Exponenten. Fast immer ist ein kurzes, prägnantes Dokument richtig und willkommen nach dem Grundsatz: So kurz wie möglich, so lang wie nötig. Es gibt Mandanten, welche fordern bzw. es schätzen, dass Arbeitsprodukte ihrer Berater ohne grossen Aufwand in ihre interne Dokumentation (z.B. in einen Antrag an die Geschäftsleitung oder den Verwaltungsrat) integriert werden können. Bei grösseren Dokumenten, welche an einen breiteren Personenkreis gerichtet sind, empfiehlt es sich, die Dokumente leicht zugänglich zu formulieren und so zu erstellen, dass ein mit der Sache grundsätzlich Vertrauter in möglichst kurzer Zeit den Inhalt des gesamten Dokuments erfassen und beurteilen kann. Dies erfordert in der Regel mindestens eine vorangestellte Zusammenfassung und ein Inhaltsverzeichnis, sofern erforderlich, Vorbemerkungen und bei grossen Dokumenten ein Verzeichnis der Hauptbegriffe. 13

3.2 Resultatorientiert

Zu Recht verlangt der Mandant, dass er mit dem Produkt bzw. dem Rat des Anwalts etwas anfangen kann.[6] Die tiefsinnigste und häufig auch gescheite Analyse des Rechtsproblems ohne weiterführenden Rat, was zu tun ist bzw. welche Optionen bestehen, nützt dem Mandanten in der Regel wenig. 14

3.3 Rechtzeitig

Klar ist, dass der Rat, der zu spät kommt, ungenügend ist. Gegebenenfalls muss der Anwalt angesichts der Beschleunigung unserer Kommunikation darauf hinweisen (und dies ist meines Erachtens seine Pflicht), dass auch ein mit einer bestimmten Materie vertrauter Spezialist eine gewisse Zeit benötigt, um ein Arbeitsprodukt zu erstellen oder einen «belastbaren» Rat zu erteilen. Gleichzeitig muss der Anwalt heute auch bereit sein, seine Meinung zu äussern, wenn die Zeit für Erwägungen und Abklärungen nicht mehr vorhanden ist. Die Erfahrung zeigt, dass solche Beratungsfälle in den letzten Jahren erheblich zugenommen haben. Solange der Mandant weiss und darüber informiert wird, dass er diesfalls nur das in der Situation aufgrund der Erfahrung des Anwalts Bestmögliche beanspruchen kann, ist dies nicht zu beanstanden. Der in einer gut organisierten Kanzlei tätige Anwalt hat in solchen *Instant-advice*-Situationen zumindest den Vorteil, dass er das Kanzlei-Know-how sofort abrufen kann, sei dies durch Zugriff auf ein entsprechendes Know-how-System und/oder den Beizug von bzw. die Abstimmung mit anderen Anwälten; für derartige *sanity checks* reicht die eingeräumte oder vorhandene Zeit durchaus in vielen Fällen noch aus. Ein weiteres zeitliches Element ist die Erreichbar- 15

[6] Der englische Begriff *actionable* (im Sinne von *actionable advice*) trifft das Mandantenbedürfnis wohl am ehesten.

keit; Mandanten stellen hohe Anforderungen an die Erreichbarkeit ihrer Anwälte. Der Anwalt und seine Kanzlei haben diese sicherzustellen. Mit dem Mandanten ist zu klären, wie dies im Einzelfall geschehen soll. Sinnvoll und zulässig ist, dass eine vollständige Erreichbarkeit (24/7) über mehrere Personen in einer Anwaltskanzlei sichergestellt wird. Die dauernde Erreichbarkeit einer einzelnen Person über längere Zeit ist unrealistisch bzw. gefährlich, weil sie letztlich die Leistungsfähigkeit schmälert. Zudem: Ein guter Anwalt kennt die Welt, in der er lebt, was eine dauernde Erreichbarkeit ausschliesst, weil es Zeit braucht, die Welt zu kennen.

16 Rechtzeitig bedeutet schliesslich auch *responsive,* also rasch zu reagieren. Dass heisst nicht, dass die Antwort immer sofort gegeben werden muss. Unsere moderne Kommunikationsgesellschaft erlaubt und verlangt immer häufiger eine rasche Reaktion, und sei es zunächst nur eine Bestätigung, dass man die Mitteilung oder Anfrage erhalten hat und die Sache an die Hand nimmt.

3.4 Kosten

17 Mandaten erwarten zu Recht ein effizientes und kostengerechtes Arbeitsprodukt bzw. eine effiziente und kostengerechte Beratung. Dazu gehören ein effizientes *staffing,* eine sinnvolle Arbeitsteilung mit dem Mandanten und innerhalb der Kanzlei und, wo erforderlich, der Beizug von Spezialisten für Spezialfragen sowie deren effiziente Instruktion und Einbezug. Das allein genügt aber in der Regel nicht: Rechtsberatungs- und Vertretungskosten haben heute in vielen Unternehmen ein Niveau erreicht, das auch von der Unternehmensführung wahrgenommen wird. Das Argument, dass die Kostenexplosion hauptsächlich auf das Handeln im angloamerikanischen Rechtsbereich zurückzuführen ist, hilft dem kontinentalen Anwalt in der Regel nicht. Auch hier ist oberstes Gebot die Handhabung und Erfüllung der Erwartungen des Mandanten. In welcher Form dies am besten geschieht, hängt wiederum vom Einzelfall ab. Dabei kann man sich vom Grundsatz leiten lassen, dass negative Überraschungen am wenigsten geschätzt werden. Negative Überraschungen können durch Honorarschätzungen und periodische Rechnungsstellung oder Information über den Stand des Honorars vermieden werden. Ausserhalb von Standardangelegenheiten (z.B. Ausarbeitung eines Vertragsentwurfs) und Mandatserteilungen im Rahmen von strukturierten Abläufen (z.B. Erstellung einer Rechtsanwaltsbestätigung, sogenannte Opinion, bei einer Standardkapitalmarkttransaktion) ist der Anwalt in der Regel gut beraten, wenn er die Schätzung aufgrund vergleichbarer Projekte abgibt, dabei aber die ihm im Zeitpunkt der Abgabe der Schätzung bekannten Eigenheiten des konkreten Mandats berücksichtigt. Bei Prozessmandaten sowie bei Beratungen und Vertretungen in kontroversen Angelegenheiten mit Gegenparteien sind Abmachungen von Honorarobergrenzen problematisch und daher zu vermeiden. Dies folgt meines Erachtens aus dem Sorgfaltsgebot des Beauftragten gemäss Art. 398 Abs. 1 OR sowie anwaltsrechtlich aus Art. 12 BGFA, da sich je nach Konstellation im Einzelfall argumentieren lässt, dass ein derartiges Arrangement die gesetzlich geschützte wirt-

schaftliche Unabhängigkeit des Anwaltes (auch gegenüber seinem Mandanten)[7] tangiert. Dasselbe gilt auch für Fixhonorare (sogenannte *flat fees*) bei Mandaten in kontroversen Angelegenheiten und solchen mit ungewissem Verlauf[8]. Welche Form bzw. welchen Grad von Schutz gegen Überraschungen ein Mandant sinnvollerweise benötigt, hängt wiederum vom Einzelfall ab: Findet das Mandat praktisch «in Anwesenheit» des Mandanten bzw. seiner Vertreter statt, ist der Bedarf in der Regel geringer als in Mandaten, in denen der Anwalt im Wesentlichen alleine oder (noch problematischer) vornehmlich mit anderen Beratern agiert.

Die Erfahrung zeigt, dass dem Kriterium der Effizienz zu wenig Beachtung geschenkt 18
wird, und zwar sowohl vonseiten der Kanzleien als auch vonseiten der Mandanten. Dies gilt sowohl in Bezug auf die Effizienz in der Erledigung als auch in Bezug auf effiziente Instruktion und Führung eines Mandats. Aufseiten der Kanzlei bedeutet Effizienz zunächst, dass die geeigneten Personen ein Mandat bearbeiten und dies nach dem Subsidiaritätsprinzip, wonach die günstigste geeignete Person eine Aufgabe löst. Dabei ist die Gesamteffizienz zu beachten, d.h. auch das Subsidiaritäts- und das Spezialitätsprinzip haben ihre Grenzen dann erreicht, wenn der Koordinationsaufwand grösser wird als der Effizienzgewinn. Dies ist eine grosse Herausforderung für eine Kanzlei und den mandatsverantwortlichen Anwalt, gerade in einer Zeit, in der Mandate (Projekte) innerhalb kürzester Zeit von null auf hundert und zurück gefahren werden, in vielen Fällen sogar mehrfach. Als Anwalt wird man häufig das Gefühl nicht los, dass Effizienz mit dem Stundenansatz verwechselt wird: Untersuchungen im eigenen Umfeld ergeben, dass dies weder von der Zeit- noch von der Kostenseite her berechtigt ist. Gleichzeitig erstaunt es in der Praxis immer wieder, in welchem Ausmass Ineffizienzen verursacht und toleriert werden: Wer kann heute kein Lied singen von unvorbereiteten, unstrukturierten und darum endlosen Sitzungen und Telefonkonferenzen, die wiederholt durch abreissende Netzverbindungen unterbrochen, als Ganzes wiederholt oder in Einzelgesprächen «wiedergekaut» werden müssen, weil wichtige Personen in Transit keine Notizen machen können, oder bei denen Heerscharen von Beratern warten, bis sich ein wichtiges Projektmitglied einwählt. Hier besteht eine Zusatzdienstleistung des Anwalts darin, den Mandanten darauf aufmerksam zu machen und Vorschläge zur Verbesserung zu unterbreiten.

---

[7] Vgl. dazu Walter Fellmann in: Walter Fellmann/Gaudenz G. Zindel: Kommentar zum Anwaltsgesetz, Zürich 2011, Art. 12 N 79–81; zur Unabhängigkeit im Allgemeinen N 54 ff.

[8] Das Verhältnis zwischen Honorarabreden und den gesetzlichen Pflichten gemäss Art. 12 BGFA ist komplex und vielschichtig; an dieser Stelle muss der Hinweis auf die weiterführende Literatur dazu genügen: Vgl. Walter Fellmann a.a.O. Kommentar zu Art. 12 BGFA; Christof Bernhart: Die professionellen Standards des Rechtsanwalts, Zürich/St. Gallen 2011, S. 111 ff. je mit weiteren Hinweisen.

4. Weitere Mandantenbedürfnisse

19 Weitere Erwartungen an die Dienstleistung des Anwaltes sind je nach Situation:

- Projektführung bzw. Mitarbeit und Unterstützung bei der Projektführung.
- Häufig besteht die Erwartung, dass der Anwalt Vergleiche (Erfahrungswerte) mit anderen Industrieteilnehmern und/oder anderen Mandanten in vergleichbaren Fällen liefert («Wie machen es die anderen?»); soweit dies anwaltsgeheimniswahrend gemacht wird, ist dagegen nichts einzuwenden.
- Dokumentenmanagement bei Prozessen und Transaktionen.
- Erstellung und Betreuung von Datenräumen bei Transaktionen.
- Zu Recht erwartet der Mandant einen guten Service von der ganzen Kanzlei einschliesslich der Assistenten, Rezeption, EDV-Abteilung, Dienste etc.; dazu gehören unter anderem Hilfsbereitschaft, Freundlichkeit, Sprachfähigkeit, Lösung von logistischen Problemen etc.
- Beratung betreffend Kommunikation im Projekt; schliesslich ist es manchmal sinnvoll, den Mandanten zu beraten, wie er am besten mit der Kanzlei kommuniziert.

5. Organisatorische Vorkehrungen in der Anwaltskanzlei

20 Angesichts der vorstehend geschilderten Herausforderungen ist es sinnvoll, in der Anwaltskanzlei den Mandatsannahme- und Instruktionsprozess zu strukturieren und entsprechende Checklisten und Weisungen zu etablieren. Dabei sind – neben der Instruktions-Checkliste – drei Bereiche zu unterscheiden, nämlich:

5.1 Mandatsannahmekompetenz

21 In einer Kanzlei mit verschiedenen Stufen von Berufsträgern ist es sinnvoll, die Kompetenz zur Annahme eines Mandats auf die Teilhaber (Partner) zu beschränken und für die anderen Berufsträger das Verfahren zur Mandatsannahme speziell zu regeln, beispielsweise so, dass der jeweilige Berufsträger einen Teilhaber als Mentor zugewiesen bekommt, welcher auch für allfällige Mandatsannahmen zuständig ist. Weiter ist es sachgerecht, die Mandatsannahmekompetenz für besondere Mandate, beispielsweise Mandate zur Übernahme von Organfunktionen in juristischen Personen, Mandate als Schiedsrichter, weitreichende Mandatsvereinbarungen mit Mandanten (beispielsweise solche, die ganze Konzerne umfassen), Pro-bono-Mandate etc. den einzelnen Teilhabern zu entziehen und einem Gremium zur Genehmigung zu übertragen. In diesem Zusammenhang ist es effizient, wenn die Annahmekriterien, die das Gremium zu beurteilen hat,

sowie der Annahmeprozess festgelegt werden; dadurch schafft man Transparenz und sichert die Gleichbehandlung. Die Delegation der Mandatsannahmekompetenz für solche Fälle ist vor allem für grössere Kanzleien von erheblicher Bedeutung für die Umsetzung einer vereinbarten Strategie und die Einheitlichkeit der zum Teil nach aussen transparenten Entscheidungen. Gut organisierte und wirtschaftlich sensibilisierte Kanzleien überlassen auch die Entscheidung über besondere Honorarvereinbarungen nicht dem einzelnen Teilhaber, sondern übertragen solche Entscheidungen einem Gremium.

5.2 Mandatsannahmeprozess

Neben der Frage, wer ein Mandat annehmen kann, sollte der Mandatsannahmeprozess auch regeln, welche Abklärungen bzw. internen Vorkehrungen zu treffen und wie 22
diese zu dokumentieren sind. Im Vordergrund stehen dabei die Konfliktprüfung (rechtliche und geschäftliche Konflikte), die Prüfung der Unabhängigkeit, sofern Schiedsrichtermandate tangiert sind, die *Know-your-customer*-Prüfung sowie die Prüfung, ob das Know-how, die Erfahrung und die entsprechend geeigneten Ressourcen vorhanden sind. Eine strategisch sensibilisierte Kanzlei wird auch vorsehen, dass die strategische Seite einer Mandatsannahme überprüft wird, also ob das Mandat mit der Strategie der Kanzlei vereinbar ist bzw. die strategische Ausrichtung unterstützt.

5.3 Organisation der Arbeitszuteilung (sogenanntes *Staffing*)

Wie vorstehend erläutert, ist die effiziente Arbeitszuteilung einerseits entscheidend 23
für den Erfolg einer Kanzlei, andererseits ist sie eine ihrer grössten organisatorischen Herausforderungen. Erforderlich sind eine klare Zuständigkeitsregelung sowie ein den Strukturen der Kanzlei angemessenes Monitoring der Arbeitsbelastung. Ist eine Kanzlei in verschiedenen Teams (Praxisteams) organisiert und besteht diese Organisation nicht nur auf dem Papier, so dürfte es in der Regel sinnvoll sein, die *Staffing*-Verantwortung der Leitung der einzelnen Praxisteams zu übertragen. Besteht die Leitung aus mehreren Anwälten, ist es erforderlich, dass sich diese periodisch über die Arbeitszuteilung absprechen. Damit dies sachgerecht möglich ist, haben die Angehörigen des Praxisteams periodisch (z.B. wöchentlich an einem bestimmten Tag bis zu einer bestimmten Zeit) ihre jeweilige erwartete Auslastung über eine festgesetzte Periode (z.B. drei Wochen) bekannt zu geben. Dabei können Mandate in verschiedene Stufen eingeordnet werden, je nach Grad der Beschäftigung für die Mitarbeitenden. Klar ist, dass diese Lösung in Kanzleien, in denen Praxisteams nur auf dem Papier bestehen, von vornherein scheitert. Für die Angehörigen der Praxisteams bedarf es einer Prioritätsregelung (z.B. die Regelung, dass im Grundsatz das ältere Mandat dem neueren vorgeht). Für die Abstimmung unter den Praxisteams kann ein Koordinationsgremium bestimmt werden, das die praxisteamübergreifende Zuteilung überwacht und im Konfliktfall entscheidet, nicht aber die in der Regel täglichen, praxisteamübergreifenden Arbeitszuweisungen regelt. Letz-

teres sollte zwischen den Teamleitern oder den betroffenen mandatsführenden Anwälten direkt geregelt werden. Das organisatorische Korsett dafür kann auch für eine grössere Kanzlei knapp und genügend flexibel gehalten werden. Wie bei allen Regelungen gilt auch hier, dass knappe und klare Regeln, die umgesetzt und gelebt werden, besser sind als detailverliebte Reglemente, deren Einhaltung letztendlich hauptsächlich administrativen Aufwand mit sich bringt und die darum nicht befolgt werden.

5.4 Mandantenfeedbacks

24 Als eine der wichtigsten Quellen zur Identifikation und Berücksichtigung von Mandantenbedürfnissen und damit zur Verbesserung der Dienstleistung dient ein regelmässiges Feedback, sei dies bei Dauermandanten in regelmässigen Zeitabständen oder nach bestimmten Projekten. Die Erfahrung zeigt, dass ein projektbezogenes Debriefing in der Regel einfacher und gewinnbringender ist als das Debriefing nach Zeitabständen. Dies ergibt sich aus der Natur der Projektarbeit, die in vielen Fällen über eine limitierte Zeit sehr intensiv ist und sich darum für ein Debriefing besser eignet. In der Praxis wird oft von Debriefings gesprochen, in der Realität finden diese allerdings weit weniger statt, als man aufgrund der Aktualität des Themas glauben könnte. Die Gründe dafür sind vielschichtig: Häufig besteht wohl kein Bedürfnis, da aus Sicht der Hauptbeteiligten «alles gut gegangen» ist. In einigen Fällen – so jedenfalls das Gefühl des aussenstehenden Beraters – wird das Debriefing vermieden, um interne Konfrontationen oder Schuldzuweisungen zu vermeiden oder Personen ausserhalb eines Unternehmens keinen Einblick in interne Konfrontationen zu gewähren. Dies ist legitim; festzustellen ist, dass es dem Berater nicht hilft, in einem anderen Fall zur Überwindung solcher Konstellationen beizutragen.

25 Neben den projektbezogenen Debriefings sind periodische Besprechungen mit Mandanten über das gegenseitige Verhältnis (sogenannte *relationship meetings*) hilfreich, allerdings nur dann, wenn sie gut vorbereitet sind und die richtigen Personen teilnehmen, nämlich diejenigen, welche hauptsächlich zusammenarbeiten. Sinnvollerweise ist bei solchen Besprechungen darauf zu achten, dass neben einzelnen Projekten gerade auch allgemeine Fragen des gegenseitigen Verhältnisses und Verbesserungsmöglichkeiten zur Sprache gelangen. Wichtig und hilfreich bei solchen Besprechungen sind Informationen über den Mandanten und ebenso Informationen über die Anwaltskanzlei. Wenn der Mandant bereit und in der Lage ist, die für ihn aktuellen Fragen und Probleme anzusprechen, so hilft dies dem Anwalt, in zukünftigen Mandaten die Situation des Mandanten besser zu verstehen. Gleiches gilt umgekehrt: Gerade wenn es sich um eine grössere Anwaltskanzlei handelt, ist es für Mandanten hilfreich und wichtig zu wissen, wie diese Kanzlei funktioniert. Dabei hilft schon die Erkenntnis, dass auch die Kanzlei ein Unternehmen ist (einige Anwaltskanzleien in der Schweiz haben heute über 200 Mitarbeiter, sind also von der wirtschaftlichen Bedeutung her mittlere KMU). In den letzten Jahren sind einzelne, vor allem grosse international tätige Konzerne dazu übergegan-

gen, das Verhältnis zu den Anwaltskanzleien über die internen «Einkaufsabteilungen» zu koordinieren bzw. zu «managen». Aus der Sicht schweizerischer Anwaltskanzleien ist dies in der Mehrzahl der Fälle eine unglückliche Entwicklung, sind doch Einkaufsabteilungen in der Regel nicht genug über die Tätigkeit von und die Zusammenarbeit mit Anwaltskanzleien informiert, was zu Missverständnissen und erheblichen Ineffizienzen führen kann. Es bleibt den betroffenen Kanzleien überlassen, die Mandanten auf diese Umstände hinzuweisen; nicht immer, aber in vielen Fällen stösst man dabei bei den Vertretern des Mandanten, welche im täglichen Geschäft mit Anwaltskanzleien zusammenarbeiten, auf ein gewisses Verständnis.

5.5 Mandantenbefragung

Schliesslich profitieren Mandanten und Anwaltskanzlei, wenn von Zeit zu Zeit unab- 26
hängige Dritte (z.B. Beauftrage oder ehemalige Partner) die Mandanten kontaktieren und zur Leistung der Kanzlei befragen. Dabei ist darauf zu achten, dass die Vertreter der Mandanten nicht zu häufig angegangen werden und möglichst effizient ihren Beitrag leisten können. Die Befragung ist dann am wirksamsten, wenn sie anonym erfolgt, die Kanzlei also nicht weiss, wer welche Aussagen gemacht hat und ein Rückschluss auf den Mandanten nicht möglich ist. Diese Art der Befragung gibt dem Mandanten die Möglichkeit, auch Punkte aufzubringen, die ihm vielleicht als unangenehm oder zu gering erscheinen, als dass er sie in einem persönlichen Gespräch gegenüber der Kanzlei selbst aufbringen würde; nicht selten sind aber dies gerade wichtige Hinweise, die der Kanzlei wesentlich helfen, Mandantenbedürfnisse zu erkennen und ihre Dienstleistung zu verbessern.

C. What a Global In-house Legal Function Expects from External Counsel

Beat Hess

1 Over the course of my career as General Counsel for two large companies, Royal Dutch Shell plc and ABB Ltd, I was often asked what a global in-house legal function expects from external counsel. While one may be tempted to say in typical lawyer fashion, «it depends on the circumstances,» I believe there are some essential requirements that apply regardless of the circumstances.

2 To put this discussion in context, it may be helpful to briefly recall why a global legal function might use external counsel. In my experience, external counsel is most often used to manage work volume – «peak shaving,» to obtain expertise or knowledge unavailable in-house, to comply with local laws and professional practice rules, to provide short-term resources and to handle high volume, low risk routine work that might be more efficiently dealt with externally. Occasionally, an outside firm is also retained with a view of maintaining attorney-client privilege, at least at the very outset of an emerging matter, in jurisdictions where this privilege is not recognized for in-house counsel.

1. Legal Technical Skills

3 Of course, the first requirement for all mandates is the necessary technical legal skills, i.e., the breadth and depth of experience for the specific mandate as well as top quality professional advice. Global companies mostly retain law firms of high reputation, with high hourly rates. Accordingly, one can expect the highest quality of legal skills and services, and a solid knowledge of the law and of the relevant doctrine and jurisprudence.

2. Efficiency

4 The second requirement is cost competitiveness and value for money. Starting with the first contact with external counsel, communication, clarity of roles and teamwork are key to ensuring the efficient allocation of in-house and external resources. There should be a detailed discussion of the role that the external firm is expected to perform as well as the tasks to be performed in-house before the letter of engagement is signed. This discussion should include agreeing partners and associates at the appropriate levels of seniority, agreeing the specialists and the time they spend on a matter (global legal functions often already have many specialists), and agreeing on the depth of advice, having considered the risk/cost equation. A «Rolls Royce» or «gold-plated» approach is not required for every matter, and communication up-front can ensure focus without over-

resourcing. It is also important to establish realistic estimates of total costs at the outset, based on stated and realistic assumptions, recognizing that things may evolve over the course of the matter, and thereby require a review and revision of the costs. This is perfectly acceptable provided there is good communication and agreement on what is and is not required. To emphasize the importance of communication as it relates to cost management, the following is an extract from a Request-for-Proposal-Response-Form, which I used in the context of selecting a panel of law firms:

«Successful respondents will be highly sensitive to satisfying client requirements, including effective cost management. Successful respondents will have excellent written and oral communication skills and will be required to communicate regularly and effectively on the status of each matter. 5

The communication will start with a discussion of a budget for the matter, staffing, allocation of work between the firm and the in-house team as well as a cost-benefit analysis of the legal approach(es) being considered. The communication will continue with regular updates on the matter, including costs and opportunities to reduce costs, as well as advance warning of estimate overruns. At the end of each matter, the successful respondent will ensure that any learning, both substantive legal and operational/relationship, is captured and shared with the company.» 6

It is also important that fees are proportionate to risks managed and value added, and in accordance with sensible terms and conditions. A client should not pay for intra-firm conferences («associate A discusses case with associate B»), or for legal research on basic principles and areas of law where an existing in-depth knowledge of the lawyers assigned to a matter can reasonably be expected, for assignments to inexperienced lawyers, reassignments between lawyers, processing conflict searches, preparing billing statements, responding to inquiries concerning invoices, or matters similar to those previously handled by the firm. 7

And what about fixed fee retainers, volume discount and reduced rates? Do these make a difference? There may be some advantages, such as predictable spend or «insurance» against higher costs if demand increases. The key here is flexibility and responsiveness to the needs of the client and effective cost management through communication as discussed above, regardless of the fee arrangement chosen. I have never been particularly impressed with discounts. Every law firm offers them. «Managing the hours» is more important and effective. This means for in-house counsel that he or she will play an active role in specifying how many lawyers and paralegals are needed for the successful management of a matter, on which issues they are expected to concentrate and how many hours will approximately be spent. For example, is it really necessary for a defendant company to waste costly partners' hours on document preservation measures or pre-trial discovery when there is a high probability that a case will be settled? All too often in-house lawyers are hesitant, or even shy, to simply say «I don't want this depo- 8 sition now – we might consider doing it at a later stage» or «I don't need two partners here – one is sufficient». In-house counsel and their in-house clients are quick to blame outside firms for high cost and excessive invoices, but in my experience the real problem, or at least a contributing factor, is almost always poor in-house case management. One cannot realistically expect outside law firms to take strong initiatives to reduce cost for their clients, for instance by suggesting a sensible division of work between the firm and the in-house legal team. The few ones who do – those who tell me how I can most effectively manage their and my hours – almost certainly lay the foundations for a fruitful, long-term relationship. These are the firms who have understood that one of their missions is to make the General Counsel look good when it is time to present the legal budget to the CEO.

3. Trust and Availability

9 The third and perhaps the most important requirement is the ability to work with the in-house team. In my view, the basic principles for good cooperation between in-house and external lawyers are trust and availability. I place a lot of trust in external counsel to provide an assessment of potential risks and to anticipate issues. In any dynamic and global industry, the ability of external counsel to foresee, prevent or at least mitigate against future issues is invaluable. I trust that my advisers have done their due diligence and applied their best minds to my difficult challenges. This doesn't mean I expect to be advised of the safest course of action, but rather that the risks and potential rewards have been properly considered and assessed, both with regard to the issue at hand and as part of the bigger picture.

10 The bigger picture includes issues that are not purely legal ones. I have often looked to external counsel for guidance in the greater scheme of things, especially where we had the technical legal skills in-house. External counsel knowledge and understanding of the client and its businesses, and compatibility with the client's approach to doing business, are all critical to the quality of this guidance. And in-house counsels of large global companies, the General Counsel in particular, are continuously faced with potentially conflicting interests and expectations. The Chairman, the Board, the CEO, the Executive Committee and other internal and external stakeholders may all have their own views as to how a legal issue should be addressed. Here, outside counsel must come in as the trusted mentor without «letting the meter run» for each and every good piece of advice. And again, part of their mission is to make the in-house counsel look good in his or her internal environment, and to be alert to situations where the in-house counsel needs to show that he or she is at all times in full control of pending legal issues, and able to proactively address emerging risks. Why not offer the General Counsel, free of charge, as a friendly gesture, a couple of pages of speaking notes when he or she needs

to explain to the Board that all Board members have been named defendants in a law suit and how this is going to be resolved? It's worth a try.

Likewise, I also trust external counsel to work with internal business colleagues in a focused manner, avoiding too much «legalese» and providing pragmatic solutions. Most business people are not really interested in legal details. Who would blame them? They want obstacles out of their way and move on. And where litigation or arbitration interferes, they have their own perception as to what is just and unjust and who is right and who is wrong. Outside counsel is often well positioned to help in-house counsel explain that justice is not a law of nature but administered by humans, so that consequences are easily understood and expectations remain realistic. 11

Another important aspect when choosing external counsel is the chemistry of the team. Who is the lead lawyer, how does he or she surround him- or herself with associates or other partners? How do all of the team members relate to my team? I, for one, choose my outside advisors based on the individuals in the first place. The name of the firm, while not unimportant, comes second. The engagement letter, terms and conditions, discounts, etc., are all fine and important, but if the personal connection is not there, then the first basic principle I described earlier – trust – may be lacking. 12

But how does one measure or assess trust? One question to ask oneself is: does this person share the same values as the company and me? If not, there is a high risk of miscommunication, inefficiency, extra effort and indeed less than optimal outcomes in the matter at hand, be it negotiations with third parties, interaction with business colleagues, or dealing with government officials. A more personal question is how would I feel sharing cold pizza in a boardroom at 3 am for two weeks in a row with this person? Or one can take a more mathematical approach, such as Charles H. Green did with his trust equation[1]: 13

$$TQ = \frac{C + R + I}{S}$$

where C is credibility (the person is credible on the subject), R is reliability (the person is dependable and will deliver), I is intimacy (it is safe to entrust things with that person, such as confidential information) and S is self-orientation (the person's own self-interest). If one thinks about external counsel in the context of this equation, it becomes easier to differentiate them on the trust quotient (this may come in handy if you need to work with your in-house contracting and procurement department to source external counsel). 14

1 «Trust in Business: The Core Concepts», by Charles H. Green, 2007, in http://trustedadvisor.com/cgreen.articles/38/Trust-in-Business-The-Core-Concepts (viewed 29 March 2012).

15 Turning to availability, or call it responsiveness, this is also of great importance. External counsel must be available. This means proper staffing, coverage during off-hours and absence of conflicts. It goes without saying that responsiveness of external counsel is essential to the relationship. For a global company with operations in most time zones, a workday never really comes to an end.

16 A word about what I expect not to see from external counsel: When I get the feeling that I'm being taken advantage of because the company has so-called «deep pockets,» I will not consider retaining that lawyer or firm in the future. There is a limit to the appetite of reptiles, or sometimes even greed, one can tolerate. The following are a few other quick ways to lose my company as a client: solicit or accept a mandate from a business person directly without the involvement of an in-house lawyer; underestimate the cost of the matter and only notify the in-house lawyer when the invoice is issued; accept a mandate and then have to drop it later for a pre-existing conflict you did not think would become a problem; change the partner in charge of a litigation case right before trial without informing the client; act in a rude or abrasive manner towards «lower level» people; bill for things that I thought were offered as a courtesy – like a quick expresso between meetings, a pocket book on American cuisine for $4.95 or a funny T-shirt on the occasion of the closing of an important transaction. Unfortunately, I have had to deal with all of these situations.

17 In an ever more cost-constrained economic and increasingly regulated environment, it is incumbent on global legal functions to select external counsel that can meet their expectations. While legal technical skills, cost management, competitiveness and efficiency are all table stakes, trust and responsiveness remain the key to a successful relationship.

18 And the epilogue: Outside law firms play an important role for global corporations. Often, half or even more of a company's legal budget reflects their cost – mostly justified, and some times not. I have chosen skills and efficiency, and trust and availability, as key requirements for their successful work. At the end, the words honesty and transparency perhaps best describe what I have always been looking for. Honesty and transparency as to which top quality services a firm can and which it cannot provide, honesty and transparency in how it charges its clients for the work performed, and honesty and transparency in the relationship with the in-house legal folks. Also, a minimum level of politeness never hurts – and comes for free.

D. Erfahrungen eines Unternehmers im Umgang mit amerikanischen Anwaltskanzleien

URS TANNER

1. Einleitung

«95% aller US-Verfahren werden vor einem erstinstanzlichen Urteil aussergerichtlich beigelegt!»

Exportorientierte Unternehmen in Europa sind auf dem amerikanischen Markt mit einem Rechtsverständnis konfrontiert, das juristische Offensiven als völlig normales Mittel zur Durchsetzung geschäftlicher Interessen sieht. Oft hat eine Klage in USA nur ein Ziel: MONEY! 1

Klagen sind als *costs of doing business in the US* zu betrachten und müssen in die Kalkulation einbezogen werden. Sowohl die Gegenanwälte wie auch die eigenen Rechtsvertreter verhalten sich im Verkehr mit Unternehmen, die in eine rechtliche Auseinandersetzung verwickelt sind, substanziell anders als sich die Unternehmen dies von europäischen Anwälten gewohnt sind. Der Auswahl, Instruktion und Steuerung eigener Anwälte kommt daher eine besonders grosse Bedeutung zu. Fundierte Kenntnisse über den generellen Ablauf eines US-Gerichtsverfahrens sind Grundvoraussetzung einer erfolgreichen Zusammenarbeit mit den eigenen Anwälten. Die nachstehenden Ausführungen sind aus der Sicht einer mehrfach beklagten Unternehmung zusammengestellt. Der Autor verfügt als Delegierter des Verwaltungsrates eines in den USA tätigen Schweizer Unternehmens über jahrelange profunde Erfahrungen in *class action law suits, antitrust litigation (horizontal and lateral price fixing)* und *patent infringement litigation.* Dies auf allen drei Instanzen des amerikanischen *legal system* (District Court; Federal Circuit und Supreme Court). 2

2. Der US-Rechtsstreit

2.1 Einleitung

Die USA wird oftmals als *a law suit happy nation,* als klägerfreundliche Nation, bezeichnet. Kommt es zu einer Auseinandersetzung, empfiehlt es sich daher, sich mit den Details eines US-Verfahrens vertraut zu machen. Je besser man sich auskennt, desto gezielter kann man die Anwälte auswählen, instruieren und führen. 3

US-Verfahren ziehen exorbitante Kosten nach sich. Bis zu einem erstinstanzlichen Urteil investiert die beklagte Partei oftmals mehr als 3 Mio. US-$. Dazu kommt, dass ein sol- 4 ches Verfahren, welches sich in der Regel mit deutlicher Wahrscheinlichkeit über mehr als drei Jahre erstreckt, eine hohe zeitliche und emotionale Belastung des Managements darstellt.

5 Ein US-Verfahren unterscheidet sich grundlegend von einem Verfahren in der Schweiz. So bestehen die US-Verfahren fast ausschliesslich aus *jury trials,* d.h. aus Laien, welche anstelle des Richters, der bloss Rechtsfragen beurteilt, einen Fall entscheiden können. Daneben sei insbesondere auch bei *lawyer driven law suits* Vorsicht geboten. Bei dieser Klage gibt es keinen eigentlichen Kläger *(plaintiff)*. Die Klage wird von einer Gruppe von Anwälten eingereicht, denen es ausschliesslich um Geld geht. Eine weitere Besonderheit des *US law suit* sind aussergerichtlich erreichte eidesstattliche *(under oath)* Zeugenaussagen, sogenannte *depositions,* welche auf Video und in einem Wort-für-Wort-Protokoll festgehalten werden, um in einem eventuellen Gerichtsverfahren zu einem späteren Zeitpunkt verwertet werden zu können. Solche *depositions* bedürfen einer intensiven und spezifischen Vorbereitung – sowohl mental, als auch in der Sache selbst. Zu dieser Vorbereitung zählt insbesondere, dass Mitarbeiter, die in ein Verfahren involviert sind, entsprechend geschult werden müssen. Dies gilt insbesondere für Nicht-Amerikaner.

6 Schliesslich sei erwähnt, dass sogenannte *early settlements,* also aussergerichtliche Vergleichshandlungen mit Leistungen zwischen 20000 US-$ und 500000 US-$ sehr empehlenswert und klar einem gerichtlichen Verfahren vorzuziehen sind, falls es sich nicht um eine Entscheidung einer Grundsatzfrage handelt.

7 Im Sinne einer Übersicht seien schliesslich folgende Verfahrensschritte und Dokumente erwähnt, die Momente einer Einflussnahme sein können: *litigation hold; protective order; custodians and search terms* (heute erfolgt die Dokumentensuche mehrheitlich elektronisch und durch externe Spezialisten), *witnesses (fact witnesses* und *expert witnesses); depositions and deposition preparation (who, about what and why); settlement negotiations; damage models; pre-trial; mock trial; trial* mit *jury selection, cross examination* und *post trial.*

2.2 Ablauf und Übersicht des US-Verfahrens

Das US-Verfahren ist ein Induktions- und Deduktionsprozess (vereinfachte Darstellung). 8

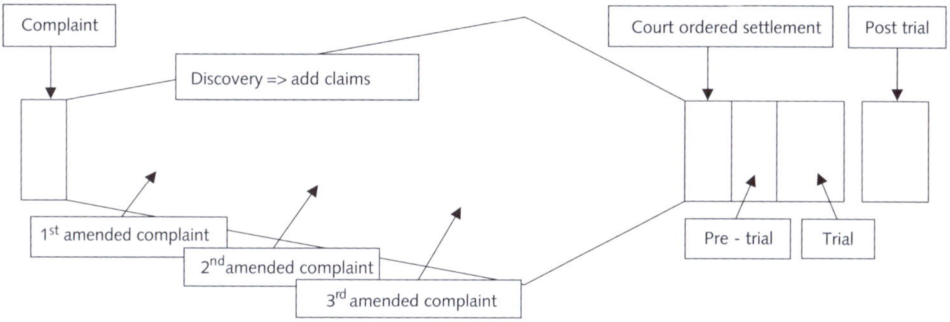

Abbildung 1

In den USA wird ein *law suit* oftmals auf einer sehr schmalen Faktenbasis eingeleitet *(complaint)*. Die Erweiterung der Faktenbasis und die Beweissicherung erfolgt nahezu ausschliesslich mit dem Mittel der *discovery*. Dabei werden Dokumente und Zeugenaussagen bei der Beklagten einverlangt, gesichtet und ausgewertet. Das *Discovery*-Spiel wird in Runden gespielt. Nach jeder Spielrunde wird die Klage erweitert, verbessert und vertieft *(add counts)*. Je mehr entscheidende Unterlagen die Klägeranwälte bei der Beklagten finden, desto besser und spezifischer kann die Klage ausgestaltet werden. Bei der Beschaffung von Beweismaterial spielen unter den Führungskräften versendete E-Mails eine absolut zentrale Rolle. 9

Die Beschaffung von Beweismaterial geschieht in der Regel wie folgt: 10

Die Beklagte wird aufgefordert, Dokumente zu liefern:	Der Kläger erstellt danach:
1st set of document production	1st amended complaint
2nd set of document production	2nd amended complaint
3rd set of document production	3rd amended complaint
etc.	etc.

Die Dokumentensuche geschieht heute mehrheitlich elektronisch. Mittels *interrogatories* und *requests for production of documents* werden die Klägeranwälte fallrelevante Informationen einfordern. In einer frühen Phase des Verfahrens wird herausgefiltert, wer bei der Beklagten über welche Informationen verfügt, bzw. verfügen könnte *(custodians)*. Anhand dieser Informationen werden die Schlüsselbegriffe/Schlüsselsätze definiert, welche bei der elektronischen Dokumentensuche angewendet werden *(search terms)*. 11

Es ist für die Beklagte absolut zentral, die Anzahl der *custodians* so tief wie möglich und die *search terms* so präzise und eingeschränkt wie irgend möglich zu halten.

12 Während dieser Phase des Verfahrens werden zum ersten Mal die substanziell gegensätzlichen Interessen der Unternehmung und der eigenen Anwälte sichtbar. Die Unternehmung möchte so wenig Personen und Informationen liefern wie nur möglich *(under production)*. Der eigene Anwalt möchte möglichst alle Personen und Information kennen, um bei nachgelagerten Prozessschritten nicht durch unvorhergesehene Tatsachen überrascht zu werden *(over production)*. Zudem will der Anwalt seinen eigenen Ruf nicht beeinträchtigen. Nach abgeschlossener elektronischer Suche müssen die Anwälte ihre eigenen Dokumente sichten und abschätzen, welche Dokumente von der Gegenpartei auf welche Art interpretiert werden könnten *(spin)*.

13 Es gilt zu beachten, dass eine handvoll «ungeschickter» Dokumente ausreichen kann – oft E-Mails zwischen Führungskräften –, um diese enorm unter Druck zu setzen.

14 Zwecks Verifizierung von Fakten und Zusammenhängen und auch zur Vorbereitung des *trials* wird das Mittel der *deposition* (eidesstattliche Erklärung) eingesetzt. Bei der *deposition* befragt der Klägeranwalt den Zeugen *(witness)*. Die Befragung wird auf einem Vidoetape (Kamera läuft!) und in einem Wort-für-Wort-Protokoll *(transscript)* festgehalten. Die besondere Art dieser Befragung bedarf einer speziellen, intensiven und sorgfältigen Zeugenvorbereitung, insbesondere für Nicht-Amerikaner. Ohne umfassendes mehrtägiges Training endet eine *deposition* in einem Fiasko.

15 Nach Abschluss der *Discovery*-Phase *(discovery cut off date)*, hat der Kläger seine gesamte «Munition» gesammelt und aufbereitet. Die Klägeranwälte entscheiden in der Folge, welche Klagepunkte sie tatsächlich in den Prozess *(trial)* einfliessen lassen wollen. In diesem Deduktionsprozess werden die erfolgsträchtigsten Klagepunkte aufbereitet.

16 Wie Eingangs erwähnt, sind Verfahren in den USA fast immer *jury trials*. Dies bedeutet, dass ein Urteil durch eine Jury und nicht durch einen Richter gefällt wird. Als Partei muss man somit die Jury und nicht den Richter überzeugen. Dieser besondere und sehr wichtige Umstand muss unbedingt bei der Auswahl der Anwälte entsprechend mitberücksichtigt werden[1].

17 Geht es in der rechtlichen Auseinandersetzung nicht um eine prinzipielle Fragestellung – z.B. um eine Patentverletzung – sollte ein *settlement* immer in Betracht gezogen werden. Dabei sollten nicht Gefühle, wie z.B. verletzter Stolz, massgebend sein. Rationales Denken und Handeln sind hierbei gefordert. Diese *settlement negotiations* können begleitet und geführt *(mediator)* oder alleine *(party to party negotiations)* durchgeführt wer-

---

[1] Entscheidende Fragen lauten etwa: Wie wirken Ihre Anwälte vor einer Jury? Wie erfolgreich können Ihre Anwälte einen komplexen Sachverhalt an Laien (Jury) kommunizieren – z.B. bei einer Patentverletzungsklage? Wie effektiv können die Anwälte die Beklagte während einer *cross examination* schützen und Zeugen der Kläger unter Druck setzen?

den. Gelingt eine frühe aussergerichtliche Einigung *(early settlement)*, spart die Beklagte substanziell Geld, Zeit und insbesondere Nerven *(inconvenience factor)*.

2.3 Erfahrungen der Medela Inc. mit dem US-Verfahren

Am Beispiel der rechtlichen Auseinandersetzung *Kinetic Concepts Inc. vs. Medela Inc.*[2] 18
sei dieser Induktions- und Deduktionsprozess nochmals verdeutlicht. Die Originalklage *(complaint)* enthielt 10 unterschiedliche Klagepunkte *(count one – count ten)*. Nach der *discovery* und der fünften Klagerevision *(5th amended complaint)* bestand die Klage aus 15 unterschiedlichen Klagepunkten (Induktion). In den Jury Trial kamen noch fünf unterschiedliche Klagepunkte (Deduktion).

3. Der US Legal Counsel (Gedanken und Abklärungen sowie Auswahl, Instruktion und Steuerung des US-Anwaltes)

3.1 Einleitung

Die Interessen eines mandatierten Anwalts und die Interessen der Klientschaft sind nicht 19
kongruent.

Plakativ formuliert, verdient ein mandatierter Anwalt am meisten, wenn er das Verfah- 20
ren kurz vor dem eigentlichen Prozess *(trial)* mittels Vergleich beenden kann. Zudem kann er auf diese Weise den Tatbeweis für die Qualität seiner Position im Prozess und für die seiner anwaltlichen Leistung umgehen. Demgegenüber ist es der beklagten Partei wichtig, eine möglichst rasche und kostengünstige Lösung des Falls zu erlangen.

Erfolgsrelevant für eine gerichtliche Auseinandersetzung in den USA ist einerseits die 21
adäquate Einstufung des Rechtsfalls und andererseits die Auswahl, Instruktion und Steuerung des Anwalts.

3.2 Adäquate Einstufung des Rechtsfalls

Nach Erhalt der Klage empfiehlt es sich, sich die nachfolgenden fünf Schlüsselfragen 22
zu stellen:

- Wer sind die Kläger (Privatpersonen, eine Unternehmung, ausschliesslich Anwälte)?

---

[2] *Kinetic Concepts, Inc., KCI Licensing, Inc., KCI USA, Inc., and Wake Forest University Health Sciences, (Plaintiffs) vs. Medela AG, Medela, Inc., (Defendants);* In the United States District Court for the Western District of Texas, San Antonio Division.

- Welche Klagemotivation könnte hinter der Klage stehen (Geld und…oder nur Geld)?
- Wie stuft die Beklagte selber ihre Verteidigungschancen ein?
- Soll dieser Rechtsfall aus Prinzip durchgezogen werden?
- Wer ist der Richter/die Richterin? Wie hat er/sie in der Vergangenheit entschieden?

23 Treten Anwälte als «Kläger» auf *(lawyer driven law suit)*, geht es fast ausnahmslos um Geld, sehr oft schnelles Geld. Diese Klagen werden nahezu immer aussergerichtlich gelöst. Der Schwerpunkt sämtlicher Verteidigungsaktivitäten liegt auf der Reduktion der Erwartungshaltung *(reduction of expectations)*. Diese Reduktion kann über Fakten *(fact discovery)* und andererseits über möglichst frühzeitige Teilerfolge *(granted motions)* erreicht werden. Ist eine Unternehmung Ziel eines *lawyer driven law suits*, empfiehlt es sich, das Geschäftsmodell der Klägeranwälte – oftmals sind mehrere Anwaltskanzleien involviert – genau zu analysieren. Entsprechende Informationen finden sich in vergleichbaren Fällen, in publizierten Vergleichen (z.B. bei *class action law suits*), *law journals*, bei befreundeten Kanzleien und im Internet. Klassische Beispiele für *lawyer driven law suits* sind *class action law suits, patent troll law suits, personal injury cases* etc.

24 Sind Privatpersonen und/oder Unternehmungen Kläger, sind deren Motive möglicherweise vielschichtig. In diesen Fällen lohnt sich ein Anruf des eigenen Legal Counsels beim Anwalt des Klägers, um eine bessere Einschätzung der Klagemotivation und allenfalls der angestrebten Lösung zu erhalten. Anlässlich dieses Telefonates können ebenfalls *early settlement options* erörtert werden. Wird Interesse an einem *early settlement* signalisiert, besteht der nächste Schritt darin, ein *settlement demand* zu verlangen. Oftmals kann damit ein Fall gelöst werden, bevor dieser richtig begonnen hat. Dies lohnt sich (fast) immer.

25 Sehr wichtig ist die eigene Verteidigungsmotivation. Geht es um die Entscheidung einer «Prinzipienfrage», welche unbedingt durchgezogen werden muss, empfiehlt es sich bei allen Vorabklärungen, keinen Aufwand zu scheuen, um die Rechtsfrage zuverlässig abklären zu lassen[3]. Denn Fehleinschätzungen können in den USA sehr, sehr teuer werden.

26 Eine zentrale Rolle spielt der Richter. Entscheidet er vieles selbst oder überlasst er die meisten Entscheidungen der Jury? Wie klägerfreundlich entscheidet er? Wie speditiv werden die Fälle vorangetrieben oder werden die Fälle immer wieder verschleppt? Wie viele gleichartige Fälle stehen bei diesem Richter noch an (*docket* überprüfen)[4]?

---

[3] Darunter ist u.a. die persönliche Beobachtung des Richters und der potenziellen Anwälte zu verstehen.

[4] Es empfiehlt sich, all diese Fragen genau zu prüfen. Hiezu gibt es in USA spezialisierte Einzelpersonen und Unternehmungen. Je klarer und spezifischer die Fragen sind, desto aussagekräftiger fallen die Antworten aus. Medela hat mit der Winning Case Inc. sehr gute Erfahrungen gemacht. Kontaktangaben und ausgewertete Beispiele sind beim Autor erhältlich.

3.3 Auswahl, Instruktion und Steuerung des US-Anwalts[5]

3.3.1 Einleitung

Die meisten US-Kanzleien haben eine klare hierarchische Struktur und sind – je nach Grösse – in einem oder mehreren Rechtsgebieten tätig[6]. Mit Erhalt einer Klage muss zuerst festgestellt werden, was Streitgegenstand und wer Gegenpartei ist. Danach empfiehlt sich die Erstellung einer *long list,* woraus sich schliesslich eine *short list* von möglichen Kanzleien ergibt. 27

Mögliche Kanzleien finden sich entweder im Internet[7], im *docket* des Richters oder durch Telefongespräche mit Firmen, welche am gleichen Ort und um einen ähnlichen Sachverhalt Prozesse führen oder geführt haben. Die aktive Kontaktaufnahme birgt den Vorteil, dass nicht bloss der Name der Kanzlei, sondern allenfalls erfolgskritische Zusatzinformationen[8] eingeholt werden können. 28

Hat ein Prozess tatsächlich stattgefunden – oder noch besser: findet demnächst statt –, sollten zwei bis drei Tage Zeit einkalkuliert werden, um den Prozess persönlich zu beobachten. Dies ist in den USA kaum ein Problem, denn praktisch alle Verfahren sind öffentlich zugänglich. Bei dieser Gelegenheit bietet sich die Chance, die möglichen Anwälte, deren Gegner und den Richter in Aktion zu erleben. Diese Wahrnehmungen sind wesentlich mehr wert als jede Referenzauskunft. Dieser Zeitaufwand kann als Mittelfristinvestition betrachtet werden, welcher sich sehr rasch auszahlen wird. 29

3.3.2 Management Summary

Die fünf wichtigsten Merkpunkte sind:

- Die Interessen des Anwaltes und die Interessen der beklagten Partei sind nicht kongruent. Zusammenfassend und überspitzt formuliert verdient der Anwalt am meisten, wenn er das Verfahren kurz vor dem eigentlichen Prozess *(trial)* mittels Vergleich löst. Als Beklagte möchte man aber eine möglichst rasche und kostengünstige Lösung des Falles. Es Bedarf besonderer Abstimmungsmassnahmen, um diese Interessenskonflikte zwischen Klient und Anwalt konstruktiv zu lösen. 30
- Richter in USA haben eine grosse Freiheit in der Abwicklung des Verfahrens und spielen für das Verfahren und dessen Ausgang eine absolut zentrale Rolle. Es ist 31

[5] Sämtliche nachstehenden Ausführungen beziehen sich auf: Class Action law suit: *McDonough et al. vs. Toys R us, Inc., et al.,* Civil Action No. 2:06-cv-00242-, in the US District Court for the Eastern District of Pennsylvania in Philadelphia.

[6] Beispiel: *Anti Trust Litigation (horizontal and lateral price fixing, bundling* usw.).

[7] Z.B. unter: www.law.com, im Buch: Chambers Global – the world's leading lawyers for business – the clients guide 2009 – www.chambersandpartners.com.

[8] Wer war der *lead lawyer* im Verfahren? Welches *legal team* arbeitete an diesem Fall? Wer war Richter im Verfahren? Wer war *law clerk* bei diesem Richter? Kam es zum Prozess *(trial)* oder wurde die Angelegenheit aussergerichtlich beigelegt?

sehr empfehlenswert, detaillierte Informationen über den Richter/die Richterin einzuholen.

32 • Eine lokale Kanzlei hat viele Vorteile. Sie kennt: den Richter, den *law clerc* des Richters (wichtig), die lokalen Gesetze und Verfahrensschritte, die lokale Population, aus welcher die Jury gebildet wird, etc.

33 • Je mehr die beklagte Partei selber über das US-Verfahren weiss, desto effektiver kann sie ihren Anwalt auswählen, mit ihm zusammenarbeiten und (mit)-entscheiden. Sie entwickelt sich so zu einem *high involvement client* und spart dadurch letztendlich substanziell Geld, Managementzeit und Nerven.

34 • Der ausgewählte Anwalt muss zur beklagten Partei passen (Brand Image) und sie muss ihm vertrauen. Es sollte daher die nötige Zeit für eine umfassende, detailorientierte Evaluation investiert werden, welche namentlich auch Referenzauskünfte umfassen.

3.4 Auswahl der Kanzlei / des *lead lawyer*

35 Für den Vergleich von verschiedenen Kanzleien wird eine auf den spezifischen Fall abgestimmte Frageliste respektive ein Kriterienkatalog benötigt. Voraussetzungen um überhaupt in die Evaluation aufgenommen zu werden, waren im Falle von Medela folgende:

1. Sound antitrust experience (price fixing, Sherman-Act etc.).
2. Tried cases in front of this judge, preferably successfully (won).
3. Experienced trial lawyer.
4. Can successfully integrate a high involvement client.
5. Accepts a «pay for results» payment model.

36 Nachstehend die von Medela eingesetzte Frageliste mit den 20 relevanten Fragen:

1. How would you define or categorize the issues in the alleged complaint? In simple terms, what kind of case is this?
2. Explain any similarities between the alleged complaint and prior cases you have tried.
3. In lay terms, please explain the key elements of price fixing, the Sherman Act, and the Clayton Act.
4. What are potential pitfalls for Medela in a case like this? How would you navigate around those pitfalls?
5. What is the history of price fixing cases in the legal district having jurisdiction over our case? Has history favored plaintiffs, defendants, or an equal balance?

6. Why did you choose to specialize in antitrust law?
7. Did you (or do you) specialize in any other area of law?
8. For how many years have you been a litigator? Have you always been a trial lawyer?
9. How many antitrust cases have you tried as chief litigator?
10. What is your win-loss record?
11. For the cases you did not win, what did you learn from the experience?
12. Have you ever tried a case in front of Judge Brody? If yes, what was the outcome? What did you learn about Judge Brody that would benefit you in future litigation?
13. Do you know Judge Brody's record on price fixing cases?
14. How much time do you have to dedicate to this litigation? What conflicting obligations are on your calendar for the next 36 months?
15. Who else from your firm will comprise your legal team? What value do they add? How will Medela personnel interact with them? With you?
16. First rough cost estimate, if this case goes to trial?
17. What is your hourly rate? Would you agree to apply a blended rate for you and your team?
18. What do your peers say about you?
19. What makes you a great antitrust attorney? A great litigator? A great person?
20. If Medela were to lose this litigation, what would be the most likely reason(s)?

Anhand dieser Frageliste hat Medela mit einem Zweierteam acht Kanzleien in Philadelphia besucht und jeweils zwei bis vier Stunden mit dem potenziellen *lead lawyer* und seinem Team die Fragen durchbesprochen. Nach Abschluss sämtlicher Gespräche wurden die Antworten und Eindrücke verglichen und ausgewertet. Schliesslich gilt es zu beachten, dass Dienstleistungen dieser Art ein *people business* sind. Gegenseitige positive Akzeptanz ist daher essenziell für die Zusammenarbeit und den Erfolg. 37

3.5 Instruktion und Steuerung des US-Anwaltes

Wurde der Anwalt/die Kanzlei ausgewählt, besteht der nächste Schritt darin, eine erste Kostenschätzung, allenfalls mit einem *cost cap* und eine *road map up to and including trial,* zu verlangen. Ebenso empfiehlt es sich, eine Kostenschätzung für die einzelnen Teilschritte des Verfahrens, inklusive der Erfolgswahrscheinlichkeiten, zu verlangen. Diese Angaben dienen als Grundlage für die wichtigen Zielabstimmungsgespräche. 38

39 Die Interessen des Anwaltes und seines Klienten sollten harmonisiert werden. Der bekannte *lawyers joke:* «bill, bill, bill, bill … settle, settle, settle» zeigt die potenziell gegenläufigen Interessen humorvoll auf. Das gesamte Risiko liegt allein beim Klienten. Der Klient will den Fall so rasch als möglich, mit den geringstmöglichen Kosten und dem bestmöglichen Resultat beenden und den Anwalt am Risiko partizipieren lassen. Für beide – Anwalt und Klient – gilt: *time is money!*

40 Es empfiehlt sich daher, sich ausreichend Zeit zu nehmen, um die Zielsetzung präzise zu formulieren und zu kommunizieren und gemeinsam mit dem Anwalt Teilziele festzulegen. Diese Ziele/Teilziele werden mit Wahrscheinlichkeiten belegt und die entsprechenden Kosten abgeschätzt.

3.6 Erfahrungen der Medela Inc.

41 Im hier beschriebenen Fall[9] hat Medela mit Dechert (George Gordon) folgende Zielsetzung vereinbart:

42 «Medela defines «success» as getting out of this lawsuit at minimum total cost (legal cost, settlement cost, damages and other costs), in the shortest possible time and with minimum effort from Medela management.»

43 Teilüberblick über die Wahrscheinlichkeiten und die abgeschätzten Kosten in einem konkreten Medela-Fall:

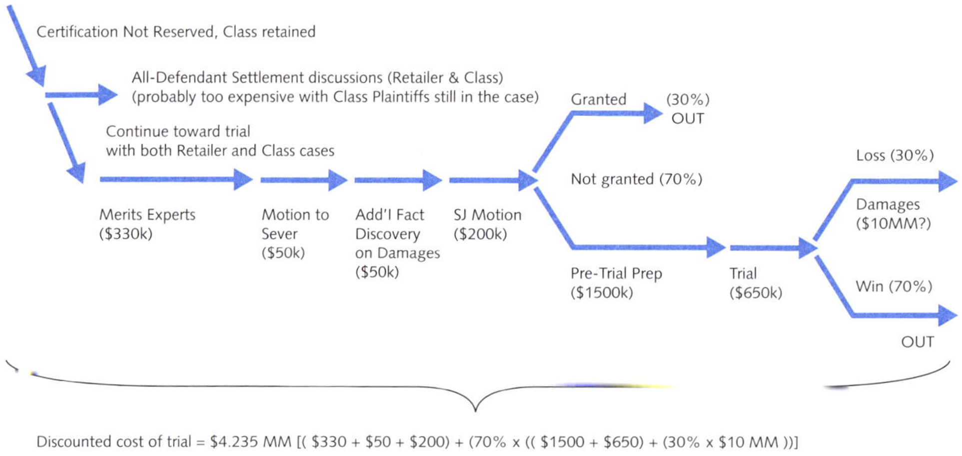

Abbildung 2

44 • Nach unserer Erfahrung bietet es sich an, mit den Anwälten einen Mischstundensatz *(blended rate)* zu verhandeln. Zur Harmonisierung der Interessen lohnt

[9] Siehe vorne Fn. 2.

sich die Einsetzung eines *Pay for results*-Modells. Das vereinbarte Medela-Modell hatte die nachstehenden Bedingungen je Teilschritt:

- Liegen die in Rechnung gestellten Kosten (verrechnet zum vereinbarten Mischstundensatz) unter Budget je Teilschritt, bezahlt Medela 80% des Rechnungsbetrages sofort. 20% des Rechnungsbetrages gehen in einen «Rückbehaltetopf». 45
- Liegen die in Rechnung gestellten Kosten über Budget je Teilschritt, bezahlt Medela 35% des Rechnungsbetrages sofort. 65% des Rechnungsbetrages gehen in einen «Rückbehaltetopf». 46

Die Summe im «Rückbehaltetopf» wird mit einem Multiplikator belegt. Im vorliegenden Fall wurde dieser Multiplikator wie folgt festgelegt: 47

Resolution at or before MSJ*:	150%	* MSJ = Motion for Summary Judgment
Resolution after MSJ:	125%	
Win at trial:	75%	
Lose at trial:	–20%	

Hinzu kam ein *Special Incentive Bonus* (SIB) nach der Formel: 48

SIB = \$1.5 million – (Legal billings + other litigation costs + ⅓ [settlements])

Dieses Modell[10] unterstreicht die klare Zielsetzung und gewährleistet eine rasche, umfassende Zielerreichung: «Je tiefer die gesamten Kosten sind, desto höher fällt der Bonus an die Kanzlei aus!» 49

Mit einem derartigen Modell partizipiert die Anwaltskanzlei am Risiko. Kommt es zum Prozess *(trial)* und verliert die Kanzlei den Prozess, hat sie ihre eigenen Aufwendungen nicht gedeckt (*loose at trial* = – 20%)! 50

---

10 Weitere Modelle, inkl. dazugehöriger vernetzter Excel-Tabellen sind beim Autor erhältlich. Zudem sind Informationen über derartige Modelle – auch aus anderen Branchen – heute weit verbreitet. Weitere interessante Informationen zu ähnlichen Modellen finden sie z.B. unter: www.legalmarketingblog.com/marketing-tips-324-should-you-consider-valuebased-fee-arrangements.html, viewed 29 March 2012; Zusha Elinson, Are Big Firms Warming up to Alternative Fee Deals?, unter: www.law.com/jsp/article.jsp?id=900005556182, viewed 29 March 2012.

4. Erfahrungen, Schlussempfehlungen und weiterführende Informationen

51 Medela verfügt seit 1997 über fundierte Erfahrungen in gerichtlichen Auseinandersetzungen in den USA, dies auf allen drei Stufen (District Court; Federal Circuit, Supreme Court).

52 Diese Erfahrungen waren schmerzlich und haben exorbitante Kosten verursacht. Hätte Medela 1997 gewusst, was sie heute weiss und dieses Wissen konsequent angewendet, hätte sie > $ 15 Mio an Kosten eingespart.

53 Um die gesammelten Erfahrungen aufzeigen zu können, sei schliesslich nachfolgend eine Liste von Feststellungen, die sich aus Sicht der Medela Inc. besonders bewährt hatten, angeführt.

a) Genaue Analyse des Rechtsfalles mit einer realistischen Abwägung sämtlicher Risiken *(legal risks; reputation risks; time, costs and emotions; distraction from your core business)* und der möglichen Handlungsalternativen.

b) Beobachtung der Richter und der potenziellen eigenen Anwälte *in action* vor Mandatserteilung.

c) Eingehende Besprechung und Abstimmung mit dem Rechtsvertreter. Proaktive Besprechung möglicher Konflikte und auch deren Lösungen. Beispiel: *over production* vs. *under production.*

d) Detailbesprechungen, Updates usw. sollten mittels festgelegten *conference calls* – z.B. alle 2 Wochen durchgesprochen, verfolgt und mitentschieden werden. Je Quartal empfiehlt sich, eine *road-map-* und *cost-control*-Sitzung durchzuführen. Diese sollte nach Möglichkeit *face to face* erfolgen.

e) Persönliche Teilnahme an sämtlichen Gerichtsterminen (z.B.: *motion hearings, scheduling conferences* usw.). Hier sieht man die eigenen Anwälte, die Gegenanwälte und den Richter in Aktion.

f) Um eine US-Gesellschaft in einer gerichtlichen Auseinandersetzung besser zu schützen, sollte zwingend eine document management policy erstellt und implementiert weden. Zudem sollten die Führungskräfte laufend in diesem Bereich ausgebildet *(employee training)* werden.

E. Kundensegmentierung im Anwaltsgeschäft und deren Abbildung in der Kanzleiorganisation mittels *industry groups*

Ivo Hungerbühler

1. Erfordernis der Fachspezialisierung

Die Ausweitung der industriellen und dienstleistenden Tätigkeiten, deren Internationalisierung sowie die generelle Durchdringung zahlreicher Lebensbereiche durch das Recht erfordern eine spezialisierte Rechtsberatung. Ein Anwalt oder eine Anwältin kann heutzutage schlicht nicht in allen Rechtsgebieten tätig sein. Nicht allgemeine Rechtsberatung, sondern Beratung durch einen Spezialisten des entsprechenden Faches ist gefragt. Wer von einem ärztlichen Behandlungsfehler betroffen ist und den Arzt belangen will, sucht keinen juristischen Generalisten, sondern einen Spezialisten im Bereich Arzthaftung. 1

Die Anwaltschaft hat auf die zunehmende Verrechtlichung zahlreicher Lebensbereiche sowie die Nachfrage nach spezialisierter Rechtsberatung reagiert. Die meisten Anwältinnen und Anwälte verfügen aufgrund einer zufällig entwickelten oder gezielt aufgebauten Mandatsstruktur seit je über bevorzugte Tätigkeitsgebiete. Durch eine bewusste Fokussierung auf diese Tätigkeitsgebiete können sie über die Jahre zu Spezialisten auf den entsprechenden Gebieten werden. Zudem können die Anwältinnen und Anwälte seit einigen Jahren nochmals die Schulbank drücken und im Rahmen einer berufsbegleitenden Ausbildung den Titel «Fachanwalt SAV» bzw. «Fachanwältin SAV» erlangen[1]. Wer einen Fachanwaltstitel führt, verpflichtet sich zu permanenter Weiterbildung und muss auf seinem Fachgebiet tatsächlich tätig sein. Dank des Fachanwaltstitels ist das rechtsuchende Publikum bei der Suche nach einem Spezialisten nicht mehr auf die Selbstdeklaration des Anwalts oder der Anwältin angewiesen, sondern kann sich am objektiven Qualitätsstandard «Fachanwalt/Fachanwältin» orientieren. 2

In den grossen Agglomerationen der Schweiz dürfte es mittlerweile auch für die juristischen Randgebiete jeweils mehrere Spezialisten geben. Die Spezialisierung des Anwaltsberufs ist in der Schweiz – etwas später als im Ausland – Realität geworden. 3

[1] Der Fachanwaltstitel wird vom Schweizerischen Anwaltsverband SAV verliehen. Zurzeit gibt es Fachanwälte für die folgenden Rechtsgebiete: Arbeitsrecht, Erbrecht, Bau- und Immobilienrecht, Familienrecht und Haftpflicht- und Versicherungsrecht. Der Rahmen möglicher Fachanwaltstitel ist in Deutschland bedeutend grösser.

2. Kanzleiinterne Umsetzung der Fachspezialisierung: *practice groups*

4 Die grossen Schweizer Anwaltskanzleien verfügen allesamt über Spezialisten in zahlreichen Rechtsgebieten. Für eine Kanzlei stellt sich die Frage, wie die Spezialisten eines Fachgebiets untereinander sowie mit den anderen Anwältinnen und Anwälten zusammenarbeiten.

5 Die Spezialisten eines Gebiets sowie die Generalisten mit einem Tätigkeitsschwerpunkt in diesem Gebiet werden in der Regel in *practice groups* zusammengefasst. Je nach dem Integrationsgrad der Kanzlei sind die *practice groups* entweder eigentliche Arbeitsteams (Departemente) oder blosse Foren für den Gedankenaustausch, die Weiterbildung, das kanzleiinterne Knowledge Management etc.

6 Die Kanzlei Bratschi Wiederkehr & Buob hat im Jahre 2008 standortübergreifende *practice groups* für die Rechtsgebiete Staats- und Verwaltungsrecht, Steuerrecht, Vertragsrecht, Versicherungs- und Haftpflichtrecht, Corporate, Wettbewerbs- und Immaterialgüterrecht, Prozess- und Insolvenzrecht und Familien- und Erbrecht eingeführt[2]. Zweck der *practice groups* war und ist die Förderung der Spezialisierung und Arbeitsteilung innerhalb der Gesamtkanzlei sowie das Knowledge Management. Der Beitritt zu einer *practice group* erfolgt nach dem Prinzip der Selbstdeklaration, d.h., jeder Anwalt und jede Anwältin entscheidet für sich, ob er oder sie die von der Partnerversammlung festgesetzten Kriterien, namentlich den für die Mitwirkung in der *practice group* geforderten Spezialisierungsgrad, erfüllt. Ursprünglich war die Mitwirkung jedes Anwalts und jeder Anwältin auf zwei *practice groups* beschränkt; später wurde auch die Zugehörigkeit in einer dritten *practice group* zugelassen. Die Mitwirkung in mehr als drei *practice groups* wird als unvereinbar mit der gewünschten Spezialisierung betrachtet; zudem dürften auch die zeitlichen Ressourcen für eine aktive Mitwirkung in vier oder mehr *practice groups* nicht ausreichen. Weil die *practice groups* auch der Weiterbildung und dem Knowledge Management dienen sollen, dürfen jüngere Anwältinnen und Anwälte auch dann einer *practice group* beitreten, wenn sie weder den erforderlichen Spezialisierungsgrad noch einen Tätigkeitsschwerpunkt im Fachbereich der betreffenden *practice group* erreicht haben. Die Beschränkung auf die Zugehörigkeit zu maximal drei *practice groups* gilt indessen auch für die jüngeren Anwältinnen und Anwälte.

7 Die *practice groups* sind somit dem Grundsatz nach gegen innen orientiert. Zwar zeigen sie dem Kunden gegen aussen, dass die Anwältinnen und Anwälte der Kanzlei spezialisiert sind und dass das Know-how aus einem bestimmten Fachgebiet nicht an einer einzigen Person hängt. Letztlich ist der Kunde aber weniger an einer gut organisierten *practice group* als vielmehr an einer konkreten Person oder einem multidisziplinären Team interessiert, die oder das sein Problem lösen kann.

[2] Die Kanzlei Bratschi Wiederkehr & Buob hat Büros in Zürich, Bern, St. Ballen, Basel (seit 2009) und Zug.

3. Nachfrage nach einer multidisziplinären Beratung

Das in Randziffer 1 erwähnte Beispiel eines Kunden, der nach einem Behandlungsfehler seines Arztes einen juristischen Spezialisten eines einzigen Fachgebiets, nämlich des Haftpflichtrechts, sucht, ist in einer auf Wirtschaftsrecht ausgerichteten Anwaltskanzlei keinesfalls die Regel. Viele Probleme, für welche Kunden um rechtlichen Rat in einer Wirtschaftskanzlei nachfragen, beschlagen mehr als ein Rechtsgebiet. Ein Kunde, der eine neue Produktionsstätte bauen will, hat Beratungsbedarf im öffentlichen und privaten Baurecht, im Gesellschaftsrecht, im Finanzierungsrecht, im Steuerrecht usw. Für den Kunden stellt sich somit die Frage, wie er sein Team aus verschiedenen Spezialisten zusammensetzt und leitet. 8

Eine Möglichkeit ist, dass der Kunde die für die einzelnen Rechtsgebiete geeigneten Anwältinnen und Anwälte selbst sucht und die Gruppe selbst leitet. Dies mag ein gangbarer und unter Umständen sogar der optimale Weg sein, wenn der Kunde über einen In-house Counsel und ein externes juristisches Netzwerk verfügt. Der In-house Counsel kennt das Geschäft und die Bedürfnisse des Kunden und hat unter Umständen schon bei anderen Projekten mit externen juristischen Beratern zusammengearbeitet. Es kann deshalb eine effiziente Lösung sein, wenn er das Team zusammenstellt und leitet. 9

Möglicherweise verfügt der Kunde aber über keinen In-house Counsel oder dieser ist mit dem Tagesgeschäft bereits so stark ausgelastet, dass ihm keine Zeit für die Projektleitung bleibt. Denkbar ist auch, dass der In-house Counsel sich schon intensiv mit der Planung des Projekts befasst hat und der Kunde zwecks Vermeidung von Betriebsblindheit und Schaffung von Objektivität die Projektleitung extern ansiedeln möchte. Je nach der Art des Projekts sprechen auch Gründe der Vertraulichkeit für eine externe Lösung[3]. 10

4. Das Problem des *cross-selling*

Multidisziplinäre Beratung hat nichts mit *cross-selling* zu tun. Wie gezeigt, verfügt heute jede grosse Wirtschaftskanzlei in mehreren juristischen Fachgebieten über in *practice groups* zusammengefasste Spezialisten und Praktiker. Für die Kanzlei ist es verführerisch, diese Konzentration von Know-how und Erfahrung in den verschiedenen Fachgebieten hervorzustreichen und zu vermarkten. Eine zu starke Betonung kann aber einen negativen Effekt haben[4]. 11

---

[3] Eine externe Projektleitung drängt sich auf, wenn es im Unternehmen des Kunden zu Gesetzesverstössen gekommen ist und Massnahmen gegen die Fehlbaren getroffen werden müssen. Gegenüber Behörden (z.B. Wettbewerbsbehörden oder Finanzmarktaufsichtsbehörden) kann das Unternehmen durch die Ernennung von externen Beratern, welche die Vorgänge untersuchen, Vertrauen zurückgewinnen.

[4] David H. Maister, True Professionalism, New York 2000, 178 ff. Siehe auch Susan Saltonstall Duncan, Dos and Don'ts of Cross-selling: The Best Way to Grow Revenue, Law Practice November/December 2009, 59 ff.

12 Je mehr ein Anwalt gegenüber dem Kunden darauf hinweist, dass er «zufälligerweise» den für den Kunden besten Baurechtler, den besten Steuerrechtler, den besten Gesellschaftsrechtler usw. in-house verfügbar hat, desto mehr beginnt der Kunde an den Fähigkeiten der betreffenden Personen zu zweifeln. Anstatt das Vertrauen aufzubauen, dass die Kanzlei alle Probleme des Kunden in-house bewältigen kann, werden beim Kunden Zweifel geschaffen, ob er wirklich das erhält, was er will, oder ob er das erhält, was die Kanzlei gerade «im Angebot» hat.

13 Der in Ziffer 8 beschriebene Kunde will gar nicht den besten Baurechtler, den besten Steuerrechtler usw. Der Kunde wünscht nicht eine zusätzliche Beratung aus einem weiteren Rechtsgebiet (Baurecht, Steuerrecht usw.), sondern eine kombinierte oder eben multidisziplinäre Beratung. Um diese Kundenerwartung zu erfüllen, reicht es nicht oder schadet es sogar, wenn die einzelnen *practice groups* lediglich die Dienstleistungen der jeweils anderen *practice groups* vermarkten. Erforderlich ist vielmehr, dass die Spezialisten und Praktiker der verschiedenen Fachgebiete multidisziplinär zusammenarbeiten.

5. Kundensegmentierung und *industry groups*

14 Der Zufall oder eine erfolgreich umgesetzte Strategie will es, dass eine Kanzlei über mehrere Dauerkunden oder wiederkehrende Kunden aus der gleichen Branche verfügt. Verfügt eine Kanzlei über mehrere Branchenschwerpunkte, drängt sich die Bildung von Branchengruppen, *industry groups* genannt, auf. In solchen *industry groups* werden die Branchenspezialisten und Praktiker zusammengefasst, die auf jeweils verschiedenen Rechtsgebieten Kunden einer bestimmten Branche beraten. Das Know-how und die Erfahrung für die Beratung einer bestimmten Branche werden somit in einer einzigen Gruppe zusammengefasst. Gruppenübergreifendes *cross-selling* ist nicht erforderlich.

15 Die Entwicklung zur Bildung von *industry groups* setzte vor Jahren bei den grossen Wirtschaftsprüfungsgesellschaften ein. Branchenspezialisierung und -fokussierung werden heute als genau gleich wichtig betrachtet wie die Fachspezialisierung. Die Bedeutung von Branchenkenntnissen wird evident, wenn man sich fragt, welchen Berater ein potenzieller Kunde wohl eher als erste Anlaufstelle wählt: denjenigen, der sich in der Branche des Kunden auskennt, oder denjenigen, der sich lediglich in seinem Fachgebiet auskennt? Die Antwort ist klar: Der Kunde richtet sich an denjenigen Berater, der das Geschäft des Kunden und seine Bedürfnisse versteht, d.h. über Branchenkenntnisse verfügt. Typischerweise erwarten die Wirtschaftsprüfungsgesellschaften und Beratungsfirmen von der Branchenspezialisierung und -fokussierung die folgenden Vorteile:

- Erweiterung des Marktanteils der Gesellschaft in der Branche;
- verbesserte Wahrnehmung der Gesellschaft in der Branche;

- Erfahrungsaustausch zwischen Partnern und Mitarbeitern, welche vielfältige Erfahrung mit Kunden der gleichen Branche haben;
- Integration der Gesellschaft über *Practice-group*-Grenzen und lokale Büros hinaus;
- Unterscheidbarkeit der Gesellschaft von anderen Wettbewerbern.

Die Kanzlei Bratschi Wiederkehr & Buob ist im Jahre 2008 aus dem Zusammenschluss 16 dreier mittelgrosser Kanzleien entstanden. Mit dem Zusammenschluss ging eine Vergrösserung der Klientenbasis einher; und es zeigte sich, dass die neue Kanzlei über eine starke Kundenbasis in verschiedenen Branchen verfügte. Von da war es dann ein kleiner Schritt zur Bildung von *industry groups.* Vorgesehen waren die folgenden *industry groups:* Banken und Versicherungen, Bau- und Immobilienwirtschaft, Media/Entertainment/Sports, öffentlicher Sektor, Pharma/Healthcare, Private Clients und Telcom/IT/Energy. Mit der Bildung der *industry groups* war auch gleich festgelegt worden, in welchen Branchen die Kanzlei neue Mandate akquirieren und somit wachsen wollte.

Mitglieder der *industry groups* bei Bratschi Wiederkehr & Buob sind Partner mit Erfah- 17 rung in der jeweiligen Branche. Die Erfahrung kann aus der Klientenbetreuung herrühren oder aus einer praktischen Tätigkeit in der Branche z.B. als *In-house Legal Counsel*. Bei der Bildung der *industry groups* wurde speziell darauf geachtet, dass alle für die entsprechende Branche relevanten Fachgebiete von den Mitgliedern der Gruppe abgedeckt werden. Anders als bei den *practice groups* ist bei den *industry groups* ein Abweichen von den vorgeschriebenen Zugehörigkeitskriterien nicht vorgesehen. Die *industry groups* setzen sich daher fast ausschliesslich aus Partnern zusammen.

6. Zusammenwirken von *practice groups* und *industry groups*

Industry groups sind kein Ersatz, sondern eine Ergänzung zu den *practice groups.* Am 18 effizientesten ist eine Matrixorganisation mit *practice groups* für die fachliche Spezialisierung, Weiterbildung sowie das Knowledge Management und *industry groups* als Marketinginstrument sowie als multidisziplinäres Team für die entsprechenden Branchenkunden.

7. Ausblick

Es waren wie erwähnt die Wirtschaftsprüfungsgesellschaften, die als erste *industry* 19 *groups* aufstellten und Matrixorganisationen von *practice groups* und *industry groups* bildeten. Auf einer dritten Ebene werden in Wirtschaftsprüfungsgesellschaften und Unternehmensberatungsfirmen neuerdings auch *client teams* gebildet. Sie sind eine

Reaktion auf den verschärften Wettbewerb um Grosskunden sowie die abnehmende Mandantentreue. Die Kundenpflege *(key account management)* wird nicht mehr einzelnen Partnern überlassen, sondern institutionalisiert von *client teams* wahrgenommen[5]. Das *client team* denkt nicht transaktionsbezogen, sondern steht dem Kunden unabhängig von den gerade aktuellen Aufgaben zur Seite. Das *client team* beobachtet und überwacht die Kundenbeziehung, führt Interviews und ermittelt die Kundenzufriedenheit, besorgt alle administrativen Belange (Adressverwaltung, Buchhaltung etc.), entwickelt Strategien für einen allfälligen Ausbau der Kundenbeziehung usw.

20 In der Schweiz sind Anwaltskanzleien in der Regel kleiner und stärker partnergeprägt als im Ausland. Die Pflege einer Kundenbeziehung ist in den meisten Fällen Sache desjenigen Partners, der die Kundenbeziehung aufgebaut oder in die Kanzlei gebracht hat. Von einem allfälligen Managing Partner einer Kanzlei wird erwartet, dass er sich um (interne) administrative Belange kümmert und nicht in die Autonomie der Partner bei der Kundenpflege eingreift. In einem solchen Umfeld macht die Einführung von *client teams* wenig Sinn, je wäre geradezu schädlich, weil sie das unter den Partnern gelebte System der Gewährung gegenseitiger Autonomie bei der Kundenpflege verletzten würde[6]. Von einigen Ausnahmefällen abgesehen – beispielsweise bei der «Übergabe» einer Kundenbeziehung von einem Senior Partner zu jüngeren Partnern – werden *client teams* bei der Organisation von Anwaltskanzleien auch in Zukunft keine Rolle spielen.

---

[5] Auch grosse Law Firms bilden *client teams.* Vgl. Susan Rarido Lambreth/Terri Pepper Gavulic, How Do Client and Industry Teams Fit Into Our Practice Management Structure? – Part II – Do's and Don'ts for Successful Client Teams, Law Practice Today, February 2006.

[6] Siehe das Kapital «Are you willing to be managed?» bei David H. Maister, True Professioalism, New York 2000, 56 ff.

F. Rationale and Organization of Practice Groups

Philip Marcovici/Victoria Dalmas

1. The Evolution of Practice Groups

Practice groups have developed as a key element of how law firms around the world are organized and managed. Practice groups have long been an important part of the law firm landscape in major markets, such as in North America and the United Kingdom. In other markets, practice groups are a more recent phenomena, but one that is increasingly the basis upon which law firms are run. 1

As they have become larger, the ability of law firms to organize themselves along practice group lines, allowing for specialization of attorneys in particular practice areas, has increased. The growing complexity of client needs and legal issues has had a great influence on the need for specialization on the part of lawyers and, over time, practice groups have become a sophisticated resource for consumers of legal services. 2

In more traditional markets, such as those in continental Europe, the move towards law firms organized along practice group lines has been slower, though in recent years practice groups have become very much the norm for even smaller law firms given the demands of clients and of legal practice in view of the technical nature of many legal specialties. Smaller firms have developed into «boutiques», offering one or two specialty areas of expertise rather than holding themselves out as general practices. 3

Practice groups are, however, not always the ideal mechanism for comprehensive professional and business development and clients continue to need and value the generalist approach to the practice of law taken by individual practitioners and, to some extent, smaller law firms. In larger firms, as well as in specialized boutiques, a relatively new and important kind of cross-practice group specialization is developing with a focus on industry groups, bringing back to legal practice a new and important form of legal generalist with a broad ability to address the holistic needs of clients. 4

2. The Drivers Behind Practice Group Development

Practice groups have generally developed in response to increasing complexity of legal practice combined with the growing needs of clients for very specialized legal advisory services. Practice groups permit lawyers focusing on a particular area to efficiently share knowledge and experience and to focus on business and practice development around particular areas of expertise. 5

6 As clients develop their own general legal expertise in-house as a means of controlling costs and improving how legal issues are managed, the role of external legal counsel has become more and more confined to the high-value sharing of expertise with day-to-day «commodity-type» legal work increasingly handled in-house or by lower cost law firms whose focus is on routine legal work.

7 In the case of Baker & McKenzie, virtually the first global law firm and still among the largest of such firms, practice groups developed many years ago as an important component of law firm management and as an approach to the development and maintenance of expertise. Practice groups within Baker & McKenzie, very early on in their development, focussed on the needs of clients for «global» input, leading to the creation of practice groups that today operate on a global basis. This said, Baker & McKenzie practice groups initially developed on an office-by-office basis, with lawyers within individual offices of the firm grouping together on a specialty basis. This approach eventually led to the development of practice groups within countries, linking together lawyers by specialty between offices of the firm operating within the same country and then to global practice groups involving lawyers from not only different offices, but different countries.

8 From the perspective of the consumers of legal services, which increasingly are global multinationals, being served by lawyers who are part of global practice groups has become critical given that virtually every legal issue today is a cross-border issue requiring not only very specific expertise within a particular market and legal system, but real sensitivity to the global issues arising in respect of the area involved.

9 In the case of law firms lacking the multi-office approach of Baker & McKenzie, practice group development has still, in many cases, reflected the move towards globalization of legal practice with individual practice groups in particular cities and countries linking with counterparts, albeit in other law firms, in different markets, permitting sharing of knowledge as well as more effective business development.

3. Practice Groups and Management

10 The development of practice groups has contributed towards management structures adopted by today's law firms. Practice groups generally feature practice group leaders charged with coordination of all elements of the practice group including recruiting, professional development, marketing and other areas. In a number of law firms, financial performance of individual partners is at least in part driven by the performance of their practice group.

11 In the context of Baker & McKenzie and its multi-office and global approach, practice groups are organized on an office basis, with local practice group leadership. Local office practice groups are, however, fully linked with those of other offices, forming

national practice groups with management and leadership structures of their own. Supplementing this national practice group approach are global practice groups with leadership from each relevant global region forming the overall global steering committee for the relevant global practice.

Practice group management both at the local office level and otherwise is an effective contributor to law firm management generally though with some limitations given the need, from an office management perspective, for a more holistic approach to management than subject matter specialization can provide. While practice groups can contribute to law firm management, there are dangers to a pure practice group oriented approach to management. 12

4. Practice Groups and Marketing Strategy

Practice groups play a very important role in business development given the specialized nature of client needs and the reality that, for many commercial law firms, the client is a very sophisticated consumer of legal services. By having practice groups lead in business development, a knowledge led approach is possible. 13

For Baker & McKenzie and other law firms of a similar size, a very significant part of the firm's marketing efforts are practice group oriented with individual practice groups maintaining their own marketing staff working on each of an individual office, individual country and global basis, supported by non-practice group specific marketing resources. 14

Practice group led marketing is important and effective for many reasons including, again, the reality that consumers of legal services today are looking for lawyers and law firms able to offer very specialized services as opposed to the more generalist input that more sophisticated clients are able to obtain internally from internal in-house legal resources at significantly lower cost. 15

5. Practice Group Leadership

Practice group leadership generally involves lawyers with the requisite specialty who have relevant experience and the ability take on a management role that encompasses areas extending from recruiting to professional development to marketing and business development generally. Within many law firms, and this is also the case for Baker & McKenzie, practice group leadership is elected by members of relevant practice group itself, albeit often in consultation with local office and global firm management. The formality of leadership selection varies between practices and offices of the firm, but the general trend is towards more formal approaches to selecting and monitoring practice group leadership. 16

17 Practice group leadership is not necessarily, however, the ideal leadership for a law firm's business generally given the need to reflect not only practice group interests and opportunities but rather the overall interests of the law firm. As a result, in a law firm such as Baker & McKenzie, overall firm management is supplemental to practice group management with individual offices, regions and firm featuring management structures independent of practice groups. Practice group leaders, in effect, report to more generalized management structures.

6. Practice Groups and Know-how

18 Clearly, the development of practice groups has allowed law firms to better manage their internal know-how and knowledge sharing given the focus of a practice group on the particular specialty area. Providers of online and hardcopy legal publications consumed by law firms have very much aligned themselves and their delivery of information on the practice group structure.

19 In the case of Baker & McKenzie, practice groups are supported by knowledge management specialists both on a practice group and cross-practice group basis. Individual practice groups have developed knowledge management and sharing systems that allow access to work product, precedents and information on an individual office, individual country and global basis.

7. But are the Right Lawyers Involved in the Job?

20 It is obvious that where lawyers are members of a particular practice group and obtain their skills and knowledge within the relevant specialty area that they will generally be the right lawyers to handle a matter that falls into the coverage of particular practice group. In a law firm, however, it is often difficult to ensure that the right lawyer is answering the right question for a particular client. The reality is that for a number of reasons the client may raise questions with a lawyer who is not as specialized or who is not involved in the particular practice specialization. This, of course, creates a management challenge, with a view to balancing the clear efficiencies and quality control associated with having the right lawyers address the right issues and the realities of what drives the activities of individual lawyers. Law firms, as a result, tend to make use of a number of mechanisms that can be adopted to ensure that the right lawyers are involved in client matters from a practice group and specialty perspective.

21 The more a law firm is centrally managed the easier it is to control the individual activities of lawyers. The most effective way to ensure that the right lawyer is involved in the job, however, is to embrace the increasing sophistication of clients and their demand for legal input from those with the requisite experience and knowledge.

8. The Development of Industry Groups: The Next Step

Practice groups, while critical in the development of law firms and their management, have not, in all cases, been ideal structures for law firms seeking to develop their lawyers and business. Clients, even the most sophisticated ones, do require legal input from lawyers who are able to provide a holistic approach and one that is not confined to a very restricted specialty area. 22

The traditional continental European lawyer, with broad knowledge covering a variety of specialties extending from mergers and acquisitions to taxation to litigation, might well be of significantly greater value to a client in many, if not most, circumstances than a lawyer with very deep knowledge in a particular specialty area, but with a very weak ability to look at things from an overall perspective, linking in the reality that many different areas of law impact the client's situation. In some law firms, the client facing lawyer is a general practitioner who draws on specialists within his or her firm working within practice groups. The generalist may themselves be part of one or more practice groups, but has the experience and ability to look at a client matter on a holistic basis. 23

A more focused approach to addressing over-specialization of the practice group and one which better reflects the reality of how legal services are increasingly consumed is the industry group. An industry group within a law firm is made up of lawyers who focus not on a particular practice area such as tax, litigation, intellectual property or otherwise but rather by lawyers focusing on a particular industry and the comprehensive legal and tax issues affecting that particular industry. 24

Within Baker & McKenzie, recent years have evidenced an increasing focus on industry specialization and the creation of industry groups that, like practice groups, have their own management and business development structures on all of an individual office, individual country, individual region and global basis. 25

The reality is that individual lawyers within a law firm may well wear a number of hats. An individual lawyer can be a member of one or more practice groups, focusing on particular areas of the law and, at the same time, may be a member of one or more industry groups focusing on particular industries but involving lawyers from many different practice areas. This evolution of the practice group model permits the return of lawyers who are able to provide clients with a more holistic understanding of the cross-practice group issues faced by today's clients. 26

9. LawInContext and its Role in Practice and Industry Group Development

Several years ago Baker & McKenzie established a separate business named LawinContext Pte. Ltd (LawInContext) to develop a variety of online global legal information and 27 training resources and to conduct live training for clients and potential clients of the firm. The idea behind LawInContext was to focus on the needs of clients in an increasingly complex world and on the question of efficiency in the consumption of legal services given the prohibitive costs often associated with obtaining legal advice and assistance.

28 LawInContext, in developing its business, has sought to align itself with the growth in importance of industry focused practice groups. In this regard, the online global legal, tax and compliance know-how resources and training tools offered by LawInContext do not reflect the practice group orientation of Baker & McKenzie but rather the real needs of consumers of legal services, which means much more in the way of close alignment to the industry approach of industry groups.

29 Information and training are critical elements to the development of practice and industry groups and of lawyers generally. Effective knowledge management and effective communication of knowledge within a law firm is critical to success and to effective marketing and business development. LawinContext's work with practice and industry groups in developing client offerings has the ability to also help the development of the practice and industry group itself, creating real synergies on every front.

30 The resources of LawInContext include content development, coordination and editing functions, client care and client relations management, sales and marketing, finance, and learning and development professionals, as well as effective use of technology, supplementing resources available within individual practice groups at Baker & McKenzie and otherwise.

10. The Global Wealth Management Practice of Baker & McKenzie: An Example

31 The development of Baker & McKenzie's global wealth management practice provides a good example of how a practice group can evolve into an industry group and on the role of knowledge management and development in creating and maintaining practice and industry groups and in building profile and business.

32 The global wealth management practice of Baker & McKenzie began in the mid-1980s through the development of linkages between individual practitioners within Baker & McKenzie serving similar client interests. Lawyers serving the wealth management industry were, at the time the industry group was created, members of various practice groups already long established. Among these was the tax practice of the firm where several lawyers had already developed, albeit in a limited number of markets, expertise in and around the particular tax issues faced by wealth owning families and by the financial institutions that serve their wealth management needs. Other practice groups with industry expertise included the financial services practice, the litigation practice and a number of others. The first step in creating an industry group involved getting law-

yers with different areas of practice focus together to share knowledge about the wealth management industry and to share contacts relevant to cross-practice group promotion and development. In the case of Baker & McKenzie, much of the work in developing an industry group focused on the wealth management industry related to knowledge sharing and management, but with an early focus on bringing into the group considerable client input through the creation of a «community» interested in the relevant global legal and tax issues.

Among the first steps taken by the firm was to create forums permitting lawyers with relevant expertise to gather together with clients and potential clients. The industry group, therefore, began with an annual training program for the industry in Switzerland involving internal Baker & McKenzie industry group meetings in and around an event designed to attract players interested in developing and sharing industry knowledge. The annual program, which recently celebrated its 15th anniversary, was eventually expanded globally with similar events run in Asia and North America as well as in key financial centers, supplementing an annual schedule of regional events. 33

Frequent meetings of lawyers from different practice specialties and different geographies helped develop the expertise of Baker & McKenzie lawyers serving the industry as well as facilitating the development of global databases of work product and experience driving efficiency and holistic industry knowledge. Through the initial focus on involving clients and potential clients, the firm's wealth judgment industry group quickly developed a profile in the relevant community as one of the only true global legal practices focused on the wealth management area. 34

The approach of LawInContext in developing its products and services is to cover a particular industry from two key perspectives – know-how management and training. With respect to know-how management and sharing, LawInContext began working with the relevant industry group on the creation of the Private Banking Helpdesk (at www.lawincontext.com), a database of information kept up-to-date and available online. The database has now evolved to coverage of more than 50 countries with comprehensive information on issues relevant to wealth management driven by the laws of the countries of residence and investment of wealth owners. The database of information is available to all lawyers within Baker & McKenzie and is also offered to industry players on a subscription basis. 35

The creation of the global helpdesk in and of itself permitted knowledge and experience existing in a handful of offices of the firm to expand to many more offices as those offices had to undertake the creation of content following input from offices with existing expertise in the area. The ongoing job of content development and updating had and continues to have the important effect of helping lawyers to develop and maintain knowledge relevant to the industry area. By having industry players use the database, feedback obtained on an ongoing basis permits the law firm to learn from clients 36 and to obtain a much better understanding of the needs of the clients involved. For the users of the database, access to up-to-date, quality global information and knowledge allows user to dramatically reduce costs through a more efficient approach to obtaining legal and tax input.

37 In addition to developing the helpdesk, LawInContext then proceeded to develop both online and live training offerings oriented to banks, trust companies and others, in most cases making use of the online database of information contained in the Private Banking Helpdesk. Use of the helpdesk is also made by a variety of third party education providers, expanding the audience for Baker & McKenzie developed content.

38 Here, the industry group is again strengthened through cross-border involvement. Developing the online and live training offerings (and delivering live training) are in and of themselves mechanisms that put lawyers in front of clients, helping in both business promotion and the development of lawyers who are more effective industry practitioners through ongoing dialogue with clients and potential clients from the relevant industry.

39 LawInContext has continued to develop new products for the wealth management industry, including having created a database of information and training in and around the delivery of cross border financial services.

40 Apart from its focus on the wealth management industry, LawInContext has developed products and services oriented to other important industries, in each case contributing to the development of the practice or industry group involved.

G. Generalist vs. Spezialist: Die Bedeutung von Fachausbildungen im Anwaltsberuf

Nicole Vögeli Galli

1. Einstieg

1.1 Lehrjahre

Im Verlaufe des Studiums der Rechtswissenschaften lernen Studenten verschiedene 1
Rechtsgebiete kennen, was letztlich dennoch nicht mehr als einen groben Über- sowie Einblick in die Fächer Privatrecht, Öffentliches Recht, Strafrecht und Europa-/Völkerrecht sowie Schuldbetreibungs- und Prozessrecht verschafft. Einige Schwerpunkte mögen mit Fallbearbeitungen und Seminaren sowie Wahlfächern gesetzt werden können, doch bleiben diese auf einen konkreten Sachverhalt beschränkt, ohne eine vertiefte Auseinandersetzung mit dem Rechtsgebiet an sich zuzulassen. Das Leitbild der Rechtswissenschaftlichen Fakultät der Universität Zürich hält fest[1]:

«I Studium

Im Zusammenwirken von Lehrenden und Lernenden vermittelt das Studium die fachlichen, wissenschaftlichen und sozialen Fähigkeiten, die für einen verantwortlichen Umgang mit dem Recht in der Gesellschaft erforderlich sind.

Fachliche Fähigkeiten

Das Studium

1. dient dem Erwerb von Grundlagenwissen, das für alle juristischen Berufe unentbehrlich ist (...)»

Das Studium bezweckt mit anderen Worten die Einführung ins Recht. 2

Die Richtungen, welche die Juristen[2] wählen, um das Gelernte in der Praxis anzuwen- 3
den, sind vielfältig. Alle beinhalten jedoch mittel- oder langfristig das Einlassen auf eines oder einige wenige Spezialgebiete. Vielfach geschieht dies unbewusst durch die Wahl eines Arbeitgebers, welcher meistens für bestimme Rechtsgebiete oder für ein bestimmtes Rechtsumfeld die Unterstützung benötigt. Ist das Ziel der Erwerb des Fähigkeitsaus-

[1] Leitbild der Rechtswissenschaftlichen Fakultät der Universität Zürich vom 3. Februar 1999, Rechtssammlung der Rechtswissenschaftlichen Fakultät der Universität Zürich (RS) 1.1.1, auf: www.ius.uzh.ch/rsjur/Loseblattsammlung.html, besucht am 29. März 2012.

[2] Die Personen, welche ein Rechtsstudium abgeschlossen haben, werden als Jurist bzw. Juristin bezeichnet.

weises zur Ausübung des Anwaltsberufes[3], erfolgt die Fokussierung etwas verzögert. Die entsprechende Zulassungsprüfung erfordert einesteils eine vertiefte Auseinandersetzung mit den bereits bekannten Rechtsgebieten und andernteils das Erlernen von zusätzlichen Rechtsmaterien. Zudem ist das obligatorische Praktikum bei Gericht, Staatsanwaltschaft oder Rechtsanwaltskanzleien nicht nur Zulassungskriterium, sondern bietet im Idealfall Einblick in die praktische Auseinandersetzung mit Rechtsfällen aus einer Vielzahl von Rechtsgebieten sowie deren Zusammenwirken in einem Sachverhalt.

1.2 Entscheidung

4 Unabhängig davon, ob eine Tätigkeit als Anwalt oder Jurist vorliegt, oder ob die Tätigkeit freiberuflich oder in-house ausgeübt wird, ist es unmöglich oder mindestens mit Qualitätseinbussen verbunden, sich der Beratung und Vertretung von Klienten in allen Rechtsgebieten zu widmen. Die fast schon uferlos anmutende Gesetzgebung zwingt zur Spezialisierung. Bei freiberuflich tätigen Anwälten, auf welche sich die nachfolgenden Überlegungen beziehen, tritt ohne Spezialisierung das Risiko für Haftungsfälle hinzu. Daher wird eine Entscheidung unumgänglich.

5 Die erste Frage ist, ob ich mich einem Hauptgebiet als Schwerpunkt widmen oder mich nach den Bedürfnissen der von mir anvisierten Klientel richten will. Im ersten Fall wird es in der Regel dazu führen, ausgewählte Rechtsgebiete im Sinne eines Spezialisten abzudecken (zum Beispiel Wirtschaftsrecht oder Strafrecht), wobei vielfach zusätzliche Schwerpunkte gesetzt werden. Im zweiten Fall können durchaus mehrere Rechtsmaterien parallel bearbeitet werden, wie in einer herkömmlichen generalistisch ausgerichteten Kanzlei. Diese wird allgemeine Beratungen zum Beispiel im Rahmen von Eherecht, Arbeitsrecht und Mietrecht anbieten können. Da sich auch spezialisierte Anbieter von Beratungen in ausgewählten Rechtsgebieten nicht den weiteren Bedürfnissen der Kundschaft verschliessen können, entstehen Kanzleien mit mehreren Anwälten, welche weitere Spezialisierungen vorweisen können.

6 Vielfach wird ein junger Anwalt diese erste Entscheidung eher spontan als bewusst treffen. Nach den langen Lehrjahren richtet sich der Fokus primär auf eine erste Festanstellung und ein gutes Einkommen. Mit anderen Worten obliegt es oft dem Zufall, welche Richtung eingeschlagen wird.

1.3 Praktische Erfahrung

7 Die Entscheidung für das eine oder andere genügt nicht. Einzig der Fähigkeitsausweis zur Ausübung des Anwaltsberufes macht aus einem Anwalt noch keinen Spezialisten.

[3] Statt vieler: Bezeichnung gemäss Verordnung des Obergerichtes des Kantons Zürich über die Fähigkeitsprüfung für den Anwaltsberuf vom 21. Juni 2006 (OS 215.11). Nachstehend wird die Person, welche über das entsprechende Fähigkeitszeugnis verfügt, mit «Anwalt» bezeichnet.

Vielmehr wird sich die Spezialisierung durch die Jahre der praktischen Erfahrung sowie aufgrund der Wahl des Arbeitgebers oder der Anwaltskanzlei ergeben.

Die zweite Frage lautet daher, ob diese praktische Erfahrung alleine auf dem heutigen 8 Markt genügt, um sich erfolgreich und sicher als Anwalt behaupten zu können. In der Vergangenheit war dies weitestgehend der Fall und die von den Anwälten selbstdeklarierten Spezialgebiete wurden ungeprüft als solche in die Anwaltsverzeichnisse der Anwaltsverbände übernommen.

2. Spezialisierung

Neben Publikationen (Dissertation, Aufsätze usw.) und Lehrtätigkeiten stehen der 9 Anwaltschaft immer mehr Angebote für zusätzliche Weiterbildungen zur Verfügung. Welche Qualität diese Weiterbildungen aufweisen, ist für das Publikum und die interessierten Anwälte nicht immer abschliessend nachvollziehbar. Dies im Gegensatz zur Situation bei den Medizinern, welchen seit Jahrzehnten nach entsprechender Spezialisierung und Weiterbildung von der Verbindung der Schweizer Ärztinnen und Ärzte («FMH») der Facharzttitel verliehen wird.[4] Dieser Facharzttitel kann seit Langem als allgemein anerkannter Beleg für eine erfolgreiche Spezialisierung und als dem Publikum bekannt betrachtet werden. Es ist völlig normal, dass sich Patienten für ihr jeweiliges Leiden an den entsprechenden Spezialisten richten.

Demgegenüber fehlt es vielen Ratsuchenden an einfach zugänglichen Kriterien zur Wahl 10 eines Anwalts. Sind Ärzte bereits im Telefonbuch unter dem jeweiligen Spezialgebiet verzeichnet, ist dies bei Anwälten unbekannt. Einzig ein Blick in die Anwaltsverzeichnisse der kantonalen Verbände oder des SAV[5] eröffneten bis vor Kurzem in der Schweiz die Möglichkeit einer etwas differenzierteren Suche. Allerdings musste sich der Ratsuchende auf die Selbstdeklaration der aufgeführten Anwälte verlassen.

Mit Blick auf die Mediziner und auf andere Länder[6] erstaunt es, dass der SAV erst 2006 11 den Titel «Fachanwalt SAV» einführte.[7] Der SAV bietet den Erwerb dieses Titels vorläufig nur in fünf Rechtsgebieten an: Arbeitsrecht, Bau- und Immobilienrecht, Erbrecht, Familienrecht sowie Haftpflicht- und Versicherungsrecht. Voraussetzungen für den Erwerb des Fachanwaltstitels sind Aktivmitgliedschaft im SAV, kein Berufsverbot, praktische Erfahrung von mindestens fünf Jahren als Anwalt, überdurchschnittliche Erfahrung im jeweiligen Fachgebiet, Absolvierung eines Fachausbildungskurses von mindestens 120 Stun-

---

4 Vgl. www.fmh.ch.

5 SAV = Schweizerischer Anwaltsverband.

6 Roš, Mirko: Zwei Jahre Fachanwalt SAV: Ein Quantensprung in der Spezialistenausbildung. In Anwalts-Revue 6–7/2009, S. 314 f.

7 Vgl. www.fachanwalt.sav-fsa.ch.

den, Bestehen einer schriftlichen Prüfung, erfolgreiches Absolvieren eines Fachgesprächs und Eingehung einer Verpflichtung zur Weiterbildung nach Erlangung des Titels.[8][9]

12 Es darf mithin gesagt werden, dass mit dem «Fachanwalt SAV» ein valables Instrument eingeführt wurde, um eine Spezialisierung unabhängig und damit für das Publikum sinnvoll festlegen zu können. Was ist nun der Nutzen dieses Titels?

3. Fachanwalt SAV

3.1 Zahlen

13 Von den 8423 Mitgliedern des Schweizerischen Anwaltsverbandes[10] führen rund 350 Anwälte einen Fachanwaltstitel[11]. Dies entspricht etwas mehr als 4%. Die meisten Fachanwälte finden sich in den Kantonen Zürich und Waadt. Nachdem die Ausbildung vor fünf Jahren eingeführt wurde, wirft diese geringe Quote doch Fragen auf. Abgesehen von den genannten fachlichen Anforderungen ergeben sich meines Erachtens jedoch zwei nicht unwesentliche Hürden.

14 Die Kurskosten alleine betragen CHF 13 500.00 plus CHF 1000.00 Titelgebühr. Hinzu kommen an den jeweiligen Kurstagen Kosten für Unterkunft, Verpflegung und Reise. Darin noch nicht berücksichtigt sind Verdienstausfälle.

15 Die Kurse sind in der Regel in Blöcke von einem halben Tag bis drei Tagen unterteilt. Durchgeführt wird die Weiterbildung an Arbeitstagen oder Samstagen und erstreckt sich über rund neun Monate. Des Weiteren fallen Vorbereitungs- sowie Nachbereitungsarbeiten und Fallbearbeitungen an. Zuletzt hat man sich auf die Schlussprüfung und das Fachgespräch vorzubereiten. Mithin muss die Bereitschaft bestehen, sich in der praktischen anwaltlichen Tätigkeit einzuschränken oder eine höhere Belastung in Kauf zu nehmen. Da rund die Hälfte der Kurstage auf einen Samstag fallen, wirkt sich dies zudem auf das Privatleben aus.

16 Die anfallenden Kosten und die ausfallenden Honorare sind wohl für das Gros der Anwälte als erheblich zu bezeichnen. Dasselbe gilt für die nicht zu unterschätzende Belastung durch den Kurs an sich. Gerade jüngere Anwälte könnten mit dem Fachanwaltstitel auf dem Markt grössere Beachtung erhalten, doch sind auch sie es, die durch die Kosten und den zusätzlichen Aufwendungen am stärksten belastet werden.

8 § 8 Reglement Fachanwalt/Fachanwältin SAV.
9 Mosca, Gianmaria: Neue Gelegenheit für Schweizer Anwälte. In: la Svizzera/Januar 2008, S. 35.
10 Per Ende 2010; www.sav-fsa.ch/Mitgliederstatistik.793.0.html (besucht am 29. März 2012).
11 Stand Dezember 2011; www.fachanwalt.sav-fsa.ch/Verzeichnis-Fachanwalt.299.0.html (besucht am 29. März 2012).

3.2 Warum ein Fachanwaltstitel?

Der Entscheid, den Fachanwaltstitel zu erwerben, hängt indes nicht nur von den finanziellen, zeitlichen und fachlichen Vorgaben ab. Vielmehr sollte man sich die Fragen stellen: Warum möchte ich diesen Titel erwerben und lohnt sich diesbezüglich der Aufwand? Die Bewertung der Fachanwaltsausbildung von Absolventen ist einheitlich positiv, wenn auch der Nutzen sehr unterschiedlich bewertet wird.[12] 17

Aus meiner Sicht gab es ein Haupt- sowie zwei Nebenargumente, die Spezialisierung anhand zu nehmen: 18

3.2.1 L'art pour l'art

Nachdem ich bereits während des Studiums als Studentin auf dem Arbeitsrechtsdienst einer international tätigen Bank erste Erfahrungen sammeln konnte, danach mein Praktikum am Gericht mehrheitlich am Arbeitsgericht absolvierte, meine Dissertation im Arbeitsrecht verfasste, als Anwältin ohne Unterbruch rund 70% arbeitsrechtliche Fragestellungen betreu(t)e und schliesslich als Referentin im Arbeitsrecht tätig war bzw. bin, wollte ich spontan am ersten Spezialisierungskurs Arbeitsrecht 2006/2007 teilnehmen. 19

Mithin war meine Freude, mit Gleichgesinnten, losgelöst von Klienten, ökonomischen Überlegungen und Erledigungsdruck, arbeitsrechtliche Fragestellungen analysieren sowie diskutieren zu können, ausschlaggebend. Ich wollte mir bewusst wieder einmal Gelegenheit geben, das Arbeitsrecht umfassend, fundiert und aus verschiedenen Blickwinkeln zu betrachten. Eine derartige Tiefe kann an den üblichen Weiterbildungen von einem Tag weder angeboten noch erreicht werden. Während der praktischen Tätigkeit war und ist eine derartige Auseinandersetzung mit dem Recht sodann schlicht undenkbar. 20

3.2.2 Ehre und Honorar

Ob ich mit der Führung des Fachanwaltstitels eine höhere Akzeptanz oder mehr Honorar generieren würde, war für mich im damaligen Zeitpunkt unwesentlich. Es ging mir vielmehr darum, für mich als «selbst-deklarierte» Arbeitsrechtlerin eine Bestätigung zu erhalten, dass ich meine Klienten zu Recht mehrheitlich im Arbeitsrecht berate und vertrete. 21

[12] Roš 2009, S. 314–315. Trachsel, Daniel: Erfahrungen aus dem ersten Kurs Fachanwalt SAV Familienrecht. In: Anwalts-Revue 6–7/2009, S. 316–318. Chanson, Georges: Fachanwalts-Weiterbildung im Arbeitsrecht. In: Anwalts-Revue 6–7/2009, S. 318–320. Chanson, Georges: Umfrage zum Nutzen des Fachanwaltstitels. In: Anwalts-Revue 7–6/2009, S. 320–321. Wedekind-Schmid, Lukas: Vom Generalisten zum Spezialisten. In: plädoyer 2/11, S. 32–34.

3.3 Nutzen

22 Wie bei den meisten Kollegen, welchen einen Fachanwaltstitel führen, schätze ich den Nutzen vielfältig ein:

3.3.1 Fachwissen

23 Die Fachanwaltsausbildung hat meine Erwartungen nicht nur erfüllt, sondern bei Weitem übertroffen. Sicher gab es vieles, was ich im Arbeitsrecht bereits wusste. Gewinnbringend war und ist heute noch, dass diese Ausbildung viel tiefer ging und Fragestellungen wieder einmal von Grund auf sowie verknüpft betrachtet werden konnten. Das Arbeitsrecht wurde nicht isoliert als OR[13] 319–362 umfassend behandelt, sondern in den Kontext zu den relevanten weiteren Gesetzen gestellt. Darunter fielen nicht nur die offensichtlich dem Arbeitsrecht zugehörigen Rechtsgrundlagen wie das Arbeitsgesetz oder das Gleichstellungsgesetz. Der Rahmen wurde viel weiter gezogen und umfasste unter anderem in den Grundzügen das Sozialversicherungsrecht, steuerliche Aspekte, Fragestellungen bei Unternehmensveränderungen sowie Probleme im Rahmen von internationalen Arbeitsverhältnissen. Die jeweiligen Gebiete wurden von ausgewiesenen Spezialisten aus der Lehre und der Praxis präsentiert. Es blieb also nicht bei der theoretischen Auseinandersetzung, sondern der Praxisbezug war stark und enorm wertvoll.

24 Zudem ergab sich für uns 24 Teilnehmer ein sehr enger Kontakt mit den Referierenden, darunter als Kursleiter drei Hochschulprofessoren, was während des Studiums undenkbar gewesen war. Neben dem reinen Unterricht konnte und wurde jederzeit das Gespräch in freiem Rahmen möglich gemacht, was zu einem unbezahlbaren Erfahrungsaustausch führte.

25 Ideen wurden entwickelt und das Wissen der Teilnehmer zusammengeführt. Daraus ergaben sich neben den gedanklichen Anregungen eine Fülle von Material wie Aufsätze, Links, Gerichtsentscheide usw., welches ausserhalb des Kurses aufgrund des Zeitdrucks in der Praxis gar nie alleine hätte gesammelt werden können.

26 Aus dem Kontakt unter der Teilnehmenden entstand ein bis heute aktives, kollegialfreundschaftliches Netzwerk, auf welches stets zurückgegriffen werden kann. Es wird gegenseitige und vor allem unkomplizierte Hilfe bei rechtlichen Fragestellungen, bei der Suche nach Mustern für juristische Dokumente und bei der Vermittlung von Mandaten oder Empfehlungen von Kollegen gewährt, welche selbstredend auf absoluter Diskretion beruhen.

[13] OR = Obligationenrecht.

3.3.2 Anwaltstätigkeit

Abgesehen von dem nochmals verbesserten Fachwissen ergab sich in der Anwaltstätigkeit ein klarer Vorteil bei der Akquisition von Mandanten und beim Abschluss von Honorarvereinbarungen. Der Name «Fachanwalt SAV» alleine ist schon für potenzielle Klienten klar verständlich, und als Titel seitens des Schweizerischen Anwaltsverbandes gilt er als vertrauenswürdig. Einige kantonale Anwaltsverbände und der Schweizerische Anwaltsverband bieten zudem auf ihren Internetseiten die Möglichkeit an, in einem konkreten Rechtsgebiet einen Fachanwalt zu suchen. Da nur wenige Anwälte in der Schweiz über den Titel verfügen, erleichtert dies dem Publikum den Zugang zu einem geeigneten Anwalt und vice versa dem Anwalt zu neuen Klienten. 27

Einesteils scheinen sich sodann Arbeitgeber oder vielmehr Unternehmen lieber an einen ausgewiesenen Spezialisten zu wenden, vermutlich auch bezüglich strikterer Haftung. Anderenteils macht der Fachanwaltstitel bei Rechtsschutzversicherungen und Arbeitnehmern einen «beruhigenden» Eindruck. Im Zweifelsfall wenden sie sich an Fachanwälte. Schliesslich gibt es immer mehr Anfragen von Unternehmen aus Deutschland mit Zweigstellen in der Schweiz oder deutschen Arbeitnehmern, in deren Anwaltskultur der Fachanwalt seit Jahrzehnten verankert ist. Diese bestehen meistens auf den Beizug eines Fachanwalts. 28

Da ich bereits vor der Fachanwaltsausbildung mehrheitlich arbeitsrechtliche Fälle betreut habe, kann ich nicht sagen, ich hätte in diesem Rechtsgebiet zusätzliche Anfragen registrieren können. Indes, und dies scheint mir genauso entscheidend, konnte ich meine Position halten und zusätzlich verankern. 29

3.3.3 Honorar

Aus- und Weiterbildungen werden oft mit dem Ziel, danach ein höheres Einkommen zu generieren, absolviert. Dies soll zudem die hohen Kurskosten kompensieren. 30

Eine Erhöhung des Einkommens kann entweder mit mehr Mandaten oder mit einem höheren Stundenansatz erreicht werden. Es wäre falsch, mit dem Erwerb des Fachanwaltstitels das eine oder andere unmittelbar zu erwarten. Da die Zulassung zur Fachanwaltsausbildung bereits eine Spezialisierung und damit eine gewisse Stärke im Markt voraussetzt, ist es fraglich, ob überhaupt viele neue Aufträge angenommen werden können. Selbst wenn dies möglich wäre, wird die Zahl der Anfragen steigen, indes wird dies nicht sprunghaft, sondern wohl eher kontinuierlich geschehen. Die Erhöhung des Stundenansatzes in bestehenden Mandaten kann sodann nicht sofort umgesetzt werden. Die bereits vor Absolvierung der Fachanwaltsausbildung bestehende Spezialisierung wird schon zu einem höheren Stundenansatz geführt haben. Einzig aufgrund des Titels noch mehr zu verlangen, erscheint heikel. Zudem ist eine Erhöhung des Stundenansatzes im jeweiligen Mandatsverhältnis sorgfältig zu prüfen. Ein erhöhter Stunden- 31 ansatz ist dabei eher aufgrund von komplexen Fragestellungen, allgemeiner Teuerung usw. zu rechtfertigen.

32 Nicht vergessen werden darf, dass nicht bei allen Klienten eine Erhöhung des Stundensatzes überhaupt möglich ist. Bei Beratungen von natürlichen Personen und kleineren Betrieben wird der Stundenansatz nicht übermässig ansteigen können. Der Beizug eines (Fach-)Anwaltes würde damit unbezahlbar. Sodann weist nicht jedes Mandat die entsprechende finanzielle Grössenordnung auf, um einen höheren Stundenansatz zu begründen. Schliesslich liegen in gewissen Rechtsgebieten (u.a. Strafrecht, Familienrecht) die Stundenansätze traditionell tiefer, was nicht zuletzt auf die häufige Übernahme der Anwaltskosten durch den Staat zurückzuführen ist.

4. Strategie

4.1 Notwendigkeit

33 Eine Spezialisierung als Anwalt ist unumgänglich. Dies gilt nicht nur zwecks Vermeidung von Haftungsfällen, sondern vielmehr zur Absicherung der Existenz. Dabei hat der Anwalt sorgfältig zu prüfen, ob dies im Rahmen einer dem Publikum bekannten Weiterbildung mit Titelvergabe, von Publikationen, von Referententätigkeiten oder schlicht durch die Legung eines Schwergewichtes in der Praxis erfolgen soll. Das Letztgenannte erscheint für die Sicherung der Berufstätigkeit einzig dann sinnvoll, wenn die Spezialisierung dem Zielpublikum bekannt ist.

34 Wie die Spezialisierung erreicht werden soll, hängt mithin entscheidend davon ab, welche Strategie der einzelne Anwalt oder die Anwaltskanzlei verfolgt: Welche Klientel soll angesprochen werden? Welche Rechtsgebiete sollen abgedeckt werden? Wollen wir wachsen? Wie will ich tätig sein (Pensum, beratend, prozessierend)? Wie lange werde ich noch berufstätig sein? Wenn zu Beginn der Anwaltstätigkeit noch vielfach der Zufall Wegweiser ist, wird sich der Anwalt nach einigen Jahren praktischer Tätigkeit einer systematischen Beantwortung dieser Fragen nicht verschliessen können.

35 Die Notwendigkeit der Spezialisierung des einzelnen Anwaltes gilt unabhängig davon, ob er alleine, in einer kleineren oder grösseren Kanzlei tätig ist. Selbst wenn Rechtsabklärungen durch angestellte Juristen oder Anwälte vorgenommen werden, ist die Position gegenüber den Klienten und die Beratung letztlich nur so gut, wie das Fachwissen des mandatsverantwortlichen Anwalts.

4.2 Fachanwalt SAV

36 In der Schweiz steht im Sinne eines einheitlichen und transparenten «Gütesiegels» einzig der Fachanwaltstitel des Schweizerischen Anwaltsverbandes zur Verfügung. Der Erwerb des Fachanwaltstitels mag mit gewissen zeitlichen und finanziellen Hürden ver-

bunden zu sein. Doch lohnt sich diese Weiterbildung. Sie bietet eine unvergleichliche Möglichkeit, das Fachwissen auszubauen und ein Netzwerk mit Kollegen aufzubauen. Finanzielle Früchte mögen aufgrund des Fachanwaltstitels möglicherweise nicht sofort anfallen. Ein Anwalt sollte indes nicht nur kurzfristig den Ertrag zu steigern versuchen, sondern anstreben, sich im Markt eine gut etablierte Position zu verschaffen. Nur so kann man erfolgreich und ohne dauernde Ungewissheit über das fachliche (Un)Genügen den Beruf längerfristig ausüben.

Allerdings ist heute aufgrund des noch jungen Alters der Fachanwaltausbildung in der Schweiz für den Entscheid, diese oder eine andere Weiterbildung zu absolvieren, die bereits bestehende Spezialisierung durch praktische Erfahrung und damit das Alter des Anwaltes zu berücksichtigen. Verfügt der Anwalt bereits über eine gefestigte Position im Markt und neigt sich seine berufliche Karriere ihrem Ende zu, mag der Anreiz gering sein und die Notwendigkeit nicht bestehen. 37

Es wäre sowohl für das Publikum wie auch die Anwaltschaft begrüssenswert, wenn die heute in lediglich fünf Rechtsgebieten angebotene Fachanwaltsausbildung auf weitere Rechtsgebiete ausgedehnt werden würde. Es kann nur im Interesse der Anwaltschaft sein, aufgrund einer einheitlichen und einfach verständlichen Beurteilung im Markt auftreten. Wir verkaufen eine Dienstleistung im hohen Preissegment. Im Gegenzug kann und darf der Klient eine nach objektiven Kriterien bestätigte Spezialisierung erwarten. 38

4.3 Zeit

Es erscheint mir unabhängig von der gewählten Form der Spezialisierung für alle Anwälte wesentlich, sich ab und zu bewusst eine Auszeit von der Hektik der Mandatsbetreuung zu nehmen. Dafür eignen sich insbesondere Weiterbildungen, welche uns zeitlich sowie örtlich zwingen, aus der praxis-orientierten Rechtsanwendung auszutreten, und es uns ermöglichen, fundiere dogmatische Überlegungen anzustellen. 39

Nur so schaffen wir uns die notwendige Musse, rechtliche Fragestellungen wieder einmal grundlegend abzuklären und zu erörtern. Dies erfüllt gleichzeitig den Zweck der Spezialisierung. 40

H. Markt- und Kundenkommunikation in der Anwaltskanzlei

DIDIER SANGIORGIO

1. Einleitung

1 In der Einleitung zu diesem Buch wurde bereits eingehend darauf hingewiesen, dass in den vergangenen Jahren auf dem schweizerischen Anwaltsmarkt verschiedene Faktoren den Wettbewerbsdruck erhöht haben. Erwähnt wurden die zunehmende Anwaltsdichte, der zunehmende Preisdruck sowie die abnehmende Kundentreue. Ich verweise dazu auf die meines Erachtens zutreffenden Ausführungen von Leo Staub in seiner Einführung zu Kapitel 1.

2 Für die nachfolgenden Ausführungen bedeutsam ist in diesem Zusammenhang die Schlussfolgerung, dass der Erfolg einer Kanzlei immer mehr von deren Fähigkeit abhängt, die Dienstleistungen in einem für die Kunden attraktiven Kosten/Nutzen-Verhältnis anzubieten. Dabei genügt es jedoch nicht mehr, ein derart attraktives Kosten/Nutzen-Verhältnis bieten zu können, oder anders ausgedrückt, die eigenen Dienstleistungen auf einem solchen Qualitätsniveau erbringen zu können. Der Akquisitionserfolg wird darüber hinaus immer mehr davon abhängig sein, ob es gelingt, den Kunden in die Lage zu versetzen, die Attraktivität eines solchen Angebots zu erkennen.

3 Im Nachfolgenden wird im Sinne einer beispielhaften Aufzählung beschrieben, welche Überlegungen die Kanzlei Walder Wyss AG in diesem Zusammenhang angestellt hat und welche konkreten Massnahmen im Rahmen der Marketingkommunikation umgesetzt oder geplant sind.

2. Definitionen und Einordnung

2.1 Marketingkommunikation

4 Marketing als Teil des unternehmerischen Führungsprozesses wird allgemein definiert als die Summe aller Massnahmen, welche getätigt werden, um die Produkte und Dienstleistungen eines Unternehmens auf dem Markt abzusetzen. Die dafür zu definierende Marketingstrategie hat nach durchgesetzter Lehre einen sogenannten «Marketing-Mix» abzudecken, der aus vier Teilstrategien besteht. Dies sind die Produkt-, die Preis-, die Kommunikations- und die Vertriebsstrategie (allgemein aus dem englischen

Sprachgebrauch bekannt als die Strategie der vier «P»: *Product, Price, Promotion* und *Placement*)[1].

5 Im vorliegenden Zusammenhang interessiert die Kommunikationsstrategie, welche den Einsatz der beiden klassischen Kommunikationsinstrumente Werbung und Public Relations («PR») umfasst. Die nachfolgend beschriebenen Kommunikationsarten, -mittel bzw. -massnahmen können jeweils entweder dem Instrument der Werbung oder der PR zugeordnet werden. Sofern die jeweilige Kommunikationsmassnahme primär darauf ausgerichtet ist, beim Adressaten in Bezug auf bestimmte Produkte oder Dienstleistungen eine direkte Kauf- bzw. Bestellungsentscheidung auszulösen, ist diese eher der Werbung zuzuordnen. Soll stattdessen die kommunizierte Information beim Adressatenkreis primär die Perzeption, den guten Ruf der Kanzlei als Anbieterin von Anwaltsdienstleistungen positiv beeinflussen, so spricht man eher von einer PR-Massnahme. Da letztlich beide Instrumente der Förderung des Absatzes dienen sollen, bestehen bei vielen Massnahmen Überschneidungen, welche eine klare Abgrenzung erschweren. Im folgenden Beitrag zur Markt- und Kundenkommunikation wird dieser definitorischen Abgrenzung wenig Beachtung geschenkt, sondern es wird allgemein davon ausgegangen, dass die diskutierten Kommunikationsmassnahmen letztlich alle das Ziel verfolgen, den Absatz an Produkten und Dienstleistungen der Anwaltskanzlei zu fördern.

2.2 Gesetzliche und standesrechtliche Schranken

6 Kantonale Gesetze und Standesregeln schränkten bis vor wenigen Jahren die Werbemöglichkeiten für Rechtsanwälte stark ein. Nach Einführung des revidierten Kartellgesetzes im Jahre 1995 begannen mehrere Kantone, erste Lockerungen des Werbeverbots zuzulassen[2]. Konkret zugelassen wurde das Recht zur Werbung mit der Einführung des Bundesgesetzes vom 23. Juni 2000 über die Freizügigkeit der Anwältinnen und Anwälte («BGFA»)[3]. Anwälten ist damit Werbung allgemein erlaubt, solange diese objektiv bleibt und sie dem Informationsbedürfnis der Öffentlichkeit entspricht[4].

7 Die gesetzlichen Kriterien der Objektivität und des Informationsbedürfnisses der Öffentlichkeit sind nur sehr allgemein umschriebene Kriterien. Es bleibt abzuwarten, wie die Gerichte bzw. die Aufsichtsbehörden diese Kriterien konkret auslegen werden. Erste Entscheidungen zeigen jedoch auf, dass die Grenzen der Objektivität entlang der Grund-

---

1 Für viele: Shapiro, B.P., Rejuvenating the Marketing Mix, in: Harvard Business Review, September-October 1985, S. 4; Homburg, Christian / Krohmer, Harley: Marketingmanagement, 2. Aufl., Gabler Verlag, Wiesbaden 2006, Meffert, Heribert / Burmann, Christoph / Kirchgeorg, Manfred: Marketing, 10. Aufl., Gabler Verlag, Wiesbaden 2008.

2 Gaudenz G. Zindel, Anwaltswerbung, in: SJZ 94 (1998), 440 ff.

3 Bundesgesetz vom 23. Juni 2000 über die Freizügigkeit der Anwältinnen und Anwälte, SR 935.61.

4 Art. 12 lit. d, Bundesgesetz vom 23. Juni 2000 über die Freizügigkeit der Anwältinnen und Anwälte, SR 935.61.

sätze des Bundesgesetzes über den unlauteren Wettbewerb definiert werden[5] und dass das Informationsbedürfnis der Öffentlichkeit recht weit interpretiert wird und erst dann eine Überschreitung erkannt wird, wenn die Werbemassnahme geeignet ist, eine für das Publikum schädliche Nachfrage zu fördern oder dieses gar zu leichtfertigem Prozessieren aufzufordern[6]. Positiv wird dagegen bestätigt, dass die Werbung einem Informationsbedürfnis der Öffentlichkeit entspricht, wenn sie Informationen über die Identität, Ausbildung, Qualifikation, Sprachkenntnisse, Mitgliedschaften, Tätigkeitsgebiete und Spezialisierungen sowie die Honoraransätze des Anwalts enthält.[7]

2.3 Massnahmen der Marketingkommunikation

8 Kommunikationsmittel und -inhalte unterscheiden sich, je nachdem, welche Zielgruppe adressiert werden soll. Im Folgenden werden in einem ersten Teil unter Ziff. 3 Kommunikationsmassnahmen behandelt, welche sich an die Zielgruppe «potenzielle Neukunden» richten, also mit einer Zielgruppe ohne vorbestehender Beziehung. In einem zweiten Teil unter Ziff. 4 werden diejenigen Massnahmen beschrieben, welche für die Kommunikation mit bestehenden Kunden zur Verfügung stehen.

3. Kommunikation mit potenziellen Neukunden

9 Nachfolgend wird zwischen direkter und indirekter Kommunikation unterschieden. Von direkter Kommunikation wird ausgegangen, wenn die Kanzlei den von ihr ausgehenden Informationsfluss bis zum Adressaten kontrollieren und beeinflussen kann. Demgegenüber steht die indirekte Kommunikation, bei welcher eine nicht zur Kanzleiorganisation gehörende Drittpartei mit Informationen bedient wird und dabei die Erwartung besteht, dass diese Drittpartei als Intermediär mit einer positiven Werbebotschaft an das Zielpublikum gelangt.

3.1 Direkte Kommunikation

3.1.1 Website

10 In der heutigen Zeit steht das Instrument der Website als zentrales Mittel zur Informationsverbreitung im Vordergrund. Einigkeit besteht sicherlich darüber, dass sich eine Kanzlei heute kaum mehr erlauben kann, auf eine Website zu verzichten. Es bleibt aber die zentrale Frage offen, welcher Inhalt auf der Website publiziert werden soll.

[5] Kantonsgericht St.Gallen, III. Zivilkammer, 26. April 2010, BR.2009.4, Erw. 2.3.
[6] Kantonsgericht St.Gallen, III. Zivilkammer, 26. April 2010, BR.2009.4, Erw. 4.2.
[7] Kantonsgericht St.Gallen, III. Zivilkammer, 26. April 2010, BR.2009.4, Erw. 2.4.

In diesem Zusammenhang hat sich Walder Wyss von folgenden Feststellungen leiten lassen: Es wird davon ausgegangen, dass vorgängig zu einer geplanten physischen Erstbegegnung zwischen Kunde und Anwalt regelmässig gegenseitig Informationen von der Website des Gegenübers eingeholt worden sind. Die monatlichen Statistiken zu den Besuchen der Website von Walder Wyss und insbesondere die Informationen zu den besuchten oder heruntergeladenen Inhalten zeigten eindrücklich, wie rege dieser Weg zur «anonymen» Informationsbeschaffung genutzt wird. Dabei wurde auch deutlich, dass häufig die Absicht einer dem Website-Besuch folgenden Kontaktierung seitens des Kunden bzw. eines Vermittlung suchenden Kollegen nie bestand bzw. nicht entstand. In solchen Fällen konnte folglich auch nie eine Gelegenheit entstehen, gewisse aufgrund des Informationsgehalts der Website entstandene Missverständnisse, falsche Eindrücke oder Informationslücken zu korrigieren bzw. zu füllen. Häufig wurden beim Besuch der Website nur sehr wenige Informationen gesucht und dementsprechend kurz war die jeweilige Verweildauer. 11

Die Konklusionen daraus waren die folgenden: Die Website sollte vom Informationsgehalt her alles enthalten, was der Kunde in der Regel wissen muss, bevor er entscheiden kann, ob er die Kanzlei oder einzelne Anwälte direkt kontaktieren soll. Der Inhalt sollte leicht verständlich und die Struktur der Website klar und einfach navigierbar sein. Dabei sollte der Kunde einerseits die Möglichkeit haben, sich beim Navigieren auf den obersten beiden Strukturebenen der Website rasch einen Überblick zu verschaffen. Gleichzeitig sollten dem Interessenten aber auch auf den tiefer liegenden dritten und vierten Ebenen detailliertere Informationen bereitgestellt werden. 12

Unabhängig von der direkten Werbewirkung bestand eine weitere Zielsetzung darin, die Website auch zur Förderung der Servicequalität zu nutzen. In diesem Zusammenhang zu erwähnen sind die Bereitstellung aller direkten Kontaktdaten auf einen Click (*v-card,* herunterladbar), die Möglichkeit, Publikationen zu suchen und herunterzuladen, Hinweise auf Neuigkeiten und Anlässe mit elektronischer Anmeldemöglichkeit oder die Nutzung der Website für den Zugang zu vertraulichen Extranets, welche für bestimmte Kunden bzw. Transaktionen mit minimalem Aufwand eingerichtet und betrieben werden können. 13

3.1.2 Kanzleibroschüre mit branchen- und produktspezifischen Broschüren

Bei Walder Wyss besteht nach wie vor die Meinung, dass zurzeit ein Bedürfnis nach einer gedruckten Firmenpräsentation besteht. Seitens der Kunden wird eine solche bei Kontaktbesuchen immer noch häufig verlangt oder zumindest erwartet. Auch bei Besuchen von Korrespondenzkanzleien und bei Empfängen von Netzwerkpartnern, Kundenevents, Weiterbildungsveranstaltungen usw. werden diese Broschüren ebenfalls noch regelmässig abgegeben. Aus diesem Grunde wurde im abgelaufenen Jahr noch einmal eine neue aktuelle Firmenbroschüre entworfen, welche weiterhin zur Verfügung gestellt wird. 14

15 Die allgemeine Firmenpräsentationsbroschüre wird ergänzt durch weitere sogenannte Produktgruppen- und Branchenbroschüren. Walder Wyss hat sich im Marketing so aufgestellt, dass die Spezialisierung und die damit entstehenden Kompetenzen über bestimmte Produktgruppen (bspw. Corporate Finance und Kapitalmarkt, Vertriebsrecht, Outsourcing) oder Branchen (Immobilien, Medien & Kommunikation, Gesundheitsrecht und Life Sciences usw.) definiert wird. Pro Produktgruppe bzw. Branche wird eine Informationsbroschüre erstellt, welche neben den Beschreibungen der jeweils darunter fallenden Produkte und Dienstleistungen auch Informationen zu den zum Team gehörenden Spezialisten, den in der jüngeren Vergangenheit erfolgreich begleiteten Projekten (Track Record) sowie den einschlägigen, von den Teammitgliedern verfassten Publikationen enthält. Der allgemeine Teil dieser Broschüren, welcher die Produkte und Dienstleistungen beschreibt, wird jeweils aus Kostengründen in Druckereien in bestimmter Auflagezahl gedruckt. Die übrigen dynamischen Informationsgehalte zum Team, dem Track Record und zu den Publikationen werden auf eigenen Druckern jeweils bei Bedarf tagesaktuell hergestellt.

3.1.3 Elektronische Präsentationsvorlage

16 Für Präsentationen anlässlich von Roadshows, Kanzleibesuchen oder Einladungen zu *Pitch*-Präsentationen wurde auf Powerpoint-Basis eine Präsentation vorbereitet. Diese zwingt die präsentierenden Teams zur Verwendung des exakten Corporate Designs und zu einer Einleitung, in welcher kurz die gesamte Kanzlei vorgestellt wird. Für die verschiedenen Produkt- und Branchengruppen bestehen vorgefertigte Module, welche bei einem Marketingmitarbeiter zentral bezogen werden können. Die individuellen, auf die konkrete Präsentation abgestimmten weiteren Informationsgehalte werden jeweils vom präsentierenden Team ergänzend in die Präsentation eingefügt.

3.1.4 Roadshows

17 Erstrebenswert, aber nicht immer einfach zu erwirken, sind Einladungen durch potenzielle Zielkunden, anlässlich deren die Gelegenheit eingeräumt wird, die Kanzlei und allenfalls einige besondere Kompetenzen zu präsentieren. In der Regel kommen derartige Einladungen aufgrund von persönlichen Beziehungen von Mitarbeiterinnen oder Mitarbeitern zustande. Insofern ist es wichtig, innerhalb der Kanzlei eine Kultur zu pflegen, welche zu *Cross-Selling*-Aktionen motiviert, also einen Anwalt auch dann zu einer solchen Vermittlung ermuntert, wenn er von seiner persönlichen Spezialisierung her nicht erwarten kann, Mandatsarbeit für sich persönlich zu generieren.

18 Gelegentlich werden auch Besuche von Korrespondenzkanzleien als Roadshows bezeichnet. Einladungen zu solchen Präsentationen sind einfacher zu erwirken und führen, zum

Teil erst nach Wiederholungen, zu fruchtbaren Beziehungen zwischen einzelnen Anwälten, Anwaltsgruppen oder gar Kanzleien[8].

3.1.5 Publikationen und Vorträge

Eine sehr wertvolle Möglichkeit, eigene Kompetenzen zu kommunizieren, besteht darin, 19
im eigenen Spezialisierungsbereich Abhandlungen zu publizieren oder Fachvorträge zu halten. Die Auswahl des Publikationsmediums bzw. der Vortragsplattform ist dabei bedeutsam, wenn es darum geht, die richtige Zielgruppe zu erreichen. Zur Zielgruppe können einerseits die Kundenvertreter gehören, welche über die Mandatsvergabe entscheiden. Andererseits können die Adressaten aber andere Anwaltskollegen sein, welche nach der Identifizierung der Kompetenz in die Lage kommen können, ein Mandat, welches sie nicht annehmen können, zu vermitteln[9].

3.1.6 Mitgliedschaften in Fachverbänden der Zielbranche

Die Mitglieder von Teams, welche einen branchenspezifischen Kompetenzfokus haben, 20
sind bestrebt, an von der Zielbranche durchgeführten Veranstaltungen teilzunehmen. Solche Veranstaltungen können sporadisch oder regelmässig von Branchenverbänden oder von Kunden organisiert werden. Die Teilnahme an solchen Veranstaltungen hat einerseits den Effekt, dass man in direkten Kontakt zu potenziellen Kunden treten kann. Andererseits kann an solchen Veranstaltungen wertvolles Branchen-Know-how erworben werden und dem Zielsegment gezeigt werden, dass man eben an dieser Branchenproblematik interessiert ist. Häufig sind solche Fachverbände sogar für branchenfremde Mitglieder offen. Optimiert werden kann eine solche Zusammenarbeit mit aktiver Mitarbeit im Verband bzw. mit einem Engagement im Vortrags- oder Publikationsbereich.

3.1.7 Inserate

Als Inserate im hier verstandenen Sinne gelten alle Arten von Publikationen, in denen 21
Informationen gegen Bezahlung in Print- oder elektronischen Medien veröffentlicht werden.

3.1.7.1 Schweizerische Tagespresse

In der schweizerischen Tagespresse werden von Walder Wyss Suchinserate für die 22
Anwerbung von Fachkräften geschaltet. Diesen Inseraten wird regelmässig noch ein bestimmter Informationsgehalt zur Kanzlei beigefügt, wodurch eine zusätzliche Werbewirkung erzielt werden soll. Ebenfalls werden Informationen über die Aufnahme neuer

8 Siehe dazu untenstehend Pflege von Netzwerken Ziff. 4.1.
9 Siehe dazu untenstehend Pflege von Netzwerken Ziff. 4.1.

Partner und über Zusammenschlüsse mit anderen Kanzleien und Gruppen via Inserate kommuniziert.

3.1.7.2 Verbandsmedien und Eventveranstaltungen

23 Ab und zu werden Kanzleien eingeladen, in bestimmten Verbandsorganen Inserate zu schalten. Manchmal handelt es sich um reine Imageinserate, manchmal können sie mit inhaltlichen Abhandlungen zu vorgegebenen Themen kombiniert werden.

24 Häufig offerieren Organisatoren von grösseren Veranstaltungen Inserate als Teil von sogenannten Sponsorship-Paketen. Der Auftritt als Sponsor legitimiert dann neben der Platzierung von Inseraten auch zur Nennung als Sponsor in weiteren Publikationen und auf Affichen sowie manchmal auch zur Besetzung von Referatspositionen.

3.1.7.3 Fachjournale

25 Von den angelsächsischen Märkten her kommend breitet sich das Angebot von sogenannten Fachjournalen immer weiter aus. Es handelt sich dabei um periodisch erscheinende Publikationen, welche manchmal mehr, manchmal weniger ausschliesslich den Anwaltsmarkt betreffen. Je nach Publikation stehen verschiedene Berichterstattungsbereiche im Fokus. Das Spektrum reicht von Berichten über grössere Transaktionen, Gerichtsfälle, Mutationen innerhalb von Kanzleien, laterale Transfers von Partnern, ökonomische Entwicklungen auf dem Anwaltsmarkt bis zu Managementthemen für Anwaltskanzleien oder Rechtsdienste usw. Publikationen in solchen Medien sind regelmässig kostenpflichtig, und zwar sowohl für reine Firmeninserate als auch für juristische Abhandlungen. Häufig werden diese Publikationen den Lesern kostenlos abgegeben, weshalb zum Teil recht hohe Auflagezahlen ausgewiesen werden können. Die Kosten sind üblicherweise auf grössere Kanzleien aus dem angelsächsischen Anwaltsmarkt ausgerichtet und erscheinen aus Sicht einer Schweizer Kanzlei als hoch.

26 Es ist jeweils recht schwierig zu beurteilen, welche Publikationen welche Werbewirkung entfalten können. Es ist auch schwierig, die Übersicht über die verschiedenen Angebote zu behalten, da die Verlagsmitarbeiter innerhalb der Kanzlei jeweils verschiedene Ansprechpartner mit ihren Offerten angehen. In dieser unübersichtlichen Situation hat sich Walder Wyss entschieden, externe Beratung beizuziehen. Wir lassen sämtliche Anfragen zentral über eine marketingverantwortliche Person sammeln und leiten diese Anfragen zur Beurteilung an einen den Anwaltsmarkt kennenden Marketingspezialisten weiter. Nach zwei Jahren führten diese Massnahmen zu einer Fokussierung auf wenige bestimmte Publikationen, jedoch bei gleichbleibendem Gesamtbudget.

3.1.8 Bannerschaltungen

27 Das Internet wird immer mehr zum Ort, wo Informationen gesucht und beschafft werden. Ausgangspunkt für viele Suchen sind Plattformen. Auf solchen Plattformen können

Banner geschaltet werden, welche bei Anklicken eine Verbindung zu unserer Homepage aufbauen. Walder Wyss hat einige derartige Banner platzieren lassen, und beobachtet zurzeit die Entwicklungen bezüglich Kosten und Traffic-Generierung für die eigene Homepage.

In diesem Zusammenhang ist zu erwähnen, dass die Masse von solchen Bannern regelmässig vorgegeben und dabei von der Grösse her sehr begrenzt sind. Bei der Entwicklung unseres neuen Designs mit dem Brand «walderwyss» haben wir daher darauf geachtet, dass das Brand-Logo «walderwyss» auf einem solchen Banner in grösseren Buchstaben, ohne unnötige grafische Zutaten, gut erkennbar ist. 28

3.1.9 Brand und Corporate Design

Wie bereits erwähnt, hat Walder Wyss im Zusammenhang mit dem neuen Webauftritt auch das gesamte Corporate Design überarbeitet. Zielsetzung dabei war, dass ein prägnantes Design mit entsprechend prägnantem Brand für die Einsetzung in allen Publikationsmitteln tauglich wird. Die Design-Elemente sollten dabei eine gewisse Einzigartigkeit aufweisen und infolge der sklavischen Verwendung in allen Mitteln zu einem hohen Wiedererkennungswert führen. 29

Folgende Publikations- bzw. Werbemittel wurden in diesem Zusammenhang unter dem neuen Corporate Design definiert und hergestellt: Briefpapier mit einheitlichem Briefkopf, Musterdokumente für Memoranden, Aktennotizen, Honorarrechnungen, Rechtsschriften, Verträge, Visitenkarten, Kuverts, Notizblöcke, Ordner, Dokumentenmappen, Seminartaschen, Imageinserate, Suchinserate, Firmenbroschüren, Branchen- und Produktgruppenbroschüren, Newsletter-Formatvorlagen, Powerpoint-Formatvorlagen, Kundengeschenke (Taschenmesser, Kugelschreiber, Regenschirme, Notizbücher, USB-Sticks), Haus- und Bürobeschriftungen. 30

3.1.10 Social Media Networks?

Eine Herausforderung, welche Walder Wyss im Zeitpunkt der Drucklegung dieses Beitrags unmittelbar bevorsteht, ist die Prüfung der Möglichkeiten, welche die unter Social Media Networks zur Verfügung stehenden Kommunikationsformen eröffnen. 31

Bislang hat Walder Wyss aus Kanzleisicht erst eine Aktivität entfaltet, nämlich die Eröffnung einer User-Group für Alumni auf dem Business-Netzwerk XING. Jede weitere Teilnahme an Social Media Networks bleibt damit noch der Initiative der einzelnen Mitarbeiterinnen und Mitarbeiter überlassen. Während die Kommunikation über Facebook und Twitter nach heutigem Erkenntnisstand von den Mitarbeitern nach wie vor nur für private Zwecke verwendet wird, sind einige Anwältinnen und Anwälte dazu übergangen, die Plattformen Linked-In und XING auch für die berufliche Netzwerkbildung zu nutzen. 32

4. Indirekte Kommunikation

33 Bei der indirekten Marketingkommunikation wird die Werbebotschaft nicht direkt von der Kanzlei aus an das Zielpublikum gerichtet, sondern dazwischen liegende aussenstehende Parteien geben gegenüber potenziellen Kunden Meinungen und Wertungen über das Dienstleistungsangebot der Kanzlei ab. Die nachstehend erwähnten Kommunikationsmassnahmen richten sich daher an solche Mittelspersonen, von denen erwartet wird, dass sie eine Werbebotschaft oder positive Beurteilung an potenzielle Kunden übermitteln könnten.

4.1 Pflege von Netzwerken

34 Ein gewichtiger Anteil der neu akquirierten Mandate, insbesondere im internationalen Verhältnis, wird von Anwaltskollegen bzw. Korrespondenzanwälten vermittelt.

4.1.1 Auf nationaler Ebene

35 Im nationalen Bereich erfolgen derartige *referrals* häufig aufgrund eines Interessenkonflikts oder der fehlenden eigenen Spezialisierung des vermittelnden Anwalts. Solche Netzwerke werden gefördert, indem der kollegiale Umgang besonders gepflegt wird und die eigene Kompetenz durch Publikationen, Vorträge oder anderweitige aktive Teilnahme an Konferenzen oder in Gremien regelmässig unter Beweis gestellt wird. In diesem Zusammenhang fördert Walder Wyss die aktive Mitarbeit in Fachgruppen des Anwaltsverbands und anderer Fachvereinigungen und unterstützt ganz allgemein die Referats- und Publikationstätigkeit ihrer Anwälte.

4.1.2 Auf internationaler Ebene

4.1.2.1 Anwalt zu Anwalt

36 Im internationalen Bereiche können *referrals* aus Beziehungen herrühren, welche zwischen individuellen Anwälten bestehen. Solche Beziehungen können über Mitgliedschaften in internationalen Vereinigungen entstehen und gepflegt werden. Sie können aber auch auf gemeinsame Studien zurückgehen oder in einzelnen gemeinsamen Mandatsprojekten ihren Ursprung haben. Immer häufiger beginnen solche Beziehungen mit gezielt organisierten Besuchsprogrammen. Entscheidend ist in allen Fällen, dass diese Beziehungen regelmässig gepflegt werden, indem die Kommunikation durch Besuche und/oder Korrespondenz über einen längeren Zeitraum aufrechterhalten wird. Zu dieser Korrespondenz gehört auch die Bedienung der Kontaktpersonen mit News über die eigene Kanzlei und mit Newsletters.

4.1.2.2 Kanzlei zu Kanzlei

Beziehungen können auch zwischen Kanzleien bestehen. Solche Beziehungen entstehen aufgrund gemeinsamer Mitgliedschaft in Netzwerken oder von Begegnungen im Rahmen gemeinsamer Projekte mit manchmal gemeinsamen Kundenbeziehungen. Im Gegensatz zu internationalen Firmengruppierungen, bei denen die Mitgliedschaften auf exklusiver Basis erfolgen, sind losere Formen von Netzwerken, welche auf nicht exklusiver Mitgliedschaft basieren, häufiger anzutreffen. Solche nicht exklusive Netzwerke ermöglichen, dass eine Kanzlei mehreren Netzwerken beitreten kann. Walder Wyss ist Mitglied von zwei globalen Netzwerken und einem europäischen Netzwerk. 37

Die Pflege dieser Netzwerke ist mit Aufwand verbunden. Die Kommunikation findet hier anlässlich regelmässig durchgeführter Konferenzen oder gegenseitiger Besuche statt. Praktisch immer ist damit eine teilweise aufwendige Reisetätigkeit verbunden. Der Know-how-Austausch sowie die administrative Führung solcher Organisationen kann jedoch teilweise auch auf dem Korrespondenzweg, über Telefonkonferenzen und immer häufiger auch über Internetportale fortgesetzt werden. Häufig bilden sich innerhalb dieser Netzwerke Untergruppen, welche einen Austausch auf Fachgruppenebene ermöglichen. Wertvolle und meistens sehr nachhaltige Beziehungen können durch den temporären Austausch von Mitarbeitern aufgebaut werden. 38

4.1.3 Pflege von Verzeichnissen

4.1.3.1 Rankings

In der jüngeren Vergangenheit sind vor allem im angelsächsischen Raum mehrere Verlage dazu übergegangen, Kanzleien zu beurteilen und zu bewerten. International am bekanntesten dürften die folgenden Publikationen (Directories) sein: Chambers, Legal 500, Practical Law Company (PLC), International Financial Law Review (IFLR). Die Grundlagen für ihre Bewertungen können die Redaktionen grundsätzlich über drei verschiedene Wege einholen. Zunächst werden die Kanzleien direkt nach Informationen über deren eigene Tätigkeit gefragt. Zusätzlich können die Kanzleien zu bestimmten Beurteilungen und Einordnungen ihrer Konkurrenzkanzleien befragt werden, wobei jeweils auch Neuempfehlungen willkommen sind. Der dritte Weg führt über die Befragung der Kundenseite. Die ausdrückliche Bezugnahme auf die Erfahrungen mit bestimmten Kanzleien setzt jedoch voraus, dass die Kanzlei die Journalisten ausdrücklich ermächtigt hat, einen bestimmten Kunden in diesem Zusammenhang anzusprechen. 39

4.1.3.2 Awards

Eine noch jüngere Entwicklung besteht darin, dass die Redaktionen von Directories nicht nur Rankings abgeben, sondern dem Sieger einer bestimmten Kategorie jedes Jahr einen sogenannten *award* vergeben, mit welchem sich dann die Kanzlei ihrerseits wieder in ihrer Werbung schmücken kann. Zurzeit ist eine regelrechte Inflation solcher Award- 40

Verleihungen zu verzeichnen. Awards werden für bestimmte Tätigkeitsfelder (z.B. *Real Estate firm of the Year*) oder sogar für einzelne Transaktionen (z.B. *Private Equity Deal of the Year Award*) vergeben. Eine Übersicht zu gewinnen ist auch hier schwierig. Die Seriosität bzw. der Wert solcher *awards* ist entsprechend schwierig zu beurteilen, zumal gewisse Verleiher solcher *awards* für deren Beurteilungen nur wenige oder gar keine Daten erheben, sondern sich die Vergabe einfach bezahlen lassen.

41 Ähnlich wie bei den Fachjournalen ist die Beurteilung der Werbewirksamkeit dieser verschiedenen Rankings und *awards* schwierig. Gleichzeitig ist die Pflege der einzelnen Redaktionen und Journalisten mit beträchtlichem Zeitaufwand verbunden. Daher hat sich Walder Wyss auch in diesem Zusammenhang – wie in Bezug auf die Beurteilung von Inserierungen – für den Beizug einer externen Beratungsfirma, welche den Anwalts- und den Publikationsmarkt kennt, entschieden. Auch in diesem Zusammenhang führte diese Beratung zu einer Beschränkung auf eine Teilmenge der Directories und *awards*. Die Ressourcen werden nun auf diejenigen Verlagshäuser konzentriert, bei denen sichergestellt werden kann, dass deren Beurteilungen auf korrekt und seriös erhobenen Daten beruhen.

4.1.4 Pflege der Alumni

42 Es gibt keine besseren, aber auch keine schlechteren Werbeträger für die Dienstleistungen einer Kanzlei als deren frühere Mitarbeiterinnen und Mitarbeiter. So wird auf dem Markt von ihnen erwartet, dass sie einen relevanten Einblick in die Abläufe und die Qualität der Mandatsarbeit beim früheren Arbeitgeber haben gewinnen können. Ihre Beurteilung wird sodann naturgemäss nach deren Austritt als objektiver wahrgenommen als während der Zeit ihrer Anstellung. Infolgedessen ist es naheliegend, dass eine Kanzlei anstrebt, ihre Alumni zu einer fairen und wohlwollenden Beurteilung der Kanzlei zu gewinnen. Dazu gehört neben einem guten Umgang während der Anstellungszeit sowie einer fairen Behandlung bei der Beendigung des Arbeitsverhältnisses auch eine regelmässige, die Anstellungszeit überdauernde Pflege im Rahmen von sozialen Veranstaltungen, zu welchen die Alumni in bestimmtem Turnus eingeladen werden.

5. Kommunikation mit bestehenden Kunden

43 Im Gegensatz zur Kommunikation mit einem Zielpublikum, zu welchem noch keine konkrete direkte Beziehung besteht, ist die Kommunikation mit bestehenden Kunden einfacher. Zum einen bieten sich im Rahmen des Mandatsverhältnisses und aufgrund der bestehenden persönlichen Beziehung weitaus mehr Gelegenheiten zur Kommunikation. Zum anderen ermöglichen viele dieser Kommunikationsformen eine gegenseitige Kommunikation mit sofortigem Feedback seitens des Kunden.

Allgemein besteht die Auffassung, dass die Zeit, welche für die Kommunikation mit bestehenden Kunden verwendet wird, im Vergleich zur Kommunikation mit anderen Zielgruppen gut investiert ist. Es ist schwierig, präzise Faktoren zu eruieren. Ich bin aber der festen Überzeugung, dass die Ressourcen, welche eingesetzt werden müssen, um einen neuen Kunden zu gewinnen, erheblich höher sind als diejenigen, die es braucht, um einen bestehenden Kunden zu motivieren, ein Folgemandat zu erteilen. 44

Nachfolgend wird beschrieben, welche Kommunikationsmittel bei Walder Wyss eingesetzt werden, um das Verhältnis mit bestehenden Kunden zu festigen bzw. um die Kundenbindung zu erhöhen. Vorausgesetzt wird dabei, dass die Kommunikationsmassnahmen, welche gemäss den bisherigen Ausführungen auf Neukunden ausgerichtet sind, auch die bestehenden Kunden erreichen. 45

5.1 *Push*-Kommunikation

Walder Wyss hat dieses Jahr eine CRM-Lösung (*Customer-Relationship-Management*-Lösung) eingeführt, welche ermöglicht, allen in unserem System erfassten Adressen bestimmte Publikationen und Mailings zuzuordnen. Die Kriterien der Zuordnung bestimmt jeweils der für die Pflege einer Adresse zuständige Anwalt. Gewisse Zuordnungen können jedoch auch zentral vorgegeben werden. Das System generiert jeweils ohne besonderen Aufwand Listen, welche den Verteiler für jede Publikation aufzeigen. Umgekehrt kann auch eine Liste aller Publikationen, welche eine bestimmte Person erhalten hat bzw. erhalten wird, abgerufen werden. Diese Daten werden sodann ebenfalls als Instrument für den Versand (Drucken der Adressen bzw. E-Mail-Versand per Outlook) verwendet. 46

Je nach diesen Zuordnungsentscheidungen werden bei Walder Wyss gegenwärtig folgende Publikationen versandt: 47

5.2 Newsletter

Im Format des Newsletters werden Hinweise auf neuere Rechtsentwicklungen, aktuelle Entscheide und Publikationen in bestimmten Rechtsgebieten publiziert. Neben der Reihe des allgemeinen Newsletters, welche alle Rechtsgebiete abdecken kann, sind innert der letzten Jahre Sonderreihen entstanden, welche mit einer bestimmten Regelmässigkeit über Entwicklungen in einem bestimmten Branchen- bzw. Produktgruppenbereich berichten (bspw. Arbeitsrecht, Kartell- und Wettbewerbsrecht, Immobilien, Steuerrecht, öffentliches Beschaffungswesen). 48

5.3 Einladungen zu Veranstaltungen

Walder Wyss führt regelmässig zu bestimmten Themen Veranstaltungen zur Weiterbildung oder zum Meinungsaustausch durch. Es werden verschiedene Formate genutzt, 49 so z.B. *Breakfast*-Meetings, Mittags-Roundtables, Abend-Roundtables, Halbtages- oder Ganztages-Seminare. Die meisten werden von Walder Wyss alleine durchgeführt, andere in Zusammenarbeit mit anderen Kanzleien oder im interdisziplinären Verbund mit Kunden oder Event-Organisatoren.

50 Bereits die Einladungsschreiben entfalten eine Werbewirkung, sodass auf Format und Inhalt dieser Einladungsunterlagen besonders geachtet wird. Eingeladene Gäste, welche nicht teilnehmen können, werden häufig in der Nachbearbeitung nochmals angeschrieben und angefragt, ob sie Interesse an einer Zustellung der abgegebenen Unterlagen haben.

5.4 Anzeigen

51 Veränderungen im Partnerbestand, Zusammenschlüsse, Adressmutationen werden in Form von persönlichen Anzeigen kommuniziert.

5.5 Weihnachtskarten

52 Es gilt weiterhin der Beschluss, die Weihnachtskarte in ihrer traditionellen Form beizubehalten.

5.6 *Pull*-Kommunikation

53 Als *Pull*-Kommunikation gilt die explizite oder stillschweigende Aufforderung, gewisse Informationen auf unserer Website einzusehen bzw. von dort herunterzuladen.

5.7 Publikationen und Vortragsunterlagen

54 Eine Mehrheit der Publikationen und Vortragsunterlagen, welche von Mitarbeiterinnen und Mitarbeitern von Walder Wyss publiziert worden sind, werden auf der Website in PDF-Format zum Download zur Verfügung gestellt. Suchfunktionen nach Autor, Publikationsart, Stichworten oder Themengebiet erlauben das Auffinden der gesuchten Informationen.

5.8 Themenbezogene Websites

55 Zu bestimmten Fachgebieten wurden eigene Websites errichtet, welche mit der Startseite der Website von Walder Wyss verlinkt sind. Über solche Websites kann sich das Publikum übersichtsmässig über ein bestimmtes Rechtsgebiet des Schweizer Rechts orientieren. Dabei findet es auch die nützlichen links zu den einschlägigen Erlassen und Quellen. Zurzeit aktiv geschaltet sind www.dataprotection.ch sowie www.beschaffungswesen.ch. Die Bewerbung dieser Seiten erfolgt über die Hinweise und Verlinkungen auf

unserer Startseite sowie durch sporadische Schaltungen von Hinweisen mit Links im Abspann zu unseren E-Mails (E-Mail-Fusszeile).

5.9 News aller Art

Auf der Startseite unserer Website, also auf der obersten Eintrittsebene, stehen Hinweise auf Neuigkeiten aller Art, darunter neue Meldungen zu interessanten Transaktionen oder Prozessurteilen, neue Publikationen, anstehende Veranstaltungen, Eintritte, Ehrungen und *awards*. Von diesen Meldungen führt ein Link zum entsprechend detaillierteren Inhalt. 56

6. Mandatsbezogene Kommunikation

6.1 Vor Mandatsbeginn

Die Kommunikation mit Kunden beginnt mit der sogenannten *Pre-Sale*-Phase. Zur Unterstützung dieser Phase hat Walder Wyss ein sogenanntes *Engagement Tool Kit* geschaffen, welches aus einem Satz von sauber aufeinander abgestimmten Mustervorlagen besteht, nämlich: Firmenpräsentation, Produktgruppen- und Branchenbroschüren, Powerpoint-Vorlage für *Pitch*-Präsentation, Mustervorlage für *pitch letter* mit vordefinierten Auswahlmodulen für Team, *track record,* Rankings und Honorarregelungen, Mustervorlage für *engagement letter,* Mustervorlage für Vollmachten. Zwecks rascher Zusammenstellung der *pitch letter* werden separate Datenbanken gepflegt, in welchen die *track records* und die Rankings pro Branchen- bzw. Produktgruppe aktuell erfasst sind und mit wenig Aufwand in die oben erwähnten Briefvorlagen exportiert werden können. 57

In den Fällen, in denen eine Offerte von Walder Wyss nicht angenommen wird, bzw. ein Konkurrent den Zuschlag erhält, wird regelmässig versucht, vom Kunden eine Begründung für die abschlägige Beurteilung zu erhalten. In den meisten Fällen stellt sich der Kunde für eine solche *loss review* zur Verfügung, wenn die Anfrage mit der Begründung verbunden wird, man möchte aus dieser Erfahrung lernen, um beim nächsten Mal eine für den Kunden attraktivere Offerte präsentieren zu können. 58

6.2 Während der Mandatsbearbeitung

Die Kommunikation während der Mandatsbearbeitung ist sehr mandatsabhängig. Entscheidend ist jedoch wohl immer die Tatsache, dass die Dringlichkeit eines jeden Arbeitsschrittes und der damit verbundenen Information aus Sicht des Kunden meistens als höher eingestuft wird als aus Sicht des Anwalts. Ganz allgemein muss festgestellt werden, dass sich die Kundenerwartungen in den letzten Jahren geändert haben, indem sich immer mehr das Kriterium der jederzeitigen Erreichbarkeit und der kurzfristigen 59

Verfügbarkeit zu einem für die Qualitätsbeurteilung entscheidenden Kriterium entwickelt hat.

60 Neben dem Kriterium der raschen Reaktion bleiben die Kriterien von Form und Substanz weiterhin wichtig. Dabei gilt aber zu beachten, dass der Kunde die Qualität der abgelieferten Arbeit häufig nicht primär nach der Qualität der juristischen Analyse beurteilt. Von dieser muss er meistens mangels eigener Fachkenntnis – darum hat er ja diese Bearbeitung delegiert – einfach ausgehen. In dieser Situation zieht der Kunde bewusst oder unbewusst Ersatzkriterien herbei, aus denen er seine Beurteilung hinsichtlich Sorgfalt, Zuverlässigkeit und Engagement ableitet und daraus Vertrauen herleitet. In diesem Zusammenhang finden Kriterien wie Corporate Design, Freiheit von Tippfehlern, Einrichtung, Sauberkeit und Ordnung in der Kanzlei, Kleidung der Dienstleister, Betreuung am Empfang, Umgang mit Personal und Motivation des Personals eine durchaus signifikante Beachtung im Rahmen der Beurteilung.

61 Eine Frage, welche ebenfalls mit viel Fingerspitzengefühl beurteilt werden sollte, ist die nach den direkten Ansprechpartnern innerhalb der eigenen Kanzleiorganisation. Häufig suchen die Bezugspersonen des Kunden direkten Kontakt zum verantwortlichen Partner und sind nicht gewillt bzw. wenig erfreut, die Kommunikation über andere auf dem Projekt eingesetzte Mitarbeiterinnen oder Mitarbeiter zu führen. Gründe der Kosteneffizienz und der raschen Reaktionsfähigkeit können aber auch zu anderen Ergebnissen und Wünschen führen. Zudem ist in vielen Fällen zu berücksichtigen, dass auch jüngere Arbeitskräfte aufgrund der Nähe zum Dossier und ihren in ihrem Spezialgebiet bereits erworbenen Erfahrungen für viele Fragen häufig die besseren Ansprechpersonen sind als die für die Beziehung verantwortlichen Partner. Ebenso zu berücksichtigen ist die motivierende Wirkung, welche bei jüngeren Anwältinnen und Anwälte entfaltet wird, wenn sie bereits ab einem frühen Entwicklungsstadium die Gelegenheit erhalten, Erfahrungen im direkten Kundenkontakt zu sammeln und damit auch früh die Möglichkeit eingeräumt erhalten, sich auf dem Markt zu präsentieren und die eigene Reputation aufzubauen. Hier für jeden Kunden und jedes Projekt eine gute Balance zu finden, ist für jeden verantwortlichen Projektleiter eine herausfordernde, aus Sicht der Kommunikation zentrale Aufgabe.

6.3 Nach Mandatsbeendigung

6.3.1 Honorarabrechnung

62 Ein sehr sensibler Bereich der Kommunikation betrifft die Honorarabrechnung. Der Abrechnungsprozess kann häufig zu einer Beendigung des Mandatsverhältnisses bzw. der Kundenbeziehung führen, wenn gewisse Punkte nicht beachtet werden. Folgendes sollte daher in diesem Zusammenhang durch geeignete Kommunikation sichergestellt werden:

Oberste Priorität sollte sein, beim Kunden Überraschungen zu vermeiden. Eine hohe Rechnungssumme wird nicht zwingend zum Problem für den Kunden. Eine unerwartet hohe Summe oder eine nicht erklärbar hohe Summe dagegen schon. Solche Überraschungen können vermieden werden, indem im *engagement letter* die Honorarsätze klar vereinbart und bestimmte Erwartungen und Annahmen hinsichtlich des Aufwands festgehalten werden. Entsprechende Modellvorlagen für *engagement letters,* in denen solche Angaben als Pflichtfelder vorgegeben sind, helfen, solche Bestrebungen kanzleiweit einheitlich umzusetzen. Weiter sollten regelmässige Zwischenabrechnungen oder zumindest entsprechend getaktete Zwischenberichterstattungen das Akzeptieren der Endsumme der Honorarrechnung vorbereiten. 63

Die Forderung nach Transparenz gebietet, dass der Kunde den in Rechnung gestellten Aufwand nachvollziehen kann. Soweit keine Pauschalvereinbarung getroffen worden ist, wird bei Walder Wyss jede Honorarrechnung aufforderungslos von einem detaillierten Leistungsjournal begleitet. Dieses gibt darüber Auskunft, wer an welchem Tag welche Leistung erbracht hat. Die Leistungsbeschreibung soll dabei so gestaltet sein, dass der Kunde in seiner Sprache nachvollziehen kann, worin diese bestand und wozu sie diente. 64

Sinnvollerweise erkundigt sich der für das Mandat verantwortliche Partner nach der ersten Rechnungsstellung beim Kunden, ob der Abrechnungsmodus für den Kunden nachvollziehbar und die Rechnung in der vorliegenden Form in Ordnung ist. 65

6.3.2 Erfahrungsaustausch

Nach abgeschlossenen grösseren Mandaten oder nach Abschluss des ersten Mandats in einer neuen Kundenbeziehung soll der Kunde eingeladen werden, die auf dem Mandat gemachten Erfahrungen zu beurteilen. Der Kunde soll explizit aufgefordert werden, Punkte zu nennen, welche bei einer künftigen Zusammenarbeit verbesserungswürdig sind. 66

6.3.3 Secondments

Die Kundenbindung kann stark gefördert werden, wenn eine Kanzlei einem Kunden, der in seinem internen Rechtdienst eine unerwartete Lücke zu füllen hat, einen Anwalt für eine begrenzte Periode von einigen Monaten im Secondment-Verhältnis zur Verfügung stellen kann. Fast alle jüngeren Anwälte begrüssten solche Secondment-Einsätze, weil sie darin die Möglichkeit erkannten, einmal eine andere Organisationsform zu erleben und sich dabei zusätzlich auch branchenspezifisches Know-how anzueignen. Walder Wyss stand in der Vergangenheit solchen «Ausleihungen» im Rahmen der bestehenden Ressourcenlage offen gegenüber. Die Erfahrungen waren mit Ausnahme von einigen bedauerlichen Fällen, in denen die Secondees abgeworben worden waren, aus den erwähnten Gründen mehrheitlich positiv. 67

7. Schlussbemerkung

68 Die in diesem Bericht erwähnten Massnahmen und Publikationen stellen keine abschliessende Aufzählung bzw. Beschreibung der von Walder Wyss eingesetzten Kommunikationsmittel dar. Gewisse erwähnte Massnahmen waren im Moment der Abgabe des Manuskripts bei Walder Wyss noch nicht vollständig implementiert, andere könnten im Zeitpunkt der Publikation bereits überholt sein.

69 Der Autor folgt mit der Beschreibung der bei Walder Wyss eingesetzten Kommunikationsmittel und -massnahmen einer konkreten Bitte der Herausgeber. Werbung war nicht die Zielsetzung.

I. Akquisition anwaltlicher Mandate im *pitch*

Markus Hartung

1. Einleitung

1.1 Die Herkunft des Begriffs

Das englische Wort *pitch* hat eine Reihe von möglichen Übersetzungen in die deutsche Sprache, von «Abstand» bis zum «Aufschlag» im Sport, z.B. im Baseball. Im vorliegenden Zusammenhang hat es die Bedeutung «Verkaufsgespräch». Das ist allerdings ein Begriff, den auch fortschrittliche Anwälte nicht schätzen. Daher hat sich der *pitch* eingebürgert, neben dem etwas eleganteren Begriff des Beauty Contests. Anwälte sagen heute, dass sie zum *pitch* eingeladen sind, oder dass sie *pitchen* gehen. Gelegentlich hört man von Anwälten, man habe einen *pitch* abgegeben, wobei das dann für ein Dokument steht, das zur Vorbereitung des eigentlichen Gesprächs mit einem Mandanten eingereicht worden ist. Gemeint ist immer dasselbe, nämlich der Prozess, einen Mandanten generell oder für ein bestimmtes Mandat davon zu überzeugen, dass man die erste Wahl für die Beauftragung sei. 1

1.2 Veränderte Wahrnehmung des Wertes anwaltlicher Dienstleistung und persönlicher Vertrauensverhältnisse

Die Tatsache, dass es diese *pitches* gibt, sagt uns zunächst etwas über die Veränderung der Wahrnehmung anwaltlicher Dienstleistung. Das Anwalt-Mandanten-Verhältnis ist immer noch ein Vertrauensverhältnis; auf der anderen Seite ist bei Mandanten das Bewusstsein über den zunehmenden Warencharakter der anwaltlichen Dienstleistung (man spricht hier von *commoditisation*[1]) und, damit verbunden, die Austauschbarkeit von Anwälten deutlich gestiegen. 2

Anwaltliche Dienstleistungen sind nach wie vor keine Ware im klassischen Sinne des Begriffs, werden aber zunehmend als eine standardisierte Dienstleistung und damit ähnlich wie eine Ware betrachtet, also als etwas, dessen Nutzen oder Wertschöpfung nicht zwingend von der Persönlichkeit des Anwalts oder der Identität der Kanzlei als Erbringer der Leistung abhängt. Diese Betrachtungsweise ist eine der wesentlichen Veränderungen im Rechtsberatungsmarkt der letzten Jahrzehnte. Es hängt damit zusammen, dass nach dem klassischen Verständnis eines Rechtsberatungsmarktes Anwälte nicht in erster Linie Dienstleister sind, sondern, nach deutscher Terminologie, Organe der Rechts- 3

[1] Eingehend zu diesem Thema Susskind, Richard: The End of Lawyers? Rethinking the Nature of Legal Services, Oxford 2010, passim.

pflege. In einem Markt, der durch Informationsasymmetrie (oder Informationsungleichgewicht) zwischen Nachfragern und Anbietern anwaltlichen «Rechtsrates» (der Begriff der Rechtsdienstleistung ist relativ neu) gekennzeichnet ist, kommt Anwälten noch heute die Funktion zu, an der Verwirklichung des Rechtsstaates und der Gewährleistung der Teilhabe des Bürgers am Recht, dem sogenannten Zugang zum Recht, mitzuwirken (so die Formulierung aus § 1 Abs. 2 Berufsordnung für Rechtsanwälte – BORA). Anwaltliche Arbeit weist damit einen hohen Gemeinwohlbezug auf, der wiederum dazu führte, dass der Nutzen oder kommerzielle Wert der anwaltlichen Dienstleistung weitgehend ohne Bedeutung war. Die Informationsasymmetrie bringt es i.d.R. mit sich, dass Nachfrager die Qualität der anwaltlichen Dienstleistung nicht messen können, so dass sie in Preisverhandlungen benachteiligt sind. Massstäbe für den Preis anwaltlicher Dienstleistungen waren (und sind es heute noch in vielen europäischen Staaten) deshalb Gebührentabellen, die den Preis staatlich regulieren. Anwälte haben danach auch ohne Vereinbarung über die Höhe des Honorars einen gesetzlichen Honoraranspruch, dessen Höhe sich nach bestimmten Kriterien richtet – aber nicht danach, was eine Rechtsdienstleistung für den Nachfrager tatsächlich «wert» ist, welchen Nutzen und Mehrwert sie also bietet. Gleichwohl haben diese Tabellen für den Nachfrager den Vorteil, dass er eine gewisse Richtschnur dafür hat, was anwaltliche Dienstleistungen kosten (dürfen).

4 Der Wertschöpfungseffekt anwaltlicher Dienstleistungen ist kaum erforscht. Dennoch sind Unternehmen mit eigener Rechtsabteilung zunehmend dazu übergegangen, anwaltliche Dienstleistungen wie andere Dienstleistungen unter dem Blickwinkel konkreter Wertschöpfung zu betrachten, und im Hinblick auf die eingeschränkte Unterscheidbarkeit der Leistung und der Persönlichkeit «wirtschaftsberatender Kanzleien» rückt der Warencharakter anwaltlicher Dienstleistungen in den Vordergrund. Das wurde dadurch ermöglicht, dass die Informationsasymmetrie zwischen Nachfragern (Unternehmensanwälten) und Anbietern (Anwälten) bei der Beratung von Unternehmen einen ganz anderen Charakter hat als im Verhältnis zwischen Bürger und Anwalt. In dem Masse, in dem anwaltliche Dienstleistungen Warencharakter annehmen und damit vergleichbar werden, gewinnen solche Verkaufsgespräche an Bedeutung (bis zum komplett computergestützten Verkaufsprozess, in dem selbst das Gespräch zwischen Anwalt und Mandant nur noch eine untergeordnete Rolle spielt). Für Unternehmen ist es die Möglichkeit, das Verhältnis von Leistung und Gegenleistung in den Blick zu nehmen und zu überprüfen, ob eine bestimmte Kanzlei für bestimmte Leistungen die beste Wahl ist – oder ob es jemanden gibt, der mehr (Leistung) für weniger (Anwaltshonorare) bietet.[2]

[2] Ausführlich dazu Hartung, M. / Weberstaedt, J.: Marktentwicklung bei grossen wirtschaftsberatenden Kanzleien in Deutschland: Neues Kosten-Nutzen-Bewusstsein bei den Mandanten, in: Anwaltsblatt 8–9/2011, S. 607 ff.; Wolf, Chr.: Bindestrich-Ethik und Grundlagenreflexion anwaltlicher Tätigkeit, in: Anwaltsblatt 11/2010, S. 725–734.

2. Die Sicht der Mandanten

2.1 Mandatsvergabe nach Unternehmenstypen

Die Mandatsvergabe über einen *pitch* kommt in aller Regel nur bei grossen und/oder 5
international agierenden Unternehmen vor, die wiederum eigene Rechtsabteilungen haben. Das ursprünglich zwischen dem Inhaber eines Unternehmens und dem Anwalt bestehende persönliche Vertrauensverhältnis besteht hier nur noch in sehr veränderter Form. Ein mit der Vergabe von Mandaten beauftragter Unternehmensjurist steht seinerseits unter (Budget- und nicht selten weiteren internen) Vorgaben und muss beim Legal Management, also dem Prozess der Entscheidung über die Behandlung von Rechtsfragen eines Unternehmens, andere Kriterien berücksichtigen als der Eigentümer eines Unternehmens.[3] Das persönliche Vertrauen spielt da häufig nicht die entscheidende Rolle. So erklärt sich der anders geartete Mandatierungsprozess in kleinen und mittleren Unternehmen, die häufig noch mit Kanzleien zusammenarbeiten, deren Ursprung der Beauftragung auf einen früheren persönlichen Kontakt zwischen Eigentümer und Anwalt zurückgeht. Solche Mandatsverhältnisse sind ungleich stabiler; Mandanten werden in solchen Mandantenbeziehungen nur dann untreu, wenn sich auf Seiten der beteiligten Personen etwas ändert, die Kanzlei in der Betreuung nachhaltig und messbar schlechter wird oder aber Spezialwissen gefragt ist, das der Hausanwalt nicht bieten kann. Aber auch dann sind *pitches* selten; häufiger suchen kleinere Unternehmen andere Kanzleien nach Empfehlungen aus.

Einen Hausanwalt haben grosse Unternehmen und Banken nicht; dafür sind die Anfor- 6
derungen der Globalisierung, denen diese Unternehmen ausgesetzt sind, zu komplex. Wenn überhaupt, dann übernehmen die internen Rechtsabteilungen die Funktion des Hausanwalts. Diese Unternehmen arbeiten dann entweder mit einer Gruppe von bevorzugten Kanzleien zusammen (sogenannte Panel Firms), oder wählen für bestimmte Aufgaben Kanzleien im Wege des *pitch* aus.

2.2 Mandantenerwartungen

Für solche *pitches* gibt es keine goldene Erfolgsregel – ausser einer: Es kommt entschei- 7
dend darauf an, dass ein Anwalt im *pitch* exakt das bietet, was ein Mandant in einer bestimmten Situation erwartet – und sich im Gespräch selber keinen Fehler leistet. Solche Verkaufsgespräche können nur dann erfolgreich sein, wenn den Erwartungen des Mandanten entsprochen wird, und das wiederum entscheidet sich ausschliesslich aus der Sicht von Mandanten, nicht aus der Sicht von Anwälten. Diese Erwartungen zu erkennen ist für eine Profession, die dazu neigt, die Welt ausschliesslich durch die eigene Brille zu betrachten, nicht einfach.

---

3 Zum Legal Management vgl. Staub, L.: Legal Management – Management von Recht als Führungsaufgabe, 2. Aufl., Zürich 2006.

8 Was erwarten Mandanten? In der Vorbereitung eines Verkaufsgesprächs ist das eine der schwierigsten Fragen, mit deren Antwort sich Anwälte nicht leicht tun. Ein Grund mag darin liegen, dass es die eine Antwort auf die Frage der Erwartung nicht gibt. Viel mehr kommt es immer darauf an, vor welchem Hintergrund ein Unternehmen Kanzleien zu einem Verkaufsgespräch einlädt. So kommen solche Verkaufsgespräche natürlich dann vor, wenn es um die Vergabe ganz konkreter Mandate geht; diese Prozesse finden aber auch dann statt, wenn ein Unternehmen, ohne ein konkretes Mandat vergeben zu wollen, sich von der allgemeinen Leistungsfähigkeit von Kanzleien überzeugen will, etwa wenn es um die Besetzung eines Panels geht.

9 Aber auch wenn es um eine konkrete Mandatsvergabe geht, hängt die Erwartungshaltung von Unternehmen wiederum sehr vom Einzelfall ab: So folgt etwa die Mandatsvergabe an Panel Firms anderen Regeln als die Vergabe eines Mandats an aussenstehende Kanzleien, die man bislang noch nicht gut kennt.

10 Weitere Unterschiede bestehen dann, wenn Unternehmen unterschiedliche Erfahrung in solchen Verkaufsprozessen haben: Es gibt Unternehmen, die über ihren Bedarf sehr genaue Vorstellungen haben und die sich bewerbenden Kanzleien alleine danach beurteilen, ob das Angebot der jeweiligen Kanzlei den konkreten Bedarf erfüllen würde. Solche Unternehmen können sehr ausgefeilte *requests for proposals* (RfP) versenden, in denen eingehend dargelegt ist, was das Unternehmen von der Kanzlei im Angebot erwartet – bevor es überhaupt zum Gespräch kommt. Die Deutsche Bank ist seit einigen Jahren dazu übergegangen, bestimmte Mandate, die sich dafür eignen, in einem rein computergestützten Bieterverfahren zu vergeben.[4] Es gibt aber auch (und immer noch) viele Unternehmen, die in diesen Verkaufsprozessen dazulernen, sodass es durchaus möglich ist, dass eine Kanzlei, die als erste angehört wird, mit anderen Fragen konfrontiert wird als die Kanzlei, die als letzte an der Reihe ist. Aber auch bei ausreichender Erfahrung kann es durchaus sein, dass auf Seiten eines Unternehmens eine genaue Vorstellung über das, was man sucht, (noch) nicht besteht: das ist etwa dann der Fall, wenn ein konkretes Mandat auf verschiedene Arten behandelt werden kann und ein Unternehmen im Verkaufsgespräch prüfen will, wie kreativ eine Kanzlei an ein bestimmtes Problem herangehen würde.

11 Das bedeutet zusammengefasst, dass es nicht die eine oder allgemein verbindliche Antwort auf das gibt, was Unternehmen in einem Verkaufsprozess erwarten. Es ist vielmehr erforderlich, dass Kanzleien in der Vorbereitung dieser *pitches* Anstrengungen unternehmen, um den Erwartungshintergrund des anfragenden Unternehmens besser kennen zu lernen, um ihre Angebote entsprechend daran auszurichten.

---

[4] Das System heisst Click4Legal und ist Gegenstand einer Fallstudie des Bucerius Center on the Legal Profession, siehe unter www.bucerius-clp.de.

2.3 Mindestanforderungen aus Sicht von Mandanten

Wenn es um die Vergabe eines konkreten Mandates geht, werden Unternehmen in einer Ausschreibung mindestens auf folgende Punkte besonderen Wert legen: 12

- Welche konkreten Lösungsvorschläge hat der Berater (kreative Lösungskompetenz)?
- Besondere Erfahrung und gegebenenfalls Kontakte etwa zu Behörden.
- Wie steht es um die Verfügbarkeit des Anwalts oder des Teams der Sozietät?
- Bestehen Interessenkonflikte?
- Welche Berater betreuen das Projekt (gibt es einen Ansprechpartner für alle Fragen, wie ist das Team organisiert, wie soll das Team zusammengesetzt sein, wie hoch wird der zeitliche Einsatz der Partner einerseits und der Associates andererseits sein, besteht die Möglichkeit eines persönlichen Kennenlernens)?
- Klärung des Arbeitsprozesses (Zusammenarbeit der Anwälte mit den Unternehmensjuristen, Nennung von Projektverantwortlichen, zunehmend auch die Frage, ob Kanzleien ihrerseits alle Leistungen selber erbringen oder andere Dienstleister hinzuziehen).
- Skalierbarkeit der Dienstleistung, Änderungen im Mandatsverlauf (es muss beiden Seiten klar sein, dass Mandate sehr häufig *moving targets* sind: So kann ein innerhalb weniger Monate umzusetzender deutscher IPO[5] aufgrund veränderter kaufmännischer, wettbewerblicher oder strategischer Umstände schnell zu einem mittelfristigen internationalen *trade sale* oder einem langwierigen globalen Outsourcing werden; auch für solche wesentliche Änderungen des Mandatsverlaufs sollte die auszuwählende Kanzlei geeignet sein und sich schon einmal Gedanken gemacht haben)
- Kosten und Berechnung (Pauschalen, Stundensätze eventuell mit *cap*, Rabattvereinbarung, Nebenkosten, Spesen; auch hier spielt die Zusammensetzung eines Teams eine Rolle, da Unternehmen immer weniger bereit sind, den Einsatz von jungen Anwälten, die in solchen Mandaten auch ausgebildet werden, zu bezahlen).
- Aufsetzen eines geeigneten Reportingsystems (mit Festlegung von Zwischenschritten sowie einer Zeitschiene).[6]

---

5 IPO = *Initial Public Offering* (Börsengang).

6 Vgl. auch Knabe, F.: Professionelle Partnerwahl, in: unternehmensjurist, Ausgabe 01/2011, S. 34–36.

3. Die Sicht der Kanzleien

3.1 Vorbereitung auf Seiten der Kanzleien

13 Grosse Kanzleien haben inzwischen nach langjähriger Erfahrung sehr professionelle Prozesse, wenn es um die Vorbereitung dieser *pitches* geht. Die Erstellung eines gesprächsvorbereitenden Dokuments (das auch *pitch* oder *pitch document* genannt wird) läuft in der Regel reibungslos in der Zusammenarbeit zwischen Anwälten und den Mitarbeitern des Business Developments. Während man noch vor etwa zehn Jahren feststellen konnte, dass in den gesprächsvorbereitenden Dokumenten der Fokus sehr auf der grafischen Gestaltung oder der Darstellung der allgemeinen Leistungsfähigkeit und geografischen Ausweitung oder schlicht Grösse der jeweiligen Kanzlei lag (ohne sich eingehend Gedanken darüber zu machen, welche Erwartung das ausschreibende Unternehmen hat), wird heute deutlich mehr Wert auf den Inhalt dieser Dokumente, insbesondere durch die Darstellung der besonderen Fachkenntnis für bestimmte Mandate, durch sogenannte *track records* und die Erarbeitung möglicher Lösungsansätze für konkrete Probleme gelegt.

14 Auch die Gesprächsvorbereitung ist auf Seiten der Kanzleien hochprofessionell. Das beginnt mit der Zusammenstellung des Teams, das an dem Verkaufsgespräch teilnehmen soll. Während noch vor einigen Jahren sehr häufig improvisiert und die Teamzusammenstellung dilatorisch behandelt wurde, oder der zuerst angefragte Anwalt alleine entschied, wie er den *pitch* strukturieren will, wird heute im Kreis der Partner sehr eingehend überlegt, wen man möglicherweise aufseiten des Unternehmens als Gesprächspartner zu erwarten hat und wer aus der Kanzlei besondere Beziehungen zu Mitarbeitern des Unternehmens hat, die sich in einem solchen Verkaufsgespräch positiv auswirken könnten.

15 Das Gespräch selber wird ebenfalls sehr professionell vorbereitet, damit man auch auf mögliche unerwartete Fragen vorbereitet ist. In der Regel wird genau verteilt, wer von den Teilnehmern zu welchen Themen redet und wer die Gesprächsführung auf Seiten der Kanzlei übernimmt. Alle diese Vorbereitungen finden gelegentlich auch mit Video-Unterstützung statt, alles vor der Erkenntnis: Für den ersten Eindruck gibt es keine zweite Chance.

3.2 Kommunikation zwischen den Beteiligten im Vorfeld des eigentlichen Gesprächs

16 Trotz der Professionalisierung des vorbereitenden Prozesses – zu einer Checkliste siehe unten sub Ziff. 5 – kommt in der Regel ein wesentliches Element zu kurz: das Gespräch mit dem Einladenden über das, was eigentlich erwartet wird. Hier stehen sich häufig zwei Kulturen gegenüber: auf der einen Seite der Anwalt, der sich sicher ist, auch ohne vorbereitende Fragen genau zu wissen, was in einem solchen Prozess erwartet

wird, und auf der anderen Seite der Einladende, der eine klarstellende Frage der eingeladenen Kanzlei nicht ungewöhnlich findet, es im Gegenteil sogar begrüssen würde. Auf Seiten der Unternehmen wird vor der Einladung sehr genau darüber nachgedacht, welche Kanzlei man einlädt, und in der Regel nutzen Unternehmen die ihnen zugänglichen Erkenntnisquellen (Internetauftritt einer Kanzlei, Darstellung in Directories wie Chambers, Legal500 oder Juve, sowie durchaus auch Netzwerke, in denen man sich – im gebotenen Rahmen – über in Betracht kommende Dienstleister austauscht), um vor der Einladung einen Eindruck davon zu erhalten, ob eine Kanzlei für bestimmte Aufgaben grundsätzlich in Betracht kommt. Durch eine Nachfrage dokumentiert eine eingeladene Kanzlei, dass sie den Prozess ernst nimmt und in dem Gespräch über das hinaus, was das Unternehmen ohnehin schon weiss, genau auf die Aspekte abstellen will, auf die es dem Unternehmen ankommt. Ein Unternehmen hat kein Interesse daran, in einem Verkaufsprozess am Ende festzustellen, dass man von den teilnehmenden Kanzleien zwar viel gehört hat, letztlich aber noch so klug wie vorher ist.

Daher spielt neben der Vorbereitung des Prozesses das vorbereitende Gespräch mit 17
dem Einladenden eine wesentliche Rolle und darf keinesfalls zu kurz kommen. Denn hier können durchaus schon wesentliche Pluspunkte im Hinblick auf eine spätere Mandatierungsentscheidung gesammelt werden.

3.3 Qualität oder *expertise?*

Insgesamt hat eine Kanzlei dann gute Chancen, in einem solchen Prozess erfolgreich 18
zu sein, wenn sie

- beweist, dass sie für ein konkretes Mandat die erforderliche *expertise* hat,
- in der Lage ist, für die angefragte Mandatsbearbeitung den geforderten Dienstleistungsservice zu dokumentieren und
- sich eingehend über den Markt eines Unternehmens und die besonderen Herausforderungen informiert, um ihre Angebote passgenau abgeben zu können.

Eine ergänzende Bemerkung: *expertise*, hier verstanden nicht als Gutachten eines Sach- 19
verständigen, sondern als auf Erfahrung oder sonstigen Gründen beruhendes Expertenwissen, ist etwas anderes als Qualität. Dass Anwälte in internationalen Wirtschaftskanzleien hervorragend ausgebildet sind und Auslandserfahrung haben, sagt etwas über die Qualität des Anwalts aus. In der Regel bestimmt die Qualität die allgemeine Reputation am Markt. Ob Anwälte aber auch *expertise* haben, ist eine völlig andere Frage. Für Unternehmen kommt es in erster Linie auf die *expertise* an und darauf, dass für ein konkretes Problem eine Lösung erarbeitet wird. Die blosse Erkenntnis, dass hochqualifizierte Anwälte ein Thema zwar juristisch bis in die letzte Verästelung durchdrungen, aber keine Lösung angeboten haben, führt bei Mandanten zur Verärgerung. Wenn sich also im *pitch* zwei Seiten treffen, von der die eine *expertise* erwartet, während die andere

Qualität anbietet, redet man auf unterschiedlichen Ebenen aneinander vorbei. Selbst wenn es dann zu einer Beauftragung kommt, würde dieses Missverständnis jedenfalls spätestens bei der Bearbeitung des Mandats zum Vorschein kommen – und wäre dann für beide Seiten frustrierend.

4. Sonstige wichtige Aspekte

4.1 Preisverhandlungen, Bedeutung des Preises für die angebotenen Dienstleistungen

20 Dass der geforderte Preis für die angebotene Beratungsdienstleistung eine Rolle spielt, steht ausser Frage. Welche Rolle das genau ist, lässt sich so nicht sagen. Sicher ist, dass das früher generell übliche Abrechnungsmodell nach Zeitaufwand längst nicht mehr allgemein akzeptiert wird. Während es vor einigen Jahren noch in Preisverhandlungen im wesentlichen um die Höhe der einzelnen Stundensätze ging, erwarten Unternehmen heute innovative Honorarmodelle, die für Unternehmen zu einer vorhersehbaren und transparenten Kostenbelastung führen und dem Gesichtspunkt *value for money* Rechnung tragen. Heute ist es etwa üblich, dass Unternehmen aufgrund ihrer deutlich besseren Kenntnis des Nutzens einzelner Beratungsdienstleistungen häufig Pauschalhonorare erwarten und nur bei sehr komplexen oder grenzüberschreitenden Mandaten akzeptieren, dass eine Abrechnung nach Zeit vorgenommen wird. Auch auf die Grösse und Zusammensetzung eines Teams wird Einfluss genommen.

4.2 Mitwirkung von Einkaufs- oder sonstiger Fachabteilung am Mandatierungsprozess

21 Dabei spielt eine wesentliche Rolle, wer bei der Entscheidung über die Mandatsvergabe aufseiten des Unternehmens mit einbezogen wird: Wenn die Mandatsvergabe alleine durch eine Rechtsabteilung mit eigenem Budget entschieden wird, gelten andere Regeln als dann, wenn etwa Einkaufsabteilungen miteinbezogen werden. Rechtsabteilungen sind noch eher geneigt, dem Preis eine geringere Rolle bei der Mandatsvergabe zuzumessen und zum Beispiel auch eine teurere Kanzlei zu beauftragen, wenn sie der Meinung sind, dass die besondere *expertise* den höheren Preis rechtfertigt. Diese Meinung bilden sich Unternehmensjuristen vor ihrem fachlichen Hintergrund. Das ist bei Einkaufsabteilungen anders: Dort sitzen keine Unternehmensjuristen, sondern Mitarbeiter, zu deren Aufgaben es gehört, den Kostenapparat zu senken. Hier muss eine Rechtsabteilung schon sehr gute Argumente haben, wenn eine Einkaufsabteilung davon überzeugt werden soll, eine Kanzlei zu beauftragen, die teurer ist als eine der anderen Kanzleien.

22 Ähnlich ist es, wenn eine Rechtsabteilung für die Vergabe von Mandaten kein eigenes Budget hat, sondern in der betreffenden Fachabteilung des Unternehmens ein Budget für eine bestimmte Transaktionen erst bekommen muss. Das findet nicht selten nach

dem *pitch* statt, und Mitarbeiter der jeweiligen Fachabteilungen nehmen nicht immer an *pitches* auf Unternehmensseite teil. Auch dann spielt der Preis angesichts des Kostendrucks eine deutlich wichtigere Rolle als in anderen Fällen.

Alle diese Fragen lassen sich vor einem Verkaufsgespräch nur schwer klären. Vielen Anwälten ist es auch nicht bekannt, wie die Sourcing-Prozesse in einem Unternehmen organisiert sind, wer die wesentlichen Entscheider ausserhalb der Rechtsabteilung sind und aus welchem Budget sie letztlich bezahlt werden. Wenn bereits eine Beziehung zwischen Partnern und Mitarbeitern der Rechtsabteilung besteht, sollte in jedem Fall auch danach gefragt werden. Der Erfolg im Verkaufsgespräch hängt dann letztlich auch davon ab, wie eingehend, innovativ und im Sinne des Unternehmens eine Kanzlei ihre Preisvorstellungen für ein bestimmtes Mandat erläutern kann, um der Rechtsabteilung Argumente an die Hand zu geben, um eine Einkaufsabteilung oder eine Fachabteilung davon zu überzeugen, dass man der einzig Richtige ist. 23

4.3 Die persönliche Chemie im *Pitch*-Gespräch

Auch die Persönlichkeit der Anwälte, die sich für ein Mandat bewerben, spielt eine Rolle – aber welche? Dass sie eine Rolle spielt, wird durch das Verkaufsgespräch belegt, das überflüssig wäre, wenn es nur auf die Angaben im gesprächsvorbereitenden Dokument ankäme. Man kann aber auch bei bester Vorbereitung nicht garantieren, dass in einem Verkaufsgespräch der Funke überspringt, und niemand kann vorher genau sagen, warum er eingeladen wurde – ob etwa ein Unternehmen ernsthaft erwägt, ein bestimmtes Mandat in einem offenen Prozess zu vergeben oder ob die eingeladene Kanzlei letztlich nur ein Zählkandidat ist. 24

Eine Menge lässt sich aber wiederum durch die Vorbereitung dieser Verkaufsgespräche erreichen: wenn eine Kanzlei sich, wie oben gesagt, sehr eingehend um die Besonderheiten eines Unternehmens gekümmert hat und im Verkaufsgespräch dokumentiert, dass man an dem Unternehmen und dem Mandat wirklich interessiert ist. 25

Weiterhin darf die Bedeutung eines Teams nicht unterschätzt werden: Aus Sicht von Unternehmen wirkt für bestimmte Mandate mit sehr komplexen Anforderungen ein echtes Team attraktiver als ein Einzelkämpfer mit einigen nachgeordneten Zuarbeitern. Wenn sich eine Gruppe von Anwälten dann im *pitch* als Team bezeichnet, aber nur einer redet und die anderen höflich oder betreten schweigen, dann sagt das viel aus: Verbale und nonverbale Botschaft stimmen nicht überein, was bereits für sich gesehen nachteilig wirkt, und ausserdem bleibt der Eindruck, dass da etwas präsentiert wird, was nicht glaubhaft, mindestens nicht authentisch ist. Sodann spielt die Art der Gesprächsführung eine wichtige Rolle, etwa dass man die Mitarbeiter des Unternehmens nicht einem monoton einseitigen Vortrag über die Qualität der Kanzlei aussetzt, sondern Fragen stellt und dadurch ein Gespräch überhaupt erst ermöglicht. Von Bedeutung sind schliesslich alle sonstigen Regeln, die zur Technik guter Gesprächsführung gehören. 26

4.4 Geht es auch ohne *pitch? – the trusted advisor*

27 Die Ausführungen zu den Anforderungen an einen erfolgreichen *pitch,* verbunden mit den Unwägbarkeiten des Prozesses, werfen die Frage auf, ob es Möglichkeiten für Anwälte gibt, um die Mandatsvergabe via *pitch* herumzukommen.

28 Eindeutig beantworten lässt sich die Frage nicht. Zunächst hängt es von der Art der anwaltlichen Dienstleistung ab, die angefragt wird: Je spezieller die nachgefragte Dienstleistung ist, je kleiner also der Kreis der in Betracht kommenden Anbieter ist, desto eher besteht die Chance, dass ein formeller *Pitch*-Prozess unterbleibt. Es kann auch sein, dass für eine bestimmte Dienstleistung die Reputation einer bestimmten Kanzlei so überragend ist, dass der Gesichtspunkt der Überprüfung des konkreten Mehrwerts der Dienstleistung in den Hintergrund tritt. Das kann dann der Fall sein, wenn Fragen zu behandeln sind, die mit einem erheblichen Haftungsrisiko für Organe des Unternehmens, also Vorstands-, Aufsichtsrats- oder Verwaltungsratsmitglieder, verbunden sind und deshalb die Reputation der Kanzlei die Gewähr bietet, dass man sich für den Fall einer streitigen Auseinandersetzung mit Aktionären auf der sicheren Seite fühlt. Hier kommt es so sehr auf die Persönlichkeit des Anwalts an, dass für einen Verkaufsprozess kein Raum ist. Solche Mandate sind auch häufig nicht preisempfindlich.

29 Häufig hört man, Anwälte müssten sich bemühen, die Position eines *trusted advisors* zu erlangen, weil das die Möglichkeit biete, den Unwägbarkeiten des *pitch* zu entkommen. Damit ist die Annahme verbunden, das persönliche Vertrauensverhältnis werde es für den Mandanten unnötig machen, sich seinen Berater im Wege des *pitch* zu suchen.

30 Diese Annahme ist so nicht richtig. Allerdings liegt in der Position eines Beraters des Vertrauens tatsächlich die Möglichkeit, *Pitch*-Prozesse erfolgreicher zu durchlaufen. Allerdings setzt das verschiedenes voraus:

31 Der Berater entfaltet seinen Wert (nur) da, wo es dem Mandanten um einen Rat geht. Das ist dann nicht der Fall, wenn es um Dienstleistungen geht, in denen der Beratungsanteil, also die Persönlichkeit und die Erfahrung des Beraters, keine wesentliche bzw. nutzenmehrende Rolle spielt. Das findet man häufig im Transaktionsbereich, wo es alleine darum geht, bestimmte Unternehmensvorhaben rechtlich umzusetzen, die ihrerseits einen hohen Anteil von standardisierten Anteilen haben. In solchen Fällen, in denen es lediglich um die möglichst reibungslose Durchführung eines Vorhabens geht, ohne dass Bedarf für persönlichen Rat besteht, hilft einem Mandanten kein Berater des Vertrauens, sondern ein gut eingespieltes Team von Anwälten, die so etwas schon mehrfach gemacht haben und dadurch *expertise* erlangt haben. Ihre *expertise* ist Gewähr dafür, dass der Mandant das, was er erreichen will, möglichst effektiv und effizient geliefert bekommt. Für einen *trusted advisor* oder einen *consigliere* ist da kein (nutzenerhöhender) Raum.

Auf der anderen Seite ist ein *pitch* umso erfolgreicher, je mehr die Kanzlei weiss, wie ein Unternehmen denkt, welchen Erfordernissen und Zwängen es ausgesetzt ist und welche internen Entscheidungsprozesse durchlaufen werden müssen, bevor es zur Beauftragung kommt – all dies muss man wissen, um einen möglichst passgenauen *pitch* abliefern zu können. Dieses Wissen erwirbt eine Kanzlei nicht, wenn sie nur gelegentlich oder projektbezogen mit einem Unternehmen zu tun hat. Dieses Wissen erwirbt man nur dann, wenn man sich bemüht, eine wirkliche Beziehung zu einem Unternehmen aufzubauen, eine Beraterbeziehung. 32

Nun tun sich Kanzleien mit dem Aufbau solcher Beziehungen schwer, weil das nur unter Bedingungen möglich ist, die mit dem üblichen Geschäftsmodell sowie dem Reporting schwer vereinbar sind. Der Aufbau einer Beziehung erfordert eine Investition – an Zeit und an Ressourcen. Diese Investition zahlt sich nicht direkt aus. Kanzleien, die den Erfolg ihrer Partner an abrechenbaren Stunden messen, werden sich zu einer solchen Investition nur bereit finden, wenn ein *return on investment* möglichst schnell zu erreichen ist, also möglichst schnell Mandate erteilt werden, damit der Eindruck entsteht, die Investition an Zeit und Ressourcen lohne sich. 33

So kann man aber keine Beziehung aufbauen. Viele General Counsels, mit denen wir sprechen, beschreiben den Anwalt ihres Vertrauens als jemanden, mit dem man z.B. bestimmte Themen eingehend diskutieren kann, ohne dass man für das Gespräch am Ende des Monats eine Rechnung bekommt. Das zeigt auch eine Studie, die Silvia Hodges Ende 2009 unter DAX30-Unternehmen durchgeführt hatte – die befragten General Counsels beklagten, dass Kanzleien selten bereit seien, wirkliche Beziehungen zu den Unternehmen, für die sie doch arbeiten wollen, aufzubauen.[7] 34

Hier erweist sich der Wert eines Beraters: Er interessiert sich für ein Unternehmen, er befasst sich mit dem Umfeld und dem möglichen Beratungsbedarf, er entwickelt Ideen und präsentiert sie dem Unternehmen und weckt dadurch vielleicht ein Bewusstsein, ein Bedürfnis für einen Beratungsbedarf. Er kennt das Unternehmen und seine Entscheidungsträger so gut, dass er genau sagen kann – gespeist durch den ständigen Dialog mit dem Unternehmen –, was das Unternehmen braucht und wie man die Angebote der Kanzlei passgenau zuschneidert, um dem Unternehmen genau das zu bieten, was es braucht. Diese Tätigkeit ist zeitaufwendig und rechnet sich nicht am Ende des Monats – wie jede Investition, das sich in aller Regel erst nach einiger Zeit auszahlt. 35

Das bedeutet, dass der *trusted advisor* nach wie vor einen Wert für die Mandantenbeziehung hat. Damit ist nicht zwingend gewährleistet, dass ein Unternehmen von der Mandatsvergabe via *pitch* absehen wird – aber die Kanzlei des *trusted advisor* ist ungleich besser in der Lage, im *pitch* das anzubieten, was gebraucht wird. Es ist auch 36

7 Die Studie ist nicht veröffentlicht; die wesentlichen Ergebnisse sind veröffentlicht in Juve Rechtsmarkt, Heft 2/2010, S. 26 ff.: «Ängstlich sein kann ich auch alleine».

nicht garantiert, dass ein für das Unternehmen zentral wichtiges Mandat – ein sogenanntes *Bet-the-firm*-Mandat – an den *trusted advisor* vergeben wird, aber dieser Berater ist ungleich besser in der Lage, das Aufkommen eines solchen Mandats vorherzusehen und dadurch in der Lage zu sein, sich oder seine Kanzlei zu positionieren.

5. Checkliste zur Vorbereitung eines *pitch*

37 Die nachfolgende Checkliste ist naturgemäss generisch, da es immer auf den jeweiligen Mandanten und das Ziel des *pitch* ankommt. Daher passen bestimmte Fragen vielleicht nicht, andere müssen jeweils angepasst werden. Es handelt sich auch nicht um den Workflow eines *pitch*, sondern um Fragen und Elemente, die beim *pitch* beachtet werden sollten.[8]

1. Ist es sinnvoll, einen *pitch* abzugeben, wollen wir die Einladung annehmen?
   - 1.1 Besteht ein Interessenkonflikt?
   - 1.2 Passen der Mandant oder das Projekt zu unserer Strategie?
   - 1.3 Haben wir genügend Ressourcen, um das Projekt erfolgreich und profitabel durchführen zu können?
2. Vorgeschichte
   - 2.1 Haben wir für diesen Mandanten schon einmal einen *pitch* abgegeben?
   - 2.2 Wenn nein: Wissen wir, warum wir eingeladen wurden?
   - 2.3 Wenn ja: Gibt es eine Auswertung dieses *pitch?* Gibt es Berichte/Protokolle von vorangegangenen Gesprächen?
3. Mandant
   - 3.1 Was wissen wir über den Mandanten? Ist es ein Dauermandant? Wie oft haben wir für ihn gearbeitet (gelegentlich/selten/noch nie für)?
   - 3.2 Wer kennt wen bei dem Mandanten (über die voraussichtlichen Gesprächspartner im *pitch* hinaus)?
   - 3.3 Wissen wir, wer unsere Unterstützer bei dem Mandanten sind? Wissen wir, wer uns nicht gewogen ist?
   - 3.4 Wer entscheidet bei dem Mandanten über die Mandatsvergabe? Ist auch die Einkaufsabteilung beteiligt?

[8] Vgl. auch Warren J.: Business Development, in: Schieblon, C. (Hrsg.), Marketing für Kanzleien und Wirtschaftsprüfer, 2. Aufl., Wiesbaden 2010, S. 110–129 (S. 123 ff.).

3.5 Bei vorheriger Arbeit für den Mandanten: Wie wurde unsere Arbeit damals bewertet?

3.6 Was beschäftigt den Mandanten im Augenblick besonders?

3.7 Was wissen wir über den Markt/die Branche des Mandanten?

3.8 Was wissen wir über die wichtigsten Wettbewerber des Mandanten?

3.9 Haben wir schon wichtige Wettbewerber unseres Mandanten vertreten?

3.10 Falls ja: Was ist unsere Sprachregelung? Wie begegnen wir Bedenken des Mandanten wegen Vertraulichkeit usw.?

4. Briefing durch Mandanten/Auftrag

Um was für einen *pitch* handelt es sich? Z.B.:

4.1 Allgemeine Vorstellung der Sozietät

4.2 Projekt-/Mandatsbezogener *pitch*

4.3 Panelbezogener *pitch* mit/ohne weitere Vorgabe

4.4 Wer wird uns von Mandantenseite gegenübersitzen?

4.5 Wer von uns kennt diese Gesprächspartner? Wie viel Zeit haben wir? Wie teilen wir uns die Themen auf? Wer hat den Lead?

5. Erwartungen des Mandanten abfragen

5.1 Haben wir genau verstanden, was in dem jetzigen *pitch* in der konkreten Situation, in welcher der Mandant sich befindet, von unserem Team erwartet wird?

5.2 Aus Sicht des Mandanten: Wie sieht das optimale Team aus?

5.3 Aktuelle Entwicklungen in der Rechtsprechung, neue Gesetzgebung etc.

5.4 Wo werden die Schwerpunkte des Mandats liegen? (Advisory, komplexe Strukturen, Due Diligence etc.)

6. Unsere Wettbewerber

6.1 Wer sind unsere Konkurrenten im konkreten *pitch?*

6.2 Was machen unsere Konkurrenten besonders gut, was nicht so gut?

7. Honorar

7.1 Welches Preisangebot geben wir ab?

7.2 Wollen wir alles selbst machen? Wollen wir andere Dienstleister hinzuziehen?

7.3 Für den Fall, dass die Mandantenbeziehung schon länger besteht: Wie rechnen wir sonst ab? Haben wir Feedback über die Art unserer Abrechnung/Höhe unserer Honorare bekommen, die wir jetzt im *pitch* berücksichtigen müssen oder sollten?

8. «Über uns»

8.1 Was weiss der Mandant bereits von uns? Was müssen wir nicht sagen (auch wenn wir meinen, dass es uns auszeichnet)?

8.2 Was ist in Bezug auf diesen *pitch* unser USP *(unique selling point)*? Was müssen wir von bzw. über uns sagen, damit wir uns in diesem *pitch* besonders gut positionieren?

8.3 Wo liegen unsere Schwächen in Bezug auf diesen *pitch?* Was sagen wir dazu?

9. Feedback/*Follow-up*

9.1 Direkt nach dem *pitch,* vor der Reaktion des Mandanten: Was waren unsere Eindrücke? Was ist gut gelaufen, was nicht?

9.2 Gibt es einen Anlass, bereits vor der Entscheidung des Mandanten wegen bestimmter Themen nachzuhaken (etwa wegen Themen, die eigentlich nicht Gegenstand des *pitch* waren, aber mit erörtert wurden und weiteren Beratungsbedarf zeigen usw.)

9.3 Wer fragt das Ergebnis ab?

9.4 Ist der *pitch* ausgewertet worden?

9.5 Nach Bekanntgabe des Ergebnisses: Auswertung der Gründe für Erfolg oder Misserfolg (beides ist wichtig!)

9.6 Was können wir in Zukunft besser machen?

J. Anwaltspanels bei der Beschaffung rechtlicher Dienstleistungen: Aufbau und Akkreditierungsprozess

BRUNO MASCELLO[1]

1. Einleitung

Die Arbeitslast der internen Rechtsberatung ist in den letzten Jahren kontinuierlich gewachsen und der interne Jurist wird vermehrt in die unternehmerische Pflicht und Verantwortung genommen. Das Management erwartet konkrete, praktische, zielgerichtete und lösungsorientierte Ratschläge, die so aufbereitet sind, dass aufgrund dessen eine unternehmerische Entscheidung getroffen werden kann. Entsprechend sind auch die Ansprüche an die Leistungserbringung durch externe Anwälte gestiegen. Es wird insbesondere erwartet, dass externe Anwälte das Geschäftsrisiko des Kunden mittragen. Was Rechtsabteilungen suchen sind deshalb tiefe, transparente und voraussehbare Kosten für externe Rechtsberatung, Qualität, Fachwissen und Kapazität, Verständnis für das Geschäft, Reaktionsfreudigkeit und Flexibilität, eine vorausschauende Problemlösung und ein vertrauensvoller, effizienter Service. 1

Der Entscheid zur Errichtung eines Anwaltspanels (oder sogenannte Anwaltslisten bzw. Preferred Provider Network) kommt oft aus dem Bedürfnis heraus, die Effizienz und Effektivität der externen Rechtsberatung zu verbessern, da der Leiter Recht in der Verantwortung ist, die internen und externen Kosten zu kontrollieren und zu optimieren. Beiträge zum Thema Anwaltspanels konzentrieren sich deshalb oft nur auf die Beschaffung von günstigeren bzw. besseren rechtlichen Dienstleistungen von externen Anwaltsfirmen. Meines Erachtes geht dabei aber oft vergessen, dass andere Themenkomplexe sowohl die Qualität als auch die finanzielle Belastung gar noch mehr beeinflussen: Die Menge der an die externen Anwälte vergebenen Aufträge und die konkrete Führung der Mandate sowie die Steuerung der externen Anwälte. Deshalb sollte vor dem Aufbau eines Anwaltspanels zuerst das Bedürfnis des Kunden sorgfältig abgeklärt und für den anschliessenden Betrieb des Panels genügend Zeit reserviert werden, damit die einmal verhandelten Positionen und die damit verbundenen Rechte und Vorteile auch tatsächlich realisiert werden. 2

Es ist zu empfehlen, dass die für ein Unternehmen zu erbringende rechtliche Dienstleistung zu 100% von der internen Rechtsabteilung abgedeckt wird, damit die Nachfrage 3

[1] Der Autor arbeitete als COO Group Legal bei der Zurich Financial Services Gruppe am Hauptsitz in Zürich. Dieser Artikel reflektiert seine persönliche Meinung und wiederspiegelt nicht zwingend jene der Zurich Gruppe.

nach dieser Leistung aus einer Hand kontrolliert und gesteuert werden kann. Sie entscheidet dann jeweils, ob sie die Dienstleistung selber erbringt *(make)*, diese bei einer externen Anwaltsfirma einkauft *(buy)* oder eine Mischlösung wählt, wobei stets auch der von der Unternehmung definierte Risikoappetit berücksichtigt werden muss. Dem internen Kunden einer Unternehmung sollte es grundsätzlich gleichgültig sein, wer die rechtliche Dienstleistung an ihn erbringt. Entscheidend ist, dass die interne Rechtsabteilung das ihr anvertraute Mandat vertrauensvoll ausübt und dem internen Kunden unter Berücksichtigung der gegebenen Rahmenbedingungen (v.a. der finanziellen und der Personalressourcen) einen optimalen und kostengünstigen Service erbringt. So gesehen steht die interne Rechtsabteilung durchaus in einem bestimmten Wettbewerb mit den externen Anwälten, denn der interne Kunde muss regelmässig davon überzeugt werden, dass die durch die interne Rechtsabteilung erbrachte Leistung besser oder günstiger ist als die beim externen Dienstleister eingekaufte.

2. Vorbereitungshandlungen

4 Es sei vor dem Glauben gewarnt, dass das blosse Errichten eines Anwaltspanels oder die Verhandlung von Rabatten auf Stundenhonoraren automatisch die erhoffte Besserung verschafft. Es ist v.a. erforderlich, dass die richtige Art und Menge an juristischer Arbeit an externe Anwälte ausgelagert wird. Bevor das Thema Einkauf von Rechtsleistungen angegangen werden kann, hat die Rechtsabteilung eine interne Analyse durchzuführen und zwei Fragen zu beantworten: Welche Tätigkeiten werden überhaupt vom Unternehmen bzw. dem internen Kunden nachgefragt bzw. erwartet (Tätigkeitsanalyse)? Welche dieser Arbeiten kann bzw. soll man an externe Anwälte vergeben *make or buy*?

5 Mit der Tätigkeitsanalyse sind die Kernkompetenzen der Rechtsabteilung zu definieren, welche im Interesse der Reduzierung der eigenen Abhängigkeit von Externen und abhängig von der eigenen strategischen Positionierung nicht aus der Hand gegeben werden sollen. Diese Untersuchung kann in der Feststellung enden, dass gewisse Arbeiten nicht bzw. nicht mehr durch die Rechtsabteilung erbracht werden, da diese nur unnötig Ressourcen binden bzw. externe Kosten generieren (z.B. Projektführung). Ferner kann eine solche Analyse zeigen, dass die zu erledigenden Aufgaben in der Rechtsabteilung falsch verteilt werden, d.h. durch eine geschicktere Verteilung interne oder externe Kosten eingespart werden können (z.B. Einsatz von Paralegals oder Assistenten). Schliesslich wird eine solche Untersuchung auch den angewandten Perfektionsgrad aufzeigen und die Frage beantworten, ob die allgemein bekannte 80:20-Regel angewandt wird (z.B. ob für eine bereits intern selber bearbeitete Rechtsfrage «zur Sicherheit» noch eine kostenpflichtige externe Auskunft eingeholt wird).

6 Sind der Leistungskatalog und die Kernkompetenzen der Rechtsabteilung einmal definiert, kann man sich fragen, wann man welche der Arbeiten extern vergibt. Eine Auslagerung macht zum Beispiel in folgenden Fällen Sinn: Bei fehlender bzw. nicht aus-

reichend vorhandener eigener fachlicher *expertise* (z.B. bei ausländischem Recht, bei einmaligen oder Spezialfragen), bei fehlenden Kapazitäten in Zeiten grossen Arbeitsanfalls bzw. bei grossem Zeitdruck oder wenn externe Anwälte aufgrund ihrer Routine effizienter arbeiten können (hier ist die behauptete Dringlichkeit zu prüfen, weil bestimmte Arbeiten durch eine andere Priorisierung oft auch intern erledigt werden können), zur Beschaffung unabhängiger Gutachten und bei sensiblen Angelegenheiten, insbesondere beim Bedarf eines Risikotransfers von Verantwortung bzw. Haftung.

Werden diese beiden Vorfragen sorgfältig abgeklärt, hat eine interne Rechtsabteilung 7
bereits einen nicht zu unterschätzenden Beitrag zur Effizienzsteigerung des Unternehmens geleistet. Durch die bewusstere Beschaffung wird sich nicht nur die Qualität der rechtlichen Dienstleistung verbessern, sondern diese wird auch effizienter eingekauft werden.[2]

3. Zweck eines Anwaltspanels

Der Erfolg der Arbeitsauslagerung (Outsourcing) an einen externen Anbieter hängt 8
nicht zuletzt davon ab, dass dieser aufgrund seiner Kompetenz ausgewählt wird, die Ziele beider Parteien klar definiert und verstanden sind, die gewünschten Resultate als klare Ergebnisse formuliert und die Honorierung bzw. die Konsequenzen bei guter oder schlechter Leistungserbringung klar sind.

Schaut man sich bei Unternehmen um, welche regelmässig mit externen Anwälten 9
zusammenarbeiten und auch viel Geld hierfür ausgeben, stellt man fest, dass es nicht die eine richtige Lösung für alle gibt. Ein Unternehmen wählt ein System, das je nach den Umständen gerade passt. Die Lösungen reichen dabei von einer eher zufälligen Zuteilung der einzelnen Rechtsmandate an externe Anwälte, bis zum Fall, dass alle externen Aufträge immer an die gleiche Kanzlei erteilt werden. Dazwischen findet sich das System des Anwaltspanels, bei welchem mit wenigen Anwaltskanzleien intensiver zusammengearbeitet wird.

---

2 Die Kundenerwartung und die Zufriedenheit des Kunden mit der erbrachten Leistung bestimmt sich anhand von zwei Kriterien: die produktions- bzw. ergebnisorientierte Qualität, welche das sachlich-juristisch erzielte und objektiv messbare Endergebnis beurteilt (Ergebnisqualität) und die beziehungs- bzw. serviceorientierte Qualität, welche die subjektiv wahrnehmbare Art und Weise der Erstellung und Lieferung der Dienstleistung beurteilt (Verrichtungs- bzw. Servicequalität). Letztere verlangt eine hohe Dienstleistermentalität und setzt hohe Ansprüche an Einfühlungsvermögen (Empathie), Freundlichkeit und Hilfsbereitschaft, rasches, flexibles und praktisches Eingehen auf Kundenwünsche, Verständnis für (betriebswirtschaftliche) Zusammenhänge des Kunden, persönliche und fachliche Kompetenz, Zuverlässigkeit und Vertrauenswürdigkeit. Von Bedeutung ist, dass der Kunde die juristische Qualität – welche er offenbar als selbstverständlich erachtet – schlicht voraussetzt, den Schwerpunkt aber zu weit überwiegendem Teil auf die Verrichtungs- und Servicequalität legt. Vgl. hierzu Staub Leo, Legal Management, Management von Recht als Führungsaufgabe, 2. Aufl., Zürich 2006, S. 251 ff.

10 Mit einem Anwaltspanel begibt sich ein Unternehmen zwar in eine grössere Abhängigkeit von wenigen Anwaltsfirmen, wodurch die Flexibilität zum Wechseln reduziert wird. Doch verspricht eine verbindliche Vorgabe der Anwaltsfirmen mit Rahmenverträgen auch viele Vorteile: Sie bietet eine Vorauswahl bzw. -qualifizierung der bevorzugten Kanzleien und bewirkt dadurch die Reduzierung der Suchkosten, was vor allem deshalb von Bedeutung ist, weil die Nachfrage nach Rechtsauskunft relativ unelastisch ist, d.h. ein allfälliger Bedarf jeweils umgehend befriedigt werden muss und dann oft jeder Preis bezahlt wird; sie bündelt den Aufwand für die Auswahl, Steuerung, Kontrolle und Abstimmung; sie gibt den Ablauf zur Auswahl, Mandatierung, Qualitätssicherung und Abrechnung der externen Leistungen vor. Ferner bieten Richtlinien den Vorteil, dass der in der Regel niedrigere Preis und die Konditionen einheitlich definiert sowie organisatorische und prozessuale Regelungen zur Leistungserbringung eingeführt werden. Schliesslich muss das Unternehmen und die gelebte Rechtskultur nicht immer wieder neu (kostenpflichtig) erklärt werden, die Kommunikation läuft organisiert über definierte Ansprechpartner (Relationship Manager) und durch die Umsatzsteigerung bei der jeweiligen Anwaltsfirma erwartet man, zu einem wichtige(re)n Klienten zu werden, was eine bessere Verhandlungsposition und eine Vorzugsbehandlung verschaffen soll (z.B. Zugang zu besseren Ressourcen und schnellere Erledigung von Anfragen). Im Ergebnis verspricht ein Anwaltspanel Effizienzsteigerung, Qualitätsverbesserung, Kostensenkung und vor allem Kostentransparenz. Voraussetzung sind jedoch eine dauerhafte und eine partnerschaftliche bzw. auf gegenseitigem Vertrauen beruhende Arbeitsbeziehung, sowie die Gewissheit, dass bei einem bestehenden Spielraum mit Ressourcen ökonomisch sinnvoll umgegangen wird.

4. Grösse des Anwaltspanels

11 Die grösste Herausforderung bei der Bestimmung der optimalen Grösse eines Anwaltspanels besteht wohl darin, am Ende auch gute Anwaltsfirmen von der Liste streichen zu müssen. Die Grösse des Panels realistisch zu wählen, ist deshalb von Bedeutung, weil die Auswahl als Panel-Firma einer Auszeichnung gleichkommt und damit bestimmte Erwartungen verbunden sind. Dies hängt nicht zuletzt auch von den bei der Auswahl gelieferten bzw. verfügbaren Daten und Versprechen ab. Erhält eine Anwaltsfirma nach dem Zuschlag nicht die erhofften Aufträge, könnte das angesichts der im Zusammenhang mit der Ausschreibung erbrachten und zum Teil nicht unwesentlichen Aufwendungen zu Enttäuschungen führen, die sich auf die Leistungserbringung auswirken können. Die Grösse des Panels ist deshalb regelmässig zu überdenken und bei Bedarf auch anzupassen bzw. zu reduzieren.

5. Bestimmung des Anwaltspanels (Auswahl)

Nach welchen Kriterien soll ein externer Anwalt ausgewählt werden: Honorar, Ruf, Grösse, Leistungsangebot, Ranking oder Branchenwissen? 12

Auf dem Anwaltsmarkt herrscht ausreichend Wettbewerb, und es hängt nicht zuletzt von den eigenen Bedürfnissen ab, welche Anwälte zum Einsatz kommen, da diese schliesslich die Leistung des Kunden verbessern sollen.[3] Auf jeden Fall ist zu empfehlen, der Auswahl die nötige Beachtung und Zeit zu schenken, insbesondere wenn diese bei einem Panel langfristig gelten soll. Auktionsverfahren stellen sicher, dass für den geforderten Service marktgängige Bedingungen und Preise eingekauft werden. Es ist jedoch zu beachten, dass ein Auktionsverfahren viel Zeit benötigt und als eigenständiges Projekt behandelt werden muss. Um es professionell zu führen, ist es mit den erforderlichen Ressourcen auszustatten und es ist, soweit vorhanden, beim Auswahlprozess das unternehmensinterne professionelle Lieferantenmanagement (Procurement) miteinzubeziehen, allerdings unter Berücksichtigung der spezifisch anwendbaren Kriterien und Kompetenzen beim Einkauf von Rechtsdienstleistungen. 13

Bei der Auswahl für ein Panel sollte unter anderem auf Folgendes geachtet werden: Wegen der Zeitintensität ist dieser Prozess selektiv auszuüben und nur eine begrenzte Zahl an sinnvollen Anbietern einzuladen; im ganzen Prozess Vertrauen schaffen in Richtung einer echten Partnerschaft; das Auswahlverfahren rechtzeitig starten und die Verantwortlichen informieren; die Ziele des Prozesses sowie das Anforderungsprofil (z.B. Fachkompetenz, Erfahrung, Expertise, Geschäftsverständnis, Sprachen etc.) und die erwarteten Leistungen (z.B. Reaktionszeiten, Service Levels, Kommunikationsstil) klar definieren; die Anbieter über den Prozess und die Zeitvorgaben genau informieren; soweit möglich Muster bereits im Ausschreibungsverfahren beilegen (z.B. Richtlinien für Spesenverrechnung, Rechnungsstellung, Personaleinsatz und deren Bezahlung); die Entscheidungskriterien vorab festlegen und gewichten (hier ist auch von Bedeutung, die Kompensationsstruktur der Anwaltsfirma zu kennen); ein persönliches Kennenlernen und die aktive Involvierung der Partner fordern, welche für einen arbeiten werden; Referenzen einholen; einen sauberen Abschluss des Prozesses mit entsprechender Mitteilung an alle Beteiligten gewährleisten. 14

---

[3] «What can I do to win your business?» Dies ist eine oft gehörte Frage von Anwaltsfirmen, die aber v.a. zwei Dinge zeigt: Erstens kennt der Anbieter die interne Rechtsabteilung und deren Rahmenbedingungen nicht und zweitens scheint man sich nicht genügend von Wettbewerbern abgrenzen zu können. Echte Kundenorientierung bedeutet, die Kundenbedürfnisse bereits zu kennen und die tatsächlich benötigten Leistungen pro-aktiv zu offerieren, und zwar im Bewusstsein dessen, dass die interne Rechtsabteilung kein Profit- sondern ein Cost Center darstellt, d.h. Kosten nur generiert werden, wenn dadurch ein zusätzlicher Kundennutzen gestiftet wird.

6. Management der Geschäftsbeziehung (Betrieb)

15 Nachdem viel Zeit in die Vorbereitungen und die Auswahl der Anwaltsfirmen investiert wurde, ist dennoch erst eine Seite der Medaille abgedeckt. Zur Sicherung der vereinbarten Qualität und der Kosten ist es m.E. viel wichtiger, die richtigen Instruktionen sicherzustellen, das Mandat bewusst zu führen und die externen Anwälte aktiv zu managen. Anderenfalls ist eine Entgleisung der Kosten vorprogrammiert und dann hilft es auch nicht, wenn zuvor tiefere Stundenhonorare und Rabatte verhandelt werden konnten.

16 Wird also die Errichtung eines Anwaltspanels ins Auge gefasst, sollte man stets den späteren Betrieb im Auge behalten und zur Erleichterung des Managements der externen Anwälte frühzeitig Richtlinien verfassen und als Bestandteil der Rahmenverträge deklarieren. Ferner sind je nach Grösse des Panels Ansprechpersonen für die Anwaltsfirmen bereitzustellen, um die Beziehungspflege und -kontrolle aus einer Hand sowie die korrekte Implementierung und disziplinierte Einhaltung der Rahmenverträge zu gewährleisten. Diese Personen benötigen insbesondere auch Zeit für regelmässige Feedback-Gespräche, um Verbesserungsmöglichkeiten auf beiden Seiten frühzeitig erkennen zu können und so die Geschäftsbeziehung kontinuierlich zu verbessern. Nur das sorgfältige Management der Geschäftsbeziehung garantiert, die ursprünglich beabsichtigten Ziele und Zwecke zu erreichen.

7. Leistungsbemessung und -kontrolle

17 In den meisten Fällen werden die Leistungen externer Anwälte nach standardisierten Stundensätzen abgerechnet. Andere Modelle sind, obwohl immer wieder diskutiert und gefordert, weniger verbreitet. Es gibt zwar gute Gründe für die Entschädigung nach Stundenhonoraren (z.B. einfache Methodik und Rechnungskontrolle), aber dieses Modell auferlegt das Geschäfts- und Kostenrisiko dem Auftraggeber und erlaubt ihm nur bedingt eine Qualitätskontrolle. Externe Anwaltskanzleien haben hier weniger Anreiz, den Aufwand zu minimieren, die Qualität der Leistung zu optimieren sowie proaktiv und risikoavers zu arbeiten. Im Wissen um die falschen Anreize besteht ferner ein grundsätzliches Misstrauen beim Kunden, und dieser konzentriert sich oft vielmehr auf die Uhr als auf wichtigere Dinge.

18 Um das Unternehmertum im Interesse des Kunden bei den externen Anwälten zu wecken, wird deshalb der Ruf nach alternativen Honorierungsmodellen laut, welche die Risikoverteilung verschieben sollen. Es gibt verschiedene Möglichkeiten, und die Wahl des Honorarmodells hängt entscheidend davon ab, welche Ziele man damit verfolgt: Stundenhonorare z.B. abgestuft nach Fachgebieten und/oder Status bzw. Seniorität oder Mischsätze bzw. *caps;* Pauschalhonorare (z.B. für Projekte bzw. für Meilensteine), Vorgaben für Anzahl Partnerstunden pro Mandat; Arbeiten nur nach Kostenvoranschlägen; Discount auf Stundenhonoraren und Volumenrabatte; Bonusmodelle bzw. Leistungs-

bonus bei erzielten Ersparnissen; feste Kontingente bzw. *retainer* (z.B. Monats-Gebühr für Commodity-Arbeit); Bildung eines *Performance-* bzw. *At-Risk-Pools* (z.B. bei jeder Rechnung 20% zurückbehalten und am Ende des Mandats abhängig von der Performance der Anwaltsfirma bezahlen). Als Kunde wäre es zu begrüssen, wenn die Anwaltskanzleien ihre Kompetenz in diesem Bereich ungefragt anbieten sowie ihre Kalkulation transparent offenlegen, um die Anpassung der gegenseitigen Interessen zu erlauben. Eigentlich wäre zu erwarten, dass die Anwaltsfirmen Interesse an alternativen Honorierungsmodellen haben, da diese eine Planung der Auslastung und des Umsatzes erlauben (analog zur Voraussehbarkeit der Kosten für den Kunden), sie damit den Gewinn vom Umsatz entkoppeln und durch effizientere Arbeit höhere Renditen erwirtschaften können.

Zusätzlich hierzu werden kostenlose Nebenleistungen gefordert wie z.B. Freistunden, 19
Rapporte mit monatlichen Management-Informationen, Zugang zu Know-how (z.B. Extranet, Datenbanken, Newsletter), Schulungen (z.B. Referate, Seminare und Weiterbildungsveranstaltungen) sowie die Bereitschaft und Verfügbarkeit für Feedback-Gespräche.

Schliesslich sollte bei der Rechnungsstellung Wert gelegt werden auf Klarheit (z.B. Inhalt, 20
Aufbereitung und Detaillierung), auf rechtzeitige und korrekte Rechnungsstellung (mit Vorteil monatlich zwecks besserer Kontrolle und Vorhersehbarkeit) mit dem Ziel, dass auf beiden Seiten der administrative Aufwand nicht zu gross wird.

8. Schlussbemerkungen

Soll ein Anwaltspanel den erhofften Erfolg bringen, sind nicht bloss die Anwaltsfirmen 21
in einem sorgfältig durchgeführten Prozess richtig auszuwählen, sondern es ist Wert auf eine vertiefte Vorbereitung und v.a. auf einen bewussten Betrieb des Anwaltspanels zu legen, d.h. auf die professionelle Führung der Mandate und Anwälte.[4]

---

4 Der Deutsche Wirtschaftsanwalt, Handbuch für Unternehmen, Mit Benchmark Report über Rechtsabteilungen, Berlin 2008, S. 56–73. Faure Trevor, The Smarter Legal Model: more from less, St. Albans (England) 2010. General Counsel Roundtable, The New Model for Law Firm Performance Management, Research Initiative Summary, Washington et al. 2007. Ders., Creating Effective Alternative Fee Arrangements, Washington et al. 2010. Ders., Selecting Outside Counsel, A Step-by-Step RFP Process Guide, 2010. Ders., Creating a Preferred Legal Provider Network, A Step-by-Step Implementation Guide, London 2004. Ders., A More Perfect Union, Extracting Greater Value Through Improved Outside Counsel Relationship, Washington et al. 2002. Hambloch-Gesinn Sylvie/Hess Beat/Meier Andreas L./Schiltknecht Reto/ Wind Christian (Hrsg.), In-house Counsel in internationalen Unternehmen, Basel 2010. Hossli Daniel, Billable Hours – ein Auslaufmodell?, in: GesKR 1/2010, S. 1–5.

K. Der Rechtsberatungsmarkt im Umbruch: Machen Telefon- und Internetberatung den Anwaltskanzleien Konkurrenz?

Georg Gebsattel

1 Moderne Kommunikationsmittel erlauben die Erbringung von juristischen Dienstleistungen jenseits der klassischen Formen. Es ist nicht mehr notwendig, sich von Angesicht zu Angesicht gegenüberzustehen, damit zwischen Anwalt und Mandant Beratungsleistungen erbracht werden können. Telefon- und Internetberatung nehmen auch im Anwaltsgeschäft an Bedeutung zu.

2 Die von Rechtsanwälten und ihren Standesorganisationen nunmehr mit einem Aufschrei festgestellte Veränderung des Rechtsdienstleistungsmarktes kommt um Jahre zu spät, denn die Art nachfolgend diskutierter Beratungsleistungen hat sich bereits etabliert.

3 Seit ca. 12 Jahren entwickelte sich in rasendem Tempo die Form der anwaltlichen Beratung per Telefon oder via Internet. Sie hat den Anwaltsmarkt deutlich verändert. Für die Bundesrepublik Deutschland belaufen sich alleine die Beratungen per Telefon (professionelle Telefonberatung) – nicht mitgerechnet sind hier die in Vor-Ort-Kanzleien stattfindenden Beratungen in bereits bestehenden Mandantenverhältnissen – auf jährlich ca. eine Million.

4 Gleichwohl fand hierdurch in den konventionell tätigen Rechtsanwaltskanzleien keine Mandatsreduktion in diesem Umfang statt. Ein nicht unwesentlicher Prozentsatz von Rechtsratsuchenden per Telefon hätte einen Anwalt mit ihrem Problem nicht vor Ort aufgesucht. Einerseits aus Kostengründen, andererseits wollte oder konnte man die jeweils anfallenden Terminabsprachen und/oder Wartezeiten nicht in Kauf nehmen. Nicht verschwiegen kann und soll aber werden, dass hierdurch etwa eine halbe Million der genannten Beratungen und somit Mandate den Vor-Ort-Kanzleien verloren gegangen sind, unabhängig davon, ob diese meist kleinen Mandate dort gewünscht wären oder nicht.

5 Exakte Zahlen über die telefonische Rechtsberatung, welche nur als Erstberatung betrachtet werden kann, werden von den jeweiligen Leistungsträgern – somit weder von den Rechtsschutzversicherungsgesellschaften noch von den Beratungsgesellschaften – veröffentlicht. Insofern stützen sich die genannten Beratungsgrössen auf Hochrechnungen des Verfassers, deren Basisdaten unter anderen die seiner Kanzlei und anderer bekannter Beratungsunternehmen sind.

6 Die Rechtsberatung per Telefon ist keine Neuerung im Anwaltsmarkt. Diese Art der Beratung wurde bereits von jeher von Unternehmen genutzt, welche einer schnellen und zuverlässigen Information für ein akutes Problem bedurften. Die Rechtsberatung

via Internet ist nur die ergänzende Form dieser Beratungsart insoweit, als der Mandant eingescannte Unterlagen mit einreichen kann und die Antworten bzw. Formulierungsvorschläge seitens des Beratungsanwalts schriftlich erfolgen.

Der Markt der telefonischen Erstberatung wurde mit Ablauf des 20. Jahrhunderts den Privatpersonen, vorrangig solchen mit Rechtsschutzversicherungsverträgen, eröffnet. Die Durchsetzung dieses neuen Beratungsmediums erfolgte schleppend und nahm einen erheblichen Zeitraum in Anspruch. Die Hinwendung zur telefonischen Rechtsberatung erfolgte durch die deutschen Rechtsschutzversicherungsgesellschaften erst, als erkannt wurde, dass hierdurch eine erhebliche Kundenbindung erfolgen kann. 7

Eine Eingrenzung der Nutzer hinsichtlich des Alters, des Geschlechts, der Ausbildung, des Berufsstandes oder der Nationalität ist nicht erkennbar. Ebenso wenig ist eine Einschränkung auf bestimmte Rechtsbereiche ersichtlich. Prädestiniert für diese Art der Beratung sind aber die Bereiche Mietrecht und das Recht des Wohnungseigentums, Verkehrsrecht (Bussgeld- und Strafsachen), Arbeitsrecht (ohne Kündigungsschutzverfahren), Familien- und Erbrecht, Reiserecht, Kaufrecht, Vertragsrecht (Verbrauchsgüterkauf), aber auch Internetrecht und Urheberrecht. Je grösser und spezialisierter das Team der Berater aufgestellt ist, desto umfangreicher können die Rechtsgebiete beratungssicher abgedeckt werden. 8

Die telefonische Rechtsberatung wird von denjenigen Personen genutzt, welche für ihren Problembereich schnell eine erste rechtliche Einschätzung wünschen. Hierdurch wird ihr zukünftiges Verhalten rechtlich gesichert bzw. erfolgt eine Klarstellung insoweit, ob Aussicht besteht, das vermeintliche Recht durchsetzen zu können oder nicht. 9

Die Beratung via Internet spricht insbesondere jenen Mandantenkreis an, welcher die Schriftlichkeit der Auskunft bzw. ein Kurzgutachten für das Rechtsproblem erwartet. Darüber hinaus ermöglicht die Internetberatung die zeitliche «Rundumberatung», ohne auf Notfälle beschränkt zu werden, wie dies in der Regel bei den telefonisch tätigen Beratungskanzleien gehandhabt wird. 10

Der Erstkontakt zwischen dem Ratsuchenden und dem Beratungsanwalt entspricht dem eines Erstbesuchs in einer Vor-Ort-Kanzlei. Der potenzielle Mandant weiss noch nicht, welchem Anwalt er mit seinem Problem gegenübertritt. Nichts anderes gilt für den «Telefonberatungsanwalt». 11

Der Berater per Telefon oder Internet erlangt eine tragfähige Mandantenbeziehung durch seine verbindliche Art und dadurch, dass er sich erkennbar des Problems des Mandanten annimmt. Dies erfolgt insbesondere durch seine fachliche Qualität und eine Sprachregelung, welche es dem juristisch nicht vorgebildeten Mandanten ermöglicht, den Ausführungen des Beraters zu folgen. 12

Hinzu kommt, dass die jeweiligen Fachgebiete von unterschiedlichen Beratern gehandhabt werden müssen/sollten und dies auch dem Mandanten vermittelt wird. Beispiel- 13 haft wird der Familienrechtsberater keine Mietthematik beraten, sondern an den fachlich versierten Kollegen verweisen. Sollte dieser nicht sofort zur Verfügung stehen, wird mit dem Ratsuchenden ein zeitlich fixierter Beratungstermin mit dem spezialisierten Berater vereinbart.

14 Hierdurch wird dem Mandanten deutlich gemacht, dass sich derjenige Berater mit seinem Problem befasst, welcher das fachliche Know-how besitzt. Dies schafft Vertrauen zum Beratungsanwalt und lässt so eine tragfähige Mandantenbeziehung entstehen. Nicht vernachlässigt werden darf hierbei, dass dieses Handling auch Vertrauen zur Beratungskanzlei, in welchem der Beratungsanwalt tätig ist, schafft.

15 Insofern sind die Ausführungen in Stiftung Warentest[1], ebenso auch die Ausführungen des BGH[2] inhaltlich – «So lange die Hotlineanbieter ihre Leitungen nicht nach Rechtsgebieten ordnen und etwa eine Mietrechtshotline anbieten, an der ausschliesslich ausgewiesene Mietrechtspezialisten sitzen, bleibt ein hohes Risiko von Beratungsfehlern» – obsolet.

16 Diesen Ausführungen aus der Anfangsphase der telefonischen Erstberatung ist anzumerken, dass sie sich nur auf kleine Beraterteams beziehen konnten. Daraus ergibt sich auch, dass ein Risiko für den Rechtsratsuchenden immer dann erhöht vorhanden ist, wenn er sich auf ein kleines Beraterteam für seine vielfältigen Probleme verlässt. Auch für die Rechtsberatung per Telefon oder via Internet gelten die Grundsätze, dass niemand alles wissen kann und selbst wenn jemand vieles weiss, meist nur oberflächliches Wissen vorhanden ist.

17 Kann man die Dienstleistungen grosser Teams in Anspruch nehmen und sind diese entsprechend qualifiziert besetzt, so wird der Ratsuchende bei komplexeren Problemen immer vom Spezialisten direkt beraten. Hierdurch reduziert sich das Risiko für den Ratsuchenden und selbstverständlich auch für die Beratungskanzlei, da fehlerhafte Beratungen hierdurch faktisch ausgeschlossen werden können.

18 Ein nicht zu unterschätzendes Kriterium ist aber auch die Kommunikation zwischen dem Ratsuchenden und dem Ratgebenden. Ausgehend von einer fehlenden juristischen Vorbildung des Ratsuchenden ist es Aufgabe des Beraters, herauszufinden, welche Probleme sich in den Lebenssachverhaltsschilderungen des Anrufers befinden. Dies ist die erste wesentliche Aufgabe eines guten Beratungsanwalts, die Themen schnell zu erfassen, zu strukturieren und dann gezielte Fragen an den Anrufer zu stellen.

19 Stehen die Sachverhalte fest, hat der Berater die Aufgabe, die Lösung oder geeignete Vorschläge gegenüber seinem Gesprächspartner so aufzubereiten und vorzutragen, dass dieser die jeweiligen Ansätze nachvollziehen kann und letztlich auch versteht.

---

[1] Stiftung Warentest, Heft 12/2002 Telefonische Rechtsberatung: «Nur für leichte Kost».

[2] BGH: Az. I ZR 44/00; 102/00.

Erst wenn diese Voraussetzungen erfüllt sind, kann eine telefonische Rechtsberatung ihren Abschluss finden. Sollte die Beratung alleine zur Lösung des Themas nicht genügen, muss der Ratsuchende auf Vor-Ort-Anwälte mit entsprechender Qualifikation hingewiesen werden. Eine umfangreiche Auswahl von qualifizierten Vor-Ort-Anwälten bieten in der Bundesrepublik Deutschland wenige, gut organisierte Rechtsanwaltsnetze. Gleiches gilt für die Beratung via Internet. 20

Ein wirkliches Risiko für den Ratsuchenden ist weder bei der telefonischen noch bei der per Internet stattfindenden Beratung gegeben, vorausgesetzt, der beratende Anwalt erfüllt die Qualitätskriterien, welche man von einem sorgfältig und fachlich versiert tätigen Anwalt erwarten darf. 21

Natürlich besteht die Möglichkeit, dass der Ratsuchende die Auskunft nicht vollständig verstanden hat. Dies ist aber unverzichtbare Aufgabe des Beratungsanwalts, zum Schluss der Beratung noch einmal nachzufragen, ob und inwieweit seine Auskunft angekommen ist. Aus diesem Grunde erscheint es notwendig, dass nicht der Beratungsanwalt das Gespräch beendet, wenn er sein Wissen weitergegeben hat, sondern der Mandant das Gespräch beenden kann, wenn er alles verstanden hat. Insofern darf keine fixe Zeitspanne für eine telefonische Beratung vorgegeben sein. Diese Voraussetzungen können aber nur dann erfüllt werden, wenn die telefonische Erstberatung mittels einer Festpreisvereinbarung erfolgt. Dies stellt natürlich ein erhebliches wirtschaftliches Risiko für das Beratungsunternehmen dar, lässt sich aber mittels einer Mischkalkulation handhaben. 22

Im Bereich der Internetberatung muss es dem Ratsuchenden möglich sein, ohne weitere Kosten Nachfragen zu den Antworten des Beratungsanwalts zu stellen, auf welche dann noch einmal einzugehen ist. 23

In beiden Beratungsbereichen (telefonisch oder via Internet) entspricht aufseiten des Beratungsanwalts das Risiko jenem, welches in einer Vor-Ort-Kanzlei gegeben ist, da der Mandant die verbindliche Auskunft des Beraters entweder mündlich oder in schriftlicher Form erhält. Nicht übersehen werden darf hierbei natürlich, dass diese Thematik im Bereich der telefonischen Beratung kritischer zu sehen ist, haben doch beide Seiten nur ihre eigenen Dokumentationen zu Verfügung, welche nicht ausschliessbar unterschiedlichen Inhalts sein können. 24

Für den Erfolg der genannten Beratungsformen ist es ausschlaggebend, ein versiertes Fachteam zur Verfügung zu haben, welches faktisch alle Rechtsbereiche nach jeweiligem Landesrecht abzudecken in der Lage ist. Als weiteres Kriterium ist sicherlich die zeitliche Verfügbarkeit des Beratungsangebotes anzuführen, da die Nutzer dieser Auskunfts-/Beratungsformen eine schnelle Antwort ohne zeitliche Verzögerung erwarten. 25

Die Ausrichtung eines solchen Unternehmens erfordert, aufgrund der Erfahrungen des Verfassers mit den von ihm betriebenen Beratungskanzleien, das Gespür, Veränderungen am Markt rechtzeitig zu erkennen und kurzfristig hierauf reagieren zu können, gute 26 juristische Kenntnisse, technisches Know-how, Wissen im Bereich telekommunikativer Abläufe, das Erkennen der Zusammenhänge im Bereich der IT-Welten und das Geschick, ein mittelständisches Unternehmen führen zu wollen und zu können.

27 Der Verfasser vertritt auch die Meinung, dass nachfolgende Kriterien wichtige Voraussetzungen sind, um Internetberatung oder telefonische Rechtsberatung auf hohem Niveau anbieten zu können:

- Ein wichtiges Strategiemoment muss sein, fachlich versierte Beratungsanwälte zur Verfügung zu stellen. Das Team der Berater muss flexibel in der Denkstruktur und fortbildungswillig sein.
- Technische Abläufe zu vereinfachen, Zugriff auf umfangreiche Wissensdatenbanken zu ermöglichen und die Kommunikation zwischen allen Beteiligten strukturiert zu ermöglichen, sind weitere wichtige Voraussetzungen für den dauerhaften Erfolg dieser Tätigkeitsbereiche.
- Die Möglichkeit eines schnellen Wissensaustausches zwischen den jeweiligen Beratungsanwälten ist nicht zu vernachlässigen.
- Ebenso spielt die Grösse der jeweiligen Beratungsteams eine wesentliche Rolle, so dass eine eventuelle Gruppenbildung, aber auch negatives Wettbewerbsverhalten innerhalb des Teams vermieden werden kann.
- Wie in jedem Unternehmen sollen die Mitarbeiter entsprechend ihrer eigenen Leistung am Erfolg des Unternehmens honoriert werden. Dies sichert u.a. Loyalität und das Zugehörigkeitsgefühl der Mitarbeiter zum Unternehmen.

28 Das Rad der oben beschriebenen Entwicklung und der genannten Leistungsarten lässt sich nicht mehr zurückdrehen, auch wenn Vor-Ort-Anwälte und deren Standesorganisationen oder Interessenvertreter dies nur zögerlich so wahrnehmen.

29 Nicht unähnlich erscheint mir derzeit die Phase zu zertifizierender Kanzleiabläufe, Marketingüberlegungen und auch das neue Konkurrenzphänomen «Mediation». Auch diese Phänomene werden den Anwaltsmarkt wesentlich verändern und die Kanzleiwirklichkeit zusammen mit der Telefon- und Internetberatung massgeblich beeinflussen.

L. Besonderheiten der Zusammenarbeit mit Unternehmensmandanten – eine Praxisbetrachtung

Urs Wälchli

«Es gibt immer einen Weg etwas besser zu machen … finde ihn.» (Thomas A. Edison)

1. Einleitung

1 Die Beratung und Vertretung von Unternehmen stellt für Anwaltskanzleien eine besondere Herausforderung dar. Einerseits leben die Wirtschaftsteilnehmer in einer zunehmend dynamisierten und von automatisierten Abläufen geprägten Welt, was sich auch auf die Beziehungen zwischen Anwalt und Unternehmen auswirkt. Andererseits nimmt der Kostendruck auf beiden Seiten zu, und dies in einem Umfeld, das immer mehr reguliert und verkompliziert wird, was die juristische Leistungserbringung graduell verteuert. Zudem betrachten viele Unternehmen den Einkauf von rechtlichen Dienstleistungen als ganz normalen Beschaffungsvorgang im Rahmen des Supply Chain Management. Wie kann in diesem Umfeld die Zusammenarbeit zwischen externem Anwalt und Unternehmen aussehen, damit der Grad der Kundenzufriedenheit gesteigert und ein effektiver, aktiver Mehrwert für das Unternehmen geschaffen werden kann? Wie kann ein *true business partner*-Verhältnis entstehen und über die Dauer vertieft werden? Und braucht es dazu einen Paradigmawechsel des gegenseitigen Selbstverständnisses?

2 Dieser Artikel soll ein Praxis- und Diskussionsbeitrag und keine dogmatische, wissenschaftlich fundierte Vertiefung eines komplexen Themas darstellen. Der Artikel gibt die persönliche Meinung des Autors wieder.

2. Die gute alte Welt

3 Traditionelle Gründe für den Beizug von externen Anwälten durch Unternehmen sind unter anderem die Bereitstellung von zusätzlichen Kapazitäten (z.B. M&A), spezifische Expertise (z.B. internationales Recht, Spezialgebiete) und externe Vertretung (z.B. vor Gericht). Die Kriterien für die Wahl eines externen Partners lassen sich folgendermassen zusammenfassen[1]:

[1] Tabellarische Übersichten zur Thematik *Make-or-Buy*-Entscheidung und Anforderungsprofil des Outsourcing-Partners: Staub, Leo, Legal Management, Management von Recht als Führungsaufgabe, Versus Verlag AG, Zürich 2006, S. 202 und 211.

- Reputation
- Beratungsqualität
- Praxis- und lösungsorientierte Beratung
- Businessverständnis
- Zeitgerechtigkeit
- Erreichbar- und Verfügbarkeit der Kontaktperson(en)
- Netzwerk
- Budgeteinhaltung
- Nachvollziehbare Rechnungsstellung
- Seniorität des Know-hows respektive des Ansprechpartners oder Involvierung im Delegationsfall
- Reziprozität (wenn anwendbar/möglich)

4 Die Bewertung der Dienstleistung kann anhand von folgenden Parametern passieren (objektiv oder *assessed*):

- Qualität der Dienstleistungserbringung
- Lösungsorientierung
- Risk-Management-Beitrag
- Kosten

5 In den letzten Jahren beginnt sich der unternehmerische Fokus auf eine umfassendere anwaltliche Dienstleistungserbringung zu verschieben. Während im traditionellen Modell der Nutzen allein in der Bereitstellung von Zusatzkapazität oder Know-how gesehen wird, so fokussieren neuere Ansätze zunehmend auf den unternehmerischen Mehrwert, der durch den externen Dienstleister geschaffen wird (vergleichbar der Situation des In-house-Rechtsdienstes, der sich in ebensolchem Mass dieser *Value*-Diskussion stellen muss).

3. Herausforderung

6 Etwas überzeichnet lässt sich das traditionelle Modell der Rollenverteilung zwischen Anwalt und Klient respektive Unternehmen als genuin reaktiv beschreiben[2]:

[2] Susskind, Richard; The end of lawyers? Rethinking the nature of legal services, Oxford University Press, 2008, S. 222 f., the reactive nature of traditional legal services.

Der Klient wird durch einen externen Trigger-Event, der nach spezifischen juristischen Fachkenntnissen ruft, «gezwungen», einen externen Anwalt beizuziehen beziehungsweise diesen entsprechend des aufgetretenen juristischen Problems zu instruieren. So «wartet» der Anwalt, bis ihn sein Kunde kontaktiert. Mit anderen Worten, der Anwalt reagiert auf den Kundenkontakt und dies oft mit der Bemerkung, dass es besser gewesen wäre, wenn ihn der Kunde früher kontaktiert hätte, was zum Paradox der traditionellen reaktiven rechtlichen Leistungserbringung führt. Der Klient müsste in erheblichem Masse einschlägiges juristisches Vorwissen besitzen, um nicht nur zu erkennen, dass er juristischen Beistand braucht, sondern auch wann der optimale Zeitpunkt gekommen ist, einen Anwalt beizuziehen. In einem von reaktiven *legal services* geprägten Umfeld kann das zum unbefriedigenden Resultat führen, dass der Klient wie geschildert zu spät einen Anwalt aufsucht oder eine Möglichkeit zum Rechtsschutz oder zur Rechtsdurchsetzung gar nicht erkennt. 7

Im heutigen beschleunigten Wirtschafts- und Rechtsumfeld, wo Chancen teilweise sehr kurzfristig wahrgenommen werden müssen und Risiken ebenso schnell auftreten und sich realisieren können, genügt ein reaktiver Ansatz im Verhältnis zwischen Anwalt und Unternehmenskunde nicht mehr, weswegen beide Seiten ihr Verhältnis überprüfen und auf eine neue Basis stellen sollten. 8

Im Weiteren sind Anwaltskanzleien bei der Wahrnehmung von Unternehmensmandaten gefordert, einerseits ein besseres und vertieftes Verständnis vom Business und von der operativen Seite des Unternehmenskunden zu entwickeln, andererseits sich im Sinne eines *true partnering* verstärkt Gedanken über eine verbesserte Risiko-Aufteilung zwischen dem Unternehmen der In-house-Rechtsabteilung und dem externen Counsel zu machen. Eine solchermassen «gerechtere» Aufteilung der Risiken – mit entsprechender Incentive-Komponente – würde im Übrigen automatisch dazu führen, dass sich der externe Dienstleister stärker mit dem Business beschäftigt – sozusagen ein selbstverstärkender Prozess. Letztlich ist der externe Rechtsdienstleister Bestandteil des unternehmensinternen Risk Managements, und es macht aus unternehmerischer Optik – abgesehen von der Unterscheidung der Kostenart (Lohn- oder Beratungskosten) – keinen Unterschied, ob die Dienstleistung unternehmensintern/In-house oder von einem externen Partner erbracht wird. 9

So lassen grössere Unternehmen zunehmend den Einkauf von Anwaltsdienstleistungen über das unternehmensinterne Supply Chain Management laufen, was den Druck auf den externen *legal service provider* erhöht, seine Dienstleistungen kostenkompetitiv anzubieten und den entsprechenden Mehrwert transparent darstellen zu können. 10

4. *Value focus*

11 Während in der traditionellen Welt auch das Kostenmanagement vorwiegend reaktiv vollzogen wurde («Sind die in Rechnung gestellten Kosten transparent und nachvollziehbar?»), bemühen sich heute viele Parteien um einen fortschrittlicheren Ansatz, sei es durch die Vereinbarung von Performance-basierten Modellen (*alternative billing models*, *Incentive*-Schemas/Bonus-Malus-Systeme, *Retainer*-Modelle), sei es durch die Verankerung von unternehmensspezifischen *Value*-Kriterien, die es den Partnern erlauben, den resultierenden Mehrwert (oder reduzierten Minderwert) objektiv zu bestimmen oder zumindest objektivierbar zu erfassen. Im Idealfall führt die Verwendung von derartigen Parametern oder Performance-Modellen dazu, dass sich beide Parteien stärker als Partner verstehen und sich damit beschäftigen, wie die Qualität der Zusammenarbeit und der Grad der gegenseitigen Komplementarität erhöht werden kann.

12 Eine mögliche Wertungsskala *(balanced scorecard)* kann aus folgenden *Value*-Kriterien bestehen, wobei unabdingbar ist, dass der Unternehmenskunde und der externe Anwalt vor Beginn der Zusammenarbeit beziehungsweise vor einem neuen Fall das entsprechende Projekt analysieren und bewerten und sich über die Abläufe einigen:

- Fall- und Zielverständnis
- Fachwissen
- Effizienz (Zeit, Mittel, Kosten: «*do more with less*»)
- (Re)Aktionsgeschwindigkeit
- Genauigkeit der Voraussagen und Annahmen
- Effektivität
- Nachhaltigkeit
- «Was bleibt unter dem Strich» *(the bottom line)*

13 Die Bewertung der anwaltschaftlichen Dienstleistungen passiert mindestens einmal pro Jahr oder am Ende eines Projektes und dient als Rahmen für das Feedback vom Unternehmenskunden an die Anwaltskanzlei. Es soll den beiden Partnern erlauben, vertieftes unternehmens- und fachspezifisches Know-how zu erhalten, ohne dass dies allerdings zu einer Überschneidung der jeweiligen Bereiche und Aktivitäten führt. Aus Synergiegründen ist es wenig sinnvoll, wenn sich sowohl eine In-house-Funktion wie auch ein externer Counsel um die gleichen Belange kümmern. So sollten eine Zusammenarbeitsvereinbarung *(framework agreement)* und die entsprechenden Bewertungskriterien samt Feedbackmodus sicherstellen, dass Fälle und Projekte durch den externen Dienstleister ohne fortlaufende interne Detailbetreuung, *screening* oder *gatekeeping* (zum Management) erfolgreich und selbständig abgewickelt werden können.

In diesem Zusammenhang und insbesondere bei internationalen Sachverhalten, Netzwerken oder Zusammenarbeitssituationen hat sich die Ernennung von *single points of contact* auf beiden Seiten als wertvoll erwiesen. Dabei muss der Informationsfluss zwingend in beide Richtungen stattfinden. Regelmässiger Informationsaustausch und Kommunikation über die gegenseitigen Bedürfnisse ist eine notwendige Voraussetzung für die Bereitstellung von nachhaltigem unternehmerischem Mehrwert. Was den Informationsfluss und Know-how-Austausch betrifft, sollten die Parteien prüfen, in welchem Mass die gegenseitige Einbindung in elektronische Systeme, Prozesse und Tools stattfinden kann. So ermöglichen grosse Kanzleien in zunehmenden Mass ausgewählten Unternehmenskunden den direkten Zugriff auf ihre Knowledge-Datenbanken, Bibliotheken und Muster- und Template-Sammlungen. Dies auch aus der Erkenntnis, dass solches Know-how in der heutigen virtuellen Welt in den wenigsten Fällen vollumfänglich proprietär oder exklusiv sein dürfte. Andererseits dürfte dies unter den Aspekten Verbesserung der Kundebeziehung, Vertrauen und Loyalität nachhaltiger wirken als manche Einladung zu einem Arbeitsschluss-Roundtable-Gespräch mit anschliessendem Apéro riche … 14

Auch wenn der extensive Einsatz von Technologie und *project management tools* scheinbar nicht immer zu den auffälligsten Kernkompetenzen von traditionellen *legal service providern* gehört, führt bei der Betreuung von Unternehmenskunden – gleiches dürfte in zunehmendem Mass auch für Privatkunden gelten – kein Weg an standardisierten und automatisierten Abläufen vorbei, gepaart mit vielfältigen Outsourcing-Lösungen, was zu einer Verlängerung und Verbreiterung der *legal value chain* und einer zunehmenden Fokussierung auf die wertschaffenden Kernkompetenzen führt. Dem Einsatz bestehender und neuer Technologien kommt dabei eine Schlüsselrolle zu. Die jederzeitige Verfügbarkeit von Informationen in der Online-Welt und Netzgesellschaft hat ihren Einfluss insbesondere im Bereich der Standarddienstleistungen und der Standarddokumente und -prozesse. Eine Differenzierung über solche Commodities dürfte für Kanzleien demnach zunehmend schwieriger, wenn nicht sogar unmöglich werden. Damit empfiehlt es sich, die entsprechende Thematik im Verhältnis zwischen Unternehmenskunden und Kanzlei proaktiv, offen und innovativ anzugehen. 15

Durch die Implementierung von *State-of-the-art*-Prozessen, Tools und Konzepten werden für die Unternehmenskunden Mehrwerte geschaffen, es wird die Kundenbeziehung gefestigt und es werden die Geschäftsziele der Unternehmen und von deren Kunden unterstützt. Mittels Legal Blogs, Diskussions- und News-Seiten, Foren, in denen Templates und Fallbeispiele geteilt werden, Know-how-Datenbanken und Extranet-Lösungen können schon heute vielfältige Kundenbedürfnisse befriedigt werden. 16

5. Des Pudels Kern

17 Manche *legal service provider* scheinen noch immer von einem Selbstverständnis beherrscht zu sein, das den jeweiligen Anwalt seine Mandate in einer Art und Weise führen lässt, als ob ihm diese wie ein eigenes Business «gehören». Entsprechend exklusiv bewirtschaftet oder gestaltet er diese Beziehungen. Dies hat einen insularen Ansatz zur Folge, der unter Umständen bei Privatkunden mit singulären Problemstellungen zum Erfolg führen kann, bei einem Unternehmensmandant mit im Regelfall weitaus komplexeren Fragestellungen, Einflussfaktoren und Interdependenzen aber ein wenig geeignetes Vorgehen darstellt. Zudem können aus einem solchen Verhalten weder innerhalb der Sozietät noch in deren nationalen und/oder internationalen Verbund noch zwischen Mandant und Anwalt vorhandene oder zukünftige Synergien ausgeschöpft werden.

18 Rechtsdienstleister sollten sich bewusst sein, dass bei der Betreuung von Unternehmenskunden gewisse Spezifika beachtet werden sollten, damit deren Bedürfnisse optimal abgedeckt werden können. Vorab und prioritär gilt es, bei der Aufnahme einer neuen Kundenbeziehung oder der Weiterentwicklung einer bestehenden Beziehung grundlegende Kenntnisse über das Business des entsprechenden Unternehmens aufzubauen, sich über die Wertschöpfungstreiber klar zu werden und zu überlegen, in welcher Form und welchen Inhalten die Dienstleistungen der Anwaltskanzlei in die unternehmerische(n) Wertschöpfungskette(n) eingebunden werden können.

19 Dass eine solche Einbindung in einem internationalen Kontext nur über internationale Netzwerke funktionieren kann, ist selbstverständlich. In diesem Zusammenhang soll nicht unerwähnt bleiben, dass sich zwar viele grosse Sozietäten ihres globalen Netzwerkes rühmen, für den Unternehmenskunden daraus aber weder ein quantitativer noch ein qualitativer Mehrwert generiert wird, wenn – wie dies oft zutrifft – die Koordination dieses Netzwerkes in der Verantwortung des Unternehmenskunden verbleibt, innerhalb des Netzwerkes keinerlei Gemeinsamkeiten feststellbar sind und vielfach qualitativ sehr unterschiedlichen Dienstleistungen erbracht werden. Es fällt auf, dass gerade global operierende Kanzleien diesbezüglich ihre Hausaufgaben oft noch nicht gemacht haben. Dabei spielt es keine Rolle, ob es sich um eine voll konsolidierte, global unter einer Marke operierende Sozietät oder bloss um einen Zusammenarbeitsverbund handelt: Die Erwartungen des Unternehmenskunden nach qualitativ vergleichbaren Dienstleistungen dürften in jedem Fall die gleichen sein. Oft ist auch feststellbar, dass der Einfluss des Managing Partners oder des Key-Account-Betreuers an den Landesgrenzen zu schwinden beginnt.

20 Eine globale Marke (Netzwerk) zu sein, darf sich nicht auf Marketing- und Public-Affairs-Massnahmen beschränken. Aus Kundensicht ist gefordert, dass Dienstleistungen global einheitlich erbracht werden. Qualitätsmanagement der beauftragten Kanzlei ist keine Aufgabe des Unternehmenskunden. Ähnliches gilt auch für die oft zusätzlich in Rechnung gestellten Partner Reviews (in einem internationalen Kontext oft ergänzt durch die

Mitwirkung eines Relationship Managers): In welcher internen Form und Organisation eine Kanzlei ihre Dienstleistung erbringt, ist für den Unternehmenskunden grundsätzlich nicht von Belang. Es darf demnach auch nicht erwartet werden, dass Unternehmen bereit sind, für kanzleiinterne Qualitätssicherungsmassnahmen zusätzlich zur eigentlichen Dienstleistung zu bezahlen.

Ebenso, und dies ist ein gravierender Punkt, ist aus Kundensicht nicht zu akzeptieren, wenn die anwaltliche Beratung in einer Ausschlussklauselsprache verfasst ist und jegliche Aussagekraft vermissen lässt. Bei allem Verständnis für die Herausforderungen, die sich für den anwaltlichen Dienstleister aus haftungsrechtlicher Optik ergeben, darf trotzdem eine juristische Auskunft erwartet werden, die klar, verständlich, deutlich und direkt umsetzbar ist. Die Unsitte der teilweise nutzlosen US-amerikanischen Legal Opinions muss nicht auf europäische Verhältnisse übertragen werden. Andererseits dürfte der Unternehmenskunde auch nicht gewillt sein, für sprachliche «Eleganz» oder Perfektion zu bezahlen, ausser dies wäre konsistent mit den avisierten Zielen in einem spezifischen Fall und würde einen substanziellen Beitrag zu dessen Lösung beitragen. Zudem sollte auf rein theoretische, nicht businessorientierte Ausführungen oder Beratungen ohne Lösungsbezug generell verzichtet werden. 21

Um zum Kern der für das Unternehmen im Beratungsalltag werthaltigen juristischen Dienstleistungen vorzudringen, reduziert sich vieles – wenn nicht alles – auf die Frage, wie gelingt es den Parteien, den Fokus konstant auf den Mehrwert zu richten? Welche Massnahmen können helfen, das Verständnis für die Belange, Erwartungen und Anforderungen des Unternehmenskunden zu erhöhen? Wie kann die Beziehung zwischen Kanzlei und Unternehmen nachhaltig vertieft und verbessert werden? Und schliesslich, wie erreichen die Parteien eine Form mehrwertorientierter Zusammenarbeit, die als echtes Business Partnering bezeichnet werden könnte? 22

«Suche nicht nach Fehlern, suche nach Lösungen.» *(Henry Ford)*

6. Business Partnering

Wie schon dargelegt, ist der Ausgangspunkt einer grundlegenden Verbesserung der Beziehung zwischen Unternehmen und Anwaltskanzlei ein tieferes Verständnis der betreffenden Industrie, des Business und Geschäftsmodells des Unternehmenskunden, das sich nicht nur auf leicht verfügbare externe Daten stützt, sondern eine vertiefte Analyse, kundenspezifische Abklärungen und vor allem einen erhöhten Informationsaustausch zwischen den Parteien verlangt, soll die Beziehung über eine punktuelle oder bloss fallweise Unterstützung hinausgehen. Die Bildung von fokussierten Kundenbetreuungsteams hat sich diesbezüglich als opportun erwiesen. Es sollte bei einer offenen und ehrlichen Beziehung auch möglich sein, zuzugestehen, wenn in einer bestimmten Situation das benötigte Know-how kanzleiintern nicht verfügbar ist oder extern beschafft 23 werden muss. Im Sinne einer besseren Risikoteilung und Incentivierung wird erwartet, dass die Kanzlei von sich aus alternative Gebührenstrukturen vorschlägt und Budgets respektive Schätzungen und *caps* für spezifische Engagements vorschlägt. Es versteht sich auch, dass materielle Budgetabweichungen dem Kunden unaufgefordert und verzugslos unterbreitet und sinnvolle Lösungen vorgeschlagen werden. Kosteneffizienz und -adäquanz sind die Grundlage einer transparenten Rechnungsstellung. Arbeitsschritte, die von weniger erfahrenen Anwälten ausgeführt werden können, müssen nicht durch Partner oder Anwälte auf Senior-Stufe betreut werden. Werden bei der Leistungserbringung Drittanbieter beigezogen, so wird erwartet, dass die gleichen Grundsätze angewandt werden. Im Rahmen der Nutzung von Knowledge-Management und Information-Sharing-Systemen soll auf bisherigen Fällen aufgebaut und vermieden werden, dass das Rad jedes Mal wieder neu erfunden werden muss: Doppelte Rechnungsstellung für ein bereits vorhandenes Arbeitsresultat ist wenig geeignet, zusätzliches Vertrauen aufzubauen. Oft liegt die Lösung für ein Problem in der Vergangenheit, wenn ein vergleichbarer Sachverhalt schon einmal behandelt wurde.

24 Im Weiteren geht das Unternehmen davon aus, dass der externe Rechtsdienstleister Technologie zum gegenseitigen Nutzen einsetzt und die Belange des Unternehmens dabei entsprechend berücksichtigt. Generell dürfen Unternehmenskunden erwarten, dass Systeminvestitionen in der Verantwortung der Anwaltskanzleien liegen, ebenso Fragen der Daten- und Systemkompatibilität, um einen effizienten und transparenten Daten- und Informationsaustausch zu ermöglich. Noch allzu oft werden diese Probleme an das Unternehmen zurückgeschoben, obwohl deren Lösung eigentlich im Aufgaben- und Zuständigkeitsbereich der Kanzlei liegt und von ihrem Geschäftsmodell abgedeckt werden sollte, idealerweise ohne Zusatzkosten für den Unternehmenskunden.

25 Funktionierender und regelmässiger Informationsaustausch ist einer der Schlüssel, um ein verbessertes gegenseitiges Verständnis zu entwickeln. In diesem Zusammenhang sind – neben regelmässigen Meetings und Systemlösungen – Secondments von Associates (oder sogar Partnern) eine ausgezeichnete Möglichkeit, die gegenseitige Zusammenarbeit und Beziehung zu verbessern. Dabei nimmt ein Mitarbeiter der Anwaltskanzlei für eine bestimmte Zeit – idealerweise mehrere Monate – im Rechtsdienst eines Hauptkunden Einsitz und arbeitet als gleichberechtigtes Mitglied in der Rechtsfunktion mit, getreu dem Leitsatz, dass eine Investition in Personen meist nachhaltiger ist als in Hochglanzbroschüren und repräsentativen Empfangsräumlichkeiten ... Die Vorteile von solchen Secondments, die durchaus auch in die andere Richtung ablaufen können, sind evident: Die Rechtsfunktion des Unternehmens erhält Zusatzdienstleistungen, Abläufe und Prozesse werden live vermittelt, die Sensibilität für den Geschäftsbetrieb, die Firmenkultur und Industrieeigenheiten steigt, womit der entsprechende Secondee befähigt wird, für das Unternehmen wertvollere Dienstleistungen zu erbringen, was sich

nach seiner Rückkehr zur Anwaltskanzlei gewinnbringend nutzen lässt. Selbstverständlich lässt sich ein solcher Ansatz nur in einem langfristig orientierten Umfeld nachhaltig und beidseitig profitabel umsetzen.

Unbestritten ist, dass Unternehmen respektive Rechtsabteilungen und Anwaltskanzleien 26
gegenseitig aufeinander angewiesen sind. Um den Wert der Dienstleistungen zu optimieren, ist es notwendig, dass die gegenseitige Beziehung entsprechend gemanaged und strukturiert wird. Im Regelfall dürfte es sich anbieten, dass grundlegenden Fragen und Belange auf der obersten Ebene (General Counsel/Finanzchef und Managing Partner der Anwaltskanzlei) in persönlichen Treffen besprochen und geregelt werden. Dazu gehören neben einem Ausblick auf Strategie, zukünftige Entwicklungen und Geschäftsfälle folgende Bereiche:

- Servicequalität: Im Idealfall hat die Kanzlei die gleiche Obsession betreffend Service und Qualität (nicht zu verwechseln mit Perfektionismus) wie das Unternehmen gegenüber seinen Kunden;
- Verfügbarkeit der Dienstleistungen: Klare Kontakt- und Stellvertretungsregelungen, gleiches Verständnis von Prioritäten und Fristen, hohe Flexibilität;
- Serviceinhalt: Business- und Lösungsorientierung, direkt umsetzbare, einfache und verständliche Empfehlungen, Möglichkeit zur Erörterung von Ermessensentscheiden *(off-the-bill);*
- Krisenmanagement: Unterstützung und Fallbacklösungen in Krisenfällen und Problemsituationen;
- Werte: Glaubwürdigkeit, Streben nach fairen Verhandlungslösungen, vergleichbares Werteverständnis, Unterstützung von Corporate Governance, Compliance und generell *good corporate citizenship;*
- Know-how-Austausch: aktive Mithilfe beim Verteilen von rechtlichem Know-how innerhalb des Unternehmens (ohne Zusatzkosten);
- Netzwerke: national/international, perfekte Sprach- und lokale Kenntnisse/Verbindungen;
- Rechnungsstellung: *value-based billing,* preisäquivalente Dienstleistungen, Risikoteilung (soweit möglich und rechtlich zulässig), Verlässlichkeit des Budgets.

Griffig zusammengefasst – und in englischer Sprache – könnte der Imperativ für den 27
Business Partner und Legal Service Provider demnach folgendermassen lauten: «Provide value, control costs, offer predictability and respond better to unplanned events.»[3].

[3] Levy, Steven B., Legal Project Management, DayPack Books, Seattle 2009, S. 339.

7. Schlussbemerkungen

28 Am Ende dreht sich alles um die Bereitstellung und Verfügbarmachung von Ressourcen, Werkzeugen, Know-how und vor allem um die Schaffung von (Mehr)Wert. Nur so kann sich langfristig ein effektives Business-Partner-Verhältnis entwickeln. In dieser Beziehung sind beide Partner gleichermassen gefordert. Für eine Anwaltskanzlei, die besondere Anstrengungen im Bereich *value focus* für ihre Unternehmenskunden unternehmen will, empfiehlt es sich, über die bestehenden Grenzen hinauszudenken *(thinking out of the box)* und ihr Geschäftsmodell entsprechend zu überprüfen.

«Mein ganzes Leben als Musiker habe ich nach Vollkommenheit gestrebt. Ich habe sie nie erreicht. Ich hatte einfach die Pflicht, es noch einmal zu versuchen.» (Giuseppe Verdi)

Kapitel 3
Entwicklung von Geschäftsmodellen für Anwaltskanzleien

A. Einführung und Übersicht

LEO STAUB

1. Geschäftsmodell als konfigurationale Strategie

Die Festlegung einer Strategie, welche Mandantenbedürfnisse, die Vorgaben der Kanzleieigner sowie die Positionierung im Wettbewerb berücksichtigt und dann auch noch skizziert, wie die Kanzlei wachsen soll, ist eine wichtige Voraussetzung für den nachhaltigen Erfolg der Kanzlei.[1] Eine zweite – ebenso bedeutende – Erfolgsvoraussetzung ist die Erarbeitung eines Marketingkonzepts, das sich konsequent an den Erwartungen der Mandanten orientiert.[2] Beides aber ist nur Stückwerk, wenn die erarbeiteten Zielsetzungen nicht in ein funktionierendes Geschäftsmodell gegossen werden. Darin werden die wesentlichen Kanzleiprozesse definiert, und es werden die notwendigen Systeme zur Unterstützung von Leistungserstellungs- und Mandanten-Interaktionsprozessen zur Verfügung gestellt. Erst das Geschäftsmodell bringt die Strategie «auf den Boden», indem es sie im Kanzleialltag fest verankert. 1

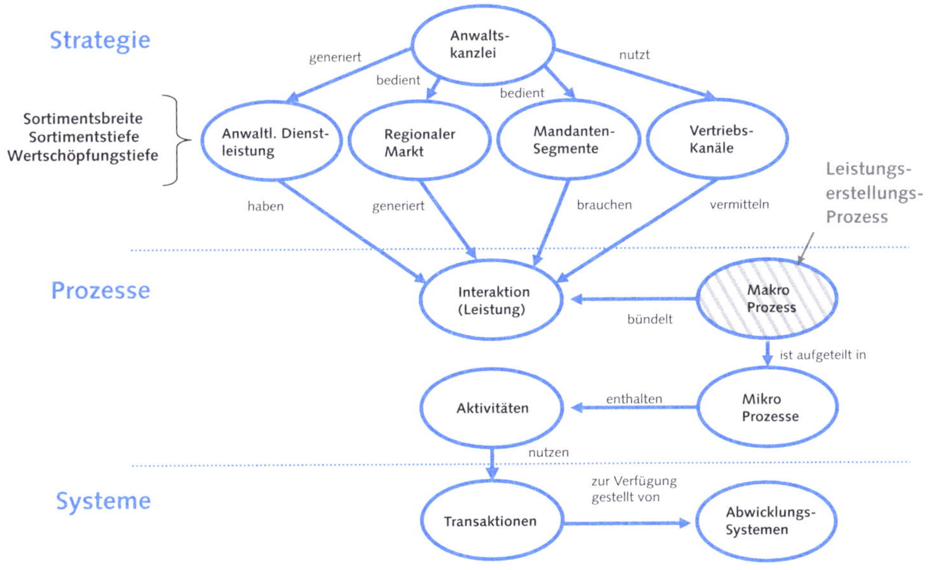

Abb. 1: Schema zur Geschäftsmodellarchitektur[3]

[1] Vgl. dazu vorstehend Kapitel 1.

[2] Vgl. dazu vorstehend Kapitel 2.

[3] Gutzwiller, Thomas: Grundlagen der Organisationsentwicklung. Vorlesung im MLP-HSG 2011; Österle, Hubert: Business Engineering – Prozess- und Systementwicklung. Band 1, 2. Auflage, Berlin 1995,

2 In diesem Sinn kann mit Gutzwiller[4] von einem Geschäftsmodell als der konfigurationalen Strategie eines Unternehmens – hier einer Kanzlei – gesprochen werden.

2. Strategische Prämissen für den Bau des Geschäftsmodells

3 Beim Bau eines Geschäftsmodells für die Kanzlei sind also in einem ersten Schritt die strategischen Festlegungen zu berücksichtigen, wie sie im Strategieentwicklungsprozess getroffen wurden. Insbesondere bedeutsam für das Design der Geschäftsmodellarchitektur sind die strategischen Entscheidungen in den Themen Dienstleistungssortiment, Mandantensegmente, (regionaler) Markt und Vertrieb.

4 Die Entscheidungen in diesen vier Themen beeinflussen das Geschäftsmodell massgeblich. Die Anzahl der von der Kanzlei angebotenen Dienstleistungen, die Wertschöpfungstiefe, aber auch die Homogenität der angesprochenen Mandantensegmente, die Unterschiedlichkeit der abgedeckten Märkte oder die Art und Vielfalt der genutzten Vertriebswege sind die wesentlichen Treiber für den Grad der Komplexität des Geschäftsmodells. Es sind aber auch genau diese Entscheidungen, die darüber bestimmen, ob und wie weit die Kanzlei Potenziale nutzen kann, die der sich dauernd weiter entwickelnde Markt für anwaltliche Dienstleistungen bietet. Profitabilität und Anpassungsfähigkeit der Kanzlei mit Blick auf sich ändernde Marktbedingungen hängen damit wesentlich von der strategischen Weichenstellung und von der darauf fussenden Wahl des Geschäftsmodells ab. Bei der Erarbeitung des Geschäftsmodells ist eine Balance zwischen Stabilität und Flexibilität, zwischen Standardisierung und Differenzierung, aber auch zwischen Beharrung und Dynamik anzustreben.

5 Die Erarbeitung einer passenden Geschäftsmodell-Architektur ist deshalb nicht nur wichtig, sondern auch recht anspruchsvoll.[5]

3. Prozess der Leistungserstellung

6 Die einzelnen strategischen Prämissen für den Bau des Geschäftsmodells (Sortiment, Mandanten, Märkte, Vertrieb) sind sodann daraufhin zu untersuchen, ob und wie weit sie sich auf die Komplexität und die Möglichkeit zur Nutzung von sich bietenden Chancen auswirken. Ziel dieser Bemühungen muss es sein, Komplexität zu reduzieren und Chancen zu eröffnen.

S. 16. Österle, Hubert / Blessing, Dieter: Business Engineering Model. In: Österle, Hubert / Winter, Robert (Hrsg.): Business Engineering. Berlin 2000, S. 77.

4 Gutzwiller, Thomas: ebenda.

5 Roberts, John: The Modern Firm – Organizational Design for Performance and Growth. Oxford 2007, S. 32.

Sind die entsprechenden Herausforderungen erkannt und die Antworten darauf gefunden, müssen die Interaktionen der Kanzlei bei der Bereitstellung ihrer Dienstleistungen, im Verkehr mit den Mandanten, bei der Entwicklung der Märkte und im Vertrieb sinnvoll gebündelt werden. Der eigentliche Leistungserstellungsprozess wird in eine überschaubare Anzahl von «Unter»- oder Mikroprozesse (Wie erarbeiten und erbringen wir unsere Dienstleistungen? Wie treffen wir die Entscheidungen über eine Mandatsannahme? Wie erfolgt die Mandatszuweisung an Anwälte und Anwaltsteams? Wie legen wir die Honorare fest? Wie bedienen wir die regionalen Märkte? Wie akquirieren wir neue Mandanten und Mandate? etc.) aufgeteilt. 7

3.1 Inhaltliche Festlegungen

3.1.1 Dienstleistungssortiment

3.1.1.1 Sortimentsbreite und Sortimentstiefe

Hier geht es im Wesentlichen um vier Fragestellungen: Welche Dienstleistungen will die Kanzlei anbieten? Welche Sortimentstiefe strebt die Kanzlei an, und wie tief soll die Wertschöpfung sein (Was macht die Kanzlei selbst, was kauft sie ein?)? Aber auch: Wie stark möchte sich die Kanzlei in ihrem Angebot vom Wettbewerb unterscheiden? 8

Im Abschnitt zur Entwicklung einer Kanzleistrategie wurde bereits diskutiert, wie diese Fragen beantwortet werden können.[6] Generell lässt sich sagen, dass ein umfangreiches Dienstleistungssortiment und eine grosse Tiefe des Angebots mehr Komplexität in der Gestaltung und Handhabung des Leistungserstellungsprozesses zur Folge haben:[7] Wer soll innerhalb der Kanzlei für die Mandatsbearbeitung zuständig sein? Nach welchen juristischen und industriespezifischen Kriterien werden die Mandate zur Bearbeitung zugewiesen? Wie werden die Schnittstellen zwischen verschiedenen am Mandat arbeitenden Anwälten im Team bewirtschaftet? Wie wird die Qualität sichergestellt, wenn der Mandatsanfall in einzelnen Gebieten nur relativ klein ist und deshalb die einschlägige Erfahrung fehlt? Wie hat ein Anreizsystem auszusehen, das sicherstellt, dass der jeweils im konkreten Fall am besten geeignete Kollege das Mandat führt? Wie wirken sich unterschiedliche Partner-Kompensationssysteme auf die Frage der Mandatszuweisung im Einzelfall aus? Wer hält den Kontakt mit dem Mandanten, wenn Akquisition und Mandatsbearbeitung im konkreten Fall auseinanderfallen? Wie lässt sich das (breite und tiefe) Dienstleistungssortiment in der Aussendarstellung so präsentieren, dass die Kanzlei Profil gewinnt und nicht als «Hansdampf in allen Gassen» qualifiziert wird? Oder: Wie steht es mit der Haftung, wenn die Kanzlei nicht nur im juristischen Kern- 9

[6] Vgl. vorstehend Kapitel 1.

[7] Bieger, Thomas / Schuh, Günther / Friedli, Thomas / Tomczak, Torsten / Fahrni, Fritz / Reinecke, Sven: Struktur der Geschäftsprozesse. In: Dubs, Rolf / Euler, Dieter / Rüegg-Stürm, Johannes / Wyss, Christina E.(Hrsg.): Einführung in die Managementlehre Bd. 3, Bern 2004, S. 78.

bereich berät, sondern auch Dienstleistungen an der Peripherie oder ausserhalb dieses Kernbereichs anbietet?

10 Die Entscheidungen, ein breites oder enges Sortiment anzubieten, eine grosse oder kleine Dienstleistungstiefe zu pflegen und jene, alles selber tun zu wollen oder (Teil-)Leistungen zuzukaufen, sind also wesentlich für den Grad der Prozesskomplexität. Entscheidet sich die Kanzlei für ein in den diskutierten Dimensionen umfangreiches Dienstleistungsangebot, wird sie eine starke Spezialisierung der einzelnen Anwälte und Anwaltsteams anstreben müssen, um die Qualität hochzuhalten. Sie wird ihr Angebot zudem nicht auf einzelne Anwälte abstützen können, sondern die Stellvertretung in Teams von gleichwertig qualifizierten Kollegen sicherstellen müssen, und sie wird den Druck spüren zu wachsen. Dies wird regelmässig zu einem hohen Organisationsgrad führen. Je stärker die Kanzlei hingegen auf eine eng umschriebene Kernleistung fokussiert, desto einfacher kann das Geschäftsmodell gestaltet werden. Solche Kanzleien können unter Umständen auch bei einer bedeutenden Anzahl von Anwälten in der Kanzlei auf Prozesse zur Beherrschung komplexer Schnittstellen verzichten und das Management der Kanzlei «lean» halten.

3.1.1.2 Modularisierung von Dienstleistungen

11 Eine bedeutende Hilfe zur Reduktion von Komplexität im Dienstleistungsangebot ist die Modularisierung. Sie bietet sich bei allen Dienstleistungen an, sowohl bei eher einfachen, oft vorkommenden Dienstleistungen wie auch bei komplexen Grossprojekten.

12 Bei der Formulierung von Standardverträgen, bei der Durchführung von Due Diligences, aber auch etwa bei der Abfassung einfacher Ehe- oder Erbverträge, bei der Führung mancher verkehrsrechtlicher und verwaltungsrechtlicher Mandate, bei vielen Markenanmeldungen oder in häufig vorkommenden steuerrechtlichen Fragestellungen handelt es sich um Dienstleistungen, die in ihrer Grundanlage eher einfach sind. Sie eignen sich zur inhaltlichen Modularisierung. In der Praxis arbeiten Kanzleien in solchen Fällen bevorzugt mit Textbausteinen, Checklisten oder ganzen Mustervorlagen. In einer angemessen aufgebauten Wissensdatenbank können diese Module mit Blick auf Produktivität und Qualität wertvolle Dienste leisten. Sie tragen dazu bei, den für juristische Commodities immer stärker einsetzenden Druck auf die Honorare aufzufangen. Insbesondere Kanzleien, die sich der Preisführerschaft verschrieben haben,[8] sind darauf angewiesen, mit einem Konzept zur inhaltlichen Modularisierung ihrer Dienstleistungen zu arbeiten.

13 Modularisierung ist aber auch in schwierigen, in Bezug auf den Sachverhalt und die Rechtslage komplexen Grossprojekten möglich. Hier wird sie weniger inhaltlicher Natur sein, als vielmehr beim Mandatsbearbeitungsprozess ansetzen. Grossprojekte mögen inhaltlich meist völlig unterschiedliche Ansprüche stellen, etwa wenn es um komplexe

---

[8] Vgl. vorstehend Kapitel 2.

Finanzierungen bei der Umstrukturierung von Konzernen, um Verträge im Grossanlagenbau oder auch um komplizierte Verhältnisse in einem Erbstreit geht. Dennoch können solche Mandate in einem der Kanzlei vertrauten, jeweils ähnlichen Verfahren abgearbeitet werden. Die Modularisierung findet hier also nicht inhaltlich, sondern in Bezug auf den Mandatsbearbeitungsprozess statt: Teams mit einschlägiger Erfahrung werden wieder gleich zusammengesetzt, das Projektmanagement ist nach festgelegten Grundsätzen strukturiert, oder einzelne Teilschritte in der Mandatsbearbeitung werden durch Tools, die sich in anderen Mandaten bewährt haben, unterstützt (z.B. Excel-Tabellen).

Die Modularisierung von Dienstleistungen führt – dort, wo sie möglich ist – immer zu einer gewissen Standardisierung. Standardisierung hilft nicht nur, Kosten und Zeit zu sparen und damit die Rentabilität zu verbessern, sie unterstützt auch das Streben nach Qualität. Die Verwendung von Vorlagen, die sich im Streitfall bewährt haben oder die Anwendung eines Prozesses, der sich als zuverlässig zur Bewältigung schwieriger Projekte erwiesen hat, reduziert Fehlerquellen. Vorausgesetzt ist natürlich, dass die Module mit Sachverstand und kritisch eingesetzt werden. Unbesehenes «Abschreiben» von Vorlagen bewirkt genau das Gegenteil dessen, was angestrebt ist. 14

3.1.1.3 Wertschöpfungstiefe

Auch Entscheidungen rund um die Frage, ob Dienstleistungen oder Dienstleistungskomponenten immer selbst «hergestellt» oder in bestimmten Fällen zugekauft werden sollen[9], beeinflussen Komplexität und Rentabilität des Geschäftsmodells in verschiedener Hinsicht.[10] 15

Anwaltskanzleien nehmen in der Mandatsarbeit seit Langem Dienstleistungen von Aussenstehenden in Anspruch. In der Vergangenheit beschränkte sich dieses Phänomen aber auf die Beauftragung befreundeter Kanzleien als sogenannte «Korrespondenzanwälte», wenn Rechtsfragen oder Vertretungshandlungen in fremden Jurisdiktionen anfielen oder wenn in einem Einzelfall einmal eine Zweitmeinung zu einer anspruchsvollen Problemstellung notwendig war. Rein beratend tätige Anwälte greifen zudem im Bedarfsfall gerne auf die Dienste von prozessierenden Kollegen in anderen Kanzleien zu, oder es werden Spezialisten ausserhalb der eigenen Kanzlei angefragt, wenn die eigene Kanzlei das betreffende Rechtsgebiet nicht pflegt. All diesen Konstellationen ist gemeinsam, dass sich hier die Frage *make or buy*[11] realistischerweise gar nicht stellt. Die Kanzlei ist gezwungen, auf externe Kollegen zurückzugreifen, weil sie die betreffenden Dienstleistungen selbst nicht anbieten kann. Gleich verhält es sich, wenn ein Anwalt in 16

---

[9] Vgl. vorstehend Kapitel 1.

[10] Bieger/Schuh/Friedli/Tomczak/Fahrni/Reinecke 2004, S. 80.

[11] Capaul, Roman / Steingruber, Daniel: Betriebswirtschaft verstehen – das St. Galler Management-Modell. Oberentfelden 2010, S. 122 f.

einem einzelnen Fall einmal auf einen Beitrag einer anderen Disziplin – beispielsweise eine Unternehmensbewertung bei einem Unternehmensverkauf – angewiesen ist.

17 In den letzten Jahren sind Kanzleien aber immer bewusster – und eben auch in Fällen, in denen die betreffende Leistung grundsätzlich unter dem eigenen Dach hätte erbracht werden können – dazu übergegangen, Leistungen von aussen einzukaufen. Gelegentlich wurden gewisse Angebotsbereiche im eigentlichen Sinne ausgelagert. In der angelsächsischen Anwaltspraxis ist dann die Rede vom *legal process outsourcing (LPO)*.[12] In der Praxis werden aussenstehende Dienstleister neuerdings etwa für folgende Tätigkeiten beansprucht:[13]

- Vertragsüberprüfungen
- Vertragsmanagement
- Vertragsentwürfe
- Due Diligence
- Juristische Recherchen oder
- Unterstützung in der Prozessführung (z.B. Dokumenten-Management, Kommunikation, Jury-Auswahl, etc.).

18 Beim Entscheid, ob ein externer Dienstleistungserbringer beigezogen werden soll, spielt in der Regel die Kostenfrage die Hauptrolle. Es fällt denn auch auf, dass zahlreiche dieser Anbieter von Ländern aus operieren, die ein tieferes Lohnniveau aufweisen als es hierzulande vorherrscht.[14] Die anfängliche Zurückhaltung etablierter Anwaltskanzleien bei der Beanspruchung solcher Dienstleistungen scheint in jüngerer Zeit der Überzeugung zu weichen, dass in vielen Fällen bei massiv tieferen Kosten eine durchaus befriedigende Qualität – sowohl was das Ergebnis, als auch was den Service betrifft – gewährleistet ist.

19 Der Zukauf von Dienstleistungen führt einerseits dazu, dass der eigentliche Leistungserstellungsprozess in der Kanzlei entlastet wird. Damit verbunden ist natürlich eine Reduktion von Komplexität in der Sphäre der Kanzlei. Andererseits entsteht mit dem Zukauf aber auch eine neue Schnittstelle zum externen Leistungserbringer, die beherrscht werden will. Damit sind Risiken verbunden:[15]

- Es könnte für den Mandanten der Eindruck entstehen, der «rote Faden», die Konsistenz in der Mandatsführung gehe verloren.

---

12 Huron Consulting Group: Presentation on «Legal Process Outsourcing». London/17 May 2011.
13 Dieselben, p.10.
14 Ebenda.
15 (UK) Legal Week Benchmark, May 2011; (US) ALM – 2010 Law Firm Outsourcing Survey; beide zitiert bei Huron Consulting Group 2011, p.19.

- Die Einhaltung des Anwaltsgeheimnisses durch die Kanzlei liegt nicht mehr in ihrem alleinigen Einflussbereich.
- Die Einwilligung des Mandanten zum Zukauf deckt nicht alle Komponenten der sich im Laufe der Mandatsführung entwickelnden Beziehung zum externen Leistungserbringer ab.
- Daten und Dokumente können verloren gehen.
- Kulturelle oder regulatorische Differenzen zwischen Kanzlei und externem Leistungserbringer können zu Komplikationen führen.
- Das Management der Qualität ist anspruchsvoll.

Das Hauptrisiko aber bleibt wohl, einen geeigneten und fähigen Dienstleistungserbringer auszuwählen. Die Beherrschung dieses Risikos ist nämlich nicht nur für den Mandanten von grosser Bedeutung, sondern auch für die Kanzlei, die im Regelfall letztlich für die Qualität auch der zugekauften Dienstleistungskomponente haftet. 20

Es stehen sich beim Outsourcing also der Kostenvorteil sowie die Reduktion der Komplexität in den internen Abläufen einerseits und der Anstieg an Komplexität, verbunden mit dem Aufwand zur Beherrschung der Schnittstelle zwischen Kanzlei und Externem andererseits gegenüber. Im Einzelfall wird deshalb die Entscheidung zum Zukauf von Dienstleistungen sehr sorgfältig abgewogen werden müssen. Ein klarer Vorteil für *make* oder *buy* im Sinne einer Regel ist jedenfalls nicht zu erkennen. 21

3.1.1.4 Differenzierungsmerkmale in der Dienstleistung und in der Mandantenbeziehung

Ein letzter wichtiger Treiber für Komplexität in der Sortimentsstrategie der Kanzlei ist sodann die Entscheidung, sich in den Dienstleistungen und in der Gestaltung der Beziehung zum Mandanten deutlich vom Wettbewerb zu unterscheiden. 22

Kanzleien, die sich darauf konzentrieren, auf dem Markt gut eingeführte Dienstleistungen zu erbringen, wie dies andere Anbieter auch tun[16] – «nur» billiger, besser oder schneller –, werden im Vergleich zu Wettbewerbern nicht mit einem starken Überhang an Komplexität im Leistungserstellungsprozess zu kämpfen haben. Anders sieht es aus, wenn sich eine Kanzlei durch Neuerungen im Markt profilieren will. Sie muss einen eigentlichen Innovationsprozess etablieren[17], entsprechende Ressourcen dafür vorsehen und im Zuge der Einführung der geplanten Neuerung wohl auch im einen oder anderen Fall einen Misserfolg in Kauf nehmen. Ausserdem kann gerade eine Serviceleistung zugunsten des Mandanten, die ausserhalb des Gewöhnlichen geboten wird, Komplexität verursachen und teuer sein. Unentgeltliche Schulungsangebote etwa oder Feedback- 23

[16] In der Management-Praxis auch *Me-too*-Strategie genannt.
[17] Bieger/Schuh/Friedli/Tomczak/Fahrni/Reinecke 2004, S. 100 ff.

gespräche durch einen nicht in der Führung des konkreten Mandates engagierten Partners, der Aufbau und Unterhalt eines juristischen Frühwarnsystems für Mandanten, aber auch beispielsweise der regelmässige Austausch junger Anwälte zwischen Kanzlei und Rechtsabteilung des Mandanten erfordern eigene, sorgfältig konfigurierte Prozesse.

3.1.2 Mandantensegmentierung

24 Die Grundsätze der Segmentierung von Mandanten wurden schon an anderer Stelle diskutiert.[18] Hier gilt es nur zu betonen, dass mit einer gelungenen Bildung von Mandantensegmenten viel Komplexität aus dem Geschäftsmodell herausgenommen werden kann. Je homogener die einzelnen Segmente sind, und je stärker sich die Kanzlei auf einige ausgewählte Segmente konzentriert, umso einfacher – und in der Aussenwahrnehmung klarer – wird der Leistungserstellungsprozess und damit letztlich auch das Geschäftsmodell. Damit verbunden ist die Chance, klare Zugewinne in der Rentabilität der Kanzlei zu realisieren.

25 Nun kann die Bildung von Mandantensegmenten anhand unterschiedlichster Kriterien erfolgen. Vorstellbar sind etwa die Kriterien Branche, Wirtschaftssektor (primärer, sekundärer oder tertiärer Sektor), Grösse, Börsennotierung, Marktanteil und andere mehr. Es ist die Wahl jenes Kriteriums für die Mandantensegmentierung sinnvoll, das die grösstmögliche Homogenität der in einem Segment gefassten Mandanten bewirkt. Das Kriterium «Grösse» allein etwa wird dies nicht leisten können, ebenso wenig wie das Kriterium «Marktanteil». Im Streben nach Homogenität der Mandantensegmente werden deshalb beispielsweise in der Wirtschaftsrechtspraxis häufig jene Kriterien herbeigezogen, die mit einer Anhäufung von wertvollem Know-how in der Kanzlei verbunden sind. Besonders hochwertig ist Know-how, das Industrie- mit Fachkenntnissen verbindet. Das wird natürlich in erster Linie von den Segmentierungskriterien «Industrie» und vielleicht noch «Börsennotierung Ja oder Nein» unterstützt. In der Kombination wird die Anwendung dieser Kriterien wohl tatsächlich zu recht homogenen Mandantensegmenten führen.

26 In kleineren und mittleren Kanzleien empfiehlt sich erfahrungsgemäss die Verbindung von Segmentierungskriterien mit fachlichen Schwerpunkten. So scheinen etwa Arbeitsrechtspraxen mit Fokussierung auf Arbeitnehmer und Gewerkschaften, Haftpflichtkanzleien mit Konzentration auf Geschädigte oder Baurechtspraxen mit Konzentration auf Immobilienunternehmen gut zu funktionieren. Bei diesen Beispielen handelt es sich um eigentliche Boutique-Strategien. Vorstellbar ist natürlich auch, dass mehrere von auf diese Weise gebildeten Segmenten im Geschäftsmodell einer mittelgrossen Kanzlei Platz finden.

27 Eine konsequente Segmentierung von Mandanten wird zwar zur Folge haben, dass Opportunitäten bei der Mandatsannahme nicht mehr in jedem Fall wahrgenommen wer-

[18] Vgl. Kapitel 2 vorstehend.

den können. Die Vorteile aber überwiegen: Neben der Reduktion von Komplexität darf die Kanzlei eine Anhebung der Dienstleistungsqualität, eine Steigerung ihrer Attraktivität für den anwaltlichen Nachwuchs, eine Erhöhung des Partnereinkommens und eine stärkere Profilierung am Markt erwarten. Und: Die Gefahr der Haftung wegen Übernahmeverschuldens wird geringer.

3.1.3 Regionale Märkte

Die Frage, auf welchen (geografischen) Märkten die Kanzlei tätig sein möchte, wurde 28
ebenfalls schon diskutiert.[19] Hier gilt als Regel: Je weiter das Marktgebiet gefasst ist, desto mehr Komplexität steckt im Geschäftsmodell.

Merkmale wie geografische Distanz zwischen den einzelnen Kanzleistandorten, sprach- 29
liche Unterschiede, kulturelle Differenzen, sich unterscheidende Ausbildungswege und Qualifikationsniveaus der Anwälte in der Kanzlei, aber auch unterschiedliche Abrechnungswährungen oder mehr als nur eine einzige geografische Anknüpfung für die Beschaffungsaktivitäten der Kanzlei konfrontieren das Management mit bedeutenden Herausforderungen.

Immerhin: Die allgemeine Regel, wonach ein grösserer Markt auch mehr Komplexität 30
mit sich bringt, gilt nicht uneingeschränkt. Je stärker sich eine Kanzlei in ihrem Dienstleistungsangebot beschränkt und/oder je konsequenter sie auf einige wenige Mandantensegmente fokussiert ist, desto leichter fällt es ihr, ihre Aktivitäten über den angestammten Markt hinaus in weitere Märkte auszudehnen. Oder mit anderen Worten: Eine starke Fokussierung erzeugt auch einen gewissen Zwang zur Ausweitung des Marktes. Die polnische Anwältin mit Kanzlei in Basel beispielsweise, die Unternehmensmandanten in polnischen Rechtsfragen berät, wird danach trachten, potenzielle Mandanten in der ganzen Schweiz – und vielleicht auch im angrenzenden süddeutschen Raum – anzusprechen. Mit Mandanten allein aus Basel wird sie kaum eine vernünftige Auslastung erreichen können. Oder das Team einer Kanzlei in Frankfurt, das sich auf Pharmarecht spezialisiert hat und Pharmaunternehmen im Zulassungsverfahren für ihre Medikamente unterstützt, wird versuchen, Mandanten aus allen Ländern anzusprechen, die sich um die Zulassung ihrer Produkte in Deutschland bemühen. Für die internationale Grosskanzlei schliesslich, die sich auf die Beratung im Energierecht konzentriert, ist die Betreuung von Mandanten in Kasachstan unter Umständen nicht mit unüblich grosser Komplexität verbunden.

Neben der schlichten Tatsache, dass die Entwicklung der Kanzlei in verschiedene (geogra- 31
fische) Märkte hinein an sich hohe Anforderungen an die Konfiguration der Kanzleipro-

[19] Vgl. dazu Kapitel 1 vorstehend.

zesse und damit an das Geschäftsmodell stellt,[20] ist die Frage des «wie» ein wesentlicher Treiber für Komplexität. Wie können aus einem einzigen Standort heraus Mandanten in entlegenen Regionen gewonnen werden? Soll die Kanzlei aus eigener Kraft weitere Standorte in anderen Städten oder gar Ländern begründen? Wäre es vorteilhaft, sich in Kooperation mit Partner-Kanzleien in fremde Märkte vorzuwagen, oder soll versucht werden, eine passende Kanzlei in einem neuen Markt zu übernehmen und in die eigene Organisation zu integrieren?[21] Oder: Sollen wir uns zur Erreichung unserer Ziele auf eine Fusion einlassen oder gar auf die Übernahme durch eine im Zielmarkt bereits starke Kanzlei?[22]

32 Jede dieser Entscheidungen über das «wie» einer Ausweitung des Marktgebietes hat ihr ganz eigenes Komplexitätsprofil.[23]

Wege zur Ausweitung des Marktes	Hauptsächliche Herausforderungen für die Kanzlei
Marktentwicklung aus einem einzigen Standort heraus	• Kommunikation zur Ansprache neuer Mandanten • Reiseaufwand
Begründung weiterer Standorte aus eigener Kraft	• Investitionsrisiko • Anlaufzeit bis zur Erreichung der Rentabilitätsschwelle • Aufwändige Kommunikation zur Ansprache neuer Mandanten
Eingehen von Kooperationen mit Kanzleien im Zielmarkt	• Aufwand zur Pflege der Kooperation • Loser institutioneller Zusammenhalt und oft geringe Intensität der Zusammenarbeit • Sichtbarkeit der Kooperation von aussen • Aufbau und Ausbau eines starken Brands
Fusion mit Kanzleien im Zielmarkt	• Hoher Vorbereitungsaufwand • Hoher Abstimmungsbedarf zum Abgleich der Prozesse und Systeme • Schaffung einer gemeinsamen Kanzleikultur
Aktive Übernahme von Kanzleien im Zielmarkt	• Hohe Investition mit unsicherem Return • Gefahr der Abspaltung ganzer Teams • Akzeptanz im neuem Markt
Passive Übernahme durch Kanzleien im Zielmarkt	• Gefahr der Abspaltung ganzer Teams • Zunahme des Reporting-Aufwandes • Aufgabe der Eigenständigkeit

Abb. 2: Komplexitätsprofil unterschiedlicher Wege zur Marktausweitung

---

20 Maister, David: Geographic Expansion Strategies. 2005. Gefunden am 30. September 2011 auf www.davidmaister.com.

21 Vgl. dazu Kapitel 1 vorstehend.

22 Bower, Ward: Merging Law Firms. In: Altman Weil, Inc. (Hrsg.): Report to Legal Management. February/March 2008, Vol. 35, Number 5; Hess, Markus / Brechbühl, Beat: Überregionaler Kanzleizusammenschluss – Ein Erfahrungsbericht. In: Anwalts Revue 5/2008, S. 229 ff.

23 Vgl. dazu auch Roberts 2007, S. 243 ff.

Als zusätzliche Herausforderung all dieser Wege zur Marktausweitung kommen die Anforderungen hinzu, die an das Wissen der Partner um die unternehmerischen Aspekte des in Aussicht genommenen Entwicklungsschritts gestellt sind. In der Praxis noch viel schwerer wiegt aber oft der Umstand, dass die Partner natürlich in erster Linie der Mandatsarbeit und der Führung ihrer Teams verpflichtet sind. Für aufwendige unternehmerische Initiativen, wie es die Entwicklung der Kanzlei in neue Märkte hinein ist, bleibt oft nicht die notwendige Zeit. 33

Bei aller Komplexität solcher Vorhaben ist deshalb erst recht darauf zu achten, dass die in deren Zuge neu etablierten Prozesse, Strukturen und Systeme möglichst einfach und schlank gestaltet werden. Nur so ist auch gewährleistet, dass die Rentabilität der Gesamtkanzlei nach Umsetzung von Marktentwicklungsprojekten gehalten oder – das sollte das Ziel sein – gesteigert werden kann. 34

3.1.4 Distribution

Auf die verschiedenen Möglichkeiten zum Vertrieb der Dienstleistungen der Kanzlei wurde bereits hingewiesen.[24] 35

Erste Bestimmungsfaktoren für Komplexität im Geschäftsmodell sind die Entscheidung für oder gegen mehrere Standorte und für oder gegen das Eingehen von Kooperationen. Welche Partner in welchen Standorten sollen für die Ansprache bestimmter Mandanten zuständig sein? Wie sollen standortübergreifende Teams zusammengesetzt sein und arbeiten? Wie wird sichergestellt, das generell oder in einem bestimmten Mandat generiertes Wissen allen betroffenen Anwälten zeitnah und in guter Qualität zur Verfügung steht? Wie werden die in einem Mandat notwendigen Industrie- und Fachkenntnisse innerhalb der Kanzlei effizient gebündelt? Wer leistet «unentgeltliche» Vertriebs- und Kommunikationsarbeit, und wie wird diese Arbeit kanzleiintern erfasst und abgegolten? Wer übernimmt die notwendige standortübergreifende Pflege der «Dachmarke» der Kanzlei? Wie wird sichergestellt, dass sich über die Standorte bzw. Kooperationspartner hinweg ein starker gemeinsamer Brand herausbildet? 36

Komplexität im Vertrieb entsteht aber nicht nur, wenn Kanzleien ihre Märkte (geografisch) ausdehnen. Herausforderungen ergeben sich bereits in kleineren Teams ohne Bezüge über die angestammte Region hinaus: Wie etwa sollen Akquisitionsbemühungen von Partnern im Interesse der Gesamtkanzlei organisiert und honoriert werden? Wer leistet die notwendige administrative Arbeit zur geordneten Vertriebsarbeit (Organisation und inhaltliche Vorbereitung von Anlässen mit Mandanten, Vorbereitung von *pitches*, Betreuung der Website, Gestaltung von Kanzleibroschüren etc.)? Wie sollen die Kommunikationswege zum Mandanten gestaltet werden, wenn «Kundenbetreuer» und anwaltlicher Sachbearbeiter gleichzeitig involviert sind? Wie werden die richtigen 37

[24] Vgl. dazu Kapitel 1 sowie Kapitel 2 vorstehend.

Anreize geschaffen, damit Partner sich um neue Mandate auch in Fällen bemühen, die letztlich nicht von ihnen selbst, sondern von den dazu am besten geeigneten Spezialisten in der Kanzlei bearbeitet werden? Welche gruppendynamischen Probleme können durch das Nebeneinander von erfolgreichen Akquisitoren und mehr auf die eigentliche Mandatsarbeit konzentrierten Partnern in der Kanzlei entstehen?

38 Werden Vertriebsmittler zur Generierung neuer Mandanten und neuer Mandate eingesetzt, stellt sich die Frage, ob die Beziehungen zu diesen Vertriebsmittlern exklusiv oder nicht exklusiv gestaltet werden sollen. Es muss dann etwa über folgende Themen nachgedacht werden: Ist beispielsweise eine Bank bereit, als Mandatsmittlerin näher mit der Kanzlei zusammenzuarbeiten, wenn gleichzeitig auch noch andere Banken mit der eingegangenen Partnerschaft zur selben Kanzlei bei ihren Bankkunden werben? Riskiert die Kanzlei gar den Verlust von Mandanten, wenn sie sich in zu grosse und von aussen auch sichtbar gemachte Nähe zu einer Wirtschaftsprüfungsgesellschaft begibt, die Mandanten an die Kanzlei vermittelt?

3.2 Bündelung strategischer Entscheidungen zum Prozess

39 Nachdem nun die inhaltlichen Fragen zum Geschäftsmodell einer Kanzlei gestellt und die entsprechenden Antworten auf ihre Eigenschaft hin, Komplexität zu verursachen und Nutzen zu generieren, untersucht worden sind, geht es in einem nächsten Schritt auf dem Weg zu einem konsistenten und erfolgreichen Geschäftsmodell um die notwendigen formalen Festlegungen.

40 Im Mittelpunkt steht die Frage, wie die inhaltlichen Festlegungen so gebündelt werden können, dass ein einfacher, Effizienz und Qualität garantierender Leistungserstellungsprozess entsteht. Modellhaft muss dabei unterschieden werden zwischen Teilprozessen, die direkt der Erstellung der anwaltlichen Dienstleistung dienen (nachfolgend dunkel) und sogenannten unterstützenden Prozessen (nachfolgend hell).[25]

[25] Vgl. dazu auch Rüegg-Stürm, Johannes: Das St. Galler Management-Modell. Bern 2002, S. 64 ff.; Müller-Stewens, Günter / Drolshammer, Jens: Managing the International Law Firm – Nuisance or Necessity? In: European Journal of Law Reform. Vol. 2, Issue 4, 2000, S. 637 ff.; Bieger/Schuh/Friedli/Tomczak/Fahrni/Reinecke 2004, S. 74 ff.

Abb. 3: Schema für das Prozessmodell in einer Anwaltskanzlei

Dabei sind folgende Varianten denkbar: 41

3.2.1 Bündelung entlang der Sortimentsstruktur

Hier ist das Dienstleistungssortiment der Kanzlei das dominante Bündelungskriterium. Festgemacht wird die Frage der Bildung von homogenen Gruppen von Dienstleistungen an den fachlichen Anforderungen, welche diese Dienstleistungen an die Anwälte stellen. Es wird also nach juristischen Schwerpunkten gesucht, um die herum ein Dienstleistungsbündel geschnürt wird. 42

Daraus wird dann abgeleitet, welche nicht direkt mit der Dienstleistungserstellung verbundenen Kanzleiprozesse von den einzelnen Dienstleistungsgruppen gemeinsam betrieben werden können. 43

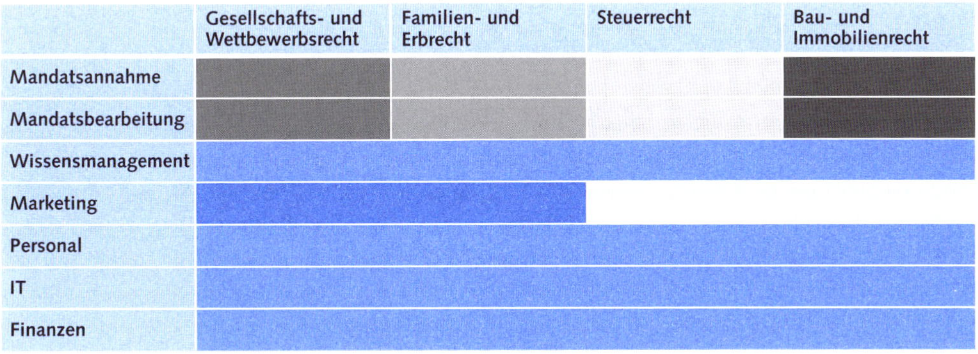

Abb. 4: Bündelung von Prozessen entlang der Sortimentsstruktur

In diesem Beispiel hat die Kanzlei also vier Dienstleistungsbündel gebildet (Gesellschafts- und Wettbewerbsrecht, Familien- und Erbrecht, Steuerrecht sowie Bau- und Immobilienrecht), die je einen separaten Mandatsbearbeitungsprozess haben. Bereichsweise separat geregelt ist auch die Mandatsannahme, wobei hier natürlich sichergestellt wer- 44 den muss, dass die Frage von Interessenkollisionen über alle Bereiche hinweg bearbeitet wird. Die Kanzlei betreibt sodann über alle ihre Dienstleistungsgruppen hinweg gemeinsam das Wissensmanagement, das Personalmanagement, die IT und die Bewirtschaftung der Finanzen. Beim Marketing wird je ein unterschiedlicher Prozess eingerichtet für die privatrechtlichen und die öffentlich-rechtlichen Dienstleistungsschwerpunkte in der Kanzlei.

3.2.2 Bündelung entlang der Mandantenstruktur

45 Möglich – und in der Praxis häufig – ist auch die Bündelung nach Massgabe der Mandantensegmente. Im Vordergrund steht hier also die Ausrichtung der Kanzlei auf ihre besonderen Kenntnisse gewisser Industrien.

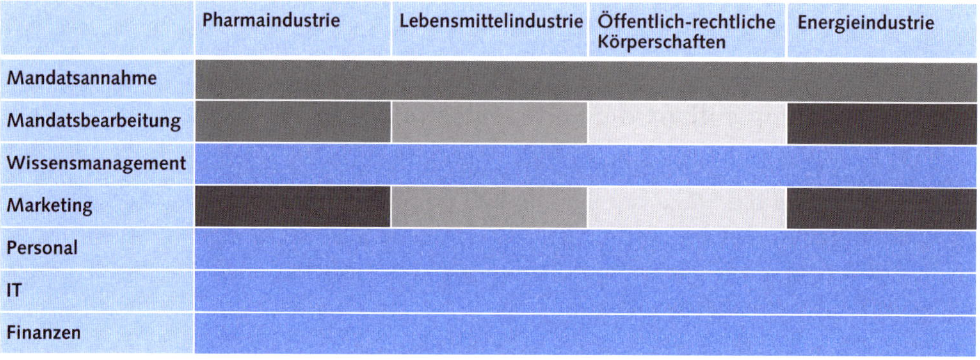

Abb. 5: Bündelung entlang der Mandantenstruktur

46 Die Kanzlei in unserem Beispiel hat vier Wirtschaftssektoren identifiziert, auf die sie sich konzentriert (Pharmaindustrie, Lebensmittelindustrie, öffentlich-rechtliche Körperschaften sowie die Energieindustrie). Die Mandatsannahme geschieht in einem gemeinsamen Prozess, vielleicht weil diese Industrien zum Teil überlappende Aktivitäten verfolgen, was die Überwachung potenzieller und tatsächlicher Interessenkollisionen anspruchsvoll macht. Die Mandatsbearbeitung und auch das Marketing werden aber für jedes einzelne der vier Mandantensegmente in einem separaten Prozess geregelt. Das Marketing ist folgerichtig auf jedes der Segmente separat ausgerichtet. Alle anderen unterstützenden Kanzleiprozesse sollen gemeinsam betrieben werden.

3.2.3 Bündelung entlang der regionalen Struktur

47 Grosskanzleien, die über mehrere Standorte in verschiedenen Märkten verfügen, können sich überlegen, die regionale Struktur zum entscheidenden Bündelungskriterium zu machen.

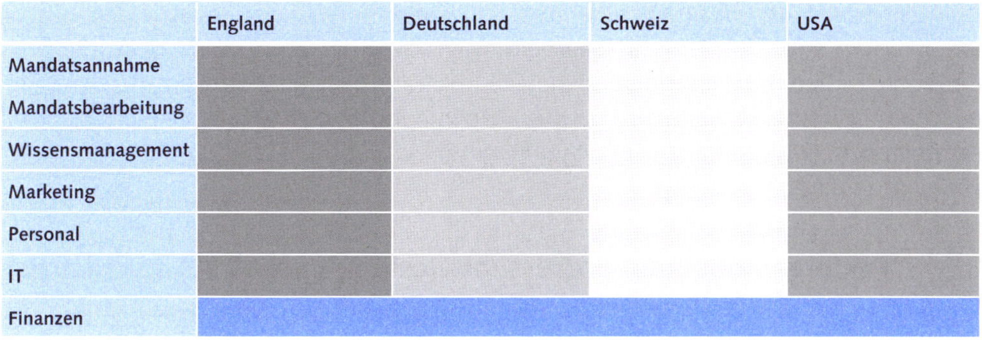

Abb. 6: Bündelung entlang der regionalen Struktur

In diesem Beispiel arbeiten die Standorte in den vier verschiedenen Ländern (England, Deutschland, Schweiz und USA) je völlig autonom. Zentral werden nur die Buchhaltung geführt und die Finanzen bewirtschaftet. In Wirklichkeit würden hier aber wohl mindestens Teile der Prozesse Mandatsannahme (Interessenkollision), Mandatsbearbeitung (internationale Sachverhalte und Rechtsfragen), Wissensmanagement (Transaktions- und Vertragsrecht), Marketing («Dachmarketing»), Personal (Partnerpromotionssystem) und IT (Kommunikation zwischen den Standorten) zentral bzw. über alle Standorte hinweg einheitlich geregelt. 48

3.2.4 Bündelung entlang der Vertriebsstruktur

Auch die Bündelung der Prozesse anhand der Vertriebsstruktur ist schliesslich eine Möglichkeit, um zu einem funktionierenden Geschäftsmodell zu kommen. 49

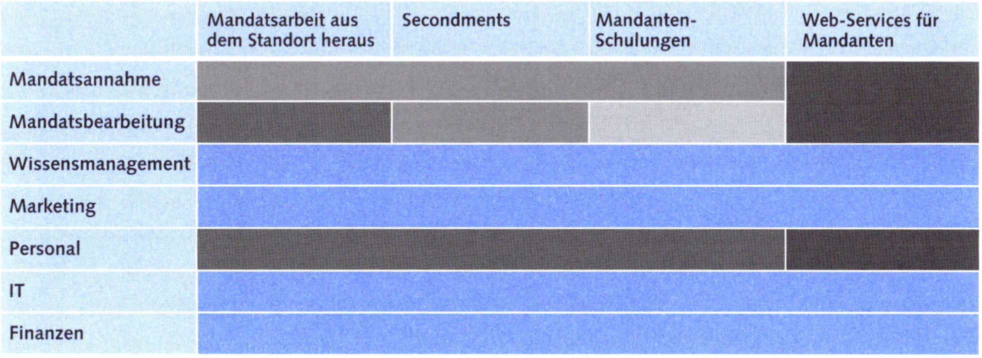

Abb. 7: Bündelung entlang der Vertriebsstruktur

Diese Kanzlei hat sich innovativen Vertriebswegen für ihre Leistungen verschrieben. 50
Neben der klassischen Mandatsarbeit bietet sie auch Secondments, Mandantenschulungen sowie Beratungsdienstleistungen über das Web an. Die Mandatsannahme erfolgt für die drei Bereiche der klassischen Mandatsarbeit, der Secondments und der Schulungen gemeinsam, für den Bereich *Web-Services* jedoch separat, wobei selbstverständ-

lich mindestens die Abklärung der Interessenkollision für alle vier Bereiche gemeinsam geregelt sein muss. Die Mandatsbearbeitung geschieht in den vier Vertriebsbereichen getrennt. Es findet insbesondere keine Teambildung über die einzelnen Bereiche hinaus statt. Die unterstützenden Prozesse werden dann wieder für alle Bereiche gemeinsam geregelt. Nur das Personalmanagement im Vertriebsbereich *Web-Services* erfolgt für diesen separat.

3.3 Faktorenmodell der Prozessentwicklung in einer Anwaltskanzlei

51 In der anwaltlichen Praxis haben sich Modelle für den Leistungserstellungsprozess der Kanzlei herausgebildet, die sich an fachlichen (Dienstleistungs-) und Marktkriterien orientieren. Zentral für den Erfolg der Kanzlei ist aber nicht nur die organisatorische Ausrichtung des Geschäftsmodells an diesen beiden Dimensionen. Es muss eine dritte, die Geschäftsmodellarchitektur bestimmende Dimension hinzukommen, nämlich die Gewährleistung der Qualität der anwaltlichen Dienstleistungen in allen mandantenorientierten Leistungsprozessen.

52 Nimmt man diese drei Kriterien für das Design eines Geschäftsmodells einer Anwaltskanzlei zusammen, ergibt sich ein dreidimensionales Faktorenmodell der Prozesslandschaft:

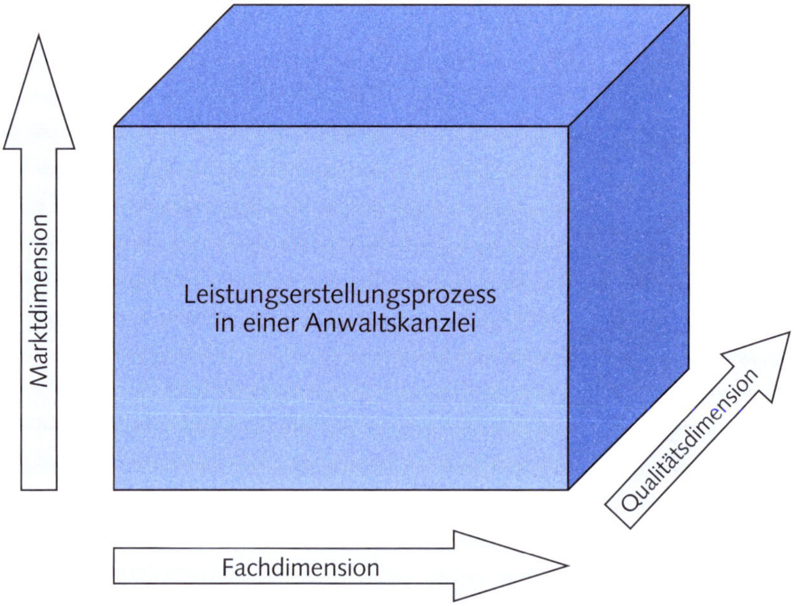

Abb. 8: Faktorenmodell für den Leistungserstellungsprozess in einer Anwaltskanzlei

3.3.1 Elemente des Modells

3.3.1.1 Fachdimension

In dieser Dimension definiert die Kanzlei ihr Geschäftsmodell aus der Perspektive des notwendigen Fachwissens heraus. Sie entscheidet also in einem ersten Schritt, welches Fachwissen sie braucht, um die Bedürfnisse ihrer Mandanten zu befriedigen. In einem Folgeschritt kommt sie zur Überzeugung, sie müsse sich so organisieren, dass der zentralen Bedeutung des Fachwissens im Leistungserstellungsprozess Rechnung getragen wird. Im Ergebnis entsteht ein Modell des Kernprozesses in der Kanzlei, das sich an dieser fachlichen Dimension orientiert. Es werden Praxisgruppen gebildet, in denen die Mandatsarbeit stattfindet und aus der im Bedarfsfall die Spezialisten rekrutiert werden, die konkrete, juristische Disziplinen übergreifende Rechtsfragen bearbeiten. 53

In einem solchen Prozessmodell denkt die Kanzlei ihren Marktauftritt also von innen nach aussen, von ihrer fachlichen Ausrichtung und Schwerpunktsetzung her. Das hat grosse Bedeutung für alle – auch die unterstützenden – Prozesse in der Kanzlei: Neue Anwälte werden aufgrund ihrer Ausrichtung auf die bestehenden (oder neu geplanten) Fachgruppen gesucht, in der Kanzleiwerbung wird vor allem auf die aufgrund fachlicher Kriterien umschriebenen Dienstleistungen verwiesen («Wir bieten Beratung und Vertretung im Gesellschafts-, Kapitalmarkt- und Vertragsrecht.»), das Wissensmanagementsystem ist nach fachlichen Kriterien geordnet[26] und auch das finanzielle Berichtswesen folgt der (fachlich dominierten) Prozesslogik (Kennziffern pro Praxisgruppe). 54

Ein solches Geschäftsmodell eignet sich bereits für kleinere und mittelgrosse Kanzleien, die sich mit einem fachlich scharfen Profil im Markt bewegen wollen. Man findet es denn auch entsprechend häufig. 55

3.3.1.2 Marktdimension

Hier nimmt die Kanzlei in der Grundlegung des Leistungserstellungsprozesses gerade die umgekehrte Perspektive ein: Sie denkt ihre Marktleistung also von aussen nach innen. Die Profilierung der Kanzlei geschieht in erster Linie, indem eine besonders hohe Kompetenz in der Beratung und Vertretung von Mandanten in ganz bestimmten Industrien und Branchen angestrebt wird. Sie wird entsprechende Industrie- oder Sektorgruppen bilden.[27] 56

---

[26] Schulz, Martin / Klugmann, Marcel: Wissensmanagement für Anwälte. 2. Auflage, Köln 2006, S. 33 ff.; Lechner, Christoph / Kreutzer, Markus: Dimensionen der Führung von Beratungsunternehmen – Ergebnisse einer Studie. In: ZUb 2/07, S. 55 f.; Büchi, Raffael: Entwicklung und Weitergabe von Know-how in Schweizer Anwaltskanzleien am Beispiel von Bär & Karrer. In: Jusletter Weblaw vom 7. März 2011, gefunden am 30. September 2011 unter http://jusletter.weblaw.ch/article/de/_9097?lang=de.

[27] Casley Gera, Rav: The Sector Specialisation Survey. In: The American Lawyer. Summer 2008, S. 30 ff.

57 Mandanten namentlich aus Branchen, die stark reguliert sind – Banken, Versicherungen, Pharma etc. – sind darauf angewiesen, von Kanzleien betreut zu werden, die in diesen Branchen zuhause sind. In der Praxis ist überdies zu beobachten, dass Mandanten auch aus wenig regulierten Industrien immer häufiger Wert darauf legen, von Anwälten beraten zu werden, die sich im Geschäft und den Märkten des Mandanten auskennen. Die Vorteile liegen auf der Hand: Der Kontakt zwischen Mandant und Anwalt gestaltet sich einfacher, die Interaktion zwischen Mandant und Anwalt ist im Regelfall sehr effizient möglich, und der Anwalt kennt den wirtschaftlichen Kontext, in dem sich der Mandant bewegt. Müssen Fragen bearbeitet werden, die auch juristische Gebiete betreffen, welche die entsprechenden Marktspezialisten in der Industriegruppe nicht abdecken, besteht die Herausforderung darin, die erforderlichen weiteren Anwälte in die Mandatsbearbeitung mit einzubinden. Deren Instruktion erfolgt dann aber primär durch die Kollegen der betreffenden Industriegruppe innerhalb der Kanzlei, und der Mandant ist damit oft nicht befasst.

58 Gerade grosse Kanzleien organisieren sich zunehmend in Industriegruppen. Sie versprechen sich davon eine grössere Marktnähe und eine erhöhte Glaubwürdigkeit. Aber auch Boutique-Strategien orientieren sich häufig an einer konsequenten Ausrichtung auf bestimmte Industrien. So existieren beispielsweise Kanzleien, die ganz auf die Beratung von Medien ausgerichtet sind, solche, die sich um Immobilienunternehmen kümmern oder wieder andere, die ganz im Sport- und Unterhaltungsgeschäft zuhause sind.

3.3.1.3 Qualitätsdimension

59 Die Prozessorganisation der Kanzlei in einer Fach- und/oder Marktdimension muss nun um eine dritte Dimension ergänzt werden: Die Qualitätsdimension. Über alle Prozesse hinweg muss sichergestellt werden, dass die Qualität stimmt.

60 Qualität bedeutet, dass die Erwartungen des Mandanten und aller übrigen Anspruchsgruppen[28] (in unserem Zusammenhang insbesondere Kanzlei, Gerichte und Behörden) an die anwaltliche Dienstleistung erfüllt werden.[29] Dieser Anspruch muss in einem Prozess sichergestellt werden, mit welchem die Qualität in der Kanzlei gesteuert wird, dem Qualitätsmanagementprozess.[30]

---

[28] Capaul/Steingruber 2010, S. 70.

[29] Seghezzi, Hans Dieter / Fahrni, Fritz / Herrmann, Frank: Integriertes Qualitätsmanagement – Der St. Galler Ansatz. 3. Auflage, München 2007, S. 31 f.

[30] Vgl. dazu auch nachstehend Abschnitt 5.1 und 5.2.

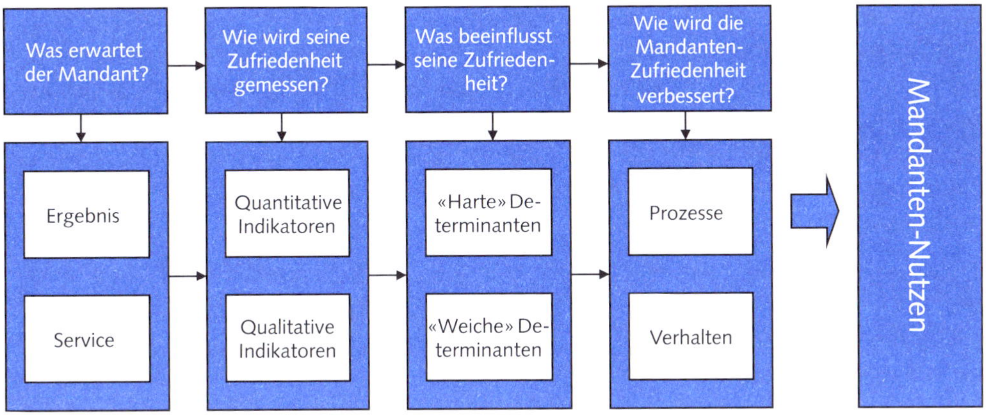

Abb. 9: Prozess zum Management der Qualität anwaltlicher Dienstleistungen[31]

(1) Was erwartet der Mandant?

Hier wird unterschieden zwischen der Ergebnis- und der Servicequalität.[32] Unter Ergebnisqualität ist in erster Linie die fachliche Qualität der anwaltlichen Arbeit zu verstehen, unter Servicequalität die Qualität der Dienstleistungsverrichtung (Verfügbarkeit, Schnelligkeit, Verständlichkeit der Sprache, Gestaltung des Schriftsatzes etc.). Kanzleien messen oft der Ergebnisqualität die überragende Bedeutung bei. Aus der Perspektive des Mandanten aber wird Ergebnisqualität ganz einfach vorausgesetzt.[33] Er gewichtet die Servicequalität besonders hoch.[34] Auch britische und amerikanische Untersuchungen belegen, dass Mandanten anwaltliche Qualität überwiegend als Servicequalität wahrnehmen.[35] 61

(2) Wie wird die Zufriedenheit des Mandanten gemessen?

Zur Messung der fachlichen Qualität können sowohl quantitative wie auch qualitative Indikatoren herangezogen werden. 62

---

[31] Lehmann, Axel: Qualitätsstrategien für Dienstleistungen – Bausteine zum Management von Dienstleistungsqualität. In: Seghezzi, Hans Dieter / Hansen, Jürgen Rolf (Hrsg.): Qualitätsstrategien. München/Wien 1993, S. 109 ff.

[32] Staub, Leo: Legal Management. 2. Auflage, Zürich 2006, S. 253 ff.; derselbe: Qualität im Anwaltsbüro. In: Management & Qualität, 1–12/97, S. 50 ff.

[33] Bechtold, Rainer: Zusammenarbeit zwischen Unternehmensjurist und externem Anwalt. In: Hambloch-Gesinn, Sylvie / Hess, Beat / Meier, Andreas L. / Schiltknecht, Reto / Wind, Christian: In-house Counsel in internationalen Unternehmen. Basel 2010, S. 243.

[34] Staub, Leo: Unternehmungen, Recht und Anwälte – Studie zur Akzeptanz rechtlicher Entscheidungsfaktoren im Management und zum Ansehen von Rechtsanwälten in Unternehmungen. In: Recht und Internationalisierung. Festgabe der Juristischen Abteilung der Universität St. Gallen zum Juristentag 2000, S. 400 ff.

[35] Oliver, Monica: Tea and Quality – What American law firms can learn about quality management from their British colleagues. In: The American Lawyer, Supplement to December 1993 Edition; Sidley/Austin/Brown/Wood: Best oft he best scores. In: Newsletter, 1/2003, Chicago 2003; beide zitiert bei Staub 2006, S. 253.

63 Quantitative Indikatoren für die Zufriedenheit von Mandanten etwa sind die Anzahl und Bedeutung (Interessenwerte) von Folgemandaten, die Abwesenheit von Beschwerden über die Mandatsführung oder das Verhältnis zwischen gewonnenen, verlorenen und gütlich erledigten Prozessen für den Mandanten. Zu den quantitativen Indikatoren gehören aber auch Kennziffern zur Wirtschaftlichkeit der Mandatsführung wie die Einhaltung von Projektbudgets oder das Verhältnis zwischen Honorar und bezifferbarem Mandantennutzen.

64 Qualitative Indikatoren lassen sich nur in Mandantenbefragungen erheben. Gefragt werden kann etwa nach der Fachkompetenz der im Mandat eingesetzten Anwälte (juristische Kompetenz, betriebswirtschaftliches Verständnis etc.), aber auch nach deren Servicekompetenz (Empathie, Engagement, Verfügbarkeit, *Response*-Zeit, Verständlichkeit in der Kommunikation etc.). Werden die Ergebnisse der Kundenzufriedenheit als Werte auf einer Skala erhoben («Bitte geben Sie auf einer Skala von 1 bis 5 an, wie Sie mit der Verfügbarkeit des Anwalts zufrieden waren»), können auch qualitative Indikatoren, wenn sie regelmässig abgegriffen werden, in «Zahlen» übersetzt und im Rahmen des Qualitätsmanagements gut dargestellt werden.[36]

(3) Was beeinflusst die Zufriedenheit des Mandanten?

65 Lehmann unterscheidet hier zwischen harten und weichen Faktoren. Definiert werden diese durch den Mandanten selbst. Er sagt, in welcher Qualität, in welcher Zeit und zu welchen Kosten er die anwaltliche Dienstleistung erwartet (harte Faktoren). Er ist es auch, der – in der Regel unausgesprochen – die Anforderungen an den Service bestimmt, etwa die Häufigkeit und Form der Kommunikation zwischen Mandant und Anwalt, die Verfügbarkeit des Mandatsführers für Feedback-Gespräche, dessen Bereitschaft, die «Extra-Meile» zu gehen etc. Wichtig ist, dass die Bedürfnisse des Mandanten zu Beginn der Beziehung erhoben werden und später laufend nachgefragt wird, ob dessen Anforderungen an die anwaltliche Dienstleistung nach wie vor dieselben sind.

(4) Wie wird die Mandantenzufriedenheit verbessert?

66 Die Instrumente zur laufenden Pflege und Verbesserung der Mandantenzufriedenheit sind zahlreich. Dazu gehören die Rekrutierung hervorragender Anwälte, deren laufende Fortbildung, ein auf Mandantenzufriedenheit ausgerichtetes Anreizsystem für alle Kanzleiangehörigen und regelmässige Feedback-Gespräche zwischen Mandanten und Anwälten einerseits, aber auch zwischen mandatsführenden Partnern und Mitarbeitern andererseits. Manche Kanzleien betreiben darüber hinaus ein eigentliches Benchmarking, indem sie Leistungen innerhalb der Kanzlei vergleichen und an den besten Beispielen ausrichten. Verbesserungspotenziale lassen sich aber auch etwa in der Auswahl und Steuerung externer Leistungserbringer oder in der Standardisierung bestimmter Dienstleistungskomponenten heben.

[36] Brandstetter, Franz: Rechtsabteilung und Unternehmenserfolg. 2. Auflage, Wien 2011, S. 123 ff.

3.3.2 Zusammenführung zur mandantenzentrierten Prozessarchitektur der Kanzlei

Mittlere und grössere Kanzleien suchen oft eine Kombination der Fach- mit der Marktdimension für ihr Prozessmodell.[37] Eine solche Kombination kann zu einer Matrix führen, mit welcher die Zuordnung der Kanzleiangehörigen zu den einzelnen Fach- und Industriegruppen abgebildet wird. 67

	Gesellschafts- und Aufsichtsrecht	Vertragsrecht	Wettbewerbsrecht und IP	Prozessrecht	Keine Fachgruppenzugehörigkeit
Banken / Finanzen	Anwalt 1 + 3	Anwalt 5		Anwalt 13	Anwalt 16
Pharma / Gesundheit	Anwalt 2 + 4	Anwalt 6	Anwalt 10 + 12		
Medien / Entertainment / Sport		Anwalt 7	Anwalt 11	Anwalt 14	Anwalt 17
Bau- und Immobilienwirtschaft		Anwalt 8 + 9		Anwalt 15	Anwalt 20
Keine Industriegruppenzugehörigkeit		Anwalt 21	Anwalt 22	Anwalt 23 + 24	Anwalt 18 + 19

Abb. 10: Kombination von Fach- und Marktdimension im Prozessmodell einer Kanzlei

In diesem Beispiel sind die 24 Anwälte der Kanzlei den entsprechenden Fach- und Industriegruppen zugeordnet, wobei die Mitgliedschaft sowohl in einer Fachgruppe als auch in einer Industriegruppe möglich ist. Mindestens einer Gruppe soll ein Anwalt dieser Kanzlei angehören, wobei es aber offenbar zwei Ausnahmen gibt. 68

Führt die Kanzlei ein solches Prozessmodell ein, muss sie zahlreiche damit zusammenhängende Fragen regeln: Wie wird man Mitglied in einer Fach- und/oder Industriegruppe (Entscheidet die Partnerversammlung oder der Managing Partner, oder gilt gar das Prinzip der Selbstdeklaration? Aufgrund welcher Kriterien – Ausbildung, Erfahrung – wird entschieden?)? Welche Bedingungen gelten, um in einer Gruppe bleiben zu können (Fallzahlen in einem bestimmten Gebiet, Fortbildungsnachweis, Publikations- und Vortragstätigkeit, etc.)? Welche Anreize gelten für das *cross-selling,* also die Akquisition von Mandanten oder Mandaten, die nicht in der eigenen Gruppe bearbeitet werden können (Mandatszuweisung, Anreizsystem, Mandantenkontakt etc.)? Wie werden die Fach- und Industriegruppen geführt? Welche Rolle spielen die Vorsitzenden der Fach- und Industriegruppen in der Führung der Gesamtkanzlei? Wie kann die Prozessstruktur im Wissensmanagementsystem der Kanzlei abgebildet werden? Nach welchen Kriterien 69

[37] Vgl. dazu auch Pothe, Christian: Business Services in der Kanzlei. In: Schieblon, Claudia (Hrsg.): Kanzleimanagement in der Praxis. Wiesbaden 2011, S. 132.

sollen neue Anwälte für die Kanzlei rekrutiert werden? Wie werden junge Anwälte zur Wahl einer Fach- oder Industriegruppe motiviert? Wie wird über die Zusammensetzung von Teams entschieden, wenn Mandate über die Fach- oder Industriegruppen-Grenzen hinaus geführt werden müssen? Welcher Gruppe wird in solchen Fällen der anfallende Honorarumsatz gutgeschrieben, wenn die Gruppen gleichzeitig auch als Profit-Center funktionieren?

4. Aufbau-Organisation

70 Steht fest, wie der Leistungserstellungsprozess und seine wichtigsten Subprozesse aussehen sollen, geht es in einem nächsten Schritt darum, daraus die Aufbauorganisation der Kanzlei zu entwickeln. Im Idealfall bildet diese Aufbauorganisation möglichst genau das Prozessmodell der Kanzlei ab.[38]

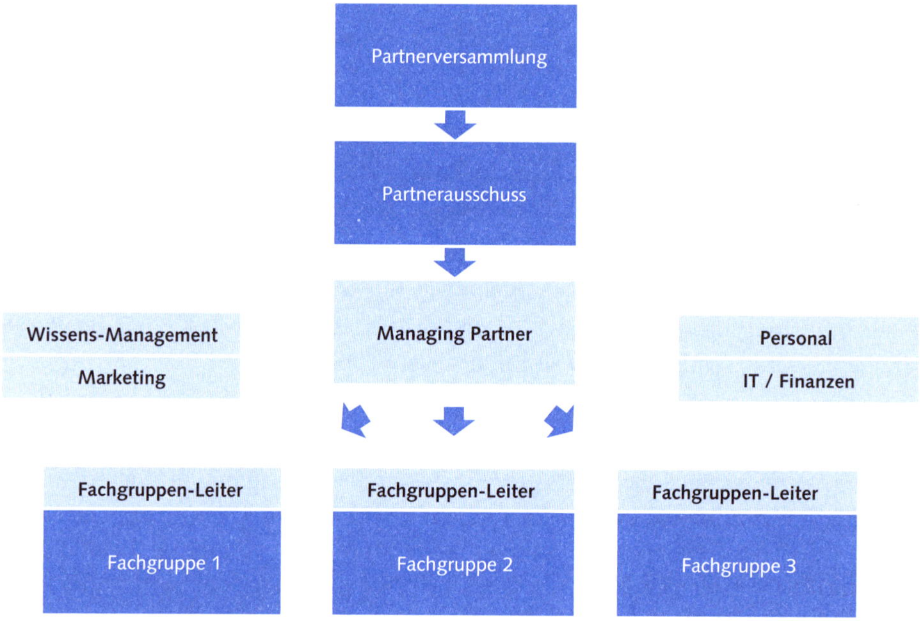

Abb. 11: Aufbauorganisation bei Leistungserstellung in Fachgruppen

71 In diesem Beispiel einer mittelgrossen Kanzlei wählt die Partnerversammlung («Generalversammlung») einen Partnerausschuss («Verwaltungsrat») und dieser einen Managing Partner («Geschäftsleiter»). Zusammen mit den Leitern der einzelnen Fachgruppen führt der Managing Partner als Vorsitzender der Geschäftsleitung die Kanzlei. Dem

[38] Müller-Stewens/Drolshammer 2000, S. 640 ff.

Managing Partner als Stabsfunktionen zur Seite stehen die Verantwortlichen für die unterstützenden Prozesse Wissensmanagement, Marketing, Personal und IT/Finanzen. In einer Kanzlei, die sich gegen die Dominanz der fachorientierten Prozesse und für ein marktorientiertes Prozessmodell entschieden hat, treten in der Aufbauorganisation einfach die Industriegruppen anstelle der Fachgruppen.

Hat die Kanzlei ein Prozessmodell, welches die Leistungserstellung sowohl in Fachgruppen wie auch in Industriegruppen vorsieht, und möchte sie dieses Prozessmodell in ihrer Aufbauorganisation nachbilden, ist folgende Struktur vorstellbar: 72

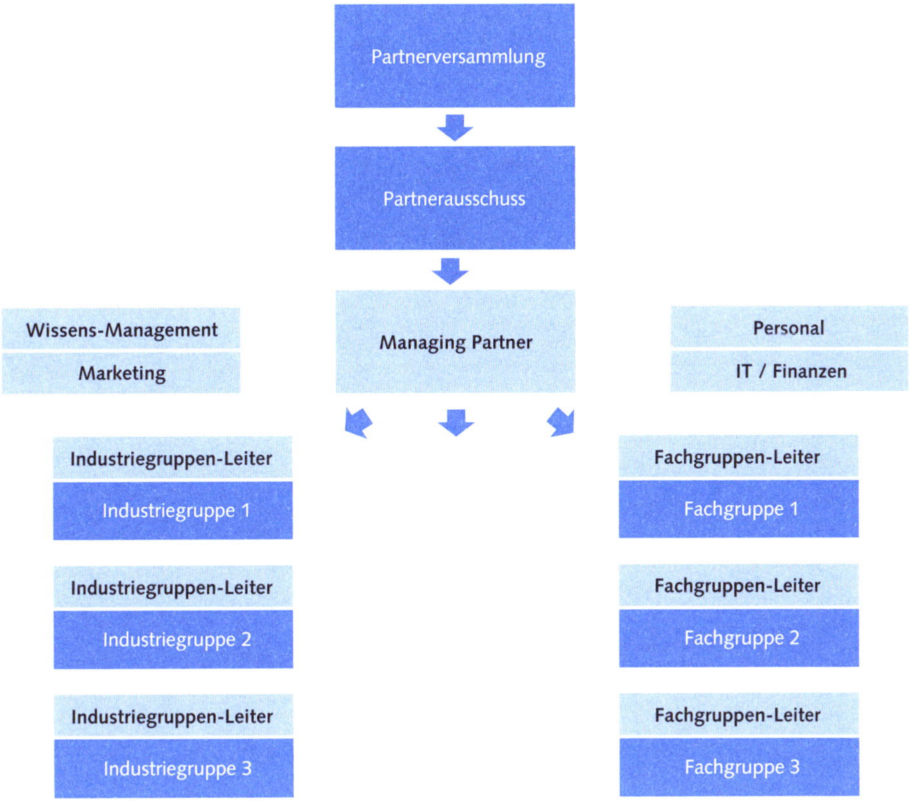

Abb. 12: Aufbauorganisation bei Leistungserstellung in Fach- und Industriegruppen

Hier wird sehr schön ersichtlich, dass bei entsprechender Anzahl von Fach- und Industriegruppen das operative Leitungsgremium der Kanzlei sehr gross (zu gross) wird. Um diesen Effekt zu vermeiden, könnte sich die betreffende Kanzlei überlegen, nur je einen Leiter für die zwei Bereiche «Industriegruppen» und «Fachgruppen» in die Geschäftsleitung zu berufen. Diese beiden Führungskräfte führen dann jeder für sich die Leiter der einzelnen Industrie- bzw. Fachgruppen. 73

5. Systeme zur Prozessunterstützung

74 Steht die Strategie fest und sind die Prozesse (Makroprozess und Mikroprozesse) konfiguriert, sollen in einem dritten Schritt Systeme eingeführt werden, welche die Kanzleiprozesse unterstützen.[39]

5.1 Kanzleimanagementsystem

75 Hier geht es darum, die Kanzleiprozesse zu dokumentieren und ihre Steuerung mit Blick auf die gesetzten Ziele zu unterstützen. In der Praxis werden Kanzleimanagementsysteme oft in Anlehnung an bekannte Systeme zum Qualitätsmanagement erarbeitet. Es existieren eine ganze Anzahl unterschiedlicher Systeme:[40]

5.1.1 Norm ISO 9001:2000

76 Die Norm ISO 9001:2000 setzt keine Standards mit Bezug auf die Qualität. Sie will lediglich dazu anhalten, die für das einzelne Unternehmen geltenden Prozesse eindeutig festzulegen und zu dokumentieren. Dies soll eine bewusste Steuerung der Prozesse ermöglichen und Verknüpfungen der Prozesse untereinander sichtbar machen.[41]

---

[39] Vgl. vorstehend Abb. 1.

[40] Sehr schöne Übersicht bei Mascello, Bruno: Führung operativer Tätigkeiten und Qualitätsmanagement in der Rechtsabteilung. Masterarbeit im Executive MBA der Universität St. Gallen, 2011, S. 25 ff. Vgl. auch Reimann, Carsten: Im Blickpunkt – Qualitätskontrolle bei juristischen Dienstleistungen. In: Deutscher AnwaltSpiegel, Ausgabe 17/August 2010, S. 16 f.

[41] Seghezzi/Fahrni/Herrmann 2007, S. 224 ff.; Staub 2006, S. 273 ff. Die britische *law society* hat die Norm gar in Zusammenarbeit mit der British Standards Institution für die Bedürfnisse von Anwaltskanzleien adaptiert (ISO 9000/BS 5750).

Abb. 13: Qualitätsmanagementsystem nach ISO 9001:2000

Werden die einzelnen Kapitel der Norm ISO 9001:2000 auf Anwaltskanzleien zur Anwendung gebracht, könnte sich beispielsweise folgende Übersicht über die einzelnen Prozesse eines Kanzleimanagement-Handbuches ergeben: 77

Prozess	Typ	Status	Autor	Verantwortlich	In Kraft seit
0 Einleitung	Arbeitsanleitung	Gültig	AB	Managing Partner	
1 Anwendungsbereich					
2 Normative Verweisungen					
3 Begriffe					
4 Anforderungen an das QMS					
5 Verantwortung der Leitung					
5.1 Strategische Führung	Arbeitsanleitung	Gültig	AB	Managing Partner	
Langfrist-Planung	Prozessbeschrieb	Gültig	DW		
Leitbild	Formular	Gültig	AB		
Organisationsreglement	Formular	Gültig	AB		
Management Review	Arbeitsanleitung	Gültig	CC		
Ermittlung von Kennzahlen	Arbeitsanleitung	Gültig	CC		
5.2 Operative Führung	Prozessbeschrieb	Gültig	AB	Managing Partner	
Jahresplanung pro Bereich	Arbeitsanleitung	Entwurf	AB		
Öffentlichkeitsarbeit	Arbeitsanleitung	Gültig	RO		
Unternehmensentwicklung	Arbeitsanleitung	Gültig	RO		
Marketing					
6 Management von Ressourcen					
6.1 Finanzwesen	Arbeitsanleitungen	Gültig	AB	Leiter Finanzen	
	Formulare	Gültig	AB		
6.2 Personalwesen	Arbeitsanleitungen	Gültig	CC	Leiter Personal	
	Formulare	Gültig	XY		
6.3 Infrastruktur	Arbeitsanleitungen	Gültig	KL	Leiter Infrastruktur	
	Formulare	Gültig	KL		
6.4 Know-how-Management	Arbeitsanleitung	Gültig	MS	Leiter Wissens-management	
	Formulare	Gültig	MS		
6.5 Qualitätsmanagement	Arbeitsanleitung	Gültig	FD	Leiter Q-Manage-ment	
7 Mandatsbeurteilung	Prozessbeschrieb	Gültig	AB		
7.1 Abklären Interessenkollision	Arbeitsanleitung	Gültig	FW	Leiter Q-Manage-ment	
	Checkliste	Gültig	FW		
7.2 Angebot / Pitch	Arbeitsanleitung	Gültig	VE	Fachgruppen-Leiter	
	Checklisten	Gültig	VE		
7.3 Mandatsannahme	Arbeitsanleitungen	Gültig	FW	Fachgruppen-Leiter	
	Checklisten	Gültig	FW		
7.4 Mandatsabwicklung	Arbeitsanleitungen	Gültig	FW	Fachgruppen-Leiter	
	Muster	Gültig	FW		
7.5 Mandatsabschluss	Arbeitsanleitungen	Gültig	OB	Fachgruppen-Leiter	
	Checkliste	Gültig	OB		
7.6 Archivierung	Arbeitsanleitung	Gültig	OB	Leiter Q-Manage-ment	
8 Messung / Analyse / Verbesserung	Prozessbeschrieb	Gültig	AB	Managing Partner	
Key Performance Indicators	Arbeitsanleitung	Gültig	AB		
Bechwerdewesen	Prozessbeschrieb	Gültig	KM		
Auditbericht	Arbeitsanleitung	Gültig	AB		
Verbesserungen	Prozessbeschrieb	Gültig	KM		

Abb. 14: Beispiel für die Struktur eines Kanzleimanagement-Handbuches in Anlehnung an Norm ISO 9000:2001

78 Im obigen Beispiel wird eine dreistufige Dokumentenhierarchie zur Anwendung gebracht:

- Prozessbeschrieb
- Arbeitsanleitung
- Formular/Checkliste/Muster

Falls gewünscht, kann die Kanzlei ein solches Kanzleimanagementsystem nach Norm ISO 9000:2001 durch eine zugelassene Zertifizierungsstelle zertifizieren lassen.[42] Tut sie dies, wird sie in einen regelmässigen Auditierungszyklus eingebunden. Der erstmaligen Zertifizierung folgen in Abständen von drei Jahren Wiederholaudits, aufgrund derer die Zertifizierungsstelle über die weitere Vergabe des Zertifikats entscheidet. In den Zwischenjahren nimmt die Zertifizierungsstelle Stichproben vor und prüft, ob das System auch wirklich gelebt wird. 79

5.1.2 Malcolm Baldrige National Quality Award (MBNQA)

Dieses QM-System ist vor allem in den USA verbreitet. Seit 1987 vergibt der amerikanische Präsident in insgesamt drei Kategorien[43] einen Preis an Unternehmen, welche die Anforderungen des auch *Baldrige Seven Themes* genannten Systems am besten erfüllen.[44] 80

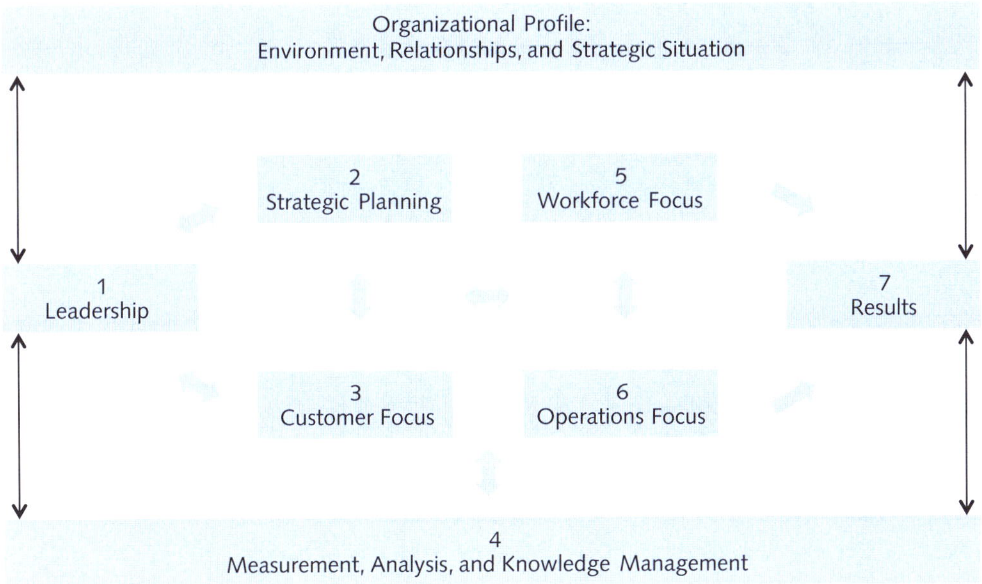

Abb. 15: Qualitätsmanagement-System nach Malcolm Baldrige National Quality Award

42 Heussen, Benno: Anwalt und Mandant. Köln 1999, S. 62, nennt als Vorteile der Zertifizierung: einheitliche Gestaltung der Prozesse und Beseitigung von Fehlern, Erleichterung der Stellvertretung und Einarbeitung neuer Mitarbeiter, Leistung des Nachweises ausreichender Organisation der Kanzleiprozesse im Haftungsfall.

43 *Manufacturing, Service and Small Business.*

44 Staub 2006, S. 270 ff.

81 Der Erfolg eines Unternehmens nach MBNQA wird demnach an folgenden Kriterien gemessen:

	Criteria for Performance Excellence		Point Values	
P	**Preface: Organizational Profile**			
	P.1	Organizational Description		
	P.2	Organizational Situation		
1	**Leadership**			
	1.1	Senior Leadership	70	
	1.2	Governance and Societal Responsibilities	50	**120**
2	**Strategic Planning**			
	2.1	Strategy Development	40	
	2.2	Strategy Implementation	45	**85**
3	**Customer Focus**			
	3.1	Voice of the Customer	45	
	3.2	Customer Engagement	40	**85**
4	**Measurement, Analysis, and Knowledge Management**			
	4.1	Measurement, Analysis, and Improvement of Organizational Performance	45	
	4.2	Management of Information, Knowledge, and Information Technology	45	**90**
5	**Workforce Focus**			
	5.1	Workforce Environment	40	
	5.2	Workforce Engagement	45	**85**
6	**Operations Focus**			
	6.1	Work Systems	45	
	6.2	Work Processes	40	**85**
7	**Results**			
	7.1	Product and Process Outcomes	120	
	7.2	Customer-Focused Outcomes	90	
	7.3	Workforce-Focused Outcomes	80	
	7.4	Leadership and Governance Outcomes	80	
	7.5	Financial and Market Outcomes	80	**450**
	Total Points			**1000**

Abb. 16: Wettbewerbskriterien und Gewichtung der einzelnen Kriterien nach Malcolm Baldrige National Quality Award[45]

82 Diese Kriterien bilden die Checkliste für die Entwicklung des Kanzleimanagement-Handbuches. Für jedes Kriterium wird sodann im Zuge der Anwendung des Systems der Ist-Zustand aufgenommen und der Soll-Zustand definiert. Gibt es Differenzen zwischen Ist

[45] 2011–2012 Criteria for Performance Excellence, S. 3, gefunden bei http://www.nist.gov/baldrige/ publications/business_nonprofit_criteria.cfm am 30. September 2011.

und Soll, werden Massnahmen zur Überbrückung der Differenzen definiert. Angestrebt ist eine kontinuierliche Verbesserung der Qualität.[46]

5.1.3 European Foundation for Quality Management (EFQM)

83 In Zusammenarbeit zwischen der EU-Kommission und der European Organization for Quality wurde in Anlehnung an *Baldrige Seven Themes* ein europäisches Referenzmodell entwickelt, das zum Ziel hat, Qualität in der Unternehmensführung im Sinne von *Total Quality Mangement (TQM)* sicherzustellen. Ein aus Führungskräften namhafter Unternehmen zusammengesetztes Gremium vergibt alljährlich den *EFQM Award* an Unternehmen, welche die Anforderungen des Models in besonders hohem Mass erfüllen.

84 Gleich wie beim *Malcolm Baldrige National Quality Award* wird auch beim *EFQM* nicht nur die Tatsache honoriert, dass sich ein Unternehmen um Qualität und um deren Verbesserung bemüht, sondern es werden auch die Ergebnisse dieser Bemühungen in die Bewertung mit einbezogen. Dies unterscheidet die beiden Modelle von der Norm ISO 9000:2001, welche nur das Managementsystem als solches betrachtet, nicht die damit erzielten Resultate.

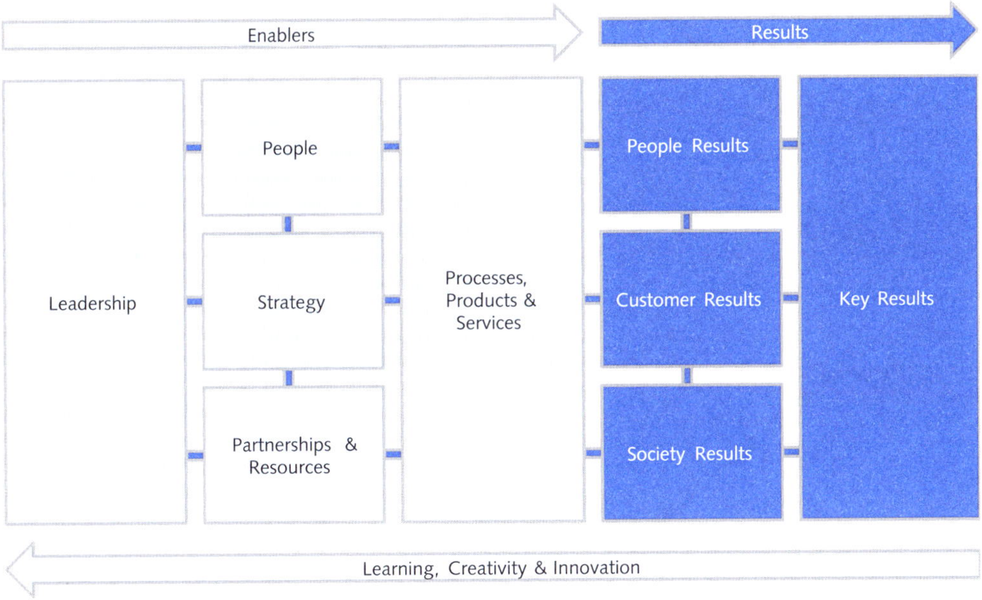

Abb. 17: Qualitätsmanagement-System nach EFQM

46 Leonard, Denis / McGuire Mac, The Executive Guide to Understanding and Implementing the Baldrige Criteria – Improve Revenue and Create Organizational Excellence. Wisconsin/USA 2007, S. 4 f.

85 Die diesem System unterlegte Mechanik zur kontinuierlichen Verbesserung der Qualität im Unternehmen folgt der sogenannten RADAR-Logik. RADAR steht für:[47]

R = *Results*	Resultate; Bestimmung der Ergebnisse, welche mit der definierten Strategie erzielt werden sollen.
A = *Approach*	Annäherung; Planen und Entwickeln von integrierten Vorgehensweisen, um die Resultate heute und in Zukunft zu liefern.
D = *Deployment*	Durchführung; systematische Umsetzung der Vorgehensweisen.
A = *Assess*	Messen.
R = *Refine*	Weiterentwickeln der Vorgehensweisen mit dem Ziel der Verbesserung.

86 Im EFQM-Modell wird diese *RADAR*-Logik in folgender Ausprägung angewandt:

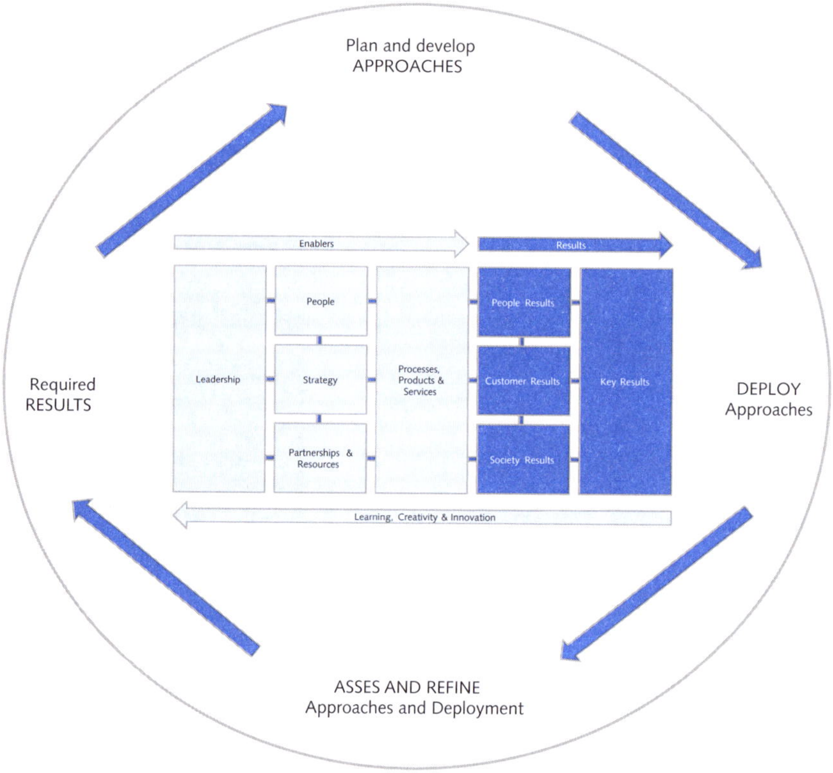

Abb. 18: Die EFQM RADAR Logik[48]

[47] Zollondz, Hans-Dieter: Gundlagen Qualitätsmanagement – Einführung in Geschichte, Begriffe, Systeme und Konzepte. 2. Auflage, München 2006, S. 304 f.; Mascello 2011, S. 32.

[48] Gefunden bei http://www.efqm.org/en/tabid/171/default.aspx am 30. September 2011.

5.2 Methoden zur Qualitätsverbesserung

Neben den oben vorgestellten Qualitätsmanagementsystemen existieren auch blosse Methoden zur Qualitätsverbesserung im Unternehmen. Im Gegensatz zu den QM-Systemen eignen sich diese Q-Methoden nicht zur Verwendung als Kanzleimanagement-System. Sie leisten aber natürlich Hervorragendes, wenn es um die inkrementelle Verbesserung und Verschlankung von Kanzleiprozessen geht. Deshalb werden einzelne von ihnen hier ebenfalls kurz vorgestellt. 87

5.2.1 Lean Management

Lean Management versucht, Prozesse zu optimieren.[49] Damit können in einer Anwaltskanzlei unterschiedliche Ziele verfolgt werden:[50] 88

- Kostenreduktion[51]
- Freilegung von Ressourcen zur Verwirklichung von Wachstumsstrategien
- Verkürzung der Mandats-Durchlaufzeiten
- Verbesserung der Dienstleistungsqualität (kürzere Responsezeiten etc.)
- Eliminierung überflüssiger Aktivitäten
- Vermeidung von demotivierenden Doppelspurigkeiten
- Reduktion von Fehlerquellen

Lean Management ist dann besonders erfolgreich, wenn die Methode Teil der Kanzleiphilosophie und als solche von möglichst allen Kanzleiangehörigen getragen wird. Im Ergebnis resultiert eine Organisation, die durch geringe Arbeitsteilung, flache Hierarchien, einfache Kommunikationsstrukturen, transparente Abläufe und durch dezentrale, sich selbst steuernde Gruppen gekennzeichnet ist.[52] Diese Ziele werden erreicht durch gutes Teamwork, hohe Sorgfalt aller an einem Prozess Beteiligten im Umgang mit den Kanzleiressourcen und der ständigen Bereitschaft aller zu lernen.[53] 89

---

49 Rüegg-Stürm 2002, S. 65.

50 Mascello 2011, S. 35 f.; Härle, Philipp / Kubli, Andreas / Kurer, Christian: Best practices of high-performance Legal functions in large multinational corporations. In: Hambloch-Gesinn, Sylvie / Hess, Beat / Meier, Andreas L. / Schiltknecht, Reto / Wind, Christian (Hrsg.): In-house Counsel in internationalen Unternehmen. Basel 2010, S. 120 f.; Heussen, Benno: Time-Management für Rechtsanwälte – Wie man als Anwalt 30% mehr Freizeit gewinnt. In: Anwalts Revue 9/2004, S. 319 ff.

51 Das «neue» Kostenbewusstsein in Kanzleien ist nicht zuletzt Folge des zunehmenden Kostendrucks, der namentlich von Unternehmen auf ihre externen Anwälte ausgeübt wird. Vgl. dazu Hartung, Markus / Weberstaedt, Jakob: Marktentwicklung bei grossen wirtschaftsberatenden Kanzleien in Deutschland – Neues Kosten-Nutzen-Bewusstsein bei den Mandanten. In: AnwBl 8 + 9/2011, S. 607 ff.

52 Roberts 2007, S. 180 und S. 231 f.

53 Mascello 2011, S. 35.

90 Das Gedankengut von Lean Management liegt Anwälten erfahrungsgemäss nahe. Die intrinsische Motivation von Partnern einer Anwaltskanzlei als deren Eigner zur Vermeidung von überflüssigen und übertriebenen Strukturen und Prozessen ist regelmässig hoch. In Kombination mit der Einführung eines Qualitätsmanagementsystems[54] stehen die Chancen besonders gut, Prozesse zu verschlanken und sich aus Lean Management ergebende Potenziale heben zu können. Bei dieser Gelegenheit werden ja alle Prozesse betrachtet und ihr Zusammenspiel untersucht. Es bietet sich dann an, Prozesse nicht einfach so im Qualitätsmanagementsystem abzubilden, wie sie vorgefunden wurden, sondern sie im Sinne von Lean Management systematisch zu überarbeiten.

91 Aber auch der Planung und Durchführung einzelner – kleinerer oder grösserer – Projekte zur Optimierung ausgewählter Prozesse ist oft Erfolg beschieden, insbesondere dann, wenn die Initiative dazu von den davon betroffenen Mitarbeitenden ausgeht, also «bottom up» erfolgt.

5.2.2 Kaizen

92 Kaizen stammt aus Japan, hat es aber in der westlichen Wirtschaft zu einiger Berühmtheit gebracht, weil die Methode auch hier – vor allem in der produzierenden Industrie – seit Jahrzehnten mit grossem Erfolg angewandt wird.[55]

93 Kaizen beruht auf der Erwartung an alle Mitarbeitenden im Unternehmen, ständig nach Verbesserungen Ausschau zu halten. Monetäre oder nicht monetäre Anreize sorgen dafür, dass alle Unternehmensangehörigen motiviert sind, Verbesserungen und Verbesserungsprojekte vorzuschlagen und auch möglichst in eigener Initiative umzusetzen. Das permanente Streben nach Optimierung und Perfektion soll das Unternehmen im Interesse aller voranbringen, indem die Verschwendung von Ressourcen konsequent vermieden und die Qualität der Leistungserstellungsprozesse gehoben wird.[56]

94 Dieses Ziel soll durch einfache und von allen Unternehmensangehörigen beherrschbare Rezepte erreicht werden (5«s»-System):[57]

- Es sollen nur die erforderlichen Dinge im Arbeitsbereich jedes einzelnen sein («sorting»).
- Die für den betreffenden Prozess notwendigen Aktivitäten sollen sauber priorisiert und um alles reduziert werden, was nicht dem Prozess dient («straightening»)
- Der Arbeitsplatz soll sauber und übersichtlich gehalten werden («sweeping»).

---

54 Z.B. nach Norm ISO 9001:2000, wie im unmittelbar vorangehenden Abschnitt beschrieben.
55 Zollondz 2006, S. 248 f.
56 Seghezzi/Fahrni/Herrmann 2007, S. 373 ff.
57 Dieselben, S. 374 f.; vgl. aber auch Mascello 2011, S. 37, mit weiteren Hinweisen.

- Arbeitsmethoden sollen so weit als möglich vereinheitlicht werden («standardizing»).
- Verbesserungen sollen gepflegt werden, damit sie nachhaltig sind («sustaining»).

Jeder Unternehmensangehörige soll nach Kaizen den im Arbeitsablauf nächstfolgenden Kollegen als Kunden betrachten, den es zufrieden zu stellen gilt. Einmal Erreichtes soll immer wieder infrage gestellt und mit Blick auf die folgenden Perspektiven geprüft werden:[58] 95

- Es soll immer ein sauber definiertes Problem gelöst werden (Problemorientierung).
- Der interne und externe Kunde ist «zentraler Bezugspunkt in der gesamten Prozesskette, nicht erst am Ende»[59] (Kundenorientierung).
- Es geht um permanente inkrementelle Verbesserung aller Glieder einer Prozesskette (Prozessorientierung).
- Der einzelne Mitarbeiter treibt den Verbesserungsprozess in seinem Verantwortungsbereich aus eigener Initiative voran (Mitarbeiterorientierung).

5.2.3 Six Sigma

Six Sigma verbindet Elemente aus bekannten Qualitäts-Systemen und -Methoden:[60] 96

- Es orientiert sich konsequent an den Kundenanforderungen an ein Produkt oder eine Dienstleistung und verfolgt eine «Null-Fehler-Strategie».
- Prozesse werden auf Effizienz getrimmt. Um das Ergebnis dieser Bemühungen zu messen, werden Fakten und Daten gemessen und einer statistischen Analyse unterzogen. Qualitäts- und Effizienzziele werden quantitativ umschrieben.
- Grosse Beachtung wird dem Management, der ständigen Verbesserung und der permanenten Erneuerung der Geschäfsprozesse geschenkt. Dazu wird ein straffes Projektmanagement aufgezogen, und es werden speziell in Six Sigma geschulte Mitarbeiter als sogenannte «Promotoren» eingesetzt.

In einem ersten Schritt werden die Kundenanforderungen quantitativ definiert (Beispiel: 97
«E-Mails eines Mandanten müssen innerhalb von vier Stunden beantwortet sein, egal,

---

58 Zollondz 2006, S. 251 f.

59 Mascello 2011, S. 38.

60 Reich, Michael / Laakmann, Marcus: Six Sigma in Versicherungen. In: Zerres, Michael P. / Reich, Michael (Hrsg.), Handbuch Versicherungsmarketing. Berlin 2009, S. 216 ff.; Pande, Peter S. / Neuman, Robert P. / Cavanagh, Roland R.: The Six Sigma Way – how GE, Motorola, and other companies are honing their performance. New York 2000, Vorwort S. XI.

wann sie in der Kanzlei eintreffen.»). Anschliessend wird der in der Kanzlei notwendige Prozess festgelegt, der sicherstellen soll, dass diese Vorgabe erreicht wird. Abweichungen von der Vorgabe sind als «Fehler» definiert. Treten Fehler auf, wird deren Ursache beseitigt, indem der Prozess verbessert wird.

98 «Sigma» bedeutet bei dieser Methode die (Standard-)Abweichung eines Prozesses von seinem idealen Ablauf.[61] Der Prozesserfolg wird anhand einer Performance-Kennzahl gemessen, welche die Wahrscheinlichkeit eines Fehlereintritts beschreibt.[62]

99 Über die Frage, ob sich Six Sigma auch für Dienstleistungsunternehmen wie Anwaltskanzleien eignet, wird heftig debattiert.[63] Im Ergebnis ist der Einsatz von Six Sigma in Anwaltskanzleien wohl sehr kritisch zu beurteilen. Allein schon die Beschaffung der Daten zur gültigen (quantitativen!) Definition der relevanten Kundenanforderungen und die Messung und Analyse der Prozessresultate wird die meisten Kanzleien vor immense Probleme stellen. Immerhin: Das Gedankengut von Six Sigma – die konsequente Ausrichtung der Kanzleiprozesse an den Anforderungen der Mandanten, die möglichst zuverlässige Messung von Abweichungen vom «idealen» Prozess sowie die daran anknüpfenden Bemühungen um Verbesserungen – bietet wertvolle Anregungen auch für das Qualitätsmanagement in Anwaltskanzleien.

5.3 IT

100 Der Einsatz von Informationstechnologie (IT) in Anwaltskanzleien ist längst selbstverständlich.[64] Zahlreiche Anbieter von sogenannter *Enterprise Resource Planning-Software* (ERP-Lösungen) erleichtern den Kanzleialltag. Ein ERP-System ermöglicht die Erfassung der Mandantendaten, die Leistungserfassung, die Führung der Mandatsdossiers, die Abklärung von Interessenkollisionen, die Rechnungsstellung oder die Archivierung von Mandaten.

101 Daneben verfügen Kanzleien heute meist über elektronische Buchhaltungssysteme, mit denen Bilanz, Erfolgsrechnung (Gewinn- und Verlustrechnung), Liquiditätsplanung, Budgetierung, Projekt(Mandats-)-Rechnung, manchmal auch die Lohnbuchhaltung oder das Gewinnverteilungssystem der Partner geführt werden.

---

[61] Mascello 2011, S. 43

[62] Moormann, Jürgen / Heckl, Diana / Lieber-Braun, Katrin: Grundlagen, Status quo und Perspektiven von Six Sigma. In: Moormann, Jürgen / Heckl, Diana / Lamberti, Hermann-Josef (Hrsg.): Six Sigma in der Finanzbranche. 3. Auflage, Frankfurt am Main 2009, S. 10 ff.

[63] Mascello 2011, S. 44 f. und 50 f., mit zahlreichen Verweisen.

[64] Pothe 2011, S. 134 ff.; Kohli, Vania: Daten- und Sprachkommunikationsinfrastruktur in einer Anwaltskanzlei. In: Anwalts Revue 2/2008, S. 65 f.; Rufener, Adrian: Informatikeinsatz in einer Anwaltskanzlei. In: Anwalts Revue 1/2008, S. 19 ff.; Egloff, Pascal: Studie zu den Anforderungen und Bedürfnissen von Rechtsanwälten an ihre Arbeitsumgebung. FHS St. Gallen, undatiert, S. 2 f.

Immer wichtiger werden webbasierte Kommunikationslösungen.[65] Damit sind nicht nur Systeme für den E-Mail-Verkehr gemeint. Immer häufiger gehen Kanzleien auch dazu über, ihre Websites so einzurichten, dass ein enger Austausch von Informationen mit Mandanten möglich ist. Es werden etwa gewisse Teile der Know-how-Sammlung der Kanzlei dem Zugriff durch Mandanten geöffnet. Erste Kanzleien bieten ihren Mandanten sodann Dienstleistungen wie Trainings – etwa in vertragsrechtlichen Fragen – an, die auf einer E-Learning-Plattform realisiert sind. 102

Die elektronische Verknüpfung der Angebotsprozesse von Kanzleien mit den Nachfrageprozessen von Unternehmensmandanten schreitet rasch voran. Dabei geht es nicht nur um die Beantwortung von Anfragen per E-Mail. Gemeinsam eingerichtete Plattformen erlauben auch etwa den zeitgleichen Zugriff von Kanzlei und Mandant auf die in einem Mandat erstellten Dokumente oder die Beurteilung des Projektfortschritts durch den Mandanten in Echtzeit. 103

Einzelne Kanzleien oder Kanzleinetze haben aus den Möglichkeiten der elektronischen Datenübermittlung gar ein eigenes Geschäftsmodell gezimmert. So werden eingehende Anfragen aus dem Publikum ausschliesslich per E-Mail beantwortet, oder es werden Anfragen zusammen mit der Angabe, wie viel der Mandant dafür zu bezahlen bereit ist, in einem Kanzleinetz zur Beantwortung ausgeschrieben. Derjenige Anwalt aus dem betreffenden Netz, der bereit ist, die Bearbeitung der Anfrage zum vorgegebenen Preis an die Hand zu nehmen, bedient den Mandanten dann mit einer entsprechenden Antwort. 104

Einzelne grössere Unternehmen sind in jüngerer Zeit gar dazu übergegangen, Kanzleien im Rahmen einer Auktion einzuladen, sich um die Vergabe von Mandaten zu bewerben. Die Auktion wird in solchen Fällen regelmässig über eine entsprechende Web-Plattform durchgeführt. 105

Bereits gut eingeführt sind sogenannte *Blogs,* in denen Anwälte aus unterschiedlichen Kanzleien Fachgespräche führen und sich zu konkreten Rechtsfragen austauschen. 106

Vor tiefgreifenden Änderungen scheint auch die fernmündliche Kommunikation zu stehen: Zunehmend häufiger werden in Anwaltskanzleien Videokonferenzen abgehalten[66] oder kommen Systeme wie *Skype* zum Einsatz, die das «Telefonieren» am PC ermöglichen mit dem grossen Vorteil, dass man das Gegenüber nicht nur hört, sondern gleichzeitig auch sehen kann. 107

Diese Aufzählung technischer Systeme zur Unterstützung von Kanzleiprozessen und zur Erleichterung der Interaktion zwischen Anwalt und Mandant ist natürlich unvollständig. 108

---

65 Auf der Maur, Rolf: Internet und Anwalt – Die Reise hat erst begonnen. In: Anwalts Revue 9/2008, S. 396 ff.

66 Rizor, Stefan: Rolle und Aufgaben des Managing Partners einer Kanzlei. In: Schieblon, Claudia (Hrsg.): Kanzleimanagement in der Praxis. Wiesbaden 2011, S. 70.

Angesichts der stürmischen technologischen Entwicklung in diesem Gebiet wird sie auch sehr schnell überholt sein. Einzelne dieser Entwicklungen und Trends haben ohne Zweifel das Potenzial, gewisse Kanzleiprozesse oder gar das Geschäftsmodell von Kanzleien als Ganzes zu revolutionieren.[67]

5.4 Projektmanagement

109 Anwälte sind immer auch Projektmanager. Jedes Mandat lässt sich als Projekt begreifen mit formulierten Projektzielen (z.B. Neugestaltung einer Vertriebspartnerschaft des Mandanten mit einem Vertragshändler), einer Projektorganisation (Vertragsrechtler als Federführer, Mitarbeit eines Steuerrechtlers) und einem Projektergebnis (Vertragsentwurf).

110 Hier nun aber soll als Projekt nur die Führung eines grossen Mandates mit einer gewissen minimalen Komplexität, die sich beispielsweise durch Internationalität oder Interdisziplinarität ergibt, verstanden werden. Als «Projekt» in diesem Sinne sollen Mandate gelten, die in vier Dimensionen als «projektwürdig» qualifizieren: Der Honorarwert im Mandat sollte ein bestimmtes Volumen aufweisen (z.B. mindestens 250000 €), die Mandatsdauer sollte erheblich sein (z.B. mindestens drei Monate), der Ressourceneinsatz (z.B. mindestens 100 Beratungstage) und die organisatorische Komplexität beträchtlich (z.B. mindestens drei Teams involviert).

111 Erfüllt eine Kanzlei die von ihr selbst festgesetzten Kriterien für das Aufsetzen eines Projektes – zum Kriterienkatalog dazu kommen können auch Kriterien wie «besonders risikoreich» oder «inhaltlich besonders komplex»[68] – , so wird das Mandat in einem eigens dafür aufgesetzten Projektmanagementprozess geführt. Dieser Prozess zeichnet sich dadurch aus, dass er streng strukturiert ist.[69]

---

[67] Das gilt insbesondere auch für neue Kommunikationsmöglichkeiten aus dem Bereich der sogenannten Social Media. Vgl. dazu etwa Susskind, Richard: The End of Lawyers – Rethinking the Nature of Legal Services. Oxford/New York 2008; Back, Andrea / Gronau, Norbert / Tochtermann, Klaus (Hrsg.): Web 2.0 in der Unternehmenspraxis – Grundlagen, Fallstudien und Trends zum Einsatz von Social Software. 2. Auflage, München 2009.

[68] Besonders anspruchsvoll sind in dieser Hinsicht Innovationsprojekte. Vgl. dazu auch Boutellier, Roman / Gassmann, Oliver: Flexibles Management von Innovationsprojekten. In: Gassmann, Oliver / Kobe, Carmen (Hrsg.): Management von Innovation und Risiko. 2. Auflage, Berlin/Heidelberg 2006. S. 103 ff.

[69] Sterrer, Christian: Projektmanagement. Präsentation im Lehrgang MLP-HSG/Juni 2008. Shenhar, Aaron J. / Dvir, Dov: Reinventing Project Management, Boston 2007. Thommen, Jean-Paul: Managementorientierte Betriebswirtschaftslehre. 7. Auflage, Zürich 2004, S. 809 ff.

Projektorganisation	
Projektauftrag	Der Projektauftrag enthält die schriftlich formulierten Projektziele, definiert Start und Ende des Projektes, beschreibt die Projektphasen mit ihren Teilzielen (Meilensteine), benennt die Mitglieder des Projektteams und der Projektleitung und beziffert die Projektkosten.
Projektorganigramm	Im Projektorganigramm werden die einzelnen Träger der Projektfunktionen (Steuerung, Leitung, Team) zueinander in Beziehung gesetzt und ihre Verantwortung beschrieben.
Verantwortliche für die einzelnen Arbeitspakete	Innerhalb des Projektteams werden die Verantwortlichen für die einzelnen Arbeitspakete bezeichnet.
Verantwortung für die Projektkommunikation	Die Verantwortung über die Kommunikation zum Projektfortgang im Verhältnis zum Mandanten, aber auch unter Umständen gegen aussen ist klar zuzuweisen. Ausserdem ist die Projekt-interne Kommunikation zu regeln (Reporting, Sitzungsrhythmus, etc.).
Projektumwelt (Beziehungen zu anderen Projekten)	Ein Projekt ist immer in eine Umwelt eingebettet (Rechtsabteilung des Mandanten, Operative Funktionen in der Kanzlei, Gegenpartei, Behörden, etc.). Diese relevanten Umweltsphären für das Projekt sind zu identifizieren, die (Kommunikations-)Risiken zu ihnen müssen analysiert und die Zuständigkeiten für den Kontakt mit diesen Umweltsphären müssen festgelegt werden.
Projekthandbuch	Die Grundsätze der Projektorganisation sind in einem Manual niederzulegen, das allen Projektteammitgliedern zugänglich ist und auch vom Mandanten und vom Kanzleimanagement eingesehen werden kann.
Projektplanung	
Projektstrukturplan	Der Projektstrukturplan zerlegt das Projekt in seine Phasen, ordnet den Ablauf der Projektphasen und weist die verschiedenen Arbeitspakete (inkl. Verantwortliche) den einzelnen Phasen zu.
Meilensteinplanung	Es wird eine Terminliste erstellt, aus der hervorgeht, bis wann bestimmte Phasen abgeschlossen und die dazu gehörenden Arbeitspakete abgearbeitet sind.
Projektbalkenplan	Die einzelnen Projektphasen und Arbeitspakete werden auf einem Balkendiagramm abgebildet (vgl. nächste Abbildung).
Projektressourcenplan	Hier wird der Einsatz der Personalressourcen (z.B. in Manntagen) geplant. Die Mitglieder des Projektteams werden nach Massgabe von Bedarf und Verfügbarkeit ausgewählt und den einzelnen Arbeitspaketen bzw. Projektleitungsfunktionen zugewiesen.
Projektkostenplan	Die Projektkosten werden nach Massgabe des Projektbudgets erfasst und in den entsprechenden Projektkostenarten (Anwaltsstunden, Fremdleistungen, Auslagen für Reisen, etc.) zugewiesen, den einzelnen Projektphasen zugeordnet und zeitnah überwacht.
Risikoanalyse	Bekannte und neu auftauchende Projektrisiken werden dokumentiert, zur Steuerung an einen Verantwortlichen zugewiesen, bewertet, bewirtschaftet (Massnahmenkatalog zur Verminderung, Eliminierung oder Migration) und in die Projektberichterstattung eingebaut.

Abb. 19: Übersicht Elemente Projektorganisation

112 Zentrales Dokument der Projektplanung ist das Balkendiagramm. Anhand dieses Schaubildes lässt sich jederzeit verfolgen, wo das Projekt steht, welche Dienstleistungspakete in Arbeit sind und welche Meilensteine zur Erreichung anstehen.

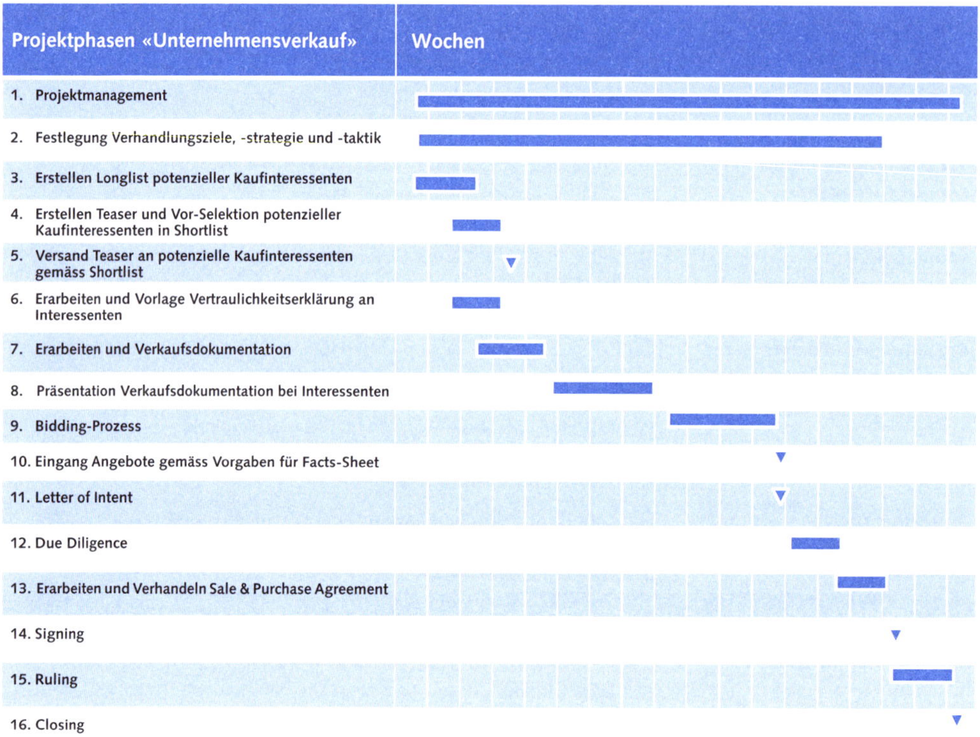

Abb. 20: Beispiel für ein Balkendiagramm in einem Transaktionsprojekt

6. Change – vom bestehenden zum neuen Geschäftsmodell

113 Das Geschäftsmodell ist nun beschrieben, die Strategie festgelegt, die Prozessarchitektur skizziert und die Systeme zur Unterstützung der Prozesse sind definiert. Die Frage ist nun noch, wie man von einem bestehenden zum neuen Geschäftsmodell kommt. Oder mit anderen Worten: Wie manage ich die Transformation von Geschäftsmodellen?

114 Zur Anwendung kommen die Grundsätze des sogenannten Change-Management.[70]

[70] Ausführlich zu den Ansätzen von Change-Management Müller-Stewens, Günter / Lechner, Christof: Strategisches Management – Wie strategische Initiativen zum Wandel führen. Stuttgart 2001, S. 404 ff.

6.1 Mittelallokation

Eine erste Herausforderung, die sich in diesem Zusammenhang stellt, ist jene nach der Allokation der Mittel. Gerade in Anwaltskanzleien sind die Schlüsselpersonen aus dem Kreis der Partner regelmässig intensiv in die Mandatsarbeit und in die Akquisition neuer Mandanten und Mandate eingebunden. Es bleibt wenig Raum und Zeit für Fragen der Unternehmensentwicklung. Der Erfolg im Tagesgeschäft hängt eben wesentlich davon ab, dass diese Schlüsselpersonen sich im Thema *run the business* engagieren. Das Thema *change the business* kommt deshalb oft zu kurz. Dabei ist es für den nachhaltigen Erfolg der Kanzlei entscheidend, dass sich die Partner um die bewusste Gestaltung der Zukunft Ihres Unternehmens kümmern. 115

Nicht infrage kommt die Delegation der Arbeit an der Kanzleizukunft an externe Leistungserbringer. Natürlich können aussenstehende Unternehmensberater und Coaches[71] im Transformationsprozess unterstützen. Die eigentliche Arbeit an den wichtigen Fragen, die sich im Zuge dieses Prozesses stellen, muss aber von den Partnern geleistet werden. 116

6.2 Inkrementelles Voranschreiten oder Transformations-Projekt

Change kann auf zwei Wegen erreicht werden: Entweder wird die Kanzlei inkrementell, Schritt für Schritt, an ständig sich verändernde Anforderungen herangeführt, oder die notwendige Transformation und Adaption wichtiger Entwicklungen im Umfeld der Kanzlei geschieht im Rahmen eines eigentlichen Change-Projektes. Beide Wege zum Ziel haben ihre Vor- und Nachteile. 117

Die inkrementelle Vorgehensweise ist angezeigt, wenn die Kanzlei bereits hoch adaptiv ist. Es ist selbstverständlicher Teil der Kanzleikultur, die Strategie periodisch zu hinterfragen und an veränderte Umstände anzupassen. Prozesse werden laufend auf ihre Tauglichkeit zur Umsetzung der Strategie hin überprüft und verbessert. «Bewegung» ist tief in den Köpfen der Partner verankert und wird nicht als Bedrohung wahrgenommen. Veränderungsinitiativen kommen aus allen Teams der Kanzlei, werden ernst genommen und seriös geprüft. Mitarbeiter und Partner haben ausreichend Freiräume, um in den von ihnen verantworteten Teilprozessen selbst Verbesserungen umzusetzen. Kanzleien, die in diesem Sinne permanent unterwegs sind, verfügen oft über ein gut verankertes und gelebtes Managementsystem, das prozessorientiert aufgebaut ist. 118

Grosse Transformationsprojekte sind oft notwendig, wenn eine Kanzlei unvermittelt mit der Tatsache konfrontiert wird, dass ihr Geschäftsmodell versagt: Honorarumsätze brechen ein, Wettbewerbern gelingt es, bisher treue Dauermandanten zu erobern, ganze Teams von fähigen jungen Anwälten verlassen die Kanzlei, oder es bricht offener Streit 119

[71] Hilb, Martin: Management by Coaching. Neuwied 2002, S. 29 ff.

aus zwischen den Partnern über das bis anhin praktizierte Gewinnverteilungsmodell. Die Einsicht, etwas verändern zu müssen, entsteht in solchen Situationen als Folge äusseren Drucks. Ein umfassend aufgesetztes Change-Projekt kann der Kanzlei und ihrer Kultur neues Leben einhauchen, sie verjüngen und dynamisieren.

6.3 Mechanik der Transformation

120 Die Mechanik der Transformation in der Kanzlei wurde in diesem Abschnitt ausführlich besprochen: Mithilfe geeigneter Modelle und Methoden wird die Strategie und werden die Prozesse definiert, und es werden Systeme zur Unterstützung dieser Prozesse ausgewählt und eingeführt. Kurz: Es wird ein Geschäftsmodell konfiguriert, das die Voraussetzungen dafür schafft, dass die «Maschine» Kanzlei effizient und effektiv am Markt operieren kann.

121 Reicht das aus? Genügt es, ein konfigurational überzeugendes Geschäftsmodell zu bauen? Ist damit der Erfolg bei potenziellen und bestehenden Mandanten, bei der Rekrutierung junger Talente und in der Motivation hoch qualifizierter und ambitionierter Anwälte garantiert?

6.4 Psychologie der Transformation

122 Ebenso wichtig wie die Mechanik der Transformation ist – um es mit Gutzwiller zu sagen – die «Psychologik» von Change.[72]

6.4.1 Gestalter und Gestaltete im Transformationsprozess

123 In einer Kanzlei gibt es typischerweise drei Gruppen von Menschen, die von der Transformation des Geschäftsmodells betroffen sind: die Partner, die Associates und das «Administrativ-Personal».

124 Die wesentlichen Entscheidungen in der Unternehmensentwicklung werden von den Partnern getroffen. Die Entscheidungsfindung ist oft ein langwieriger und gelegentlich auch schmerzhafter Prozess. Es wird Bestehendes und Bewährtes infrage gestellt, lieb gewordene Gewohnheiten müssen über Bord geworfen werden, Neues und Fremdes hält Einzug. Es sei die Aussage gewagt, dass Anwälte nicht dazu neigen, Neuerungen besonders aufgeschlossen gegenüber zu stehen. Wir sind eher konservativ, bauen darauf, dass einmal Eingeführtes berechenbar und zuverlässig abgewickelt wird. Die Beschäftigung mit Veränderungen empfinden wir eher als irritierend. Neuem gegenüber sind wir

[72] Gutzwiller, Thomas: Change Management. Präsentation im Lehrgang MLP-HSG vom April 2010. Vgl. dazu auch nachstehend Kapitel 4 zum Thema Leadership in der Kanzlei, sowie Manella, Jürg: Veränderungen – eine Betrachtungsweise aus psychologischer Sicht. In: Österle, Hubert / Winter, Robert (Hrsg.): Business Engineering. Berlin 2000, S. 83 ff.

skeptisch eingestellt. Werden Lösungsvorschläge präsentiert, sehen wir sofort die Ausnahmen und die mit der Umsetzung bestimmt einhergehenden Probleme.

Dennoch müssen Partner in der Kanzlei zu Entscheidungen kommen. Transformations- 125
projekte werden deshalb einlässlich diskutiert und von allen Seiten beleuchtet. Es wird aber – das ist zwingend so, weil ja bei der Abschätzung künftiger Entwicklungen regelmässig Annahmen getroffen werden, die ungewiss sind – immer Unsicherheit über den Bestand der Entscheidungsgrundlagen und die Qualität der erwogenen Entscheidungsoptionen bleiben. Hier kommen nun Glaubenssätze ins Spiel: Vertrauen wir den Partnern, welche die Entscheidungen vorbereitet und Alternativen gründlich geprüft haben? Verlassen wir uns darauf, dass die Partnerversammlung unter Inkaufnahme von Unsicherheit über künftige Entwicklungen schon Lösungen finden wird, wenn der Bedarf danach eines Tages – möglicherweise unerwartet – auftaucht?

Es ist erfahrungsgemäss von grosser Bedeutung, dass die Partnerversammlung zu einer 126
möglichst einstimmig getroffenen Entscheidung über die angestrebte Transformation kommt. Nur so besteht eine gewisse Gewähr dafür, dass die Entscheidung auch von allen umgesetzt wird. Ist dies nicht der Fall, gerät die Gruppe der Associates und des mittleren Managements beim Administrativpersonal in grosse Schwierigkeiten. Diese Schwierigkeiten haben ihren Ursprung in Loyalitätsproblemen. Welcher Gruppe von Partnern soll nun gefolgt werden? Alle sind sie Kanzleieigner und deshalb Vorgesetzte. Werden die Partner in wichtigen Entscheidungen als inhomogen wahrgenommen, breitet sich Illoyalität aus, nicht nur zu einzelnen Partnern, sondern auch zur Kanzlei als Ganzes. Das konsumiert enorm Energie. Gute Köpfe, die Alternativen haben, werden die Kanzlei verlassen. Spätestens dann werden auch die Mandanten merken, dass in der Kanzlei etwas nicht stimmt.

Wichtig ist sodann, dass auch Associates und wichtige Exponenten des Administrativ- 127
personals aktiv in den Change-Prozess eingebunden werden. Das Projektmanagement bietet die Chance, fähige Kanzleiangehörige unabhängig von ihrer hierarchischen Einordnung mit verantwortungsvollen Aufgaben in der Transformation zu betrauen. Die Möglichkeit, an der Erneuerung des Geschäftsmodells mitzuarbeiten, schafft Identifikation und befeuert das Engagement der Betroffenen. Diese Chance sollte genutzt werden.

Change-Prozesse zeichnen sich aber auch dadurch aus, dass es kaum je gelingt, das 128
neue Ufer mit der ganzen Mannschaft zu erreichen. Die Auseinandersetzung mit den fundamentalen Werten und Zielen der Kanzlei führt zwangsläufig dazu, dass sich jeder Kanzleiangehörige die Frage stellt, ob er hier am richtigen Platz ist. Es kann nur darum gehen, möglichst viele der Partner, Associates und Mitarbeiter mit auf die Reise in die Zukunft zu nehmen. Einzelne werden die Kanzlei verlassen, wenn sie realisieren, dass sich in der neuen Konstellation wichtige Differenzen in der Auffassung darüber ergeben,

wie die Kanzlei in Zukunft arbeiten soll.[73] Häufig wird in solchen Fällen die Entscheidung zum Ausscheiden nicht leicht und sozusagen in einem schnellen Schnitt getroffen. Es lässt die Motivation und damit auch die Leistung graduell nach, und es kann bei nichtigem Anlass zu heftigen Konfrontationen kommen.

129 Hier trifft die Kanzleiführung eine besondere Verantwortung. Sie muss darauf hinarbeiten, dass die Trennung von bisher geschätzten und verdienstvollen Anwälten und Mitarbeitern respektvoll und mit Anstand erfolgt. Es gilt, das gemeinsame Verständnis zu schaffen, dass Systeme (die Kanzlei) und Menschen sich in unterschiedliche Richtung entwickeln können und es wenig Sinn macht, allzu grosse Differenzen in der Auffassung darüber, welches der richtige Weg ist, aushalten zu wollen. Eine Trennung ist da der richtige Schritt. Geschieht sie in Minne, kann das durchaus dazu führen, dass Geschäftsbeziehungen – etwa zu Anwälten, die neu als Unternehmensjuristen in Rechtsabteilungen angeheuert haben – weiter gepflegt werden können und in Zukunft auch eine Rückkehr einzelner «Dissidenten» in die Kanzlei nicht ausgeschlossen ist.

6.4.2 Vertrauen in die Kanzleiführung

130 Ein wichtiges Element in der durch Transformation bewirkten Unsicherheit ist die Bildung von Vertrauen in die Kanzleiführung. Vertrauen ist zuallererst die Folge von Kontakt. Wenn ich nie Kontakt habe zum Managing Partner oder zu den Senior Partnern der Kanzlei, kann kein Vertrauen entstehen.

131 Die Tatsache, dass Kontakt besteht, genügt allein für sich aber natürlich nicht. Mein Gesprächspartner muss mich als authentisch wahrnehmen, als echt und wahrhaftig. Es mag bei einer einzelnen Begegnung gelingen, jemanden über die in einem Gespräch tatsächlich verfolgten Absichten oder über den innerlich eingenommenen Standpunkt in einer heiklen Frage zu täuschen. Auf Dauer klappt das nicht!

132 Ein drittes, Vertrauen erzeugendes Element ist Empathie. Das bedeutet, dass ich mich wirklich für meinen Gesprächspartner interessiere, ihn wahrnehme, mich in seine Situation hinein zu fühlen versuche. Empathie bedeutet nicht, dass ich meinem Gegenüber in allem zustimme.

133 Und schliesslich: Auch bei unterschiedlichen Auffassungen in Sachfragen ist es wichtig, dass ich meinem Gegenüber respektvoll begegne, ihn wegen seiner Opposition beispielsweise in einer entscheidenden Frage der Neuausrichtung der Kanzlei nicht als Mensch negativ bewerte.[74]

---

[73] Vgl. dazu auch Pfeil, Marcus: Das Klub-Prinzip. In: Brand Eins 09/10, S. 127, der das Phänomen der sogenannten Spin-offs in amerikanischen und deutschen Kanzleien beschreibt.

[74] Schulz von Thun, Friedemann / Ruppel, Johannes / Stratmann, Roswitha: Miteinander reden – Kommunikationspsychologie für Führungskräfte. 4. Auflage, Hamburg 2005, S. 52 ff.

Sind diese vier Voraussetzungen – Kontakt, Authentizität, Empathie und Respekt[75] – gegeben, kann Vertrauen entstehen. Hinzu kommen muss nun noch eine qualitativ hochwertige Kommunikation im Change-Prozess.[76] Es muss regelmässig, zeitnah und korrekt über den Fortgang des Prozesses berichtet werden. Nur wer informiert ist, kann die Reise mitmachen. Auch Schwierigkeiten sollen nicht ausgeblendet werden. In diesem Punkt werden die Mitarbeiter häufig unterschätzt: Viele Mitarbeiter – dies gilt für das Kollektiv ohnehin und in noch viel stärkerem Mass als für das einzelne Individuum – spüren sofort, wenn etwas nicht rund läuft. Es empfiehlt sich, beim Auftreten von Problemen schnell zu informieren. Tut man das nicht, sind Gerüchte und Missstimmung – und oft gar das Durchsickern von falschen Informationen an Mandanten – die beinahe zwangsläufige Folge. 134

Wird gut kommuniziert und entsteht eine Vertrauenskultur, die auch Ungewissheit erträgt, wird die Transformation des Geschäftsmodells der Kanzlei gelingen. 135

[75] Hilb, Martin: Integriertes Personalmanagement. 16. Auflage, Köln 2007, S. 28, nennt als zusätzliche Eigenschaften einer idealen Unternehmerpersönlichkeit, in welche die Mitarbeitenden ihr Vertrauen setzen, hohe Leistungsmotivation, ausgeprägte Lernfähigkeit, hohe Integrität und gute Kommunikationsfähigkeit. Fueglistaller, Urs / Müller, Christof / Volery, Thierry: Entrepreneurship. Wiesbaden 2004, S 40 f., betonen darüber hinaus die Bedeutung von interner Kontrollüberzeugung («Menschen mit einer ausgeprägten internen Kontrollüberzeugung glauben, dass Ereignisse hauptsächlich Resultat ihrer eigenen Handlungen sind.») und Risikofreudigkeit.

[76] Göntgens, Michael / Schmid, Torsten: Das strategische Programm kommunizieren. In: Menz, Markus / Schmid, Torsten / Müller-Stewens, Günter / Lechner, Christoph: Strategische Initiativen und Programme – Unternehmen gezielt transformieren. Wiesbaden 2011, S. 169 ff.

B. Prozess der Erstellung einer anwaltlichen Dienstleistung

WOLFGANG WEISS

1 Im Folgenden soll ein kurzer Aufriss über die Erstellung einer anwaltlichen Dienstleistung als Ablauf (Prozess) dargestellt werden. Ich werde mich dabei nicht auf die Kernfrage der Rechtsberatung selbst, sondern auf die mit der Erstellung dieser Dienstleistung zusammenhängenden Arbeitsabläufe konzentrieren. Ich tue dies aus der Perspektive einer internationalen Grosskanzlei. Die Unterschiede in der Arbeitsweise eines Einzelanwalts sind zu gross, als dass sich dies in einem für alle Kanzleiformen gleichermassen anwendbaren Papier darstellen liesse.

1. Der Arbeitsablauf eines Mandats (Workflow)

2 Den Arbeitsablauf, welcher zur Erbringung einer anwaltlichen Dienstleistung erforderlich ist, habe ich in sechs Stufen eingeteilt:

Zeitlicher Rahmen/ Prozess	1	2	3	4	5	6
Angebotserstellung («Pitch»)	△					
Verhandlungen/ Pricing		△				
Mandatsanlage/ Konfliktprüfung			△			
Matter Management (inkl. Kostenmonitoring)				△		
Abrechnung					△	
Debitorenkontrolle/ Mahnung						△

1.1 Angebotserstellung *Pitch*

3 Jede anwaltliche Dienstleistung beginnt mit einem Erstgespräch zwischen dem Anwalt und seinem (potenziellen) Mandanten über ein bei diesem aufgetretenes (Rechts-) Problem. Die Möglichkeiten, einen Mandanten zu gewinnen, sind vielfältig: Oft ist es die direkte Ansprache durch einen Mandanten, die Einladung, ein Angebot abzugeben, oder bei grossen Konzernen sind es formelle Ausschreibungsverfahren, bzw. die Einladung zur Teilnahme an sogenannten Panels. Hierbei handelt es sich um Rahmenaufträge an Kanzleien, welche nach Regionen, Tätigkeiten oder Volumina gegliedert werden und

der Rechtsabteilung helfen, ein ansonsten in jedem einzelnen Fall notwendiges, separates Ausschreibungsverfahren zu vermeiden.

Bei dem Gespräch mit dem Mandanten geht es darum, aus dem Sachverhalt möglichst konkret die sich stellende Rechtsfrage herauszufiltern, um den Mandanten auf den Umfang der Beratungstätigkeit hinweisen zu können. 4

Bei formellen Ausschreibungen werden Angebotsunterlagen *(pitch)* vorbereitet.[1] Die Präsentation findet i.d.R. im Wettbewerb mit anderen Kanzleien statt. In den *Pitch*-Dokumenten sind üblicherweise folgende Themen dargestellt: Informationen zur Kanzlei (Grösse, Standorte, Tätigkeitsschwerpunkte), Referenzmandate, Marktpositionierung – meist dargestellt anhand von Ratings von Marktbeobachtern (Chambers, JUVE, etc.), etc. 5

Im Rahmen einer Präsentation, an welcher das mit der Betreuung des Mandats sich bewerbende Team teilnimmt, werden die schriftlich vorgetragenen Punkte mündlich näher erläutert. Am Ende des Prozesses erteilt der Mandant den Auftrag an eine Kanzlei. Unproblematisch für die Preisgestaltung des Mandats sind alle Fälle, die über Preisrecht (RVG – Gesetz über die Vergütung der Rechtsanwältinnen und Rechtsanwälte) abrechenbar sind. Insbesondere bei grossvolumigen Mandaten ist es allerdings üblich, dass davon abweichende Honorarvereinbarungen getroffen werden. Der Mandant wird deshalb mehrere Angebote *(pitches)* einholen, das Leistungsspektrum und das Angebot miteinander vergleichen und sich für die preiswerteste (hoffentlich nicht günstigste!) Lösung entscheiden. 6

Im zweiten Abschnitt werde ich näher auf aktuelle Entwicklungen, wie das *Target-costing*-Verfahren, eingehen. 7

1.2 Verhandlungen/Pricing

Sehr oft führt (insbesondere bei grossvolumigen Mandaten) das erste Gespräch noch nicht zur Auftragserteilung, sondern die verschiedenen Angebote werden durch den Mandanten miteinander verglichen, und der Mandant versucht, in der Gegenüberstellung der einzelnen Angebote durch Verhandlungen ein Optimum zu erreichen. Hierbei ist es erforderlich, dass eine Kalkulation des Mandats erfolgt.[2] Zwar hat jeder Anwalt aus seiner Praxis Erfahrungswerte parat, mit welchen er die Aufträge vergleicht. Es kommt jedoch vor allem bei grossen Mandaten auf die individuellen Mandatserwartungen («Spezifikation») an. Hierzu bietet sich an, das Mandat in einzelne Segmente aufzuteilen. Dies könnte z.B. für eine M&A-Transaktion die Einteilung in: Vorbereitung, Due Diligence, Erstellung eines Kaufvertragsentwurfs, gegebenenfalls Vorschlag einer gesell- 8

---

[1] Siehe dazu eingehend den Beitrag von Markus Hartung, Akquisition anwaltlicher Mandate im *pitch*, Kapitel 2.

[2] Siehe John Cussons, Financial Planning and Management for Law Firms, ark Group, Seite 15 f.

schaftsrechtlichen/steuerlichen Struktur, kartellrechtliche und andere Stellungnahmen, Verhandlungsphase, Unterzeichnung Kaufvertrag, Vollzug Kaufvertrag etc. bedeuten.

9 Idealerweise liegen für die einzelnen Segmente Kostenschätzungen der Kollegen der betroffenen/beteiligten Fachbereiche/Jurisdiktionen vor. Oftmals sind aber im vorbereiteten Angebotsprozess noch zu wenig Details des Mandats bekannt, sodass mit Schätzungen gearbeitet werden muss, welche sich dann im Laufe der Verhandlungen konkretisieren. Erfolgt eine Abrechnung nach Stundensätzen, so entspricht i.d.R. die Kalkulation dem Auftragsvolumen. Sollte der Mandant davon abweichende Preisstellungen wünschen, so verweise ich auf den ausführlichen Abschnitt zu «Alternativen Honorarmethoden» im vorliegenden Buch.[3]

10 Am Ende der Verhandlungen erfolgt dann der «Zuschlag» und das Mandat kann angelegt werden.

1.3 Mandatsanlage

11 Bei der Mandatsanlage müssen die Fragen der Rechtsbeziehung zum Mandanten klar beantwortet sein:

- Wer hat den Auftrag erteilt?
- Wer ist der Leistungsempfänger? (Dies ist insbesondere bei Auftraggebern, welche in mehreren Jurisdiktionen Rechtsrat erhalten, wichtig.)
- Wer ist der Rechnungsempfänger (= Leistungsempfänger?)?
- Gibt es gegebenenfalls mehrere Auftraggeber?

12 Daneben gibt es innerorganisatorische Fragen, welche geklärt werden müssen, wie z.B. welche Rechtsstruktur der Mandant hat und wer innerhalb eines Konzerns der konkrete Auftraggeber ist, was für ein Transaktionstyp (welche Art der Beratung angefragt ist) vorliegt, ob es sich um Beratungsleistungen handelt, welche der Mandant selbst erbringt oder ob die Beratungsleistung an Dritte weiterverrechnet wird. Am Wichtigsten ist eine möglichst präzise Mandatsbeschreibung («Spezifikation»).

13 Daneben sind weitere Fragen für das Finanzwesen zu klären, insbesondere welche Segmente anzulegen sind (um dem Mandanten später zu einzelnen Teilbereichen Zwischenstände melden zu können), ob auf dem Mandat Volumenbegrenzungen *(cap)* vereinbart worden sind, ob es zu den Listenpreisen Abschläge/Rabatte gibt, ob gegebenenfalls Mischpreise vereinbart worden *(blended rates)* sind, wie die Abrechnungsstruktur (monatliche Abschläge, monatliche Rechnungen, endfällige Rechnungen) sein soll und ob es bestimmte Anforderungen an die Rechnungsstellung selbst gibt (insbesondere bei elektronischen Rechnungsverfahren).

[3] Krämer, Andreas , Alternative Honorarmodelle im Anwaltsgeschäft, Kapitel 5.

Daneben werden noch weitere Fragen wie Haftungsbegrenzungen, Reporting-Rhythmen, Berichterstattung für den CFO etc. Teil der Anlage. 14

Bei internationalen Kanzleien muss darüber hinaus eine Konfliktprüfung durchgeführt werden. Grosse Kanzleien verfügen über komplexe Systeme zur Konfliktprüfung, die an sieben Tagen in der Woche rund um die Uhr betrieben werden und in deren Rahmen Mitarbeiter betraut sind, Interessenskonflikte zu vermeiden. 15

Diese enthalten grundsätzlich zwei Ebenen:[4] 16

- Die gesetzlichen Ausschlusstatbestände: Wenn der Anwalt bereits für die Gegenpartei tätig war, so ist er gesetzlich gehindert, das Mandat anzunehmen.
- Kommerzielle Hinderungsgründe: Bei manchen Mandanten (insbesondere US Corporates) besteht die Policy, sich ausschliesslich von einer Kanzlei vertreten zu lassen. Teilweise wird im Auftrag explizit eine Vertretung der Wettbewerber einzelvertraglich und für alle Jurisdiktionen ausgeschlossen. Insbesondere bei international tätigen Kanzleien muss daher sichergestellt werden, dass keine Jurisdiktion gegen diese Vereinbarungen verstösst und einen Auftrag annimmt. Darüber hinaus ist oftmals eine Vertretung gegen einen Mandanten nicht opportun oder beschädigt Geschäftsentwicklungspotenziale. All diese Fragen müssen – und das ist umso schwerer, je grösser die Organisation ist – in einem Abstimmungsverfahren geklärt werden, sodass kein Imageschaden für die Kanzlei entsteht.

Daneben werden die Mandatsauftragsdaten erfasst, insbesondere welche konkreten Rechtsfragen der Mandant geklärt haben möchte. Diese werden intern an die verschiedenen Beteiligten weitergeleitet. 17

1.4 *Matter Management* (inkl. Kostenüberwachung)

Am Beginn der Umsetzung eines Mandats steht die Planung, wie die Rechtsfragen bearbeitet werden sollen. Bei Grosskanzleien stellt sich darüber hinaus die organisatorische Frage, 18

- welche Präferenzen der Mandant hat,
- welche Spezialisten bei einer Transaktion mitarbeiten werden,
- welche Jurisdiktionen und Fachbereiche eingeschaltet werden und
- welche Verfügbarkeiten es gibt.

Darüber hinaus müssen die einzelnen Segmente geplant werden, um die Voraussetzungen für einen Soll-Ist-Kostenvergleich zu ermöglichen. 19

---

[4] Vgl. § 43B BRAO, § 3 BORA.

20 Wird dann auf dem Mandat gearbeitet, so ist laufend sicherzustellen, dass die Zeiten in einem Zeiterfassungssystem zeitnah erfasst werden, um dem Mandanten jederzeit einen Überblick über den aktuellen «Wasserstand» des Mandats und des Fortschritts einzelner Segmente zu geben.

21 Darüber hinaus sollte auch die Spezifikation überwacht werden. Sehr häufig treten im Laufe einer genaueren Sachverhaltserfassung neue Rechtsfragen auf oder vertiefen sich Fragestellungen, sodass beim Mandanten nachgefragt werden muss, ob dieser eine Erweiterung des Auftrags (verbunden mit Kostenerhöhungen) wünscht und welche Tiefe er bei der Beantwortung von Rechtsfragen erwartet.

22 Insbesondere dieses *matter management*, das Projektmanagement bei M&A-Prozessen oder *litigation discoveries*, kann bei grossen Mandaten einen erheblichen Umfang annehmen, und es empfiehlt sich, diese Tätigkeit gegebenenfalls durch entsprechende IT-Unterstützung zu bewältigen.[5]

1.5 Abrechnung

23 Abhängig von der Grösse des Mandats und von den vereinbarten Zahlungsbedingungen wird (insbesondere bei Grossmandaten) ein regelmässiger Abschlag auf die geleisteten Stunden geleistet, bzw. am Ende des Mandats ein Rechnungsentwurf des Gesamtmandats erstellt.

24 Dieser wird in der Regel dem Mandanten zur Durchsicht zur Verfügung gestellt, um zu besprechen, ob er mit der anwaltlichen Dienstleistung zufrieden war und ob diese auftragsgerecht erbracht wurde. Bei Abweichungen wird er dies zur Kenntnis geben und in dem Rechnungsentwurf entsprechende Änderungen vornehmen. Sind die offenen Fragen zum Rechnungsentwurf geklärt, erfolgt die Rechnungsstellung.

1.6 Forderungsmanagement/Debitorenkontrolle/Mahnung

25 Nach Rechnungsstellung wird der Zahlungseingang überwacht. Dies kann sich, abhängig von der Jurisdiktion, hinziehen. So sind in Deutschland 30 Tage Zahlungsziel üblich, in südlicheren europäischen Regionen kann dies jedoch bis zu 120/180 Tage dauern. Sollte die Rechnung nicht rechtzeitig beglichen werden, schliesst sich ein Mahnlauf an. Am Ende dessen könnte eine zwangsweise Betreibung der Forderung stehen. Damit tun sich juristische Dienstleister in der Regel schwer, weil damit die Möglichkeit beendet wird, zukünftige Mandate von diesem Mandanten zu erhalten. Man wird daher immer versuchen, zunächst eine gütliche Einigung zu erzielen.

[5] Siehe dazu Jim Hassett, Legal Project Management, LegalBizDev, 2011, Seite 5 f.

Prozess: Prozessuale Unterstützung der einzelnen Mandate

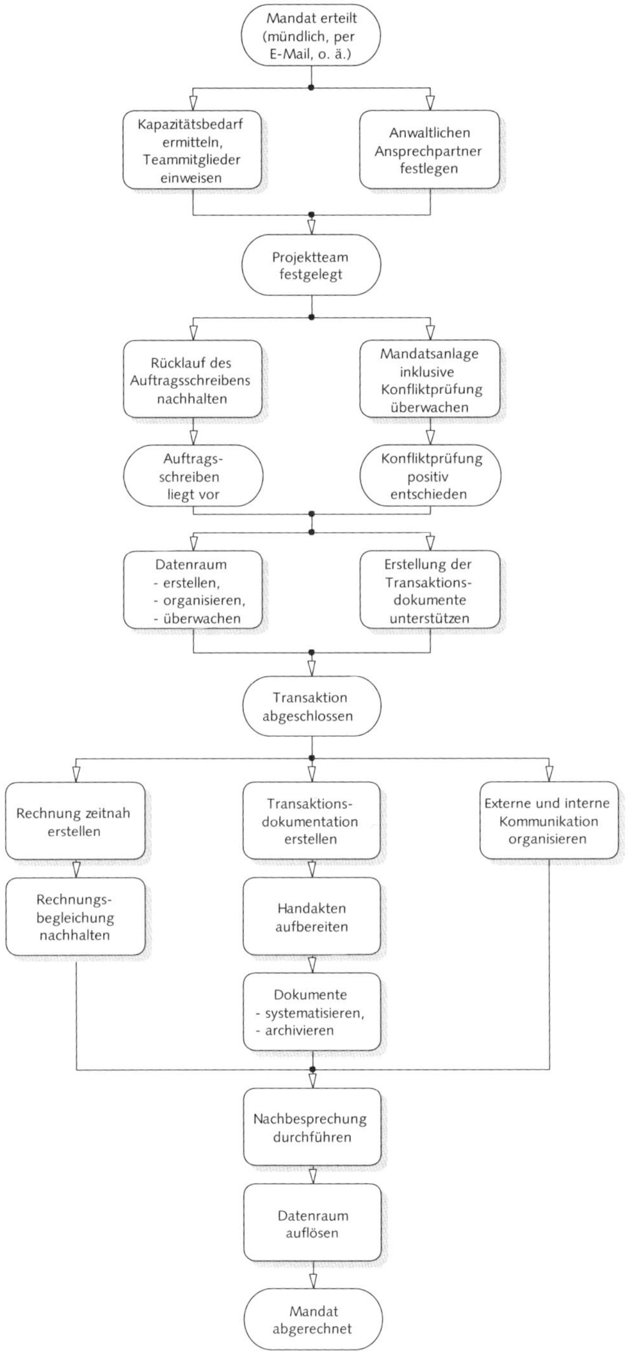

2. Aktuelle Entwicklungen

2.1 Angebot

26 In der jüngsten Zeit zeigt sich, dass verstärkt neben der Einrichtung von Panels, insbesondere bei Auftraggebern aus der Industrie, das sogenannte *Target-costing*-Verfahren[6] eingesetzt wird. Dies Verfahren ist in der Automobilindustrie in den 90er-Jahren entwickelt worden. Es ist mit dem Namen des Einkaufsleiters von VW (Herrn Lopez) verknüpft.

27 Bei dem Verfahren geht es beispielsweise darum, den Preis eines Autos nicht mehr aus der Summe der Kosten aller für den Bau notwendigen Module und Einzelteile durch Addition zu ermitteln *(bottom-up)*, sondern in einem umgedrehten Prozess *(top-down)* zunächst die Gesamtkosten des Autos zu definieren und dann anhand von Wertschöpfungsvorgaben den auf das einzelne Modul bzw. die Einzelteile entfallenden Einzelpreis abzuleiten.[7]

28 Neben der Erreichung dieses Zielpreises werden bestimmte Anwaltskategorien (Hierarchie der Anbieter: Paralegal, Associate, Senior Associates, Counsel, Junior (Salary) Partner, Senior Partner) definiert. In einem zweiten Schritt werden dem konkreten Mandat bestimmte Hierarchie-Stufen zugeordnet, d.h. z.B. für vorstandsnahe Beratung sollen dann im Wesentlichen Senior Partner, Junior Partner, Counsel und Senior Associates eingesetzt werden (in diesem Beispiel würden Junior Associates oder Paralegals nicht honoriert). In volumenlastigen Verfahren, bei denen es schwerpunktmässig auch um Sachverhaltserfassungen geht, würden im Gegenzug Paralegals oder Junior Associates auf dem Mandat eingesetzt werden, aber keine senioren Mitarbeiter. Darüber hinaus werden für die einzelnen Kategorien Mindesterfahrungen und Verantwortlichkeiten im Projekt vereinbart. Daneben werden bestimmte Rahmenbedingungen wie z.B. die Abrechnungen von Reisekosten, aber auch die Frage des Nachweises von bestimmten Leistungen in einer vom Mandanten vorgegebenen Form (gegebenenfalls unter Einsatz einer IT-Plattform) vorgegeben.

29 Darüber hinaus wird erwartet, dass die Kanzlei bestimmte Anwaltspersönlichkeiten für bestimmte Mandate verfügbar macht, der Einsatz bestimmter Offices in Regionen garantiert und kontinuierlich über die Aktivität der Teilnehmer berichtet wird.

30 Gleichzeitig wird der Einkauf in den Abwicklungsprozess eingebunden. Dies war in der Vergangenheit die alleinige Aufgabe der General Counsel. Die zwingende Beteiligung des Einkaufs soll der Unternehmung eine bessere Budget- und Kostenkontrolle über die Rechtsanwaltsleistungen ermöglichen. Grössere Mandate werden grundsätzlich geplant. Hierzu wird ein Projektplan erstellt, in welchem die Fachleute aus der Rechtsabteilung

---

[6] Vgl. dazu Seidenschwarz, Werner, Target Costing, Das erfolgreiche Konzept für ein marktorientiertes Zielkostenmanagement, Franz Vahlen Verlag, 1993.

[7] Siehe dazu Schulte-Henke, Claus, Kundenorientiertes Target Costing und Zuliefererintegration für komplexe Produkte, Gabler Verlag, 2007.

der Unternehmen detaillierte Anforderungskataloge für Teilleistungen erstellen. Anhand dieser werden dann Arbeitspakete definiert. Sollten sich Abweichungen sowohl hinsichtlich des Projektumfangs als auch des geplanten Volumens ergeben, so sind diese über (ebenfalls über den Einkauf abzuwickelnde) Nachtragsangebote anzumelden und sollten erst bearbeitet werden, wenn eine entsprechende Freigabe vorliegt. All dies folgt dem formalisierten Verfahren (bis zum Einsatz von Lieferanten- und Projektnummern), welches für industrielle Lieferbeziehungen üblich ist.

Der Einsatz des *Target-costing*-Verfahrens wird sich aufgrund seiner Standardisierung nur 31 für spezielle, sich massenhaft wiederholende Sachverhalte (z.B. Patent- oder Warenzeichenanmeldungen, standardisierte Vertragsmuster, Stichwortsuche in E-Mails etc.) einsetzen lassen. Ob dieses Verfahren bei komplexem Rechtsrat sinnvoll ist, darf bezweifelt werden, da der dafür zu betreibende Aufwand wohl nicht zweckmässig ist.

2.2 Verhandlungen

Eine weitere aktuelle Entwicklung ist der Einsatz von Preisinnovationen. Ein ausführ- 32 licher eigener Artikel dieses Handbuchs beschäftigt sich mit Details der «Alternativen Honorarmethoden».[8] Ich will hier nur auf die damit verbundene Frage der Risikoverteilung näher eingehen.

Traditionell rechnet der Anwalt nach Aufwand/Stunden ab. Damit liegt das Preisrisiko 33 beim Auftraggeber/Mandanten. Der Grund hierfür liegt darin, dass der Mandant i.d.R. die besten Informationen über die Rahmenbedingungen des Falles hat.

In jüngster Zeit kann man eine Verschiebung der Risiken feststellen. Der Mandant erwar- 34 tet, dass der Rechtsanwalt ihm bei einem vorgegebenen Lebenssachverhalt aufgrund seines Fachwissen und Erfahrung einen bestimmbaren Arbeitsumfang mitteilen kann und ihm so Kosten(Budget-)sicherheit gibt. Diese wird dann entweder über vorgegebene Budgets gesteuert oder über Festpreise *(fixed fees)* oder über Volumenobergrenzen *(caps)* limitiert. Das kann im Einzelfall dazu führen, dass der Anwalt zwar Risiken übernimmt, die zur Steuerung notwendigen Sachverhalte aber nicht vollständig kennt oder nicht Zugriff auf alle zur Steuerung notwendigen Sachverhaltsinformationen hat. Der einzige Ausweg aus dieser Risikoverschiebung ist völlige Transparenz und Offenheit.

2.3 *Matter Opening*

Bei Mandaten, welche Rechtsbezug zu den USA/New York haben, stellt sich im Rah- 35 men der Konfliktprüfung ein besonderes Thema:

[8] Krämer, Andreas , Alternative Honorarmodelle im Anwaltsgeschäft, Kapitel 5.

36 Seit dem 1. April 2009 verlangen die New York Bar Rules, dass ein *conflicts waiver* in Schriftform vorgelegt wird. Die New York Conflict Rules verbieten es in New York zugelassenen Anwälten, ohne eine Verzichtserklärung (sogenannte *conflicts waiver*) gegen die Interessen eines existierenden Mandanten zu handeln bzw. zu beraten, selbst wenn das neue Mandat für den anderen Mandanten nicht in Verbindung mit der bisherigen Tätigkeit für den existierenden Mandanten steht.

37 Nach den New York Conflicts Rules wird daher ein *conflicts waiver* benötigt, um in einem Mandat zu beraten, bei dem ein Mandant der Sozietät auf der Gegenseite ist. Die New York Conflict Rules sind insoweit deutlich strenger als die Regelungen zu Interessenkonflikten im deutschen Standesrecht oder die Regelungen im Solicitor's Code of Conduct in Grossbritannien. Sie sind immer dann zu beachten, wenn auf einem Mandat in New York zugelassene Anwälte (bei Doppelzulassung: zu US-rechtlichen Fragen) beraten.

2.4 E-Billing

38 Eine Neuerung ist hier das sogenannte E-Billing. Darunter versteht man den ausschliesslichen elektronischen Versand von elektronischen Rechnungen. Hierfür gibt es (leider) verschiedene Anbieter (Broker) und derzeit noch keinen einheitlichen technischen Standard. Dies führt dazu, dass mit grossem Aufwand die technischen Voraussetzungen für eine elektronische Rechnungserstellung geschaffen werden müssen. Neben den IT-technischen Fragen (Übergabe, Protokoll, verwendete Software etc.) sind insbes. Fragen der Beschreibungen *(narratives)* zu klären. Die Beschreibungen der einzelnen Zeiteinträge unterliegen i.d.R. strengen Richtlinien, welche der Mandant dem Anwalt vorgibt. Diese Richtlinien reglementieren die standardmässige Akzeptanz von Tätigkeiten. Bestimmte Tätigkeiten (z.B. «interne Besprechung») werden generell ausgeschlossen. Ebenso werden für einzelne Einträge Buchungscodes vergeben, welche es dem System, bzw. dem Auftraggeber ermöglichen, einen standardisierten Überblick über bestimmte Kategorien zu bekommen und statistische Auswertungen zu fahren.

39 Auch wird der Rechnungsprüfungsaufwand auf den Anbieter (Kanzlei) verlagert. Nur Tätigkeiten, welche sich in das statistische Korsett pressen lassen, werden nach diesem Verfahren abrechenbar. Auch alle Anwälte, welche auf dem Mandat arbeiten, sollen in eine Datenbank eingepflegt werden. Werden bei Grossmandaten zusätzliche Anwälte tätig, welche nicht im Vorfeld freigegeben wurden, gibt es keine Kostenerstattung.

40 Dieses Verfahren soll dem Mandanten helfen, einen besseren Überblick über seinen *legal spent,* d.h. die Gesamtleistung, welche er für Rechtsanwaltsleistungen ausgibt, zu ermöglichen. Diese ist insbesondere bei grossen Konzernen mit Tochtergesellschaften in verschiedenen Jurisdiktionen aus der Information/Buchhaltung nur mit sehr grossem manuellem Aufwand ermittelbar.

2.5 Globale Analyse durch externe Dienstleister

Einen ähnlichen Überblick verschaffen Anbieter wie z.B. die Firma «Legalbill» dem General Counsel. Dafür ist grundsätzlich kein Einsatz eigener IT des Mandanten notwendig. Es handelt sich um eine Dienstleistung, nicht um eine Softwarelösung. Mit eigener Software formatieren die Anbieter dieser Dienstleistung die Rechnungen in ein von ihnen verwendetes Standardformat um. Dieses wird dann in ein Rechenzentrum eingelesen und statistisch mit Rechnungen verschiedener Kanzleien weltweit verglichen. Daraus ergibt sich ein hohes Mass an Transparenz. Der Mandant erhält statistische Auswertungen über die an dem jeweiligen Mandat beteiligten Anwälte, deren zeitlichen Einsatz, statistische Häufungen von bestimmten *narratives* etc. Auf diese Art und Weise können für den General Counsel Redundanzen insbesondere bei grossvolumigen Aufträgen besser überwacht und vermieden werden. Daneben ist der Anbieter auch in der Lage, Abweichungen von der Norm darzustellen, welche nicht automatisch zu einer Minderberechnung führen müssen. 41

Ähnlich dem E-Billing auch hier Voraussetzung für den Auftrag sind umfassende Mandatierungsrichtlinien. In diesen werden den Kanzleien Vorgaben zu den Zeiteinträgen gemacht. Darüber hinaus erfolgen Vorgaben über Mindestzeiten (z.B. 6-Minuten-Einheiten). Die Einträge werden hinsichtlich der abrechnenden Person und des zeitlichen Umfangs auf Angemessenheit überprüft. Administrative Tätigkeiten (z.B. zur Erstellung der Rechnungen, allgemeine Bürokosten, Dateiendownload etc.) dürfen nicht in Rechnung gestellt werden. Recherche- oder Reisetätigkeiten werden nur nach vorheriger Zustimmung mit dem Auftraggeber als abrechenbar gekennzeichnet. Diese Transparenz ermöglicht es, auch bei grossvolumigen Daten eine Best-Practice-Analyse zu erstellen. Die Informationen können mit den Abrechnungen anderer Kanzleien in ähnlichen Situationen verglichen werden. Aufgrund der Datenbasis wird der Mandant dann darauf hingewiesen, welche taktischen oder strategischen Änderungen er an Aufträgen vornehmen könnte. Insbesondere bei grossen Banken und Unternehmen soll die Dienstleistung dem General Counsel ein besseres globales Verständnis der Anwaltskosten vermitteln. Die Analyse der Kostenkategorien kann zur Identifizierung von Ineffizienzen und Verhaltensmustern führen. Die Compliance-Analyse wird Abrechnungen, welche mit den Mandatierungsrichtlinien nicht übereinstimmen, auswerfen. Aus diesem Vorgehen können dann eine Reihe von standardisierten Verbesserungshinweisen (interne Freigaben müssen erteilt werden, gebündelte Rechnungen müssen aufgesplittet werden, Kalkulationsirrtümer beseitigt, Rabatte gegebenenfalls angepasst, Reisezeiten bzw. Arbeitszeiten gegebenenfalls korrigiert werden) abgeleitet werden. 42

Die statistische Auswertung ermöglicht auch personenbezogene Analysen, die zur Entdeckung verhaltensbezogener Auffälligkeiten (z.B. hoher Planungs- und Vorbereitungsaufwand, Review- und Drafting-Zeiten, Reisezeiten etc.) führen können. Auch kann das Überschreiten individueller Arbeitszeiten für einen Mandanten bei vereinbarten 43

Zielgrössen (z.B. maximale Tageszeiten von 8/10 Stunden) herausgefiltert werden. Auf diese Art und Weise werden Netzdiagramme von einzelnen an dem Mandat beteiligten Anwälten ermöglicht, welche die für ihre Abrechnung jeweils typischen Strukturen näher aufgliedern.

2.6 Outsourcing bzw. Kostensegmentierung

44 Eine weitere aktuelle Entwicklung liegt in dem Einsatz von externen juristischen Dienstleistern *(Legal Process Outsourcing)* bzw. in dem Einsatz von juristisch vorgebildeten Mitarbeitern (Paralegals, Transaction Lawyers) im Rahmen der juristischen Leistungserstellung. Insbesondere in den Bereichen M&A und *Litigation (Discovery)* gilt es, teilweise sehr umfassende Sachverhaltsermittlungen zu betreiben. Die Mandanten sind zunehmend weniger bereit, hierfür ausgebildete Volljuristen einzusetzen. Darüber hinaus ist eine dauernde Erfassung der Sachverhalte für einen Volljuristen keine spannende Aufgabe. Deshalb hat sich (vor allem im englischsprachigen Raum) ein Angebot externer Dienstleister entwickelt, welche diese Dienstleistungen sowohl für die Grossunternehmen als auch für Anwaltssozietäten erbringen.

45 Daneben ist auch in Europa zunehmend der Trend erkennbar, eine Senkung der durchschnittlichen Gestehungskosten durch eine Segmentierung der Arbeit und Verteilung der Aufgaben nach der jeweils minimal notwendigen fachlichen Qualifikation zu erreichen.

C. Anwaltsgesellschaften in der Schweiz

GAUDENZ G. ZINDEL[1]

1. Einführung

Anwaltskanzleien sind heute nicht mehr nur in Einzelpraxen oder Personengesellschaften organisiert. Im Zuge der Entwicklung der Kanzleienlandschaft in der Schweiz[2] wird die Anwaltstätigkeit zunehmend in der Struktur von Anwaltskörperschaften[3] ausgeübt. Was noch vor zehn Jahren als unrealisierbar galt, ist heute Realität. Bahnbrechend waren die Entscheide der Aufsichtskommissionen der Kantone Obwalden und Zürich im Jahre 2006. Auslöser dieser bedeutsamen Liberalisierung der Organisationsform von Anwaltskanzleien war das Bestreben, eine Organisationsform wählen zu können, wie sie bei anderen Anbietern von Rechtsdienstleistungen seit Langem verwendet und als Selbstverständlichkeit aufgefasst wird. Grundlage des Projektes bildete ein Positionspapier[4], in welchem neben obligationen- und steuerrechtlichen Aspekten vor allem die berufs- und aufsichtsrechtlichen Abklärungen erörtert und zusammengefasst wurden. Mit der Öffnung der anwaltlichen Organisationsformen in Richtung Anwaltskörperschaften ist ein Dogma des anwaltlichen Berufsrechts zum Nutzen der Entwicklung des Anwaltsberufs überwunden worden. Heute ist die Zulässigkeit der Anwaltskörperschaft weitgehend anerkannt[5]. Dass mit dieser Entwicklung eine Schmälerung der Grundfesten der 1

[1] Der Autor ist Mitglied des vom Schweizerischen Anwaltsverband (SAV) eingesetzten Expertenkomitees zur Erarbeitung des Schweizerischen Anwaltsgesetzes. Er dankt Dr. Ernst Staehelin, Advokat, Vorsitzender dieses Expertenkomitees, für die Durchsicht des vorliegenden Beitrages.

[2] Gab es zum Zeitpunkt der Motion Cottier betreffend neue Organisationsformen für Angehörige der freien Berufe, d. h. im Jahre 1999, lediglich 34 Kanzleien mit 10 oder mehr Anwälten und keine Kanzleien mit mehr als 50 Anwälten in der Schweiz, so gibt es heute 75 Kanzleien mit mehr als 10 Anwälten und zusätzlich 11 Kanzleien mit mehr als 50 Anwälten, die zusammen mehr als 2000 Patentinhaber umfassen, d.h., rund 25% aller SAV-Mitglieder praktizieren in grossen Kanzleien, die sich eine feste Struktur durch Statuten, Kapital und Haftungsbeschränkung geben wollen. Siehe zum Ganzen Beat von Rechenberg, Anwaltskörperschaft – Wohin führt der Weg?, Anwalts-Revue 2010, 425 f.

[3] Zur Terminologie: Im vorliegenden Beitrag werden die Begriffe Anwaltsgesellschaft und Anwaltskörperschaft nebeneinander verwendet. Während Anwaltskanzleien in Form von Kollektivgesellschaften schon lange bekannt sind, geht es hier um die Inkorporierung von Anwaltskanzleien in Form der Aktiengesellschaft und der Gesellschaft mit beschränkter Haftung (GmbH). Zur gesellschaftsrechtlichen Einordnung siehe Arthur Meier-Hayoz/Peter Forstmoser, Schweizerisches Gesellschaftsrecht, 10. Aufl. Bern 2007, § 3 Rz. 3.

[4] Das grundlegende Positionspapier zur Zulässigkeit von Anwaltskörperschaften vom Januar 2006 ist abrufbar auf der Website des Schweizerischen Anwaltsverbandes, www.sav-fsa.ch (Member-Bereich) und Zürcher Anwaltsverbandes www.zav.ch unter Service – Anwaltskörperschaften (Member-Bereich).

[5] Zu den ersten befürwortenden Autoren gehören: Peter Nobel, Rechtsformen der Zusammenarbeit von Anwälten: Organisationsfreiheit für Anwälte!, in: Schweizerisches Anwaltsrecht, Bern 1998, 339 ff.; Reto Vonzun, Die Anwalts-Kapitalgesellschaft – Zulässigkeit und Erfordernisse, ZSR 120, 2001, I 447 ff.; Walter Fellmann, Rechtsformen der Zusammenarbeit von Rechtsanwälten, in: Aktuelle Anwaltspraxis 2003,

Anwaltstätigkeit einhergehen würde, trifft nicht zu. Dies soll im vorliegenden Beitrag aufgezeigt und untermauert werden.

2. Anwaltsgesellschaften als Realität

2 In den ersten drei Jahren nach Öffnung der Organisationsformen für Anwaltskanzleien kam es in der Schweiz zu zahlreichen Errichtungen[6] von Anwaltskapitalgesellschaften. Per Ende 2009 hatten sich in der **Schweiz** bereits 80 Kanzleien mit insgesamt 908 Mitgliedern als Anwaltskörperschaften organisiert[7]. Dies bedeutet, dass innert kurzer Zeit bereits mehr als 10% aller freiberuflichen Anwälte in Anwaltskörperschaften arbeiten. Erfreulicherweise haben nicht nur grössere und grosse Kanzleien von der Möglichkeit der Inkorporierung Gebrauch gemacht; in ungefähr gleichem Ausmass sind auch mittlere und kleinere Anwaltsbüros in Form einer Kapitalgesellschaft organisiert[8]. Die Anwaltskörperschaften sind heute in 14 Kantonen zugelassen[9]. Die grosse Mehrzahl der inkorporierten Kanzleien sind Aktiengesellschaften; die Form der GmbH[10] haben bisher nur vereinzelte Anwaltsbüros gewählt.

3 In **Deutschland** ist zunächst die *GmbH* als Rechtsanwaltsgesellschaft zugelassen und in der Bundesrechtsanwaltsordnung (BRAO) geregelt[11]. In der Rechtsprechung ist sodann seit einigen Jahren die *Aktiengesellschaft* als weitere zulässige Form der Rechtsanwaltsgesellschaft anerkannt[12]. Höchst bemerkenswert ist dabei die überzeugende Feststellung des BGH, wonach gestützt darauf, dass «der Gesetzgeber ein dahin gehendes Verbot nicht ausgesprochen hat, es den Gerichten verwehrt ist, ein solches Verbot durch eigene Rechtssätze zu entwickeln, die das Recht der Aktiengesellschaft auf Zugang zur anwalt-

29 ff. Skeptischer demgegenüber Lukas Handschin, Anwaltsgesellschaften als juristische Personen: Zum Stand der Diskussion, Anwalts-Revue 2003, 259 f. (pro GmbH, kontra AG). Siehe ferner François Bohnet/Vincent Martenet, Droit de la profession d'avocat, Berne 2009, Rz. 2360, 2401 (m.w.H.); Isaak Meier, Schweizerisches Zivilprozessrecht, Zürich 2010, 10. Kapitel Anwaltsrecht, 561 ff., 577. Zur Praxis der (kantonalen) Aufsichtskommissionen siehe 4. Rz. 18 ff. hiernach.

6 Zur Art der Errichtung der Anwaltskörperschaften siehe insbesondere Urs P. Gnos, Umwandlung einer Anwaltskanzlei in eine Anwalts-AG, Reprax 2007, 1 ff.

7 Siehe Beat von Rechenberg, Die Anwalts-Gesellschaft als Faktum, Anwalts-Revue 2010, 190 ff. (mit Statistik per 31.12.2009).

8 Von Rechenberg (zit. Anm. 7), 192 (Statistik).

9 Siehe zu den Einzelheiten 4. Rz. 18 ff. hiernach.

10 Mit einer Anwaltskanzlei in der Rechtsform einer GmbH befasste sich der (befürwortende) Entscheid der Aufsichtskommission des Kantons Obwalden vom 2. Oktober 2008.

11 § 59c bis § 59m BRAO. Zur Entwicklung der Anwalts-Körperschaften in anderen Ländern siehe auch Bohnet/Martenet (zit. Anm. 5), Rz. 2345 ff.

12 Ablehnend noch AGH Nordrhein-Westfalen, Beschluss vom 17.1.2003 (1 ZU 57/02 AGH NW); zulassend BayObLG, Beschluss vom 27.3.2000 (AnwBl. 2000, 368 ff.) und BGH, Beschluss vom 10.1.2005 (AnwZ (B) 27/03 – AnwZ (B) 28/03), gefolgert insbesondere aus dem höherrangigen Recht des Grundgesetzes (Art. 12 Abs. 1 und Art. 3 Abs. 1 GG). In Gang gesetzt hatte den Auffassungswandel die Entscheidung des BayObLG vom 24.11.1994 (NJW 1995, 199).

lichen Beruftätigkeit einschränken würden»[13]. Ferner besteht die Möglichkeit der Etablierung einer Partnerschaftsgesellschaft nach dem Partnerschaftsgesellschaftsgesetz[14]. Nicht zugelassen wird gemäss einem Urteil des BGH vom 18.7.2011 die Rechtsanwalts-GmbH & Co. KG. Im Jahre 2010 bestanden in Deutschland 453 Rechtsanwalts-GmbHs und 22 Rechtsanwalts-AGs[15]. Zu unterstützen ist die berufsrechtliche These, wonach «die teilweise im anwaltlichen Berufsrecht noch bestehenden Beschränkungen bei der Wahl der Organisationsform aufgegeben werden müssen»[16].

Das **französische Recht** der Anwaltsgesellschaften ist gut auf die Bedürfnisse des Anwaltsmarkts abgestimmt. Es stellt eine Vielfalt von anwaltlichen Gesellschaftsformen zur Verfügung[17], und die Anforderungen sind in wichtigen Punkten liberal. Bemerkenswert ist, dass der französische Gesetzgeber im Jahr 1990 mit einem *alle regulierten freien Berufe erfassenden Einheitsgesetz* die Gesellschaftsformen zur Verfügung gestellt hat, die bis anhin nur den gewerblichen Unternehmen offen standen. Im Vordergrund der diversen gesellschaftsrechtlichen Organisationsformen steht die *société d'exercise libéral* (SEL). Insgesamt existieren in Frankreich fünf Formen von Kapitalgesellschaften mit Haftungsbeschränkungen[18]. 4

3. Gründe für die Anwaltsgesellschaft

Die Zulassung von Anwaltskörperschaften entspricht einem erheblichen und ausgewiesenen Bedürfnis. Die Konstituierung einer Anwaltskanzlei als gesellschaftsrechtliche Kör- 5

[13] Beschluss vom 10.1.2005, Ziff. 4.

[14] Gesetz über die Partnerschaftsgesellschaften Angehöriger Freier Berufe (Partnerschaftsgesellschaftsgesetz – PartGG) 1995/2008. Danach ist die Partnerschaft eine Gesellschaft, in der sich Angehörige freier Berufe zur Ausübung ihrer Berufe zusammenschliessen; sie übt kein Handelsgewerbe aus und Angehörige einer Partnerschaft können nur natürliche Personen sein (§ 1 Abs. 1 PartGG).

[15] Auf eine Zahl von Rechtsanwälten von insgesamt 155 600. Nicht zugelassen hat der BGH jüngstens eine Rechtsanwaltsgesellschaft (in Form einer GmbH), bei welcher die Mehrheit der Geschäftsanteile und der Stimmanteile Patentanwälten zusteht, die nicht zugleich Rechtsanwälte sind (BGH, Urteil vom 10. Oktober 2011, AnwZ (Brfg) 1/10 – BayAGH).

[16] Michael Krenzler, Die Zukunft des anwaltlichen Berufsrechts zwischen Deregulierung und Neuordnung, BRAK-Mitteilungen 2010, 234, These 4.

[17] Neben den Gesellschaftsformen ohne eigene Rechtspersönlichkeit (namentlich der seit 2007 zugelassenen association d'avocats à responsabilité professionelle individuelle, AARPI) bestehen mit der klassischen société civile professionelle d'avocats (SCP), der société d'exercise libéral (SEL), der Holdingstruktur der société de participations financières de profession libérale (SPFPL) und der société en participations d'avocats weitere valable Gesellschaftsformen zur Verfügung (siehe Martin Henssler, Das französische Recht der Anwaltsgesellschaften, NJW 2010, 1425 ff., m.w.H.).

[18] Es sind dies: *Société d'exercise libéral à responsabilité limitée* (SELARL), Rechtsanwalts-GmbH; *société anonyme d'exercise libéral* (SELAFA), Rechtsanwalts-AG; *société par actions simplifiées* (SAS), vereinfachte Form der AG; *société d'exercise libéral en commandite par actions* (SELCA), Rechtsanwalts-KGaA; *société d'exercise libéral à responsabilité limitée unipersonnelle* (SELARLU oder SELASU), Einmann-Rechtsanwalts-GmbH oder -AG.

perschaft ist kein Selbstzweck. Vielmehr sprechen sachliche Gründe für eine Inkorporierung[19]. Im Vordergrund stehen die folgenden Motive:

3.1 Flexibilität im Fortbestehen und Professionalisierung der Kanzlei

6 Die Möglichkeit zur Inkorporierung ermöglicht den Anwaltskanzleien Erleichterungen im Hinblick auf *Wechsel in der Zusammensetzung der Partnerschaft*[20]. In einer juristischen Person lässt sich die Nachfolge einfacher regeln. Die Inkorporierung ist hier die Antwort auf das Streben nach Langfristigkeit des Bestehens der Kanzleien und insbesondere auf ihr Fortbestehen unabhängig von den Gründungspartnern.

7 Durch die Übertragung der Aktien (AG) oder der Stammanteile (GmbH) lässt sich der Wechsel von Kanzleipartnern und damit das Fortbestehen der Kanzlei bedeutend leichter bewerkstelligen. Bei Anwaltsgesellschaften kann beim Ausscheiden eines Partners oder bei der Aufnahme neuer Partner die Neuverteilung der Aktienbeteiligung problemlos durch Anpassung der von den einzelnen Partnern gehaltenen *rechnerischen Anteile* am Aktienkapital erfolgen[21].

8 Die langfristige Ausrichtung und Flexibilität der körperschaftlichen Struktur bildet zudem die Basis für folgende *weitere Vorteile* der Anwaltsgesellschaften[22]:

- Aufbau und Steigerung der *Reputation* der Kanzlei;
- Wahl und Etablierung der *Firma* als wertvolles Markenzeichen der Kanzlei[23];
- Festigung des mit dem Klientenstamm verbundenen Goodwill;
- Professionalisierung der *Finanz- und Risikokontrolle* nach den Regeln des Körperschaftsrechts, insbesondere zufolge (vom Aktienrecht geforderter[24]) Etablierung einer Finanzplanung und einer Finanzkontrolle, Aufbau eines adäquaten

[19] Zu den Gründen, Anwaltskanzleien als Gesellschaften mit eigener Rechtspersönlichkeit zu organisieren, auch Kaspar Schiller, Schweizerisches Anwaltsrecht, Zürich 2009, Rz. 1247 ff.

[20] Anwalts-Gesellschaft: Regulierung oder Wirtschaftsfreiheit?, Anwalts-Revue 2011, 163 (Mitteilung der Redaktion); Manuel Bianchi della Porta/Edgar Philippin, Pratique du métier d'avocat en société de capitaux, GesKR 2010, 5 f.

[21] Nach diesen rechnerischen Anteilen errechnet sich auch der Dividendenanspruch der einzelnen Partner-Aktionäre. Die rechnerischen Anteile sind dabei in der Regel nicht übertragbar und nicht abtretbar.

[22] Näheres zu den Vorteilen der Inkorporierung bei Bianchi della Porta/Philippin (zit. Anm. 20), 4–8. Ein Teil dieser Elemente lässt sich selbstredend auch durch besondere Regelungen bei Personengesellschaften bewerkstelligen. Bei den Körperschaften gehören diese Elemente indessen zum Selbstverständnis.

[23] Siehe auch Anwalts-Revue 2011 (zit. Anm. 20), 163.

[24] Siehe insbesondere Art. 716a und Art. 728a Abs. 1 Ziff. 3 und Art. 663b Ziff. 12 OR.

Rechnungswesens und Einführung eines professionellen Risikomanagements, einschliesslich eines Internen Kontrollsystems (IKS)[25];

- Flexibilisierung des *Entscheidungsprozesses* zufolge konsequenter Ausrichtung der Beschlussfassungen auf das Mehrheitsprinzip, unter Vermeidung von das Fortbestehen der Kanzlei gefährdenden Blockierungen[26];
- Steigerung der *Attraktivität,* namentlich auch im Hinblick auf neue Mitarbeiter *(hiring)*[27].

Mit Blick auf das *Geschäftsmodell* der Anwaltskanzleien führt eine Inkorporierung damit 9
insgesamt in aller Regel zu einer *Professionalisierung,* namentlich auch hinsichtlich der Führung und der Führungsorgane der Anwaltskörperschaft[28]. In einem kompetitiven Marktumfeld sind neben der qualitativ hochstehenden Mandatsarbeit auch die Kanzleistruktur und die Management-Kapazität wesentlich. Dabei ist Kanzleimanagement nicht nur eine Frage der Personen, sondern auch eine solche der Struktur.

Nachdem das Bundesgericht die Anwaltstätigkeit seit einiger Zeit als kaufmännisches 10
Unternehmen qualifiziert[29], müssen den Anwaltskanzleien auch die diesbezüglichen Organisationsformen nach den Bestimmungen des Gesellschaftsrechts und des Handelsregisterrechts offenstehen[30].

3.2 Wettbewerbsfähigkeit

Ein weiterer wichtiger Grund für die Errichtung einer Anwaltsgesellschaft besteht in 11
der Wettbewerbsfähigkeit der Schweizer Anwaltskanzleien. Angesichts der (nationalen und internationalen) Freizügigkeit der Anwälte ist es essenziell, dass sich die Schweizer Anwaltskanzleien einer Organisationsform bedienen können, welche die Vorzüge verwirklicht, wie sie auch die ausländischen Kanzleien in Anspruch nehmen können, mit denen sie im Wettbewerb stehen[31]. Es handelt sich hier um ein wesentliches Element der Waffengleichheit oder der Vermeidung einer Diskriminierung im Verhältnis zu ausländischen Kanzleien, die von den Vorteilen einer Inkorporierung, insbesondere von der Haftungsbegrenzung, profitieren können[32]. Die Zulassung von Anwaltsgesellschaften in der Schweiz stellt damit auch eine wichtige Antwort dar auf die berufsrechtlichen und

[25] Wobei diese Parameter teilweise auch bei Kanzleien in der Rechtsform der Kollektivgesellschaft zu beachten sind.

[26] Kein Einstimmigkeitserfordernis und namentlich kein Vetorecht einzelner Kanzleipartner.

[27] Ausgeklammert bleiben hier die Aspekte der steuerlichen Folgen einer Inkorporierung (vgl. dazu Schiller, Anwaltsrecht, zit. Anm. 19, Rz. 1247; Bohnet/Martenet, zit. Anm. 5, Rz. 2430 ff.). Es handelt sich dabei in der Regel eher um ein Begleitmotiv als um den Anstoss zur Bildung einer Anwaltskörperschaft.

[28] Siehe insbesondere Bianchi della Porta/Philippin (zit. Anm. 20), 6 ff.

[29] BGE 124 III 363; siehe auch bereits die Relativierung in BGE 110 Ib 345.

[30] So auch Schiller, Anwaltsrecht (zit. Anm. 19), Rz. 1254 f.

[31] Siehe Bianchi della Porta/Philippin (zit. Anm. 20), 3.

[32] Zur Zulässigkeit der Anwaltsgesellschaften im benachbarten Ausland siehe 2. Rz. 3 f. hiervor.

ökonomischen Entwicklungen auf dem internationalen Anwaltsmarkt. Es geht darum, den Schweizer Anwaltskanzleien ein *level playing field* auf dem internationalen Markt zu ermöglichen[33].

3.3 Haftungsbeschränkung

12 In den letzten Jahren und Jahrzehnten hat die Komplexität der in den Anwaltskanzleien zu behandelnden Fälle erheblich zugenommen. Mit dem erhöhten Schadenpotenzial ist auch das *Haftungsrisiko gestiegen.* Gleichzeitig sind Anwaltsmandate betreffende Haftungsfälle zahlreicher geworden. Dazu dürften auch die von den Anwaltskanzleien abgeschlossenen Berufshaftpflichtversicherungen beigetragen haben[34], indem sie den Anreiz für Schadenersatzklagen gegen Anwälte erhöht haben.

13 Angesichts dieses erhöhten Haftungsrisikos ist es legitim, dass auch Anwälte danach streben, die herkömmlichen rechtlichen Mittel zur Haftungsbegrenzung einzusetzen. Neben der Förderung und Kontrolle der (inhaltlichen und prozeduralen) Qualität der anwaltlichen Arbeit und der Vermeidung eines Übernahmerisikos bei der Mandatsannahme stehen dabei die *klassischen gesellschaftsrechtlichen*[35] *Möglichkeiten* zur Eingrenzung der Haftung im Vordergrund. Dabei haben Haftungsbeschränkungen im Bereich der Kollektivgesellschaft ihre (engen) Grenzen, da das Recht der Kollektivgesellschaft keinen «Minimalhaftungsfonds» zugunsten der Gläubiger vorsieht[36]. Die primäre Haftung der Kollektivgesellschaft schützt den einzelnen Anwalt nur, wenn das Gesellschaftsvermögen zur Deckung des Schadens ausreicht[37]. Bei den Körperschaften wirkt sich die Ausgestaltung als juristische Person mit eigenem Vermögen bekanntlich dahingehend aus, dass primär stets nur die Gesellschaft mit ihrem Vermögen ihren Gläubigern haftet, während das Vermögen der einzelnen Gesellschafter grundsätzlich nicht in Anspruch genommen werden kann. Diese Möglichkeit zur Haftungsbegrenzung ist gesetzlich ausdrücklich vorgesehen[38]. Ein Verbot für Anwälte, von dieser Möglichkeit Gebrauch zu machen, findet sich weder im Gesellschaftsrecht noch im anwaltlichen Berufsrecht[39].

---

[33] Ebenso Bianchi della Porta/Philippin (zit. Anm. 20), 4.

[34] Der Abschluss einer Berufshaftpflichtversicherung ist mit dem Inkrafttreten des BGFA zur gesetzlichen Pflicht geworden (Art. 12 lit. f BGFA). Die Versicherungssumme muss mindestens CHF 1 Million (pro Jahr) betragen und hat sich nach «Massgabe der Art und des Umfangs der Risiken» der anwaltlichen Tätigkeit zu richten.

[35] Die Fragen und Möglichkeiten der vertraglichen Haftungsbegrenzung bleiben in diesem Beitrag ausgeklammert.

[36] Meier-Hayoz/Forstmoser (zit. Anm. 3), § 13 Rz. 37.

[37] Siehe Walter Fellmann, Neue Rechtsformen für Anwaltskanzleien und ihre Auswirkungen auf die Haftung des Anwalts, in: Haftpflicht des Rechtsanwalts, Zürich / St. Gallen 2006, 85 f. (zit. Rechtsformen), der die Haftungsprävention in der Kollektivgesellschaft als «jedenfalls sehr labil» bezeichnet.

[38] Legaldefinitionen in Art. 620 Abs.1 OR für die Aktiengesellschaft und Art. 772 Abs. 1 OR für die GmbH.

[39] Näheres dazu bei Schiller, Anwaltsrecht (zit. Anm. 19), Rz. 1275 ff.; Fellmann, Rechtsformen (zit. Anm. 37), 70 f.

14 Auch bei Dienstleistungen mit starker persönlicher Vertrauensbeziehung ist die Ausübung der Berufstätigkeit über eine Gesellschaft mit eigener Rechtspersönlichkeit *privatrechtlich* betrachtet «unbedenklich und üblich»[40]. Eine Pflicht der Anwälte, persönlich mit ihrem Vermögen zu haften, ergibt sich auch nicht aus dem öffentlichen Recht, insbesondere nicht aus dem *anwaltlichen Berufsrecht.* Die Vorschrift des BGFA, wonach der Anwalt eine angemessene Berufshaftpflichtversicherung abzuschliessen hat[41], zeigt vielmehr, dass dem Gesetzgeber das Haftungssubstrat wichtig war (und weniger das persönliche Vermögen des Anwalts)[42]. Eine besondere Rechtfertigung dafür, dass die verfassungsrechtliche Gleichstellung der Anwälte mit den übrigen gewerblichen Dienstleistungserbringern (Gewerbetreibenden) vor den Kapitalgesellschaften Halt machen sollte, ist nicht erkennbar[43].

15 Wichtig ist auch hier, *Transparenz* zu schaffen. So soll mit dem Klienten eine Mandatsvereinbarung abgeschlossen werden, und auch in der Vollmacht ist klarzustellen, dass sich diese auf ein Mandat mit der Anwaltskörperschaft (AG oder GmbH) bezieht.

16 Insgesamt ist festzuhalten, dass die Inkorporierung von Anwaltskanzleien den Klienten nicht zum Nachteil gereicht[44].

4. Das Werden der Anwaltsgesellschaft in der Schweiz

17 Der Startschuss für die Zulässigkeit der Anwaltskörperschaft erfolgte im Jahre 2006. Als erste der kantonalen Aufsichtskommissionen entschied die Aufsichtskommission des Kantons Obwalden am 29. Mai 2006, es gebe keine Anzeichen dafür, dass mit dem Anwaltsgesetz (BGFA) die Organisationsfreiheit der Anwälte eingeschränkt werden sollte[45]. Als nächste folgte kurz danach die Aufsichtskommission des Kantons Zürich mit ihrem vielbeachteten Entscheid vom 5. Oktober 2006[46]. Während es sich im ersten Fall um einen Zusammenschluss von drei Anwälten in der Rechtsform der Aktiengesellschaft handelte, ging es im zweiten zusätzlich um die Frage der Zulässigkeit des Zusammenschlusses zu einer grösseren, multidisziplinären Partnerschaft ebenfalls in der Rechtsform der Aktiengesellschaft.

---

[40] Schiller, Anwaltsrecht (zit. Anm. 19), Rz. 1276; vgl. zu den Haftungsfragen auch Bohnet/Martenet (zit. Anm. 5) Rz. 2411 ff.

[41] Art. 12 lit. f BGFA.

[42] Schiller, Anwaltsrecht (zit. Anm. 19), Rz. 1276, mit dem richtigen Hinweis, dass der einzelne Anwalt keineswegs ein besserer Schuldner zu sein braucht als eine Anwaltskörperschaft.

[43] Vonzun (zit. Anm. 5), 453 f.; Walter Fellmann, Anwaltsrecht, Bern 2010, 525 f. (zit. Anwaltsrecht).

[44] Es sind denn auch keine Beschwerden von Klienten im Zuge der Inkorporierung von Anwaltskanzleien bekannt.

[45] Verfügung der Aufsichtskommission des Kantons Obwalden vom 29. Mai 2006 (AKO 06/001/ab).

[46] Beschluss der Aufsichtskommission über die Anwältinnen und Anwälte des Kantons Zürich vom 5. Oktober 2006, ZR 105, 2006, Nr. 71, 294.

18 Mit diesen beiden wegweisenden Entscheiden war der Boden für die Zulassung der Anwaltsgesellschaft geebnet. In den Jahren 2007 bis 2009 folgten die Aufsichtskommissionen der Kantone (in alphabetischer Reihenfolge) Aargau, Basel-Stadt, Bern, Genf, Graubünden, Luzern, Schwyz, Tessin, Uri, Waadt, Wallis und Zug[47]. Damit lassen heute die Anwaltskommissionen in 14 Kantonen die Organisation der Anwaltskanzleien in der Rechtsform einer Kapitalgesellschaft zu[48].

19 Von den Kantonen, die über die Zulässigkeit der Anwaltskörperschaft konkret befunden haben, bildet der Kanton St. Gallen die einzige Ausnahme[49]. Das Kantonsgericht des Kantons St. Gallen ist der ablehnenden Einstufung der Anwaltskammer des Kantons St. Gallen gefolgt[50]. Das Bundesgericht wird in Kürze darüber befinden.

5. Wirtschaftsfreiheit – auch für Anwälte

20 Bei der Beurteilung der Zulässigkeit von Anwaltskörperschaften kommt der *verfassungskonformen Auslegung der Bestimmungen des BGFA* eine überragende Rolle zu. Diese Komponente wird unterschätzt. Ausgangspunkt ist die *Wirtschaftsfreiheit* gemäss Art. 27 BV. Diese in der Bundesverfassung verankerte Freiheit umfasst die freie Wahl des Berufes sowie den freien Zugang zu einer privatrechtlichen Erwerbstätigkeit und deren freie Ausübung (Art. 27 Abs. 2 BV). Die Wirtschaftsfreiheit umfasst insbesondere auch die *organisatorische Freiheit,* die privatwirtschaftliche Tätigkeit in den vom Privatrecht zur Verfügung gestellten Organisationsformen auszuüben[51]. Folglich kann die Anwaltstätigkeit in den vom schweizerischen Obligationenrecht zur Verfügung gestellten Gesellschaftsformen[52], neben der Kollektivgesellschaft namentlich jener der

---

[47] Siehe die Fundstellen zu diesen Entscheiden: www.BGFA.ch/Rechtsprechung/Kantone; Fellmann, Anwaltsrecht (zit. Anm. 43), Rz. 1602 und dortige Fussnoten. Zu den Entscheiden im Kanton Genf siehe Philippe Meier/Christian Reiser, in: Loi sur les avocats, Commentaire Romand, hrsg. von Michel Valticos/Christian M. Reiser/Benoît Chappuis, Basel 2010, Art. 13 N 103 ff. und dort auch die Darlegungen in Art. 8 N 51 ff.

[48] In diesen 14 Kantonen sind insgesamt 87% der Mitglieder des Schweizerischen Anwaltsverbandes (SAV) tätig (Mitgliederstatistik, Anwalts-Revue 2/2011).

[49] Entscheid der III. Zivilkammer des Kantonsgerichts St. Gallen vom 18. Januar 2011; siehe auch den vorausgehenden Entscheid der Anwaltskammer vom 28. Juli 2010 (AW.2010.10-AWK) und die Stellungnahme der Anwaltskammer des Kantons St. Gallen vom 13. Mai 2008 gegenüber dem St. Gallischen Anwaltsverband (AW.2008.11-AWK; GVP 2008 Nr. 91). Ablehnend auch die Anwaltsaufsichtskommission Kanton Basel-Landschaft (Auskunft vom 30.8.2005 betr. Anwalts-GmbH), wobei im Zeitpunkt dieser Auskunft die Argumentation der Aufsichtskommissionen der Kantone Zürich und Obwalden noch nicht bekannt waren.

[50] Entscheid des Kantonsgerichts St. Gallen vom 18.1.2011 (BR.2010.2-K3).

[51] Häfelin/Haller/Keller, Schweizerisches Bundesstaatsrecht, 7. Aufl., Zürich 2008, Rz. 646 ff. Siehe auch Saverio Lembo, L'exercice de la profession en société de capiteaux, in: Jeanneret/Hari (Hrsg.), Défis de l'avocat au XXIe siècle, Genève 2008, 372 ff.

[52] Hinsichtlich des massgeblichen Kriteriums der Beherrschung der Gesellschaft durch registrierte Anwälte ergibt sich bei der *Kollektivgesellschaft* dieselbe Situation wie bei den Anwaltskörperschaften als juristische Personen. Es wird mit der Inkorporierung von Anwaltskanzleien also im entscheidenden berufsrecht-

Aktiengesellschaft und der GmbH, ausgeübt werden. Eingriffe in die Wirtschaftsfreiheit bedürfen einer gesetzlichen Grundlage, müssen durch ein überwiegendes öffentliches Interesse gerechtfertigt sein und den Grundsatz der Verhältnismässigkeit sowie der Rechtsgleichheit wahren[53]. Dabei ist die *Eingriffsschranke* im Bereich der Wirtschaftsfreiheit *besonders hoch,* indem Abweichungen nur zulässig sind, wenn sie in der Bundesverfassung vorgesehen sind[54]. Dies bedeutet, dass der Verfassungsgeber Eingriffe in die Wirtschaftsfreiheit als eine so bedeutende Materie einstuft, dass er diese Eingriffkompetenz dem (einfachen) Gesetzgeber entzieht und sich selbst vorbehält[55]. Folge der Systemrelevanz der Wirtschaftsfreiheit ist eine institutionelle Garantie zugunsten der Privatwirtschaft. «Demnach ist Wirtschaften grundsätzlich Sache der Privaten»[56]. Das Bundesgericht hat im Leiturteil 130 II 87 ff. denn auch ausdrücklich festgehalten, dass bei der Auslegung des Begriffs der Unabhängigkeit im Sinne von Art. 8 Abs. 1 lit. d BGFA die *verfassungsrechtliche Komponente* zu berücksichtigen ist[57].

Aus dieser verfassungsrechtlichen Einordnung der Frage der Zulässigkeit von Anwalts- 21
körperschaften ergibt sich, dass nicht massgeblich ist, ob es gesetzliche Bestimmungen gibt, welche die Anwaltstätigkeit in der Rechtsform von Körperschaften zulassen. Vielmehr ist – und dies ist entscheidend – *umgekehrt zu fragen,* ob es rechtliche Regelungen gibt, welche die Ausübung des Anwaltsberufes in der Organisationsform juristischer Personen verbieten. Darüber hinaus ist zu verlangen, dass solche Regelungen mit den dargelegten verfassungsrechtlichen Vorgaben im Einklang stehen[58]. Da ein solches gesetzliches Verbot für die Tätigkeit einer Anwaltsgesellschaft auf dem Gebiet der anwaltlichen Berufsausübung nicht besteht, die richtig gestellte Frage also mit Nein zu beantworten ist, ist die Ausübung der Anwalttätigkeit in Anwaltskörperschaften aus verfassungsrechtlichen Gründen zuzulassen.

Anwaltsgesellschaften wären nur dann nicht zuzulassen, wenn – was nicht zutrifft – 22
die anwaltlichen Berufsregeln bei einer Berufsausübung im Rahmen von Anwaltskörperschaften nicht erfüllt werden könnten. Neben der für jede Anwaltstätigkeit unerlässlichen Unabhängigkeit wird auch das *Berufsgeheimnis,* der zweite Grundpfeiler des

---

lichen Punkt der Unabhängigkeit nicht Neuland betreten. Dass sich eine Anwaltkanzlei als Kollektivgesellschaft konstituieren kann (oder gar als solche qualifiziert werden muss), ist dabei unbestritten (vgl. BGE 124 III 365, Erw. 2b).

53 Siehe Art. 36 BV und Ehrenzeller/Mastronardi/Schweizer/Vallender, Kommentar zur schweizerischen Bundesverfassung, 2. Aufl., St. Gallen/Zürich 2008, Art. 27 N 49 und Art. 36 N 10 ff. und 18 ff.

54 So ausdrücklich Art. 94 Abs. 4 BV.

55 Siehe zu diesem differenzierten Schrankensystem bei der Wirtschaftsfreiheit Ehrenzeller/Mastronardi/Schweizer/Vallender (zit. Anm. 53), Art. 27 N 52 und Art. 94 N 4.

56 Ehrenzeller/Mastronardi/Schweizer/Vallender (zit. Anm. 53), Art. 27 N 81.

57 BGE 110 II 92 f. (Erw. 3); siehe dazu auch Hans Nater/Martin Rauber, Zulässigkeit der Anwalts-AG: Stunde der Wahrheit, SJZ 2011, 213 (m.w.H.); Bianchi della Porta/Philippin (zit. Anm. 20), 11 ff.; Schiller, Anwaltsrecht (zit. Anm. 19), Rz. 1244; ferner Anwalts-Revue 2011 (zit. Anm. 20), 163 f.

58 So auf den Punkt gebracht vom BHG im Beschluss des Bundesgerichtshofes vom 10.1.2005, Erw. III/1, 9 (m.w.H.). Ebenso muss die Beurteilung für das schweizerische Recht ausfallen.

anwaltlichen Berufsrechts, durch die Inkorporierung von Anwaltskanzleien *nicht beeinträchtigt.* Das anwaltliche Berufsgeheimnis gilt unabhängig von der von der Anwaltskanzlei gewählten Rechtsform in seinem vollen Umfang[59]. Dies lässt sich insbesondere auch hinsichtlich der Tätigkeiten der Revisoren oder allfälliger Sonderprüfer sicherstellen[60].

6. Anwaltsgesellschafter und multidisziplinäre Partnerschaften

23 Eine Kernfrage der Anwaltsgesellschaften betrifft die *Zusammensetzung der Gesellschafter.* Ist mit der Zulassung von Anwaltsgesellschaften unabdingbar verbunden, dass nur registrierte Anwälte Gesellschafter einer Anwaltskörperschaft sein können? Die Aufsichtskommission des Kantons Zürich äusserte sich auch zur Frage der Zulässigkeit der *multidisziplinären Partnerschaften* (MDP)[61], während sich jene des Kantons Obwalden mit dieser Frage nicht zu befassen hatte.

24 Entscheidend ist nach der hier vertretenen Auffassung nicht, ob die Anwaltsgesellschaft ausschliesslich aus registrierten Anwälten zusammengesetzt ist, sondern vielmehr, ob bei der Anwaltsgesellschaft mit Nichtanwälten als Gesellschafter die *Beherrschung durch registrierte Anwälte sichergestellt* und damit auch der Charakter als Anwaltskanzlei gewährleistet ist. Die Beherrschung einer Anwaltskörperschaft verlangt aber nicht, dass die Gesellschafter *ausschliesslich* aus registrierten Anwälten bestehen. Die aufsichtsrechtlichen Vorgaben lassen sich auch dann erfüllen, wenn in kleiner Zahl Nichtanwälte Gesellschafter einer Anwaltsgesellschaft sind. Der Einbezug von Nichtanwälten in Anwaltsgesellschaften wäre nur dann ein Problem, wenn dies dazu führen würde, dass sich die Unabhängigkeit der anwaltlichen Berufsausübung (keine Weisungsbefugnis von Nichtanwälten) und die Einhaltung des Berufsgeheimnisses nicht mehr gewährleisten liessen. Dies ist indessen nicht der Fall. Die Beherrschung der Anwaltsgesellschaft durch eingetragene Anwälte ist bei multidisziplinären Partnerschaften dadurch sicherzustellen, «dass *auf allen Entscheidungsebenen* (in der Generalversammlung, im Verwaltungsrat und – eingeschränkt auf mandatsbezogene Belange – auch in der Geschäftsleitung) Beschlüsse (Sachgeschäfte und Wahlen) *nur zustande kommen, wenn die zustimmende Mehrheit,* welche die gesetzlich oder statutarisch vorgegebenen Quoren erreicht, *mehr*

---

59 Zu den Aspekten der Wahrung des Berufsgeheimnisses in Anwaltsgesellschaften siehe Hans Nater/Gaudenz G. Zindel, in: Fellmann/Zindel, Kommentar zum Anwaltsgesetz, 2. Aufl. Zürich 2011, Art. 13 N 39 ff. (m.w.H.); ferner Fellmann, Anwaltsrecht (zit. Anm. 43), Rz. 1634 ff.; Bohnet/Martenet (zit. Anm. 5), Rz. 2409 ff., 2457 f.; Lembo (zit. Anm. 51), 381 f.

60 Namentlich sind die Revisoren ihrerseits zur Verschwiegenheit verpflichtet (Art. 321 StGB), ebenso der Sonderprüfer (Art. 697d Abs. 4 OR). Im Rahmen der Mehrwertsteuer haben sich zudem Verfahren etabliert, die es gestatten, das Berufsgeheimnis zu wahren.

61 Beschluss der Aufsichtskommission über die Anwältinnen und Anwälte im Kanton Zürich vom 5. Oktober 2006, Erw. IV/2.2 und 5, ZR 105, 2006, Nr. 71, 300, 303.

(nach Köpfen gezählt[62]) *eingetragene Anwältinnen und Anwälte als nicht eingetragene Personen auf sich vereinigt*»[63]. Zu verlangen ist sodann, dass die Partnergesellschafter aktiv in der Kanzlei mitzuarbeiten haben. Aus dem Grundsatz der aktiven Mitarbeit in der Anwaltsgesellschaft ergibt sich, dass blosse Kapitalanlagen und stille Beteiligungen an Anwaltsgesellschaften nicht zuzulassen sind[64].

Wie das Bundesgericht im Leiturteil 130 II 89, 93 f. zutreffend festgehalten hat, ist das Bild des unabhängigen Anwalts, der selbständig ein Anwaltsbüro betreibt, in vielen Fällen überholt. Vielmehr seien Anwälte heute oft in komplexen (Unternehmens-) Strukturen tätig. Nicht nur würden sich immer öfter mehrere Anwälte zu immer grösseren Anwaltskanzleien zusammenschliessen; sie organisierten sich auch zunehmend mit Wirtschaftsfachleuten, Treuhändern, Steuerexperten usw. Ein Zusammenwirken der Anwälte mit anderen Berufsgruppen (one-stop-shop) liegt im Interesse der Klienten. *Multidisziplinäre Partnerschaften nicht zuzulassen ist daher nicht mehr zeitgemäss*[65]. Die Dienstleistungsbedürfnisse der Klienten verlangen heute eine auf die geänderten Verhältnisse ausgerichtete Strukturierung der Anwaltskanzleien. Es ist konsequent und zu begrüssen, dass die Aufsichtskommission des Kantons Zürich im Zuge der Zulassung von Anwaltskörperschaften auch multidisziplinäre Partnerschaften für zulässig erklärt[66], sofern der Zweck der Gesellschaft auf den Betrieb einer Anwaltskanzlei beschränkt bleibt. Soweit sich Tätigkeiten vom anwaltlichen Kerngeschäft entfernen, müssen – auch diese – vorab von den Anwälten selbst ausgeübt werden. Die Mitwirkung von Nichtanwälten in Anwaltskanzleien muss daher *in engem Zusammenhang mit der Anwaltstätigkeit* stehen[67]. Richtigerweise enthalten die Statuten des Zürcher Anwaltsverbandes bereits heute[68] eine Bestimmung zu den (zulässigen) multidisziplinären Partnerschaften. 25

62 Das Element in Klammern ist gesellschaftsrechtlich nicht zutreffend.

63 Beschluss der Aufsichtskommission des Kantons Zürich vom 5. Oktober 2006, Erw. IV/3.2, ZR 105, 2006, Nr. 71, 302 f.; Hervorhebung hinzugefügt. Vgl. Resolution der *Fédération des Barreaux d'Europe* (FBE) vom 23. Mai 2009.

64 Siehe auch Martin Henssler, Die Kapitalbeteiligung an Anwaltsgesellschaften, BRAK 2007, 186 ff. und insbesondere zu den internationalen Entwicklungen, BRAK 2007, 238 ff.

65 So auch Fellmann, Anwaltsrecht (zit. Anm. 43), Rz. 276; ferner Bohnet/Martenet (zit. Anm. 5), Rz. 2372, siehe auch Rz. 2448 ff.; Staehelin, in: Fellmann/Zindel, Kommentar zum Anwaltsgesetz, Zürich 2011, Art. 8 N 52 ff.; zurückhaltender Meier/Reiser (zit. Anm. 47) Art. 13 N 110 ff.

66 Nur die beiden Kantone Basel-Stadt und Waadt sind dem zürcherischen Konzept, in den aufgezeigten Schranken auch multidisziplinäre Partnerschaften (gemischte Anwaltsgesellschaften) zuzulassen, nicht gefolgt (in dem im Kanton Obwalden zu beurteilenden Fall war die Frage der MDP nicht Gegenstand des Verfahrens).

67 Beschluss vom 5. Oktober 2006, Erw. IV/2.2, ZR 105, 2006 Nr. 71, 300; siehe auch Erw. IV/5, ZR 105, 2006, Nr. 71, 303, bzgl. abweichender Minderheitsmeinung; siehe ferner Fellmann, Anwaltsrecht (zit. Anm. 43), Rz. 1609.

68 So bereits in ihrer frühren Fassung in § 2 Abs. 3 (siehe Beschluss der Aufsichtskommission des Kantons Zürich vom 5. Oktober 2006, Erw. IV/2.2, ZR 105, 2006 Nr. 71, 300).

Kriterium für die Zulassung von Nichtanwälten ist dabei die Wahrung des «Charakters einer Anwaltskanzlei»[69].

7. Verankerung der Anwaltsgesellschaft im Schweizerischen Anwaltsgesetz

7.1 Organisationsfreiheit und Voraussetzungen der Zulässigkeit

26 Das Anliegen einer Organisationsform für Anwaltskanzleien war bereits Thema in den parlamentarischen Beratungen des BGFA. Ein diesbezüglicher, erst im Laufe der Beratungen eingebrachter Antrag wurde nicht etwa abgelehnt, weil die Anwaltskörperschaft untersagt werden sollte, sondern um einen «Schnellschuss» zu vermeiden[70]. Die Zeit reichte damals nicht aus, um die mit der Öffnung der rechtlichen Organisationsformen für die freien Berufe im Zusammenhang stehenden Fragen, insbesondere zur Unabhängigkeit und (persönlichen) Haftung, vertieft abzuklären[71]. Im März 2011 stellte der Bundesrat in seinem Bericht über noch nicht erfüllte Motionen und Postulate fest, dass die Organisation von Rechtsanwaltskanzleien in der Form einer Kapitalgesellschaft, namentlich AG oder GmbH, heute von den Aufsichtsbehörden unter bestimmten Voraussetzungen in den meisten Kantonen zugelassen werde[72]. Damit bringt der Bundesrat zum Ausdruck, dass der Bundesrat die Motion Cottier nicht weiter zu verfolgen gedenkt[73]. Zur Erhöhung der Rechtssicherheit und zur Klarstellung der Zulässigkeit der Anwaltsgesellschaften soll die *Organisationsfreiheit der Anwälte* nunmehr im

---

69 Die Bestimmung lautet: «Umfasst eine Kanzlei auch Nichtanwältinnen oder Nichtanwälte, setzt die Mitgliedschaft voraus, dass der Charakter einer Anwaltskanzlei gewahrt bleibt. Es ist klarzustellen, welchen Beruf die Nichtanwältinnen und Nichtanwälte ausüben» (§ 3 Abs. 3 der Statuten des Zürcher Anwaltsverbandes); ähnlich bereits die frühere Fassung der Statuten in § 2 Abs. 3, damals auch mit dem ausdrücklichen (zutreffenden) Hinweisen darauf, dass die Tätigkeit der Nichtanwälte in engem Zusammenhang mit der Anwaltstätigkeit stehen muss und dass die Mitglieder dafür besorgt zu sein haben, dass die Nichtanwälte die berufs- und standesrechtlichen Pflichten einhalten.

70 Siehe Staehelin, in: Fellmann/Zindel, Kommentar zum Anwaltsgesetz (zit. Anm. 65), Art. 8 N 55a; siehe auch die zutreffende Begründung in N 55c.

71 Motion 99.3656 s. Rechtliche Organisationsformen für freie Berufe; Überweisung der Motion an den Bundesrat (21. November 2000). Siehe auch die Voten von Ständerat Anton Cottier und Bundesrätin Ruth Metzler mit den Hinweisen auf die zeitliche Verzögerungen beim Einbezug weiterer freier Berufe (neben den Anwälten) (AmtlBull SR, 8.3.2000). In der Botschaft zum Anwaltsgesetz (BGFA) wird immerhin festgehalten, dass die im Anwaltsgesetz getroffene Lösung zur Unabhängigkeit insbesondere eine mögliche Entwicklung in diesem Bereich «nicht blockieren» sollte und die Entwicklung der kantonalen Praxis nicht beeinträchtigt (Botschaft zum Bundesgesetz über die Freizügigkeit der Anwältinnen und Anwälte vom 28. April 1999, 6038 f. (Ziff. 172.17).

72 Bericht des Bundesrates vom 5. März 2010 über Motionen und Postulat der gesetzgebenden Räte im Jahre 2009, Kapitel II, 44.

73 Ebenso von Rechenberg (zit. Anm. 2), 425 f.

Schweizerischen Anwaltsgesetz geregelt werden[74]. Die *Grundzüge* dieser neuen Regelung sind die folgenden[75]:

Im Grundsatzartikel wird festgehalten, dass Anwälte ihren Beruf gemeinschaftlich ausüben können und dabei *frei sind, sich in einer vom schweizerischen Recht zugelassenen Rechtsform zu organisieren*[76]. Im Vordergrund stehen dabei die Gesellschaftsformen der Aktiengesellschaft und der GmbH. Neben den gesellschaftsrechtlichen Bestimmungen haben die Anwaltsgesellschaften die im Kapitel zu den «Gemeinschaftlichen Formen der Ausübung des Anwaltsberufs»[77] geregelten Voraussetzungen zu erfüllen. Der Gesetzesentwurf orientiert sich bei diesen Voraussetzungen an der von den kantonalen Aufsichtskommissionen entwickelten Praxis[78]. Stossrichtung der Regelung ist die *Sicherstellung der anwaltsrechtlichen Trias*[79] auch bei Konstituierung von Anwaltskanzleien in Form von Kapitalgesellschaften[80]. Erreicht wird dieses anwaltsrechtliche und anwaltspolitische Ziel insbesondere durch folgende gesetzliche Vorgaben[81]: 27

(1) *Hauptzweck der Anwaltsgesellschaft:* Eingrenzung auf die Erbringung von – forensischen oder beratenden[82] – Rechtsdienstleistungen und die damit verbundenen Tätigkeiten[83];

(2) *Beteiligung an der Anwaltsgesellschaft:* Die an einer Anwaltsgesellschaft beteiligten registrierten Anwälte[84] müssen als Gesellschafter drei Viertel der Stimmen und zwei Drittel des Kapitals auf sich vereinigen[85];

---

74 Siehe dazu auch Meier/Reiser (zit. Anm. 47), Art. 8 N 49 ff., 56.

75 Art. 38 bis 42 E-AnwG, Gesetzesentwurf des Schweizerischen Anwaltsverbandes (SAV), 15. Februar 2012, abrufbar unter www.sav-fsa.ch. Siehe jüngstens Ernst Staehelin, Der Entwurf zum neuen Schweizerischen Anwaltsgesetz, Anwalts-Revue 2012, 71 f.

76 Art. 38 E-AnwG.

77 5. Kapital des AnwG.

78 Siehe dazu 4. Rz. 17 ff. hiervor.

79 Wahrung der Unabhängigkeit und des Berufsgeheimnisses sowie Vermeidung von Interessenkonflikten.

80 Begleitbericht SAV zum Entwurf für ein Schweizerisches Anwaltsgesetz, Stand Januar 2012.

81 Art. 39 Abs. 1 lit. a bis g E-AnwG.

82 Ein grosser Fortschritt des Schweizerischen Anwaltsgesetzes besteht in der Überwindung des Schisma forensische–beratende Anwaltstätigkeit. Mit dem neuen Gesetz erhält der Anwaltsberuf die ihm gebührende einheitliche Regelung.

83 Im Sinne von Art. 4 Abs. 1 E-AnwG.

84 Unter Vorbehalt der Wahrung des Charakters der Gesellschaft als Anwaltskanzlei sind für die Berechnung der Quoren (1) ausländische Anwältinnen und Anwälte (Liste gemäss Art. 51), und (2) privatrechtlich tätige Notarinnen und Notare den registrierten Anwältinnen und Anwälten gleichgestellt (siehe Art. 39 Abs. 2 E-AnwG; siehe zu den Notaren als Gesellschaftern auch Bohnet/Martenet, zit. Anm. 5, Rz. 2376).

85 Der Gesetzesentwurf statuiert in diesem Punkt bewusst eine im Vergleich zu den Anforderungen einiger Aufsichtskommissionen etwas strengere Lösung. Damit soll die institutionelle Unabhängigkeit der in Kapitalgesellschaften organisierten Anwältinnen und Anwälte gewährleistet werden (siehe Begleitbericht SAV, zit. Anm. 80). Siehe zur Vinkulierung der Aktien bzw. Anteile einer Anwalts-Körperschaft Bohnet/Martenet (zit. Anm. 5), Rz. 2391 ff., 2428 f.

(3) *Beschlüsse in der Anwaltsgesellschaft:* Auf allen Entscheidungsebenen (Generalversammlung/Gesellschafterversammlung und Verwaltungsrat/Geschäftsführungsorgan) müssen die Beschlüsse (Sachgeschäfte und Wahlen) stets mit einer Stimmenmehrheit der registrierten Anwälte[86] (Anwaltsgesellschafter) zustande kommen[87];

(4) *Vorsitz oberstes Leitungsorgan:* Vorsitzender des obersten Leitungs-/Verwaltungsorgans und der Gesellschafterversammlung/Generalversammlung muss ein registrierter Anwalt sein;

(5) *Angehörige anderer Berufe*[88] als Gesellschafter: Auch nicht registrierte[89], natürliche Personen können Gesellschafter sein, sofern sie in der Anwaltsgesellschaft eine dem «tatsächlich praktizierten Gesellschaftszweck» dienende, berufliche[90] Tätigkeit ausüben;

(6) *Berufshaftpflichtversicherung:* Auch Anwaltsgesellschaften müssen eine Berufshaftpflichtversicherung abgeschlossen haben und aufrechterhalten.

7.2 Genehmigung durch die kantonale Aufsichtsbehörde

28 Eine Neuerung gegenüber der heutigen Praxis der Aufsichtskommissionen bringt der Gesetzesentwurf auch bezüglich der *Genehmigungspflicht von Anwaltsgesellschaften.* Hinsichtlich der Behandlung der Anwaltsgesellschaften durch die kantonalen Aufsichtskommissionen nimmt der Entwurf eine *Zweiteilung* vor. Beweggrund dieser Zweiteilung ist eine mit guten Gründen zu rechtfertigende Entlastung des Aufwandes bei den Kanzleien und vor allem bei den kantonalen Aufsichtskommissionen. Es wäre überschiessend, sämtliche Kanzleien, in denen der Anwaltsberuf im Sinne von Art. 38 E-AnwG gemeinschaftlich ausgeübt wird, einer Genehmigungspflicht zu unterstellen[91]. Auf ein separates Register für Anwaltsgesellschaften wird richtigerweise verzichtet[92].

---

86 Zur Gleichstellung der ausländischen Anwälte und der Notare siehe Anm. 84 hiervor.

87 Strengere (gesetzliche oder statutarische) Quoren bleiben vorbehalten. Siehe zur Umsetzung der Quorumsanforderungen auch Bohnet/Martenet (zit. Anm. 5), Rz. 2377 ff.

88 Eine Beschränkung der infrage kommenden Berufe der Nichtanwälte ist nicht vorgesehen. Im Vordergrund stehen Steuerexperten, Wirtschaftsprüfer, Patentanwälte, Treuhänder, Unternehmensberater, aber auch etwa Architekten, Baufachleute, Ärzte, Ingenieure usf.

89 Damit folgt der Gesetzesentwurf richtigerweise der Haltung der Aufsichtskommission des Kantons Zürich und jene der ihr folgenden Kantone, die im Gegensatz zu jenen der Kantone Basel-Stadt und Waadt nicht verlangt, dass das Aktionariat der Anwaltsgesellschaft zu 100% aus registrierten Anwältinnen und Anwälten besteht.

90 E contrario können sich – eine bedeutsame und konsequente Einschränkung – rein passive Investoren nicht an einer Anwaltsgesellschaft beteiligen.

91 Begleitbericht SAV (zit. Anm. 80), zu Art. 40 E-AnwG. Es ist daran zu erinnern, dass bis zum Jahre 2006 (erstmalige Thematisierung der Inkorporierung von Kanzleien) Anwaltskanzleien in Form von Kollektivgesellschaften über Jahrzehnte keiner Genehmigung durch die Aufsichtsbehörde bedurften. Es ist zu Recht nicht beabsichtigt, dies mit dem neuen Anwaltsgesetz zu ändern.

92 Die kantonalen Aufsichtskommissionen werden voraussichtlich eine Liste der von ihnen genehmigten (Art. 41) oder ihnen gemeldeten (Art. 40) Anwaltsgesellschaften führen. Aus dem herkömmlichen An-

Anwaltsgesellschaften, die *ausschliesslich aus registrierten Anwaltsgesellschaftern* bestehen, unterstehen bezüglich der Inkorporierung ihrer Anwaltskanzleien lediglich einer *Meldepflicht.* Sie haben die Aufsichtsbehörde am Sitz der Anwaltsgesellschaft davon lediglich *in Kenntnis zu setzen*[93]. Anwaltsgesellschaften *mit nicht registrierten Anwaltsgesellschaftern* haben demgegenüber vor[94] der Inkorporierung eine *Genehmigung* der kantonalen Aufsichtsbehörde einzuholen[95]. Geprüft werden von der zuständigen kantonalen Aufsichtskommission die folgenden gesellschaftsrechtlichen Dokumente der Anwaltsgesellschaft: Statuten, Organisationsreglement und Gesellschaftsvertrag (ABV). Änderungen an diesen Dokumenten sind genehmigungspflichtig, sofern sie (direkt oder indirekt) Einfluss auf die Erfüllung der Voraussetzungen gemäss Art. 39 lit. b bis e E-AnwG haben, somit den Zweck, den Geschäftsbereich oder die interne Organisation der Gesellschaft betreffen[96]. 29

7.3 Zulassung und Besonderheiten bei den Holdinggesellschaften

Der Entwurf des neuen schweizerischen Anwaltsgesetzes lässt als weitere Neuerung in einem bestimmten Rahmen auch *Anwaltsholdinggesellschaften* zu. Dies ist zu begrüssen. Die aufsichtsrechtliche Beurteilung ist bezüglich Holdinganwaltsgesellschaften nicht grundsätzlich eine andere als bei Einzelanwaltsgesellschaften[97]. Die Voraussetzungen, die an eine (Einzel-)Anwaltsgesellschaft gestellt werden[98], sind – konsolidiert betrachtet – auch in einer Holdingstruktur erfüllbar. In Betracht kommen dabei sowohl eine reine Holdingstruktur als auch eine Stammhausstruktur[99]. Soweit die aufsichtsrechtlichen Anforderungen an Zweck, Beherrschung, Beschlussfassungen und Vorsitz auch auf Holdingstufe erfüllt werden, sind auch Holdinganwaltsgesellschaften als zulässig einzu- 30

---

waltsregister ist die Zugehörigkeit zu einer Anwaltsgesellschaft zufolge Angabe der Rechtsform der Anwaltskanzlei ersichtlich.

93 Art. 40 E-AnwG; Begleitbericht SAV (zit. Anm. 80), zu Art. 40 E-AnwG.

94 «Vorgängig» gemäss Art. 41 Abs. 1 E-AnwG bedeutet, dass die Genehmigung entweder bei der Gründung der Anwaltsgesellschaft (falls von Anbeginn nicht registrierte Gesellschafter beteiligt sind) oder im Zeitpunkt eingeholt wird, in welchem erstmals ein nicht registrierter Gesellschafter in die (bereits bestehende) Anwaltsgesellschaft aufgenommen wird (z.B. infolge späterer Aufnahme eines – nicht als Anwalt registrierten – Steuerexperten als Gesellschafter; Begleitbericht SAV, zit. Anm. 80, zu Art. 41 E-AnwG).

95 Art. 41 E-AnwG; Begleitbericht SAV (zit. Anm. 80), zu Art. 41 E-AnwG. Eine Bestätigung betreffend Zusammenstellung der Gesellschafter zuhanden des Handelsregisteramtes ist im Gesetzesentwurf nicht vorgesehen.

96 Art. 41 Abs. 2 E-AnwG. Zum Erfordernis der jährlichen Meldung der Liste der Gesellschafter siehe Art. 41 Abs. 3 AnwG.

97 Ernst Staehelin, Auch Anwalts-Holding oder nur Anwalts-Gesellschaft?, Anwalts-Revue 2010, 478.

98 Siehe Art. 39 E-AnwG; in lit. a dieser Bestimmung ist die Regelung zur Holdinggesellschaft (Art. 42, Beteiligung an einer Anwaltsgesellschaft) ausdrücklich vorbehalten.

99 Bei der Letzteren übernimmt das Stammhaus (im Gegensatz zu einer reinen Holdinggesellschaft) sowohl Holdingfunktionen als auch operative Tätigkeiten als Anwaltsgesellschaft.

stufen[100]. Die konsequente Anwendung der verfassungsrechtlichen[101] und gesellschaftsrechtlichen[102] Grundsätze führen zu diesem Ergebnis. Die Beherrschung zur Sicherstellung der Unabhängigkeit der Anwaltstätigkeit in der Tochtergesellschaft erfolgt gesellschaftsrechtlich sowohl auf der Ebene der Generalversammlung als auch des Verwaltungsrates der Muttergesellschaft. Die Konzernstruktur ist geprägt von den Grundelementen der Beherrschung und Kontrolle. Beherrschung ist als Tatbestandselement dem Konzerngedanken immanent. Ausgeübt wird die konzerntypische Beherrschung – und damit die mit ihr verbundene Kontrolle – über Stimmenmehrheit in der Generalversammlung und im Verwaltungsrat[103]. Über die *Konzernleitungspflicht*[104] ist sichergestellt, dass die Anwaltstätigkeit in der Anwaltstochtergesellschaft unabhängig ausgeübt werden kann und die Mandatsführung durch die Anwälte in der Tochtergesellschaft keinen Weisungen seitens der Muttergesellschaft unterliegen. Wesentlicher Teil der Konzernleitungspflicht ist die Überwachung der Einhaltung der (öffentlich-rechtlichen) Vorschriften[105] und damit insbesondere auch die *Überwachung der aufsichtsrechtlichen Vorgaben für die Ausübung der Anwaltstätigkeit in Anwaltsgesellschaften.*

31 Um das (aufsichtsrechtliche) System nicht übermässig zu strapazieren, sieht der Gesetzesentwurf vor, dass ausschliesslich registrierte Anwälte Gesellschafter der Holdinggesellschaft sein können[106]. Damit die Aufsichtsbehörde überprüfen kann, ob die Holdinganwaltsgesellschaft die Parameter der Art. 39 und 42 E-AnwG einhält, gilt bezüglich der (vorgängigen) Genehmigung durch die kantonale Aufsichtsbehörde vorsichtshalber die Regelung des Art. 42 E-AnwG[107]. Nicht zuzulassen sind ausländisch beherrschte

---

[100] Nicht zugelassen wird eine Holdingstruktur, bei der eine (schweizerische) Anwaltsgesellschaft von einer ausländischen Anwaltsgesellschaft gehalten würde (siehe Beschluss der Aufsichtskommission des Kantons Zürich vom 6. Mai 2010, Anwalts-Revue 2010, 421 ff.; dazu auch Staehelin, zit. Anm. 97, 478).

[101] Siehe die diesbezügliche Einordnung 5. Rz. 20 ff. hiervor.

[102] Die Anforderungen an die Beherrschung und Beschlussfassungsquoren sind jedenfalls bei hundertprozentigen Holdingverhältnissen (Tochtergesellschaften als Einpersonengesellschaften zu 100% in der Hand einer Konzernmuttergesellschaft) leicht zu erfüllen. Die Einschaltung einer solchen (gesellschaftsrechtlichen) Zwischenstufe ändert im Ergebnis an der aufsichtsrechtlichen Einordnung nichts.

[103] Siehe dazu Roland von Büren, Der Konzern, in: Schweizerisches Privatrecht, Bd. VIII/6, Basel 1997, 79 f.

[104] Siehe zur Konzernleitungspflicht als tragendem Element einer Konzernstruktur etwa von Büren (zit. Anm. 103), 54 ff.

[105] Die «minimalen» Konzernleitungspflichten decken sich im Wesentlichen mit den unentziehbaren und unübertragbaren Aufgaben des Verwaltungsrates gemäss Art. 716a OR. Erfasst ist damit insbesondere auch die Oberaufsicht im Hinblick auf die Befolgung der Gesetze usw. (Art. 716a Abs. 1 Ziff. 5 OR); siehe dazu von Büren (zit. Anm.103), 58, der folgert: «So ist es nur folgerichtig, wenn der Konzernleitung im Rahmen der wirtschaftlichen Einheit eines Konzerns die gleichen Mindestpflichten obliegen wie dem Verwaltungsrat einer Aktiengesellschaft in seinem auf eine einzige juristische Person beschränkten Bereich.»

[106] Art. 42 Abs. 1 lit. a E-AnwG; diese Schranke ist vorderhand sinnvoll, im Hinblick auf die längerfristige Entwicklung der Anwaltsgesellschaften aber nicht zwingend. Aus Sicht des aufsichtsrechtlichen Systems der Regelung der Anwaltgesellschaften wäre ausreichend, eine ausländische Beherrschung der Anwaltsholdinggesellschaft auszuschliessen.

[107] Art. 42 Abs. 2 und 3 E-AnwG und Begleitbericht SAV (zit. Anm. 80), zu Art. 42 E-AnwG.

Anwaltsholdinggesellschaften und die Beteiligung der Holdinggesellschaft an anderen als Anwaltsgesellschaften (z.B. Immobiliengesellschaften)[108].

8. Folgerungen und Ausblick

Die Zulassung der Anwaltsgesellschaften setzt neue Wegmarken im Berufsrecht der Anwälte. Sowohl in der Lehre als auch in der Praxis der Aufsichtskommissionen über die Rechtsanwälte ist die *Zulässigkeit der Anwaltskörperschaften* heute weitgehend etabliert. Dies erfolgt aus gutem Grund: Solange die Beherrschung der Aktiengesellschaften durch registrierte Anwälte mit gesellschaftsrechtlichen Mitteln sichergestellt ist, sind die berufsrechtlichen Anforderungen an die *Unabhängigkeit* und die *Weisungsfreiheit* in der Ausübung der Anwaltstätigkeit erfüllt. Für die Klienten ist der Schritt der Anwaltskanzleien zu Anwaltsgesellschaften unproblematisch. Mit der Zulassung der Anwaltsgesellschaften wird keineswegs einer Schwächung der Grundpfeiler des Anwaltsberufes das Wort geredet. Die berühmte Trias des anwaltlichen Berufsrechts – Unabhängigkeit, Vermeidung von Interessenkonflikten und Berufsgeheimnis – lässt sich in den Kanzleistrukturen von Anwaltskörperschaften ebenso gut gewährleisten wie in den herkömmlichen Strukturen der Anwaltskanzleien. 32

Dreh- und Angelpunkt ist die verfassungsrechtlich verankerte *Wirtschaftsfreiheit,* die auch die privatwirtschaftlichen Erwerbstätigkeiten der Anwälte erfasst. Bei der Beurteilung der Zulässigkeit von Anwaltskörperschaften ist wesentlich, die rechtliche Auslegung «von oben nach unten» und nicht «von unten nach oben» vorzunehmen. Dies führt zum Ergebnis, dass die Organisationsfreiheit der Anwälte keiner gesetzlichen Grundlage bedarf. Um dies im Hinblick auf die Rechtssicherheit klarzustellen und Zweifel an der Zulässigkeit der Inkorporierung von Anwaltskanzleien auszuräumen, ist eine Verankerung im neuen schweizerischen Anwaltsgesetz zu begrüssen. 33

Die Anforderungen, welche der Entwurf zum neuen schweizerischen Anwaltsgesetz in den Bestimmungen von Art. 38 bis Art. 42 an die (gemeinschaftliche) Ausübung der Anwaltstätigkeit in Anwaltsgesellschaften stellt, erscheinen sinnvoll und angemessen. Sie tragen einerseits dem Bedürfnis der Anwälte, ihre Berufstätigkeit wie andere Rechtsdienstleister in den üblichen Gesellschaftsformen ausüben zu können, andererseits aber auch den berufs- und insbesondere aufsichtsrechtlichen Auflagen gebührend Rechnung. 34

An den Gesetzgeber und die Gerichte ist zu appellieren, der anwaltlichen Berufsausübung bei der Wahl der gesellschaftsrechtlichen Organisationsform keine unnötigen Beschränkungen aufzuerlegen. Entscheidend ist nicht, in welcher konkreten Organisa- 35

108 So wie bei (Einzel-)Anwaltsgesellschaften (rein) passive Investoren nicht zugelassen werden sollen, sind auf Stufe der Anwaltsholdinggesellschaft zweckfremde Beteiligungen auszuschliessen.

tionsform die Anwälte ihre Tätigkeit ausüben; die anwaltliche Berufsausübung bleibt unabhängig von der Rechtsform in jedem Fall eine freiberufliche Tätigkeit. Ausschlaggebend ist vielmehr, dass die berufsrechtlichen Anforderungen, die stets an die Anwaltstätigkeit zu stellen sind, auch in der jeweils gewählten Organisationsform sichergestellt werden[109]. Dies lässt sich auch in den Strukturen einer Anwaltskörperschaft gewährleisten.

36 Im Ergebnis ist festzuhalten, dass Anwaltsgesellschaften keine Gefahr für die Berufsgrundsätze der Anwälte darstellen. Die berufsrechtlichen Pfeiler der Anwaltstätigkeit sollen und können auch bei inkorporierten Anwaltskanzleien hoch gehalten werden. Die Pflicht, den aufsichtsrechtlichen Vorgaben und den Berufspflichten auch innerhalb dieser Organisationsform zum Durchbruch zu verhelfen, trifft dabei nicht in erster Linie die Anwaltsgesellschaft selbst, sondern primär die registrierten Anwälte. Die Erfahrung im Umgang mit Anwaltsgesellschaften zeigt, dass den anwaltsrechtlichen Grundelementen, insbesondere den Aspekten der Unabhängigkeit und des Berufsgeheimnisses, zufolge der Sensibilisierung im Zuge der Inkorporierung von Anwaltskanzleien sogar verstärkt Beachtung geschenkt wird.

37 Für die nächsten Jahre der Entwicklung zu verstärkter Ausübung der Anwaltstätigkeit in gemeinschaftlichen, gesellschaftsrechtlichen Formen ist zu erwarten, dass die Überzeugung reift, wonach die zunehmende Inkorporierung von Anwaltskanzleien den Grundzügen des freien Berufes und dem Wohle der Klienten in keiner Weise Abbruch tut.

[109] Siehe Krenzler (zit. Anm. 16), 234 ff.

D. Knowledge Management in einer Anwaltskanzlei

Martin Schulz

1. Einführung

1 Das Thema «Wissensmanagement für Anwälte»[1] ist von manchen Kanzleien entdeckt, von vielen aber noch nicht bzw. nicht vollständig erschlossen worden. Dies gilt sowohl für grosse Kanzleien, die in den vergangenen Jahren teilweise erheblich in den Bereich Knowledge Management investiert haben als auch für kleine und mittelständische Sozietäten.[2] Nach einer Einführung in die Grundlagen und Bedeutung eines effektiven Wissensmanagements für Rechtsanwälte zeigt der Beitrag Leitlinien und Erfolgsfaktoren für die Einführung eines Wissensmanagements in der Anwaltskanzlei auf.

1.1 Wissen als erfolgskritische Unternehmensressource

2 Mit der Ablösung der Industriegesellschaft durch die Informations- und Wissensgesellschaft geht ein enormer Bedeutungszuwachs von Wissen als entscheidende Unternehmensressource einher: In den Wirtschaftswissenschaften wird Wissen angesichts zunehmender Wettbewerbsintensität und dynamischer Veränderung des Wettbewerbsumfelds inzwischen als kritische Ressource für den Erfolg von Unternehmen angesehen.[3] Diese Erkenntnisse der Wirtschaftswissenschaften sind für die anwaltliche Praxis als einer «wissensintensiven» Berufstätigkeit besonders relevant: Denn als sogenannte *professional service firms*[4] gründen Anwaltskanzleien (ähnlich wie Steuerberaterkanzleien oder Wirtschaftsprüfungsgesellschaften) ihren Erfolg massgeblich auf Generierung und professioneller Vermittlung des Know-hows ihrer Organisation und ihrer Mitglieder.[5]

---

1 Vgl. dazu ausführlich Schulz, Martin / Klugmann, Marcel: Wissensmanagement für Anwälte, 2. Aufl., Köln 2006 (Neuauflage in Vorbereitung für 2012).

2 Wissensmanagement ist insbesondere für kleinere und mittelständische Unternehmen (sog. KMU) relevant, vgl. etwa Staiger, Mark: Wissensmanagement in kleinen und mittelständischen Unternehmen, München, 2008.

3 Vgl. Müller-Stewens, Günter / Lechner, Christoph: Strategisches Management, 3. Aufl. 2005, S. 362 ff.; Welge, Martin K. / Al-Laham, Andreas: Strategisches Management, S. 87, 98 ff.; Grant, Robert M. / Nippa, Michael: Strategisches Management, 5. Aufl. 2006, S. 224 ff.

4 Vgl. Grewe, Till: Professional Service Firms in einer globalisierten Welt, Wiesbaden 2008, S. 3 ff. mit zahlreichen weiteren Nachweisen.

5 Vgl. Schulz, Martin: Wissensmanagement – für Juristen unerlässlich. In: Wissensmanagement – Das Magazin für Führungskräfte, 2011, S.18 f.

1.2 Wissen als Treibstoff juristischer Tätigkeit

3 Wie die vorangegangenen Ausführungen gezeigt haben, ist der professionelle Umgang mit der Ressource Wissen für Juristen und insbesondere für Rechtsanwälte eine unerlässliche Notwendigkeit. Die Einführung eines Wissensmanagements beinhaltet allerdings zahlreiche Herausforderungen. Dazu zählt bereits die Beantwortung der Frage, was unter «Wissen» zu verstehen ist, bzw. welches Wissen für ein Wissensmanagement in der Anwaltskanzlei relevant ist. Denn der Wissensbegriff wird von verschiedenen Disziplinen (Philosophie, Psychologie, Organisations- und Informationswissenschaften) ganz unterschiedlich verwendet.[6] Im Rahmen eines Wissensmanagements für Anwälte wird man Konsens dahingehend erzielen können, dass Wissen zunächst das juristische Fachwissen erfasst, welches Anwälte durch eine langjährige Ausbildung und Praxis erwerben. Neben diesem Fachwissen im engeren Sinne spielen Kenntnisse typischer Organisationsabläufe in Kanzleien, Behörden und Gerichten einschliesslich des Wissens um die Taktik und Erfolgsaussichten bestimmter Vorgehensweisen im Umgang mit Mandanten, Gerichten und Behörden eine wichtige Rolle.[7] Immer grössere Bedeutung erlangt in der Praxis zudem die Kenntnis bestimmter Industriesegmente und Branchen. Denn dieses Wissen entspricht dem Wunsch vieler Mandanten, die von ihrem Rechtsberater neben hervorragenden Rechtskenntnissen zusätzlich die Kenntnis ihres Unternehmens, ihres Unternehmensumfeldes und des relevanten Marktes erwarten. Viele Kanzleien haben hierauf dadurch reagiert, dass sie ihre interne Kompetenzaufteilung nicht mehr allein nach Rechtsgebieten (z.B. Gesellschaftsrecht, Steuerrecht) ausrichten, sondern ihre Dienstleistungsangebote zunehmend an den Geschäftsbereichen ihrer Mandanten orientieren (z.B. Energierecht, Recht im Pharmazie – und Gesundheitsbereich etc.).

2. Wissensmanagement als Herausforderung und Chance

4 Ohne die zahlreichen Definitionsversuche für Wissensmanagement hier erörtern zu können, ist für den vorliegenden Rahmen unter einem Wissensmanagement die systematische Identifikation, Sammlung, Organisation und Verteilung des für die anwaltliche Tätigkeit relevanten Wissens zu verstehen.[8] Die strategische Nutzung und Entwicklung relevanten Wissens und vorhandener Kompetenzen bergen für Kanzleien grosse Chancen, zugleich aber auch diverse Herausforderungen.

---

[6] Vgl. etwa den Überblick bei Müller-Stewens/Lechner, a. a. O. (Fn. 3), S. 362 f.
[7] Vgl. Schulz/Klugmann, a. a. O. (Fn. 1), S. 5.
[8] Vgl. Schulz/Klugmann, a. a. O. (Fn. 1), S. 4 ff.

2.1 Herausforderungen der Anwaltstätigkeit

2.1.1 Dynamisches Umfeld

Anwälte sind in besonderer Weise den Problemen der juristischen «Informationsflut« ausgesetzt, die sich in täglichen Wellen zahlreicher Neuerungen in Gesetzgebung, Rechtsprechung und Rechtswissenschaft manifestieren.[9] Das bekannte Bild vom Federstrich des Gesetzgebers, der ganze juristische Bibliotheken auf einen Schlag zu Makulatur werden lässt, verdeutlicht die immer kürzere Halbwertszeit juristischen Wissens. Tempo und Dynamik von Rechtsänderungen nehmen stetig zu, wofür insbesondere die Materien des Unternehmens- und Wirtschaftsrechts zahllose Beispiele liefern. Neben den Aktivitäten des nationalen Gesetzgebers sind dabei immer häufiger auch europäische und internationale Rechtsentwicklungen zu beachten. Hinsichtlich der erforderlichen Fachkenntnisse legt die Rechtsprechung an Anwälte hohe Massstäbe an, es besteht quasi eine rechtlich sanktionierte Pflicht zur Aktualisierung des vorhandenen Wissens.[10] 5

2.1.2 Veränderte Rahmenbedingungen

Die Erwartungen der Mandanten und die Anforderungen an die anwaltliche Dienstleistung haben sich nachhaltig verändert.[11] Auch wenn nach wie vor die individuelle Anwaltspersönlichkeit als Bindeglied zum Mandanten fungiert, fordern komplexe Mandate nicht mehr den «Einzelkämpfer»; gefragt ist vielmehr der «Mannschaftsspieler», der die verschiedenen Aspekte eines Sachverhaltes in effizienter Kooperation mit seinen Kollegen beantwortet. Solche Teamarbeit funktioniert nur, wenn sichergestellt ist, dass die Akteure immer auf dem gleichen Wissensstand sind, um Überschneidungen, Doppelarbeit, aber auch überflüssige Nachfragen beim Mandanten, von vornherein zu vermeiden. 6

2.1.3 Mehrwert durch Wissensmanagement

Ausschlaggebend für den Erfolg von Wissensmanagement in der Anwaltskanzlei ist der Mehrwert, der für die tägliche anwaltliche Arbeit geschaffen werden kann.[12] Im Unterschied zur blossen Informationssammlung und -verteilung kann ein Mehrwert für die juristische Arbeit, beispielsweise durch eine praxisgerechte Analyse und Aufbereitung wichtiger Gesetze, Gerichtsentscheidungen und Entwicklungen in der Rechtswissenschaft, erzielt werden. Dabei ist zu verdeutlichen, in welchem Umfang in etwa ein neues 7

---

[9] Vgl. Schulz/Klugmann, a. a. O. (Fn. 1), S. 9 ff.

[10] Vgl. Schulz/Klugmann, a. a. O. (Fn. 1), S. 10 f.

[11] Vgl. hierzu ausführlich Staub, § 1; sowie ders.: Ausblick: Der In-house Legal Counsel und die Rechtsabteilung im Jahre 2020 – stetig wachsende Herausforderungen im Zeitalter der Globalisiserung? In: Hambloch-Gesinn, Sylvie et al.(Hrsg.), In-House Counsel in Internationalen Unternehmen, Basel 2010, S. 33 ff.

[12] Vgl. Schulz, Martin, Wissensmanagement – für Juristen unerlässlich, a.a.O. (Fn. 5), S.18 f.

Gesetz oder eine neue Gerichtsentscheidung sich auf eine bestehende Praxis (z. B. Vertragsgestaltung) auswirkt bzw. diese verändert. Bei der Analyse von Gerichtsentscheidungen sind Hinweise auf den Kontext vorangegangener Entscheidungen hilfreich, um den Kollegen eine Einschätzung zu ermöglichen, inwieweit die Entscheidung vergleichbare Fallgestaltungen betrifft.[13]

2.2 Vorteile durch Wissensmanagement

8 Wissensmanagement bietet Kanzleien eine ganze Reihe von Vorteilen:

2.2.1 Effizienzsteigerung

9 Zunächst lassen sich durch ein professionelles Wissensmanagement erhebliche Effizienzgewinne erzielen: Einerseits ist in vielen Kanzleien oft nicht hinreichend bekannt, welches Wissen bereits vorhanden ist. Dies birgt die Gefahr, dass «das Rad in vielen Fällen neu erfunden wird», obwohl Kolleginnen und Kollegen einen ähnlichen Sachverhalt bereits bearbeitet hatten. Dieser Gefahr, die sich mit zunehmender Kanzleigrösse potenziert, lässt sich durch ein integriertes Wissensmanagementsystem leicht begegnen. Andererseits lassen sich in vielen Rechtsbereichen bestimmte Antworten auf wiederkehrende Fragen und Probleme standardisieren oder zumindest (z.B. mithilfe von Checklisten) so vorbereiten, dass eine effiziente Anpassung auf den Einzelfall leichter fällt.

2.2.2 Qualitätssicherung

10 Wissensmanagement kann zudem eine wichtige Rolle bei der Qualitätssicherung in der anwaltlichen Beratung spielen. Voraussetzung ist allerdings die (teilweise unterschätze) Notwendigkeit, die vorhandenen ebenso wie die neu entwickelten Wissensressourcen regelmässig zu überarbeiten und zu aktualisieren.[14]

2.2.3 Wettbewerbsvorteile und Innovationspotenzial

11 Ein funktionierendes Wissensmanagement kann auch Wettbewerbsvorteile verschaffen. So bieten gut gepflegte und elektronisch verfügbare Wissensressourcen den Vorteil, dass jeder Anwalt schnell auf beratungsrelevante Dokumente zugreifen kann, z.B. in Form von Musterverträgen und Mandatsvorlagen. Die regelmässige Information der Kollegen und Mitarbeiter über aktuelle Rechtsentwicklungen ermöglicht das frühzeitige Erkennen von neuen Gestaltungs- und Beratungsmöglichkeiten. Dadurch können sich neue

---

[13] Vgl. Schulz, Wissensmanagement – für Juristen unerlässlich, a.a.O. (Fn. 5), S. 18 f.

[14] Vgl. zur Notwendigkeit und den Elementen eines Content Managements etwa Schulz, Martin: Content Management – A Fine Art and a Knowledge Paradox, Knowledge and Information Management (KM). In: Legal Magazine 2008, 17 ff.

Geschäftschancen für die Kanzlei eröffnen.[15] Insofern bietet ein professionelles Wissensmanagement auch Innovationspotenzial für das Angebotsportfolio der Kanzlei.

2.2.4 Grundlage für das kanzleiinterne Risikomanagement

Nicht zu unterschätzen ist schliesslich die Bedeutung von Wissensmanagement für das kanzleiinterne Risikomanagement. Denn auch dieses basiert auf der Versorgung mit aktuellen Informationen, etwa im Hinblick auf die Änderung des regulatorischen Umfelds, z.B. durch Verschärfung der Rechtslage in Folge neuer Normen bzw. Gerichtsentscheidungen. 12

3. Wissensmanagement einführen – Leitlinien und Erfolgsfaktoren

Nachfolgend sollen einige zentrale Leitlinien und Erfolgsfaktoren für die nachhaltige Einführung von Wissensmanagement in Anwaltskanzleien dargestellt werden. 13

3.1 Kanzleiführung und Wissenskultur

Als zentraler Faktor für den Erfolg bzw. Misserfolg von Wissensmanagement in Anwaltskanzleien (ebenso wie in anderen Unternehmen) gilt die Förderung einer sogenannten «Wissenskultur».[16] Die «Wissenskultur» beschreibt dabei die Bereitschaft der Anwälte und Mitarbeiter, ihr individuelles Wissen mit anderen zu teilen. Diese Fähigkeit ist bei Anwälten häufig nicht besonders stark ausgeprägt: Denn einerseits werden Anwälte in ihrer Berufsausbildung stärker zum «Einzelkämpfer» als zum «Teamplayer» sozialisiert; andererseits definieren sich Anwälte gegenüber ihren Mandanten ebenso wie gegenüber ihren Kollegen prononciert über ihre individuelle Kompetenz und Erfahrung. Die Einführung einer Wissenskultur stellt daher für die mit der Kanzleiführung betrauten Personen häufig eine nicht unerhebliche Herausforderung dar, bei der es die nachfolgenden typischen Hindernisse zu überwinden gilt. 14

3.1.1 Hindernisse für eine Wissenskultur

3.1.1.1 Akzeptanzprobleme

Bedingt durch die historische Entwicklung der Kanzleien als Kooperationen von Angehörigen eines freien Berufes und des damit verbundenen Selbstverständnisses der Berufsträger, stossen Managementthemen nicht bei allen Anwälten auf offene Ohren. Dies 15

[15] Vgl. Schulz/Klugmann, a. a. O. (Fn. 1), S. 20.

[16] Vgl. Schulz/ Klugmann, a. a. O. (Fn. 1), S. 23 ff.; Schulz, Martin / Klugmann, Marcel: Creating a Culture of Knowledge Sharing in Law Firms. In: Althoff, Klaus-Dieter (Hrsg.): Professional Knowledge Management, Lecture Notes Artificial Intelligence (LNAI) Series, Berlin 2005, S. 386 ff.

gilt auch für das Thema Knowledge Management, das von dem einen oder anderen als «alter Wein in neuen Schläuchen» bezeichnet oder aber als etwas gesehen wird, worauf man in der Vergangenheit verzichten zu können glaubte. Dabei wird übersehen, dass Anwaltskanzleien ein (wenngleich oft rudimentäres) Knowledge Management schon immer betrieben haben (z.B. in Form einer Akten- bzw. Dokumentenverwaltung) und dass sich die unter dem Thema Knowledge Management behandelten Fragen zwangsläufig mit dem Wachstum jeder Kanzlei stellen.

3.1.1.2 Mangelnde Motivation

16 Ein weiteres Problem liegt häufig in der mangelnden Motivation von Anwälten und Mitarbeitern, zusätzlich zu ihrer täglichen Arbeit auch noch Beiträge zum Knowledge Management der Kanzlei zu liefern. Dieses Problem verschärft sich in Anwaltskanzleien häufig dadurch, dass die Wertschätzung für Beiträge zum Knowledge Management oft unklar ist. Insbesondere in Kanzleien mit Vergütungssystemen, die massgeblich auf dem System der Billable Hours beruhen, fragen sich viele Anwälte, warum sie zusätzlich noch Beiträge zum Knowledge Management leisten sollen.

3.1.1.3 Wissensteilung als Machtverlust?

17 Viele Kollegen sehen in der bereitwilligen Abgabe ihres Wissens und ihrer Erfahrungen zudem die Gefahr von persönlichem Machtverlust.

3.1.1.4 Mangelnde Fehlerkultur

18 Als Problem erweist sich schliesslich nicht selten eine mangelnde «Fehlerkultur» in dem Sinne, dass Kollegen und Mitarbeiter ihr Wissen bewusst zurückhalten, weil sie Angst vor Kritik haben. Diese Angst ist umso mehr verbreitet, je geringer die Toleranz gegenüber Fehlern bzw. unvollkommenen Arbeitsergebnissen ausgeprägt ist.

3.1.2 Erfolgsfaktoren für eine Wissenskultur

3.1.2.1 Tone at the top – Vorbildfunktion der Kanzleiführung

19 Bei der Frage, wie die genannten Hindernisse überwunden werden können, spielt die Vorbildfunktion der Kanzleiführung eine entscheidende Rolle. Nicht nur bei der Einführung von Wissensmanagement, sondern in regelmässigen Intervallen sollte die Kanzleiführung die Bedeutung des Wissensmanagements für den Erfolg der Kanzlei betonen. Wichtig ist, dass diese Botschaft nicht nur als Lippenbekenntnis wahrgenommen wird. Ein positives Beispiel für die Vorbildfunktion stellt beispielsweise die persönliche Übernahme einer Wissensmanagementinitiative durch ein Mitglied der Kanzleiführung dar. Dies kann etwa dadurch erfolgen, dass ein Seniorpartner die eigene Muster- und Vorlagensammlung aus seiner langjährigen Mandatspraxis allen Kollegen zur Verfügung

stellt. Ähnlich positiv kann das dosierte, aber regelmässige Lob von Wissensmanagementinitiativen (und deren Trägern) wirken.

3.1.2.2 Anreize zur Wissensteilung

Die Kanzleiführung sollte zudem gezielt Anreize für alle Anwälte und Mitarbeiter für 20
Beiträge zum Knowledge Management setzen. Im Rahmen der Möglichkeiten extrinsischer Motivation ist hier an eine (zusätzliche) Bonusberechtigung für besonders hervorragende Beiträge zum Knowledge Management zu denken. Angesichts der vergleichsweise hohen Vergütung für Anwälte in vielen Kanzleien erscheinen allerdings intrinsische Motivationsfaktoren oft vielversprechender als extrinsische: So können Beiträge zum Wissensmanagement als eine Möglichkeit definiert werden, sich als Experte für ein bestimmtes Thema bzw. Fachgebiet zu profilieren. Diese Möglichkeit sollte durch die Kanzleiführung gezielt und regelmässig kommuniziert werden.

3.1.2.3 Umgang mit Kritik und Fehlern

Wichtig erscheint es schliesslich, auch im Rahmen des Wissensmanagements einen ver- 21
nünftigen Umgang mit Fehlern zu propagieren. Dabei geht es keinesfalls um einen zu grosszügigen Umgang mit Nachlässigkeit, die sorgfältige und gewissenhafte Ausübung der Anwaltstätigkeit sollte vielmehr für jeden Kollegen selbstverständlich sein. Allerdings sollten unvermeidliche Fehler und Unzulänglichkeiten stets als Chance zum Lernen und zur Verbesserung gesehen werden. Dies ist nur möglich, wenn Fehler bekannt gemacht und nicht aus Angst verschwiegen werden. Eine Möglichkeit hierfür besteht z.B. in einer anonymen Dokumentation von Fehlern, bei der Probleme und Missstände in der Beratung analysiert werden, ohne dass dies mit einer persönlichen Kritik oder Herabsetzung der beteiligten Personen verbunden wird.

3.2 Entwicklung einer Wissensstrategie

Die Entwicklung einer sogenannten Wissensstrategie ist (neben der Einführung und 22
Förderung einer Kultur der Wissensteilung) von ausschlaggebender Bedeutung für den Erfolg von Knowledge Management in der Anwaltskanzlei.

3.2.1 Wissensstrategie als Bestandteil der Kanzleistrategie

3.2.1.1 Identifikation der Kanzleistrategie

Wichtig ist, dass sich die Wissensstrategie stets an der Kanzleistrategie orientiert. Daher 23
ist zunächst die Kanzleistrategie zu identifizieren, also zu untersuchen, wo die Schwer-

punkte der Tätigkeit der Anwälte liegen, welche Geschäftsfelder besetzt werden sollen und wie sich die Kanzlei in Zukunft im Markt positionieren will.[17]

3.2.1.2 Entwicklung von Wissenszielen

24 Entsprechend der strategischen Ausrichtung und Fokussierung der Kanzlei sollten bestimmte «Wissensziele» definiert werden. Liegt der Fokus auf der Beratung mittelständischer Unternehmen, bietet sich etwa die Entwicklung einer Muster-Sammlung zum GmbH-Recht an. Zählen zu den Mandanten börsennotierte Unternehmen, ist der Aufbau einer Know-how-Sammlung zum Aktien- und Übernahmerecht wichtig. Entscheidend ist, dass die Wissensstrategie stets der Kanzleistrategie folgt und in regelmässigen Abständen an diese angepasst wird. Bei der Festlegung von Wissenszielen ist zunächst zu untersuchen, inwieweit bereits Wissensressourcen vorhanden sind, die der Kanzleistrategie dienen. Dabei geht es um eine Sichtung bereits vorhandener Muster- und Dokumentensammlungen ebenso wie um eine Bestandsaufnahme der im Unternehmen vorhandenen Kompetenzen.[18]

3.2.2 Leitgedanken für eine Wissensstrategie

25 Im Rahmen der Ausrichtung der Wissensstrategie auf die Kanzleistrategie empfiehlt sich die Berücksichtigung folgender Leitgedanken:

3.2.2.1 «Wissensvision» und mission statement

26 Bestandteil der Kanzleistrategie sollte auch die Formulierung einer Vision bzw. eines daraus abgeleiteten *mission statements* sein.[19] Die Vision bildet dabei einen Orientierungsrahmen für zukünftige unternehmerische Entscheidungen, die in einem sogenannten *mission statement* schriftlich ausformuliert werden kann.[20] Vision und *mission statement* sind Ausdruck des Selbstverständnisses des Unternehmens, welches durch das Management definiert wird.[21] Für den Erfolg des Wissensmanagements in der Kanzlei ist es durchaus sinnvoll, eine auf das Unternehmensleitbild abgestimmte «Wissensvision» zu formulieren. Denn die mit Vision und *mission statement* verfolgten Funktionen (Identitätsfunktion, Identifikationsfunktion sowie Mobilisierungsfunktion[22]) gelten in gleicher Weise für das Knowledge Management der Kanzlei: Auch hier ist es wichtig, dass die Mitarbeiter den Wertschöpfungsbeitrag von Knowledge Management zum

---

17 Vgl. hierzu ausführlich Staub, Kapitel 1.

18 Zur Bestandsaufnahme von Kompetenzen vgl. Sommerlatte, Tom: Strategisch führen mit «managed knowledge». In: Bellmann, Matthias /Krcmar, Thomas /Sommerlatte, Tom, Praxishandbuch Wissensmanagement, Düsseldorf 2002, S. 207 ff., 214.

19 Vgl. dazu Staub, Kapitel 1.

20 Vgl. Staub, a.a.O.

21 Vgl. Hungenberg, Harald: Strategisches Management in Unternehmen, 4. Aufl., Wiesbaden, S. 25 ff.

22 Vgl. Hungenberg, a.a.O. (Fn. 21), S. 26.

Erfolg der Kanzlei erkennen, teilen und durch Mitwirkung bei Wissensmanagementinitiativen dazu beitragen.

3.2.2.2 Kodifizierungs- und Personalisierungsstrategien

Entsprechend der Unterscheidung zwischen explizitem und sogenanntem implizitem Wissen wird bezüglich der Strategien eines Wissensmanagements häufig zwischen sogenannter «Kodifizierung» und «Personalisierung» unterschieden.[23] Beispiele für explizites Wissen sind anwaltliche Schriftsätze, Aktenvermerke, Rechtsgutachten etc. Im Gegensatz zu solchen verkörperten Wissensprodukten beschreibt das sogenannte implizite Wissen Erfahrungen und Einsichten. Dieses Expertenwissen des einzelnen Anwalts oder Mitarbeiters ist bei der Lösung vieler Rechtsfragen meist das Salz in der Suppe, in vielen Fällen jedoch nicht dokumentiert. 27

Eine Kodifizierungsstrategie ist darauf gerichtet, das in Dokumenten vorhandene Know-how zu sichten, systematisch zu erfassen, zu kategorisieren sowie an Kollegen und Mitarbeiter zu verteilen.[24] Im Rahmen einer Personalisierungsstrategie besteht die Herausforderung darin, das implizite Erfahrungswissen der Kollegen und Mitarbeiter sichtbar zu machen. Eine solche Visualisierung impliziten Wissens lässt sich etwa dadurch erreichen, dass erfahrene Kollegen die in der Wissensdatenbank gespeicherten Dokumente mit Kommentaren aus ihrer Arbeitspraxis versehen. Im Übrigen besteht die Kunst der Visualisierung impliziten Wissens in der Vernetzung von Experten und der Kommunikation von Expertenwissen.[25] Ein Beispiel hierfür bildet die Etablierung regelmässiger Treffen (z.B. Lunch-Meetings), bei denen sich die Anwälte zu bestimmten Rechtsfragen austauschen. Die Erkenntnisse und Ergebnisse sollen systematisch dokumentiert werden. 28

Für Kanzleien empfiehlt sich typischerweise eine Kombination aus Kodifizierungs- und Personalisierungsstrategien, wobei sich die Differenzierung nach den jeweiligen Wissensressourcen richtet. Während sich die Kodifizierungsstrategie insbesondere für standardisierbare Dokumente (etwa einfachere Vertragsdokumentationen) eignet, stellt die Personalisierungsstrategie eine wichtige Ergänzung insbesondere bei komplexen Beratungsprodukten (z.B. Unternehmenskaufverträgen) dar. Wie ausgeführt, ist die Personalisierungsstrategie zudem zur Erfassung der praktischen Erfahrungen von Anwälten und Mitarbeitern unerlässlich. 29

[23] Vgl. Hansen, Morten T. / Nohria, Nitin / Tierney, Thomas: What's your Strategy for Managing Knowledge, Harvard Business Review 1999, S. 106 ff.; zu unterschiedlichen Strategien des Wissensmanagements ferner Schloderer, Florian: Intellektuelles Kapital und Wissen, Wiesbaden 2005, S. 85 ff.

[24] Vgl. zu den einzelnen Schritten Schulz/Klugmann, a.a.O. (Fn. 1), S. 33 ff.

[25] Vgl. Schulz/Klugmann, a. a. O. (Fn. 1), S. 63 ff.

3.3 Etablierung von Wissensprozessen

30 Nachfolgend sollen die wichtigsten Prozesse zur erfolgreichen Etablierung eines Wissensmanagements in der Anwaltskanzlei vorgestellt werden.

3.3.1 Erfassung und Kategorisierung relevanten Wissens

31 In einem ersten Schritt sollte das in der Kanzlei bereits vorhandene Wissen systematisch erfasst werden. Hierfür bieten sich gezielte Sammlungsaktionen an, in welche die Anwälte ebenso wie alle Mitarbeiter der Kanzlei einbezogen werden. Entsprechend der zuvor festgelegten Wissensziele sollte jedoch nur das Know-how eingesammelt werden, das als erfolgskritisch für die Tätigkeit der Anwälte und die Positionierung der Kanzlei angesehen wird. Wichtig sind fokussierte Aktionen getreu nach dem Motto «weniger ist mehr».

3.3.2 Klassifikation durch Themenverzeichnisse

32 Im Mittelpunkt der Knowledge-Management-Initiativen vieler Kanzleien steht häufig eine sogenannte «Wissensdatenbank», in der die Wissensressourcen gespeichert und den Nutzern zur Verfügung gestellt werden. Soweit nach der vorangegangenen Bestandsaufnahme vorhandener Wissensressourcen das gesammelte Material in eine solche Wissensdatenbank aufgenommen wird, empfiehlt sich eine thematische Strukturierung. Im nächsten Schritt sollte das gewonnene Material hierzu analysiert und mithilfe eines Klassifikationssystems geordnet werden.[26] Klassifikationssysteme, also (typischerweise hierarchisch) geordnete Themenverzeichnisse, bieten viele Vorteile: Sie ermöglichen dem Nutzer eine strukturierte Übersicht und können Zusammenhänge zwischen verschiedenen Themen visualisieren. Daher empfiehlt es sich, strukturierte Themenverzeichnisse auch in der kanzleiinternen Wissensdatenbank anzulegen und neben der inzwischen nahezu allgegenwärtigen Volltextsuche nach dem «Google»-Prinzip auch eine Klassifikationssuche anzubieten. Die Einteilung bzw. Kategorisierung der Ressourcen richtet sich nach den Tätigkeitsschwerpunkten der Anwälte. Neben der fachlichen bzw. thematischen Einteilung bietet sich eine Einteilung nach Art der Dokumente an, etwa nach Muster-Dokumenten und nach Vorlagen. Während erstere für besonders wichtige Tätigkeiten zur Verfügung stehen sollten und dementsprechend stets aktuell und anonymisiert sein müssen, sind letztere typische Beispiele wiederkehrender Fragen aus dem Beratungs- und Prozessgeschäft.

3.3.3 Dokumentation und Kommunikation des Wissens

33 Sobald die gesammelten und geordneten Wissensressourcen in einer kanzleiinternen Wissensdatenbank gespeichert wurden, stellt sich die Frage ihrer effektiven Verteilung

[26] Vgl. Schulz/Klugmann, a.a.O. (Fn. 1), S. 37 ff.

an die Nutzer. Hierbei empfiehlt sich eine Mischung zwischen einer sogenannten *Pull*-Strategie und einer sogenannten *Push*-Strategie: Zunächst ist sicherzustellen, dass alle Anwälte und Mitarbeiter einen einfachen und schnellen Zugriff auf die Dokumente in der Wissensdatenbank erhalten, diese also jederzeit schnell abrufen können (*Pull*-Strategie). Für neue oder auch als besonders wichtig eingeschätzte Wissensressourcen ist jedoch zusätzlich zu überlegen, auf diese in besonderer Form aufmerksam zu machen (etwa dadurch, dass man sie den Anwälten und Mitarbeitern per E-Mail in Form eines Links zur Datenbank zusendet (*Push*-Strategie)).

Wie oben ausgeführt, kommt es bei der Dokumentation und Kommunikation von implizitem Wissen (Erfahrungswissen) darauf an, geeignete Massnahmen der Visualisierung zu entwickeln. Solche Visualisierungen können durch die Einrichtung von Experten-Foren und die Dokumentation von Expertenmeinungen (z. B. mithilfe von Wikis und Blogs) erfolgen. 34

3.3.4 Qualitätskontrolle und Content Management

Für den Erfolg von Knowledge Management in der Anwaltskanzlei ist ein kontinuierlicher Prozess der Qualitätskontrolle ausschlaggebend. Dieser Prozess beginnt bereits bei der Überlegung, welche Ressourcen überhaupt in das Wissensmanagementsystem aufgenommen werden sollten. Eine allzu grosse Euphorie mit der Folge einer expansiven Sammlungstätigkeit birgt die Gefahr der Enttäuschung, wenn die Wissensressourcen veralten – die Halbwertszeit des Wissens verkürzt sich bekanntlich ständig.[27] Daher ist sorgfältig darauf zu achten, dass nur solche Ressourcen erfasst werden, die im Sinne der Wissensstrategie relevant sind. Ferner sollte der Prozess der Erfassung von Wissensressourcen stets mit einem Prozess der regelmässigen Wiedervorlage und Aktualisierung verknüpft werden.[28] Idealerweise gewinnt man die Urheber bzw. Autoren des Know-hows für die Aufgabe einer regelmässigen Kontrolle und Aktualisierung der von ihnen zur Verfügung gestellten Ressourcen. Falls dies nicht gelingt, ist zumindest sicherzustellen, dass Mitarbeiter des Knowledge-Management-Teams diese Aufgabe wahrnehmen. 35

3.3.5 Erstellung und Pflege von Expertenverzeichnissen

Integraler Bestandteil des Wissensmanagements sollten auch sogenannte Expertenverzeichnisse sein.[29] Als Bestandteil der Wissensdatenbank oder als separate elektronische Verzeichnisse fungieren solche Expertenverzeichnisse quasi als Kompetenzwegweiser: Sie dokumentieren das Expertenwissen der Anwälte und Mitarbeiter, sollten aber 36

[27] Vgl. Schulz/Klugmann, a. a. O. (Fn. 1), S. 9.

[28] Vgl. Schulz, Martin: Content Management – A Fine Art and a Knowledge Paradox, Knowledge and Information Management (KM). In: Legal Magazine 2008, S. 17 ff.

[29] Vgl. Schulz/Klugmann, a. a. O. (Fn. 1), S. 63 ff.

auch zusätzliche Qualifikationen (besondere Branchenkenntnisse, Sprachkenntnisse etc.) ebenso wie nützliche Kontakte und Verbindungen (etwa zu Mandanten, Organisationen, Behörden und Gerichten) enthalten. Dadurch, dass der Schwerpunkt von Expertenverzeichnissen auf den Wissensträgern liegt *(know who)*, stellen sie ein weiteres wichtigeres Mittel zur Visualisierung des in der Kanzlei vorhandenen Erfahrungswissens dar.

3.4 Verknüpfung mit externen Wissensressourcen

37 Zu einem funktionierenden Wissensmanagement gehört schliesslich die Nutzung externer Informationsangebote und Wissensquellen (wie etwa Rechts- und Wirtschaftsdatenbanken und ausgewählte Angebote aus dem Internet). Das Angebot im Markt der elektronisch verfügbaren Informationen wächst ständig und hat zugleich unmittelbare Rückwirkung auf die Wissensstrategie: Denn die bei der Ressourcenplanung notwendige *Make-or-buy*-Entscheidung richtet sich auch danach, welche Wissensquellen die Kanzlei einkaufen kann (anstatt sie selbst zu entwickeln).[30] Hier ist ein unaufhaltsamer Trend zur Digitalisierung von Informationen bemerkenswert, bei dem viele Verlage immer umfangreichere Online-Angebote entwickeln.

3.5 Aufgabenprofil von Wissensmanagern

38 Die Tätigkeit als juristischer Wissensmanager hat sich in den letzten Jahren in vielen Kanzleien als neues Berufsbild etabliert, ohne dass es hierfür bislang ein einheitliches Anforderungsprofil gäbe.[31] Einige Anwaltskanzleien beschäftigen Rechtsanwälte, die einen Teil ihrer Zeit Aktivitäten im Wissensmanagement widmen, andere Kanzleien lassen Aufgaben des Wissensmanagements durch Notariatsangestellte oder Bibliothekare wahrnehmen. Zwar sind eine umfassende juristische Ausbildung und Erfahrungen aus einer Tätigkeit in der Rechtspraxis keine zwingende Voraussetzung, doch kommen Sie einer Tätigkeit als juristischer Wissensmanager zugute. Unabhängig von der formalen juristischen Qualifikation sind fundierte Rechtskenntnisse ebenso unerlässlich wie ein praxisorientiertes Verständnis davon, wie Juristen denken und arbeiten.

4. Fazit

39 Richtig verstanden und genutzt, bietet die Einführung und kontinuierliche Pflege eines Wissensmanagementsystems für Anwaltskanzleien viele Vorteile. Für den nachhaltigen Erfolg ist ausschlaggebend, eine Wissensstrategie in enger Abstimmung mit der Kanz-

---

[30] Zu den Kriterien für *Make-or-buy*-Entscheidungen insbesondere Staub; Leo: Legal Management; 2. Aufl. Zürich 2006, S 177 ff. sowie Mann, Andreas: Industrielles Servicemanagement. In: Fueglistaller, Urs, Dienstleistungskompetenz, Zürich 2008, S. 84, 105 ff.

[31] Vgl. Schulz, Martin: Wissensmanagement – für Juristen unerlässlich, a.a.O. (Fn. 5), S.18 f.

leistrategie zu entwickeln, eine Kultur der Wissensteilung zu etablieren und die notwendigen Wissensprozesse regelmässig zu kontrollieren und gegebenenfalls zu optimieren. Dabei sollte das Angebot elektronischer Informationen (etwa durch Datenbanken, Anbieter von Newsletters oder Informationsquellen im Internet) kontinuierlich daraufhin beobachtet werden, inwieweit sich durch deren Nutzung Synergieeffekte mit dem kanzleiinternen Wissensmanagement erzielen lassen. Bei Beachtung der skizzierten Leitlinien und Empfehlungen kann Wissensmanagement einen wichtigen Beitrag zum Wertschöpfungsprozess der Anwaltstätigkeit leisten.

E. Lean Management in der Kanzlei

Frank von Thun

1. Einleitung:

1 Wertschöpfung des Anwalts ist die Dienstleistung, für die der Mandant bereit ist, zu zahlen. Die Praxis zeigt, dass 30 Prozent anwaltlicher Tätigkeiten nicht diesem Ziel dienen, sondern dass ohne Not Ressourcen wie Zeit und Geld verschwendet werden. Während die Industrie bereits seit Jahrzehnten Methoden anwendet, um Verschwendungen dieser Art im Unternehmen zu vermeiden und ungenutzte Potenziale freizusetzen, wird dieses Potenzial bei Anwaltskanzleien noch sehr häufig unterbewertet. Das Ausschöpfen solcher Potenziale bietet aber einen entscheidenden Wettbewerbsvorteil in der Zukunft. Der Rechtsmarkt hat sich von einem stark reglementierten Markt zu einem Käufermarkt entwickelt. Anwaltskanzleien befinden sich also in einer Marktsituation, in der das Angebot grösser ist als die Nachfrage. Dies führt zu einer Machtstellung der Käufer beziehungsweise der Mandanten bezüglich der Preise und Konditionen. Die Ansprüche an Qualität und Service und das Kostenbewusstsein der Mandanten sind eklatant gestiegen. Entscheidend für die Wettbewerbsfähigkeit der Kanzlei von morgen wird ihre Fähigkeit sein, die Mandantenwünsche effizient bearbeiten zu können. Das wirtschaftliche Ergebnis einer Kanzlei hängt massgeblich von ihrer Effizienz ab, also dem Verhältnis von eingesetzten Mitteln zum Ergebnis. Effizienzsteigerungen werden hauptsächlich durch Optimierung der Ablaufprozesse erreicht. Ziel dieses Beitrages ist es aufzuzeigen, welches Potenzial in der Effizienzsteigerung von Anwaltskanzleien durch Prozessoptimierung liegt und wie es bestmöglich ausgeschöpft werden kann.

2. Potenziale in Anwaltskanzleien durch Effizienzsteigerung?

2 Die Effizienz einer Kanzlei ergibt sich durch den Grad der Effizienz der einzelnen Teilprozessschritte. Wie viel Potenzial sich aus Effizienzsteigerungen in den einzelnen Teilprozessschritten ergibt, soll folgendes Beispiel deutlich machen. Besteht ein Prozess aus fünf einzelnen Teilprozessschritten P1, P2 … P5 und beträgt die Effizienz der jeweiligen Teilprozessschritte 99 Prozent, dann erhält man – indem man die jeweiligen Prozentsätze der fünf Teilprozesse miteinander multipliziert – für den kompletten Prozess eine Gesamteffizienz von 95 Prozent.

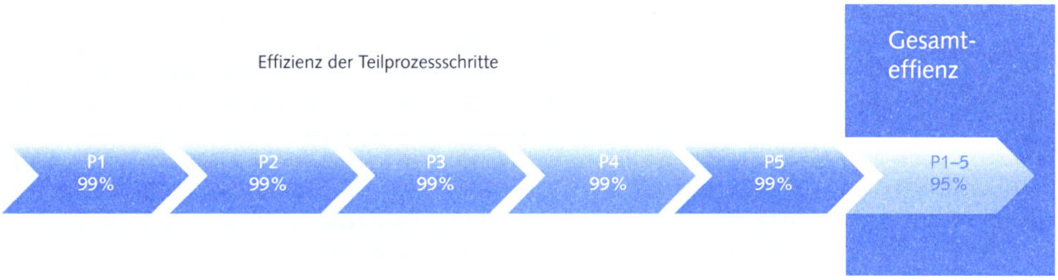

Abb. 1: Beispiel 1 zur Effizienz der Teilprozessschritte

Beträgt die Effizienz der einzelnen Teilprozessschritte 95 Prozent, erhält man entsprechend eine Gesamteffizienz von nur 77 Prozent für den ganzen Prozess. 3

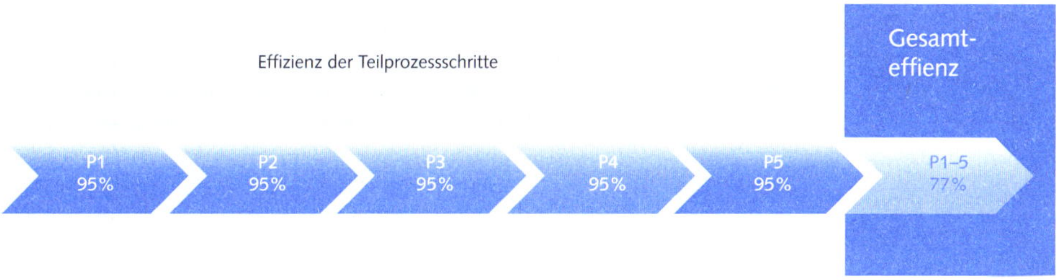

Abb. 2: Beispiel 2 zur Effizienz der Teilprozessschritte

Der Unterschied zwischen beiden Beispielen beträgt 18 Prozentpunkte. Eine Anwaltskanzlei mit einer Effizienz in den Teilprozessen wie in Beispiel 1 hat also einen deutlichen Wettbewerbsvorteil gegenüber einer Kanzlei wie im Beispiel 2. Die Effizienz von 95 Prozent der Teilprozesse aus Beispiel 2 wird allerdings erfahrungsgemäss in der Realität in Anwaltskanzleien selten erreicht. In der Regel ist das Potenzial wesentlich grösser. Üblicherweise findet man ein Potenzial von circa 30 Prozent. Das Beispiel betrachtet auch nur einen einzelnen Prozess. Erweitert man die Betrachtung auf zehn Prozesse, verzehnfacht sich dieses Ergebnis entsprechend. Die Potenziale sind also enorm. Ich will zunächst darauf eingehen, wie diese Potenziale realisiert werden können. 4

2.1 Kosteneinsparung

Effiziente Prozesse führen zu Einsparungen bei den operativen Kosten. Operative Kosten sind die Kosten, die durch den Betrieb, die Nutzung oder die Aufrechterhaltung der Leistungsfähigkeit einer Anwaltskanzlei entstehen. Davon abzugrenzen sind Kosten, die durch die Art und Weise der Finanzierung der Anwaltskanzlei entstehen, beispielsweise Fremdkapitalkosten wie Zinsen. Setzt man die operativen Kosten ins Verhältnis zum Umsatz, erhält man die Kostenquote, die letztendlich den Anteil des Gewinns am Umsatz limitiert. Die Kostenquote hat also einen signifikanten Einfluss auf das wirtschaftliche Ergebnis der Kanzlei, wie Abbildung 3 zeigt. Allein durch die verringerte Kosten- 5 quote ergibt sich in diesem Beispiel ein Mehrertrag von 20 Prozent des Umsatzes, also vier Millionen Euro.

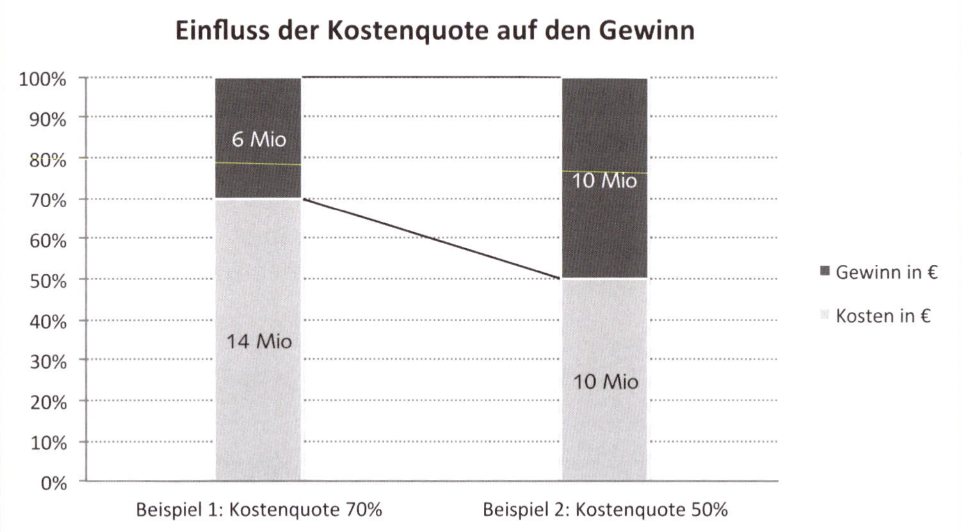

Messgrösse	Beispiel 1	Beispiel 2	Δ
Umsatz in €	20000000	20000000	0
Kosten in €	14000000	10000000	4000000
Gewinn in €	6000000	10000000	4000000

Abb. 3: Einfluss der Kostenquote auf den Gewinn

6 Die Limitierung der Kostenquote auf ein Mindestmass ist demnach ausschlaggebend für die Wettbewerbsfähigkeit einer Anwaltskanzlei. Die operativen Kosten setzen sich aus fixen und variablen Kosten zusammen. Fixe Kosten fallen unabhängig von einem einzelnen Mandat an und sind in Bezug auf einen bestimmten Zeitraum konstant. Hierzu zählen insbesondere für Miete anfallende Kosten und Gehaltskosten. In Anwaltskanzleien gibt es eine massgebliche variable Einflussgrösse der Kosten: die vom Anwalt auf das Mandat aufgewendete Zeit.[1] Wesentliches Effizienzkriterium ist also die Kostenquote des Anwalts pro aufgewendetes Mandat. Je weniger Zeit auf ein Mandat verwendet werden muss, desto geringer ist der relative Anteil der Kosten in Bezug auf das Mandat. Wie sich eine auf das Mandat bezogene Kostenquote auswirkt, zeigt folgendes Beispiel:

1 Vgl. Vorbrugg, Georg: DAV:TQM: Qualitätsmanagement in der Anwaltskanzlei; DAV-Leitfaden, hrsg. vom Deutschen Anwaltsverein. Bearb. von den Mitgliedern des DAV-Ausschusses «Total Quality Management». Bonn, Dt. Anwaltsverl., 1997.

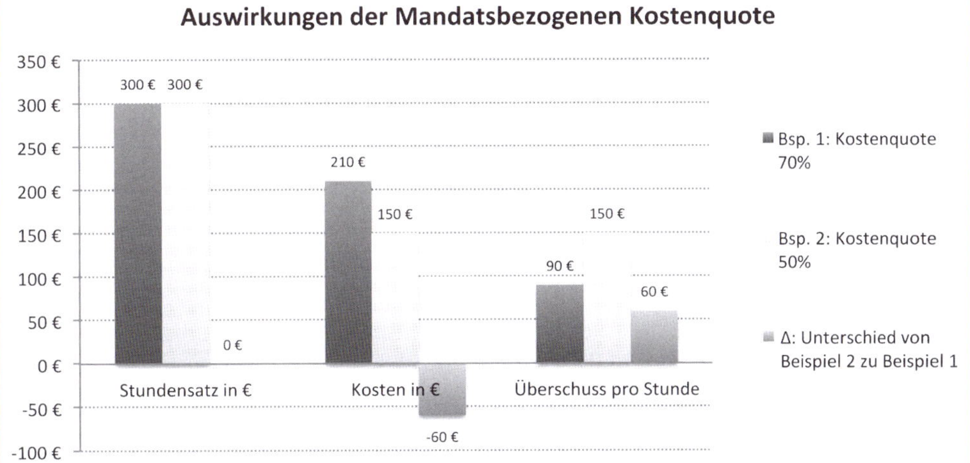

Messgrösse	Beispiel 1: Kostenquote 70%	Beispiel 2: Kostenquote 50%	Δ: von Beispiel 1 zu Beispiel 2	Δ in %
Stundensatz in €	300	300	0	0
Kosten in €	210	150	–60	–29
Gewinn pro Stunde in €	90	150	60	67
Kostenquote in %	70	50		

Abb. 4: Auswirkungen der mandatsbezogenen Kostenquote

In beiden Beispielen wird der gleiche Stundensatz von 300 Euro zugrunde gelegt. Im 7
Beispiel 1 beträgt die Kostenquote in Bezug auf die aufgewendeten Stunden 70 Prozent, im Beispiel 2 hingegen nur 50 Prozent, weil 20 Prozent weniger Zeit zur Abarbeitung des Mandats verwendet wurde. Die effizientere Bearbeitung des Mandats in Beispiel 2 führt zu 29 Prozent weniger Kosten pro Mandatsbearbeitungsstunde als in Beispiel 1, und der Gewinn steigt damit um 67 Prozent. Dieses Beispiel veranschaulicht sehr deutlich, wie viel Potenzial in der effizienten Bearbeitung der Mandate steckt.

2.2 Kapazitätssteigerung durch Durchlaufzeitverkürzung

Effiziente Prozesse führen zu Kapazitätssteigerungen. Unter Kapazität versteht man in 8
Anwaltskanzleien die maximal erreichbare Leistungsfähigkeit der Anwälte und Mitarbeiter unter Einsatz der Ressourcen in einem bestimmten Zeitraum. Gelingt es, die gleiche Leistung in kürzerer Zeit zu erbringen, werden Kapazitäten frei. Wie diese freien Kapazitäten genutzt werden, bleibt den Anwaltskanzleien selbst überlassen. Es bestehen im Wesentlichen drei Handlungsmöglichkeiten für Kanzleien zur Auswahl, wie mit diesen freien Kapazitäten umgegangen werden kann. Zum einen können sie dazu genutzt

werden, mehr Mandate zu bearbeiten. Dies setzt natürlich voraus, dass neue Mandate akquiriert werden können. Gelingt es dann, zusätzliche Mandate in derselben Zeit zu bearbeiten, wirkt sich dies unmittelbar auf das Gesamtergebnis der Kanzlei aus. Berücksichtigt man die obigen Ausführungen bezüglich der mandatsbezogenen Kostenquote[2], wird das grosse Potenzial deutlich, das durch eine Durchlaufzeitverkürzung gewonnen werden kann. Diese neuen Mandate können grösstenteils ohne Mehrkosten erbracht werden, denn Fixkosten wie Miete, Löhne und Gehälter fallen ohnehin an. Es entstehen lediglich Mehrkosten für zusätzliche Kopien und Reisekosten oder ähnliche mandatsbezogene Kosten. Man kann diese freien Kapazitäten aber auch zur Optimierung der internen Ablaufprozesse verwenden, um so die Mandanten- und Mitarbeiterzufriedenheit zu erhöhen.[3] Schliesslich kann man die freien Kapazitäten auch dafür nutzen, im Sinne einer Work-Life Balance mehr Freizeit zu haben. Die Anwaltskanzleien haben je nach strategischen Zielen die Wahl, wie sie mit den freien Kapazitäten umgehen. Vor dem Hintergrund des stetig steigenden Wettbewerbs im Rechtsmarkt empfehle ich, die Prioritäten unter den drei Handlungsoptionen in der besprochenen Reihenfolge zu setzen.

2.3 Produktivitätssteigerung

9 Effizientere Prozesse führen zur Steigerung der Produktivität der Mitarbeiter und Anwälte. Optimierung von Arbeitsabläufen in einer Anwaltskanzlei ist auch ein Service für die Mitarbeiter. Gestaltet man Prozesse einfacher, indem man die Komplexität der Prozesse reduziert, werden Fehler vermieden, die Fehlerkorrekturen notwendig machen. Fehlerkorrekturen, die häufig auf die hohe Komplexität zurückzuführen sind, sind nicht nur reine Zeitverschwendung, sondern kosten den Mitarbeiter auch Kraft, machen die Arbeit zäh und somit den Mitarbeiter unzufrieden. Eine hohe Komplexität der Prozesse trifft man insbesondere in Grosskanzleien an, die an umfangreichen Projekten arbeiten und bei denen die Arbeits- und Informationsflüsse zwischen mehreren Anwälten, Assistenten, Sekretärinnen und der Rechnungsstellungsabteilung koordiniert werden müssen. Solche Grossprojekte führen oftmals nicht zum gewünschten Erfolg, weil es an einer effizienten Kommunikation mangelt. Früher wurden alle Notizen und alle Schriftstücke in der Handakte abgelegt, was zum grössten Teil sicherstellte, dass die Akte auf aktuellem Stand war und alle notwendigen Informationen enthielt. Die Tatsache, dass die moderne Kommunikation im Wesentlichen über den E-Mail-Verkehr läuft, führt zu neuen Problemen. Nicht selten kommt es dazu, dass Informationen in einer Sackgasse landen, nämlich im Postfach des E-Mail-Empfängers. Wird nun versäumt, diese Information mit den anderen Teammitgliedern zu teilen, kann es zu Doppelarbeiten, zu überflüssigen oder zu versäumten Arbeiten kommen. Stellt sich dann zu einem späteren Zeit-

[2] Siehe oben unter 2.1.
[3] Vgl. unten 2.3.

punkt im Projekt das Versäumnis der Informationsweitergabe heraus, wird niemand im Team darüber erfreut sein, dass er viel Zeit und Energie in eine Arbeit investiert hat, die jetzt nicht mehr benötigt wird beziehungsweise für den Projekterfolg nicht verwertet werden kann. Dies führt zu einer schlechten Stimmung im Team und kann weitergehen bis zu Frustration und einer insgesamt niedrigen Mitarbeiterzufriedenheit. Schlanke und standardisierte Prozesse, klar definierte Rollen und Verantwortlichkeiten machen effiziente Prozesse aus. Der Erfolg solcher komplexen Projekte hängt nicht zuletzt vom Einsatz und von der Motivation der Mitarbeiter ab. Es darf also nicht vernachlässigt werden, die Mitarbeiter zu motivieren und ihnen zu ermöglichen, Spass an der Arbeit zu haben. Effiziente Prozesse sind ein wichtiger Faktor für die Produktivität der Angestellten. Ineffiziente Prozesse hingegen führen zu Stress und innerlicher Kündigung der Mitarbeiter. Somit sind effiziente Prozesse neben Mitarbeiterförderung, Mitarbeiterführung und Karriereaussichten ein wesentliches Element bei der Erreichung einer hohen Mitarbeiterzufriedenheit. Sind ineffiziente Prozesse die Ursache für die Unzufriedenheit von Angestellten, besteht ein sehr beachtliches Potenzial zur Produktivitätssteigerung. Zufriedene Mitarbeiter haben ausserdem einen positiven Einfluss auf die Mandanten.

2.4 Qualitätsverbesserung

Effiziente Prozesse führen zur Steigerung der Qualität der anwaltlichen Tätigkeiten. 10
Um dies zu verstehen, muss man sich zunächst die Fehlerkosten und die Bedeutung von Fehlern vergegenwärtigen. Fehlerkosten, also die durch Fehler verursachten Kosten, treten häufig nicht offenkundig hervor. Sichtbar wird meist nur die Spitze des Eisbergs, wie beispielsweise doppelt anfallende Portokosten, die dadurch entstehen, dass ein Gutachten erneut versendet werden muss. Denn wesentliche Aspekte des Sachverhalts wurden bei der ersten Bearbeitung nicht berücksichtigt, weil sie nicht der Akte beigefügt waren. Ein solcher Fehler kann aber weitreichendere Konsequenzen haben als nur die doppelten Portogebühren. Erst einmal kann dieser Fehler bewirken, dass das gesamte Gutachten überarbeitet werden muss, was dem Mandanten natürlich nicht in Rechnung gestellt werden kann. Es ist also wahrscheinlich, dass der Deckungsbeitrag dieses Falles negativ sein wird und mit der Bearbeitung des Gutachtens Verluste eingefahren werden. Die Behebung dieses Fehlers wird dann oberste Priorität in der Kanzlei haben, selbst wenn die Abgabe des Gutachtens nicht fristgebunden sein sollte. Man möchte ja dem Mandanten gegenüber nicht als gleichgültig erscheinen. Diese Situation führt dazu, dass andere Mandate erst mal liegen bleiben und diese Mandanten verärgert werden, weil terminliche Zusagen nicht eingehalten werden können. Es herrscht Stress in der Kanzlei. Stress ist einer der Hauptursachen für Fehler, was demnach die Gefahr von neuen Fehlern erhöht. Diese Angst vor neuen Fehlern sorgt für noch mehr Stress. Insbesondere wenn man die sehr unbefriedigende Aussicht hat, dass man den Mandanten, der zunächst das falsche Gutachten bekommen hat, sehr wahrscheinlich nicht als Mandanten behalten wird. Dieses Horrorszenario ist leider sehr häufig alltägli-

che Praxis in Anwaltskanzleien. Qualitätsfehler ziehen regelmässig eine Spirale an negativen Konsequenzen nach sich, weshalb die oberste Direktive in Anwaltskanzleien die Null-Fehler-Qualität ist. Denn sie ist Voraussetzung für die Mandantenzufriedenheit und steigert den Kanzleiwert nachhaltig. Angestrebtes Ziel ist es also, Fehler zu vermeiden. Dazu müssen zunächst die Kernursachen analysiert werden. Denn nur wenn man den Kern der Ursache beseitigt, wird der gleiche Fehler nicht wieder passieren. Hierzu wird ein Messsystem aufgesetzt, das die Fehleranfälligkeit des Prozesses misst. Kennt man nun die genaue Ursache des Fehlers, muss der Prozess so angepasst werden, dass der Fehler nicht noch mal auftritt. Wesentlich bei der Gestaltung der neuen Prozesse ist die Überlegung, dass durch die Veränderung des Prozesses keine neuen Fehlerquellen geschaffen werden. Die Ergebnisse des neuen Prozesses müssen kontinuierlich gemessen werden, um die nachhaltige Verbesserung im Rahmen eines permanenten Optimierungsprozesses zu gewährleisten. So werden die Prozesse immer effizienter gestaltet und es wird eine hohe Qualität der Leistung sichergestellt.

3. Effizienzsteigerung durch Vermeidung von Verschwendung

11 Während ich bis hierhin die Potenziale, die durch effiziente Prozesse geschaffen werden können, aufgezeigt habe, möchte ich nun näher darauf eingehen, auf welche Weise diese Potenziale generiert und in Anwaltskanzleien umgesetzt werden können. Grundannahme ist, dass die Wertschöpfung in einer Anwaltskanzlei effizient erfolgt, wenn man dabei Verschwendung vermeidet. Was wertschöpfend ist, bestimmt der Mandant. Nur das, wofür er zu zahlen bereit ist, ist wertschöpfend. Die Mandatsbearbeitung besitzt allerdings auch immer nicht wertschöpfende Anteile. Verschwendung ist somit alles, wofür der Mandant keine Zahlungsbereitschaft mitbringt, also alle Tätigkeiten – sofern sie nicht absolut notwendig sind –, für die der Mandant keinen Geldwert definiert. Das Ziel effizienter Prozesse ist es, Verschwendung zu vermeiden und nicht wertschöpfende Tätigkeiten auf ein Minimum zu reduzieren. Effiziente Prozesse implementieren heisst also «Werte ohne Verschwendung schaffen». Man unterscheidet im Wesentlichen acht Arten der Verschwendung. Aus Platzgründen werde ich diese nur kurz anreissen und lediglich die wichtigsten drei Verschwendungsarten näher erläutern.

3.1 Wartezeiten

12 Benjamin Franklin hat einst gesagt: «Ist die Zeit das Kostbarste unter allem, so ist Zeitverschwendung die allergrösste Verschwendung.» Dennoch ist sie eine der am häufigsten auftretenden Verschwendungsarten, die insbesondere durch Warten verursacht wird. Warten bedeutet unter dem Gesichtspunkt effizienter Prozesse jedes Warten auf das Eintreten eines äusseren Ereignisses, das Voraussetzung dafür ist, den nächsten

Prozessschritt durchführen zu können. Es bedarf keiner grossen Erläuterung, dass Warten bei den meisten juristischen Tätigkeiten nicht wertschöpfend ist und der wartende Mitarbeiter nicht nur Zeit, sondern auch Geld verschwendet. Was ist aber, wenn sich der Mitarbeiter während der Wartezeit mit etwas anderem beschäftigt? Manche Kollegen mögen hier einwenden, dass eine Zeitverschwendung in einem solchen Fall nur dann vorliege, wenn der betreffende Kollege untätig bliebe und nur wartend herumsässe. Was eher unwahrscheinlich sei, da Arbeit immer ausreichend vorhanden sei. Und wenn es keinen akuten Fristendruck gebe, sei es schliesslich unerheblich, an welcher Akte man arbeite. Eine solche Betrachtung ist oberflächlich und berücksichtigt nur die Spitze des Eisbergs.

Die Konsequenzen liegen tiefer. Bei Grossprojekten, bei denen mehrere Anwaltskol- 13
legen zusammenarbeiten, gibt es in der Regel immer Arbeiten, deren Ergebnisse für einen anderen Kollegen oder ein Teilteam Voraussetzung dafür sind, seine oder ihre Arbeit beginnen, fortsetzen oder abschliessen zu können. Aus diesem Grund sind Projektpläne mit Zwischenergebnissen zu bestimmten Zeitpunkten, sogenannte Meilensteinen, Grundvoraussetzung für ein effizientes Projektmanagement. Was passiert nun, wenn diese Termine in den Projektplänen nicht eingehalten werden? Was sind die Konsequenzen? Ein Beispiel: Gehen wir einmal davon aus, dass ein Team von drei Anwälten als Teilteam von insgesamt zehn Anwälten seine Arbeit an einem bestimmten Tag beginnen möchte. In der Teambesprechung erfahren sie, dass sie noch nicht mit ihrer Arbeit beginnen können, da die von ihnen benötigten Teilergebnisse noch nicht vorliegen, die von einem anderen Teilteam hätten erarbeitet werden sollen. Das Teilteam, das seine Arbeit beginnen wollte, hatte sich den gesamten Vortag lang vorbereitet und hält dies dem säumigen Teilteam vor. Da letzteres Team ohnehin schon wegen des Zeitdrucks unter Stress steht, hält es dem anderen Team ebenfalls mangelhafte Vorbereitung vor (sonst hätte es das Versäumnis ja schon viel früher bemerken müssen). Schon ist ein Konflikt entstanden. Rechnen wir also mal zusammen, wie viel Zeit bisher verschwendet wurde, wenn sich der Projektstart um eine Woche verzögert. Nach einer Woche kann man davon ausgehen, dass die Projektvorbereitung wiederholt werden muss. Das bedeutet bereits einen Zeitverlust von einem Tag pro Anwalt, der dem Mandanten nicht in Rechnung gestellt werden kann, insgesamt also drei Tage. Ausserdem ist die Zeit der Teambesprechung (zwei Stunden) reine Verschwendung gewesen, weil mit der Arbeit nicht begonnen werden konnte, sondern nur gestritten wurde. Bei zehn Teammitgliedern sind das noch mal 20 Stunden. Es ergibt sich bereits jetzt eine Zeitverschwendung von circa fünf Tagen. Hierbei sind noch nicht einmal die durch den Konflikt begründeten Kosten berücksichtigt. Was ist aber, wenn nicht jeder der drei Mitarbeiter nahtlos in eine neue Tätigkeit übergehen kann, weil in der Personalplanung davon ausgegangen wurde, dass die Mitarbeiter bereits auf diesem Projekt arbeiten würden? Was ist, wenn ein Mitarbeiter oder vielleicht sogar alle drei Anwälte diese Woche mit nicht fakturierbaren Tätigkeiten verbringen können, da es sich für nur eine Woche nicht

lohnt, ein weiteres Grossprojekt anzufangen? Im schlechtesten Fall fehlen fünf fakturierbare Tage im Vergleich zum Budget, und das multipliziert mit drei Anwälten. Zusammengerechnet wären das bereits 20 Tage, die nicht fakturiert werden könnten. Stellen Sie sich jetzt noch vor, dass dies kein Einzelfall ist, und rechnen Sie das auf die Anzahl von Projekten pro Jahr hoch. Das Potenzial an Verschwendung durch Vermeidung von Wartezeiten kann sehr gross sein, wenn man die tatsächlichen Konsequenzen berücksichtigt. Daher ist es wichtig, die vorhandenen Geschäftsprozesse in einer Kanzlei auf Verschwendung durch Warten zu analysieren und die Kernursachen dieser Verschwendung zu beseitigen, um dann einen effizienten Prozess aufzusetzen, der Wartezeiten erst gar nicht entstehen lässt.

3.2 Korrekturen und Rückfragen

14 Korrekturen, also nachträgliche Verbesserungen einer bereits geleisteten Arbeit, sind eine weitere in Anwaltskanzleien häufig auftretende Form der Verschwendung. Fehlerhafte Arbeitsergebnisse müssen ausgebessert werden. Hierzu müssen dieselben Prozessschritte wiederholt werden. Zum Beispiel weil der Prozessschritt nicht gleich beim ersten Mal so erfüllt wurde, wie er hätte erfüllt werden sollen, um den Anforderungen des Mandanten zu genügen. Das Nachbessern von Prozessschritten ist Verschwendung. So kommt es nicht selten vor, dass Stammdaten von Mandanten nicht richtig gepflegt sind und beispielsweise der Sitz des Mandanten nicht richtig vermerkt ist, sondern nur die Adresse der Tochterfirma. So kann es passieren, dass Schriftstücke an den Hauptsitz und nicht an die Tochterfirma verschickt werden müssen, was dazu führt, dass der Fehler korrigiert werden muss und diese noch mal, aber diesmal an den Sitz des Unternehmens verschickt werden müssen. Abgesehen davon, dass diese Fehlerkorrektur die Arbeitszeit der Sekretärin und somit Geld kostet, könnte es beim Mandanten den Eindruck juristischer Unkenntnis erwecken, und das Ansehen der Kanzlei beim Mandanten könnte grossen Schaden nehmen. Denn der Mandant könnte denken, dass in der Kanzlei generell nicht sorgfältig gearbeitet wird. Solche Fehler und damit durch Korrekturen verursachte Verschwendung können durch effizient gestaltete Prozesse vermieden werden.

15 Auch Rückfragen sind Verschwendung. Rückfragen werden häufig aufgrund fehlender oder mangelhafter Informationen notwendig. Würden diese Informationen von Anfang an mitgeliefert, könnte man sich Rückfragen ersparen, die den Betreffenden in seiner momentanen Tätigkeit unterbrechen. Er muss sich den Vorgang wieder in Erinnerung rufen, sich neu hineindenken und gegebenenfalls die notwendige Information selbst suchen. Während dieser Zeit verschwenden die zwei beteiligten Mitarbeiter gleichzeitig ihre Zeit. Es kommt auch nicht selten vor, dass mehr als zwei Personen wegen Rückfragen ihre Zeit verschwenden, weil alle auf die fehlenden Informationen warten – wenn man den Bearbeiter überhaupt erreicht.

Die durch Korrekturen und Rückfragen verursachten Kosten werden in der anwaltlichen Praxis häufig nicht wahrgenommen oder sogar akzeptiert. Das liegt daran, dass man diese Art «Ausschuss» nicht so deutlich sieht wie in der industriellen Produktion. Dort häufen sich die mangelhaften Ausschussteile an, und das Ausmass der Verschwendung wird sichtbar. In Anwaltskanzleien sind diese Verschwendungen genauso gegeben, jedoch sind sie nicht so augenscheinlich. Dabei liegt hier ein enormer Grad an Verschwendung, was sehr viel Geld kostet. Unsere bei Kunden durchgeführten Studien und Analysen zeigen, dass in der Regel bei fünf bis zehn Prozent der Tätigkeiten Rückfragen notwendig sind beziehungsweise Fehler korrigiert werden müssen. Das bedeutet letztendlich, dass die Prozesse zu fünf bis zehn Prozent ineffizient sind und somit fünf bis zehn Prozent der Kosten durch Vermeidung dieser Verschwendung eingespart werden können, wenn man die Prozesse so gestaltet, dass alle Informationen vollständig und rechtzeitig zur Verfügung stehen und so keine Rückfragen mehr notwendig werden. 16

3.3 Nicht geltend gemachte Forderungen

Zunächst mag es verwirrend klingen, dass gerade Anwälte, die sehr häufig von ihren Mandanten zur Durchsetzung ihrer Ansprüche mandatiert werden, Geld verschwenden, weil sie ihre Ansprüche nicht geltend machen und ihre Forderungen nicht einfordern. So absurd das vielleicht für einen Aussenstehenden klingen mag, es ist aber insbesondere vor dem Hintergrund des grossen Wettbewerbsdrucks Realität. Es gibt drei wesentliche Gründe für diese Art der Verschwendung. 17

Es kommt nicht selten vor, dass Forderungen nicht in Rechnung gestellt werden, weil sie schlicht und einfach bei der Rechnungserstellung übersehen werden. So ist es in der anwaltlichen Praxis kein Einzelfall, dass die Sekretärin, die die Rechnung auf Grundlage der Handakte erstellt, Positionen nicht in Rechnung stellt, da die Handakte nicht ordnungsgemäss geführt wurde und wesentliche Informationen fehlen. Stellen Sie sich vor, dass ein Anwalt bei der Bearbeitung seines Mandates eine Teilfrage von einem auf dieses Rechtsgebiet spezialisierten Kollegen bearbeiten lässt. Wird nun versäumt, die aufgewendeten Stunden des Kollegen in der Handakte zu vermerken, werden sie auch nicht auf der Rechnung erscheinen und die Stunden des Kollegen werden nicht in Rechnung gestellt. Es wird dann häufig lieber auf das Geld verzichtet, als dem Mandanten die Stunden des Kollegen nachträglich zu berechnen. Somit bleibt die Kanzlei auf den durch die Zuarbeit des zweiten Kollegen entstandenen Kosten sitzen, die ja, obwohl sie dem Mandanten nicht in Rechnung gestellt wurden, intern abgerechnet werden müssen. Man verschwendet also Geld – was leicht vermieden werden kann, wenn die Prozesse der Rechnungserstellung und der Handaktenführung effizient gestaltet sind. 18

Ein weiterer häufiger Grund für Verschwendung durch nicht geltend gemachte Forderungen liegt in der unzureichenden Stundenaufschreibung begründet. Bei Anwälten, die nach Stunden abrechnen, ist die Richtigkeit der Stundenaufschreibung Voraussetzung 19 für eine korrekte Rechnungsstellung. Die genaue Stundenaufschreibung nimmt aber Zeit in Anspruch. Nicht selten benötigen Anwälte 15 Minuten pro Tag für Stundenaufschreibungen. Diese Zeit nehmen sich viele Anwälte nicht und schreiben ihre Stunden einmal in der Woche aus dem Gedächtnis auf. Bei der Komplexität der Aufgaben und der Arbeitsbelastung bei Anwälten verwundert es nicht, dass hierbei tatsächlich gearbeitete Stunden unter den Tisch fallen und nicht in Rechnung gestellt werden. Diese Verschwendung wirkt sich jedoch unmittelbar auf das finanzielle Ergebnis der Kanzlei aus. Eine effiziente Stundenaufschreibung bedeutet, dass Anwälte ihre Stunden zeitnah und korrekt dokumentieren. Daher ist der Prozess der Stundenaufschreibung so zu gestalten, dass dies auch möglich ist. Nur dann kann die Stundenaufschreibung effizient und weitgehend fehlerfrei erfolgen. Bei einer Stundenaufschreibung aus dem Gedächtnis für die gesamte Woche werden die Abrechnungen sicherlich nicht dem von den Mandanten erwarteten Detailierungs- und Transparenzgrad entsprechen.

20 Ein weiteres, erstaunlicherweise weit verbreitetes Phänomen von Verschwendungen in Anwaltskanzleien sind nachträglich nach unten korrigierte Rechnungen. So kommt es nicht selten vor, dass Rechnungen, die von Mandanten beanstandet werden, ohne auf Fakten basierende Grundlagen einfach um 10, 20 oder sogar 30 Prozent gekürzt werden, um die Mandanten zufriedenzustellen. Aus wirtschaftlicher Sicht ist dieses Verhalten eher unverständlich, da sich das auf das Kanzleiergebnis unmittelbar negativ auswirkt. Es erscheint doch im Vergleich absolut unrealistisch, dass zum Beispiel ein Zahnarzt, der einem Patienten drei Inlays einsetzt, lediglich zwei Inlays in Rechnung stellt, nur weil der Patient die Zahnarztrechnung als zu hoch empfindet. Anwälte tun dies – mit der Begründung, die Mandantenzufriedenheit und der hohe Wettbewerbsdruck würden dies rechtfertigen. Hierbei wird allerdings übersehen, dass der Mandant bereits unzufrieden ist, weil er die Rechnung als überzogen betrachtet. Daher ist es wichtig, die Rechnungsstellung für den Mandanten von vornherein transparent zu gestalten, damit dieser mit Erhalt der Rechnung kein unliebsame Überraschung erlebt. Der gesamte Prozess von der Honorarvereinbarung bis hin zur Rechnungsstellung muss für den Mandanten ganz leicht nachvollziehbar sein. Nur dann ist dieser Prozess effizient und vermeidet Verschwendungen durch Nachlässe. Effiziente Honorarvereinbarungsprozesse und Rechnungsstellungsprozesse sind die Voraussetzung dafür, dass die Mandanten die Rechnungen nicht beanstanden. Darüber hinaus müssen die Anwälte auch lernen, diese Prozesse dem Mandanten zu seiner Zufriedenheit zu verkaufen. Nur wenn dies gelingt, ist der Gesamtprozess von der Honorarvereinbarung bis zur Rechnungsstellung effizient. Auch der Verkaufsprozess ist effizient zu gestalten, und die Anwälte müssen im effizienten Verkaufen ihrer Honorare geschult werden.

3.4 Weitere Verschwendungsarten

3.4.1 Übererfüllung

Analysiert man die bestehenden Prozesse einer Anwaltskanzlei, findet man häufig Verschwendungen durch Übererfüllung. Mit Übererfüllung ist die Ausübung einer Tätigkeit, eines Prozessschrittes vor ihrem Bedarf gemeint. So ist es im Sinne eines effizienten Prozesses Verschwendung, eine Arbeit zu verrichten, bevor sie tatsächlich benötigt wird. Dies bindet Kapazitäten für die Arbeiten, die momentan dringlich sind, und verlängert ohne Not die Durchlaufzeiten, also die Bearbeitungszeit der Akte. 21

3.4.2 Überbearbeitung

Mit Überbearbeitung ist gemeint, dass Arbeiten teilweise doppelt ausgeführt werden, weil Zuständigkeiten nicht eindeutig geklärt sind oder von Funktionen erfüllt werden, die für diese Arbeit überqualifiziert sind. So kommt es vor, dass wegen der nicht eindeutig definierten Aufgabenstellung zuarbeitende Anwälte dieselben Rechtsfragen bearbeiten, obwohl eine einmalige Ausarbeitung ausreichen würde. Es kommt auch vor, dass gewisse Entscheidungen oder Genehmigungen von Seniorpartnern getroffen werden, obwohl andere, weniger gut bezahlte Mitarbeiter ausreichend qualifiziert wären, solche Entscheidungen zu treffen. Die klare Definition von Rollen und Verantwortlichkeiten ist Voraussetzung für effiziente Prozesse, um Verschwendungen durch Überbearbeitung zu vermeiden. 22

3.4.3 Unnötige Bewegungen

Mit unnötigen Bewegungen sind Bewegungen der Mitarbeiter am Arbeitsplatz selbst beziehungsweise Bewegungen innerhalb und ausserhalb der Kanzlei gemeint, die nicht notwendigerweise getätigt werden müssen oder die erheblich reduziert werden können. Das fängt mit dem Gang zum Kopierer an. Oft findet man immer noch auch in grösseren Kanzleien zu wenige Kopierer, die lange Wege von Mitarbeitern zum Kopierer verursachen. Rechnet man aber mal die Zeit, die die Mitarbeiter durch den langen Weg zum Kopierer verschwenden, mit den heute geringen Anschaffungskosten eines Kopierers gegen, ist dies oft nicht nachvollziehbar. Unnötige Bewegungen werden häufig nicht als Verschwendungen wahrgenommen, da man sich im Laufe der Jahre an sie gewöhnt hat. Analysiert man aber einmal Bewegungen, die die Mitarbeiter unternehmen müssen, dahingehend, wie viel Zeit damit verschwendet wird, treten teilweise überraschende Ergebnisse mit enormem Einsparungspotenzial zutage. 23

3.4.4 Unnötige Transporte

Diese Art der Verschwendung, die durch den unnötigen Transport von Arbeitsmaterialien verursacht ist, betrifft in Anwaltskanzleien hauptsächlich die Transporte der Handak- 24 ten durch Mitarbeiter. Verfolgt man den Weg, den Akten in einigen Kanzleien zurücklegen, stellt man häufig fest, dass dies teilweise enorme Strecken sind. Solch weite Wege sind in der Regel nicht notwendig. Das fängt bei der Aufteilung der Räume im Kanzleigebäude an und geht hin bis zu unnötigen Einzelbewegungen am Arbeitsplatz selbst. Dabei ist die Bearbeitung von Akten das Kernstück juristischer Arbeit. Erstaunlicherweise wird dieser Aspekt trotz der hohen Anzahl von bearbeiteten Akten in vielen Kanzleien weitgehend ausgeblendet. Effiziente Handhabung der Akten bedeutet aber, die Transportwege der Akten auf ein Minimum zu reduzieren. Insbesondere sind hierzu auch die Möglichkeiten einer elektronischen Akte in Betracht zu ziehen. Denn der Transport von Akten ist keine wertschöpfende Tätigkeit und jeder unnötige Meter eine Verschwendung von Mitarbeiterzeit und somit von Geld. Nicht selten stellt man nach einer Analyse der Transportwege fest, dass man damit so viel Zeit verschwendet, dass man rechnerisch einige – auch hoch qualifizierte – Mitarbeiter nur dafür eingestellt hat, Akten von A nach B zu tragen.

3.4.5 Ungenutzte Fähigkeiten der Mitarbeiter

25 Ebenfalls übersehen wird oftmals, dass viele Fähigkeiten von Mitarbeitern im Kanzleialltag gar nicht genutzt werden. So kann es passieren, dass langjährige Mitarbeiter seit Jahren bestimmte Tätigkeiten verrichten, die weit unter ihren tatsächlichen Fähigkeiten liegen. So verrichtet eine Sekretärin vielleicht schon seit Jahren nur Schreibarbeit, obwohl sie in ihrer Freizeit in einem grossen Verein die komplette Buchhaltung macht, die viel komplexer als die der Kanzlei ist. Da sie aber nun mal als Schreibkraft angestellt wurde, ist sie für die Buchhaltung in der Kanzlei nicht zuständig – und ihre Kompetenzen werden verschwendet. Berücksichtigt man die ganze Bandbreite der Fähigkeiten und Fertigkeiten seiner Mitarbeiter, kann man seine Mitarbeiter wesentlich effizienter einsetzen, was sowohl die Kosten senkt als auch die Qualität der Arbeit und die Motivation der Mitarbeiter steigert.

3.5 LLM – Lean Law Management®: ein methodischer Ansatz zur Effizienzsteigerung

26 Bis hierhin wurde deutlich, welchen Nutzen effiziente Prozesse bringen und welche Arten von Verschwendung in Anwaltskanzleien vermieden werden müssen, um effiziente Prozesse zu erhalten. Im nächsten Schritt geht es darum, wie man vorgehen muss, um verschwendungsfreie, effiziente Prozesse zu entwickeln und diese auch in der Anwaltskanzlei umzusetzen. Prozesse in Anwaltskanzleien zu verbessern ist eine komplexe Aufgabe – aber angesichts der oben gezeigten Potenziale eine sehr lohnende Übung. Die Effizienz einer Kanzlei ist entscheidend für ihre Wettbewerbsfähigkeit, und diese entscheidet über ihren zukünftigen Erfolg. Um diesem Bedarf an Prozessoptimie-

rung in Anwaltskanzleien gerecht zu werden, habe ich den Ansatz LLM – Lean Law Management® entwickelt.

LLM – Lean Law Management® ist ein Zusammenspiel aus: Methoden, einer Denkweise, vielen Werkzeugen, verschiedenen Prinzipien und einer Unternehmensphilosophie. Mit dem Ziel, die Wertschöpfungskette in Anwaltsunternehmen effizienter zu gestalten und dabei Verschwendungen, Fehler und unnötige Kosten zu vermeiden. Und gleichzeitig bestmögliche Qualität und Mandantenzufriedenheit zu erreichen und den Umsatz zu steigern. 27

LLM – Lean Law Management® ist ein moderner, speziell für die Ansprüche von Anwaltskanzleien entwickelter Ansatz, der Lean-Management-Grundsätze anwendet, um die Prozesse in Anwaltskanzleien effizienter zu gestalten. Der Begriff Lean Management kommt aus der Automobilindustrie[4]. Als in den 80er-Jahren die Japaner immer grössere Anteile am amerikanischen Automobilmarkt erlangten, beauftragte die amerikanische Automobilindustrie das Massachusetts Institute of Technology (MIT) damit, den Ursachen der eigenen Marktanteilsverluste auf den Grund zu gehen. Es wurde dann 1990 ein Ergebnisbericht durch James P. Womack, Daniel T. Jones und Daniel Roos veröffentlicht. Sie fanden heraus, dass das Geschäftsmodell der Japaner dem Geschäftsmodell der Amerikaner weit überlegen ist – und sie nannten dieses Geschäftsmodell Lean Management. Seitdem ist Lean Management bis heute in vielen Industriezweigen die erfolgreichste Methode. Lean Management hat unter dem Begriff *lean administration* auch schon den Einzug in Dienstleistungsunternehmen gefunden. LLM – Lean Law Management® wendet genau diese Lean-Management-Prinzipien auf Anwaltskanzleien an und etabliert damit auch in Anwaltskanzleien strukturierte und auf Fakten basierende Projektarbeit mit nachhaltigen und messbaren Ergebnissen. 28

LLM – Lean Law Management® geht methodisch in fünf Schritten vor. Es folgt dabei dem DMAIC-Regelkreis zur Prozessoptimierung, der in der Industrie zur Qualitätsverbesserung entwickelt wurde und unter dem Namen Six Sigma bekannt geworden ist. DMAIC ist ein Akronym und steht für folgende Prozessschritte zur Prozessoptimierung: *Define – Measure – Analyse – Improve – Control.* 29

3.5.1 *Define*

Um die Zukunft gestalten zu können, muss man die Gegenwart kennen. Daher müssen zunächst die bestehenden Prozesse verstanden und detailliert erfasst und dargestellt werden. Darüber hinaus müssen die Mandanten- und Kanzleianforderungen an diese Prozesse eindeutig definiert werden. 30

[4] Vgl. Womack, James P. / Jones, Daniel T. / Roos, Daniel; The Machine That Changed The World. New York 1990, Chapter 1 ff.

3.5.2 *Measure*

31 Danach muss man die Ausgangssituation zahlenmässig erfassen. Der renommierte Ökonom Peter Drucker hat einst gesagt: «Was Du nicht messen kannst, kannst Du nicht lenken.»[5] Um nach der Prozessoptimierung feststellen zu können, dass die eingeleiteten Massnahmen auch zu einer Verbesserung beigetragen haben, ist es wesentlich, ein Messsystem aufzusetzen, das die Effizienz des Prozesses misst.

3.5.3 *Analyse*

32 Man kann Problemen in Prozessen nur Herr werden, wenn man die Kernursache des Problems beseitigt, die den Prozess behindert. Dazu muss natürlich zunächst die Kernursache ermittelt werden. Das ist Ziel der Analyse. Wie für die anderen Prozessschritte des DMAIC-Regelkreises gibt es auch für diesen eine Fülle von Werkzeugen zur Unterstützung der Durchführung. Eines dieser Werkzeuge, um Verschwendungsquellen und deren Ursachen aufzuzeigen, ist die Wertstromanalyse. Sie hat zum Ziel, die Bearbeitungszeiten von Mandaten (Durchlaufzeiten) auf ein Minimum zu reduzieren, da dies wie oben gezeigt zu Kapazitätserhöhungen und Kosteneinsparungen führt. Abbildung 5 zeigt ein Beispiel, wie durch die Reduzierung von Verschwendung die Durchlaufzeit einer Mandatsbearbeitung reduziert wurde. Hierzu wurden die einzelnen Arbeitsschritte zur Mandatsbearbeitung im Hinblick auf wertschöpfende, nicht wertschöpfende und verschwendende Tätigkeiten hin analysiert und ein Potenzial der Durchlaufzeitverkürzung auf circa die Hälfte ermittelt. Wertschöpfende Tätigkeiten sind hierbei die Tätigkeiten, für die der Mandant bereit ist zu zahlen. Nicht wertschöpfende Tätigkeiten sind Tätigkeiten, für die der Mandant nicht bereit ist zu zahlen, die aber notwendige Schritte sind, um die wertschöpfenden Tätigkeiten auszuführen. Zum Begriff der Verschwendung siehe oben.

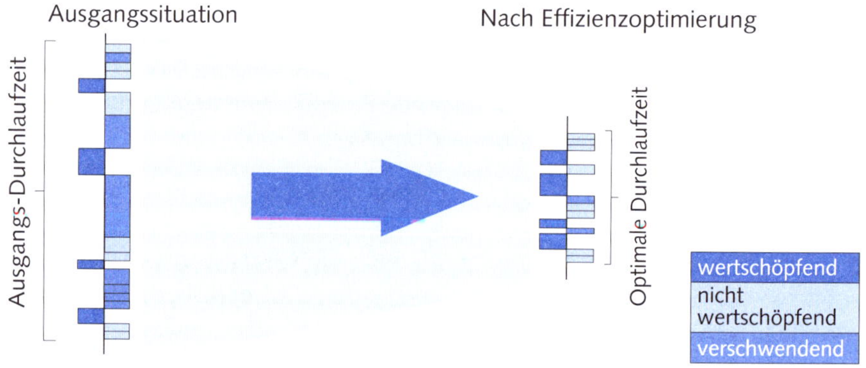

Abb. 5: Beispiel für die Durchlaufzeitverkürzung bei der Mandatsbearbeitung

[5] Vgl. «You can only manage what you can measure», Drucker Peter F.; The Essential Drucker, The Best of Sixty Years Peter F. Drucker's, Essential Writings on Management. New York 2001, p. 18.

3.5.4 *Improve*

Als Nächstes müssen Lösungen für die Prozessineffizienzen auf Basis der Kernursachen generiert werden. Diese Lösungen werden unter Verwendung von Kreativitätstechniken, speziell für Anwaltskanzleien entwickelte Werkzeuge und Methoden, sowie nach *Best-practice*-Ansätzen erarbeitet. Die möglichen Lösungsansätze werden dann auf ihre gewichtete Effizienz hin bewertet, und unter Berücksichtigung von Nutzen und Aufwand werden die besten ausgewählt. Das klingt jetzt natürlich sehr einleuchtend und banal. Aber in Anwaltskanzleien trifft man hier auf die grösste Hürde. Sie tun sich äusserst schwer in der Umsetzung von Verbesserungen. Sobald man Anwälten die Potenziale an Verbesserungsmöglichkeiten aufzeigt, sind sie in der Regel äusserst kreativ in der Lösungsfindung. Wenn es dann aber darum geht, eine Entscheidung bezüglich der einzelnen Lösungsmöglichkeiten zu treffen, fangen die Probleme an. Es ist oft schwierig, für die gesamte Kanzlei einvernehmliche Entscheidungen zu fällen. Dies wird natürlich auch durch die Partnerstruktur der meisten Kanzleien unterstützt, da jede Entscheidung am Widerstand eines einzelnen Anwalts scheitern kann. So scheitern auch Prozessoptimierungen sehr oft am Widerstand einzelner Partner. Wie nimmt man nun diese Hürde? Die Basis hierfür ist Vertrauen. Es muss innerhalb der Kanzlei einen verantwortlichen Projektmanager geben, der für die kontinuierliche Verbesserung der Prozesse in der Kanzlei zuständig ist. Ihm muss das Vertrauen entgegengebracht werden, dass er seine Arbeit gut macht. Natürlich muss man die Ergebnisse seiner Arbeit auch messen.[6] Er muss die Entscheidungskompetenzen besitzen, Veränderungen in einem gewissen Umfang umzusetzen. Handelt es sich bei diesem Projektmanager um einen Partner der Kanzlei, wird er es in den meisten Fällen allerdings schwer haben, in Bezug auf seine Neutralität glaubwürdig zu bleiben. In solchen Fällen ist es meiner Erfahrung nach notwendig, einen externen Berater hinzuzuziehen. Dieser Berater benötigt natürlich neben seiner fachlichen Prozesskompetenz die Fähigkeit, einen Interessenausgleich zwischen den Partnern herstellen zu können. Ein externer Berater kann dabei helfen, die Verbesserungen neutral und rein nach ihrer Effizienz zu betrachten. Er darf die Entscheidungen aber keinesfalls für die Kanzlei treffen, er ist ein reiner Berater. Und er sollte idealerweise im Change Management geschult sein und wissen, wie man mit Widerständen gegen Veränderungen umgeht. 33

3.5.5 *Control*

Hat man die Prozesse optimiert, muss man die Ergebnisse der Verbesserungen überwachen, um sicherzustellen, dass es auch tatsächlich die gewünschten Resultate sind. Treten diese nicht ein, haben die eingeleiteten Aktionen nicht die Kernursache der Verschwendung beseitigt. In diesem Fall muss man eine erneute Schleife des DMAIC-Regelkreises durchlaufen, bis auch wirklich die Ergebnisse eintreten, die man erzielen will. Im 34

[6] Siehe nächster Punkt 3.5.5.

Sinne eines kontinuierlichen Verbesserungsprozesses, der die Nachhaltigkeit der Ergebnisse gewährleisten soll, muss man diesen DMAIC-Regelkreis so installieren, dass er in regelmässigen Abständen iterativ wiederholt werden kann.

4. Fazit

35 Das Potenzial an Kosteneinsparungen und Umsatzsteigerungen in Anwaltskanzleien durch Effizienzsteigerung der Ablaufprozesse ist gross. Aus Gewohnheit, Bequemlichkeit und Unkenntnis halten sich im Kanzleialltag hartnäckig ineffiziente Abläufe, nur weil sie sich über die Zeit hinweg etabliert haben. Anwaltskanzleien verschwenden so auch heute noch in grossem Umfang wertvolle Ressourcen, die – effizient eingesetzt – die Wertschöpfung erheblich steigern könnten. Dabei ist es wichtig und auf alle Fälle lohnend, der Verschwendung in ihren zahlreichen Erscheinungen wirksam entgegenzutreten. Denn die Effizienz der Prozesse ist wettbewerbsentscheidend für die Anwaltskanzlei der Zukunft. Im härter werdenden Wettbewerb um immer anspruchsvollere Mandanten ist es für jede Kanzlei fahrlässig, wenn nicht gar gefährlich, die enormen Potenziale zur Effizienzsteigerung zu ignorieren und einfach weiterzumachen wie bisher. Nur Kanzleien, die ihre internen Prozesse auf die Bedürfnisse ihrer Mandanten abstimmen und darauf ausrichten, werden zu den Top-Anwaltskanzleien gehören und sich ihre Stellung für die Zukunft sichern. Eine grosse Hilfe dabei kann LLM – Lean Law Management® sein, ein moderner, speziell für die Ansprüche von Anwaltskanzleien entwickelter Ansatz. Mit dieser standardisierten Methode können Verschwendungen in der Kanzlei systematisch aufgespürt, analysiert und letztendlich vermieden werden. Weniger Verschwendungen steigern die Effizienz und garantieren jeder Anwaltskanzlei, die konsequent Lean Management-Prinzipien umsetzt, eine deutlich höhere Wertschöpfung bei der Ausübung ihrer Dienstleistung.

F. Automatisation/IT: Neue Möglichkeiten in der Prozessunterstützung von Anwaltskanzleien

ADRIAN RUFENER

1. Vorbemerkungen

1.1 Informatikeinsatz als Geschäftsführungsaufgabe

Im Geschäftsalltag hat sich der Einsatz von Informations- und Kommunikationstechnologie (ICT) durchgesetzt. In grösseren Unternehmen wurde auf Stufe Unternehmensführung die Funktion eines CIO (Chief Information Officer) geschaffen, da mit der ICT in aller Regel auch unternehmenskritische Geschäftsprozesse abgedeckt werden. Strategische Entscheide über den Einsatz von Informatikmitteln sind auf Stufe Geschäftleitung zu fällen, der Vollzug kann jedoch delegiert werden. Gleich verhält es sich in Anwaltskanzleien. Die Frage, ob und in welchen Teilbereichen der Kanzleiadministration (im weiteren Sinne) Informatikmittel eingesetzt werden und welche Geschäftsprozesse anzupassen sind, ist eine strategische Aufgabe, die weder einer Sekretärin bzw. einem Substituten noch einem externen EDV-Betreuer delegiert werden kann. Vielmehr ist es Sache der Kanzleiinhaber, die strategische Marschrichtung festzulegen, wobei externen Beratern die Aufgabe zufallen kann, die entscheidrelevanten Fakten aufzuarbeiten und anschliessend entsprechend dem von den Kanzleiinhabern verabschiedeten ICT-Konzept umzusetzen. 1

1.2 Anwaltskanzlei als Betrieb, welcher Informationen verarbeitet

Aus Sicht der ICT ist eine Anwaltskanzlei ein Dienstleistungsbetrieb, der Informationen verschiedenster Quellen (Kunden, Gegenparteien, Gerichte, Literatur, etc.) erhebt, bearbeitet und weiterverbreitet. Dabei sind diese Informationen in analoger (Papier) oder digitaler Form (elektronisch) vorhanden. Aus unternehmerischer Sicht macht es somit Sinn, sogenannte Medienbrüche, d.h. die Transformation von der analogen in die digitale Welt oder umgekehrt, möglichst zu vermeiden bzw. zu reduzieren. Sinnvollerweise sollten die Daten der verschiedenen Informationsquellen digital vorhanden bzw. eine Umwandlung analoger in digitale Daten einfach möglich sein.[1] 2

[1] Z.B. Scanning von Dokumenten, Volltextindexierung mittels OCR-Software.

1.3 Physisches und/oder elektronisches Dossier

3 Im Arbeitsalltag ist das Arbeiten mit physischen Dossiers oft angenehmer und komfortabler als mit rein elektronischen Dossiers. Gleichwohl ist der Vorteil elektronisch vorhandener Dossiers nicht zu übersehen, kann doch dank Volltextsuche in umfangreichen Dokumenten bzw. Dossiers nach Begriffen gesucht werden. Sodann können mehrere Personen gleichzeitig auf die Daten zugreifen. Dies ist insbesondere dann von Vorteil, wenn grössere Mandate im Team bearbeitet werden oder aufgrund mehrerer Kanzleistandorte bzw. dezentraler Arbeitsweise Zugang[2] zu zentral abgelegten Daten notwendig ist.[3]

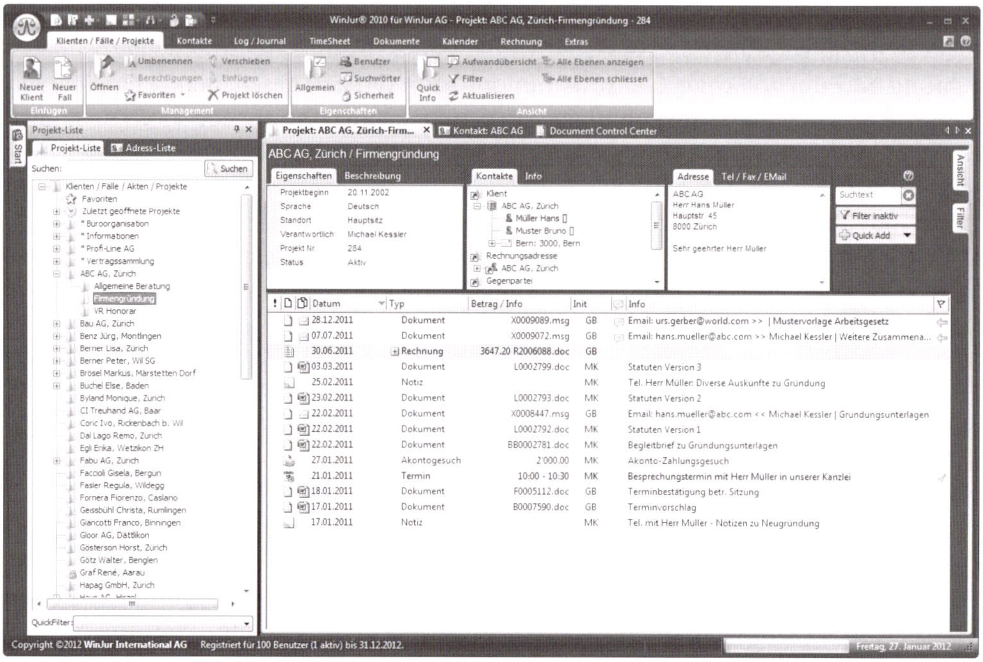

Abb. 1: WinJur Projektübersicht (Mandatsübersicht)

1.4 Kanzleien mit mehreren Standorten

4 Verfügt eine Kanzlei über mehrere Standorte, ist zu entscheiden, ob die Daten nur an einem Ort gehalten werden und die Benutzer der übrigen Standorte auf diese Daten zugreifen, oder ob die Daten an mehreren Standorten gehalten werden und zwischen den Datenbanken ein Indexabgleich stattfindet.

---

[2] Z.B. via Internet über Citrix, Terminalserver etc.

[3] Wird mit elektronischen Dossiers gearbeitet, ist der Einsatz von zwei Bildschirmen am Arbeitsplatz zu prüfen.

2. Mandatsannahme und -eröffnung

2.1 Interessenkollision klären

Vor der Annahme eines neuen Mandates ist die Frage der Interessenkollision zu klären. 5
Die Vorabklärung (Klient, Gegenpartei, verbundene Unternehmen) kann delegiert werden, sofern die in der Leistungserfassung vorhandenen Adressen entsprechend codiert (Klient, Gegenpartei etc.) bzw. mit Mandaten verknüpft sind. Müssen Adressen neu erfasst werden, sollte die Erfassungsarbeit insofern erleichtert oder unterstützt werden, als elektronisch vorhandene Datenbestände[4] mittels Mausklick in die Adressverwaltung der Mandatssoftware übernommen werden können.[5]

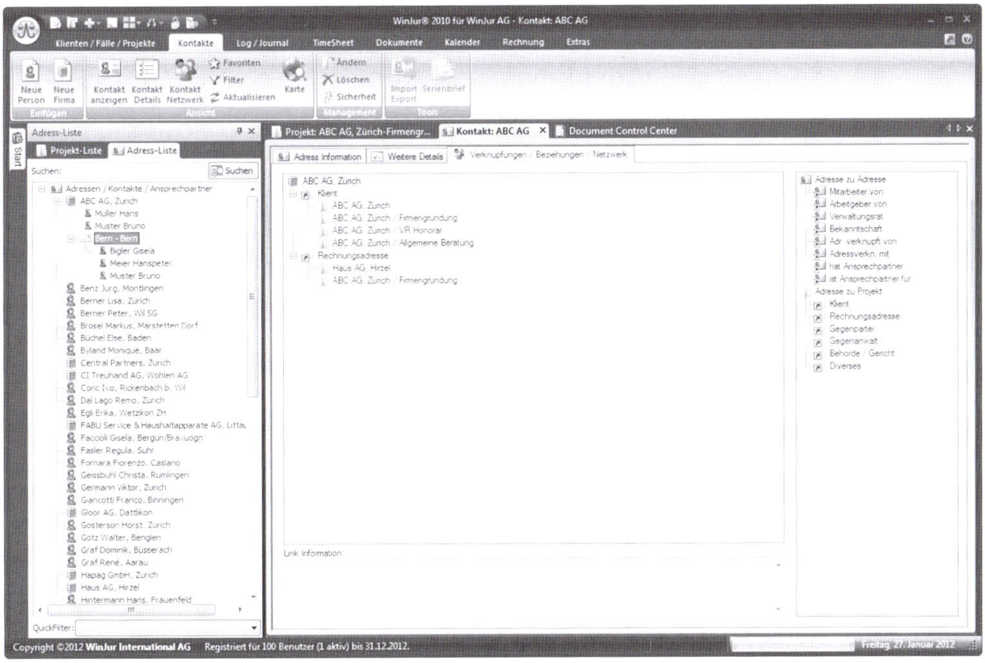

Abb. 2: WinJur Relationsmanager (Beziehungen zwischen Adressen und Mandate)

2.2 Anzeige der Mandatsannahme

Neue Mandate sind kanzleiintern anzuzeigen. Eine solche Anzeige sollte mindestens 6
nachfolgende Informationen enthalten:

---

4 Z.B. auf einer Telefondaten-CD wie Twixtel.

5 Z.B. WinJur: TwixPro; Plato: Twixtelschnittstelle enthalten im «PlusPack».

- Klient (inkl. verbundene Parteien)
- Gegenpartei (inkl. verbundene Parteien)
- Gegenstand des Mandates (Angabe des Mandatsinhaltes in Stichworten)
- Mandatsbeginn
- Mitarbeiter (verantwortlicher Partner, Sachbearbeiter, Stellvertreter)

7 Die Anzeige kann kanzleiintern per Mail erfolgen, sofern die entsprechende Infrastruktur vorhanden ist. Sinnvollerweise sollte die Mandatsverwaltungssoftware die einfache Generierung der Mandatsanzeige und deren Versand per Mail zulassen, dies jedenfalls in mittelgrossen und grossen Kanzleien.

2.3 Adressen- und Kundenbewirtschaftung

8 Aktuelle Adressen von Kunden, potenziellen Kunden, Gegenparteien, Gerichten, Behörden etc. sind nicht bloss für die tägliche Mandatsbearbeitung notwendig. Vielmehr sind diese Adressen auch Basis für eine gezielte Kundenpflege, die sich nicht ausschliesslich in der Mandatsarbeit niederschlagen kann und darf. Dabei ist erforderlich, dass die Adressverwaltung gezielte Codierungen zulässt,[6] die sich individuell, entsprechend den Kanzleibedürfnissen, erfassen lassen. Die Adressverwaltung sollte die Erfassung von mehreren Domizilen[7] und Ansprechpartnern[8] und deren direkte Verknüpfung mit Mandaten zulassen. Nur so kann sichergestellt werden, dass Firmenadressen nur einmal und nicht mehrfach erfasst werden müssen.

[6] Z.B. Weihnachtskarte, Kundenanlässe etc.
[7] Für Unternehmen mit mehreren Standorten.
[8] Mit Zuweisungsmöglichkeit je Adresse bzw. Domizil.

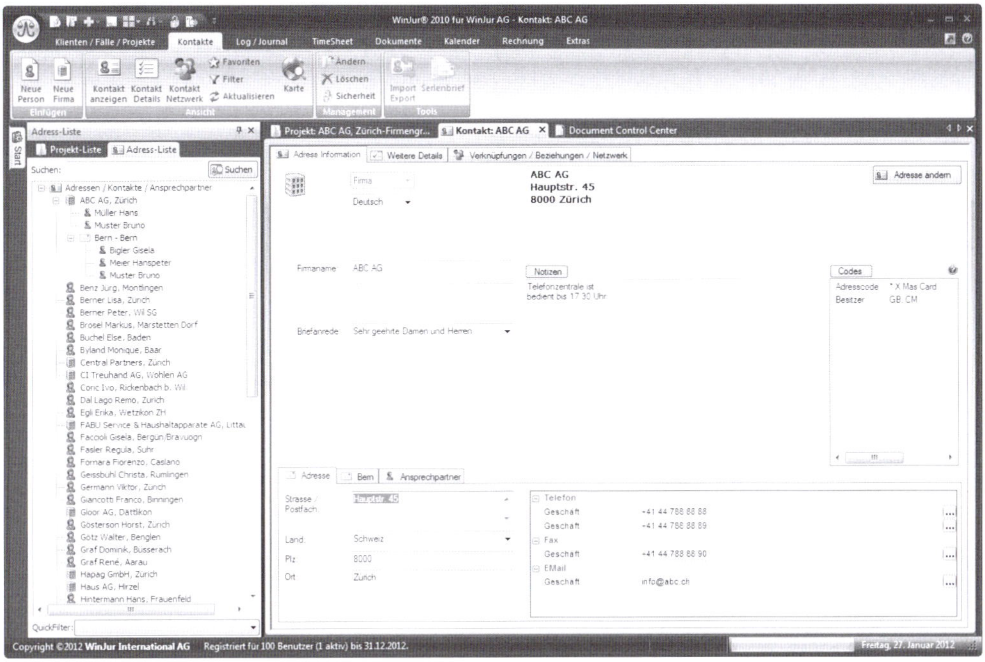

Abb. 3: WinJur Adresserfassung (zentrale Adresserfassung)

3. Mandatsführung

3.1 Dokumentenerstellung

Im Geschäftsalltag erfolgt die Dokumenterstellung in Kanzleien in der Regel auf drei 9
mögliche Arten. Während einige Kolleginnen und Kollegen Dokumente selbst erfassen, d.h. Selbstschreiber[9] sind, setzen andere Kollegen oft Diktiergeräte ein. Unter den «Diktierern» besteht sodann eine Gruppe[10] von Anwälten, welche Spracherkennungssoftware[11] einsetzen. Letztlich ist es eine Frage des persönlichen Arbeitsstils und der Effizienz, welche zum Einsatz der einen oder der anderen Lösung führt. Es macht wenig Sinn, kanzleiintern nur die eine oder andere Arbeitsweise zuzulassen. Vielmehr soll der jeweilige Arbeitsstil, unter Einsatz entsprechender Informatikmittel, optimiert werden.

[9] Über die Effizienz dieser Arbeitsweise bestehen unterschiedliche Auffassungen.

[10] Derzeit wohl noch in der Minderheit.

[11] Z.B. «Philips Speech Mike», «Dragon Naturally Speaking», «IBM ViaVoice».

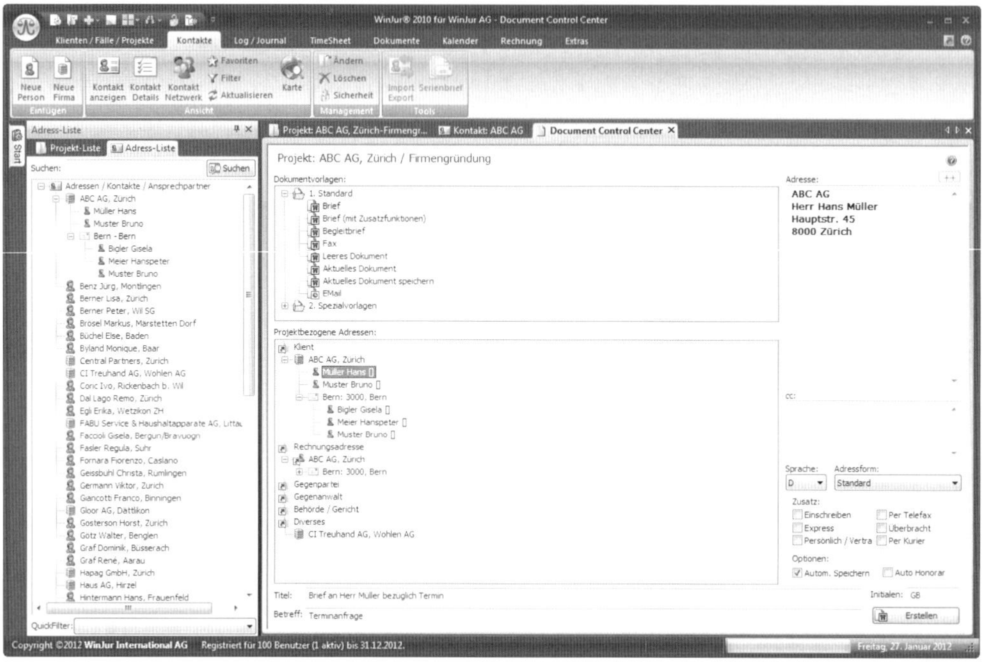

Abb. 4: WinJur Document Control Center (erstellen von Dokumenten)

10 Werden Diktiergeräte eingesetzt, lohnt sich der Wechsel von analogen Geräten (mit Magnetbandkassetten) auf digitale Diktiergeräte[12]. Einerseits dürften die Jahre der analogen Diktiergeräte gezählt sein. Andererseits weisen digitale Diktiergeräte wesentliche Vorteile auf, wie:

- Digitale Tonqualität (wesentlich besser als analoge, rauschende Magnetbänder);
- Einfügen/Löschen/Überschreiben ist an jeder Textstelle möglich;
- einfacher und automatischer PC-Download;
- digitale Speicherung der diktierten Datei;
- Sicherung und Weiterleitung der Sprachdatei;
- sofortige Verfügbarkeit der Sprachdatei im Sekretariat dank automatischem Download/dank Versand per E-Mail;
- keine Folgekosten, da keine Kassetten mehr benötigt werden;
- gewohnter Bedienungskomfort.

[12] Z.B. Philips LFH 9610, Digital Pocket Memo LFH 9620 etc.

Zudem besteht die Möglichkeit, digitale Diktiergeräte eng an die Kanzleisoftware anzubinden, was kanzleiintern Vorteile schafft[13]. 11

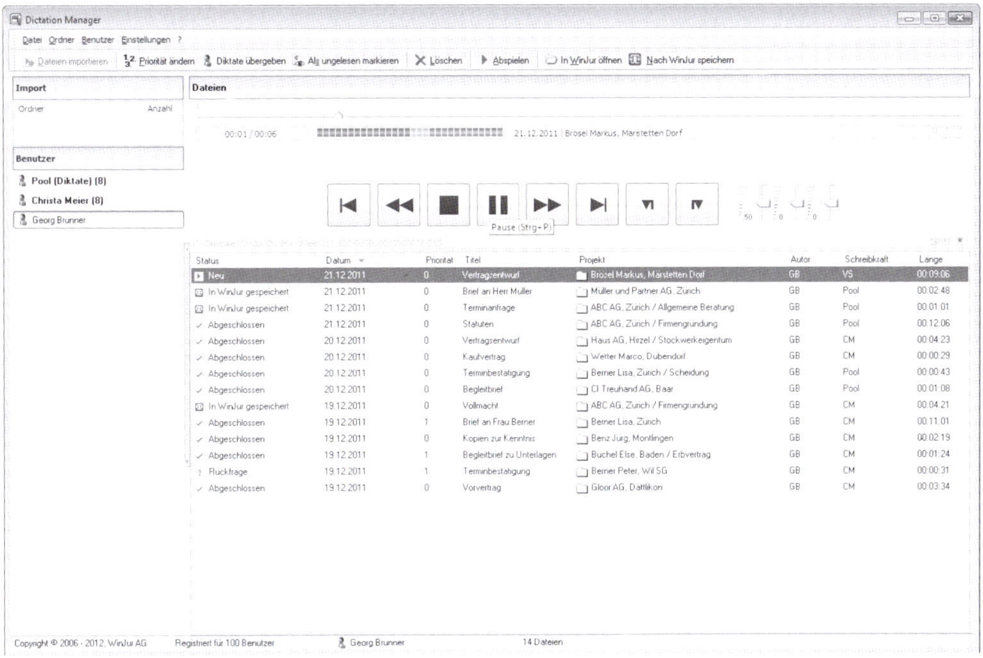

Abb. 5: WinJur Dictation Manager (Digitale Diktate verarbeiten)

3.2 E-Mailversand und -ablage

Mit Kunden und Behörden erfolgt der Austausch von Informationen zu einem grossen Teil ausschliesslich oder überwiegend per E-Mail. Wesentlich ist somit, dass die Leistungserfassungssoftware sowohl die Erstellung, den Versand als auch die Ablage des E-Mails im entsprechenden Mandat optimal unterstützt.[14] Die Ablage von E-Mails in einem von der Mandatsverwaltung getrennten Ort[15] ist nicht anzustreben, da das physisch geführte Dossier mit dem elektronischen Dossier der Mandatsverwaltung[16] identisch sein sollte. Dabei ist nicht zu übersehen, dass die Suche von E-Mails im Mailprogramm Vorteile haben kann. Es ist jedoch sicherzustellen, dass die E-Mails dem entsprechenden Mandat zugeordnet werden und somit die Informationen allen am Mandat Mitarbeitenden zur Verfügung stehen. 12

[13] Vgl. beispielsweise: WinJur (Dictation Manager); Philips Speech Mike etc.

[14] Vgl. beispielsweise: WinJur: «Outlook Bridge»; Plato: «MS Outlook-Schnittstelle».

[15] Z.B. im Outlookpostfach der Benutzer oder in einem eigenen Filesystem.

[16] Zumindest was die ausgehenden und in elektronischer Form eingehenden Dokumente betrifft.

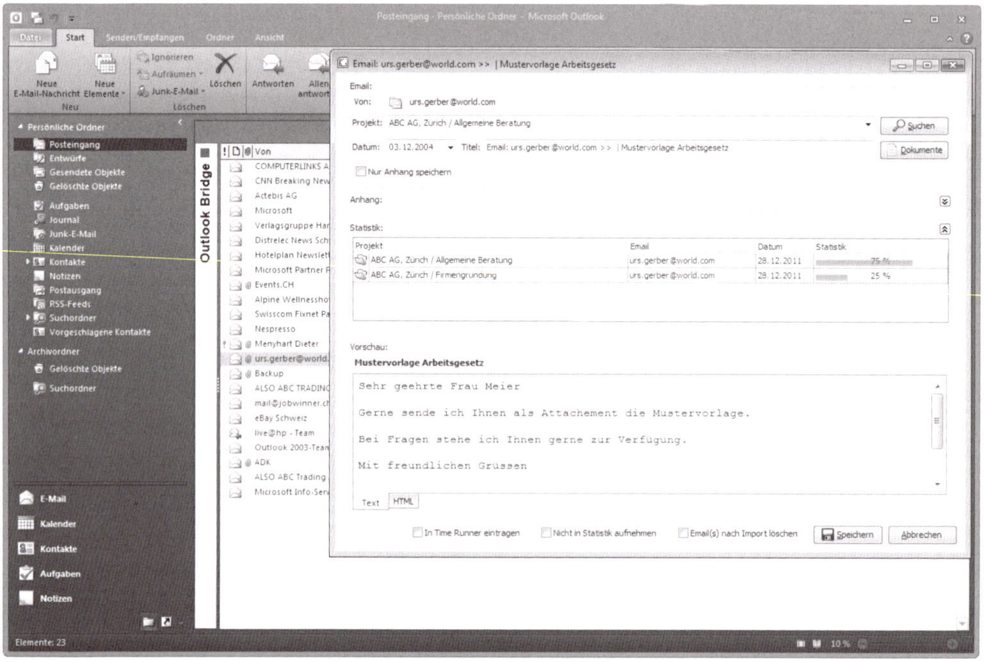

Abb. 6: WinJur Outlook Bridge (Schnittstelle zu Outlook)

3.3 E-Mail-Sicherheit

13 Der zunehmende Einsatz moderner Kommunikationsmittel im Kanzleialltag sowie in unserer Gesellschaft hat dazu geführt, dass immer mehr Daten auf elektronischem Weg, insbesondere per E-Mail, SMS oder MMS, übermittelt werden. Elektronische Post hat der Informationsgesellschaft bedeutende Impulse und Produktionsvorteile gebracht. Sie ist praktisch, schnell und fast jeder ist damit erreichbar. Ob Verträge, Strategiepläne oder persönliche Dokumente, die Zustellung mittels elektronischer Post ist einfach, kostengünstig und erlaubt dem Empfänger, erhaltene Dokumente in elektronischer Form rasch und einfach weiterzuverarbeiten. Die Datenübertragung per E-Mail erfolgt heute in aller Regel ohne entsprechende Sicherheitsvorkehrungen. Die E-Mails werden im Klartext versandt, d.h. bildlich gesprochen werden elektronische Ansichtskarten versandt. Ein wesentlicher Unterschied zwischen dem elektronischen Versand von Daten und dem herkömmlichen Versand per Post besteht darin, dass der Absender elektronischer Mitteilungen im Voraus nicht weiss bzw. abschätzen kann, welchen Weg seine Post nehmen wird. Vermeintlich lokaler und nationaler E-Mail-Verkehr wird sehr oft international abgewickelt, d.h., ein E-Mail von einem Absender in St. Gallen an einen Empfänger in Zürich kann durchaus über einen oder mehrere im Ausland (auch in Übersee) stehende Mailserver geleitet werden. Sodann können verschiedenste Transporteure (Provider) involviert sein. Die Provider sind aufgrund gesetzlicher Bestimmungen, die im

europäischen Raum in etwa gleich sind, verpflichtet, den (auch bloss durchlaufenden) E-Mail-Verkehr während einer gewissen Dauer[17] zu speichern. Aus Kostengründen und weil technisch einfacher, werden sehr oft nicht bloss die gesetzlich vorgeschriebenen sogenannten Header-Daten gespeichert, aus welchen hervorgeht, wer, wem, wann ein E-Mail zugestellt hat, sondern die vollständigen E-Mails samt Anhängen. In technischer Hinsicht besteht die Möglichkeit, mit geringem Aufwand den E-Mail-Verkehr (ausserhalb abgeschotteter Firmengrenzen) nach Informationen zu durchsuchen. Dass sich das Durchforsten des E-Mail-Verkehrs bzw. des Internets für Kriminelle wirtschaftlich lohnen kann, haben die bekannt gewordenen Attacken auf Server, welche Kreditkarteninformationen enthielten, gezeigt.[18] Nicht geschützte E-Mails können sowohl in Bezug auf den Absender, die Zeit und den Inhalt ohne grossen technischen Aufwand verändert werden. Zudem ist die Vertraulichkeit nicht gewahrt und die Zustellung der E-Mails kann verhindert werden. Aus dem Bericht des europäischen Parlamentes zum Abhörsystem ECHELON vom Juli 2001[19] geht hervor, dass der E-Mail-Verkehr von Staaten systematisch durchsucht wird und u.a. Industriespionage zugunsten der eigenen Industrie betrieben wird. Im Bericht wird deshalb empfohlen, den E-Mail-Verkehr zu schützen.[20] Wie Staaten mit geschützten Daten bzw. Datenströmen umgehen, haben Beispiele in der jüngsten Vergangenheit nach 9/11 gezeigt. Einige Staaten haben angedroht, Dienste für Smartphones, welche den Datenverkehr systematisch verschlüsseln, nicht mehr zuzulassen bzw. abzustellen.[21] Andere lassen u.a. bei der Einreise die Durchsuchung und Beschlagnahme der Festplatten von Notebooks etc. zu.[22] In der Praxis behelfen sich Unternehmen und wir Anwälte oft mit dem Anbringen von «Disclaimern» (Enthaftungserklärung). Solche Erklärungen können allenfalls dazu dienen, das Unbehagen des Absenders beim Versand vertraulicher Informationen zu vermeiden und sich vor allfälligen strafrechtlichen Sanktionen und der Geltendmachung zivilrechtlicher Ansprüche zu schützen. Mit dem Anbringen von Disclaimern wird jedoch der Inhalt der elektronischen Post weder vertraulicher (immer noch Versand im Klartext) noch wird sichergestellt, dass Unbefugte keine Kenntnis vom Mailinhalt erhalten und diese Kenntnisse verwenden.

Die dargelegten Sicherheitsrisiken führen zur Erkenntnis, dass schützenswerte Informa- 14
tionen durch einen vom Absender bis zum Empfänger durchgehenden, vom Zugriff durch

---

[17] Vgl. die Regelungen im BÜPF, (SR 780.1).

[18] Auch die UBS-Birkenfeld-Affäre beruht auf abgehörten/gelesenen E-Mails/Telefaxen und SMS von Birkenfeld. 10. Juni 2011: «Sarah Palin E-Mails online durchsuchbar» auf: palinemail.msnbc.msn.com.

[19] Bericht vom 11. Juli 2001 über die Existenz eines globalen Abhörsystems für Private und wirtschaftliche Kommunikation (Abhörsystem ECHELON) [2001/2098 (INI)]; A5-0264/2001.

[20] Vgl. auch Sicherer Mail-Verkehr: eine Frage der Professionalität, Anwaltsrevue 2009, 191 ff.

[21] Vgl. Netzwelt.de vom 9.8.2010: Research in Motion (RIM) lenkt im Streit um das Blackberry in Saudi-Arabien ein. Künftig soll die Regierung die verschlüsselten Nachrichtendienste des Smartphone-Herstellers einsehen dürfen. Die Entscheidung könnte dazu führen, dass weitere Länder die gleichen Forderungen stellen.

[22] Z.B. USA.

unbefugte Personen geschützten Prozess abgesichert werden sollten. Zur schützenswerten Kommunikation zählen etwa die Vorbereitung und Abwicklung eines Rechtsgeschäftes (z.B. Unternehmenskauf bzw. -verkauf), der Austausch von Geschäftsgeheimnissen, die Übermittlung von Finanzinformationen oder kursrelevanten Informationen sowie von Personaldaten wie z.B. Lohndaten an die Versicherungsgesellschaften. Dabei gibt es keinen Unterschied zwischen einzelnen Berufsgeheimnisträgern und Unternehmen. Dies gilt namentlich für Anwälte. Es mutet sehr seltsam an, wenn wir Anwältinnen und Anwälte grossen Wert auf unser Berufsgeheimnis legen und gleichzeitig unsere Kunden verpflichten wollen (ausdrücklich oder stillschweigend), in ungeschützten E-Mail-Verkehr einzuwilligen. Niemand von unserem Berufsstand käme auf die Idee, unseren Kunden zu erklären, dass wir Geschäftsbriefe nicht in einen Briefumschlag stecken, sondern als Postkarte versenden. So wie wir Briefe in Umschläge verpacken (lassen), muss es auch zumutbar sein, E-Mails mittels geeigneter technischer Hilfsmittel zu schützen. Der E-Mail-Verkehr kann im Wesentlichen mit zwei Vorgehensweisen sicherer ausgestaltet werden. Einerseits können sogenannte digitale Signaturen zum Signieren/Verschlüsseln von Mails verwendet werden, andererseits besteht die Möglichkeit, den E-Mail-Verkehr über sogenannte *Secure*-E-Mail-Plattformen abzuwickeln. [23]

3.4 Elektronischer Rechtsverkehr mit Behörden und Gerichten

Seit dem 1. Januar 2011 können in der Schweiz Eingaben der Parteien an richterliche Behörden auch in elektronischer Form eingereicht werden (Art. 130 Abs. 1 ZPO[24] und Art. 110 Abs. 2 StPO[25]). Die Modalitäten für diesen elektronischen Rechtsverkehr sind in der Verordnung über die elektronische Übermittlung im Rahmen von Zivil- und Strafprozessen sowie von Schuldbetreibungs- und Konkursverfahren vom 18. Juni 2010 geregelt.[26] Damit eine Eingabe in elektronischer Form rechtswirksam ist, muss sie bestimmte gesetzliche Anforderungen erfüllen. So muss das Dokument (die Eingabe mit allen Beilagen = ZPO; die Eingabe = StPO) mit einer anerkannten qualifizierten elektronischen Signatur[27] des Absenders versehen sein, damit seine zuverlässige Identifizierung und die Vollständigkeit und Echtheit des versandten Dokumentes gewährleistet sind. Die Umsetzung des elektronischen Rechtsverkehrs ist durch die Kantone unterschiedlich erfolgt. Die VeÜ-ZSSchK sieht vor, dass sowohl die Behörde als auch der Absender (Empfänger) von rechtsverbindlichen elektronischen Nachrichten auf der /den vom Bund zugelassenen Zustellplattform(en) registriert sind. Da derzeit «nur» ein einseitiger Rechtsverkehr zu den Behörden möglich ist, müssen die Absender (derzeit noch) nicht auf der Plattform registriert sein. Der elektronische Rechtsverkehr wurde auch bei

---

[23] Vgl. Sicherer E-Mail-Verkehr: Eine Frage der Professionalität, in: Anwaltsrevue 2009, 191 ff.

[24] Schweizerische Zivilprozessordnung, SR 272.

[25] Schweizerische Strafprozessordnung, SR 312.

[26] SR 272.1, VeÜ-ZSSchK.

[27] Gemäss ZertES, SR 943.03; z.B. Schweizerischer Anwaltsausweis mit SuisseID.

den Betreibungs- und Konkursämtern per 1. Januar 2011 umgesetzt. Die Umsetzung erfolgte gesamtschweizerisch durch das Bundesamt für Justiz. Das Bundesamt hat für jedes Betreibungs- und Konkursamt (nach entsprechender Anmeldung durch das Amt) einen elektronischen Briefasten eingerichtet. Mit der Einrichtung dieses Behördenbriefkastens erfüllten die Konkursämter die gesetzlichen Anforderungen für elektronische Eingaben gemäss VeÜ-ZSSchK. Die Eingaben können unter www.betreibungsschalter.ch vorgenommen werden.

Der elektronische Behördenverkehr ist ein Teilaspekt der elektronischen Kommunika- 16
tion und bedarf wie der E-Mail-Verkehr eines Konzeptes und der konsequenten Umsetzung innerhalb der Kanzlei.

3.5 Leistungserfassung

Die mandatsbezogene Leistungserfassung lassen alle auf dem Markt angebotenen Soft- 17
warelösungen zu. Werden für einen Klienten mehrere Mandate geführt, kann es sein, dass der Mandant eine Gesamtrechnung wünscht, welche jedoch die Kosten je Teilmandat ausweist. Je nach Bedürfnissen der Kanzlei bzw. deren Mandanten, sollte die Software «Gesamtrechnungen» zulassen bzw. vorsehen.

3.6 Telefonie als Teil der Informatik/Integration in EDV-Umgebung

Moderne Telefonieanlagen sind technisch betrachtet nichts anderes als Server,[28] wel- 18
che den Sprachverkehr bewirtschaften. Telefonieanlagen lassen sich über standardisierte Schnittstellen an die Mandatsverwaltung bzw. Officesoftware anbinden. Mit einer integrierten Lösung[29] lassen sich Arbeitsprozesse wesentlich vereinfachen. Die Nummern eingehender Anrufe werden aufgrund der ISDN-Kennung automatisch erkannt und mit den Einträgen in den Datenbanken[30] verglichen. In einem Pop-up-Fenster werden die Daten des Anrufenden angezeigt. Kann der Anruf intern nicht weitervermittelt werden, werden die von der Datenbank ausgegebenen Daten automatisch die in Betreffzeile eines E-Mails abgefüllt, welches dem Mitarbeiter mit einem Rückrufhinweis zugestellt wird. Dieser kann anschliessend den Rückruf mittels Mausklick und/oder Funktionstaste auslösen. Zudem werden die ein- und ausgehenden Anrufe journalisiert.

---

[28] Die im Regelfall mit dem kostenlosen Betriebssystem Linux betrieben werden.
[29] Z.B. ESTOS, WinJur CallManager.
[30] Eigene Adressverwaltung, Twixtel etc.

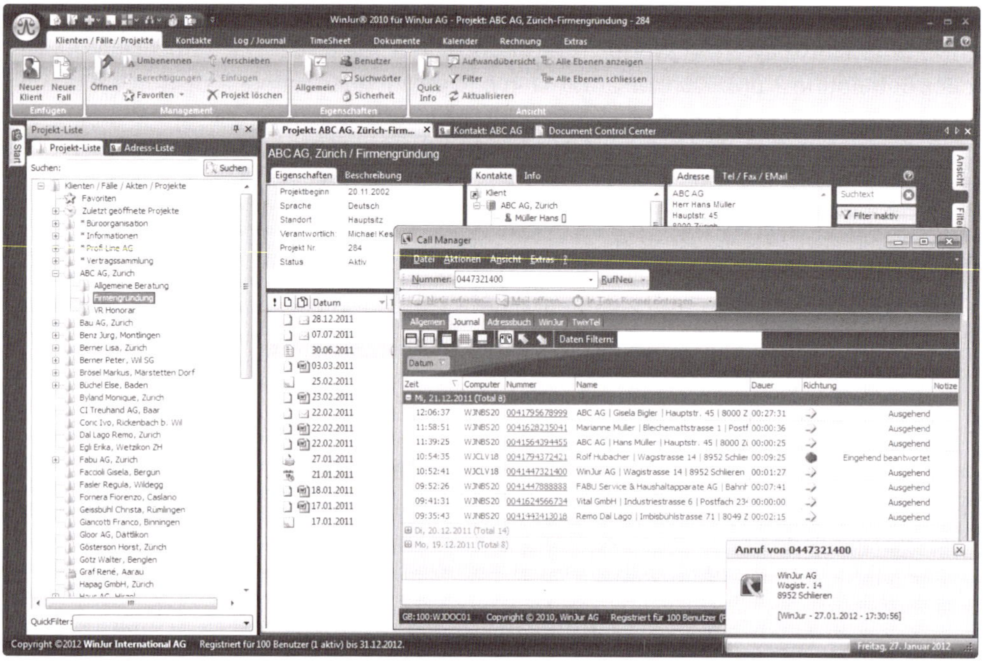

Abb. 7: WinJur Call Manager (Schnittstelle zu Telefonie)

3.7 Dokumentensuche in der Mandatsverwaltung

19 Eine leistungsfähige Mandatsverwaltung sollte auch über eine komfortable Volltextsuche verfügen, welche das Durchsuchen von Office-Dokumenten, E-Mails sowie indexierbaren Dateien wie PDF etc. zulässt.[31] Selbstverständlich kann auch Suchsoftware von Drittanbietern eingesetzt werden.[32] Der Vorteil einer Volltextsuche ist erheblich. Jedenfalls ist nicht einzusehen, dass im Internet online weltweit vorhandene Datenbankbestände durchsucht werden können, intern eine solche Funktion jedoch nicht zur Verfügung steht.

---

31 Z.B. WinJur, SearchPlus.

32 Lawsearch Enterprise plus von Weblaw.

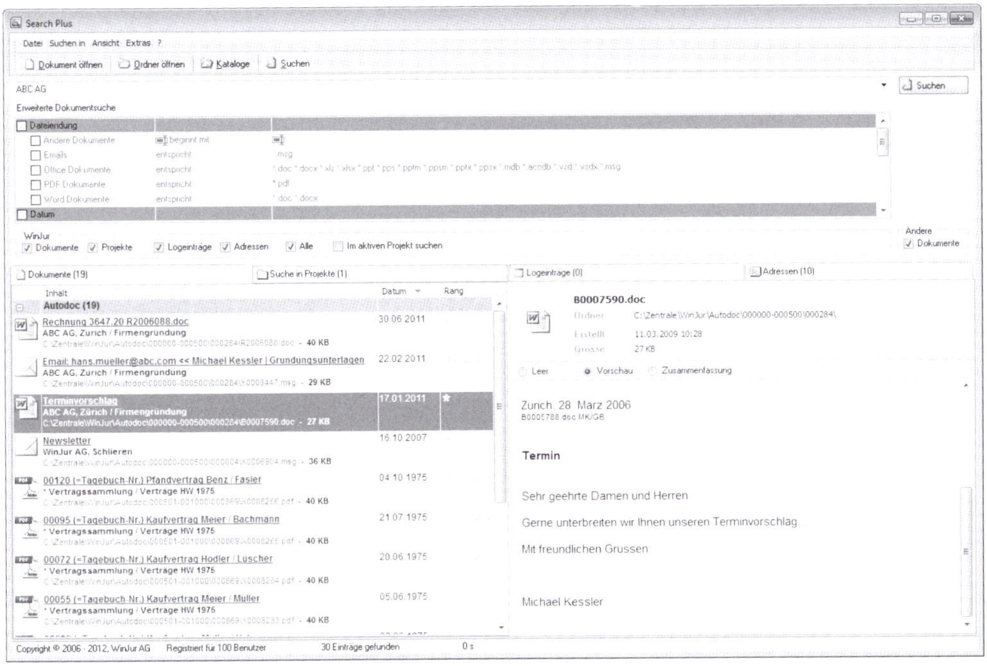

Abb. 8: WinJur Search Plus (Volltextsuche)

3.8 Scanning/Volltextindexierung/Texterkennung

Losgelöst von der Frage, ob eingehende Dokumente systematisch eingescannt, volltext- 20
indexiert und anschliessend in die Mandatsverwaltung abgelegt werden, sollte zumindest die Möglichkeit bestehen, Dokumente zu scannen. Diese Arbeit kann entweder mit einfachen, leistungsfähigen Arbeitsplatzscannern oder handelsüblichen Multifunktionsgeräten erledigt werden. In Microsoft-Umgebungen kann zur Indexierung der in der Serversoftware mitgelieferte Indexserver verwendet werden. Zusätzlich erforderlich ist eine OCR-Software[33] zur Texterkennung in den gescannten Dokumenten. OCR-Software ist auch dann sehr hilfreich, wenn in physischer Form eingehende Dokumente rasch als Textdokumente in elektronischer Form vorliegen sollen.

[33] Z.B. Omnipage 18, Abbey, etc.; OCR = Optical Character Recognition = optische Zeichenerkennung.

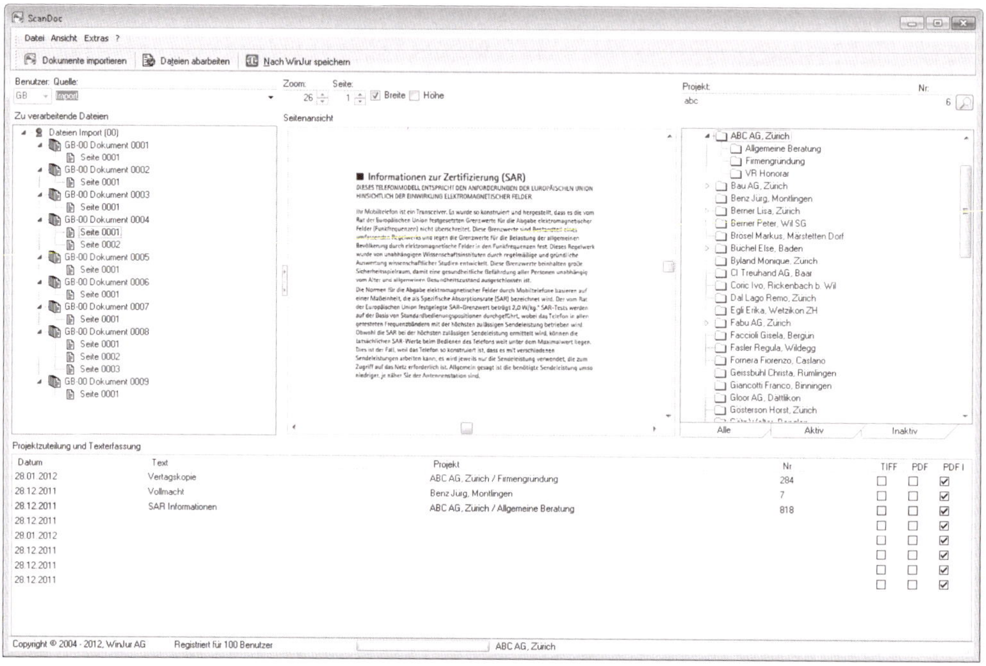

Abb. 9: WinJur ScanDoc (eingescannte Dateien verarbeiten)

3.9 Vergleichen von Dokumenten/Versand von Dokumenten ohne Metadaten

21 Im Kanzleialltag besteht immer wieder die Notwendigkeit, eingehende Dokumente mit bereits vorhandenen Dokumenten inhaltlich zu vergleichen. Dieser Vergleich kann entweder mit dem Office-Vergleichs-Tool erfolgen oder mit entsprechender Spezialsoftware.[34] Der Vorteil von Spezialsoftware besteht darin, dass die Verarbeitungsqualität in der Regel besser ist. Anderseits werden Dokumente vor dem Versand systematisch von Metadaten gesäubert.

3.10 Rechnungsstellung

22 Neben der Leistungserfassung als solcher lassen die Mandatsverwaltungslösungen selbstverständlich auch die Rechnungsstellung zu. Zur Vereinfachung der Arbeitsabläufe aufseiten der Kanzlei sowie beim Rechnungsempfänger sind den Rechnungen Einzahlungsscheine mit Referenznummer[35] beizulegen. Ausländischen Kunden sind neben

---

[34] Z.B. Workshare Professional 5.2 (www.workshare.com) .

[35] ESR/BESR; z.B. Plato: im «PlusPack» mitenthalten; WinJur BESR/ESR.

den IBAN auch die SWIFT-Daten[36] mitzuteilen, damit die Zahlungsanweisung vereinfacht wird. Sind nicht bloss Einzelmandate abzurechnen, sondern gleichzeitig eine Vielzahl von Rechnungen zu stellen, sollte die Mandatsverwaltung die Möglichkeit von Rechnungsläufen zulassen.[37] Auf dem Bank- bzw. Postkonto eingehende ESR-Zahlungen können in der Folge via die entsprechende E-Banking-Plattform elektronisch abgeholt und in die Leistungserfassungssoftware eingebucht werden.[38] Es ist absehbar, dass mittelfristig (zumindest) im Verhältnis mit Geschäftskunden E-Rechnungen zum Einsatz kommen werden.

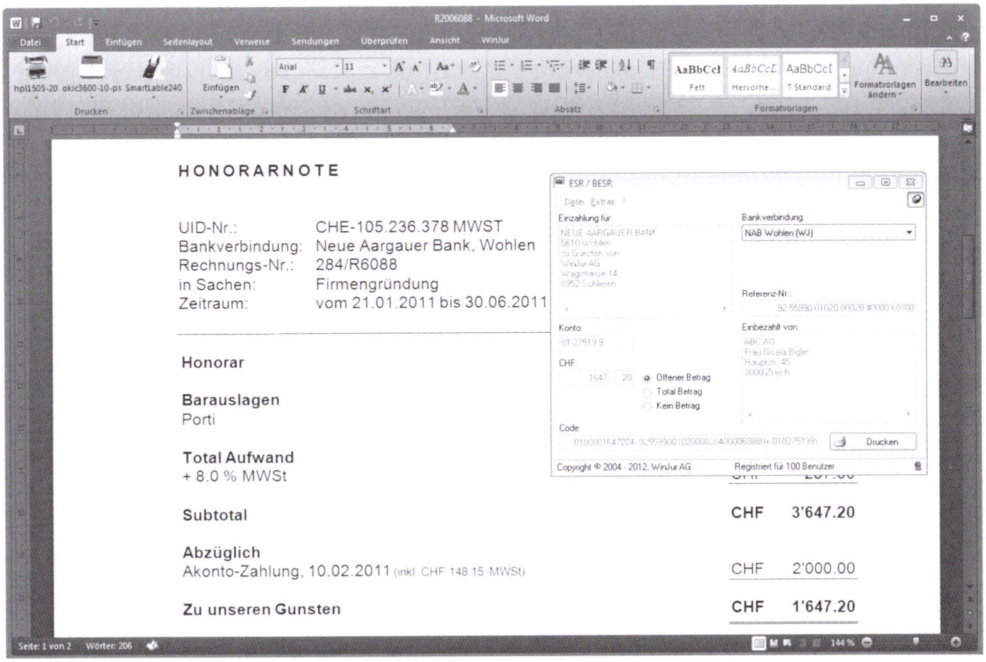

Abb. 10: WinJur ESR/BESR (orange Einzahlungsscheine erstellen)

3.11 Verbuchung in der FIBU

Optional stellen die Softwarelösungen FIBU-Schnittstellen zur Verfügung bzw. sehen 23
die FIBU bereits integriert vor.[39] Dank bzw. mit den Schnittstellen können Rechnungen bzw. Zahlungen aus der Mandatsverwaltung in die Finanzbuchhaltung übergeben werden.[40]

---

36 Müssen auf der Rechnung aufgedruckt werden.

37 Z.B. WinJur: Invoice Manager; Plato: im «PlusPack» enthalten.

38 Z.B. WinJur: ZED-Import; Plato: im «PlusPack» enthalten.

39 Z.B. Abacus.

40 Plato: im «PlusPack» enthalten; WinJur. Finance-Export.

4. Mandatsabschluss und Mandatsarchivierung

4.1 Allgemeines

24 Die Organisation der Papierarchive erfolgt erfahrungsgemäss sehr unterschiedlich. Am effizientesten ist es, den zu archivierenden Mandaten[41] eine fortlaufende Archivnummer zu verteilen und im Zeitpunkt der Archivierung die Klientenakten zu retournieren, soweit diese nicht mehr benötigt werden. Gleichzeitig ist in diesem Zeitpunkt auch darüber zu entscheiden, ob das Mandat nach Ablauf der gesetzlichen Aufbewahrungspflicht von 10 Jahren vernichtet werden darf. Mandate die nicht vernichtet werden dürfen, sind entsprechend[42] zu kennzeichnen. Heute unterstützen nur wenige Mandatsverwaltungssoftwarelösungen diesen Arbeitsprozess.[43]

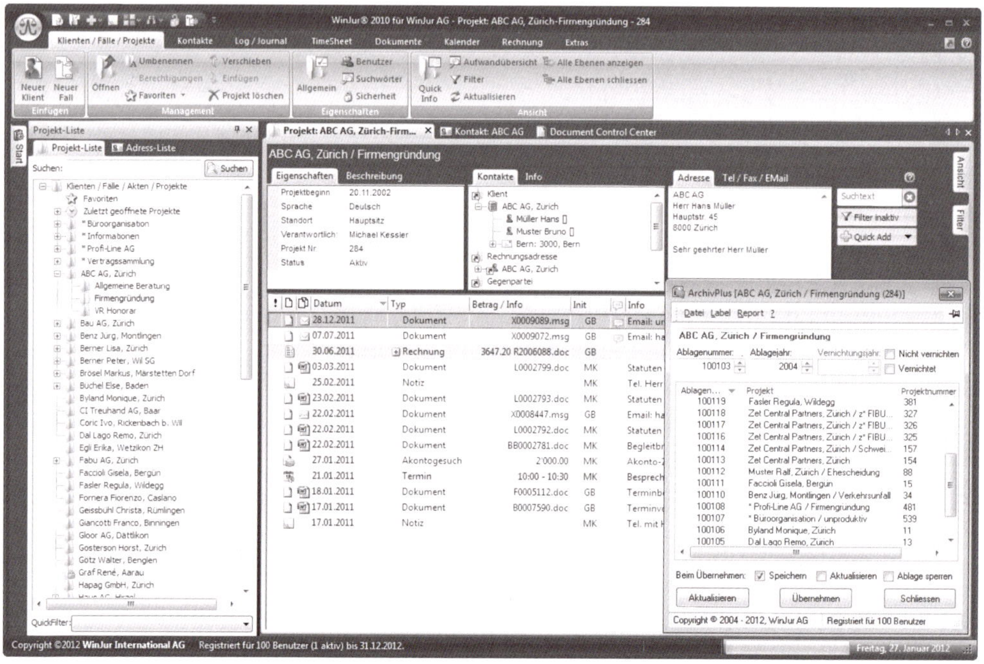

Abb. 11: WinJur Archiv Plus (archivierte Papierakten verwalten)

4.2 Archivierung elektronischer Dokumente

25 In Bezug auf elektronische Dokumente wie E-Mails, Dokumente im Zusammenhang mit dem elektronischen Rechtsverkehr mit Gerichten und Behörden etc. ist zu beach-

[41] Von der Mandatsverwaltungssoftware.

[42] Elektronisch und physisch.

[43] Plato bietet keine Lösung an; WinJur: ArchivPlus (eine sehr gute Lösung).

ten, dass dem elektronischen Dokument als solchem[44] und nicht dem davon erstellten Papierausdruck Beweiskraft zukommt. Dies jedenfalls dann, wenn die Parteien über den Inhalt der Dokumente unterschiedlicher Meinung sind und in einem allfälligen Zivilprozess oder einem anderen Verfahren inhaltlich unterschiedliche Papierausdrucke ins Recht legen.[45] Sodann ist zu beachten, dass elektronische Dokumente Teil der Geschäftsbücher sein können und die entsprechenden gesetzlichen Aufbewahrungsvorschriften zu beachten sind.[46]

5. Wie weiter/Umsetzung/Kosten

Die Erfahrungen im Praxisalltag zeigen, dass oft die Möglichkeit besteht, Arbeitsabläufe 26
zu optimieren. Vorab ist eine SOLL-/IST-Analyse vorzunehmen.[47] Anschliessend sind die Umsetzungsschritte zu definieren und konsequent zu verfolgen. Nach der Einführung neuer Tools sollte nachträglich deren Wirkung überprüft werden. Solche Überprüfungen zeigen einen möglichen weiteren Handlungsbedarf auf.

Sehr oft besteht die Ansicht, dass eine Optimierung der Kanzleiabläufe viel Geld kos- 27
tet. Dem ist heute nicht mehr so. Gezielte Investitionen in die IT senken einerseits die Unkosten und erhöhen andererseits die Qualität in der Abwicklung der Arbeit im Backoffice oder am Anwaltsarbeitsplatz. Mit dem gezielten Einsatz von Informatikmitteln sollte es möglich sein, dass eine Sekretariatsarbeitskraft den Arbeitsanfall von drei Anwälten bewältigen kann.

44 Dies gilt übrigens auch für E-Mails.
45 Vgl. Art. 177, 178 und 180 ZPO.
46 Art. 9 der Geschäftbücherverordnung, SR 221.431.
47 Diese Arbeit könnte auch einem externen Berater übertragen werden.

G. E-Justice in Österreich und seine Bedeutung für Anwaltskanzleien

Wolfgang Heufler

1. Entwicklung des elektronischen Rechtsverkehrs

1 Bereits 1989 hat der ÖRAK (Österreichischer Rechtsanwaltskammertag) gemeinsam mit der Radio-Austria AG und dem Bundesministerium für Justiz ein geschlossenes Kommunikationsystem entwickelt, welches die damals neue Form der elektronischen Datenfernübertragung über Modem und Telefonnetz nutzte. Es wurden eigene Software entwickelt und eigene Formulare für Mahnklagen, Exekutionsanträge (Zwangsvollstreckungsanträge) gestaltet, sodass eine automatisierte vollständige Datenübernahme durch die Verfahrensautomatisation Justiz (VJ) ermöglicht wurde.

2 Dadurch war einerseits eine fehlerfreie Antragsstellung für den Anwalt erreicht, da das Softwareprogramm bereits beim Ausfüllen der Pflichtfelder im Antrag eine Plausibilitätsprüfung vornahm und unrichtige Zuständigkeiten, falsche Parteienbezeichnungen, Überschreitung der Mahnklagenstreitwertgrenze etc. sofort anzeigte und die Versendung unrichtiger Mahnklagen und Anträge verhinderte. Dadurch konnte auch die Zahl der Verbesserungsaufträge durch die Gerichte drastisch gesenkt werden.

3 Dennoch gingen mehr als zehn Jahre ins Land, bis die Einführung des Rückverkehrs im ERV[1] im Jahre 2000 auch einen Datenverkehr von den Gerichten an die Rechtsanwälte ermöglichte. Es konnten nunmehr Ladungen zu Verhandlungen, einfache Beschlüsse, Zahlungsbefehle, Exekutionsbewilligungen von den Gerichten an die Rechtsanwälte im Wege des ERV zugestellt werden.

4 Erst die Senkung der Gerichtseingabengebühr für ERV-Anträge und die Einführung eines Honorarzuschlages für ERV-Anträge für den Rechtsanwalt bewirkte eine signifikante Steigerung der ERV-Übermittlungsfälle.

5 Die elektronischen Zustellungen überschritten die Millionengrenze und brachten damit der Justizverwaltung eine Postportoersparnis von über 2,5 Mio EUR /Jahr ein.

6 Im Juli 2007 schliesslich erfolgte die Umstellung des ERV auf eine Internet-basierende Lösung und die Abkehr vom veralteten Modemsystem. Durch den Einsatz von Softwarezertifikaten für die Identifikation des ERV-Teilnehmers und die Betrauung von fünf zugelassenen Übermittlungsstellen durch das Bundesministerium für Justiz, die Verwen-

[1] ERV = Elektronischer Rechtsverkehr.

dung von SSL[2]-verschlüsselten Leitungssystemen wurde das gesamte System auf eine neue, web-basierende Basis gestellt.

Erstmals wurden Anhänge als PDF zugelassen und auch der Rückverkehr von den Gerichten an die Anwälte ausgeweitet auf alle gerichtlichen Erledigungen in allen Verfahrensarten. Auch Urteile, Beschlüsse, Rekursentscheidungen und Revisionsurteile des Obersten Gerichtshofes werden seit 2007 ausschliesslich im Wege des ERV versendet. 7

Ebenfalls seit 1. Juli 2007 ist das hochsichere elektronische Urkundenarchiv der Rechtsanwälte Archivium im Vollbetrieb im Netz. 8

Die Schaffung dieses Urkundenarchives für Firmenbuch und Grundbuch wurde in erster Linie durch die Umstellung der Urkundensammlungen bei Firmenbuch und Grundbuch notwendig. Eine Publizitätsrichtlinie der EU verpflichtet die Mitgliedstaaten zur Ermöglichung der Einsicht in Urkunden des Firmenbuches für den Bürger im Wege des Internet, Österreich hat die Einsichtmöglichkeit in Urkunden des Grundbuches gleich miterledigt. 9

2. Status quo: ERV und Urkundenarchive in Österreich 2011

Der Elektronische Rechtsverkehr ERV ist verpflichtend für Rechtsanwälte, Notare, Banken und Versicherungen. Es nehmen ihn darüber hinaus freiwillig auch Bürger, Firmen, Wohnungsgesellschaften und pro futuro, ab 2012 auch Behörden der allgemeinen staatlichen Verwaltung, der Länderverwaltungen und der Kommunalverwaltungen in Anspruch. 10

Die fünf akkreditierten Übermittlungsstellen vergeben nach Antragstellung die erforderlichen Zertifikate, die notwendige Teilnahmesoftware und die Benutzerkennung an jedermann. 11

Durch die günstigen Anschlusskosten (unter EUR 30.–) und die sehr wettbewerbsfähigen Kosten einer ERV-Übermittlung (je nach Übermittlungsstelle zwischen EUR 0,28 und 0,36) sowie die Senkung der Gerichtseingabegebühren um EUR 15.– pro Antrag bei elektronischer Einbringung steigt die Anzahl der ERV-Teilnehmer sprunghaft an. Nicht nur alle 5500 österreichischen Rechtsanwälte und ca. 440 Notare sind am ERV angeschlossen, auch alle Versicherungen und Banken schliessen sich dem System an (Mahnklagen und Grundbucheingaben). 12

Ab 2012 werden auch alle Eingaben an Behörden des Bundes durch Anwälte und Notare im Wege des ERV offenstehen, die Landesverwaltungen und Kommunen ziehen nach. 13

---

[2] SSL = *Secure Sockets Layer.*

14 Dadurch sind Einsparungspotenziale im zweistelligen Millionenbereich erzielbar, von der Beschleunigung des Workflows und der vereinfachten Arbeitsweise in den Kanzleien ganz abgesehen. Der Anwalt bleibt in seinem Kanzleiprogramm, und seine elektronische Post an Gerichte, Kollegen, Notare, Behörden, Versicherungen und Banken sowie ERV-teilnehmende Klienten verläuft ausschliesslich gesichert und nachweislich über den ERV. Ein eingeschriebener Brief kostete in Österreich im Jahr 2011 2,85 EUR, eine ERV-Zustellung maximal 0,36 EUR, egal wie gross der Datenumfang auch sein mag.

15 Im Grundbuch und im Firmenbuch stellten sich folgende Probleme:

16 Ein Rechtspfleger darf eine Grundbucheintragung nur anhand einer Originalurkunde verfügen und durchführen, eine Kopie reicht nicht aus. Selbiges gilt für Eintragung und Löschung von Firmen im Firmenbuch.

17 Nun gibt es in der IT nur Dateien, keine «Originale». Entweder sind alle Dateien Kopien oder alles Originale.

18 Mit dieser rechtlichen Problematik konfrontiert, haben die österreichischen Rechtsanwälte gemeinsam mit dem Bundesministerium für Justiz einen legistischen Trick angewandt, um aus Dateien «Originalurkunden» zu machen.

19 Im Gerichtsorganisationsgesetz wurden Körperschaften des öffentlichen Rechts ermächtigt, eigene Urkundenarchive unter Nutzung der höchstmöglichen technischen Sicherheitskomponenten einzurichten und zu betreiben. So archivierte Urkunden können nach Freigabe durch die Justiz über eine Schnittstelle aus dem Archiv abgeholt werden und sind mit der Serverausgangssignatur des Archives versehen. Auf diese Weise abgeholte Urkunden aus den Archiven gelten bis zum Beweis des Gegenteils als Originale und können daher vom Grundbuch und vom Firmenbuch als Grundlage für rechtserzeugende oder rechtsvernichtende Eintragungen bzw. Löschungen verwendet werden.

20 Die österreichischen Rechtsanwälte haben aufgrund der gesetzlichen Ermächtigung 2005 gemeinsam mit dem Technologiepartner Siemens Österreich AG die Archivium Dokumentenarchiv GmbH gegründet, und diese betreibt diese seit 1. Juli 2007 das Archiv im Vollbetrieb.

21 Im Juni 2011 wurde die einmillionste Urkunde archiviert, die Gesellschaft wirtschaftet bereits positiv.

22 Die Fiktion einer «Originalurkunde» bleibt freilich nicht auf Firmenbuch oder Grundbuch beschränkt. Hier zeigt sich ein noch nicht genutztes Potenzial für alle möglichen Privaturkunden oder öffentliche Dokumente zur langfristigen Speicherung in Originalqualität, man denke z. B. nur an Zeugnisse und Diplome.

23 Der Rechtsanwalt als einzig Berechtigter zur Archivierung hat hier einen Vertrauensvorschuss des Gesetzgebers zu erfüllen. Die unter seiner Aufsicht eingescannten oder importierten Dokumente werden durch seine Einstellung in das System Archivium zu

Originaldokumenten. Dies kommt einer beglaubigten Transformation von Papierurkunden in elektronische Originaldateien sehr nahe.

Findige Anwälte stellen schon jetzt eigene Urkunden und Buchhaltungsbelege ins Archivium als Backup für ihre eigenen Rechner. Die Originalfiktion verleiht dieser Art der Datensicherung extern eine weitere erhöhte Qualität. 24

Auch in Prozessverfahren soll die Anbindung der Gerichte an das Archivium bald ermöglicht werden, um in komplizierten Wirtschaftsmassenprozessen die zahlreichen gemeinsamen Urkunden durch Zugriff auf die einmal im Archivium gespeicherten Originale schneller und leichter für den Richter und die beteiligten Prozessanwälte verfügbar zu machen. Man denke an die umfangreichen Anlagenberaterhaftungsverfahren sowie Wirtschaftsstrafsachen. 25

3. Weitere E-Justice-Angebote der österreichischen Justiz

Neben dem ERV und den Urkundenarchiven stellt der Service des Justizinformationssystems RIS (Rechtsinformationssystem des Bundes) einen Meilenstein für die tägliche Arbeit des Anwaltes dar. 26

In dieser kostenfreien, über Internet frei zugänglichen Datenbank (www.ris.bka.gv.at) sind neben dem kompletten Rechtsbestand des Bundesrechts in aktueller und historischer Fassung auch das komplette Landesrecht und sogar Gemeinderecht abrufbar. Darüber hinaus ist die gesamte Judikatur der Gerichte (Verfassungsgerichtshof, Verwaltungsgerichtshof, Oberster Gerichtshof, zum Teil sogar Oberlandesgerichtsurteile), der Obersten Behörden (z.B. Bundesasylsenat, Bundeswettbewerbsbehörde) abrufbar, und zwar im Volltext. 27

Darüber hinaus gibt das RIS Zugriff zum Recht der Europäischen Union und stellt so für den Anwalt den Ersatz für seine kostspielige Bibliothek dar. 28

Für den Bürger ohne juristischen Hintergrund gibt es eine vereinfachte Homepage mit dem Titel Help.gv unter der URL www.help.gv.at, in der alle Fragen der Verwaltung für den Bürger einfach beantwortet, Formulare abrufbar gemacht und sogar elektronische Amtswege aufgezeigt werden. 29

Elektronische Akteneinsicht für Rechtsanwälte ist via ERV möglich und erspart viel Zeit und Mühe. Eine Abfrage kostet nur 0,20 EUR. 30

Videokonferenzen von Gericht zu Gericht wurden ermöglicht, um den Zeugen die Zureise zum Prozessgericht zu ersparen. 31

Eine der besten Errungenschaften von E-Justice ist aber die Ediktsdatei des Bundesministeriums für Justiz (www.bmj.gv.at/edikte). Hier sind für jedermann frei zugänglich alle Insolvenzen in Österreich verzeichnet, alle Beteiligten samt Anmeldefristen ersicht- 32 lich, alle zu versteigernden Objekte bildlich mit Plan und Schätzgutachten sichtbar, alle Zustellungen an Personen mit unbekanntem Aufenthalt zu ersehen und generell alle Verlautbarungen der Gerichte, die früher an der Amtstafel des Gerichtes angeschlagen waren.

33 Natürlich ist das vollelektronische Grundbuch und das elektronische Firmenbuch eine Errungenschaft, um die uns andere Länder beneiden. Seit 1980 ist das Grundbuch in Österreich komplett auf EDV umgestellt und erlaubt bundesweite Namensabfragen und Recherchen im Nachlassfalle bzw. bei Vollstreckungen.

34 Letztlich ist die Anbindung der Rechtsanwälte an das ZMR (Zentrales Melderegister des Bundesministeriums für Inneres) eine sehr wertvolle Hilfe bei der Schuldnersuche.

4. Die Mühen des Alltages in der Kanzlei – was bringt E-Justice?

35 Der papierlose Akt bleibt auch in der österreichischen Anwaltskanzlei des Jahres 2011 Fiktion. Die Hersteller von Druckerpapier jubilieren trotz der Fülle der elektronischen Anwendungen. Die Mentalität der Anwälte ist daran nicht ganz unbeteiligt. Was man in Papier hat, das hat man sicher. Tatsächlich ginge es auch ohne, wenn eine lückenlose Elektronifizierung der gesamten Kanzleipost und der Akten durchgängig gelebt würde, heikle Sachen ins zusätzliche Backup des Urkundenarchives eingestellt würden und der Rest sorgsam als PDF/A langfristig auf Backup-Speichern abgelegt würde.

36 Die durchgängige Verwendung einer einzigen Anwenderkanzleisoftware auf allen Arbeitsplätzen ohne Unterbrechung des Workflows ist ein Vorteil in Effizienz und Produktivität. Beispielsweise erhalten die Anwälte Mandate von Rechtsschutzversicherungen bereits über den ERV mit allen Stammdaten des Klienten zur automatisierten Übernahme ins Kanzleisystem, mit Rechtsschutzdeckungszusage und Schadensnummer für die spätere Korrespondenz im ERV. Mit dabei sind Schadensfotos, Rechnungen, Besichtigungsberichte des Schadens, Gutachten, Protokolle der Polizei etc.

37 Im Papierzeitalter musste händisch alles kopiert werden, Formulare händisch ausgefüllt werden, Fotos entwickelt und ausgearbeitet werden, telefonisch um Schadensnummer und Rechtsschutzdeckung angefragt werden (XY ist gerade auf Mittagspause….), und es dauerte die Aktenanlage sehr viel länger als heute.

38 Mit einem Mausklick sind die Daten heute importiert und in allen Bereichen der Kanzlei bearbeitbar. Die Vorteile sind gerade bei Grundbuchsachen sofort ersichtlich: Während früher bei Wohnungseigentumsbegründung für eine Vielzahl von Wohnungseigentumswerbern von jeder Person das Original des Staatsbürgerschaftsnachweises, des Doktordiploms, der Heiratsurkunde usw. in der Kanzlei angefordert und bis zum Eintreffen der letzten Urkunde der letzten Person zugewartet werden musste (was oft Jahre

dauerte und dazu führte, dass teure beglaubigte Kopien beim Notar angefertigt werden mussten), werden diese Personenstandsurkunden heute in der Kanzlei eingescannt und ins Archivium gestellt. Das Papieroriginal kann am selben Tag an den Mandanten retourniert werden.

Auch die Löschung bzw. Eintragung von Pfandrechten in Liegenschaften, die in verschie- 39
denen Amtsbezirken von Gerichten gelegen sind, hat sich drastisch vereinfacht. Früher mussten die Papiergesuche postalisch von Gericht zu Gericht «wandern» und waren monatelang unterwegs. Heute genügt ein ERV-Antrag an alle beteiligten Gerichte mit dem Verweis auf die im Archivium archivierte und für die Justiz freigegebene Urkunde, um eine zeitgleiche Erledigung aller beteiligten Gerichte innerhalb von wenigen Tagen zu ermöglichen.

Der ERV ermöglich es dem Anwalt, von überall aus seine Gerichtspost einzusehen, auch 40
vom Ferienhaus aus kann er mittels VPN-Verbindung mit dem Kanzleiserver arbeiten und sogar am Sonntag Klagen einbringen, Gesuche an Grundbuch oder Firmenbuch übermitteln. Die Flexibilität und Ungebundenheit des Anwalts ist deutlich gewachsen.

Die Kostenersparnis zur Briefpost hin ist bedeutend. Ein Normalbrief kostet derzeit 61 41
Eurocent, eine ERV-Übermittlung zwischen 28 und 36 Eurocent, egal wie mächtig das Datenpaket auch ist. Wiegt die Briefpost aber mehr als 50 Gramm, so erhöht sich das Porto.

Bei der ERV-Übermittlung erhält der Anwalt einen Zustellnachweis. Dieser ersetzt den 42
eingeschriebenen Brief, der zuletzt EUR 2,85 kostete.

Auch Papier, Kuverts und Handlingzeit bei der Postabfertigung wird eingespart. In toto 43
sind diese Einsparungen gemeinsam mit den Zuschlägen auf das Honorar und die Ermässigung bei den Gerichtsgebühren für die Anwälte trotz der erhöhten Kosten für IT und EDV netto gegeben; auch kann Personal eingespart werden.

5. Nachteile und Probleme

Der Rechtsanwalt ist durch die verstärkte elektronische Kommunikation stark gefordert, 44
er muss stets online und präsent sein, seinen ERV-Account abzufragen und die Zustellungen fristenmässig genau zu erfassen. Leider kommt es häufig vor, dass an Freitagen nach 12 Uhr Zustellungen im ERV nicht mehr abgefragt werden und erst der folgende Montag dann als erster Tag eines Fristlaufes ins Fristenbuch eingetragen wird. Das kann Haftung zur Folge haben. Daher müssen der Anwalt und seine Mitarbeiter das Zustellprotokoll auf den Sendungen ganz genau beachten. Es gilt eine Zustellung an Freitagen bis 16 Uhr als möglich. Zustellungen nach 16 Uhr bis Montag 0.01 Uhr werden vom Bundesrechenzentrum nur in Ausnahmefällen verfügt, und es gilt hier der Montag als erster Tag der Frist.

45 Auch ist die Zeit zwischen der Anfrage einer Versicherung im ERV und der Antwort der Kanzlei im Zeitalter des E-Mails deutlich kürzer geworden. Zumindest verlangen sowohl Klient als auch Versicherung, binnen weniger Stunden eine elektronische Antwort zu erhalten.

46 Dieses *Speed-kills*-Syndrom ist eine echte Gefahr für die Qualität juristischer Arbeit und verhindert nicht selten eine umfassende Prüfung und Literaturrecherche. In Zeiten des RIS muss dieses aber jedenfalls zur höchstrichterlichen Rechtssprechung zu einem bestimmten Problem abgefragt werden, will man nicht in die Haftung als Anwalt kommen.

47 Weiter sind die Abhängigkeiten von der Technik nicht zu unterschätzen. Eine gute Datensicherung im externen Backup und ein Reserveserver in der Kanzlei leisten beim Systemcrash gute Dienste, werden aber meist erst nach dem ersten EDV-Totalausfall in einer Kanzlei installiert. Auch eine Stromversorgung mittels Batterien zur Überbrückung von Stromausfällen ist ein wichtiges Tool zur EDV-Sicherheit.

48 Hardwarekosten und Softwarekosten sind gerade in Anbetracht der nötigen Updates und Wartungen ein nicht zu unterschätzender Kostenfaktor. Auch müssen die Mitarbeiter geschult werden und ein Notfallplan eingeübt werden.

49 Anzuraten ist dem Rechtsanwalt sodann, er möge sich selbst mit der Benutzung seiner Kanzlei-EDV und den Programmen so vertraut machen, dass ein Weggang eines Mitarbeiters kein Loch hinterlässt und er in der Lage ist, ERV, Firmenbuch und Grundbuch sowie die anderen Features seiner Kanzleisoftware so zu benutzen, dass keine Fristversäumnisse eintreten.

50 Für Urlaub, Brand, Wasserschaden oder Systemausfall kann der Rechtsanwalt über seine Übermittlungsstelle auch eine zeitlich begrenzte Abmeldung vom ERV veranlassen. Für diesen Zeitraum werden dann alle Gerichtsstücke postalisch zugestellt.

51 Die Wahrung der Verschwiegenheitspflicht des Anwaltes erfordert es, neben der Sicherstellung der Verschwiegenheit seiner Mitarbeiter selbiges auch für seinen EDV-Dienstleister, Servicepersonal und Wartungshelfer zu bewirken.

52 ERV ist durch seine Leitungsverschlüsselung geeignet, die Verschwiegenheit zu wahren, offene unsignierte und unverschlüsselte E-Mails aber natürlich nicht.

53 Sollte also ein Klient auf E-Mail-Korrespondenz beharren, so wäre eine vertragliche Fixierung unter Hinweis auf die möglichen Folgen unberechtigter Dateneinsicht mit diesem Klienten zu treffen.

6. Zusammenfassung:

Der technische Wandel in der Kommunikation hat auch die Rechtsanwälte voll erfasst. 54
Neben einer eigenen Homepage und Teilnahme an Facebook sind die Bereitstellung einer modernen Kanzlei-IT genauso ein *must* geworden wie die professionelle Präsentation am Markt. Durch den Konkurrenzdruck des Notariates kann es sich ein moderner Rechtsberater nicht mehr leisten, sich von der raschen Datenflut abzukoppeln. Technisch bereits möglich ist es, eine Kanzlei hybrid mittels Laptop und Smartphone zu führen. Die nachwachsenden Generationen werden vielleicht auch die Papierflut in den Kanzleien eindämmen. Die Situation in Österreich ist aus Sicht der IT jedenfalls für den gesamten Justizbereich hervorragend und auch international durch viele EU-Auszeichnungen anerkannt.

H. Internet und Social Media – Neue Medien eröffnen neue Wege zum Mandanten

Carsten Ulbricht

1. Einführung

1 «Insgesamt lässt sich erkennen, dass das Internet vom Juristen gut angenommen wurde. Er betrachtet es als weiteres Aufgabenfeld, als Informationspool und als Möglichkeit, den Bekanntheits- oder Kooperationsgrad zu steigern.»

2 Dieses Zitat stammt aus der Rubrik «Internet-Aktuell» einer Ausgabe des Anwaltsblattes aus dem Jahr 1997[1]. Schon vor 15 Jahren konnte man also erkennen, dass das Internet für Juristen nicht nur als Informations- und Recherchequelle, sondern auch zur Steigerung des «Bekanntheits- und Kooperationsgrades», mithin für Marketingzwecke, sinnvoll eingesetzt werden kann. Seit dieser Zeit sind viele Jahre vergangen und nicht nur das Internet-Nutzungsverhalten, sondern auch die Möglichkeiten und Werkzeuge haben sich rasant weiter entwickelt.

3 Eine eigene Kanzlei-Homepage gehört mittlerweile fast schon zur Selbstverständlichkeit, um die Kanzlei, deren Protagonisten und das eigene Leistungsportfolio darzustellen. Die eigene Webseite ist heute zu einem unerlässlichen Aushängeschild zahlreicher Kanzleien im Internet geworden. Auch für (potenzielle) Mandanten führt der erste Weg vor der Beauftragung einer Kanzlei zunächst auf die Webseite, um sich einen Eindruck über das Angebot, die Seriosität, aber auch den jeweiligen Ansprechpartner zu verschaffen.

4 Das Internet bietet Zugang zu einem mittlerweile etablierten, sich weiterhin vergrössernden «Raum der Sichtbarkeit»[2]. Wer diesen Raum nicht entsprechend nutzt, riskiert zunächst einmal, schlicht weniger sichtbar zu sein als andere.

5 Während das Internet früher vor allem dazu diente, die eigenen Leistungen in Form eines «Schaufensters» darzustellen, bietet das sogenannte Web 2.0 oder *social web* gänzlich neue Möglichkeiten, nicht nur bei der Wissensbeschaffung, sondern vor allem im Bereich des Kanzleimarketings und der Kommunikation mit (potenziellen) Mandanten.

6 Der von Dale Dougherty geprägte Begriff Web 2.0[3] bedeutet dabei ein verändertes Verhalten der Internetnutzer, die im World Wide Web (WWW) nicht mehr nur konsumie-

---

[1] Anwaltsblatt, Heft 1/1997, S. XX.

[2] Vgl. J.B. Thompson (1995), The media and modernity. A social theory of the media. In: Stanford University Press, Stanford, CA: 1995.

[3] Vgl. O'Reilly (30.9.2005), What Is Web 2.0? http://www.oreilly.de/artikel/web20.html#mememap (besucht am 1.11.2011).

ren, sondern über eine Reihe interaktiver und kollaborativer Elemente und Plattformen eigene Inhalte veröffentlichen und sich so in die Kommunikation einschalten können. Der Begriff postuliert in Anlehnung an die Versionsnummern von Softwareprodukten also eine neue Generation des Webs und grenzt diese von früheren Nutzungsarten ab. Der Nutzer ist vielfach kein passiver Teilnehmer, sondern ein aktiver «Prosument» von Inhalten, der die Funktionen eines Produzenten und Konsumenten in sich vereint[4] . Er kann häufig jederzeit und von jedem Ort nach Informationen über Unternehmen, Angebote und Marken suchen und selbst Inhalte erstellen. Die Web-2.0-Plattformen sind dadurch gekennzeichnet, dass sie die Nutzer zum Mitmachen auffordern, sozialen Austausch ermöglichen[5], vernetzt sind und aus nutzergenerierten Inhalten (sogenannter *user generated content*) bestehen[6]. *User generated content* (UGC) sind dabei alle Formen von Inhalten, die von Nutzern selbst erstellt und im Web 2.0 veröffentlicht und ausgetauscht werden wie z.B. Texte, Fotos, Audio- und Video-Dateien oder Kommentare[7].

Unter Social Media bzw. den sozialen Medien wird eine Reihe von Anwendungen im Internet verstanden, die die oben beschriebenen Möglichkeiten des Web 2.0 unterstützen und damit das Erstellen und den Austausch von nutzergenerierten Inhalten sowie die soziale Interaktion zwischen einzelnen Nutzern ermöglichen[8]. Die sozialen Medien, von denen nachfolgend einzelne vorgestellt werden sollen, führen zur Bildung von Gruppen und Gemeinschaften um Marken, Produkte, Unternehmen und/oder bestimmte Interessen. 7

---

4 Vgl. Kaplan, M. / Haenlein, M. (2010): Users of the world, unite! The challenges and opportunities of Social Media. In: Business Horizons, S. 60 f.

5 Vgl. Urchs, O. (2007): 13 Jahre Web-Marketing. In: Schwarz, T. (Hrsg.), S. 11.

6 Killian (2010) Markenlexikon: Web 2.0, http://www.absatzwirtschaft.de/Content/Marken-Lexikon/_p=1004199,mlid=2696 (besucht am 1.11.2011).

7 Vgl. Kaplan, M. / Haenlein, M. (2010): Users of the world, unite! The challenges and opportunities of Social Media. In: Business Horizons, S. 61.

8 Vgl. Kaplan, M. / Haenlein, M. (2010): Users of the world, unite! The challenges and opportunities of Social Media. In: Business Horizons, S. 60 f.

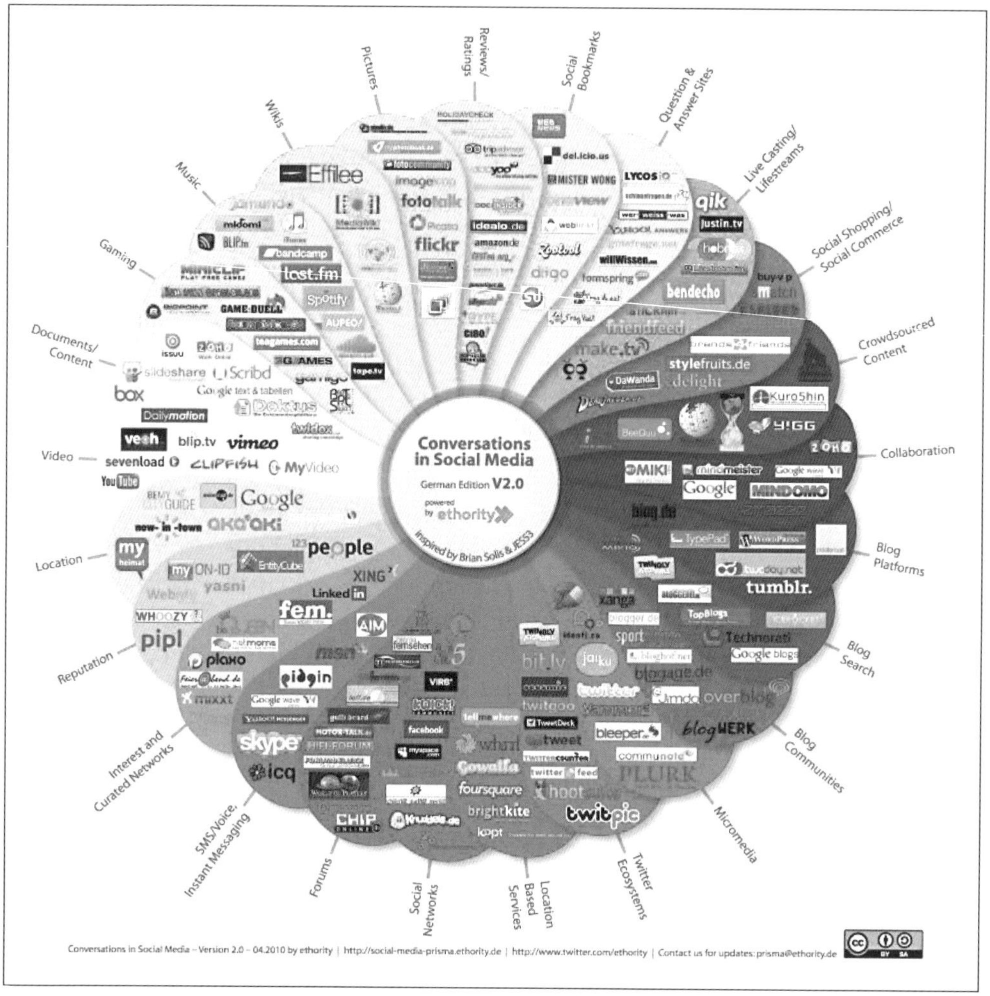

Abb. 1: Übersicht über die wichtigsten Plattformen der Social-media-Landschaft», die auch für den deutschen Markt eine entsprechende Relevanz haben.

8 Die Grafik macht deutlich, wie breit gefächert zwischenzeitlich die Einsatzgebiete der Plattformen sind. Aus dieser Vielfalt folgt eine Vielzahl von denkbaren Anwendungsszenarien auch im Rahmen der Vermarktung anwaltlicher Dienstleistungen.

9 Dieses Beitrag soll in verschiedene Möglichkeiten des Kanzleimarketings im Sozialen Internet einführen, aber auch Hilfestellung geben, wie die eigenen Anwaltsdienstleistungen noch besser über die eigene Homepage und die immer wichtiger werdenden Suchmaschinen vermarktet werden können.

Nach Darstellung der Besonderheiten bei der Ausarbeitung einer Strategie für das Internetmarketing sollen dann einzelne Werkzeuge (wie Blogs, Twitter, Suchmaschinenmarketing etc.) vorgestellt werden, die im Marketingmix eingesetzt werden können. 10

2. Entwicklung einer Strategie für das Internetmarketing

Wie bei allen anderen Marketingmassnahmen, hängt auch bei der Vermarktung von Anwaltsdienstleistungen im Internet der (Miss-)Erfolg stark von der jeweiligen Marketingstrategie ab. Als entscheidende Faktoren stellen sich die Analyse des (Wettbewerbs-) Umfeldes, die inhaltliche Ausrichtung und die Schaffung von Alleinstellungsmerkmalen (auch USP = *unique selling points*) z.B. durch Positionierung in einer Nische, dar. 11

Nachfolgend sollen deshalb zunächst ergänzende Hinweise darauf gegeben werden, welche Besonderheiten bei der Ausarbeitung einer entsprechenden Strategie für Internetmarketing im Speziellen gelten und welche besonderen Werkzeuge dafür eingesetzt werden können. 12

2.1 Analyse des (Wettbewerbs-)Umfeldes

Ein erster wichtiger Schritt ist – auch beim Internetmarketing – die Analyse des (Wettbewerbs-)Umfeldes. Hierfür bietet das Internet eine Vielzahl von interessanten Werkzeugen, die werbende Juristen vor und während der Durchführung eines entsprechenden Marketings in die Lage versetzt, die «Gespräche» im Internet zu einem bestimmten Thema zu «überwachen» (sogenanntes Monitoring). 13

Gerade im Zusammenhang mit Aktivitäten im stark kommunikationsgeprägten Web 2.0 lohnt es sich, in den jeweiligen Markt hinein- und so den (potenziellen) Mandanten zuzuhören. Ein wesentlicher Vorteil im Bereich des Internetmarketings ist die Tatsache, dass mit guten (oft kostenlosen) Anwendungen entsprechende «Gespräche» einer bestimmten Branche oder eines Zielmarktes effektiv erfasst, analysiert und nötigenfalls sogar darauf reagiert werden kann. Und vor allem: Wer der eigenen Zielgruppe gut «zuhört», kann daraus für die eigenen Web-2.0-Aktivitäten lernen! 14

In der nachfolgenden Liste finden sich einige Werkzeuge zur Analyse des Marktes und des Wettbewerbsumfeldes: 15

- Google Alerts

  Google Alerts ist der «stetige Fels» in der Welt des Monitorings. Hierüber können leicht Schlagwörter eingegeben werden, um zu dem jeweiligen Thema permanent oder gebündelte Inhalte zu erhalten (www.google.de/alerts).

- Jurablogs

  Deutscher Aggregator, der die deutschsprachige Szene juristischer Blogger gut und relativ umfassend abbildet. Hier werden alle Meldungen der registrierten Blogs in Kurzform veröffentlicht (www.jurablogs.com).

- Technorati

  Technorati bezeichnet sich selbst als «die führende Blog-Suchmaschine». Hier lassen sich die Blogs nach entsprechenden Keywords durchsuchen (www.technorati.com).

- Twitter Search

  Über die plattformeigene Suchmaschine lassen sich Beiträge zu speziellen Themen und so auch inhaltlich passende Twitternutzer finden (www.search.twitter.com).

2.2 Entwicklung einer klaren Zielrichtung

16 Elementare Voraussetzung eines erfolgreichen Marketing im Internet ist das Erarbeiten einer klaren Zielrichtung für die eigenen Internet- und Social-Media-Aktivitäten. Welchen inhaltlichen Fokus und welches Image soll der eigenen Kanzlei in den sozialen Medien gegeben werden? Sollen den eigenen Kontakten im Web spezielle Angebote unterbreitet werden? Welche Botschaften oder Informationen sollen verbreitet werden? Dabei sollte auch ermittelt werden, welches die geeignetsten Plattformen oder Kanäle für die jeweilige Zielrichtung sind.

17 In diesem Zusammenhang sollten eindeutige und messbare Meilensteine festgelegt werden, die mit Social Media erreicht werden sollen. Die Sozialen Internetmedien sind kein Selbstzweck. Es macht insofern keinen Sinn, Aktivitäten ohne eigene Strategie zu entfalten und nur zu agieren, weil die Wettbewerber es auch tun. Mögliche (eigene) Ziele können sein: neue Vertriebswege zu aktivieren, die Kommunikation mit (aktuellen oder potenziellen) Mandanten zu stärken, der eigenen Kanzlei mehr Transparenz zu verleihen, neue Kundengruppen zu gewinnen usw.

18 Für welche Ziele sich die Kanzlei auch immer entscheidet, sie sollten realistisch und nicht mit kurzfristiger Perspektive gewählt werden. Social-Media-Marketing ist eine langfristige und nachhaltige Unternehmung!

2.3 Definition der wesentlichen Erfolgskriterien

19 Es ist frühzeitig zu entscheiden, wie der Erfolg der Marketingmassnahmen und die spezifischen Mechanismen, die verwendet werden, gemessen werden sollen. Internetmarketing ist in besonderem Masse geeignet, das Erreichen der Erfolgskriterien zu überwa-

chen, aber auch bei Fehlentwicklungen entsprechende Schlüsse zu ziehen. Dabei sollte von Anfang an auf den Einsatz von Analyse-Tools Wert gelegt werden, um das Verhalten der Besucher auf den Webseiten nachvollziehen und bewerten zu können.

2.4 Definition der inhaltlichen Ausrichtung und der zu wählenden Kommunikationswege

Inhalte und Kontext sind die wichtigsten Werte in den sozialen Medien. Dabei ist die 20
Weitergabe von echten Mehrwerten ein essenzielles Erfolgskriterium. Die richtigen Inhalte sind der Parameter, der darüber entscheidet, ob Interessenten angezogen werden können oder sogar dazu verleitet werden, die Informationen oder Werbebotschaften über andere Social-Media-Kanäle weiterzutragen.

2.5 Integration der Massnahmen in den Marketing-Mix

Von Anfang an sollte geplant werden, wie etwaige Social-Media-Aktivitäten symbio- 21
tisch mit sonstigen Marketing-Aktivitäten vernetzt werden können. Ganz gleich ob Blog-Marketing, Suchmaschinenoptimierung oder klassische Medien – die meisten Massnahmen lassen sich intelligent mit Social-Media-Marketing verknüpfen.

2.6 Planung eines entsprechenden Budgets

Budget im Social-Media-Marketing heisst vor allem Planung von Manpower. Social- 22
Media-Marketing sollte immer eine langfristige Strategie beinhalten. Wer einmal in den sozialen Medien Präsenz zeigt, muss dort in entsprechenden Abständen aktiv sein. Deshalb gilt es genau zu planen, wer im Unternehmen für welche Aufgaben zuständig ist und wie viel Zeit investieren kann.

3. Weblogs als neues Marketinginstrument

3.1 Was ist ein (Web-)Blog?

Unter einem Weblog (zusammengesetzt aus «Web» und «Log» (für Logbuch)) versteht 23
man eine Art «Onlinejournal», bei dem die Einträge umgekehrt chronologisch sortiert sind. Die jeweiligen Informationen können mit weiteren Informationen und sogenannten kommentierten Links (Hypertexten) zu anderen Webseiten versehen werden. Die meisten Weblogs haben eine Kommentarfunktion, die es den Nutzern ermöglicht, einen Eintrag zu kommentieren, ohne mit dem jeweiligen Autor («Blogger») oder anderen Lesern in Dialog zu treten.

Von dieser Idee eines Internettagebuches ist heute insbesondere für den geschäftlichen 24
Einsatz von Weblogs (sogenannte Corporate Blogs) allerdings nur die umgekehrt chro-

nologische Reihenfolge und der jeweils persönliche Stil, den die meisten Blogger pflegen, geblieben.

25 Im Gegensatz zu Blogs mit rein privaten Inhalten, dienen die Corporate Blogs geschäftlichen Zwecken. Dieses Kommunikationsmedium hat sich auch im geschäftlichen Einsatz etabliert, wie eine Vielzahl von unterschiedlichen Blogs auch bekannterer Unternehmen zeigen.

26 Die ersten juristischen Blogs (auch Blawgs) genannt, wurden im Jahr 2002 in Deutschland eingeführt. Zwischenzeitlich gibt es eine grössere Szene von juristischen Bloggern (die sogenannte «Blawgosphäre»). In jüngerer Zeit haben sich auch bekannte Verlage, wie beispielsweise der Beck-Verlag, mit dem eigenen Beck-Blog (blog.beck.de) mit einem juristischen Verlagsblog dieses Kommunikationsmediums angenommen. Während das Beck-Blog ein sogenannter Mehrautorenblog ist, der zahlreichen Bloggern die Möglichkeit bietet, entsprechende Beiträge einzustellen, werden die meisten Blogs von einzelnen Rechtsanwälten bzw. Rechtsbloggern betrieben.

27 Die allermeisten Blogs widmen sich einem spezifischen Thema oder Rechtsgebiet. Eine gute Übersicht über die in Deutschland regelmässig publizierenden Blogs kann über das entsprechende Ranking bei Jurablogs (www.jurablogs.com) oder anderen Blogrankings eingesehen werden.

3.2 Vorteile von Weblogs

3.2.1 Besetzung eines Themas

28 Elementar für den Erfolg eines juristischen Weblogs ist die thematische Ausrichtung und die Qualität der Beiträge. Es sollte ein bestimmtes Thema, eine bestimmte Branche oder Nische identifiziert werden. Das Weblog sollte dann spezifisch auf diesen Fokus ausgerichtet werden. Angefangen von der Domain, über den Titel des Weblogs bis hin natürlich zu den Beiträgen.

29 Je nachdem, ob das Blog von einem oder mehreren Autoren «befüllt» werden soll, kann es auch Sinn machen, sich im Vorfeld Gedanken über mögliche Themen und Überschriften zu machen und diese entsprechend zu verteilen.

30 Zukünftige Beiträge sollten sich dann zwar auf dieses Thema fokussieren, können sich aber auch einmal mit angrenzenden oder überschneidenden Inhalten befassen. Es kann berichtet werden über neueste Entwicklungen in der Rechtsprechung, über Diskussionen in der Literatur oder auch über eigene Erfahrungen. Entscheidend ist die Weitergabe von werthaltigen Informationen und Hinweisen für die Praxis der angesprochenen Mandantenkreise.

3.2.2 Weblogs erhöhen die Suchmaschinentauglichkeit

Ein wesentlicher Vorteil von Blogs (vor allem gegenüber einer weitgehend statischen Webseite) ist die besondere Suchmaschinentauglichkeit. Dies liegt zum einen daran, dass eine regelmässige Aktualisierung ein wichtiges Suchkriterium bei Google und Co ist. 31

Die zum grössten Teil aus Texten bestehenden Blogs sind überdies hervorragendes «Futter» für die Suchmaschinenroboter (sogenannte *crawler*), die regelmässig das Internet auf neue Inhalte durchsuchen und entsprechend bewerten. Blogs sind schliesslich im besonderen Masse geeignet, um selbst auf andere interessante Inhalte zu verlinken bzw. um hierauf verlinkt zu werden. Insbesondere eingehende Links von gut gelisteten Webseiten bewirken bei Google und Co., dass auch die jeweilige Webseite höher gelistet wird. Sukzessive sorgt damit das Blog dafür, dass der jeweilige Blogbetreiber für die jeweils relevanten Suchwörter (sogenannte *key words*) und damit das eigene Spezialgebiet besser bei den Suchmaschinen gefunden wird. 32

3.3 Instrumente zur Mandantenbindung

Die den meisten Blogs immanent enthaltene Funktionalität der RSS-Feeds dient als Technologie, um – ähnlich den früheren E-Mail-Newslettern – potenzielle Interessenten und Mandanten regelmässig zu informieren, sobald ein neuer Eintrag im Weblog erscheint. 33

RSS steht dabei für *real simple syndication*. Diese Technik ermöglicht die automatisierte Lieferung der jeweiligen Inhalte an entsprechende Abonnenten. So können interessierte Leser die sogenannten RSS-Feeds abonnieren und so die Inhalte zur Kenntnis nehmen, ohne jeweils die jeweiligen Websites im Browser «abzusurfen». Die hierfür erforderlichen *feed-reader* werden in einer Vielzahl von speziellen Programmen angeboten, entweder als Onlinedienste oder integriert in entsprechende E-Mail-Programme wie zum Beispiel bei Microsoft Outlook. Neue Inhalte werden damit automatisch auf den Rechner geladen und übersichtlich präsentiert. Insbesondere durch die RSS-Feeds führt der jeweilige Autor seine Leser regelmässig auf das Weblog zurück, die den jeweils neuen Content dann zur Kenntnis nehmen. 34

3.3.1 Blogs als Kontakt- und Kommunikationsinstrument

Weblogs sind im besonderen Masse geeignet, um entweder mit anderen Webseiten bzw. Blogs, insbesondere aber mit den Besuchern des eigenen Weblogs in Kontakt zu treten. 35

Auf jedem gut eingeführten Blog findet sich zum einen die sogenannte *blogroll*, mit der der Autor des jeweiligen Blogs zum Ausdruck bringt, welche Weblogs er selbst regelmässig liest. Hierdurch erfolgt bereits die erste Vernetzung mit anderen interessanten Blogs. 36

37 Zum zweiten öffnet die oben bereits genannte Kommentarfunktion den unmittelbaren Rückkanal. Interessierte Leser können mit dieser Kommentarfunktion jederzeit Einträge bzw. Kommentare zu dem jeweiligen Blogbeitrag hinterlassen. Dies führt bei entsprechend besuchten Blogs bisweilen zu interessanten Diskussionen und damit zu weiterer Aufmerksamkeit. Über den so offen dargestellten Dialog mit der Aussenwelt erscheint die Kanzlei selbst auch als offene und insoweit erreichbare Kanzlei.

3.3.2 Interessante Quelle für Presserecherche

38 Gerade in der heutigen Zeit sind Journalisten in immer kürzeren Abständen gezwungen, neue und interessante Themen zu finden und hierüber (unter Einbeziehung von Expertenmeinungen) zu recherchieren. Dies hat dazu geführt, dass viele Journalisten zwischenzeitlich das Internet und insbesondere die Suchmaschinen als Recherchequellen nutzen. Durch eine entsprechende Suchmaschinenpositionierung für die jeweiligen *key words* erhöht sich die Wahrscheinlichkeit, dass der Autor eines Weblogs mittelfristig auch als Experte für entsprechende Presseanfragen wahrgenommen und kontaktiert wird.

3.3.3 Messbarkeit

39 Ein essenzieller Vorteil des Blogmarketings ist die Tatsache, dass sich das Besucherverhalten über entsprechende Analysewerkzeuge jederzeit auswerten lässt. Der Autor kann nicht nur feststellen, wie viele Besucher die Website bzw. einen konkreten Artikel abrufen, und darüber Ableitungen treffen, welche Themen für die jeweiligen Besucherkreise interessant sind. Es kann auch festgestellt werden, über welche externen Links bzw. insbesondere über welche Suchwörter, etwaige Besucher auf die Website finden.

40 Diese Möglichkeiten einer regelmässigen Analyse bieten die Grundlage dafür, das Weblog mittelfristig zu optimieren und so die Besucherzahl zu steigern. Die regelmässige Auswertung dient oft auch als Motivation, weil auch kleine Erfolge (wie unmittelbar steigende Besucherzahlen oder ein erfolgreicher Titel) unmittelbar festgestellt werden können.

3.4 Stolperfallen

3.4.1 Keine reine Selbstvermarktung

41 Das sogenannte *social web* ist sehr kritisch. Vor diesem Hintergrund ist davon abzuraten, das Weblog zur blossen Selbstvermarktung mit (inhaltsleeren) Werbeaussagen zu nutzen. Der Autor sollte sich vielmehr darauf konzentrieren, werthaltige, interessante und vor allen Dingen weiterführende Inhalte ins eigene Weblog einzustellen und so das eigene Expertenwissen darzustellen und auch zu unterstreichen.

3.4.2 Keine Nachhaltigkeit

Gerade zu Beginn eines Weblogs erscheint es unbedingt als notwendig, regelmässig eigene Beiträge zu posten. Leser und Abonnenten des RSS-Feeds erwarten, dass das Weblog auch regelmässig aktualisiert wird. Ein Blog, das alle zwei bis drei Monate einen Beitrag veröffentlicht, wird die Leser nicht entsprechend binden. 42

Es ist gerade bei hochwertigen juristischen Blogs nicht notwendig, neue Inhalte mehrfach pro Woche zu veröffentlichen. Als vorzugswürdig hat sich gezeigt, auch bei den Inhalten Wert auf Qualität und nicht zu sehr auf Quantität zu setzen. Bei entsprechend qualitativ hochwertigen Inhalten sollte die Postingfrequenz zwei neue Artikel pro Monat nicht unterschreiten. 43

Bei vielen Weblogs ist die Tendenz zu erkennen, zunächst ambitioniert und mit vielen Beiträgen zu starten, dann aber sehr schnell nachzulassen. Marketingerfolge werden sich nur einstellen, wenn das Weblog mit einer gewissen Nachhaltigkeit betrieben wird. Gerade Leser, die über Suchmaschinen kommen, stellen fest, ob Artikel regelmässig gepostet werden, oder ob sich der Autor auf die Veröffentlichung von Beiträgen hin und wieder beschränkt. 44

3.4.3 *Copy-and-paste*-Mentalität

Wenig erfolgreich dürfte die Strategie sein, häufige Veröffentlichungen dadurch zu erreichen, dass alle nur erdenklichen Urteile einfach kopiert und im eignen Blog eingestellt werden. Ein wichtiges Merkmal eines guten Blogs ist eine gewisse individuelle Note, die den Autor des jeweiligen Weblogs kennzeichnet. Insoweit ist es durchaus verbreitet, dass in einem Weblog (auch in einem juristischen) bisweilen nicht nur rechtliche Ausführungen zu finden sind, sondern der jeweilige Blogger auch seine Meinung äussert. Insoweit kann es (je nach inhaltlicher Ausrichtung) auch Sinn machen, die eigene Meinung und eigene Persönlichkeit im Weblog einzubringen. 45

3.5 Optimierung des Weblogs

Für ein gut eingeführtes Weblog gibt es eine Vielzahl von Optimierungsmöglichkeiten, die sich auch mit der sonstigen Internetstrategie harmonisieren lassen. 46

3.5.1 Regelmässige Auswertung des Besucherverhaltens

Analysewerkzeuge versetzen den Blogbetreiber in die Lage, die Besucherströme und deren Verhalten zu analysieren. Hier zeigt sich, ob die Internetnutzer das Angebot annehmen, welche Artikel Interesse wecken und welche nicht. Auch aus etwaigen Kommentaren können interessante Erkenntnisse gewonnen werden. 47

48 Durch eine entsprechende Analyse kann das eigene Weblog ständig verbessert werden. Im Laufe der Zeit «erzieht» das Blog so den jeweiligen Autor, wenn er denn entsprechend «zuhört».

3.5.2 Verteilung der Inhalte des Weblogs

49 Das Weblog eignet sich hervorragend, um als «Speerspitze» neben der eigenen Webseite im Internet sichtbar zu werden.

50 Nach einer gewissen Einführungsphase sollte über die Funktionalität der RSS-Feeds eine weitere Verteilung der Inhalte auch auf andere Plattformen vorangetrieben werden. Über entsprechende Konten bei Twitter, XING, Facebook & Co. können die jeweiligen Beiträge auch in diese sozialen Netze getragen werden. Bei entsprechender Qualität und einer ausreichenden Reichweite in diesen Medien werden andere Mitglieder interessante Inhalte aufgreifen und als Multiplikatoren weitertragen. Insbesondere Twitter hat sich als gutes Werkzeug erwiesen, um Inhalte über das Blog hinaus zu distribuieren.

3.6 Zusammenfassung

51 Über Weblogs kann eine direkte Ansprache von bestimmten Branchen bzw. thematischen Nischen im Internet erreicht werden. Suchmaschinen sorgen dafür, dass auch bisher unbekannte (potenzielle) Mandanten im Internet auf die entsprechenden Inhalte und damit auf eine entsprechende Expertenpositionierung stossen.

52 Die Darstellung des eigenen Know-hows und der eigenen Kompetenzen stärkt zudem die Positionierung der eigenen Kanzlei. Weblogs bieten zudem in besonderem Masse Möglichkeiten der Vernetzung und zeigen die eigene Ansprech- und Erreichbarkeit der Kanzlei. Schliesslich ist das Weblog ein ideales Werkzeug, um die eigenen Kommunikationserfolge auch messbar zu machen und insoweit eine suboptimale Strategie auszuwerten und zu verbessern.

4. Twitter als Kommunikationsmedium für Kanzleien?

4.1 Was ist Twitter ?

53 Twitter ist ein internationales soziales Netzwerk, in dem Nachrichten mit bis zu 140 Zeichen (genannt *tweets*, von *tweeten*, (engl.): zwitschern) an sogenannte *follower* (Nutzer, die sich beim Absender eingetragen haben) gesendet bzw. *tweets* von Freunden oder interessanten Menschen, denen man selbst folgt, gelesen werden können.

54 In der Anfangszeit wurde Twitter vor allem von Privatpersonen für persönliche Gespräche und Statusmeldungen genutzt. Inzwischen haben immer mehr Organisationen und Unternehmen die Plattform für sich entdeckt. So sind bereits viele bekannte Marken

wie Tchibo, BASF, Vodafone, Audi oder Siemens bei Twitter registriert und auch aktiv. Aber auch Politiker (Wahlkampf!), Sportler, Schauspieler und Musiker sind bei Twitter zu finden.

Mit zunehmendem Bekanntheitsgrad durch On- und Offline-Berichterstattung und 55 weltweiter Nutzung von Twitter entsteht derzeit ein Kommunikationskanal, der sich ebenfalls zum Reputationsmanagement und zur Verbreitung von eigenen Informationen eignet.

Wer Twitter im Marketing nutzen möchte, sollte sich diese Tatsache immer wieder vor 56 Augen führen: Twitter ist in seinem Kern kein «Marketing-Kanal», sondern ein Ort für Gespräche.

Einen echten Mehrwert bietet Twitter dann, wenn ein eigenes Netz aus Kontakten 57 und Followern aufgebaut worden ist. Eine individuelle Gestaltung des Profils weckt das Interesse der Twitter-Nutzer. Ist deren Aufmerksamkeit erst mal gewonnen, müssen nur noch interessante Kurznachrichten veröffentlicht werden, um so dauerhaft ein Netzwerk aufzubauen.

4.2 Einsatzgebiete

Die nachfolgend genannten Möglichkeiten dienen lediglich als Orientierung: 58

- Kundenbeziehung aufbauen

  Twitter erlaubt es, die Kommunikation der Unternehmen mit dem Kunden zu individualisieren.

- Reputationsmanagement

  Durch Twitter können Unternehmen einen persönlichen Kommunikationskanal und eine starke Präsenz am Ort des Dialogs aufbauen. Dazu sollte vor allem mit Meinungsführern und Journalisten in Kontakt getreten werden, da diese Personenkreise es ermöglichen, Nachrichten schnell weiterzuverbreiten. Aber auch andere Nutzer sollten nicht ausser Acht gelassen und ein Dialog bzw. eine Beziehung mit ihnen aufgebaut werden.

- Eventbegleitung

  Live-tweets von einem Event können genutzt werden, um einen neuen Kanal der Kommunikation aufzubauen – so können auch Aussenstehende an dem Event teilhaben. Durch einen festgelegten Event-*Hashtag*[9] können die *tweets* von Interessierten schnell gefunden werden.

---

[9] *Hashtags* sind effektive, einfache Mittel um Themen, *communities*, Live-Events oder *breaking news* nachzuverfolgen.

- Interne Kommunikation

  Indem veröffentlichte *tweets* nur innerhalb einer bestimmten Freundesgruppe veröffentlicht werden, kann Twitter auch für die interne Kommunikation genutzt werden.

- Krisenmanagement

  Twitter bietet eine schnelle Möglichkeit, um bei anstehenden Krisen z.B. mit Journalisten in Kontakt und in einen Dialog zu treten. Dabei ist es wichtig, immer auf dem Laufenden zu sein, was über das eigene Unternehmen bei Twitter, in Blogs und anderen Social-Media-Anwendungen veröffentlicht wird, und darauf reagieren zu können. Das Krisenmanagement über Twitter zielt darauf ab, Vertrauen aufzubauen und ein Netzwerk zu entwickeln, das dabei hilft, Nachrichten weiterzuverbreiten.

59 4.3 Praxishinweise

- Interessante und relevante Inhalte

  Regelmässig Nachrichten über interessante Themen aus dem jeweiligen Fachgebiet wecken Interesse. Dabei sollten nicht nur Informationen aus dem jeweiligen Unternehmen veröffentlicht werden, sondern es sollen den Lesern echte Mehrwerte angeboten werden. Auch Verweise und Verlinkungen auf interessante Nachrichten Dritter und entsprechende Kommentierungen können helfen, das eigene Renomée zu stärken. Oft regt dies zu Diskussionen an.

- Vernetzung mit anderen Internetpräsenzen

  Das Twitter-Konto sollte mit anderen Online-Profilen (wie z.B. Facebook) verbunden werden, die es ermöglichen, die Twitter-Nachrichten automatisiert als Statusmeldung zu veröffentlichen. Twitter-Nachrichten können so auch auf einem etwaigen Blog oder auf der Kanzleiwebsite angezeigt werden. Auf diese Weise kann die Bekanntheit des jeweiligen Twitter-Profils weiter gesteigert werden.

- Reaktion auf relevante Inhalte

  Auf relevante Twitter-Nachrichten sollte reagiert werden. Auf Twitter kann Aufmerksamkeit geweckt werden, indem direkt auf relevante Nachrichten Dritter reagiert wird. Durch @ Benutzername kann ein bestimmter Nutzer direkt angesprochen oder auf dessen Nachricht geantwortet werden. So können auch Diskussionen mit Profilen, die viele Follower haben, eröffnet werden und auf diese Weise möglicherweise selbst neue Follower gewonnen werden.

4.4 Zusammenfassung

Einer der wichtigsten Faktoren beim Micro-Blogging ist ein hinreichend hohes Mass an Aktivität, um eine entsprechende Resonanz zu erhalten. In regelmässigen Abständen sollten also Nachrichten veröffentlicht werden, die einen Mehr- oder Informationswert für den Leser bieten. 60

Durch die Public Timeline (hier erscheinen alle Nachrichten), über die viele Benutzer interessante Profile suchen, bietet jede Twitter-Nachricht die Möglichkeit, die Aufmerksamkeit weiterer Personen auf sich zu ziehen. 61

Ob der Einsatz von Twitter zur Vermarktung juristischer Dienstleistungen sinnvoll und erfolgversprechend ist, hängt sehr vom Einzelfall ab. Sofern bereits ein Weblog existiert, erscheint der Einsatz von Twitter als weiterer Kanal zur Distribution der Inhalte sicherlich sinnvoll. Als Einzelmassnahme wird Marketing über Twitter wohl eher keine nachhaltigen Erfolge bringen. 62

Als Ergänzung anderer Internetmassnahmen, zum Monitoring und als Multiplikationskanal kann ein nachhaltig betriebenes Twitter-Konto nützlich sein und mittelfristig Follower (und damit weitere Multiplikatoren) binden. 63

5. Social Media Marketing – Mandantengewinnung in und über Soziale Netzwerke

5.1 Was sind soziale Netzwerke?

Im Internet werden unter sozialen Netzwerken (engl. *social networks*) gemeinhin Netzgemeinschaften beziehungsweise Webdienste verstanden, bei denen die Nutzer gemeinsam eigene Inhalte (sogenannter *user generated content*) einstellen und ohne grosse technische Hürden veröffentlichen können. Insgesamt werden diese sozialen Netzwerke auch unter dem Begriff «soziale Medien» zusammengefasst. 64

Entsprechende Webportale bieten ihren Nutzern standardmässige Funktionen wie die Erstellung eines persönlichen Profils, einer Vernetzung mit anderen Mitgliedern über Kontaktlisten oder Adressbücher, den Empfang von Nachrichten und die Versendung entsprechender Nachrichten sowie Diskussionen in bestimmten Foren und die Weiterleitung von allen Arten von Inhalten. 65

Bei den sozialen Netzwerken ist zu unterscheiden zwischen solchen, die eher privat genutzt werden und solchen, die auch geschäftlich eingesetzt werden oder sich sogar als sogenanntes Business-Netzwerk selbst einen entsprechenden Fokus geben. Das bekannteste und meist genutzte soziale Businessnetzwerk in Deutschland ist XING (www.xing.de). In den USA spielen in diesem Segment vor allem LinkedIn (www.linkedin.com) und Facebook (www.facebook.com) eine bedeutende Rolle. Darüber hinaus gibt es eine Viel- 66 zahl von Netzwerken, die noch spezifischere Zielgruppen und auch Branchen ansprechen. Im letzten Jahr wurde vom Beck Verlag mit der Beck Community (http://community.beck.de) auch ein Netzwerk speziell für den Austausch unter Juristen geschaffen.

67 In den grossen Social Networks steigt die Nutzerzahl ständig; auch die Menge an verfügbaren Inhalte wächst. Insbesondere die genannten sozialen Netzwerke scheinen im Zusammenhang mit geschäftlichen Zwecken in besonderem Masse geeignet, um diese unter Berücksichtigung der entwickelten Internetmarketingstrategie zur Verbreitung der eigenen Information sowie zur Vernetzung zu nutzen.

5.2 Marketing in sozialen Netzwerken

68 Soziale Netzwerke eignen sich nicht nur zur eigenen Vernetzung mit Geschäftspartnern und (potenziellen) Mandanten, sondern auch zur Verteilung und Verbreitung eigener relevanter Informationen.

69 Kernelemente und Voraussetzung sind der Dialog mit den Nutzern, Authentizität, Ehrlichkeit, Transparenz in der Kommunikation und die Fähigkeit, Kritik von Kunden anzunehmen und angemessen darauf zu reagieren[10]. Die Gemeinschaft der Internet-Nutzer selbst steht dabei im Mittelpunkt: Ziel ist es, durch Interaktion mit den Nutzern eine langfristige Beziehung auf Basis von Loyalität und Vertrauen aufzubauen[11].

70 Ohne dass hier im Einzelnen auf die verschiedenen Funktionalitäten der einzelnen Plattform eingegangen werden kann, erscheinen folgende Schritte sinnvoll:

5.2.1 Anlage des eigenen Profils

71 Zunächst ist ein entsprechendes Profil anzulegen, bei dem abhängig vom inhaltlichen Fokus sämtliche Informationen des Anwalts beziehungsweise der Rechtsanwaltskanzlei herausstechen.

5.2.2 Vernetzung

72 Der primäre Zweck von sozialen Netzwerken liegt in der Vernetzung mit Geschäftspartnern, (potenziellen) Mandanten und privaten Kontakten.

73 Auch bei der Vernetzung sollten gewisse Selektionskriterien angelegt werden. Eine anlasslose Kontaktaufnahme mit Standardfloskeln wird oft als unangenehm empfunden und mit Spam gleichgesetzt. Eine konkrete Kontaktaufnahme sollte vielmehr mit einem entsprechend nachvollziehbaren Anlass einhergehen. Sinnvoll ist z.B. die «Aufarbeitung» eines Kongresses, indem im unmittelbaren zeitlichen Nachgang mit allen Kon-

---

10 Vgl. P. Raddatz (2010), Erst der Anfang, in: Markenartikel, 3/2010, S. 26–27.
11 Vgl. T. Weinberg (2010), Social Media Marketing, 2010, S. 4.

ferenzkontakten auch über die Businessnetzwerke mit einer entsprechend individuellen Nachricht Kontakt aufgenommen wird. So erfolgt mittelfristig auch in den sozialen Netzwerken eine Vernetzung mit interessanten Branchenkreisen.

5.2.3 Verbreitung von Inhalten

Die meiste Aufmerksamkeit wird damit erweckt, dass man qualitativ hochwertige Inhalte 74
und Informationen zur Verfügung stellt. Durch die Präsentation des eigenen Fachwissens schafft man die Grundlage dafür, dass sowohl die Inhalte als auch die eigene Person wahrgenommen und im Optimalfall auch weiterempfohlen werden.

Die angeschlossenen Diskussionsforen haben oft inhaltliche Schwerpunkte. Es sollten 75
relevante Foren identifiziert werden, um sich dort zu vernetzen. Oft eignen sich diese auch, um auf die eigenen Blogbeiträge hinzuweisen oder diese dort gegebenenfalls (zweit-) zu verwerten.

Die sogenannten «Statusupdates» können genutzt werden, um die eigenen Kontakte 76
über neue Blogbeiträge, Events oder andere Kanzleineuigkeiten zu informieren. Oft stehen zusätzliche Applikationen zur Verfügung, die auf dem eigenen Profil integriert werden können. Diese bieten Funktionen, um eigene Präsentationen einzustellen, Eventtermine zu veröffentlichen, aber auch andere Informationen über das soziale Netzwerk und die eigenen Kontakte zu verbreiten.

Getreu dem nachfolgend auszugsweise abgedruckten Cluetrain Manifest besteht das 77
social web aus Konversationen. Wer sich in sozialen Netzwerken bewegt, sollte sich daher verhalten wie in normalen Gesprächen. Auf Fragen sollte reagiert werden.

Auch mit negativem Feedback, ob in Diskussionsforen oder im Blog geäussert, sollte 78
umgegangen werden. Bei Aktivitäten in den sozialen Medien sollten Kanzleien auch darauf gefasst sein, dass auch kritische oder negative Anmerkungen gemacht werden. Dies sollte in Fällen sachlicher Kritik akzeptiert werden. Mit einer entsprechenden Krisenstrategie sollte versucht werden, konstruktiv mit entsprechender Kritik umzugehen. Versuche, solche Kritik zu unterdrücken, haben sich aufgrund massiver Negativ-PR mehrfach als nachteilig erwiesen. Besser scheint der Versuch, den «Gegner» argumentativ zu überzeugen oder zumindest zu entkräften.

5.3 Zusammenfassung

Bei der Ausarbeitung und Durchführung von Marketingmassnahmen im *social web* 79
sollte es nicht primär um die Verteilung von reinen Werbebotschaften gehen. Im *social web* – und insbesondere in den genannten sozialen Netzwerken – geht es wie auch im nicht virtuellen Raum primär um Networking und damit um das Knüpfen von Verbindungen und den Austausch von interessanten Informationen. Insoweit sollte sich auch der Rechtsanwalt oder die Kanzlei bei entsprechendem Marketing verhalten wie im

realen Leben. Hier wird üblicherweise auch nicht gleich mit der Tür (sprich einer plumpen Werbebotschaft) ins Haus gefallen, sondern versucht, über interessante Inhalte ins Gespräch zu kommen.

80 Marketing im *social web* sollte primär aus dem Angebot werthaltiger Informationen und dem Versuch bestehen, hierüber in eine Konversation zu treten. Einige wichtige Grundregeln lassen sich sehr gut dem sogenannten Cluetrain Manifest[12] entnehmen, welches nachfolgend in Auszügen abgedruckt erscheint.

81 Auszug aus den insgesamt 95 Thesen des sogenannten Cluetrain Manifest:

1. Märkte sind Gespräche.
2. Märkte bestehen aus Menschen, nicht aus demografischen Daten.
3. Gespräche zwischen Menschen klingen menschlich. Sie werden mit einer menschlichen Stimme geführt.
4. Ob zum Austausch von Information, Meinungen, Perspektiven, Standpunkten oder Anekdoten, die Stimme des Menschen ist offen, natürlich und ehrlich.
5. Menschen erkennen einander am Klang ihrer Stimme.
6. Das Internet ermöglicht Gespräche unter Menschen, die in den Zeiten der Massenmedien einfach nicht möglich waren.
7. Hyperlinks untergraben Hierarchien.
8. Sowohl in vernetzten Märkten, als auch unter vernetzten Mitarbeitern sprechen die Menschen auf eine neue kraftvolle Art und Weise miteinander.
9. Diese vernetzten Gespräche erschaffen kraftvolle neue Formen der sozialen Ordnung, und es tauchen neue Arten des Wissensaustausches auf.
10. Daraus resultierend werden die Märkte intelligenter, sind besser informiert und organisiert. Die Teilnahme am vernetzten Markt verändert die Leute fundamental.
11. Die Menschen in vernetzten Märkten haben herausgefunden, dass sie sich weit bessere Information und Unterstützung gegenseitig bieten können als sie von ihren Verkäufern erhalten.

82 Abschliessend soll an dieser Stelle davon abgeraten werden, im ersten Schritt zu versuchen, (zu) viele Werkzeuge gleichzeitig einzusetzen. Die Erfahrung hat gezeigt, dass ein schrittweiser, aufeinander aufbauender Einsatz von Marketingmassnahmen im Internet deutliche bessere und nachhaltigere Ergebnisse mit sich bringt. Als ersten Schritt in diese Welt des Marketing im Web 2.0 empfiehlt sich insbesondere ein Weblog, als «Leucht-

[12] Siehe www.cluetrain.com/auf-deutsch.html (besucht am 1.11.2011).

turm», der neben der Webseite für eine bestimmte inhaltliche Ausrichtung der Kanzlei oder einzelner Referate steht. Von dieser Basis aus können dann weitere Massnahmen auf- und ausgebaut werden.

Bei jedweder Marketingmassnahme sind natürlich die besondere Rolle und Funktion der Anwaltschaft und auch die damit einhergehenden berufsrechtlichen Vorgaben zu beachten. Das Internet bietet eine Vielzahl von Möglichkeiten, von denen aus dieser Perspektive und im Interesse eines seriösen Marketings abgeraten werden muss. Auf einzelne solcher «No-Gos» wurde im Rahmen der oben stehenden Ausführungen hingewiesen. 83

Das Internet bietet insgesamt eine so grosse Vielfalt an Marketingoptionen, dass unter Abwägung der aufgeführten Kriterien, auch für jede juristische Dienstleistung neue Möglichkeiten identifiziert werden können. Langfristig ist klar, dass kaum eine Kanzlei am Internetmarketing vorbeikommen wird. Die Sozialen Internetmedien bieten gerade im Hinblick auf das sogenannte Reputationsmanagement, das Empfehlungsmarketing aber auch für die Ansprache spezifischer Zielgruppen besonders interessante Optionen. 84

I. Virtuell zusammengeschlossene Anwaltskanzleien – am Beispiel von *SwissLegal*

ANDREAS KELLERHALS

1 Büroübergreifende Formen der Zusammenarbeit sind für Anwaltskanzleien an sich nichts Neues, insbesondere im grenzüberschreitenden Bereich. Das Aufkommen des Internets und die Angleichung der Berufsbedingungen für Rechtsanwälte in den Kantonen (BGFA) haben in jüngerer Zeit aber auch innerhalb der Schweiz neue Möglichkeiten der Zusammenarbeit eröffnet. Eine dieser Möglichkeiten sind Formen von virtuell zusammengeschlossenen Kanzleien. Als ein solches Beispiel virtueller Zusammenarbeit soll nachfolgend der Anwaltsverbund «*SwissLegal*» kurz dargestellt werden.

1. *SwissLegal* – eine virtuelle Grosskanzlei?

2 Der Kanzleiverbund *SwissLegal* erbringt Dienstleistungen in Advokatur, Notariat, Steuerberatung und generell im Wirtschaftsrecht, und zwar auf gesamtschweizerischer (vorerst jedenfalls deutschschweizerischer) Ebene. Das Geschäftsmodell von *SwissLegal* steht in einem gewissen Spannungsverhältnis zum traditionellen Berufsverständnis des selbständigen Anwalts, des unabhängigen Notars und des eigenständig praktizierenden Steuerberaters, der seiner regionalen Klientschaft alleinverantwortlich, direkt und unmittelbar gegenübertritt und ihr gerade dadurch auch am besten dienen kann. Derart organisierte Anwälte wollen sich oft nicht in eine überregional integrierte Grosskanzlei einfügen; und doch suchen viele von ihnen nach einer Möglichkeit, ihren Klienten in einem überregionalen und internationalen Kontext vermehrt dienen und ihre individuellen Kompetenzen optimiert anbieten zu können.

3 In diesem «Dilemma» offeriert *SwissLegal* einen Mittelweg zwischen vollintegrierter Grosskanzlei einerseits und losem, informellem Netzwerk anderseits. *SwissLegal* bietet den angeschlossenen Anwaltskanzleien und deren Partnern eine Plattform zu einer verbesserten eigenen beruflichen Positionierung und sorgt mit einer professionellen Organisation für gruppenweite Fachkoordination sowie für Homogenität hinsichtlich Auftritt, Arbeitsqualität und Reputation.

4 Der Kanzleiverbund *SwissLegal* wurde im Jahre 2003 auf Initiative von Prof. Dr. David Dürr (Büro Basel) und Dr. Ernst Inderbitzin (Büro Zürich) mit vorerst drei Standorten in Basel, Zug und Zürich gegründet. Treibende Idee war nicht der Zusammenschluss der beiden Standorte zu einer einzigen Kanzlei, sondern die Schaffung eines Netzwerks von grundsätzlich unabhängigen, in ihren Regionen fest verankerten Anwaltskanzleien mittlerer Grösse. Durch die neue Form der Zusammenarbeit und des gemeinsamen Auftritts

nach aussen sollten die Kompetenzen der einzelnen Standorte gebündelt und verstärkt werden, ohne einen komplexen und oft teuren administrativen und operativen *overhead* zu schaffen. Ziel des Verbundes war es damit von Anfang an, Kompetenz und Kapazität der einzelnen angeschlossenen Büros derart zu erhöhen, dass durch fallweise Zusammenarbeit der Spezialisten aus verschiedenen Kanzleien – sowohl was grosse Einzelmandate als auch was Road Shows oder Beauty Contests anbetrifft – ein Angebot geschaffen werden kann, welches mit den grossen Büros mithalten kann, ohne aber deren hohe Stundenansätze übernehmen zu müssen. Der *competitive advantage* der Verbundsidee lässt sich damit im immer umkämpfteren, auch immer kostenbewussteren Klientenfeld der mittelgrossen Unternehmen und vermögenden Privatpersonen auf die Kurzformel «Kompetenz und Qualität zu vernünftigen Preisen» reduzieren.

Dabei versucht *SwissLegal* durch eine Kombination von nationaler Präsenz mit lokaler Verankerung, mit kleinräumigen, effizienten Strukturen und persönlicher Beratung bei der anvisierten Klientschaft zu punkten. Die herkömmlich strukturierten Büros sind weiterhin der lokale Ansprechpartner für Klienten, sie können sich aber bei Bedarf im Rahmen des *SwissLegal*-Netzwerkes unkompliziert und unter demselben Label durch ein bedarfsgerechtes, kanzleiübergreifendes Spezialistenteam kurzfristig vergrössern, um ihre Klienten auch bei grösseren Transaktionen oder ausserhalb der Region optimal beraten zu können. 5

In den vergangenen Jahren wurde der Verbund kontinuierlich ausgebaut; er umfasst heute sieben Standorte in Basel[1], Olten[2], Zug[3], Zürich[4], Chur[5], St. Gallen[6] und Bern[7] mit insgesamt rund 40 Rechtsanwälten und einem breiten Spektrum an individuellen Kompetenzen im weiten Feld des Wirtschaftsrechts. In naher Zukunft sollen weitere Kanzleien in der Westschweiz und im Tessin dazukommen. Der Aufbau einer internationalen Präsenz und Vernetzung ist zurzeit in Vorbereitung. 6

SwissLegal versteht sich als Anwaltsverbund mit Schwergewicht im Wirtschaftsrecht. Entsprechend berät und vertritt *SwissLegal* heute Unternehmen und Privatpersonen in allen Fragen des Wirtschafts- und Steuerrechts sowie in notariellen Angelegenheiten. 7

1 *SwissLegal* Dürr + Partner, Basel.
2 *SwissLegal* Advokaturbüro Dr. A.C. Kellerhals.
3 *SwissLegal* (Zug) AG.
4 *SwissLegal* (Zürich) AG.
5 *SwissLegal* Lardi & Partner.
6 *SwissLegal* asg.advocati.
7 *SwissLegal* Frick Anwälte.

2. Wesentliche Elemente des Geschäftsmodells

8 Das Geschäftsmodell von *SwissLegal* zeichnet sich im Wesentlichen durch sechs Elemente aus:

2.1 Ausgezeichnete regionale Verankerung

9 Die Kanzleien im Verbund *SwissLegal* sind alle in ihrer jeweiligen Region bestens verankert und bekannt und dort z.T. seit Jahrzehnten anwaltlich tätig. Sie kennen die lokalen Verhältnisse und sind vertraut mit den Bedürfnissen ihrer Kunden. Dank des Netzwerkes von *SwissLegal* und den büroübergreifenden Fachteams können diese Kanzleien nun auch grösseren Unternehmen eine qualitativ hochstehende, schweizweite (und internationale) Rechtsberatung anbieten; und dies weiterhin zu Anwaltstarifen, welche für die jeweilige Region angemessen sind. *SwissLegal* dient damit kleineren und mittleren Kanzleien als leicht handhabbares Instrument zur Attraktivitätssteigerung.

2.2 Fachliche Kompetenz

10 Voraussetzung für eine Mitgliedschaft bei *SwissLegal* ist eine qualitativ hochstehende, sich durch fachliche Versiertheit auszeichnende Arbeitsweise. Der Verbund legt bei der Auswahl neuer Partnerkanzleien – neben einer angemessenen regionalen Vertretung – grossen Wert auf dieses Kriterium. Wer der Qualitätsprüfung nicht standhält, kann nicht Mitglied des *SwissLegal*-Verbundes werden (die strikte Beachtung dieses Kriteriums war dafür verantwortlich, dass sich SwissLegal zu Beginn weniger schnell entwickelte als ursprünglich angenommen).

11 In Bezug auf neue Mitgliedskanzleien geht das Bestreben von *SwissLegal* auch dahin, spezifische, gruppenweit strategisch als wichtig erachtete Fachbereiche zu verstärken. Dadurch soll sichergestellt werden, dass in der Gruppe die speziell für KMU wichtigen Rechtsbereiche in ausreichendem Masse abgedeckt werden.

12 Der fachlichen Weiterbildung dienen auch regelmässige Tagungen und Seminare, welche netzwerkweit durchgeführt werden. Zurzeit treffen sich alle Anwälte des Verbundes zweimal pro Jahr zu einer halbtägigen Arbeitssitzung, an der über künftige Entwicklungen der Gruppe orientiert und aus der Tätigkeit der einzelnen Kanzleien informiert und darüber diskutiert wird. Dabei kommen auch gesellschaftliche Komponenten zum Tragen, um die persönliche Vertrautheit mit allen Anwälten der Gruppe laufend zu verbessern.

13 Zur vollen Ausnutzung des Know-how-Potenzials des Netzwerkes und zur Unterstützung der kanzleiübergreifenden Zusammenarbeit wurde im Weiteren ein Intranet eingerichtet, auf welchem die angeschlossenen Anwälte jederzeit gruppenweite Kurzanfragen stellen können («Wer hat schon mit dieser oder jener Rechtsfrage zu tun gehabt?»)

und in dessen Rahmen rasch und unkompliziert Unterstützung angeboten werden kann. Mit diesem Instrument wird die in grossen Büros bestehende Möglichkeit, den Kollegen im Büro nebenan um kurzen Rat bitten zu können, gleichwertig nachgeahmt.

2.3 Nicht Mandatsvermittlung, sondern gemeinsamer Auftritt als Ziel

Ziel des Netzwerkes *SwissLegal* ist es nicht primär, den angeschlossenen Kanzleien durch Mandatsverweise aus der Gruppe heraus zu neuen Mandaten zu verhelfen. Mandatsübertragungen von einer angeschlossenen Kanzlei an eine andere finden statt, doch nur dort, wo diese im Interesse des Klienten Sinn machen. Aufgrund des langjährigen Bestehens der beteiligten Kanzleien mit einem breiten Kundenstamm und der durch eigene Mandate weitgehend ausgelasteten Auftragslage steht diese Form der Akquise nicht im Vordergrund. Sinn und Zweck von *SwissLegal* ist es vielmehr, durch den gemeinsamen Auftritt unter einer starken Marke die Wahrnehmung der Kanzleien durch bestehende und potenzielle Kunden zu optimieren, dadurch eine bessere Marktdurchdringung zu erzielen und letztlich ein gruppenweites qualitatives Wachstum zu erreichen. Neue Kanzleien, welche dem Verbund beitreten, sollten also nicht primär erwarten, von der *SwissLegal*-Gruppe Mandate zugewiesen zu erhalten, sondern sie sollten den Verbund nutzen, um selbst neue resp. bessere Mandate zu akquirieren resp. die bestehenden Mandate optimal betreuen zu können. 14

2.4 Büroübergreifende Kooperation

Von der büroübergreifenden Kooperation und Vernetzung «ihrer» Kanzlei in der *Swiss-Legal*-Gruppe sollen primär die Klienten der beteiligten Anwaltsbüros profitieren, indem die Betreuung der Mandate professioneller, umfassender und regionsübergreifender erfolgen kann. Durch den Zugriff auf Expertise und Erfahrung von Mitgliedern aller beteiligten Kanzleien soll sichergestellt werden, dass sämtliche Aspekte eines Mandates in optimaler Art und Weise betreut werden, und zwar in fachlicher, geografischer und zeitlicher Hinsicht. Dazu werden, wenn nötig und wirtschaftlich für den Klienten sinnvoll, kanzleiübergreifende Fachteams gebildet und damit eine optimale Mandatsbearbeitung ermöglicht. 15

Wo dies Sinn macht, können gruppenintern (d.h. schweizweit) auch Mandate abgetreten werden, sei es aus geografischen Überlegungen (Vertretung eines Klienten vor Gericht am Standort einer anderen Kanzlei), aus Gründen der Fachkenntnisse (z.B. ein entsprechendes spezialisiertes Fachwissen ist nur in einer anderen Kanzlei innerhalb der Gruppe vorhanden), oder sei es aufgrund eines momentanen Arbeitsengpasses. 16

Zudem ist die *SwissLegal*-Gruppe gegenwärtig daran, ein umfassendes Netz mit Korrespondenzkanzleien im Ausland aufzubauen, mit dessen Hilfe sowohl eine international 17 optimierte Interessensvertretung für die Klientschaft der beteiligten Kanzleien ermöglicht, als auch eine Ansprechstelle für ausländische Kanzleien geschaffen werden soll.

2.5 Persönliche Mandatsbetreuung

18 *SwissLegal* legt Wert darauf, dass in seinem Verbund die Mandate soweit wie möglich von den verantwortlichen Partnern selbst betreut werden und nicht zusätzliche Kosten durch den Beizug einer Vielzahl von angestellten Anwälten entstehen. Dadurch hat die Klientschaft Gewähr, dass ihre Fälle kompetent vom «Chef» selbst betreut werden, der die Verhältnisse des Klienten kennt. *SwissLegal* verzichtet damit ein Stück weit auf die mancherorts praktizierte «Hebelarmwirkung» durch den Einsatz von assoziierten Anwälten und entsprechenden Auswirkungen bei der Rechnungsstellung. Dank tiefen Grundkosten und dem Fehlen eines grossen *overhead* dürfte sich diese Struktur letztlich sowohl für den Klienten wie auch für die Partner von *SwissLegal* auszahlen.

2.6 Hohe Qualität zu möglichst geringen Kosten

19 Ein Qualitätsmerkmal von *SwissLegal* ist die Gewährleistung einer fachlich hohen Qualität zu gleichzeitig möglichst geringen Kosten. Die Wirtschaftlichkeit des Mitteleinsatzes und das Flair für unkonventionelle Lösungen zählen denn auch zu den wichtigsten Gesichtspunkten, nicht nur bei der Aufnahme neuer Partnerkanzleien, sondern auch im täglichen Betrieb der *SwissLegal*-Gruppe. Dem heute (zu Recht) immer grösseren Kostenbewusstsein der Klientschaft versucht *SwissLegal* dadurch nachzukommen, dass auf den Aufbau eines grossen und teuren Überbaus verzichtet wird und durch die Vernetzung dennoch eine höchsten Qualitätsansprüchen genügende Fallbearbeitung sichergestellt werden kann.

2.6.1 ISO-Zertifizierung

20 An Büros, welche *SwissLegal* angeschlossen sind, geht der Anspruch, sich nach der Norm ISO 9001 zu zertifizieren. Das Qualitätsmanagement nach ISO 9001 garantiert dem Klienten eine seinen Erwartungen entsprechende, prozessorientierte Dienstleistungserbringung unter Einhaltung aller behördlichen und gesetzlichen Anforderungen. Das Qualitätsmanagement bietet dem Klienten sodann Gewähr, dass die Dienstleistungen von *SwissLegal* systematisch und kontinuierlich verbessert werden. Zurzeit sind die Kanzleien Zürich, Basel und Bern ISO-zertifiziert, weitere Zertifizierungen sind in Vorbereitung.

3. Marktauftritt von *SwissLegal*

Der einheitliche Marktauftritt der am *SwissLegal*-Netzwerk beteiligten Kanzleien ist ein zentraler Bestandteil der Gruppenphilosophie. Um nach aussen als Gruppe wahrgenommen zu werden und dadurch zu ermöglichen, grösser und kompetenter aufzutreten, als dies eine einzelne Kanzlei für sich alleine tun könnte, ist es unabdingbar, unter einer gemeinsamen Marke und mit einem gemeinsamen Corporate Design aufzutreten. Auch wenn den einzelnen Kanzleien weiterhin ein individueller Firmenzusatz möglich ist – sei dies durch den Weitergebrauch des bisherigen Kanzleinamens, sei es durch einen Hinweis auf den Ort der Geschäftstätigkeit wie z.B. *SwissLegal* (Zürich) AG, oder sei es durch einen Hinweis auf die rechtliche Organisationsform der Kanzlei[8] – gewährleistet das allgemein gebrauchte *SwissLegal*-Logo und der einheitliche Auftritt einen grossen Wiedererkennungswert. Klienten einer Mitgliedskanzlei wissen, dass diese den hohen Qualitätsanforderungen vertrauen und von der kanzleiübergreifenden Zusammenarbeit profitieren können. 21

Die beteiligten Kanzleien der Gruppe versprechen sich nicht zuletzt durch die griffige und klare Marke «*SwissLegal*» einen guten Marktauftritt, vorab im Inland, aber auch in Bezug auf ausländische Partnerkanzleien. Der Begriff gibt einerseits klar zu erkennen, um was es bei der Tätigkeit der Gruppe geht und in welchem Territorium sie tätig ist, andererseits bewirken die pointierte Wortkombination und das in seiner Einfachheit einprägsame Erscheinungsbild einen hohen Wiedererkennungswert. 22

Zum gemeinsamen Marktauftritt gehören nebsen dem einheitlichen Logo ein gemeinsames Briefpapier, zahlreiche weitere Drucksachen, Büromaterialien und Marketingmittel, einheitlich gestaltete Inserate in der Presse, Kundenanlässe, eine eigene Publikationsreihe sowie gemeinsame Sponsoringauftritte. 23

Ein sehr wichtiges Element des virtuellen Zusammenschlusses im Rahmen von *SwissLegal* bildet das Internet. Zum einen trägt die gruppenweit betriebene, alle Standorte und Partner umfassende Homepage[9] wesentlich zum gemeinsamen Auftritt nach aussen bei. Sie gibt zu erkennen, dass *SwissLegal* mehr ist als nur ein Beziehungsnetz von unabhängigen lokalen Kanzleien und durchaus einem Vergleich mit einer grossen integrierten Kanzlei standhalten kann. Zum andern verhilft das gruppeninterne Intranet der täglichen Zusammenarbeit der geografisch getrennten Partnerkanzleien zu Leben und Wirklichkeit. Auf diesem Netz werden Fragen und Erfahrungen ausgetauscht, fallweise Zusammenarbeit gepflegt und nahezu all jene Bereiche kommuniziert, welche in einer örtlich konzentrierten, integrierten Kanzlei möglich sind. Der externe Auftritt wie 24

[8] Den Mitgliedskanzleien der *SwissLegal*-Gruppe ist die Art und Weise ihrer rechtlichen Organisation (z.B. Kollektivgesellschaft, Aktiengesellschaft etc.) an sich freigestellt, auch wenn eine gewisse Tendenz hin zur Rechtsform der AG festgestellt werden kann.

[9] www.swisslegal.ch

auch das interne «Leben» von *SwissLegal* werden somit wesentlich durch das Kommunikationsmedium Internet ermöglicht und bestimmt.

4. Leistungserstellungs- und Vertriebsprozess von *SwissLegal*

25 Die von *SwissLegal* angebotenen Dienstleistungen in den Bereichen Advokatur, Notariat, Organstellungsmandate, Steuerberatung etc. werden grundsätzlich dezentral erbracht, das heisst von den jeweiligen Mandatsträgern im Rahmen ihrer lokalen Kanzleiorganisation.

26 Im Fall von überregionalen Mandatsteams übernimmt eine der involvierten Kanzleien die administrative Federführung.

27 Alle beteiligten Kanzleien von *SwissLegal* pflegen ihre Tätigkeitsbereiche innerhalb des weit definierten Begriffs Wirtschaftsrecht inkl. Steuerberatung und (wo möglich) notarieller Tätigkeit. Damit ausgeschlossen resp. nicht im primären Fokus der anwaltlichen Tätigkeitsfelder sind Bereiche wie Familienrecht sowie – ausserhalb wirtschaftlicher Zusammenhänge – Verwaltungsrecht und Strafrecht.

28 In Bezug auf die detaillierte Festlegung der Tätigkeitsfelder sind die Partnerkanzleien frei und unabhängig. Sie bestimmen im Detail, was und durch wen sie ihre wirtschaftsrechtlichen Dienstleistungen anbieten. *SwissLegal* enthält sich hier weitgehend einer Einflussnahme.

29 In Bezug auf die Darstellung des Leistungsangebotes haben sich die beteiligten Kanzleien an das vereinheitlichte Corporate Design von *SwissLegal* zu halten. Sie verwenden dazu neben Briefpapier und weiteren Artikeln aus dem Sortiment von *SwissLegal Ltd.* insbesondere die gemeinsame Homepage oder Inserate in der Tagespresse im einheitlichen Design. Die *SwissLegal Ltd.* steht im Bedarfsfall hilfsbereit zur Seite.

30 Kundenanlässe, Roadshows etc. werden öfters durch den Zuzug von Spezialisten aus anderen Kanzleien des Verbunds angereichert, um vom entsprechenden Know-how in der Gruppe profitieren zu können.

31 Finanziell sind die beteiligten Kanzleien weiterhin vollständig autonom. Bei der Festsetzung der Höhe ihrer Stundenansätze berücksichtigen sie aber die Strategie von *SwissLegal*, ihre geringen *Overhead*-Kosten durch vernünftige Stundenansätze den Klienten zugute kommen zu lassen.

32 Jede angeschlossene Kanzlei leistet im Übrigen einen moderaten jährlichen Beitrag pro Kanzlei resp. pro Anwalt an *SwissLegal Ltd.* zur Abgeltung der zentralen Dienstleistungen.

5. Prozesse und Strukturen zur Entscheidungsfindung

Entsprechend dem Credo von SwissLegal, die zentralen Strukturen und den *overhead* der Gruppe möglichst klein zu halten, gibt es nur wenige zentralisierte Prozesse und Strukturen. 33

Die Leitung des Netzwerkes *SwissLegal* obliegt der *SwissLegal Ltd* in Zug. Diese Gesellschaft hält die Rechte am Namen *SwissLegal.* Die beteiligten Kanzleien können sich als Aktionäre an dieser Gesellschaft beteiligen, sei es einzeln, sei es als Kanzleimandat. Der Verwaltungsrat der *SwissLegal Ltd,* der sich aus Partnern aus beteiligten Kanzleien zusammensetzt, übernimmt die strategische Führung der Gruppe. In diesem Gremium bestehen Leitungsressorts wie etwa Gestion GV/VRS, Finanzen/Versicherungen, Vertragswesen, Marke *SwissLegal,* Auftritte/Directories, Corporate Identity und Gruppenerweiterung. Im Rahmen dieses Gremiums werden laufende, sinnvollerweise zentralisierte Operationen begleitet und umgesetzt wie etwa die gruppenweite Versicherung der beruflichen Haftpflicht, Qualitätsorganisation, Interessenkonflikte, Vollmachten, Mandatsvermittlung, Berufsverzeichnisse, Materialbewirtschaftung, Publikationen, Hosting Website/Blog etc. Das *daily business* in der Betreuung der angeschlossenen Kanzleien erfolgt über eine professionelle Geschäftsführung auf Mandatsbasis. 34

Die *SwissLegal Ltd* versteht sich als Dienstleistungserbringerin für die angeschlossenen Kanzleien und unterstützt diese etwa in den Bereichen ISO-Zertifizierung, Kommunikation, Kundenevents, Roadshows, Drucksachen, Broschüren, Publikationen etc. Dennoch versteht sich die Gruppe nicht als «genossenschaftliche» Selbsthilfeorganisation der angeschlossenen Kanzleien, sondern als professionelle Trägerschaft der überregionalen Funktionen der *SwissLegal*-Gruppe mit einer gewissen Eigenständigkeit in operativer und strategischer Beschlussfassung. Es steht allen Kanzleien des *SwissLegal*-Verbundes offen, sich am Kapital der *SwissLegal Ltd* zu beteiligen. Die Aktienmehrheit ist zurzeit in den Händen der Gründerkanzleien Basel und Zürich. 35

Zur gemeinsamen Entscheidungsfindung tragen auch die jährlich zweimal stattfindenden *SwissLegal*-Tage bei, an denen neben anderen Traktanden alle angeschlossenen Kanzleien aufgerufen sind, Rechtsfragen und Lösungsmöglichkeiten aktueller Fälle zu präsentieren und zu diskutieren. 36

Im Rahmen der *SwissLegal*-Gruppe sind im Weiteren Spezialkommissionen für bürobergreifende Einzelfragen wie z.B. den Aufbau einer entsprechenden Auslandvernetzung von *SwissLegal* geschaffen worden, welche ihre Ergebnisse und Vorschläge an den jeweiligen Halbjahresversammlungen präsentieren. 37

6. Die Werttreiber in einem Konstrukt wie *SwissLegal*

38 *SwissLegal* möchte ihren Kunden Partner sein für persönliche Beratung und Vertretung in Recht und Steuern, mit Kanzleien in der Nähe der Kunden.

39 Das Konzept von *SwissLegal* basiert auf der Idee, für etablierte kleinere und mittelgrosse Kanzleien in der Schweiz ein Netzwerk zu schaffen, das in Bezug auf ihre Tätigkeitsfelder die Vorteile von grossen Kanzleien ohne deren Nachteile anbietet. Das Konstrukt *SwissLegal* wird somit dann erfolgreich sein, wenn es gelingt, für die beteiligten Kanzleien einen spürbaren Mehrwert zu schaffen. Dieser Mehrwert liegt im Netzwerk, in der über normale Geschäftskontakte hinausgehenden Zusammenarbeit mit gleichwertigen Kanzleien in der ganzen Schweiz und starken internationalen Kontakten. Das Netzwerk muss dazu führen, dass eingesessene Anwaltskanzleien ihren bisherigen Klienten mehr und bessere Betreuung vor Ort und ausserhalb des angestammten Gebietes bieten können, im Wesentlichen zum gleichen Preis. *SwissLegal* funktioniert dann, wenn die einzelnen Kanzleien von den angebotenen oder noch zu errichtenden Möglichkeiten tatsächlich Gebrauch machen.

40 Dazu wiederum ist es essenziell, dass sich die richtigen Partner im Netzwerk treffen. Es hat sich in den vergangenen Jahren gezeigt, dass dies einer der heikelsten Punkte darstellt. Mitglied werden resp. ein neues Mitglied aufnehmen ist fast wie Heiraten: «Drum prüfe, wer sich ewig bindet.» Es ist sicherzustellen, dass alle Beteiligten dieselben Qualitätsvorstellungen, gleiche Geschäftskonzepte und Ausrichtungen verfolgen, soll das Projekt erfolgreich wachsen. Dieser Prozess der Partnersuche braucht seine Zeit und kann nicht abgekürzt werden.

41 An sich selbst stellt *SwissLegal* folgende Ansprüche:

- *SwissLegal* will ein Rechtsdienstleister mit hoher Fachkompetenz sein;
- Partnerkanzleien im *SwissLegal*-Verbund verfolgen einen unternehmerischen Geschäftsansatz;
- Mitglieder des *SwissLegal*-Verbundes haben ein Flair für unkonventionelle Lösungen und beachten in ihrer Tätigkeit die Wirtschaftlichkeit des Mitteleinsatzes;
- Anwaltskanzleien innerhalb von *SwissLegal* sind gerade auch im Interesse ihrer Klienten kostenbewusst;
- Das Netzwerk von *SwissLegal* funktioniert dezentral und unabhängig;
- *SwissLegal* pflegt den Aufbau von kanzleiübergreifenden Spezialistenteams und eines internationalen Verbindungsnetzes.

7. Zum Schluss

Den Verbund *SwissLegal* gibt es nun seit bald zehn Jahren. In dieser Zeit ist die Mitgliederzahl bei *SwissLegal* von drei auf mittlerweile sieben Kanzleien angewachsen, mit weiteren möglichen neuen Mitgliedern werden gegenwärtig Verhandlungen geführt. 42

Für die bisherigen Mitglieder hat sich das vorstehend beschriebene Konzept bewährt. 43
An dessen optimierter Umsetzung und Verbesserung wird laufend gearbeitet. Einige Knacknüsse wie etwa eine mögliche interne Qualitätskontrolle oder eine frühzeitige gruppenweite Prüfung von möglichen Interessenskonflikten im Falle der Annahme von neuen Mandaten sind noch weiter zu bearbeiten. Die Nutzung des Intranets kann noch vertieft werden, die Integration von Kanzleien aus der Romandie hat noch zu erfolgen, und der Aufbau eines internationalen Netzwerkes ist erst im Entstehen.

Dennoch, die bisherigen Mitglieder sind fest überzeugt, dass sie mit *SwissLegal* jenes 44
«Zwischending» gefunden haben, welches es ihnen erlaubt, weiterhin eine lokale Kanzlei mit einer angemessenen Kostenstruktur und fester Kundenbindung in der Region zu bleiben, und dennoch ihren Kunden neu zusätzlich Vorteile von Grosskanzleien anbieten zu können, welche kleinen und mittleren Kanzleien sonst fehlen. Die Zukunft erst wird es zeigen, wie sich dieses zumindest teilweise virtuelle Geschäftsmodell entwickeln wird. Die beteiligten Kanzleien sind diesbezüglich aus gutem Grund optimistisch.

J. Instruktionsprozess

Christine Hehli Hidber

1. Einleitung

1 Die Instruktion nimmt im Rahmen des Leistungserstellungsprozesses für das Mandat zwischen Klient und Anwalt eine zentrale Rolle ein. In der Regel erfolgt sie zu Beginn eines Mandatsverhältnisses und beeinflusst in der Folge dessen weiteren Verlauf. Wird der Instruktion von Anfang an ein entsprechendes Augenmerk zugedacht, so erleichtert sie einen reibungslosen und effizienten Ablauf des Mandates, legt die Erwartungshaltung von Klient und Anwalt fest und umschreibt die Verantwortung des Anwaltes, was eine Eingrenzung seiner Haftung zur Folge hat.

2 Da jedes Mandat individuell ist, kann auch die jeweilige Instruktion, selbst bei einem Firmenkunden mit Folgemandaten, verschiedene Facetten aufweisen. Gewisse Parameter, wie Umfang und Gegenstand der Instruktion, liegen aber jedem Mandat gleichermassen zugrunde.

3 Bei Firmenkunden wird der externe Anwalt in der Regel von Juristen aus dem Rechtsdienst mandatiert und instruiert. Es findet somit ein Dialog unter Kollegen statt. Bei Mandaten von Privatpersonen ist der Klient hingegen juristischer Laie. Seine Instruktion wird daher naturgemäss andere Züge aufweisen als die durch eine Fachperson.

4 Oftmals wird der Instruktionsprozess nicht vom Klienten gesteuert, sondern verlangt vom Anwalt ab, dass er ihn proaktiv gestaltet.

5 Der nachfolgende Beitrag legt dar, wie der Instruktionsprozess zu qualifizieren ist, welche Bedeutung ihm im Rahmen des Mandatsverhältnisses zwischen Klient und Anwalt zukommt, was Gegenstand der Instruktion ist und inwiefern eine Standardisierung des Instruktionsprozesses durch den Anwalt möglich ist.

2. Qualifikation der Instruktion

2.1 Rechtliche Grundlagen der Instruktion

Das Verhältnis zwischen Anwalt und Klient untersteht privatrechtlich dem Auftragsrecht[1, 2]. Aus öffentlich-rechtlicher Sicht enthält das anwaltliche Berufsrecht[3] weitere Angaben zum Mandatsverhältnis, stipuliert aber die Hoheit des Klientenwillens und unterstellt damit das Verhältnis zwischen Anwalt und Klient der Privatautonomie[4]. 6

Dem Klienten und seinem Anwalt ist es daher in den Schranken der Rechtsordnung[5] und des Standesrechtes[6] freigestellt, wie sie ihr Mandat gestalten. 7

Die Umschreibung des Mandates erfolgt im Sinne der Konkretisierung des erteilten Auftrages und begründet somit das Leistungsprogramm des Verhältnisses zwischen Anwalt und Klient[7]. 8

Die Instruktion stellt dogmatisch eine Weisung und damit eine einseitige, empfangsbedürftige Willenserklärung des Klienten an den Anwalt dar, die den Inhalt des Mandates konkretisiert. Das Weisungsrecht des Klienten ist dabei nach der h.L. unverzichtbar[8]. Wie die nachstehenden Ausführungen aufzeigen werden, ist der Instruktionsprozess in der Praxis aber keineswegs eine einseitige Angelegenheit, sondern verlangt oftmals ein enges Zusammenwirken zwischen Klient und Anwalt. Nicht selten sieht sich der Anwalt gar in der Rolle wieder, in welcher er den Lead übernehmen muss, um den Instruktionsprozess so zu gestalten, dass er das Mandat effizient und sorgfältig führen kann. 9

2.2 Wesensmerkmal der Instruktion

2.2.1 Form

Die Instruktion unterliegt analog zur Erteilung des Auftrages grundsätzlich keinem Formerfordernis[9]. Im Rahmen der Vertragsfreiheit sind Anwalt und Klient somit frei, wie sie die Instruktion gestalten. Diese kann in verschiedenen Formen – schriftlich, mündlich anlässlich einer Besprechung oder am Telefon – erfolgen. Wurde die ursprüngliche Ins- 10

---

1 Bundesgesetz vom 30. März 1911 betreffend die Ergänzung des Schweizerischen Zivilgesetzbuches (Fünfter Teil: Obligationenrecht, OR), SR 220, Art. 394 ff. OR.

2 Beim Mandat zwischen Anwalt und Klient handelt es sich um einen zweiseitigen Schuldvertrag, der aufgrund der Entgeltlichkeit einen vollkommenen zweiseitigen synallagmatischen Vertrag darstellt.

3 Bundesgesetz über die Freizügigkeit der Anwältinnen und Anwälte (Anwaltsgesetz, BGFA), SR 935.61.

4 Kaspar Schiller: Schweizerisches Anwaltsrecht, Zürich 2009, S. 58.

5 Vgl. hinten unter 4.2, Rz. 26 f.

6 Schweizerischer Anwaltsverband: Schweizerische Standesregeln, 10. Juni 2005; CCBE: Code of Conduct for European Lawyers/Berufsregeln der Rechtsanwälte der EU und des EWR, 19. Mai 2006; CCBE: Charter of core principles of the European legal profession, 11. Mai 2007.

7 Rolf Weber in: Basler Kommentar zum Obligationenrecht, Band I, 5. Auflage, Basel 2011, Art. 397 N 4.

8 BSK OR I-Weber, Art. 397 N 4/N 6.

9 BSK OR I-Weber, Art. 395, N 9. Zu den Spezialfällen siehe hinten unter 2.2.3., Rz. 14.

truktion schriftlich erteilt, so empfiehlt es sich aus beweistechnischen Gründen, spätere Änderungen ebenfalls schriftlich festzuhalten[10].

11 Es empfiehlt sich aber in jedem Fall für grössere Mandate, insbesondere mit Corporate Clients, dass die wesentlichen Aspekte der Instruktion schriftlich festgehalten werden. Damit kann einerseits sichergestellt werden, dass beide Parteien die jeweilige Erwartungshaltung der anderen Partei an den Leistungsumfang richtig verstanden haben[11]. Auf der anderen Seite dient eine Leistungsumschreibung auch gleichzeitig der Begrenzung des Auftragsumfanges und regelt damit den Umfang der Verantwortung des Anwaltes[12, 13].

2.2.2 Konkretisierung, Änderung, Widerruf

12 Einmal erteilte Instruktionen können zu einem späteren Zeitpunkt durch den Klienten weiter konkretisiert, abgeändert oder widerrufen werden[14].

13 Aber auch der Anwalt kann sich aufgrund von Entwicklungen im Sachverhalt bzw. aufgrund einer geänderten Rechtslage – infolge neuer Gesetze bzw. einer neuen Rechtsprechung – veranlasst sehen, den Klienten um eine neue Instruktion zu ersuchen.

2.2.3 Spezialfälle, für welche Schriftlichkeit verlangt ist

14 Ein Spezialfall stellt die sogenannte Prozessvollmacht dar, welche regelmässig die Ermächtigung zum Vergleichsabschluss, zur Klageerhebung, zur Klageanerkennung und zum Klagerückzug beinhaltet. Wegen ihrer Tragweite und infolge ihrer Drittwirkung als Beweis für das angerufene Gericht sowie für die Gegenpartei sind hier strenge Anforderungen an die Form anzubringen und wird in der Regel Schriftlichkeit verlangt[15].

3. Bedeutung der Instruktion

3.1 Als Bestimmung für den Leistungsumfang

15 Das Gesetz geht von der Prämisse aus, dass der Umfang eines Auftrages von den Vertragsparteien ausdrücklich bezeichnet wird[16]. Nur subsidiär bestimmt er sich nach der Natur des zu besorgenden Geschäftes[17].

---

[10] Vgl. hierzu auch unter 2.2.3., Rz. 14.
[11] Zur Thematik der Erwartungshaltung des Klienten bzw. des Anwalts siehe hinten unter 3.2., Rz. 18 f.
[12] BSK OR I-Weber, Art. 397, N 4 f.
[13] Zur Thematik der Haftung des Anwaltes siehe nachstehend ausführlich unter 3.3., Rz. 20 ff.
[14] BSK OR I-Weber, Art. 397, N 4.
[15] BSK OR I-Weber, Art. 396, N 15.
[16] Art. 396 Abs. 1 OR.
[17] Art. 396 Abs. 1 OR, *in fine*.

In der Praxis fehlt es oft an einer vertraglichen Konkretisierung. Dies hat verschiedene Gründe: so sucht der unkundige Klient den Anwalt auf, um von ihm Rat zu erhalten. Er ist oft nicht in der Lage, den Umfang dieses eingeforderten Rates im Vorfeld zu umreissen. Daher obliegt es dem Anwalt als sachverständigem Beauftragten, den Leistungsumfang des Mandates aufgrund der Natur des Mandates zu skizzieren und nach Rücksprache mit dem Klienten festzulegen[18]. Dabei sind die Interessen des Klienten im Hinblick auf die Zweckerreichung des Mandates entsprechend zu würdigen[19]. 16

Anders sieht die Lage bei einem sophistizierten Klienten aus, insbesondere bei Finanzinstituten bzw. Firmenkunden mit eigener Corporate Sourcing-Abteilung bzw. einem eigenen Rechtsdienst. Hier findet der Leistungserstellungsprozess oft in standardisierter Form statt. Der Anwalt wird mit einem RFP[20]-Formular der Corporate Sourcing-Abteilung bedient, oder er erhält ein Instruktionsschreiben des Rechtsdienstes[21]. 17

3.2 Als Wegweiser für die Erwartungshaltung von Klient und Anwalt

Beide Parteien treffen im Rahmen des Mandates diverse Pflichten[22]. Sind sich Anwalt wie Klient dieser Pflichten bewusst, so sind die Voraussetzungen für einen reibungslosen Ablauf des Mandates gesetzt. 18

Im Falle von rechtunkundigen Klienten empfiehlt es sich aber, dass der Anwalt im Sinne einer umgekehrten Instruktion den Klienten auf seine Pflichten hinweist. 19

---

[18] BSK OR I-Weber, Art. 396, N 2.

[19] Fellmann, Berner Komm. VI/2/4, 1992, Art. 396 OR N. 9

[20] RFP = *Request for Proposal*.

[21] Die Autorin hat in ihrer früheren Tätigkeit als In-house Counsel bei einem neuen Mandat die externen Anwälte zuerst telefonisch zwecks Vornahme des Interessenskonflikts-*Clearing* kontaktiert und anschliessend mittels eines Instruktionsbriefes mandatiert. Dieser enthielt in der Regel folgende Punkte: 1. Zusammenfassung des Sachverhaltes; 2. Schlussfolgerung bereits getätigter eigener Rechtseinschätzung; 3. Angaben zu noch zu vertiefender Rechtsanalyse; 4. Bitte um Mitteilung, falls aus Sicht des externen Anwalts weitere Abklärungen zum Sachverhalt getätigt bzw. weitere Rechtsaspekte geklärt werden müssten; 5. Auflistung der überreichten/übersandten Beilagen; 6. Zeitliche Vorgaben (Hinweis auf Fristen, Kick-off-Meetings mit zuständigem Business, Abwesenheiten interner Entscheidungsträger etc.); 7. Vorgaben zu den *legal fees* (absoluter *cap,* Mitteilungspflicht bei Erreichung eines *thresholds* etc.); 8. Bitte um Mitteilung, ob das Mandat angenommen wird.

[22] Diese korrespondieren grössenteils im Bereich der Hauptpflichten: der Mandatsausführungspflicht des Anwalts steht die Honorarleistungspflicht des Klienten gegenüber. Unter den Nebenleistungspflichten hat der Anwalt beispielsweise seinem Klienten Rechenschaft über die vorgenommenen Tätigkeiten abzulegen, während der Klient seinem Anwalt durch Beibringung von Akten das Beweismaterial in einem Prozess zur Verfügung stellt. Als Nebenpflichten gelten u.a.: das Anwaltsgeheimnis, an das sich der Anwalt zu halten hat. Demgegenüber muss der Klient beispielsweise dem Anwalt Änderungen im Sachverhalt zeitnah mitteilen.

3.3 Als Massstab für die Verantwortung und damit Haftung des Anwalts

20 Für den Anwalt nicht ganz unbedeutsam ist die Tatsache, dass mit der Instruktion durch den Klienten auch der Umfang seines Handlungsmandates und damit seiner Verantwortung festgelegt wird[23]. Der Anwalt ist daher gut beraten, wenn er bei unklaren Instruktionen des Klienten nachfragt und eine Spezifizierung verlangt. Ist der unkundige Klient hierzu nicht in der Lage, so muss der Anwalt weitere Sachverhaltsabklärungen vornehmen und gleichzeitig den Klienten auf die damit verbundenen zusätzlichen Kosten hinweisen.

21 Stellt der Anwalt dem Klienten Fragen zum Sachverhalt, ist nicht selten zu beobachten, dass sich aus dessen Antworten ergibt, dass der Klient einem Missverständnis unterliegt. Diesfalls kann der Anwalt die Antworten des Klienten nicht eins zu eins verwerten, sondern ist im Rahmen seiner Aufklärungspflicht gebunden, den Klienten auf den Widerspruch anzusprechen und um spezifizierte Instruktionen nachzusuchen.

22 Bei unsachgemässen oder gar unzweckmässigen Weisungen des Klienten, welche die Erreichung des Mandatszweckes infrage stellen, ist der Anwalt gehalten, den Klienten entsprechend abzumahnen[24]. Missachtet der Klient diese Abmahnung und besteht er auf seinen Instruktionen, so hat der Anwalt das Mandat niederzulegen[25]. In solchen Fällen ist es wichtig, dass der Anwalt die getroffenen Massnahmen sauber dokumentiert, um im Falle eines möglichen Berufshaftpflichtprozesses darlegen zu können, dass er die notwendige Sorgfalt walten liess.

23 Kann der Anwalt infolge Unzeit – so z.B. bei Fristenlauf in einem hängigen Prozess – das Mandat nicht mehr niederlegen, so muss der Anwalt vor Umsetzung der verlangten Prozessstrategie den Klienten erneut schriftlich abmahnen und auf die möglichen Konsequenzen seiner unzweckmässigen Weisungen hinweisen.

24 Weicht der Anwalt hingegen unbefugterweise von sachgerechten Instruktionen des Klienten ab, so begeht er eine Verletzung seiner Mandatspflichten[26]. Rechtlich qualifiziert sich diese Nichtbefolgung als Schlechterfüllung im Sinne von Art. 398 Abs. 2 OR[27]. Der Anwalt wird daher möglicherweise seinem Klienten für den erlittenen Schaden ersatzpflichtig[28].

[23] Vgl. BSK OR I-Weber, Art. 397 N 4.
[24] Vgl. BSK OR I-Weber, Art. 394 N 4.
[25] Vgl. BSK OR I-Weber, Art. 397 N 8.
[26] Vgl. BSK OR I-Weber, Art. 397 N 10.
[27] Vgl. BSK OR I-Weber, Art. 398 N 21.
[28] Vgl. BSK OR I-Weber, Art. 397 N 10.

4. Umfang der Instruktion

4.1 Grundsätzlich gilt Vertragsfreiheit

Wie bereits ausgeführt, untersteht das Mandat zwischen Anwalt und Klient der Privatautonomie und damit der Vertragsfreiheit[29]. Es ist den beiden Parteien daher unbenommen, den Umfang der Instruktion in den Schranken des Gesetzes und des Standesrechtes selbständig zu gestalten[30]. 25

4.2 Ausnahmsweise sind Schranken zu beachten

Als Grenzen der Weisungserteilung werden insbesondere rechtswidrige und unsittliche Weisungen des Klienten verstanden. Diese hat der beauftragte Anwalt nicht zu befolgen[31]. Ebenso wenig hat der Anwalt standesrechtlich verpönte Anordnungen umzusetzen. In diesen genannten Fällen obliegt dem Anwalt eine Abmahnungspflicht, welche in extremis zur Niederlegung des Mandates führen muss[32]. 26

Selbstverständlich ist es dem Anwalt freigestellt, ob er im Rahmen seines Reputation Management die Schranke bereits tiefer ansetzen will und ein Mandat, in welchem ihn der Klient zu einer regen Umfirmierung bzw. zu einer aggressiven Steueroptimierung instruiert, ablehnen bzw. gar niederlegen wird. 27

5. Gegenstand der Instruktion

5.1 Inhaltliche Vorgaben

5.1.1 Zum Sachverhalt

Der Klient hat ein Interesse daran, dass er dem Anwalt den Sachverhalt in möglichst aufbereiteter Form unterbreiten kann, um die Kosten für die Erstellung des Sachverhaltes klein zu halten. 28

Der Anwalt wiederum ist daran interessiert, baldmöglichst einen Überblick über den Sachverhalt zu erlangen, um dem Klienten beispielsweise eine Kostenschätzung abgeben oder eine erste Rechtseinschätzung vornehmen zu können. 29

Die Instruktion zum Sachverhalt nimmt daher im Rahmen des Mandatsverhältnisses eine zentrale Rolle ein. Um in der Folge effizient arbeiten zu können, lohnt es sich, zu 30

[29] Kaspar Schiller: Schweizerisches Anwaltsrecht, Zürich 2009, S. 58. Vgl. auch: BSK OR I-Weber, Vor Art. 394–406 N 2 mit Hinweis auf die verfassungsrechtliche Wirtschaftsfreiheit.

[30] Vgl. hierzu vorstehend in 2.1., Rz. 6 und 4.2, Rz. 26 f.

[31] Vgl. BSK OR I-Weber, Art. 397 N 7.

[32] Vgl. BSK OR I-Weber, Art. 397 N 7 f.

Beginn des Mandates ein entsprechendes Augenmerk auf eine sogfältige Instruktion zum Sachverhalt zu verwenden.

31 Insbesondere derjenige Anwalt, welcher mit einer Pauschale arbeitet, kann unschöne Überraschungen erfahren, wenn sich nach Vereinbarung dieser Pauschale herausstellt, dass der Sachverhalt sich doch komplizierter präsentiert wie zu Beginn angenommen.

32 Jedem Anwalt sind aber auch die Fälle bekannt, in welchen ihnen die Klienten Teile des Sachverhaltes verschweigen, sei es aus Unbedarftheit, aus Kostengründen oder auch aus Kalkül. Entdeckt dies der Anwalt, so gebietet es ihm die anwaltliche Sorgfaltspflicht, nachzuhaken und auf Offenlegung des ganzen Sachverhaltes zu beharren. Hierzu genügt oftmals der einfache Hinweis, dass ohne vollständige Kenntnis des Sachverhaltes keine akkurate Einschätzung der Rechtslage vorgenommen und somit das Mandatsziel nicht erreicht werden kann. Unterlässt es der Klient in der Folge dennoch, den ganzen Sachverhalt offenzulegen, so hat ihn der Anwalt abzumahnen und falls dies nach wie vor nicht fruchtet, das Mandat niederzulegen.

33 Nicht selten ist festzustellen, dass der Klient den Anwalt in einem laufenden Mandat nicht über weitere Entwicklungen im Sachverhalt informiert. Hier ist der Anwalt gut beraten, wenn er im Instruktionsgespräch oder bei entsprechendem Verdacht auch später den Klienten darauf hinweist, dass seine Rechtsanalyse auf dem Sachverhalt, wie er ihm damals bekannt war, beruht und diese sich bei Entwicklungen im Sachverhalt gegebenenfalls ändern kann.

5.1.2 Zum Rechtlichen

34 Insbesondere bei Firmenmandaten ist es üblich, dass der interne Rechtsdienst bereits eine erste Rechtsabklärung vorgenommen hat und den externen Anwalt nun bittet, eine Zweitmeinung abzugeben. Hier ist der als Sachverständige angerufene externe Anwalt verpflichtet, die Klientschaft darauf hinzuweisen, falls neben den bereits durch sie geprüften Rechtsinstituten, Literatur, Gerichtsentscheiden, etc. weitere mögliche (Anspruchs-) Grundlagen bestehen. Wie immer, wenn dadurch weitere als die vereinbarten Kosten entstehen könnten, empfiehlt sich anwaltsseits, hierzu kurz schriftlich im Sinne des Ersuchens einer neuen Instruktion um ein *placet* für die weiteren Abklärungen und die damit verbundenen Kosten nachzusuchen. Selbstverständlich hat der Anwalt in einem laufenden Mandat die Klientschaft von sich aus über Änderungen in der Rechtslage zu informieren.

35 Bei einem privaten Klienten findet in der Regel keine Instruktion zum Rechtlichen statt. In letzter Zeit hat es sich jedoch eingebürgert, dass sich Klienten mithilfe des Internets zu Rechtsfragen informieren und daher schon mit konkreten Vorstellungen zum Erstgespräch mit dem Anwalt erscheinen. Hier ist oft diplomatisches Fingerspitzengefühl gefragt, wenn der Anwalt dem Klienten bescheiden muss, dass die Rechtslage doch nicht so einfach oder gar komplett anders ist, wie sie der Klient anhand seiner Internetrecher-

che verstanden zu haben glaubt. Allfällige Instruktionen des Laienklienten, die auf einer solch falsch verstandenen Rechtslage beruhen, sind demzufolge richtigzustellen.

5.1.3 Zeitliche Vorgaben

Es empfiehlt sich, im Sinne des Projektmanagements gewisse zeitliche Vorgaben in der Instruktion klientenseits klar zu umreissen bzw. anwaltsseits proaktiv abzuklären. 36

5.1.3.1 Bei gerichtlichem oder behördlichem Fristenlauf

Handelt es sich beim übernommenen Mandat um ein Prozessmandat mit laufenden Fristen, so hat der Anwalt diese als Erstes zu klären bzw. bei einem rechtskundigen Klienten den von ihm angegebenen Fristablauf nachzurechnen und in seinem eigenen Fristenbuch einzutragen. Mit dem Klienten sind im Sinne des Projektmanagements Verfügbarkeiten bzw. Abwesenheiten während des Fristenlaufes zu klären[33]. 37

5.1.3.2 Bei drohender Verjährung bzw. Verwirkung

In jedem Fall hat der Anwalt ein Augenmerk auf eine mögliche drohende Verjährung oder Verwirkung in dem ihm übertragenen Mandat zu werfen. Der rechtsunkundige Klient ist dabei auf allfällige verjährungsauslösende Tatbestandselemente zu befragen, falls sich solche nicht aus den übergebenen Akten ergeben sollten. 38

5.1.3.3 Bei notwendigen sign offs *klientenseits*

Bei Firmenmandaten ist zu bedenken, dass der Rechtsdienst den Entwurf der Rechtsschrift, die Transaktionsdokumente oder die überarbeiteten Vertragsdokumente nochmals begutachten möchte, um gegebenenfalls neue Instruktionen zu erteilen. Dort, wo Fristen einzuhalten sind, ist dies entsprechend einzukalkulieren. 39

Oftmals ist aber nicht nur der Rechtsdienst involviert, sondern müssen vom Anwalt bzw. dessen Ansprechpartner im Rechtsdienst weitere Entscheidungsträger des Klienten für das Absegnen der Widergabe des Sachverhaltes in einer Rechtschrift oder für den Beschrieb der operationellen Abläufe in einer Transaktion beigezogen werden. Insbesondere bei Prozessen mit einem hohen Streitwert bzw. einem grossen Transaktionsvolumen sieht das Organisationsreglement des Klienten oft vor, dass ein Antrag (für die Anhebung einer Klage, den Abschluss eines Vergleiches, die Ausführung einer Transaktion etc.) nur durch das Senior Management abgesegnet werden kann. Diesfalls ist zu bedenken, dass dessen Entscheidungsträger im relevanten Zeitpunkt auch physisch vor Ort sein müssen. Ferner kann es vorkommen, dass aufgrund der Entscheidfindung im Senior Management neue Instruktionen erteilt werden und von einer Klageanhebung abgesehen oder die Transaktion abgebrochen wird. 40

[33] Vgl. hierzu nachstehend 5.1.3.3., Rz. 39 ff.

5.1.4 Qualitative Vorgaben

41 Unter haftungsrechtlichem Blickwinkel ist die Frage nach den qualitativen Instruktionen des Klienten von grosser Relevanz.

42 Oftmals wünscht der Klient eine erste Einschätzung zu einem Fall, verbunden mit der Vorgabe, dass die Kosten für diese Einschätzung gering zu halten sind. Eine solche erste Einschätzung wird naturgemäss unvollständig bleiben und nur im Sinne einer ersten Indikation dienen können. Es ist hierbei Sache des Anwalts, den Klienten – aus Beweisgründen idealerweise schriftlich – darauf hinzuweisen, dass diese erste Einschätzung qualitativ nicht den Anforderungen an eine fundierte Abklärung standhalten wird. Besteht der Klient dennoch auf einer vollwertigen, qualitativ hochwertigen Analyse und weigert sich, seine Kostenvorgaben zu revidieren, so bleibt dem Anwalt nur, das Mandat abzulehnen.

43 Heikel sind die Situationen, in welchen ein Klient – Firmenkunde oder Privatperson – (s)einen Anwalt mandatieren und instruieren will, der im betroffenen Rechtsgebiet nicht wirklich bewandert ist und das Mandat daher gar nicht in der Qualität ausführen könnte, die ihm die anwaltliche Sorgfaltspflicht gebietet. Um sich hier nicht eines Übernahmeverschuldens verantwortlich zu machen, muss der Anwalt das Mandat entweder ablehnen oder andere Anwälte, welche über das entsprechende Know-how verfügen, als Subakkordanten beiziehen bzw. diesen ganz übertragen.

44 Bei grenzüberschreitenden Sachverhalten oder bei Mandaten, welche Spezialkenntnisse im operativen Bereich voraussetzen, ist der kontaktierte Anwalt gut beraten, das Fachwissen von ausländischen Korrespondenzanwälten bzw. von Fachanwälten oder anderen Spezialisten beizuziehen, um den qualitativen Anforderungen zu genügen. Dies hat er dem Klienten entsprechend offenzulegen. Lehnt der Klient den Beizug der entsprechenden Fachleute ab, so empfiehlt es sich, den Klienten schriftlich darauf hinzuweisen, dass das Mandat aufgrund der fehlenden steuerrechtlichen bzw. grenzüberschreitenden Abklärungen qualitativ unvollständig ist und möglicherweise zu steuerrechtlichen Folgen bzw. zur Verletzung von ausländischem Recht führen kann. Weigert sich der Klient dennoch, eine entsprechende Instruktion zum Beizug der entsprechenden Fachleute zu erteilen, und kommt der Anwalt zum Schluss, dass dies zu einer derartigen qualitativen Einbusse im Mandatsergebnis führt, die nicht verantwortbar ist, so wird er dem Klienten die Übertragung des ganzen Mandates an eine Kanzlei, welche die entsprechenden Rechtsgebiete abdeckt, zu bewegen versuchen bzw. in extremis das Mandat niederlegen müssen.

5.1.5 Kostenmässige Vorgaben

45 Von zunehmender Bedeutung sind die Instruktionen des Klienten im Hinblick auf die *legal fees.* In diesem Zusammenhang empfiehlt es sich für beide Seiten, sobald der Umfang des Mandates feststeht, eine nach Möglichkeit schriftliche Einigung zu tref-

fen. Der Anwalt sollte sich insbesondere ausbedingen, dass er im Falle einer Mandatserweiterung bzw. beim Antreffen einer Komplexität, von der beide Parteien zu Beginn nicht ausgegangen waren, seine zusätzlichen Aufwendungen entsprechend entschädigt erhält.

5.1.6 Weitere Vorgaben

Im Rahmen der oben genannten Schranken sind die Parteien befugt, weitere Instruk- 46
tionen anzubringen. Hierunter fallen beispielsweise:

- Vorgaben zum Beizug eines bzw. eines bestimmten Spezialisten (ausländischer Korrespondenzanwalt, Steuerrechtler, Unternehmensberater etc.)
- Vor-Ort-Tätigkeit in den Geschäftsräumlichkeiten des Klienten (bei grossen Aktenvolumen, zur Unterstützung des firmeneigenen Rechtsdienstes etc.)
- Keine Substitutionsmöglichkeit (insbesondere nur persönliche Ausführung durch den Senior Partner bzw. durch den Spezialisten und nicht etwa durch einen Substituten oder *Associate*).

6. Standardisierung der Instruktion

Unabhängig davon, dass jedes Mandat individuelle Züge aufweist, lässt sich der 47
Instruktionsprozess bis zu einem gewissen Grade standardisieren und damit effizienter gestalten.

Dies kann klientenseits über sogenannte Instruktionsschreiben bzw. RFP erfolgen[34]. Dies 48
wird jedoch nur bei grossen Firmenklienten mit eigenem Rechtsdienst bzw. einer Corporate Sourcing-Abteilung so gelebt.

Nimmt der Klient nur eine rudimentäre oder gar keine schriftliche bzw. mündliche 49
Instruktion vor, so kann der Anwalt aber seinerseits versuchen, die Instruktion durch den Klienten zu steuern: mittels Fragetechnik und unter Hinweis auf die aus seiner Sicht mandatsrelevanten Aspekte kann er im (Instruktions-)Gespräch versuchen, den Umfang des Mandates zu umreissen bzw. zu verifizieren. Dabei kann eine Checkliste hilfreich sein. Diese kann anlässlich des (Erst-)Gespräches zusammen mit dem Klienten oder im Nachgang an das Gespräch durch den Anwalt ausgefüllt und bei Neuerungen entsprechend ergänzt werden.

Die im Angang formulierte Checkliste mag Grundlage für eine solche Standardisierung 50
bilden.

[34] Vgl. hierzu vorne unter 3.1., Rz. 15 ff.

7. Fazit

51 Die Instruktion stellt im Rahmen des Anwalt-Klientenverhältnisses einen wichtigen Prozess dar. Bei Firmenklienten mit eigenem Rechtsdienst bzw. Corporate Sourcing-Abteilung ist der Instruktionsprozess als Teil des Leistungserstellungsprozesses in der Regel standardisiert und damit formalisiert. Bei weniger anspruchsvollen Klienten ist es hingegen oft dem Anwalt überlassen, den Instruktionsprozess proaktiv zu gestalten und entsprechend zu steuern. Der Anwalt kann dabei durch die Beschreibung des Mandatsumfanges nicht nur seine Verantwortung und damit seine Haftung klar abgrenzen, sondern durch eine gute Instruktion zu Beginn des Mandates eine in der Folge effizientere Mandatsabwicklung bewirken.

CHECKLISTE FÜR INSTRUKTIONSPROZESS

1. Klient

- Name, Vorname, Adresse, Tel., Fax, Natel
- Kontakt mit Klient
  - o Per E-Mail i.O. ....
  - o Nur Persönlich/Vertraulich ....

2. Gegenpartei

- Name, Vorname, Adresse, Kontaktangaben

3. Interessenkonflikt

- **Due Diligence vorgenommen** ....
- **Interessenkonflikt**

  Ja: .... **Nein:** ....
- **Falls ja:**
  - **o Grund:** ....
  - **o Massnahme:** ....

4. Honorar

- Stundenansatz CHF ....
- Pauschal CHF ....
- Abrechnungsmodus ....

5. Fristen

- Gerichtliche/behördliche ....
- Verjährung ....
- Verwirkung ....

6. Sachverhalt

[chronologische Aufführung der Eckdaten]

7. Erhaltene Unterlagen

[Aufzählung]

8. Besonderheiten

[Aufzählung]

9. Auftrag

1 [Beschreibung.................. Datum ....

2 [Beschreibung.................. Datum ....

Kapitel 4
Leadership in der Anwaltskanzlei

A. Einführung und Übersicht

LEO STAUB

1. Gesellschaftlicher Wandel

1 Die meisten der heute aktiven Anwälte stammen aus der Generation der sogenannten «Baby-Boomer». So werden die geburtenstarken Jahrgänge der Nachkriegszeit bezeichnet. Die Angehörigen dieser Generation sind Kinder von Eltern, die während der Zeit des zweiten Weltkrieges oft Leid und Entbehrungen erfahren haben, die aber unmittelbar nach dem Krieg auch für den beispiellosen Aufschwung der Wirtschaft verantwortlich waren. Das war nur mit harter Arbeit, äusserster Sparsamkeit, grossem Pflichtbewusstsein und eiserner Disziplin zu schaffen.

2 Die Baby-Boomer nahmen viele dieser Tugenden mit auf ihren Lebensweg. Sie sind zielorientiert, ehrgeizig, wissen den Wert von Fleiss zu schätzen und sind durchaus interessiert an Statussymbolen. Gleichzeitig aber haben sie gelernt, Bestehendes zu hinterfragen. Und sie trachten danach, im Rahmen des beruflich Möglichen sich selbst zu verwirklichen.

3 Die Kinder der Baby-Boomer gelten als die sogenannte Generation Y. Sie sind in den 80er-Jahren geboren und somit die erste lebende Generation, die den Krieg und seine unmittelbaren Nachwirkungen nicht selber erfahren hat. Die Generation Y ist sehr gut ausgebildet und hat eine grosse Affinität zur Technologie. Sie nutzt virtuelle Kommunikationsformen (sogenannte «Social Media») extensiv. Die Generation Y ist multikulturell und gesellschaftlichem Wandel gegenüber offen eingestellt. Das Festhalten an tradierten Vorstellungen zu Geschlechterrollen oder Herkunft ist ihr fremd. Eine ausgeprägte Konsumneigung und der Drang, sich sinnerfülltem Tun widmen zu können, sind weitere Eigenschaften dieser Generation.

4 Aus dieser Charakterisierung der heutigen Endzwanziger – also der Generation, die aktuell den Einstieg als Associates in Anwaltskanzleien geschafft hat und bei der in den nächsten Jahren die Frage ansteht, wie es beruflich weitergehen soll – ergeben sich verschiedene Tendenzen, die Auswirkungen auf die Arbeit in der Kanzlei haben. Sie wirken sich auf das organisatorische Zusammenleben und namentlich auf die Art und Qualität der Zusammenarbeit mit Kollegen und Vorgesetzten aus.[1]

---

[1] Heidbrink, Marcus/Jenewein, Wolfgang: Individualisierung der Führung – Neue Anforderungen an Führungskräfte. In: zfo 05/2008 (77. Jg.), S. 317. Dazu ausführlich und unter Hinweis auf neueste Studien Wunderer, Rolf: Führung und Zusammenarbeit – Eine unternehmerische Führungslehre. 9. Auflage, Köln 2011, S. 176 ff.

1.1 Individualisierung

5 Ein wichtiges Phänomen ist die Tendenz zur Individualisierung, die ihren Anfang in der Aufklärung und der nachfolgenden Entwicklung feudaler Gesellschaften zu Bürgergesellschaften genommen hat.[2] Den entscheidenden Bruch mit dem Gebot nach unbedingter Einordnung in gesellschaftliche Normen brachte später die weitgehende Befreiung von tradierten gesellschaftlichen Zwängen Ende der 60er- und Anfang der 70er-Jahre.

6 Diese von ihren Eltern vorangetriebene Entwicklung hat die Generation Y weitergeführt. Das Individuum ist der relevante Referenzpunkt für alle – auch beruflichen – Entscheidungen. Es geht darum, das Beste aus seinem Leben herauszuholen und zu einem auf die eigenen Bedürfnisse hin massgeschneiderten Portfolio an Aktivitäten im beruflichen und privaten Leben zu kommen. Dieser individuelle Mix muss nur für mich passen und orientiert sich nicht daran, wie «man» sich in einer gegebenen Situation positioniert. Jeder und jede ist seines Glückes Schmied. Nur ich selbst bin für mein privates und berufliches Fortkommen verantwortlich.[3]

7 Dieser Drang zur Individualisierung der Lebensgestaltung lässt sich manchmal schwer mit den Bedürfnissen einer Anwaltskanzlei vereinbaren. Es kann durchaus vorkommen, dass ein hervorragend qualifizierter Kandidat für eine Stelle als Associate in einer internationalen Kanzlei im Anstellungsgespräch vorbringt, er wolle nur zu 80% als Anwalt arbeiten. Die restlichen 20% gedenke er als Musiker einer Rockband einzusetzen. Oder es passiert, dass eine hervorragende Associate nach fünfjähriger Zugehörigkeit zur Kanzlei – konfrontiert mit dem Angebot, Partnerin zu werden – erklärt, sie sei nicht interessiert und würde es vorziehen, weiterhin im Anstellungsverhältnis mitarbeiten zu können. In der Praxis ist sodann immer häufiger zu beobachten, dass die Höhe des Lohnes nicht das entscheidende Kriterium für das Wohlbefinden von Associates in der Kanzlei ist. Viel wichtiger ist oft die explizite Anerkennung der eigenen Arbeit seitens der Partner oder beispielsweise die Möglichkeit, anstelle eines Bonus unbezahlten Urlaub für eine Weltreise zu erhalten. Auch der Faktor «Spass» darf nicht unterschätzt werden. Nicht selten wechseln Associates die Kanzlei, ganz einfach, weil die Arbeit im Team zu wenig Gelegenheit bot, für kurze Momente den Ernst der Aufgabenerfüllung zu vergessen und miteinander zu lachen oder bei einem Feierabendbier die Beziehungen im Team zu pflegen.

8 Es geht in der Führung von jungen Anwälten demnach darum, diesem Streben nach Optimierung des «Hier und Jetzt» Rechnung zu tragen und das Bedürfnis nach optimaler Chancenverwertung für die eigene Person zu berücksichtigen.[4]

---

[2] Heidbrink/Jenewein 2008, ebenda.

[3] Gross, Peter: Die Multioptionsgesellschaft. 10. Aufl., Frankfurt 2005, S. 110 und 180 f.

[4] Heidbrink/Jenewein 2008, S. 319.

1.2 Optionierung

Gross bezeichnet unsere Gesellschaft als Multioptionsgesellschaft.[5] Sie ist weniger von Gewissheiten als vielmehr von Wahlmöglichkeiten für das Individuum geprägt. Selbst wenn schon der Vater und der Grossvater Anwälte waren, ist für die Generation Y völlig offen, ob die Kanzlei in dritter Generation weitergeführt werden soll. Ehrgeizige und talentierte Juristen im obersten Leistungssegment, die früher oft «automatisch» bei den bedeutenden Kanzleien gelandet sind, können sich heute auch Karrieren in kleinen Kanzleien, in Rechtsabteilungen von Unternehmen, am Gericht, in internationalen Organisationen oder in der Verwaltung vorstellen. Wege – auch berufliche Karrieren – sind nicht mehr einfach vorgegeben. Jede und jeder sieht in allen Situationen immer mehrere Optionen. 9

Das hat zur Folge, dass sich sowohl Associates als auch Partner immer seltener fest an eine Kanzlei gebunden sehen. Oder: Je mehr Optionen Anwälte haben, desto intensiver muss sich die Kanzlei um die Bindung zu ihren Anwälten bemühen. Abspaltungen von ganzen Teams (sogenannte Spin-offs) oder der Wechsel gestandener Partner zu Wettbewerbern sind heute – im Gegensatz zu früher – nicht mehr aussergewöhnlich. Es kommt wesentlich darauf an, dass die Kanzlei im Prozess der ständigen Evaluation einmal getroffener Entscheidungen der einzelnen Individuen immer wieder besser abschneidet als deren andere Optionen.[6] 10

Umgekehrt hat die Multioptionssituation für die einzelnen Anwälte auch zur Folge, dass diese verunsichert sind. Wahlmöglichkeiten zu haben, ist nicht immer einfach. Befasst sich ein Associate oder Partner mit der Entscheidung, aus der Kanzlei auszutreten, kann der entsprechende Entscheidungsprozess viel Zeit in Anspruch nehmen und dazu führen, dass die Arbeitsleistung und die Loyalität zur Kanzlei während dieser Zeit leiden. 11

In der Führungssituation, die sich in einer Anwaltskanzlei ergibt, ist demnach entscheidend wichtig, dass der einzelne Associate, der einzelne Partner mit seiner Situation in der Kanzlei zufrieden ist.[7] Individuell anpassbare Arbeitszeitmodelle, die Möglichkeit, auch von zuhause aus zu arbeiten, ein ausgebautes Sortiment an Entlohnungsvarianten, die Unterstützung bei externen Engagements in der Lehre oder in der Ausübung von Organfunktionen in Unternehmen, aber auch beispielsweise interne Entwicklungsmöglichkeiten in andere Fach- oder Industriegruppen hinein können dazu beitragen, jedem Kanzleiangehörigen ausreichend Gestaltungsmöglichkeiten für das eigene Aktivitätsportfolio zu bieten. 12

---

[5] Gross 2005, S. 69.
[6] Heidbrink/Jenewein 2008, S. 318.
[7] Heidbrink/Jenewein 2008, S. 319.

1.3 Enttraditionalisierung

13 Traditionen hatten lange die Funktion, Vorstellungen von Individuen über deren Lebensweise zu kanalisieren. Man entstammte einer konservativen Familie, also wählte man selbst auch konservativ. Oder man pflegte einen bestimmen Lebensstil, weil in der Ethnie oder Gesellschaftsschicht, der man angehörte, eben dieser Lebensstil Tradition hatte.

14 Solche Traditionen als «Normgeber» für das eigene Leben verlieren zunehmend an Bedeutung. Immer stärker orientieren sich Individuen oder Gruppen von Menschen (wie beispielsweise Familien, Teams oder Unternehmen) an Werten und Normen, die nichts mit ihrer Herkunft zu tun haben oder mit den inhaltlichen und formalen Vorgaben, die sich aus der stillschweigenden Übereinkunft von *peers* ergeben.

15 Daraus ergibt sich ein «Zwang zur Selbstorganisation des eigenen Lebens».[8] Befeuert durch das Streben nach Individualität, kann auch dieser Zwang zu Verunsicherung führen, weil der eigene Platz in der Gesellschaft nicht mehr nur von der Zugehörigkeit zu einer Gruppe abhängt, die die gleichen Traditionen pflegt. Gerade für junge Anwälte kann es eine belastende Erfahrung darstellen, von ihrer unmittelbaren privaten oder beruflichen Umgebung an traditionellen Verhaltensmustern von Anwälten gemessen zu werden. Daraus wollen sie ja möglicherweise gerade ausbrechen – und dennoch gute und erfolgreiche Anwälte sein.

16 Zu guter Letzt: Pflichtbewusstsein hat viel mit der individuellen Akzeptanz von Traditionen zu tun. Darauf kann als Folge der Tendenz zur Enttraditionalisierung immer weniger gezählt werden. Pflichtbewusstsein muss deshalb zunehmend häufiger durch im Einzelfall begründete Loyalität der Anwälte zur Kanzlei ersetzt werden. Gemeinsam erarbeitete Werte treten an die Stelle von Ein- und Anbindung an tradierte Normen. Dies erfordert wiederkehrende, seriös und offen geführte Diskussionen über den Stock an normativen Gemeinsamkeiten namentlich im Kreise der Partner.

2. Organisationale Energie

17 Leadership in der Anwaltskanzlei muss sich zum Ziel setzen, ein Team zu formen, das sich im Vertrauen auf die Leistungsbereitschaft, Leistungsfähigkeit, Kompetenz, Loyalität und Integrität[9] aller seiner Mitglieder in hervorragender Weise für seine Mandanten einsetzt und so die Kanzlei als Ganzes nachhaltig erfolgreich macht.

---

8 Heidbrink/Jenewein 2008, ebenda.

9 Werlen, Thomas: Karriere in einer Anwaltskanzlei oder in einem Unternehmen? In: Hambloch-Gesinn, Sylvie/Hess, Beat/Meier, Andreas L./Schiltknecht, Reto/Wind, Christian (Hrsg.): In-house Counsel in internationalen Unternehmen. Basel 2010, S. 90.

Dieses Ziel zu erreichen, ist anspruchsvoll. Gerade sehr erfolgreiche Anwälte sehen sich gelegentlich gerne als Stars,[10] pflegen ihren Nimbus und Status und schätzen den Wert des Teams geringer ein als jenen der eigenen Fähigkeiten. Oder mit anderen Worten: Im Spannungsfeld zwischen der Anforderung, ein Teamplayer zu sein und jener, als Einzelkämpfer Schlachten zu gewinnen, hat die Teamorientierung im Kreise gestandener Partner oft das Nachsehen. Darunter leidet die Leistungsfähigkeit des Teams. Die «Team-Energie» ist auf tiefem Stand oder verpufft in der Hektik des Tagesgeschäfts. 18

2.1 Teamdynamik

Der Erfolg von Teamarbeit hängt wesentlich ab von der Energie, die in diesem Team steckt. Ein Team, das arm an Energie ist, nimmt Chancen nicht wahr und ist träge. Oft greift Zynismus um sich, und es finden weder Innovation noch Wachstum statt. Energie ist also ein wichtiger Faktor für die Qualität eines Teams. Das schiere Ausmass vorhandener Energie im Team allein aber ist noch keine Garantie für eine gesunde Teamentwicklung. Die Energie muss vielmehr in bestimmter Hinsicht «geladen» sein. Sie muss zu positiver Dynamik, zu Produktivität und solider Vorwärtsbewegung führen, darf nicht Hektik und ziellose Aktivität auslösen. 19

In der Leadership-Lehre spricht man in diesem Zusammenhang von «organisationaler Energie».[11] Die Stärke organisationaler Energie zeigt an, in welchem Ausmass Unternehmen ihr Potenzial zur Verfolgung zentraler Ziele aktiviert haben.[12] Die denkbaren Zustände organisationaler Energie können in einer Energiematrix dargestellt werden: 20

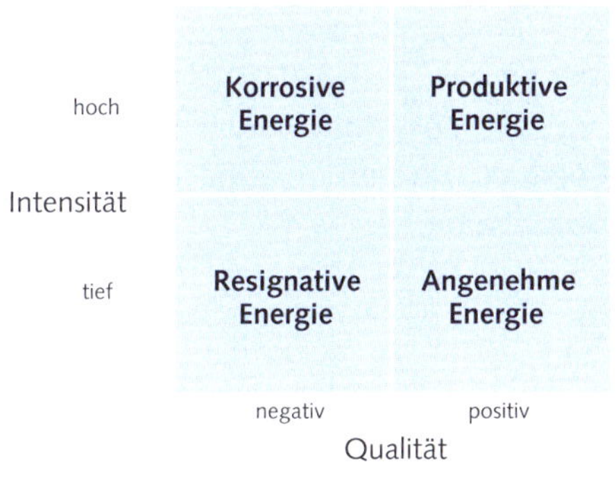

Abb. 1: Energiematrix nach Bruch[13]

[10] Heussen, Benno: Anwaltsunternehmen führen, 2. Aufl., München 2011, S. 96 f.; Rizor, Stefan: Rolle und Aufgaben des Managing Partner einer Kanzlei. In: Schieblon, Claudia (Hrsg.): Kanzleimanagement in der Praxis. Wiesbaden 2011, S. 60.

[11] Bruch, Heike / Vogel, Bernd / Morhart, Felicitas: Organisationale Energie – Messen, Nutzen und Erhalten der produktiven Kraft von Unternehmen. In: zfo 1/2006 (75. Jg.), S. 4 ff.

[12] Bruch, Heike/Vogel, Bernd: Organisationale Energie, Wiesbaden 2005, S. 31.

[13] Bruch/Vogel 2005, S. 42.

2.1.1 Angenehme Energie

21 In einem solchen Energiezustand befinden sich Teams, die mit sich selbst und dem Status quo zufrieden sind.[14] Diese Teams sind typischerweise über eine gewisse Zeit erfolgreich gewesen und «satt» geworden. Neueste Entwicklungen interessieren nur begrenzt. Die alten Rezepte haben ja gegriffen, es gibt aus Sicht der Partner keinen Grund, viel zu ändern. Innovationsdruck von aussen führt in der Regel zur Rechtfertigung bisherigen Verhaltens, nicht zur Einstellung auf neue Anforderungen des Marktes.[15] Man geht pfleglich miteinander um. Das Bedürfnis nach Harmonie dominiert jede Auseinandersetzung.

22 In der Anwaltspraxis findet sich dieser Energiezustand oft in kleineren und mittleren Kanzleien, die schon seit vielen Jahren erfolgreich einen lokalen oder regionalen Markt bearbeiten, es vielleicht sogar zum «Platzhirsch» gebracht haben. Typische Merkmale solcher Kanzleien sind stabile Personal- und Mandantenstrukturen: Erfahrene Anwälte beraten treue Mandanten. Das Verhältnis zwischen diesen Anwälten und deren Mandanten gleicht oft einer langjährigen Ehe. Man hat sich das Leben miteinander eben eingerichtet. Auch wenn solche Mandanten nicht immer völlig zufrieden sind mit der Arbeit ihrer Anwälte, möchte man die häufig freundschaftlich gewordene Beziehung nicht gefährden. Über die Höhe der Honorare beispielsweise wird nicht gesprochen oder im besten Fall verklausuliert.

23 Gefährlich wird es dann, wenn neue Führungskräfte in das Mandantenunternehmen eintreten oder sich ein Generationenwechsel in der Kanzlei abzeichnet. Solche Gelegenheiten werden dann genutzt, um aus der träge gewordenen Geschäftsbeziehung auszubrechen und Mandate andernorts zu platzieren. Für junge Anwälte ist der Eintritt in eine solche Kanzlei schwierig und wenig attraktiv. Oft orientieren sie sich zudem nach wenigen Jahren seit dem Einstieg wieder anders, weil sie als Antwort auf eine Initiative zu häufig mit dem Hinweis bedient wurden, man habe dies bisher immer so gemacht, oder man habe dies noch nie so gemacht.

2.1.2 Resignative Energie

24 Resignative Energie herrscht dann vor, wenn Unternehmen oder Teams nicht erfolgreich sind, weil Ziele über längere Zeit hin nicht erreicht werden, Change-Prozesse im Unternehmen zu lange dauern oder immer wieder ermüdende Umorganisationen stattfinden. Vielleicht verliert das Unternehmen aber auch Marktanteile, die Gewinne schrumpfen, oder Wettbewerber erarbeiten einen scheinbar uneinholbaren Vorsprung.[16] Es herrschen Frustration und Enttäuschung.[17]

---

[14] Bruch/Vogel/Morhart 2006, S. 5.
[15] Bruch/Vogel 2005, S. 45 ff.
[16] Bruch/Vogel 2005, S. 51 ff.
[17] Bruch/Vogel/Morhart 2006, S. 5 f.

Gelegentlich finden sich auch Kanzleien, die unter diesem Energiezustand leiden. Vielleicht wurde die Kanzlei vor wenigen Jahren erst von enthusiastischen Partnern gegründet, die nach einiger Zeit feststellen müssen, dass die geplante Entwicklung hin zu einem respektierten Beratungsunternehmen für wirtschaftsrechtliche Fragestellungen einfach nicht gelingen will, weil der Eintritt in diesen Teilmarkt viel schwieriger ist, als man sich das vorgestellt hat. Alternativen für die persönliche Entwicklung dieser Partner schwinden, weil als Folge des Engagements im wenig erfolgreichen Start-up das ideale Einstiegsalter in eine etablierte Kanzlei oder in die Rechtsabteilung eines interessanten Unternehmens verpasst wurde. Die Partner realisieren, dass die ganz grosse Karriere nicht möglich ist, es gelingt ihnen aber nicht, dieser Erkenntnis Positives abzugewinnen. 25

2.1.3 Korrosive Energie

Hier gibt es zwar eine hohe Intensität der Energie im Team. Sie wird aber nicht zur Erreichung der Unternehmensziele genutzt, sondern richtet sich destruktiv gegen Innen.[18] Es wird «Politik» gemacht, Machtkämpfe werden ausgetragen, andere Teams oder Kollegen im Team werden sabotiert, die Beziehungsqualität der Unternehmensangehörigen untereinander sinkt permanent in einer Art Negativspirale. Es kommt zur Gruppenbildung im Team, mit der Tendenz, dass die Gruppen sich gegeneinander abgrenzen. Grund für diese Entwicklung sind häufig intransparente Entscheidungen, Neid und Missgunst, unfaires Verhalten von Führungskräften, aber auch zu spätes Eingreifen der Führungsverantwortlichen bei erkannten Unverträglichkeiten von Schlüsselpersonen im Team oder bei signifikanten Charaktermängeln einzelner Teammitglieder.[19] 26

Das Entstehen korrosiver Energie ist eine grosse Gefahr beispielsweise bei Kanzleizusammenschlüssen, die zu schnell oder ohne Rücksicht auf Kulturdifferenzen zwischen den einzelnen Teams eingegangen werden. In der Praxis zu beobachten ist dieses Phänomen dann und wann auch in Situationen, in denen zur Führung ungeeignete Persönlichkeiten als Managing Partner eingesetzt werden oder der Teamentwicklung und Pflege der Beziehungskultur in der Kanzlei keine Beachtung geschenkt wird.[20] 27

2.1.4 Produktive Energie

Damit ist der energetische Idealzustand eines Teams oder Unternehmens beschrieben. Hier gelingt es, die vorhandenen Kräfte und Potenziale im Unternehmen auf ein gemeinsames Ziel hin auszurichten.[21] Die Unternehmensangehörigen identifizieren sich in hohem Masse mit dem Unternehmen, ja sind von ihm begeistert. Teams mit produk- 28

---

[18] Bruch/Vogel/Morhart 2006, S. 6.

[19] Bruch/Vogel 2005, S. 54 ff.

[20] Heussen, Benno: Konflikte zwischen Partnern. In: Anwalts Revue 6–7/2010, S. 264 ff.

[21] Bruch/Vogel/Morhart 2006, ebenda.

tiver Energie fühlen sich wohl, wenn sich das Unternehmen rasant entwickelt. Die Vorwärtsbewegung wird nicht als Bedrohung empfunden, sondern animiert die Mitarbeitenden ständig zur Erbringung von Höchstleistungen für das Unternehmen und seine Kunden. Auch anspruchsvolle Aufgaben werden effizient und in hoher Qualität erledigt. Das Team und seine Mitglieder wachsen an den steigenden Anforderungen des Marktes.[22]

29 Kanzleien mit produktiver Energie gelingt es, den Partnern und Associates das Gefühl zu vermitteln, ihre Arbeit werde von den Kollegen und Mandanten hoch geschätzt. Sie ernten für ihr Engagement explizit Anerkennung, Respekt und Wohlwollen. Arbeit im Hintergrund wird ebenso hoch bewertet wie der Auftritt der *rain maker* im Scheinwerferlicht (und umgekehrt). Vielen Kanzleien gelingt dies. Erst wenn dieser Energiezustand erreicht ist, kann nachhaltig Höchstleistung geboten und können immer wieder einmal vorkommende Enttäuschungen oder Niederlagen auf gesunde Weise verkraftet werden. Ist in einer Kanzlei oder einem Kanzleiteam viel produktive Energie vorhanden, strahlt dies auch aus: Junge Talente und Associates setzen alles daran, in diesen Teams zu arbeiten, Mandanten sind von deren Einsatz begeistert. Im Gegensatz zum Energiezustand «korrosive Energie» dreht hier eine Positiv-Spirale, die im Ergebnis oft in einer Leistung gipfelt, die nicht selbstverständlich erwartet werden, im Wettbewerb mit anderen Kanzleien auf dem gleichen Fähigkeitsniveau aber den entscheidenden Unterschied ausmachen kann.

30 Wichtig ist, dass auf dem Weg zum angestrebten Zustand der produktiven Energie im Rahmen des Energiemanagements im Team typische Fallen bewusst vermieden werden:

31 • In die *Trägheitsfalle* tappt, wer wegen anhaltenden Erfolgs satt wird und den vom Markt permanent erzeugten Druck zur Weiterentwicklung des Unternehmens deshalb nicht mehr wahrnimmt. Diese Falle kann sich aber auch öffnen, wenn fähige Teams unterfordert werden und nicht die Chance erhalten, ihre Möglichkeiten auch wirklich auszuspielen.[23]

32 • Die *Korrosionsfalle* droht, wenn interne Barrieren Initiativen von Mitarbeitenden im Unternehmen verhindern. Typische Gründe für das Zuschnappen der Korrosionsfalle sind auch mangelnder Einsatz, zweifelhafte Integrität oder fehlende Unterstützung von Führungskräften.[24]

33 • Die *Beschleunigungsfalle* schliesslich kommt zum Tragen, wenn Teams dauerhaft an der Grenze der Belastbarkeit – oder darüber – operieren müssen und Ermüdungserscheinungen nur mit noch mehr Druck seitens der Führungskräfte begegnet wird. Phasen mit hohem Entwicklungstempo und intensiver Anstrengung

---

[22] Bruch/Vogel 2005, S. 59 ff.
[23] Bruch/Vogel 2005, S. 73 ff.
[24] Bruch/Vogel 2005, S. 76 ff.

müssen mit Phasen der Konsolidierung und Regeneration abwechseln, wenn die Beschleunigungsfalle vermieden werden soll.[25]

Produktive Energie lässt sich im Wesentlichen auf zwei Wegen mobilisieren: über die Energie aktivierenden Bedrohungen für das Unternehmen und über das Sichtbarmachen von Zukunftschancen. Bruch bezeichnet diese zwei Wege als *slaying the dragon* und *winning the princess*.[26] 34

Bei der Mobilisierungsstrategie *slaying the dragon* ist es wichtig, die Bedrohung zu erkennen, zu benennen und entsprechende Signale im Markt selbstkritisch zu interpretieren.[27] Wenn Mandanten sich gehäuft über zu hohe Honorare beschweren, die Kanzlei im Vergabeverfahren für neue Mandate mehrmals unterliegt, wenn es nicht mehr gelingt, die besten Talente zu rekrutieren, wenn das Partnereinkommen sinkt oder wenn sich Leistungsträger in der Kanzlei nach Alternativen umsehen, ist die gedeihliche Entwicklung der Kanzlei möglicherweise beeinträchtigt. In solchen Situationen muss die Bedrohung angesprochen und im Kreis der Partner darüber diskutiert werden. Es muss ein *sense of urgency* geschaffen werden.[28] Gelingt dies und begegnet die Kanzleiführung der Bedrohung konsequent und auf inhaltlich überzeugende Weise, entsteht Vertrauen in die eigene Kompetenz und damit auch produktive Energie. 35

Oft führt auch die Mobilisierungsstrategie *winning the princess* zum Ziel.[29] Hier ist es entscheidend, dass in der Kanzlei eine gemeinsam erarbeitete Vision der zu erreichenden Position im Markt besteht. Diese Vision muss sich zum Glaubenssatz aller Kanzleiangehörigen entwickeln: Wir wollen das gesetzte Ziel erreichen und glauben daran, dies auch zu schaffen. Die Vision muss immer wieder – und auf gewinnende Weise – kommuniziert und diskutiert werden. Sie wird zum selbstverständlichen Teil der gemeinsamen Überzeugungen der Partner, der Associates sowie der Mitarbeitenden in Administration und Sekretariat. Gelingt das, führt dies ebenfalls zu einer Stärkung des Vertrauens in die eigene Kompetenz und zu produktiver Energie. 36

2.2 Treiber produktiver Energie im Team – Notwendige Qualitäten zur Führung von *Teams of Stars*

Die dargestellten Konzepte zur Erzeugung produktiver Energie im Team sind für sich allein natürlich noch keine Garanten für den Erfolg. Deren Implementierung im Unter- 37

---

[25] Bruch/Vogel 2005, S. 78 ff.

[26] Bruch, Heike: Leadership. Präsentation in der Summer School für Principal Associates von Freshfields Bruckhaus Deringer, St. Gallen 2011, S. 17 f.; Jenewein, Wolfgang / Heidbrink, Marcus: High-Performance-Teams. Stuttgart 2008, S. 57 f.

[27] Bruch/Vogel/Morhart 2006, S. 8.

[28] Bruch 2011, ebenda.

[29] Bruch/Vogel/Morhart 2006, ebenda.

nehmen gelingt nur, wenn gewisse Bedingungen gegeben sind, die als Treiber für die positive Dynamisierung des Teams und damit des Unternehmens wirken.

38 Auch wenn das Team an erster Stelle steht: Der Erfolg von Anwaltskanzleien hängt wesentlich von der Qualität und der Reputation ihrer Aushängeschilder ab. Ohne Stars kann keine Kanzlei im Wettbewerb glänzen. Wie aber wird ein solches *team of stars* geführt? Kann es überhaupt geführt werden? Und: Wie wird aus einer Gruppe von hervorragend qualifizierten Individualisten ein Team, das in Summe schlagkräftiger ist als seine besten Exponenten?

39 Jenewein und Morhart[30] haben in einer interessanten Studie an der Universität St. Gallen folgende sieben Führungsqualitäten identifiziert, die eine lose Gruppe von hervorragenden Individualisten zu einem erfolgreichen *team of stars* formen.

2.2.1 Auswahl der richtigen Teammitglieder

40 Hier heisst der Grundsatz: In der Wahl der Associates und – noch viel mehr – in der Wahl der Partner dürfen keine Kompromisse eingegangen werden! Der Verschleiss an unproduktiver Zeit und Energie sowie die unter Umständen fatalen Auswirkungen einer falschen Personalentscheidung auf das Verhältnis zu wichtigen Mandanten wiegen die möglicherweise positiven Effekte einer raschen und «unbürokratischen» Aufnahme neuer Anwälte als Associates oder Partner in die Kanzlei bei Weitem auf. Bei der Gestaltung des Aufnahmeentscheides sind deshalb folgende Punkte wichtig:

41
- In einem ersten Schritt sollen klare Vorstellungen über die Qualitäten des gesuchten neuen Teammitglieds gebildet werden. Das Anforderungsprofil an den neuen Kollegen leitet sich ab aus der Kanzleistrategie und dem Soll-/Ist-Vergleich des Fähigkeitsportfolios innerhalb der bestehenden Gruppe von Anwälten. Für jeden Neuzuzug muss zuerst der Nachweis einer geschäftlichen Notwendigkeit geführt, muss also ein sogenannter Business Case gegeben sein.

42
- Es genügt nicht, neue Teammitglieder nur nach ihren fachlichen Fähigkeiten zu beurteilen. Sie müssen zur gelebten Kanzleikultur passen.[31] Ausserdem sollen sie charakterliche Eigenschaften mitbringen, die die Chance erhöhen, dass die betreffenden Persönlichkeiten einen nachhaltigen Beitrag zum Kanzleierfolg leisten: ein unprätentiöser Auftritt im Team, eine gute Portion Humor, eine rechte Prise Gelassenheit, Leidenschaft für die Mandatsarbeit, ausgeprägte Lösungsorientierung, Konsensbereitschaft, hoher Leistungswille, Mut und natürlich Loya-

---

30 Jenewein, Wolfgang/Morhart, Felicitas: Navigating toward team success. In: Team Performance Management, Vol. 14 No. 1/2, 2008, S. 102 ff.

31 Jenewein/Heidbrink 2008, S. 67 ff.

lität und Integrität sind sicherlich wichtige Ingredienzen für ein vielversprechendes Persönlichkeitsprofil.[32]

- Die gewünschten Eigenschaften müssen auf ihr Vorhandensein geprüft werden. Entsprechende Anpreisungen des Kandidaten selbst genügen nicht. Das Einholen von Referenzen bei früheren Arbeitgebern ist unverzichtbar. 43
- Bei der Beurteilung von Kandidaten für eine Position soll unbedingt auch die Ansicht des Teams zu den einzelnen Persönlichkeiten berücksichtigt werden. Viele Kanzleien laden deshalb potenzielle Associates zu Schnuppertagen ein, die in den Teams verbracht werden, denen die betreffenden Personen voraussichtlich zugeteilt werden. 44

2.2.2 Verantwortung übertragen

Das setzt voraus, dass Teammitgliedern auch ausreichend Freiraum für eigene Entscheidungen zugestanden wird. Dies ist möglich, wenn Associates sorgfältig ausgesucht und gut gecoacht werden. Ist das der Fall, soll ihnen auch das entsprechende Vertrauen entgegengebracht werden, ohne das eine persönliche Entwicklung zum Star nicht denkbar ist.[33] 45

Die Grundhaltung, die notwendig ist, um dieses Prinzip umzusetzen, bringt – gerade im Anwaltsgeschäft – Risiken mit sich. Es ist deshalb entscheidend, dass in der Mandatsarbeit saubere Prozesse implementiert sind, die dem Qualitätsmanagement dienen.[34] Dazu gehört, dass Associates bei Erreichen bestimmter «Meilensteine» im Projekt den verantwortlichen Partner über den Mandatsverlauf orientieren müssen. Ausserdem erweist es sich in der Praxis als überaus nützlich, wenn Partner im Verhältnis zu ihren Associates eine Politik der «offenen Tür» betreiben. Liegt die Schwelle für die Kontakte mit dem Partner tief, wird der Associate von sich aus den Rat des erfahrenen Kollegen einholen, wenn es Unsicherheiten über zu treffende Entscheidungen gibt. 46

2.2.3 Gesunden Wettbewerb fördern

Im Team muss ein gewisser Wettbewerb herrschen.[35] Die Leistungen von Associates, Partnern und Teams sollen für alle transparent sein. Ist dies der Fall, entsteht automatisch eine sportliche Einstellung zum Setzen und Erreichen ehrgeiziger Ziele. Dabei muss immer klar sein, dass es bei diesen Zielen nur um die Generierung von Mandanten- (und 47

---

32 Maister, David: Professionalism in Consulting. 2005, S. 5 ff., gefunden auf www.davidmaister.com. Schluep, Thomas: Die richtigen Mitarbeiter für Anwaltskanzleien finden. In: Anwalts Revue 4/2006, S. 153 ff.

33 Jenewein/Heidbrink 2008, S. 114 ff.

34 Vgl. Kapitel 3 (Einführung).

35 Jenewein/Heidbrink 2008, S. 123 ff.

damit Kanzlei-)Nutzen geht, nicht um egoistisches Streben einzelner Kanzleiangehöriger nach persönlichem Ruhm.

48 Die verantwortlichen Partner sollen dann – unter Berücksichtigung der vorhandenen Valenzen – die freie Wahl haben, jene Associates in ein Projektteam zu berufen, die sich im permanenten Leistungswettbewerb als geeignet für die Aufgabe erwiesen haben. Mit anderen Worten: Es soll keine Auslastungsgarantie für Mitarbeiter (oder Partner) geben, die keine Top-Leistung bringen.

49 Wettbewerb kann auch zu Konflikten führen. Ist dies der Fall, sind die Personen, die in einen solchen Konflikt involviert sind anzuhalten, diesen unter sich zu lösen und die Streitfragen nicht immer gleich an den Teamchef zu eskalieren.

2.2.4 Probleme lösen, nicht darüber jammern

50 Es ist unvermeidlich, dass in einer Kanzlei Fehler gemacht werden, und zwar auf allen Ebenen. Leider kommt es in der Praxis oft vor, dass man dann einfach über die betreffende Person oder das Team jammert: «Kollege Müller liefert immer zu spät!» oder «Kollegin Meier kümmert sich einfach nicht genug um den Mandanten!» sind typische Klagen. Sie mögen berechtigt sein. Weiter bringen sie die Kanzlei nicht.

51 Tauchen Probleme auf, sind sie direkt zu adressieren: «Ich sehe, dass du keine Zeit hast für ein Gespräch mit dem Mandanten. Lass mich das machen!» oder «Morgen sollten wir liefern und du bist noch nicht so weit. Kann ich dir helfen?». Es ist viel nützlicher, über Lösungen zu reden als über Probleme.

2.2.5 Vorbild sein

52 Partner oder Senior Associates sind immer Vorbilder, ob sie es sein wollen oder nicht. Manchmal sind sie eben gute Vorbilder, manchmal schlechte. Anwälte mit Führungsaufgaben und Führungsanspruch wirken dann, wenn gegebene Versprechen eingehalten werden und ihr Verhalten jederzeit so ist, dass es den proklamierten (hohen) Ansprüchen an Kollegen in der Kanzlei genügt. Associates, die sehen, dass die Partner am Wochenende ebenfalls gearbeitet haben oder mithelfen, wenn es darum geht, auch möglicherweise unter ihrer Qualifikation liegende Arbeit zu erledigen, einfach weil ein besonders anspruchsvoller Mandant zufriedengestellt werden muss, sind zu grosser Leistung motiviert. Solche, die sich Sonntagspredigten ihrer Vorgesetzten anhören müssen, ohne dass diesen Worten Taten folgen, neigen hingegen oft dazu, sich zu ducken, wenn Arbeit droht.

2.2.6 Persönlichen Kontakt pflegen

53 In jüngerer Zeit unternehmen Kanzleien viel, um Teambildung zu betreiben: Es werden etwa Outdoor-Anlässe organisiert, in denen die Bedeutung von Vertrauen im Team vermittelt wird, oder es wird viel Geld für grossartige Social Events ausgegeben.

Viel wichtiger ist es, dem oft beinahe ausschliesslichen Gebrauch elektronischer Kommunikationsmittel zur Pflege des direkten Kontakts der Kanzleiangehörigen untereinander entgegen zu wirken. Offene Türen – auch bei Büros von Partnern –, regelmässige Team- und Projektsitzungen (die durchaus kurz sein und auch mal im Stehen abgehalten werden können), aber auch Experimente einzelner Kanzleien mit Grossraumbüros für Associates oder mit gläsernen Bürowänden haben zur Folge, dass die Summe physischer Kontakte der Kanzleiangehörigen untereinander zunimmt. Damit wird automatisch mehr Zusammengehörigkeitsgefühl, ein Mehr an Teamgeist eben, entstehen. 54

2.2.7 Feedback geben

Teammitglieder müssen ermuntert werden, einander konstruktives Feedback zu geben.[36] 55
Die Zusammenarbeit in einem Mandat oder Projekt sollte begleitet sein von regelmässigen Diskussionen über die Beiträge jedes Einzelnen zur Teamarbeit. Besonders wichtig ist eine solche Diskussionsrunde nach Abschluss eines Mandates, in der darüber reflektiert wird, was gut und was schlecht gelaufen ist in der Mandatsarbeit. Es gilt der «Imperativ der freien Aussprache».[37] Als Folge einer solchen «Feedback-Kultur» wird sich praktisch automatisch der Effekt einstellen, dass jedes Teammitglied engagiert nach Verbesserungen in der persönlichen Arbeit und im eigenen Verhalten sucht.

Wichtig ist in diesem Zusammenhang auch, dass Associates ermuntert werden, sich alle 56
Informationen innerhalb der Kanzlei zu holen, die sie für ihre Arbeit brauchen. Die Ausrede «Das hat mir keiner gesagt!» darf nicht gelten. Das bedeutet natürlich auch, dass Partner für Gespräche mit den Associates zeitnah zur Verfügung stehen, wenn diese sich an sie wenden.

3. Führungsstile

Damit ist die Frage nach dem Führungsstil gestellt. In der Führungslehre wird unterschie- 57
den zwischen «transaktionaler Führung» und «transformationaler Führung».[38]

3.1 Transaktionale Führung

Transaktionale Führung basiert auf den Elementen[39] 58

- Ziele setzen
- Leistungskontrolle

---

36 Jenewein/Heidbrink 2008, S. 129 ff.

37 Jenewein/Morhart 2008, S. 106 nennen dies «the imperative of the freely spoken word».

38 Wunderer 2011, S. 241 ff.; Steyrer, Johannes/Meyer, Michael: Welcher Führungsstil führt zum Erfolg? In: zfo 03/2010, S. 149 ff.

39 Bruch 2011, S. 26.

- Systematisches Feedback
- Belohnung oder Bestrafung

59 Das unterliegende psychologische Konzept ist Angst.[40] Der Mitarbeiter wird über das Setzen von Zielen *(management by objectives)*[41] in seinem Ego angesprochen, die Ansprache löst Aktion aus. Die Messung des Ergebnisses macht unmittelbar sichtbar, ob der Mitarbeiter in der Verfolgung der gesetzten Ziele reüssiert hat und ihn deshalb Belohnung in Form von Dank, Promotion, Salärerhöhung oder Bonus erwartet, oder ob er mit Bestrafung rechnen muss, indem er vom Projekt abgezogen, hierarchisch zurückgestuft oder etwa in der nächsten Promotionsrunde nicht berücksichtigt wird. Es gilt das Motto: «Kannste was, haste was, biste was!»[42]

60 Transaktionale Führung ist erfolgreich, wenn Ziele klar und umsetzungsorientiert definiert werden.[43] Es müssen sodann die zur Erreichung der Ziele notwendigen Ressourcen zur Verfügung stehen. Die Führungskraft sollte nur eingreifen, wenn sich auf dem Weg zum Ziel Probleme ergeben *(management by exceptions).* Die Beurteilung der Leistung des Mitarbeiters muss systematisch erfolgen, es ist notwendig, dass er ein offenes Feedback erhält, und das Erreichen des Ziels muss belohnt werden.[44]

61 Im Umfeld einer Anwaltskanzlei ist transaktionale Führung ausserhalb eines konkreten Projekts selten erfolgreich. Associates müssen zu selbständig denkenden und handelnden Professionals entwickelt werden, damit von ihnen eines Tages die Übernahme der Partnerrolle erwartet werden kann. Eine direktive Führung, die sich ausschliesslich an der Erreichung – von im Projekt durchaus wichtigen – «Mikro-Zielen» orientiert, wird diese Entwicklung nicht fördern. Nun kann transaktionale Führung aber – wie eben gesagt – auch gut gemacht werden. Nur: Partner in Anwaltskanzleien sind selbst so hohem, auch zeitlichem Druck ausgesetzt, dass in der Praxis manchmal wenig Raum bleibt, um die für eine gute Umsetzung von transaktionalen Führungsprinzipien notwendige enge Begleitung von Associates zu gewährleisten. Wenn aber die systematische Leistungsbeurteilung und das seriöse Feedback-Gespräch unterbleiben, besteht die Gefahr, dass der transaktionale Führungsstil zu einer Art Karikatur verkommt, die Züge einer plumpen Kommandokultur annimmt und den Associate zu einem blossen Befehlsempfänger degradiert.

---

40 Gutzwiller, Thomas: Psychologie der Organisationsentwicklung. Präsentation im MLP-HSG 2010, S. 106.

41 Heussen 2011, S. 56.

42 Gutzwiller 2010, S. 104.

43 Ege, Andreas/Ohmann, Ingrid: Performance Management Systeme. In: Arbeit und Arbeitsrecht 4/10, S. 214.

44 Bruch 2011, S. 29; Feiel, Wolfgang: Zeit für Führung. In: Brandstetter, Franz (Hrsg.): Rechtsabteilung und Unternehmenserfolg. Wien 2011, S. 142 ff.

3.2 Transformationale Führung

Transformationale Führung basiert demgegenüber auf den Elementen[45] 62

- Vorbildhandeln
- Inspirierende Motivation
- Geistige Anregung
- Individuelle Betrachtung

Hier ist das unterliegende psychologische Prinzip die Liebe.[46] Die Führungskraft vermittelt Enthusiasmus, wirkt als Identifikationsfigur und handelt integer. Sie kann auf fesselnde Art eine Mission vermitteln und emotional begeistern. Gleichzeitig gelingt es ihr, etablierte Denkmuster aufzubrechen und neue Einsichten zu vermitteln. Dabei wird jeder Mitarbeiter als Individuum respektiert und individuell gefördert. Dessen Selbstvertrauen wird dadurch gestärkt.[47] 63

Die Führungskraft wird damit zum Coach ihrer Mitarbeiter. Dieser orientiert den Mitarbeiter über die in ihn gesetzten Erwartungen. Er delegiert Aufgaben zusammen mit den entsprechenden Kompetenzen (und der damit verbundenen Verantwortung) an den Mitarbeiter und bringt ihm Vertrauen entgegen. Der Coach ist sich bewusst, dass Fehler passieren können und betrachtet die Entwicklung des Mitarbeiters als langfristige Investition in dessen Potenzial. Er schlägt beim Auftauchen von Problemen Lösungen vor, ordnet diese aber nicht autoritativ an. Der Coach hält sich im Hintergrund, hört zu, ermuntert und hilft dem Mitarbeiter bei der richtigen Prioritätensetzung.[48] 64

Stimuliert wird hier das intellektuelle und leistungsmässige Potenzial der Mitarbeiter. Sie lernen, selbständig Lösungen zu entwickeln und handeln eigenverantwortlich, aber im Interesse des Unternehmens. Tauchen Schwierigkeiten auf, engagieren sie sich in erster Linie selbst und spielen den Ball nicht einfach an die Führungskraft weiter. Transformational geführte Mitarbeiter sind oft vom Geist des Unternehmens begeistert, setzen sich selbst hohe Ziele und geniessen die damit verbundene sportliche Herausforderung. Sie entwickeln Initiativen, die das Unternehmen voranbringen und bleiben offen für Unerwartetes. Die dazu notwendige Sicherheit schöpfen sie aus dem ihnen entgegengebrachten Vertrauen.[49] 65

---

45 Bruch 2011, S. 31; Jenewein/Heidbrink 2008, S. 47.
46 Gutzwiller 2010, S. 106.
47 Bruch 2011, S. 31.
48 Hilb, Martin: Management by Coaching – ein Instrument zur Personalentwicklung. Neuwied/Berlin 2002, S. 29 ff.
49 Bruch/Vogel 2005, S. 127 ff.

66 Der transformationale Führungsstil ist in Anwaltskanzleien weit verbreitet und oft gut verankerter Teil der Kanzleikultur.[50] Das erstaunt nicht. Transformationale Führung ist geradezu Bedingung für die Entwicklung junger Talente hin zu ihrer Rolle einerseits als Teamplayer und andererseits als Einzelkämpfer. Im Team erwarte und brauche ich als Anwalt das Vertrauen meiner Kollegen, die wissen, dass in der Mandatsarbeit nur jene Kanzlei erfolgreich sein kann, welcher es gelingt, das Portfolio der unterschiedlichen Fähigkeiten ihrer Anwälte effektiv, effizient und konsequent mandantenorientiert zu nutzen.[51] Als Einzelkämpfer aber muss ich über das Selbstvertrauen verfügen, beispielsweise in einer Vertragsverhandlung oder in einem Rededuell mit dem Gegenanwalt vor Gericht jederzeit selbst und richtig zu entscheiden, wie ich mich verhalten muss. Solche Qualitäten können nur in einer Führungskultur ausgebildet werden, in der die Förderung der Fähigkeiten von Associates oberste Priorität hat. Neben der «technisch» zuverlässigen Handhabung des juristischen Werkzeugkastens muss auch die eigenverantwortliche Wahrnehmung von Entscheidungsspielräumen entwickelt werden.

3.3 Situationsgerechter Einsatz von Führungsstilen

67 Wollte man nun aber diese beiden Führungsstile nach idealistischen Kriterien einer absoluten Bewertung unterziehen und einen der beiden als «gut», den anderen als «schlecht» bezeichnen, würde man ihnen nicht gerecht. Untersuchungen haben vielmehr gezeigt, dass der Einsatz beider Führungsstile – wobei die Wahl je nach Führungssituation auf den einen oder anderen fällt – die besten Erfolge verspricht.[52]

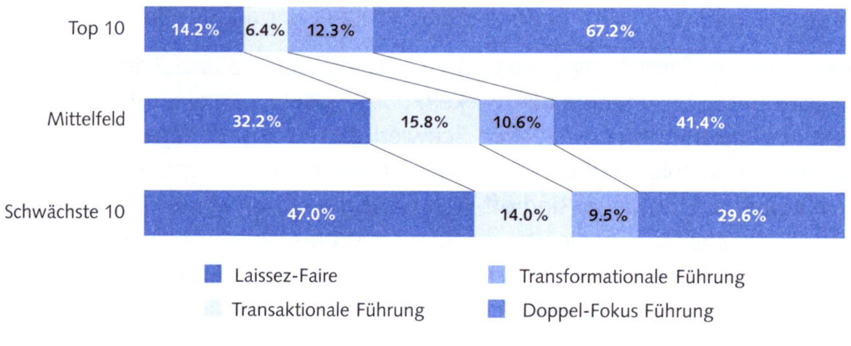

Abb. 2: Studie zur Anwendung verschiedener Führungsstile[53]

[50] Gmür, Markus/Kaiser, Stephan/Kampe, Tim: Leistungsorientiertes Personalmanagement in Wirtschaftskanzleien – Auswirkungen auf HRM-Effektivität und Commitment. In: Die Unternehmung, 63. Jg. (2009), Nr. 4, S. 395 ff.

[51] Pundt, Alexander/Nerdinger, Friedemann W./Transformationale Führung und sozialer Austausch als Bedingungen interner Kundenorientierung. In: Die Unternehmung, 64. Jg. (2010), Nr. 1. S. 76 ff.

[52] Capaul, Roman/Steingruber, Daniel: Betriebswirtschaft verstehen – Das St. Galler Management-Modell, S. 213.

[53] Studie Wunderer/Dick 2000, zitiert bei Bruch, Heike: Leadership. Präsentation Freshfields Summer School 2007, S. 26.

Wenn es um die Führung von Mitarbeitern in zeitkritischen Projekten geht oder um die Bewältigung von Notlagen, aber auch wenn existenzielle Probleme eine eigentliche Bedrohungslage für das Unternehmen schaffen, wird es in der Regel Sinn machen, transaktional zu führen.[54] Transaktionale Führung kann man denn auch häufig bei Sanierungen, in kritischen *Change*-Projekten, bei der Planung und Umsetzung von Unternehmenstransaktionen oder in *Turn-around*-Situationen beobachten. Hier steht das schnelle und passgenaue Erreichen vorgegebener Ziele in genau definierten Einzelprojekten absolut im Vordergrund. Erlaubt die Führungslage aber die Ausrichtung auf die nachhaltige Entwicklung des Teams oder des gesamten Unternehmens, geht es um die Stärkung der Innovationskraft des Unternehmens, die Erarbeitung einer Strategie, oder müssen neue Geschäftsmodelle entwickelt und getestet werden, so wird regelmässig ein transformationaler Führungsstil vorteilhaft sein. Gleiches gilt, wenn es das Ziel der Führung ist, ein Unternehmen möglichst adaptiv zu machen, um es auf die Herausforderungen ständigen Wandels in einer immer schneller drehenden Welt vorzubereiten.[55] In Kanzleien bewährt es sich erfahrungsgemäss, transformationale Führung als Regel und transaktionale Führung als Ausnahme anzuwenden. Auf Ebene der Partner wird damit die Partnerkultur gestärkt und der Situation Rechnung getragen, dass alle Partner auch gleichberechtigte Unternehmenseigner sind. Auf der Ebene der Associates wird auf diese Weise sichergestellt, dass junge Kräfte in ihre künftige Rolle als Partner hineinwachsen oder – falls der Sprung in die Partnerschaft nicht gelingt – sie den Nachweis erbringen können, als selbstbewusst und eigenverantwortlich handelnde Professionals auch für anspruchsvolle Positionen ausserhalb der Kanzlei infrage zu kommen. 68

4. Die Entwicklung vom Partner zur Führungspersönlichkeit

Gerade in mittleren und kleineren Kanzleien werden Partner nicht systematisch für ihre Aufgabe als Führungskräfte vorbereitet. Sie absolvieren ihre Referendariats- oder Praktikumszeit, verbringen ein paar Jahre als Associates in einer Kanzlei und sind dann mit dem Eintritt in die Partnerschaft unvermittelt mit der Herausforderung konfrontiert, in dem ihnen anvertrauten Team Führungsarbeit zu verrichten. Anwälten in Grosskanz- 69

[54] Steyrer/Meyer 2010, S. 152.

[55] Steyrer/Meyer 2010, S. 152 f.; Schulz, Klaus-Peter/Geithner, Silke: Individual and Organizational Development as Interplay – An Activity Oriented Approach. In: Zeitschrift für Personalforschung 24(2) 2010, S. 148. Roghé, Fabrice/Strack, Rainer/Bannert, Peter/Frensch, Florian/Grün, Oskar/Krüger, Wilfried/Sulzberger Markus: Strategie und Organisation – Wie können «weiche» Faktoren bei der Umsetzung von Strategien helfen? In: zfo 01/2010 (79. Jg.), S. 49 ff. Menz, Markus/Schmid, Torsten/Müller-Stewens, Günter/Lechner, Christoph: Strategische Initiativen und Programme – Unternehmen gezielt transformieren. Wiesbaden 2011, S. 77 f. Müller-Stewens, Günter/Lechner, Christoph: Strategisches Management – Wie strategische Initiativen zum Wandel führen. 4. Auflage, Stuttgart 2011, S. 474 f. Vgl. auch vorstehendes Kapitel 3.

leien ergeht es nur unwesentlich anders: Sie erleben während ihrer Zeit als Associates zwar, wie die Kanzlei über professionell ausgebaute Managementstrukturen geführt wird. Gelegenheiten, praktische Führungserfahrung zu sammeln, ergeben sich aber nur selten. Fachgruppenleiter oder Managing Partner wird denn auch in der Regel, wer sich im Urteil seiner Kollegen über hervorragende Fachkenntnisse ausgewiesen hat und ein toller Jurist ist. Unternehmerische Erfahrung oder der Nachweis ausgeprägter Führungsfertigkeit spielt in den wenigsten Fällen die entscheidende Rolle für die Berufung einer Persönlichkeit in eine solche Position.

70 Die Entwicklung eines Partners zur Führungspersönlichkeit hängt daher sehr wesentlich von der Initiative, dem Willen und der Fähigkeit der entsprechenden Person ab, sich die Attribute einer guten Führungskraft selbst zu erarbeiten und anzueignen.

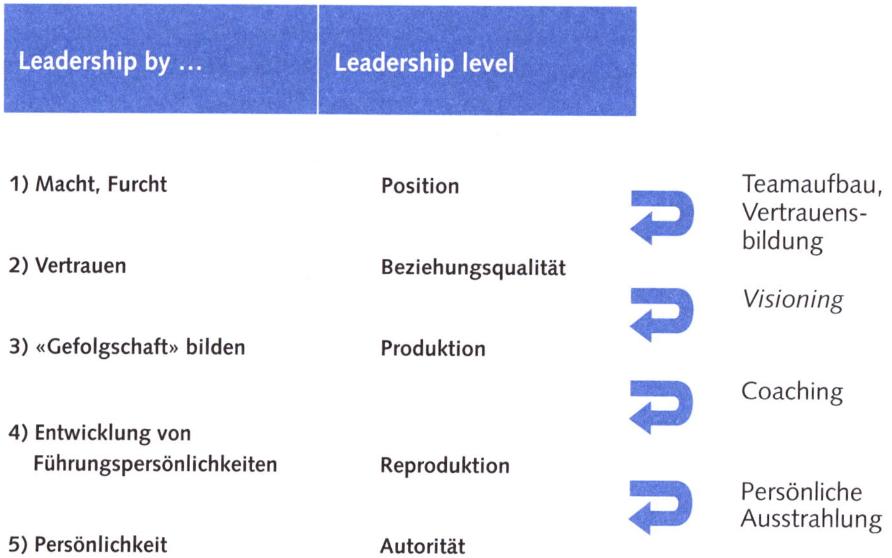

Abb. 3: Leadership-Entwicklung nach Gutzwiller[56]

71 Gutzwiller beschreibt den Prozess vom Führungs-«Anfänger» zur Führungspersönlichkeiten über fünf Stufen:

4.1 Führung über das Ausüben von Macht

72 Auf dieser untersten Stufe von Führungsqualität gründet die Autorität der Führungskraft ausschliesslich auf der ihr verliehenen formalen Macht über die Geführten. Die Weisungsbefugnis ist in einem Reglement niedergelegt oder mit einer bestimmten Posi-

[56] Gutzwiller 2010, S. 108.

tion, auf welche die betreffenden Führungskräfte auch mächtig stolz sind, automatisch verbunden. Die Geführten unterziehen sich den Anordnungen der Führungskraft nicht etwa, weil sie diese für besonders fähig oder für fachlich kompetent halten, und auch nicht, weil die entsprechende Person aufgrund spezieller charakterlicher Fähigkeiten natürliche Autorität ausstrahlt oder ein besonders gutes Vorbild abgibt. Einziger – negativer – Anreiz, der Führungskraft zu folgen, ist die explizite oder implizite Drohung, dass mit der Nichtbefolgung ihrer Anweisungen Nachteile für den Mitarbeiter verbunden sind. Wer Militärdienst geleistet hat und als junger Rekrut das Pech hatte, auf kaum ältere, unsichere und mit Selbstzweifeln geplagte Korporale zu stossen, weiss, wovon hier die Rede ist.

In Anwaltskanzleien sind Führungskräfte dieses Kalibers glücklicherweise eher selten 73
anzutreffen. Die Sozialisierung von Anwälten als respektierte Fachleute lässt es nicht zu, dass Adressaten eines solchen Führungsverhaltens dieses einfach klaglos ertragen würden. Fähige junge Leute würden die Kanzlei wohl unverzüglich verlassen und sich nach alternativen Entwicklungs- und Laufbahnmöglichkeiten umsehen.

4.2 Führung über Vertrauen

Wenn es der jungen Führungskraft dann aber gelingt, ihrem Team die Vorteile des 74
Zusammenhalts und der Zusammenarbeit zu vermitteln und sie im Arbeitsalltag das Vertrauen der Geführten zu erringen vermag, kann die zweite Entwicklungsstufe zur Führungspersönlichkeit erklommen werden. Es entstehen tragfähige Beziehungen im Team, die auch durch Druck und Stress ausgelöste Belastungen ertragen.[57] Man hält zusammen, ohne dass die Position – Führungskraft oben, Geführte unten – noch eine wahrnehmbare Rolle spielt. Wer führt, vertraut darauf, dass die Mitglieder des Teams ihre Arbeit gut machen, und wer geführt wird, ist sich sicher, dass der Kopf des Teams dessen Interessen getreulich wahrnimmt. Basis der Autorität, welche der Führungskraft zukommt, ist die Qualität der Beziehungen im Team und das sich daraus ergebende Vertrauensverhältnis untereinander.

Diese Stufe der Entwicklung zu einer guten Führungskraft ist in der Kanzleipraxis weit 75
verbreitet. Gute Charaktereigenschaften und das Vertrauen in die Kompetenz der Kollegen, unabhängig von ihrer hierarchischen Einstufung, genügen in der Regel, um es als Führungskraft so weit zu bringen. Ist die Stufe erreicht, kann mit grosser Sicherheit davon ausgegangen werden, dass das Team bzw. die Kanzlei gut und zuverlässig arbeitet. Durch schlechte Führung ausgelöste Irritationen und Reibungen unterbleiben. Führungskräfte und Geführte fühlen sich wohl, Konflikte sind selten. Typisch ist, dass sich Führungskräfte in diesem Entwicklungsstadium gerne als «Kumpel» geben. Sie sind gleichermassen loyal zu ihren Unterstellten und zu ihren Vorgesetzten. Es besteht aller-

[57] Bruch/Vogel/Morhart 2006, S. 8, sprechen in diesem Zusammenhang von *Commitment*.

dings die Gefahr, dass sich so ein Energiezustand ergibt, der vorstehend als «Angenehme Energie»[58] beschrieben wurde. Man fühlt sich in der gegebenen Situation behaglich. Die Kanzlei oder das Team entwickelt sich nicht dynamisch, hat Mühe, sich auf Entwicklungen im Umfeld einzustellen oder diese auch nur schon wahrzunehmen.

4.3 Führung über die Bildung von Gefolgschaft

76 Will eine Führungskraft die nächste Stufe in ihrer Entwicklung nehmen, muss es ihr gelingen, dem Team eine Vision über den gemeinsam einzuschlagenden Weg zu vermitteln.[59] John F. Kennedy[60] ist es gelungen, mit der Ankündigung, sein Land wolle als erste Nation überhaupt zum Mond fliegen, eine ungeheure Begeisterung für diesen Traum und riesige Anstrengungen ungezählter Beteiligter auszulösen. *Visioning* ist das Gegenteil von: Jedem Mitarbeiter jeden Tag ein klares Ziel vorgeben, das er bis zum Abend zu erreichen hat.[61]

77 Auf dieser Stufe der Führungsqualität ist das Team hoch produktiv und arbeitet weitestgehend selbständig. Alle Mitglieder des Teams bringen ein hohes *commitment* für die gemeinsamen Ziele mit.[62] Sie haben Freiräume für eigene Entscheidungen. Die geteilte Vision stellt sicher, dass die einzelnen Entscheidungen vieler aufeinander abgestimmt und zielgerichtet erfolgen. Wenn sich Schwierigkeiten ergeben, suchen die Mitglieder des Teams aus eigener Initiative nach Alternativen. Sie sind offen für neue Entwicklungen, initiieren Innovationen und passen ihre Leistungen permanent an sich verändernde Rahmenbedingungen an. Die Führungskraft konzentriert sich darauf, die Vision immer wieder zu kommunizieren und die Begeisterung für den gemeinsamen Traum aufrechtzuerhalten. Sie hört zu, wenn Mitarbeiter ihre Ansichten zu gewissen Themen testen wollen, erteilt Ratschläge, hilft nötigenfalls mit und stellt sicher, dass das Team die nötigen Ressourcen und Rahmenbedingungen vorfindet, um erfolgreich zu arbeiten.

78 In der anwaltlichen Praxis ist immer wieder das erfreuliche Phänomen zu beobachten, dass es junge Kanzleien innerhalb von kurzer Zeit zu grossem Ansehen und Erfolg bringen. Schaut man genau hin, sind es häufig einzelne Führungspersönlichkeiten, die als Mütter oder Väter einer solchen Entwicklung identifiziert werden können. Es ist durchaus typisch, dass am Anfang einer Erfolgsgeschichte ausschliesslich kritische Stimmen zu hören waren: «Der Markt ist besetzt.» «Alle wichtigen Mandanten sind bereits gut durch etablierte Kanzleien betreut.» «Grosse Mandate werden nicht an kleine Kanzleien vergeben.» usw. Allen Widrigkeiten zum Trotz gelingt es jungen Anwälten mit

58 Vgl. vorstehend Abschnitt 2.1.1.

59 Jenewein/Heidbrink 2008, S. 32 ff.

60 Rede vom 12. September 1962 vor Studierenden der Rice University, Houston Texas, gefunden unter: http://www.jfklibrary.org/JFK/Historic-Speeches/Multilingual-Rice-University-Speech/German.aspx, am 4. November 2011.

61 Vgl. dazu auch Bruch/Vogel/Morhart 2006, S. 7.

62 Bruch/Vogel 2005, S. 154 ff.

einer Vision dennoch immer wieder, Talente um sich zu scharen und sich mit Glück[63] und harter Arbeit einen Platz im Markt zu ergattern und so bestandene Wettbewerber zu bedrängen.

4.4 Führung mit dem Ziel, die Führungsnachfolge sicherzustellen

Wenn Führungsanstrengungen nachhaltig sein sollen, muss die nächste Stufe erklommen werden und wird die gute Führungskraft danach trachten, ihre Nachfolge zu sichern. Sie wählt gezielt Mitarbeiter aus, die kompetent, engagiert und integer sind, sich selbst und andere gut führen, sich entwickeln wollen und können.[64] Ist diese Auswahl gelungen, tritt die Führungskraft in den Hintergrund und überlässt die sichtbare Führung dem Nachfolger. Sie selbst ist nun dessen Coach, stellt die wichtigen und richtigen Fragen, animiert zum Nachdenken, motiviert zur ständigen Arbeit an der Verbesserung der Führungsqualitäten, ist Mentor und Vorbild zugleich. 79

Im besten Fall ist nun die Reproduktion der bisher erfolgreichen Führungskultur gelungen. Das Unternehmen strahlt Kontinuität und Vitalität gleichermassen aus. Die (zusätzlichen) neuen Führungskräfte an der Unternehmensspitze verstehen es, sich das Vertrauen der Stakeholder des Unternehmens weiterhin jeden Tag neu zu erwerben. Sie können sich dabei auf eine «Tradition des Wandels» stützen, die ihnen die Sicherheit gibt, die es braucht, um zu gegebener Zeit selbst wieder den Schritt von der operativen Führungsspitze zur Position des Coach zu wagen. 80

Erstaunlich vielen Anwälten gelingt der Schritt auf diese Entwicklungsstufe von Leadership. Oft sind es Senior Partner, die eine erfolgreiche Karriere absolviert haben. Sie müssen sich und anderen nichts mehr beweisen, sind zusammen mit ihren Mandanten älter geworden, haben sich zu deren «trusted advisor»[65] entwickelt. Ihre Mandatsstruktur hat sich vom hektischen Unternehmensberatungsgeschäft etwas weg und stärker hin zur Begleitung von Unternehmern und in deren privater Sphäre bewegt. Die Führung von Mandaten, die eine hohe (zeitliche) Präsenz, grosses – auch physisches – Leistungsvermögen, top-aktuelles Wissen und daneben ausgeprägte Belastbarkeit erfordern, haben sie in jüngere Hände gelegt. Die Position als Managing Partner nimmt ein Kollege der nächstfolgenden Generation ein. Und dennoch: Der Rat des zur Führungspersönlichkeit gereiften Senior Partners ist weiterhin gefragt und wird sowohl von bedeutenden Mandanten als auch von Kollegen in der Kanzlei gerne in Anspruch genommen. 81

---

[63] Der Legende nach soll Napoleon Bewerber um die Übernahme eines Kommandos in seiner Armee jeweils unter anderem auch die Frage gestellt haben: «A-t-il fortune?»

[64] Hilb 2002, S. 29.

[65] Flood, John/Lederer, Peter: Becoming a Global Lawyer. Paper for Globalization and the Legal Profession, Stein Center for Law and Ethics and the Fordham Law Review, Fordham Law School, October 20–21, 2011, S. 11 ff.

4.5 Führungspersönlichkeit

82 Frei von der Berufung auf formale Führungsmacht und frei von der Eitelkeit jugendlichen Führungsanspruchs hat die Führungskraft auf dieser obersten Entwicklungsstufe zur reifen Persönlichkeit gefunden. Sie geniesst Respekt und Anerkennung allein wegen ihrer persönlichen Ausstrahlung. Oft ist sie deswegen als «Gesicht des Unternehmens» noch begehrt. Mitarbeiter reden mit Stolz von ihrem Patron, der ihrem Unternehmen – und indirekt deshalb auch ihnen selbst – zu Ansehen und Erfolg verhilft.

83 Die täglichen Führungsentscheidungen werden jetzt von anderen getroffen. Die Abstimmung dieser Entscheidungen mit dem Patron erfolgt ohne grossen Aufwand. Alle Unternehmensangehörigen kennen ja dessen Vision und sein ceterum censeo. Der Patron selbst nutzt die gewonnenen Freiheiten, stellt sich ganz in den Dienst der Kommunikation des Unternehmens mit seinen Stakeholdern und setzt damit immer wieder Anreize zum Engagement der Unternehmensangehörigen für die gemeinsame Sache und zur Loyalität von Kunden und Lieferanten zum Unternehmen.

84 Persönlichkeiten dieses Kalibers sind leider oft nur noch in kleineren und mittleren Kanzleien auszumachen, wo sie – etwas zurückgezogen – gelegentlich noch weit über den Eintritt ins Rentenalter hinaus ihre Wirkung entfalten. Grosse Kanzleien sind in den letzten Jahrzehnten häufig dazu übergegangen, Partner auszumustern, die den Performance-Anforderungen im Tagesgeschäft nicht mehr genügen. Dabei wird eine grosse Chance vertan. Gelingt es nämlich, ausgewiesene Anwalts- und Führungspersönlichkeiten in einer etwas angepassten Rolle weiterhin an die Kanzlei zu binden,[66] erwächst daraus der Kanzlei möglicherweise viel Gutes: Langjährige Mandanten bleiben bei der Kanzlei, jungen Kollegen können Mentoren beigestellt werden, und es gibt ausreichend Ressourcen an unternehmerischem Sachverstand, die zur strategischen Weiterentwicklung der Kanzlei genutzt werden können.

5. Personalmanagement als Prozess

85 Leadership als Fähigkeit der Führungskräfte zur Mobilisierung von Mitarbeitenden im Dienste der Erreichung von Unternehmenszielen allein deckt den Bedarf nach Führung im Unternehmen noch nicht ab. Hinzu kommen muss selbstverständlich ein eigentliches Personalmanagement, das als integrierter Prozess[67] die Führungsarbeit unterstützt.[68]

---

[66] Vgl. nachstehenden Abschnitt 6.5.

[67] Staub, Leo: Legal Management. 2. Auflage, Zürich 2006, S. 139 f.

[68] Baer, Jakob/Stoll, Marlyse: Human Resources Management als Eckpfeiler der strategischen und operativen Geschäftsentwicklung. In: Müller-Stewens, Günter/Drolshammer, Jens/Kriegmeier, Jochen (Hrsg.): Professional Service Firms. Frankfurt am Main 1999, S. 209 ff.

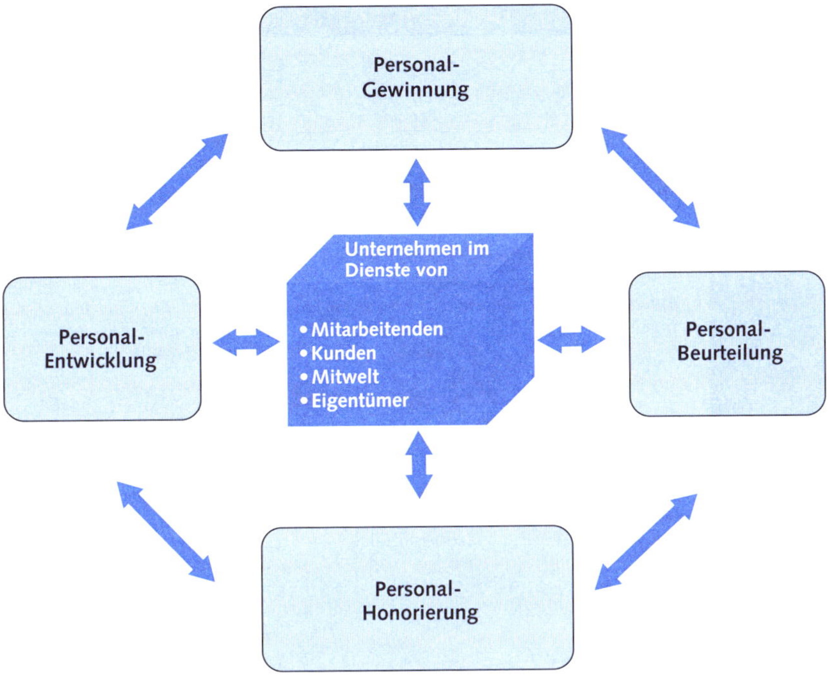

Abb. 4: Integriertes Personalmanagement nach Hilb[69]

5.1 Personalgewinnung

Hier geht es darum, die richtigen Menschen für die in der Kanzlei zu besetzenden Positionen zu finden.[70] In Anlehnung an Hilb[71] kann dieser Teilprozess im Rahmen des Personalmanagements wie folgt gestaltet werden: 86

[69] Hilb, Martin: Integriertes Personal-Management – Ziele, Strategien, Instrumente. 16. Auflage, Köln 2007, S. 19.

[70] Hilb 2007, S. 59; Staub 2006, S. 154 ff.

[71] Hilb 2007, S. 61. Vgl. dazu auch Capaul/Steingruber 2011, S. 456 ff.

	Fach-Dimension	Wirtschaftliche Dimension	Soziale Dimension	Markt-Dimension
Personal-Bedarfs-ermittlung	• Fachgebiet • Erwartungen an jur. Qualifikation definieren • Erfahrung • Zusatzqualifikation (Sprache etc.)	• Salärband • Nebenkosten (Versicherungen Büro, IT, etc.) • Pensum	• Teamfähigkeit • Kommunikations-Skills • Mobilität • Flexibilität	• Mandantenstamm vorhanden/erforderlich? • Akquisitions-potenzial
Personal-Werbung	• Kompetenz der Kanzlei vermitteln • Anforderungs-niveau darstellen	• Salärkomponenten erwähnen • Attraktive Versicherungsmodelle darstellen	• Interne und externe Ausschreibung • Flexible Arbeitszeit-Modelle erwähnen • Fortbildungswege darstellen • Entwicklungsmöglichkeiten aufzeigen	• Kontakte der Kanzleiangehörigen nutzen • *Job-Fairs* an Universitäten besuchen • Internet • Inserate • *Word-of-mouth*-Kampagne
Personal-Auswahl	• Probearbeit machen lassen • Evtl. Assessment durchführen • Referenzen einholen	• Auswahlprozess schlank halten (Partner-Ressourcen schonen)	• Persönlichkeits- und Sozialkompetenz prüfen • Schnuppertage im Team • Gespräche mit diversen Partnern und Senior Associates	• Mandanten-gespräch simulieren
Personal-Anstellung	• Pflichtenheft • Aufgabenbeschrieb • Evtl. Zuordnung zu Fachgruppe oder Parcours über mehrere Fachgruppen organisieren	• Attraktive Vertrags-bedingungen	• Zeitnahe Kommunikation mit dem neuen Mitarbeiter und seinem zukünftigen Team	• Evtl. Mitteilung über Presse oder direkt an Mandanten
Personal-Einführung	• Einführungs- und Karriereplan vereinbaren • Schnelle Integration in Mandatsarbeit	• Abgestufte Produktivitätserwartungen (Verrechenbare Stunden nach Massgabe des Verlaufs der Einführungsphase)	• Mentoring • Coaching • Erst-Feedback im Team • Vermittlung der Kanzleigeschichte, -strategie und -kultur	• Vorstellung bei den übrigen Fach-gruppen • Vorstellung bei Mandanten, in deren Mandate Mitarbeit geplant ist

Abb. 5: Prozess der Personalgewinnung in einer Anwaltskanzlei

87 Um die besten jungen Talente ist ein enormer Wettbewerb im Gang.[72] Grosse Kanzleien an zentralen Standorten überbieten sich mit attraktiven Angeboten für Berufs-

[72] António, Natascha/Pavel, Uwe: Die Suche und Rekrutierung von Unternehmensjuristen im Kampf um die Besten. In: Hambloch-Gesinn, Sylvie/Hess, Beat/Meier, Andreas L./Schiltknecht, Reto/Wind, Christian (Hrsg.): In-house Counsel in internationalen Unternehmen. Basel 2010, S. 61.

einsteiger[73] und werben mit der Aussicht, in hervorragenden Teams an herausfordernden, oft international angelegten Mandaten für bedeutende Unternehmen arbeiten zu können. Auch wenn nur die wenigsten der so angeworbenen Associates nach einigen Jahren die Chance erhalten, Partner zu werden, ist die Aussicht auf das Sammeln von Berufserfahrung in einer der renommierten Grosskanzleien doch für viele junge Leute überaus verlockend. Hohe Anfangssaläre, die Möglichkeit zu Auslandaufenthalten und Secondments, die Unterstützung bei der Absolvierung von Zusatzausbildungen oder die Chance, auf Kosten der Kanzlei begehrte Weiterbildungsabschlüsse zu erwerben, üben eine grosse Anziehungskraft aus.

Darunter leiden die kleinen und mittelgrossen Kanzleien und jene an der (geografischen) Peripherie. Talente wandern nach absolviertem Referendariat bzw. Anwaltspraktikum und nach bestandenem Anwaltsexamen oft in die Finanz- und Wirtschaftszentren ab, wo sie ihr Glück bei den Grosskanzleien suchen. Vielen der von diesem Markttrend benachteiligten Kanzleien gelingt es nicht, jungen Leuten die Vorteile einer Laufbahn im mittelständischen Segment der Anwalts-«Industrie» zu vermitteln. Dabei hätte eine solche Laufbahn einiges zu bieten: Verwurzelung in der Region, unkompliziertes Knüpfen direkter Mandantenkontakte, grosse Chancen, bei Bewährung Partner zu werden oder die Möglichkeit, wenigstens für einige Jahre fachlich noch breit Erfahrungen zu sammeln und nicht (zu früh) in eine Spezialisierung gedrängt zu werden. Ausserdem ist die Work-Life Balance in kleineren Kanzleien oft besser zu halten als in einer auf Spitzen-Performance getrimmten internationalen Wirtschaftskanzlei. Im Gegensatz zu den grossen Kanzleien sind aber die kleinen und mittelgrossen Mitbewerber um Talente in ihren Werbeanstrengungen oft sehr diskret (um nicht zu sagen unsichtbar). Dabei stünde ja auch ihnen beispielsweise der Zugang zu *job fairs* an Universitäten[74] offen und hätten auch sie die Möglichkeit, die Anstellungs-Pakete für ihre Associates mit Elementen wie Weiterbildung und ähnlichem anzureichern. 88

5.2 Beurteilung von Associates

Die Beurteilung der Mitarbeitenden hat zwei Hauptziele: Es sollen damit die Motivation der Mitarbeitenden gefördert und die Basis für Konzepte zu deren Weiterentwicklung gelegt werden.[75] Hilb stellt den Zusammenhang zwischen der Beurteilung von Mitarbeitenden und deren Einfluss auf die wesentlichen Faktoren für die Arbeitsleistung des Personals wie folgt dar:[76] 89

---

[73] Schwegler, Daniela: Grosskanzleien locken mit hohen Anfangssalären. In: Plädoyer 2/07, S. 12 f. Für amerikanische Verhältnisse Li, Victor: Under Pressure. In: The American Lawyer 09/01/2011, gefunden unter http://www.law.com/jsp/tal/PubArticleFriendlyTAL.jsp?id=1202511943820, am 1. September 2011.

[74] Pothe, Christian: Business Services in der Kanzlei. In: Schieblohn, Claudia (Hrsg.): Kanzleimanagement in der Praxis. Wiesbaden 2011, S. 119.

[75] Hilb 2007, S. 77. Vgl. auch Wunderer 2011, S. 325 ff.

[76] Hilb 2007, ebenda.

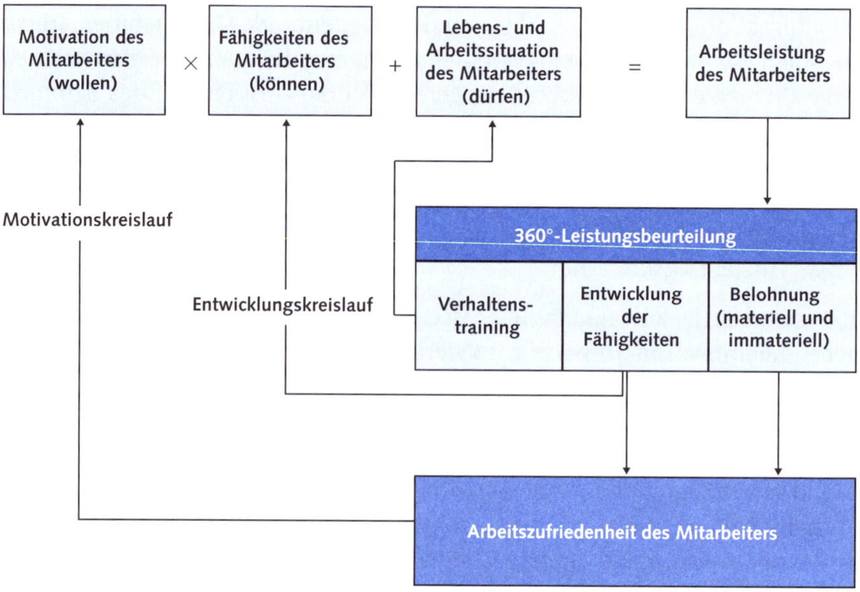

Abb. 6: Kreislaufkonzept der Personalbeurteilung nach Hilb

90 Eine ganzheitliche Personalbeurteilung – in der Terminologie von Hilb «360°-Leistungsbeurteilung»[77] genannt – muss vier Dimensionen umfassen:[78]

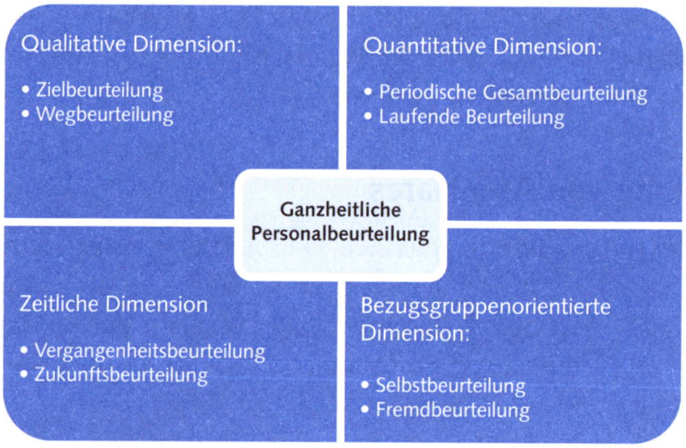

Abb. 7: Dimensionen ganzheitlicher Personalbeurteilung

[77] Mit 360° ist die Selbstbeurteilung durch den Mitarbeiter sowie die Beurteilung durch Vorgesetzte, Arbeitskollegen und interne oder externe Kunden gemeint; Capaul/Steingruber 2011, S. 461.

[78] Hilb 2007, S. 78. Vgl. auch Schmidt-Lademann, Walther: Beurteilung von Juristen. In: Brandstetter, Franz: Rechtsabteilung & Unternehmenserfolg. Wien 2011, S. 152 ff.

- In der *qualitativen Dimension* werden die für den Mitarbeiter vereinbarten Ziele besprochen, und es wird beurteilt, ob der Weg zum Ziel der richtige ist. Falls notwendig, werden Ziele und Wege dazu angepasst oder verfeinert. Bei der Beurteilung von Associates steht schon früh die Frage im Raum, ob die betreffende Person das Potenzial zum Partner hat. 91
- Die *quantitative Dimension* umfasst eine – üblicherweise einmal jährlich stattfindende – Gesamtbeurteilung sowie die laufende Beurteilung des Verhaltens des Mitarbeiters in der Arbeit, in seinem Team sowie im Verhältnis zu anderen Ansprechpartnern inner- und ausserhalb des Unternehmens. 92
- Im Beurteilungsgespräch wird im Rahmen der *zeitlichen Dimension* sowohl die Vergangenheit als auch die Zukunft angesprochen. 93
- Die *bezugsgruppenorientierte Dimension* stellt sicher, dass neben einer Selbstbeurteilung auch eine Fremdbeurteilung stattfindet.[79] Letztere umfasst die Beurteilung durch Vorgesetzte, aber auch durch Geführte, Kollegen und gegebenenfalls durch Kunden. Einzelne Kanzleien führen systematische Mandantenbefragungen durch, in denen oft auch nach dem Verhalten der im einzelnen Mandat engagierten Associates und Partner gefragt wird. 94

5.3 Kompensation von Associates

Im Personalmanagement wird vom «Magischen Dreieck der Verteilungsgerechtigkeit» gesprochen. Dieses Konzept umfasst folgende Faktoren:[80] 95

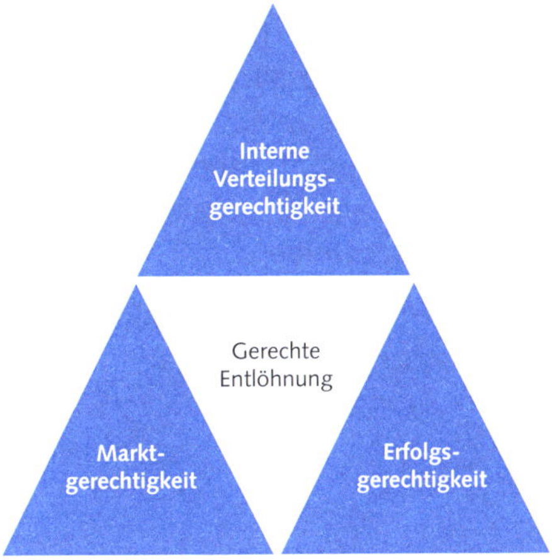

Abb. 8: Magisches Dreieck der Verteilungsgerechtigkeit

[79] Hilb 2007, S. 79 ff.
[80] Hilb 2007, S. 96.

96 • Die *interne Verteilungsgerechtigkeit* bedeutet als Erstes die Ausrichtung der Entlöhnung auf die an die Funktion des Mitarbeiters gestellten Anforderungen und die ihm übertragene Verantwortung («Kompetenzen»).[81] Abgeleitet aus der Strategie des Unternehmens wird damit der Bedeutung der Position des Mitarbeiters Rechnung getragen. Faktoren für die Bestimmung der Bedeutung einer Position in der Anwaltskanzlei sind beispielsweise die juristische Expertise des Mitarbeiters, seine Fähigkeit zu besonders anforderungsreichen Einsätzen (Sprachkenntnisse, Spezialkenntnisse, Projektleitungs-Know-how, interdisziplinäres Wissen etc.), der Einfluss des Associate auf die konkrete Mandatsführung (Budgetverantwortung) oder der Umfang der Mandantenbetreuung, der in dieser Position verlangt wird.

97 Als Zweites geht es hier um die Leistungsgerechtigkeit[82] des Lohnes: Was leistet der Mitarbeiter in qualitativer und quantitativer Hinsicht? Wie effizient, wie kreativ ist er? Ist er bereit und in der Lage, bei Bedarf über das übliche Mass hinaus Leistungen zu erbringen?

98 Drittes Kriterium schliesslich ist die Sozialgerechtigkeit der Honorierung. Hier kann die Erfahrung des Mitarbeiters eine Rolle spielen oder beispielsweise der Umstand, dass er lange Arbeitswege in Kauf nimmt. Es geht unter diesem Titel aber auch etwa um die Altersvorsorge oder um die Lohnfortzahlung bei Unfall oder Krankheit.[83]

99 • Unter dem Aspekt der *Erfolgsgerechtigkeit* wird die effektiv erbrachte Leistung des Mitarbeiters honoriert, wobei neben der individuellen Leistung auch jene des Teams und des Gesamtunternehmens eine Rolle spielen soll. Die Leistungsqualität (erfolgreicher Abschluss einer Transaktion, Planung und Umsetzung eines besonders anspruchsvollen Vertragskonzepts etc.), die Leistungsquantität (überdurchschnittlicher Zeiteinsatz, was die Menge verrechenbarer Stunden und die Verfügbarkeit zur «Unzeit» betrifft), aber auch das Leistungsverhalten (Dienstleistungsverhalten, Service-Qualität) sollen zur Ermittlung des relevanten Erfolgs gemessen und berücksichtigt werden.

100 • *Marktgerechtigkeit* der Honorierung ist natürlich ebenfalls wichtig. Das Kompensationspaket von Associates wird sich am Massstab ausrichten müssen, der (auch) vom Wettbewerb vorgegeben ist.[84]

---

[81] Thommen, Jean-Paul: Managementorientierte Betriebswirtschaftslehre. 8. Auflage, Zürich 2008, S. 619, spricht in diesem Zusammenhang von «Anforderungsgerechtigkeit».

[82] Thommen 2008, ebenda.

[83] Thommen 2008, S. 620.

[84] Thommen 2008, ebenda.

In der Praxis bewähren sich Gesamtvergütungsmodelle für Associates, die sich aus drei Komponenten zusammensetzen: Grundgehalt, variable Vergütung und Zusatzleistungen.[85] 101

- Das *Grundgehalt* ist meist ein Fixgehalt, das sich im Wesentlichen an der Verweildauer der Associates in der Kanzlei orientiert (Einstiegsgehalt, 2. Jahr, 3. Jahr usw.). 102
- Die *variable Vergütung* ist üblicherweise leistungsabhängig. Sie kann sich aus einem Bonus (Vergütung für den persönlichen, Team- und/oder Kanzleierfolg), aus Anerkennungsprämien (Zuwendung für einen speziellen Effort im Rahmen einer Sonderleistung in einem speziell anforderungsreichen Mandat oder Prämie für die Akquisition interessanter Mandanten und Mandate) sowie aus *incentives* (z.B. Anreiz für den vorübergehenden Einsatz an einem wenig attraktiven Standort) zusammensetzen. 103
- Zusatzleistungen können in besonders günstigen Vorsorgeleistungen bestehen (z.B. wenn es darum geht, Associates anderer Kanzleien eine Anstellung als *Counsel* schmackhaft zu machen), in interessanten Arbeitszeitmodellen für Anwälte, die familiäre Verpflichtungen wahrnehmen möchten, oder auch etwa in der Abgeltung von Opportunitätskosten (Dienstwagen, *housing,* etc.). 104

Diese Vergütungen brauchen nicht vollständig in Geld geleistet zu werden. Oft sind auch Komponenten interessant, die Reputation verschaffen («Titel»), eine besondere Anerkennung bedeuten *(associate of the year)* oder eine Investition in das persönliche Fortkommen von Associates darstellen (Weiterbildungslehrgänge). Selbstverständlich ist, dass die Form und Höhe der Vergütung keine diskriminierenden Elemente enthalten darf, also nicht abhängig ist von Geschlecht, Herkunft, Ethnie, sexueller Präferenz oder Zugehörigkeit zu einer Religionsgemeinschaft.[86] Gelingt es, in der Kanzlei ein Vergütungssystem zu etablieren, das im «Magischen Dreieck der Verteilungsgerechtigkeit» gut verankert ist und im Bedarfsfall auf individuelle Bedürfnisse von Kanzleiangehörigen zugeschnitten werden kann, stimmt in der Regel das Gesamtpaket[87] und gilt die Kanzlei als ein attraktiver Arbeitgeber. 105

[85] Wunderer 2011, S. 402 ff.; Hilb 2007, S. 98; Capaul/Steingruber 2011, S. 462 ff.

[86] Müller, Catherine/Sander, Gudrun: Innovativ führen mit Diversity-Kompetenz. Bern 2009, S. 31.

[87] Tuli, Naveen: Trends in compensation of in-house counsel vs. external lawyer. In: Hambloch-Gesinn, Sylvie/Hess, Beat/Meier, Andreas L./Schiltknecht, Reto/Wind, Christian (Hrsg.): In-house Counsel in internationalen Unternehmen. Basel 2010, S. 98.

5.4 Entwicklung von Associates

5.4.1 Kriterien der Potenzialentwicklung

106 Die Entwicklung von Associates hat zum Ziel, deren Potenziale zu fördern. Diese Förderung muss in vier Stossrichtungen erfolgen:

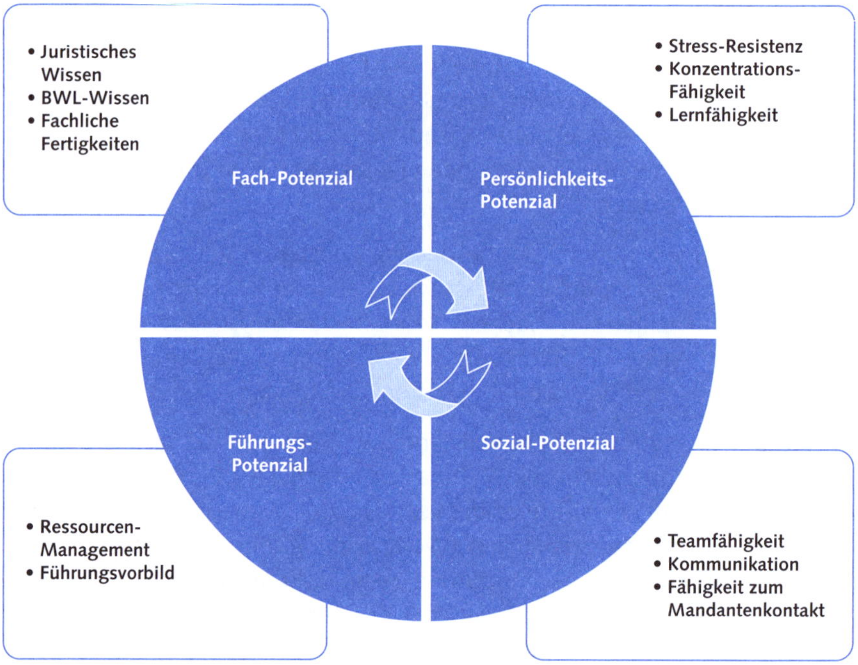

Abb. 9: Kriterien der Potenzialentwicklung (in Anlehnung an Hilb)[88]

5.4.1.1 Fachkompetenz

107 Im Zentrum der Förderung von Associates steht regelmässig die Entwicklung der Fachkompetenz. Viele Kanzleien pflegen diesen Aspekt intensiv, indem sie systematisch den Erfahrungs- und Wissenstransfer von den Partnern zu den Associates betreiben: Lunch- und Abendseminare zu juristischen Themen, die Anlage von Know-how-Sammlungen oder Fachgespräche in der Mandatsarbeit bzw. im Gespräch mit dem anwaltlichen Mentor dienen diesem Zweck.

[88] Hilb 2007, S. 143.

Zahlreiche Kanzleien unterstützen sodann Weiterbildungsanstrengungen ihrer Associates in anderen – aus kontinentaleuropäischer Sicht meist englischsprachigen – Jurisdiktionen, die sozusagen im Nebeneffekt auch dem Erwerb oder der Verbesserung der Fremdsprachenkompetenz förderlich sind. 108

Immer häufiger aber legen insbesondere grosse Wirtschaftsrechtskanzleien Wert darauf, dass ihre Associates auch betriebswirtschaftliche Kenntnisse erwerben.[89] Damit soll nicht nur die Schnittstellenkompetenz der jungen Anwälte gefördert werden. Es geht auch darum, den betriebswirtschaftlichen Kontext, vor dem ein Rechtsrat notwendig oder eine Transaktion konzipiert wird, besser zu verstehen. Angestrebt ist damit auch – indirekt – wieder die Verbesserung der juristischen Kompetenz. Oder mit anderen Worten: Wer eine Bilanz nicht lesen kann, ist wohl kaum in der Lage, beispielsweise die (juristische) Frage nach ausreichender Kapitaldecke des Unternehmens zu beantworten oder in einer Unternehmerscheidung die Qualität einer Bewertung von Unternehmensanteilen zu beurteilen. 109

Zu guter Letzt geht es bei der Förderung der Fachkompetenz immer auch um die Weiterentwicklung des juristischen Handwerkzeugs der Associates, der Fähigkeit, gut zu schreiben, gut zu argumentieren, gut zu präsentieren oder gut zu verhandeln. 110

5.4.1.2 Persönlichkeitskompetenz

Gefördert werden müssen sodann die Fähigkeiten, die in ihrer Summe als Persönlichkeitskompetenz bezeichnet werden. Hier geht es im Wesentlichen um die Frage, wie ich mich selber führe.[90] Wie gehe ich mit Belastungen um, die der Beruf des Anwalts mit sich bringt? Wie gelingt es mir, mich trotz vieler, oft nebeneinander laufender Mandate auf eine wichtige Aufgabe zu konzentrieren? Wie verbessere ich mein Zeitmanagement? Oder: Wie komme ich für mich zu einem Aktivitäten-Portfolio, das insgesamt gut ausbalanciert ist? 111

5.4.1.3 Sozialkompetenz

Mit wohl eine der wichtigsten Kompetenzen, die erfolgreiche Anwälte haben müssen, ist eine gut entwickelte Sozialkompetenz. Sie bestimmt letztlich darüber, wie gut ich mit 112

---

[89] Staub, Leo: Recht an der Executive School of Management, Technology, Economics & Law (ES-HSG) der Universität St.Gallen. In: Rechtliche Rahmenbedingungen des Wirtschaftsstandortes Schweiz, Festschrift 25 Jahre juristische Abschlüsse an der Universität St.Gallen (HSG), Zürich 2007, S. 681 ff.; derselbe: Management für Juristen. In: Der Betrieb Nr. 15/II, 4/2008, Düsseldorf 2008, Seite 18; derselbe: BWL für Anwältinnen und Anwälte. In: Anwalts Revue 3/2011, S. 135 ff. Gleiches gilt auch für Unternehmensjuristen in Rechtsabteilungen; vgl. dazu Schwung, Siegfried: Think Global – Welche Anforderungen werden an den Syndikusanwalt im Zeitalter der Globalisierung gestellt? In: Betriebs Berater Heft 45/2007, S. 2422.

[90] Heussen, Benno: Anwaltsunternehmen führen – Was bedeutet das? In: Anwalts Revue 6–7/2010, S. 260.

meinen Vorgesetzten, im Team und mit Mandanten interagiere. Anwälte müssen deshalb ihre Fähigkeit zur Zusammenarbeit und zum Zusammenleben mit anderen pflegen und entwickeln. Es geht darum, die Grundlagen guter, authentischer, empathischer Kommunikation zu beherrschen. Sie ist Basis für die Entstehung von Vertrauen, die wohl bedeutendste Ressource im Anwaltsgeschäft.

5.4.1.4 Führungskompetenz

113 Der Schritt vom Associate zum Partner schliesslich ist nur möglich, wenn auch die Führungskompetenz junger Anwälte gefördert wird. Der Umgang mit eigenen und Teamressourcen ist zuallererst die Fähigkeit zum Management, zur Organisation dieser Ressourcen. Dann aber müssen auch die «weichen» Faktoren der Führungskompetenz entwickelt werden, damit Associates auf ihrem individuellen Weg zur Führungspersönlichkeit vorankommen.[91]

5.4.2 Der Partner als Coach

114 Viele Kanzleien setzen für ihre Associates Mentore oder Coaches ein. Deren Aufgabe wurde schon an anderer Stelle beschrieben. Darauf sei hier verwiesen.[92]

5.4.3 Weiterbildung für Associates

115 Dass Partner ihre Associates in internen Seminaren juristisch weiterbilden, hat in vielen Kanzleien Tradition. Gerade Wirtschaftskanzleien haben ja oft Mühe, Associates zu rekrutieren, die optimal auf ihre Aufgaben in der Vertragsredaktion, im Transaktionsgeschäft oder Kapitalmarktrecht vorbereitet sind. Die juristische Ausbildung ist in vielen Universitäten eben noch stark auf eine Berufslaufbahn in der Allgemeinpraxis ausgerichtet.[93] Da hat die kanzleiinterne Weiterbildung in wichtigen wirtschaftsrechtlichen Themen einen herausragenden Stellenwert.[94]

116 Daneben fehlt in der klassischen Juristenausbildung – im Gegensatz zur Ausbildung beispielsweise an US-amerikanischen Law Schools – in aller Regel auch die Vermittlung von für die Berufsausübung als Anwalt wichtigen sogenannten *skills,* wie z.B. Verhand-

---

91 Vgl. vorstehenden Abschnitt 4.

92 Vgl. vorstehenden Abschnitt 3.2.

93 Drolshammer, Jens: Internationalisierung der Rechtsausbildung und Forschung – Eine Agenda für die interdisziplinär ausgerichtete Ausbildung zum in Wirtschaft und Management tätigen International Lawyer. Basel 2000, S. 94 ff. Druey, Jean Nicolas: Der juristische Lehrplan im Jahr 2050. In: Meier-Schatz, Christian (Hrsg.): Die Zukunft des Rechts. Basel 1999, S. 235, diskutiert schon früh die Frage, ob die Einheit des Juristenstands nur eine Fiktion ist, die der Realität nicht unbedingt standhält und sich die juristische Ausbildung daher auf die Bedürfnisse unterschiedlicher Anspruchsgruppen – darunter auch die «Wirtschaftsjuristerei» – einstellen muss. In seiner Schrift verneint er dann allerdings diese Frage.

94 Büchi, Raffael: Entwicklung und Weitergabe von Know-how in Schweizer Anwaltskanzleien am Beispiel von Bär & Karrer. In: Jusletter vom 7. März 2011, gefunden auf http://jusletter.weblaw.ch/article/de/_9097?lang=de, gefunden am 7. November 2011. Heussen 2011, S. 213 f.

lungstaktik, Kommunikations-, Präsentations- und Interviewtechniken oder Führen eines «Verkaufsgesprächs». In den meisten Kanzleien ist das Fachwissen zur internen Schulung solcher Themen nicht ausreichend vorhanden. Es wird daher oft der Ausweg über das Engagement externer Schulungsanbieter gesucht.

Das grösste Ausbildungsdefizit bei frisch in die Wirtschaftsrechtspraxis einsteigenden 117
jungen Jura-Absolventen besteht indes wohl bei den Basiskenntnissen in Betriebswirtschaft. Wer aber soll Unternehmensmandanten juristisch kompetent beraten, wenn er vom betriebswirtschaftlichen Kontext, in den sein Rechtsrat eingebettet ist und zu dem es zahllose Interdependenzen gibt, nichts versteht? Wie soll sich ein Mandant bei einem Anwalt aufgehoben fühlen, wenn dieser fachlich nicht in der Lage ist, dessen Geschäft zu begreifen und dessen «Sprache» zu reden? Und schliesslich: Erfordert nicht die Übernahme von Verantwortung als Partner auch die Erfüllung von Führungs- und Gestaltungsaufgaben im Unternehmen Anwaltskanzlei?

Es gibt zwar Jura-Fakultäten, auch in Kontinentaleuropa, die mittlerweile Einführungsver- 118
anstaltungen zu den wichtigsten betriebswirtschaftlichen Themen anbieten.[95] Umfang und Qualität dieser Veranstaltungen genügen aber den Anforderungen der Praxis oft nicht. Jura-Lehrgänge, die ein vertieftes Verständnis der Funktionsweise von Unternehmen vermitteln, sind immer noch die Ausnahme.[96] Einzelne grosse Kanzleien, die sich nicht auf die wenigen offen ausgeschriebenen Weiterbildungslehrgänge für Anwälte verlassen wollen, sind daher in jüngerer Zeit dazu übergegangen, in Zusammenarbeit mit renommierten Universitäten eigene Weiterbildungsprogramme für ihre Associates zu konzipieren, die (auch) – sorgfältig auf die Bedürfnisse von Anwälten abgestimmte – betriebswirtschaftliche Kenntnisse vermitteln und wichtige anwaltliche Fähigkeiten trainieren.[97]

---

95 Führende Law Schools in England und in den USA aber haben den Trend erkannt und bieten in Zusammenarbeit mit renommierten Business Schools entsprechende Kurse für Jura-Studierende an. Vgl. dazu Palin, Adam: A marriage of convenience – Schools reject silo mentality of the past. In: Financial Times, Beilage «Innovative Law Schools» vom 28. November 2011, S. 4 f.

96 An der Universität St. Gallen besuchen Jura-Stunden in allen juristischen Studiengängen betriebswirtschaftliche Grundlagenvorlesungen; im Lehrgang «Law and Economics» besteht gar rund ein Drittel des gegenüber dem Regelstudiengang «Law» erweiterten Curriculums aus Veranstaltungen in Betriebs- und Volkswirtschaft. Vgl. http://www.unisg.ch/Schools/Law/Lehre+Weiterbildung.aspx, gefunden am 7. November 2011. Daneben existieren Aufbaustudiengänge für junge Jura-Absolventen, die auf eine wirtschaftsrechtliche Laufbahn vorbereiten und deshalb auch einzelne betriebswirtschaftliche Themen behandeln, oder Weiterbildungs-Lehrgänge für erfahrene Anwälte in Betriebswirtschaft (vgl. http://www.es.unisg.ch/org/es/es.nsf/wwwContentGer/MPLP?opendocument, gefunden am 7. November 2011).

97 Beispiele: Freshfields Bruckhaus Deringer «Career Milestones» (http://stepintothecircle.com/contentTwo.aspx? mid=32&parentId=6, gefunden am 7. November 2011); Hengeler Mueller «HM Akademie St. Gallen» (http://www.hengeler.com /karriere/hm-akademie-st-gallen/, gefunden am 7. November 2011); Bär und Karrer «Bär & Karrer College» (http://www.baerkarrer.ch/contents/index/lang/de/mid/34, gefunden am 7. November 2011).

5.4.4 Promotion von Associates

5.4.4.1 Promotion zum Partner

119 Selbst in einer Zeit, in der der Schritt vom Associate zum Partner auch bei entsprechender Qualifikation nicht mehr selbstverständlich ist, bleibt die Promotion zur Partnerschaft für viele junge Anwälte das angestrebte Ziel. In der Kanzleipraxis gibt es grundsätzlich zwei Promotionsmodelle:

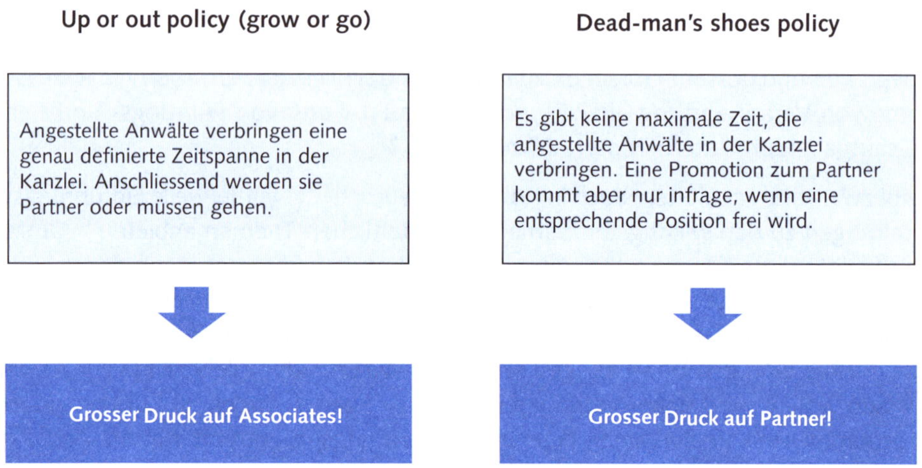

Abb. 10: Promotionsmodelle in der Anwaltskanzlei

5.4.4.2 Up or out

120 *Up or out* bedeutet in der Praxis meistens, dass den neu eintretenden Associates gleich zu Beginn der Fahrplan zur Partnerschaft bekannt gegeben wird. Auf einer Zeitachse von vielleicht fünf bis sieben Jahren wird festgelegt, zu welchen Zeitpunkten und nach Massgabe welcher Kriterien die Leistung des Associate beurteilt wird. Für einen bestimmten Punkt auf dieser Zeitachse wird die Entscheidung in Aussicht gestellt, ob der junge Associate Aussichten hat, Partner zu werden oder die Kanzlei verlassen muss.[98]

121 Für die Associates hat dieses Modell den grossen Vorteil, dass der Prozess bis zur Entscheidung über die Promotion zum Partner transparent und berechenbar ist. In kleineren und mittleren Kanzleien kann überdies ein grosser Teil jener Associates, die eine gute

98 Pfeil, Marcus: Das Klub-Prinzip. In: Band Eins 09/10, S. 123 ff.; Ringlstetter, Max: Strategische Entwicklungsoptionen für Professional Services Firms. In: Betriebs Berater Beilage 111, Heft 41/2005, S. 7, stellt überzeugend dar, dass für Kanzleien, die das Modell *up or out* leben, geradezu ein Zwang entsteht zu wachsen.

Leistung erbringen, darauf hoffen, die Promotion zu schaffen. Voraussetzung ist, dass die Kanzlei insgesamt wächst, der Ausbau der Infrastruktur mit diesem Wachstum Schritt hält und der angestrebte Leverage[99] bereits erreicht ist. In Kanzleien, die zu den Grossen im Markt gehören, und bei denen die Partner davon ausgehen, dass die Zielgrösse bereits erreicht ist, stehen die Aussichten auf eine Promotion naturgemäss schlechter. In den letzten Jahren konnten sich noch rund 5% eines Associate-Jahrganges bei den grossen deutschen Kanzleien Chancen auf den Sprung in die Partnerschaft ausrechnen.

Up or out hat zur Folge, dass die Associates unter grossem Wettbewerbsdruck stehen. 122
Sie müssen nachweisen, dass sie für die laufend entstehenden, aber pro Jahrgang seltenen Partnerpositionen die richtige Besetzung sind.

5.4.4.3 Dead man's shoes

Dead-man's shoes heisst in der Regel, dass nur Partner werden kann, wer für einen aus- 123
scheidenden Partner nachrückt. Ob die Chance dazu gut oder schlecht ist, hängt in solchen Kanzleien wesentlich von der Altersstruktur ab. In kleineren Kanzleien, in der noch die Gründungspartner tätig sind, ist in der Praxis gelegentlich zu beobachten, dass die meisten der Partner in einem relativ engen Altersband liegen. Im Extremfall haben ein paar Studienkollegen die Kanzlei gegründet und sind miteinander älter geworden. Rückt nun das Pensionsalter näher, steht eine «Rundumerneuerung» der Gruppe der Partner an. Tritt man als Associate im richtigen Zeitpunkt in eine solche Kanzlei ein, ist die Promotion zur Partnerschaft – bei guter Leistung – eine realistische Option. In allen anderen Fällen aber wird es schwierig. Wegen des fehlenden Wachstums der Kanzlei ist der Weg nach oben oft verschlossen.

Kanzleien mit *dead-man's shoes* laufen überdies Gefahr zu überaltern, weil in der Regel 124
nur neue Partner berufen werden, wenn ein altershalber ausscheidender Partner zu ersetzen ist.

In diesem Modell stehen vor allem die bisherigen Partner unter Druck. Sie sind es, die 125
auch in vorgerücktem Alter nachweisen müssen, dass sie voll leistungsfähig sind und ihren ungeschmälerten Anteil an das Partnereinkommen beizusteuern vermögen. Tauchen junge Anwälte auf, die im Vergleich zu den Bisherigen einen bedeutend überzeugenderen Business Case darstellen können, wird es für ältere Partner oft eng.

5.4.4.4 Wettbewerb der Promotionsmodelle

Junge Leute werden – von Ausnahmen in ganz bestimmten Konstellationen abgesehen – 126
trotz der damit verbundenen Risiken eher dazu neigen, das Stellenangebot einer Kanzlei anzunehmen, die das Modell *up or out* leben. Selbst wenn in Betracht gezogen wird, dass der Aufstieg in die Partnerschaft die Ausnahme von der Regel ist, bleibt der Pro-

[99] Leverage = Anzahl Associates pro Partner.

zess doch transparent und damit berechenbar. Ausserdem ist die Chance zur Partnerschaft in der Regel auch mathematisch günstiger, wird doch unter der Annahme, dass die Anzahl Partner insgesamt stabil bleibt, innerhalb von 20 Jahren der Bestand der Partner einmal erneuert. Weil diese Kanzleien ausserdem meist wachsen, präsentiert sich die kalkulierte Chancen-Quote gar noch etwas günstiger. Im Modell *dead-man's shoes* ist diese hingegen deutlich schlechter,[100] wenn man von einer Verweildauer eines Partners in der Kanzlei von dreissig Jahren (und ebenfalls stabilem Bestand) ausgeht, was in kleineren und mittleren Kanzleien durchaus üblich ist.

5.4.4.5 Ernennung zum Counsel

127 In jüngerer Zeit sind vor allem grössere Kanzleien dazu übergegangen, neben dem Segment der Associates und jenem der (Equity-)Partner ein drittes Personalsegment zu etablieren. Die Angehörigen dieses Segmentes, das zwischen dem Associate und dem Partner angesiedelt ist, werden gelegentlich als *Counsel*[101] oder *Salary*-Partner bezeichnet.

128 Mit der Schaffung von *Counsel*-Positionen soll jungen Associates die Möglichkeit gegeben werden, über die Associate-Zeit hinaus als Angestellte in der Kanzlei zu verbleiben. Für die Kanzlei kann ein solches Modell durchaus Vorteile bringen: Gute Kräfte können gehalten werden, ohne dass die Komplexität im Willensbildungsprozess der Partnergremien steigt und der Kanzleigewinn auf (noch) mehr Köpfe verteilt werden muss.

129 Eine mögliche Gefahr der Anstellung einer erheblichen Anzahl von Counsel besteht aber natürlich darin, dass die Partner-Kultur in der Kanzlei Schaden nimmt. Zwar tragen Counsel wesentlich zum Kanzleierfolg bei und treten in der Regel auch im Verkehr mit den Mandanten prominent in Erscheinung. Sie sind aber letztlich nicht als Eigner der Kanzlei in deren Strategieentwicklungsprozess eingebunden und tragen auch keine unternehmerischen Risiken. Möglicherweise ist deshalb deren Bindung an die Kanzlei nicht gleich gross wie jene der Partner. Jene Kanzleien, die bisher *Counsel*-Positionen geschaffen haben, haben dies deshalb zurückhaltend getan. Die Anzahl solcher *counsel* in den betreffenden Kanzleien ist eher gering.

5.4.5 Begleitung beim Austritt von Associates

130 Wegen der insgesamt doch kleinen Chance, den Schritt vom Associate zum Partner zu schaffen, treten – insbesondere in grossen Kanzleien – die meisten jungen Anwälte nach ein paar Jahren der Anstellung wieder aus ihrer Kanzlei aus. Sie gründen eine eigene Kanzlei, wechseln als Counsel oder Partner zu einem Wettbewerber oder werden Unternehmensjuristen in einer Rechtsabteilung.

---

[100] Lechner, Christoph/Kreutzer, Markus: Dimensionen der Führung von Beratungsunternehmen. In: ZUb 2/07, S. 55.

[101] Heussen 2011, S. 134 f.

Für die bisherige Kanzlei ist es wichtig, zu ausscheidenden Associates ein gutes Verhältnis zu pflegen, treten diese doch nicht selten auf dem Markt später wieder als potenzielle Mandanten oder Mandatsmittler in Erscheinung. Gelingt es, zu den Ehemaligen einen guten Kontakt aufrechtzuerhalten, besteht durchaus die Möglichkeit, von der Rechtsabteilung, in der der Betreffende heute arbeitet, mandatiert zu werden. Oder die «alte» Kanzlei findet Berücksichtigung, wenn wegen einer Interessenkollision oder aus anderen Gründen die Mandatierung der neuen Kanzlei nicht möglich ist. 131

Einzelne Kanzleien sind dazu übergegangen, diesen Schritt ihrer Associates hinaus aus der Kanzlei systematisch zu gestalten, indem beispielsweise für die Associates gezielt nach einer Anstellung in der Rechtsabteilung eines bisherigen oder potenziellen Mandanten gesucht wird. Gelegentlich werden gar die Weiterbildungsinhalte während der Associate-Zeit bereits so ausgewählt, dass damit die Vorbereitung auf eine Tätigkeit in einer Rechtsabteilung unterstützt wird, indem beispielsweise gezielt Wissen über die Funktionsweise von Unternehmen vermittelt wird. Manchmal kommt es ausserdem vor, dass die «alte» Kanzlei in gewissen Gebieten mit dem Spin-off ihrer Associates zusammenarbeitet. In der Praxis gibt es auch – namentlich grosse – Kanzleien, die eigentliche Alumni-Organisationen für ihre ehemaligen Associates betreiben, die mit Weiterbildungsveranstaltungen und informellen Treffen dafür besorgt sind, dass der Kontakt mit der Kanzlei nicht abreisst und das Wohlwollen der Ehemaligen ihrem früheren Arbeitgeber gegenüber erhalten bleibt. 132

6. Partnermanagement

6.1 Partnerkultur

Die Kultur[102] im Kreise der Partner einer Kanzlei ist oft in einer recht delikaten Balance. Dies ist namentlich deshalb der Fall, weil die Partner im Zusammenspiel miteinander drei völlig unterschiedliche Rollen einnehmen: 133

[102] Zum Begriff der Unternehmenskultur vgl. Rüegg-Stürm, Johannes: Das St. Galler Management-Modell. Bern 2002, S. 55 f. Nach ihm umfasst der Begriff der Unternehmenskultur alle symbolischen Bezugspunkte und Gewissheiten, an denen sich Unternehmensangehörige orientieren, namentlich die im Unternehmen geltenden Normen und Werte, Einstellungen und Haltungen, aber auch etwa Sprachregelungen oder Denkmuster.

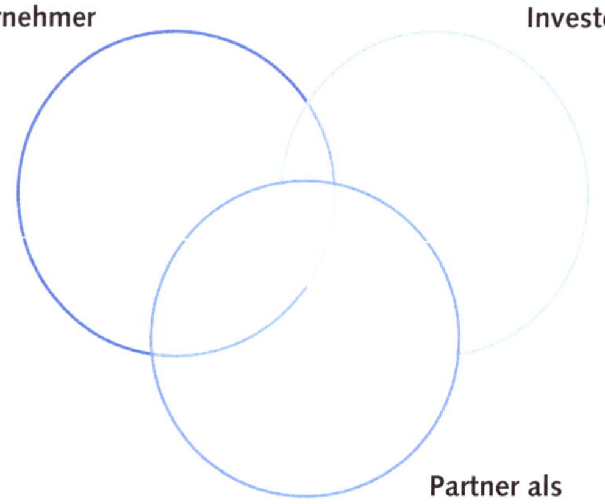

Abb. 11: Partnerrollen in der Kanzleikultur

6.1.1 Der Partner als Unternehmer

134 Jeder Partner ist als (Mit-)Eigner der Kanzlei Unternehmer. Er möchte deshalb selbstverständlich auch in allen wesentlichen Entscheidungen mitbestimmen.[103] Dieses Bedürfnis nach Mitbestimmung kann in kleinen Kanzleien, in denen Entscheidungen noch sehr informell zustande kommen, in der Regel gut ausgelebt werden. Man trifft sich zu einer kurzen Bürositzung, zum Lunch, beim Kaffee oder zum Bier und diskutiert die anstehenden Fragen. In den häufigsten Fällen werden einvernehmliche Lösungen gefunden.

135 In grösseren Verhältnissen genügt dies nicht mehr. Es sind formelle Prozesse und Strukturen erforderlich, um unternehmerische Entscheidungen zu treffen.[104] Oft tritt das Mehrheitsprinzip anstelle des Einstimmigkeitsprinzips. In der Praxis bedeutet dies, dass insbesondere Entscheidungen von strategischer Bedeutung «vorbereitet» werden. Es werden Verbündete gesucht, Koalitionen gebildet. Die Diskussion und die formelle Entscheidung im dazu zuständigen Gremium sind häufig nicht mehr ganz frei. Partner, denen es nicht gelingt, Anschluss an solche Koalitionen zu finden, sehen sich in ihrem Anspruch, als Unternehmer gleichberechtigt mit ihren Partnern Einfluss zu nehmen, beschnitten. Das kann dann und wann zu ernsthaften Störungen im Verhältnis der Partner zueinander führen.[105]

---

[103] Müller-Stewens, Günter/Drolshammer, Jens: Managing the International Law Firm – Nuisance or Necessity. In: European Journal of Law Reform, Volume 2, Issue 4, 2000, S. 644 f.

[104] Vgl. Kapitel 3 vorstehend.

[105] Heussen 2010, S. 261.

6.1.2 Der Partner als Investor

Die Partner sind aber auch Investoren. Gerade in der Gründungsphase einer Kanzlei oder in Zeiten, in denen eine Kanzlei stark wächst, müssen Partner zur Finanzierung beitragen. Sie stehen deshalb mit ihrem Kapital im Risiko. 136

Verschiedene Partner gehen unterschiedlich mit diesem Risiko um. Das kann seine Ursache in unterschiedlichen wirtschaftlichen Verhältnissen haben, in denen Partner leben. Bereits länger als Anwalt tätigen Partnern, denen es gelungen ist, Reserven anzulegen, wird die Eingehung von Risiken leichter fallen als jungen Partnern, die noch am Anfang der privaten Vermögensbildung stehen. Oder – dies wird namentlich im *Merit-based-*Einkommensmodell[106] vorkommen – Partner, die in Rechtsgebieten mit hoher Wertschöpfung tätig sind, werden leichter Ja sagen zu Investitionen als solche, die in Rechtsgebieten mit geringeren Verdienstmöglichkeiten arbeiten. Auch dieser Umstand hat das Potenzial zu Spannungen in der Partnerschaft. 137

6.1.3 Der Partner als Anwalt

Schliesslich sind Partner auch Anwälte. Sie bringen sich mit ihren individuellen, oft durch die Tätigkeit als Einzelkämpfer im Dienste ihrer Mandanten geprägten Persönlichkeitsmerkmalen in die Partnergemeinschaft ein. Als Anwälte sozialisiert, sind sie es sich gewohnt, im Zuge der Wahrnehmung von Interessen auch Streit in Kauf zu nehmen.[107] Kommt hinzu, dass die Vorstellungen der einzelnen Anwälte über die kanzleiweit zu gewährleistenden Dienstleistungsstandards gelegentlich deutlich auseinander gehen. Die individuelle Wahrnehmung von Qualität ist in Bezug auf die eigene Leistung häufig klar positiver als die Perzeption der Qualität von Leistungen, die von Kollegen erbracht wird. Dies kann namentlich dann zu Problemen führen, wenn es darum geht, Schwierigkeiten zu bewältigen und in Krisen zu bestehen. 138

6.1.4 Balance der Rollen und Partnerkultur

Im Spannungsfeld dieser Rollen ist die Schaffung und Aufrechterhaltung einer guten Kultur im Kreise der Partner und damit in der Kanzlei eine anspruchsvolle Aufgabe. Hier kommt es sehr wesentlich auf den Einfluss an, den die «Leitfiguren» im Kreise der Partner auszuüben vermögen. Eine echte Partnerkultur, die den unterschiedlichen Rollen der Partner in der Kanzlei gerecht wird, wird sich nur dann herausbilden, wenn es gelingt, *good* Leadership zu etablieren, in der Individualität auf der Basis gegenseitigen Vertrauens möglich ist. 139

---

[106] Vgl. Kapitel 5 nachstehend.

[107] Hartung, Markus: (K)Ein Bermudadreieck – Anwälte, Strategien, Konflikte. In: Deutscher AnwaltSpiegel, Printausgabe 2009/2010, S. 28; Maister, David: Are Law Firms Manageable? 2006, S. 1 ff., gefunden auf www.davidmaister.com.

6.2 *Lateral Hires*

140 Üblicherweise stossen neue Anwälte als Associates zur Kanzlei. Es kommt aber auch vor, dass Partner einer Kanzlei zu einer anderen Kanzlei wechseln. In früheren Jahren waren solche Wechsel die grosse Ausnahmen. In jüngerer Zeit aber kommen sie häufiger vor.[108] Aus Sicht der Kanzlei, zu der solche Partner – in der Regel wiederum als Partner – stossen, werden diese Fälle als *lateral hires* bezeichnet.

141 *Lateral hires* haben namhafte Vorteile: Kanzleien können so ohne grosse Entwicklungs- und Ausbildungsinvestitionen in Bereiche vorstossen, die ihnen bisher verschlossen blieben. Da die neu hinzu gestossenen Anwälte oft über eine gute Reputation als Spezialisten in ihrem Gebiet, über einen eigenen Mandantenstamm und über ein ausgebautes Beziehungsnetz verfügen, ist auch der weitere Ausbau des neuen Geschäftsfeldes einfacher möglich als dies bei einem eigenen Aufbau der entsprechenden Aktivitäten der Fall wäre. *Lateral hires* haben überdies den Vorzug, dass dank der Erfahrung der neuen Kollegen die mit dem Vorstoss in ein neues Rechtsgebiet verbundenen Haftungsrisiken eher gering bleiben. Und: Entwicklungen im Privatleben von erfahreneren Kollegen sind gelegentlich – nicht immer – besser vorhersehbar als jene von jungen Leuten, bei denen noch Themen wie Weltreisen, Zusatzstudien oder Mutterschaft aktuell sind.

142 Ein solcher Schritt ist aber auch mit Nachteilen verbunden: Die Kanzlei übernimmt «fertige» Anwälte als Partner, die in einer anderen Kultur geformt wurden und ihre eigene Persönlichkeit ausgebildet haben. Die Integration der neuen Kollegen in den Kreis der Partner ist deshalb anspruchsvoll[109] und wird selten ohne Friktionen ablaufen. Es muss ein Akklimatisierungs- und Adaptionsprozess einsetzen, dessen Ausgang ungewiss ist. Die Gefahr, dass die Partnerschaft Abstossreaktionen zeigt, oder dass im Zuge der Integration der neuen Partner bisherige Kollegen abspringen, ist da, selbst wenn alle Beteiligten guten Willens sind. Damit verbunden ist das Risiko von Irritationen bei Mandanten oder von Kollateralschäden im Kreise der Associates. Und nicht zuletzt ist auch für den neu dazu stossenden Partner mit dem Zugang zur neuen Kanzlei ein nicht unerhebliches «Kultur-Risiko» verbunden.[110]

6.3 Formen der Partnerschaft

143 Meist gibt es nur eine Form der Partnerschaft, mit der die Übernahme gleicher Rechte und Pflichten sämtlicher Kanzleieigner einhergeht.

144 Gelegentlich ist in der Praxis aber zu beobachten, dass Kanzleien eine Art Vorstufe zur eigentlichen Partnerschaft eingerichtet haben. Die Angehörigen dieser Vorstufe wer-

[108] Schieblon, Claudia: Management in Kanzleien. In: Schieblon, Claudia (Hrsg.): Kanzleimanagement in der Praxis. Wiesbaden 2011, S. 19.
[109] Rizor Stefan 2011, S. 61.
[110] Heussen 2011, S. 135 f.

den dann als Salary Partner bezeichnet, womit der Unterschied zu den Equity Partners veranschaulicht ist. Die Salary Partner sind zwar nach einem bestimmten Schlüssel am Gewinn der Kanzlei beteiligt. Sie tragen aber kein unternehmerisches Risiko und haben dementsprechend auch kein Mitspracherecht in unternehmerischen Entscheidungen. Oft ist nach ein paar Jahren der Zugehörigkeit zu dieser Form der Partnerschaft der Übertritt in den Status eines Equity Partner vorgesehen. In den Kanzleien, die das lock-step-Modell leben, ist der Übertritt meist nicht mit einem Einkauf in die Partnerschaft verbunden.[111] Bei Kanzleien, die für sich ein *Merit-based*-Modell gewählt haben, sind gelegentlich Einkäufe zu beobachten. Damit soll dann der Vorteil abgegolten werden, den die bisherigen Partner mit ihrem Markterfolg für neu in die Partnerschaft eintretende Kollegen geschaffen haben.

6.4 Vom Umgang mit *Performance*-Druck

Nicht nur Associates stehen unter Druck, quantitativ und qualitativ überzeugende Leistungen zu erbringen. Auch Partner spüren Leistungsdruck, namentlich im lock-step-Modell. Wenn einer der Partner aus dem – oft nur implizit – vorgegebenen Rahmen der Leistungserwartungen fällt, braucht es keine ausdrückliche Rüge seiner Kollegen, um diesen Druck zu erzeugen. In der Regel genügt bereits Transparenz: häufiger Urlaubsbezug, kürzere Verweilzeiten im Büro, geringere Auslastung der zugeteilten Associates, spärlicher Fluss an Neumandaten, hohe pro-bono-Leistungen, schlechtes Mandanten-Feedback, hohe Belastung der internen Ressourcen oder grosse Fluktuation im eigenen Team werden von allen sehr schnell wahrgenommen. 145

Der betreffende Partner fühlt sich unwohl, auch wenn seine Leistung nicht explizit zum Thema wird. Hält dieser Zustand mangelhafter Performance über längere Zeit an, entstehen Spannungen in der Partnerschaft. Keine Kanzlei wird dauerhaft zusehen, wenn einzelne Kollegen das Partnereinkommen schmälern *(lock step)* oder die Reputation der Kanzlei beschädigen. Es ist dann die Aufgabe der Partnergemeinschaft bzw. des Managing Partner, das Problem zu lösen. Dies erfordert grosse Umsicht und – noch wichtiger – das notwendige Einfühlungsvermögen. Der betreffende Kollege hat ja möglicherweise früher grosse Verdienste um die Entwicklung der Kanzlei erworben, oder der Leistungseinbruch ist auf einen Schicksalsschlag oder eine Krankheit zurückzuführen. Dennoch kann der unbefriedigende Zustand nicht unbeschränkt lange andauern und muss eine Entscheidung getroffen werden. 146

---

[111] Das hat seinen Grund im Umstand, dass das lock-step-Modell den stufenweisen, von der Zeit des Verbleibs in der Kanzlei abhängigen Aufstieg zu einem grösseren Anteil am Kanzleigewinn vorsieht. Die älteren Partner werden von den jüngeren auf diese Weise für ihre «Vorleistung» entschädigt. Vgl. dazu Kapitel 5 nachstehend.

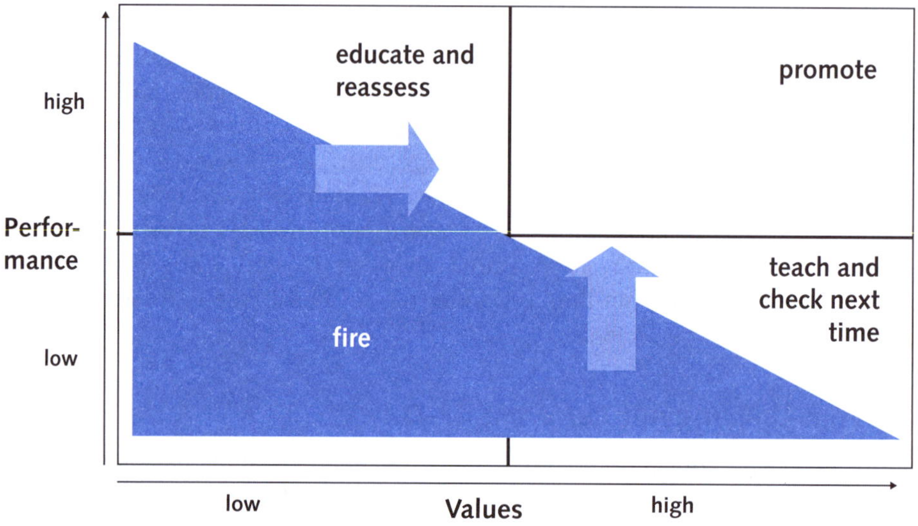

Abb. 12: «Jack-Welsh-Schema» nach Gutzwiller[112]

147 Stimmt die Performance des betreffenden Partners nicht, teilt er aber die gemeinsamen Werte und trägt er wesentlich bei zur guten Kanzleikultur, wird der Managing Partner danach trachten, ihn zu unterstützen und ihm zu helfen, die Leistungsziele zu erreichen. Ist die Aussicht realistisch, dass dies mit Sukkurs der Kollegen gelingt, soll der Partner – auch wenn eine Durststrecke zu überwinden ist – weiterhin gleichberechtigt mit den übrigen Partnern der Kanzlei angehören dürfen. Fehlt dieses Element der gemeinsam getragenen Kultur aber, wird es unumgänglich sein, sich von dem Kollegen zu trennen.

6.5 Ausscheiden aus der Partnerschaft

148 Eine Trennung kann auch dann angezeigt sein, wenn die Leistung des betreffenden Partners zwar hoch, die durch sein Verhalten oder durch einzelne Persönlichkeitsmerkmale verursachte Störung der Kanzleikultur aber so gewichtig ist, dass die Nachteile des Verbleibs des Kollegen in der Kanzlei die damit verbundenen Vorteile überwiegen.

149 Ob nun die Leistung eines Partners dauerhaft ungenügend ist, er in den Ruhestand übertreten will oder sich eine Trennung aus einer Unvereinbarkeit mit der Kanzleikultur aufdrängt: Es ist von grosser Bedeutung, dass das Partnerverhältnis auf anständige, wertschätzende Weise aufgelöst wird. Nur so ist gewährleistet, dass gegebenenfalls eine geordnete Übertragung der Mandate des betreffenden Kollegen auf jüngere Kräfte

112 Gutzwiller 2010, S. 95.

in der Kanzlei stattfinden kann und keine Risiken dadurch entstehen, dass unschöne Geräusche im Streit um die Umstände und Modalitäten der Trennung ihren Weg in die Öffentlichkeit und zu Mandanten finden. Ausserdem ist ja nie ausgeschlossen, dass einmal getrennte Wege später wieder zusammenführen können. Gelingt die Trennung nicht in guter Weise, ist diese Aussicht wohl kaum mehr realistisch.

Der schrittweise Übergang von Partnern in den Ruhestand ist in vielen Kanzleien ein 150
brennendes Problem. Wenn man sich mit erfahrenen Anwälten unterhält, hört man oft, dass der plötzliche und gänzliche Ausstieg aus dem Beruf als unattraktiv wahrgenommen wird. Als Wunschbild wird oft ein Prozess skizziert, der den allmählichen Übergang vom vollen Einsatz über eine Phase reduzierter Aktivität in den Ruhestand beschreibt. Und auch die Kanzlei hat gewöhnlich ein Interesse daran, dass die Erfahrung und die Beziehungen eines älteren Kollegen weiterhin für die Kanzlei genutzt werden können. Nur: Das auf Hochleistung ausgelegte Geschäftsmodell vieler Kanzleien lässt oft wenig Raum für Modelle, die einen sanften Ausklang der Anwaltslaufbahn und den Übertritt in den Ruhestand erlauben.

Kleinen, auf der Persönlichkeit einzelner Partner gründender Kanzleien gelingt es in der 151
Regel besser, «Speziallösungen» zu finden, die den Interessen sowohl der ausscheidenden Partner wie auch der Kanzlei gerecht werden. In jüngerer Zeit aber bemühen sich auch einzelne der internationalen Grosskanzleien um entsprechende Modelle. Es wird darüber nachgedacht, welche Wege Partnern für einen allmählichen Ausstieg aus der Kanzlei eröffnet und wie die betreffenden Partner auf diesem Weg unterstützt werden können. Die diskutierten Ideen reichen von speziellen Weiterbildungsprogrammen für ältere Partner über Coaching-Angebote bis zu Modellen, die eine Weiterbeschäftigung dieser Partner in einer geänderten Rolle als Mitglieder eines «Rats der Weisen» oder als Delegierte der Kanzlei für Sonderaufgaben vorsehen.

B. Leadership in einer Anwaltskanzlei: Anspruch und Herausforderung

Marcus Heidbrink

1. Einleitung

1 In diesem Artikel zeigen wir Trends des gesellschaftlichen Wandels auf, die Rückwirkungen auf das organisationale Zusammenleben und hier insbesondere auf die Anforderungen an Führungskräfte in Organisationen haben. Wir reflektieren zwei Gründe, welche nahelegen, dass das Thema Leadership in Kanzleien weiter an Bedeutung gewinnt und die Antworten auf die Frage nach «Guter Führung?» heute anders ausfallen als noch vor zehn Jahren. Seit nunmehr über sechzig Jahren wird die Effektivität unterschiedlicher Führungsstile erforscht. Die aktuell vorliegenden Metaanalysen geben eine eindeutige Empfehlung vor für den richtigen Stil effektiver Führung. Es wird aufgezeigt, dass ein reines Steuern über Strukturen, Systeme, Anforderungskriterien und vordefinierte Karrierewege nicht hinreichend ist im härter werdenden Kampf um die Talente. Die Gewinnung und dauerhafte Bindung der Top-Absolventen und das Abfordern von Hochleistung für das gesamte Team über einen längeren Zeitraum hinweg verlangen einen Führungsstil, der die Mitwirkenden nicht nur als Funktionsträger in einem maschinellen Wertschöpfungsprozess auffasst, sondern einen, der den ganzen Menschen berücksichtigt. In diesem Beitrag werden zunächst die Anforderungen an Führungskräfte im Wandel der Zeit und die Ergebnisse der aktuellen Leadership-Forschung präsentiert. Darauf aufbauend vertiefen wir den gemäss des momentanen Forschungsstands empfohlenen Führungsstil der transformationalen Führung und geben praktische Empfehlungen zum weiteren Aufbau von Leadership in Kanzleien.

2. Die Anforderungen an Führungskräfte im Wandel der Zeit

2 Die Anforderungen an Führungskräfte verändern sich über die Zeit.[1] Führung in Kanzleien findet nicht in abgeschlossenen Systemen statt; vielmehr wirken sich die gesellschaftlichen Tendenzen und soziologischen Modernisierungstrends auf die Anforderungen an die Partner und Führungskräfte aus. Als besonders einflussreich erweisen sich die zwei folgenden Entwicklungen:

---

[1] Heidbrink, M. & Jenewein, W.: Individualisierung der Führung. In: Zeitschrift Führung und Organisation ZfO 5/2008, S. 315 ff.

2.1 Hier kommt die Generation Y

3 Kanzleien verschiedener Grösse berichten in den letzten Jahren, es sei schwerer geworden, unternehmerisch denkende junge Anwälte für ihre Organisationen zu gewinnen. Kanzleien stehen im Kampf um die besten Absolventen in ständigem Wettbewerb, nicht nur mit den beträchtlichen Einstiegsgehältern grosser Kanzleien, sondern auch vermehrt mit Wirtschaftsunternehmen der Industrie und der Consultingbranche sowie dem Staatsdienst. Auch wenn die Staatsanwalts- und Richterpositionen nicht mit den Gehältern der Grosskanzleien konkurrieren können, so ist der öffentliche Dienst nach wie vor als Arbeitgeber sehr beliebt. Als Wunscharbeitgeber Nummer eins gilt beispielsweise unter deutschen Juraabsolventen seit Jahren das Auswärtige Amt.[2] Hier landen jedes Jahr etwa 3000 Bewerbungen auf vierzig offene Stellen. Dies skizziert den viel umschriebenen *war for talents.*

4 Ein weiterer Fakt lässt viele der heutigen Kanzlei-Partner den Kopf schütteln: Die jungen Top-Absolventen, die sie für ihre Kanzlei gewinnen, streben gar nicht mehr um jeden Preis die Partnerebene an. Eine Wochenarbeitszeit von sechzig bis achtzig Stunden wollen viele Hochschulabgänger nicht mehr leisten. Ein Belohnungsaufschub bis zur Partnerebene kommt für viele nicht infrage, zumal sich herumgesprochen hat, dass selbst mit einem einmal erreichten Partnerstatus nicht plötzlich die goldene Erntezeit ausbricht. Die Mitglieder der nachwachsenden Generation akzeptieren die eindimensionale Um-Zu-Welt nicht mehr, in der sich das Wohlbefinden am Arbeitsplatz abkaufen liess gegen materielle Entlohnung, mit der man sich dann in der spärlichen Freizeit die Dinge leisten kann, die eigentlich Freude bereiten. Es geht nicht nur um eine Balance zwischen Work und Life, sondern die Arbeit selbst soll schon als wertvoller Teil des Lebens Erfüllung bringen.

5 Was ist das für eine seltsame Generation, die den Arbeitsmarkt betritt? Faul, ohne Ehrgeiz und hedonistisch? Diese Generation der 1979 und jünger geborenen Nachwuchskräfte, die Generation Y (sprich «*Why?*»), unterscheidet sich in Werten und Wünschen an einigen Stellen signifikant von den vorherigen Generationen. Als wesentliche Antreiber der Helden der Arbeit, wie Soziologen die Generation der 1945–65er betiteln, gelten vorrangig Status, Sicherheit, Geld und Macht. Diese Generation hat Werte wie Disziplin, Gehorsam und Pflichtbewusstsein verinnerlicht. Demgegenüber fragt die Generation *Y* nach dem Wozu, nach der Sinnhaftigkeit des eigenen Tuns und nach der gesellschaftlichen Relevanz ihrer Arbeit. Werte wie Individualität, Flexibilität, Freude und Internationalität stehen ganz oben auf der Prioritätenliste.

---

[2] Trendence Institut: Das Deutsche Absolventenbarometer 2011 – Law Edition. http://www.trendence.com/133.html?&L=1 (Abfrage vom 15.8.2011).

6 Die Ypsiloner der Generation Y sind die Führungskräfte von morgen. Die Kanzlei Taylor-Wessing sponserte im Jahr 2011 eine Studie,[3] in der junge Juristen (Geburtsjahrgänge 1979–94) der fünfzig erfolgreichsten deutschen Kanzleien zu ihren Erwartungen und Wünschen befragt wurden. Hier gaben 86% der Befragten an, gerne mehr Flexibilität bezüglich Arbeitszeit und Arbeitsort haben zu wollen. Work-Life Balance steht hoch oben auf der Agenda von 96% der von TaylorWessing befragten Ypsiloner. 74% bejahen die Aussage, dass Arbeit zu viel ihrer Zeit in Anspruch nimmt, Abende und Wochenenden seien Freizeit und nicht Arbeitszeit. Nicht nur Geld zählt: Über vier Fünftel der befragten Associates gaben an, dass sie für mehr Freizeit auf einen Teil des Gehaltes verzichten würden. Das Vorurteil «Die wollen nur Freizeit» ist nicht bestätigt. Soziologen bescheinigen ihnen, die am besten ausgebildete und am weitesten gereiste Generation überhaupt zu sein und sich in verschiedenen Kulturen und Sprachen zurechtzufinden. Die Generation Y ist ehrgeizig und erfolgreich, aber die Balance muss stimmen: «Arbeiten, um zu leben, nicht leben, um zu arbeiten» sei ihr Motto, sagten 95% der befragten Associates.

7 Dieser Wertewandel schürt Konfliktpotenzial zwischen der Generation Y und den alteingesessenen Partnern einer Kanzlei. Ein Partner kurz vor der Pensionierung kann den jungen Berufsträgern nicht dasselbe Karrieremodell überstülpen, dem er gedient hat. 67% der Associates erfolgreicher deutscher Anwaltskanzleien gaben an, sie würden gerne ohne den Druck arbeiten, eines Tages Partner werden zu müssen. Während in früheren Generationen ein Associate – nahezu alternativlos durch ein vorherrschendes *Up-or-out*-Prinzip – bis zur Partnerebene in der Kanzlei seines Berufsstarts verweilte, wird dies in der Generation Y immer seltener der Fall sein. Die Top-Absolventen der Generation Y leben in einer Multioptionsgesellschaft. Die Welt steht ihnen offen, und sie nehmen sich Zeit zu erkunden, was ihnen gefällt und zusagt oder eben nicht. Je mehr Optionen einem Mitarbeiter zur Verfügung stehen, desto mehr muss sich die Kanzlei um dessen Bindung bemühen. Der Mitarbeiter muss sich unter allen ihm bietenden Alternativen immer wieder für den Verbleib bei der derzeitigen Kanzlei entscheiden. Der Kampf um die Gewinnung und insbesondere Bindung der besten Arbeitnehmer stellt hohe Ansprüche an heutige Führungskräfte.

2.2 Das Spiel wird schneller

8 Das Tempo der Gesellschaft hat in den letzten Jahren enorm zugenommen. Die Qualitätsansprüche der Mandanten steigen gleichzeitig zum Kosten- und Termindruck. Der Wettbewerb von Anwaltsdienstleistern wächst im deutschsprachigem Raum pro Jahr um etwa vier Prozent.[4] Effizientes Arbeiten ist erforderlich. Gerade wenn die Kanzlei auf Hochbetrieb läuft, nehmen sich Partner kaum Zeit, um über Strukturen oder die

[3] Vgl. http://www.taylorwessing-karriere.com/news/wissen-sie-was-millenials-sind/ (Abfrage vom 1.8.2011).
[4] Vgl. Einleitung zu Kapitel 1.

Geschäftsentwicklung nachzudenken. Ist die Zeit da, ist es manchmal schon zu spät. Im Wettbewerb werden sich die Kanzleien behaupten können, die schneller, wirksamer und vor allem proaktiv Veränderungen angehen. Die geforderte permanente Bereitschaft zur Veränderung setzt Leitwölfen alter Schule zu. Ein befehlsartiger Führungsstil eines Alphaleaders ist nur dann erfolgversprechend, wenn die Führungskraft alle relevanten Informationen hat, es eine beste Lösung gibt, welche die Führungskraft kennt, und die Führungskraft Kontroll- und Sanktionsmechanismen zur Verfügung hat. In Kanzleien sind Entscheidungen jedoch oft komplex und unterschiedliche Lösungen denkbar. Eine Kanzlei kann heute nicht mehr nur über ihre Namensgeber geführt werden. Es geht nicht mehr nur darum, selbst intelligent zu sein, sondern die Intelligenz des Kollektivs zu moderieren und aus der Organisation mehr zu machen als die Summe seiner Teile. Die sogenannte Schwarmintelligenz zu nutzen heisst hier, innovative Ideen der Associates mit den Erfahrungen der älteren Partner zu kombinieren. «Tradition ist nicht die Anbetung der Asche, sondern das Weitertragen der Glut!» (Thomas Morus). Es geht in sich verändernden Umwelten nicht mehr nur darum, die Dinge richtig zu machen, sondern die richtigen Dinge zu tun. Management allein reicht nicht aus, es braucht Leadership. Der Unterschied zwischen Management und Leadership lässt sich plakativ so gegenüberstellen:

«Managers work with things and numbers.»	*«Leaders work with people and feelings.»*
Ein Manager…	**Ein Leader…**
• ist ein Problemlöser	• ist ein Visionär
• schafft Ordnung und Aufgabenklarheit	• fördert Kreativität und Ideen
• plant, gibt Anweisungen, kontrolliert	• begeistert und involviert
• setzt auf Rationalität und Effizienz	• setzt auf Leidenschaft und Initiative
• kümmert sich um Aufrechterhaltung des Tagesgeschäfts	• treibt organisationalen Wandel

Wie kann die Führungskraft den erforderlichen Enthusiasmus zur steten Veränderung vermitteln, die Intelligenz des Kollektivs zur Entfaltung bringen und zeitgleich sowohl ein inspirierender Leader als auch ein effektiver Manager sein?

3. 60 Jahre Führungsstilforschung

Im Verlauf der 1990er-Jahre hat sich eine Dualität in der Betrachtung der Führungs- 9
stile etabliert, die sich in den letzten fünfzehn Jahren der Führungsstilforschung durchgesetzt hat. Vormals wurden der mitarbeiter- und der aufgabenorientierte Führungsstil unterschieden, worauf aufbauend der situative Führungsstil propagiert wurde, der in Abhängigkeit der Aufgabe und des Reifegrads eines Mitarbeiters bestimmte Verhal-

tensweisen nahe legte. Mit Bass und Avolio[5] kamen die Begrifflichkeiten der transaktionalen und transformationalen Führung in die Diskussion, welche die Führungsstilforschung bis heute dominieren.

3.1 Transaktionale Führung

10 Im transaktionalen Stil wird nach dem Austauschprinzip geführt. Im Grundsatz geht der Mitarbeiter einen Handel mit dem Arbeitgeber ein, der nach dem Prinzip Leistung gegen Lohn funktioniert. Die Belohnung kann monetär sein oder durch andere Formen von Annehmlichkeiten wie Lob, Aufmerksamkeit, Karriereperspektiven etc. erfolgen. Der Erfolg von transaktionaler Führung wird gewährleistet durch das klare Aufzeigen von Erwartungen, das Kontrollieren der Arbeitsergebnisse und das kontingente Belohnen oder Bestrafen für das Erreichte. Die Beziehung zwischen der Führungskraft und der geführten Person ist zweckrational und unpersönlich; es reicht aus, dass der Mitarbeiter Vertrauen in das Belohnungssystem entwickelt. In Kanzleien mit einer stark ausgeprägten transaktionalen Führungskultur sind die Hierarchien, Berichtswege und Zuständigkeiten eindeutig festgelegt. Hinzu kommen weitere strukturelle Merkmale einer transaktionalen Führungskultur:

11 • Entscheidungen werden generell von den Verantwortlichen an der Spitze der Hierarchie getroffen. Vergleichbar zu militärischen Strukturen werden diese kaskadenartig an untere Hierarchieebenen kommuniziert. Die Entscheider auf der obersten Hierarchieebene zerlegen die Gesamtaufgabe in Teilpakete, welche durch die ausführenden Organe abgearbeitet werden. Die Führungskraft überwacht diesen arbeitsteiligen Prozess und sorgt für reibungslose Abläufe und Schnittstellen in der Wertschöpfungskette.

12 • Es existieren Organigramme, Stellenbeschreibungen und Aufgabenprofile, welche die Funktionalitäten und Rollenerwartungen eindeutig festlegen. Sie sind personenunabhängig. Ein Stelleninhaber soll die Anforderungen an seine definierte Rolle exakt erfüllen. Die Organisation ist umso stabiler über die Zeit, je unabhängiger sie sich von einzelnen Personen macht. Dies ist der Überlebenstrick von Organisationen.

13 • Das Ziel von Veränderungsprozessen ist die Verbesserung der Effizienz und Profitabilität der Organisation. Es geht um die Steigerung des ökonomischen Werts (Economic-Value-Theorie). Der Fokus von Veränderungsinitiativen liegt auf der Fehlerbeseitigung und der Realisierung von Synergien und Effizienzen. Unter ansonsten unveränderten Rahmenbedingungen gelingt es der Organisation auf diese Weise, profitabler zu werden.

---

[5] Bass, B.M. & Avolio, B.J.: Improving organizational effectiveness through transformational leadership. Thousand Oaks 1994.

- Es existieren grosse Gehaltsunterschiede zwischen den einzelnen Mitgliedern der Kanzlei. Diese werden aufgrund des vorherrschenden Marktgedankens akzeptiert. In Abhängigkeit der individuellen Leistung und Zielerreichung können einzelne Mitarbeiter erhebliche Summen hinzuverdienen. 14

Der transaktionale Führungsstil weist in Validitätsuntersuchungen einen positiven Zusammenhang mit objektiven Erfolgskriterien wie Produktivität und Effektivität auf.[6] Er zeigt sich anderen Führungsstilen wie *Laissez-faire* und auch *Management-by-Exception* signifikant überlegen. Die Wünsche der Generation Y nach Persönlichkeitsentwicklung, Sinnstiftung, nach guten Beziehungen am Arbeitsplatz, sich zugehörig fühlen und gesellschaftlich Nützliches schaffen werden durch einen rein transaktionalen Führungsstil allerdings nicht befriedigt. 15

3.2 Transformationale Führung

Während die transaktionale Führung auf den leistungsfördernden Marktgedanken setzt, steht in einer transformationalen Führungskultur der gemeinsame, übergeordnete Zweck der Organisation im Mittelpunkt. Führungskräfte müssen ihre Mitarbeiter begeistern und eine ansprechende Vision kommunizieren. Die Mitarbeiter wollen wissen, wohin ihr Unternehmen strebt und was ihr persönlicher Beitrag dazu sein kann. Es wird im Kern davon ausgegangen, dass alle Mitglieder der Organisation freiwillig dabei sind und von sich aus ihren Beitrag zum Erreichen eines als erstrebenswert angesehenen Zustands in der Zukunft leisten. Aufgrund der Annahme, dass alle Mitglieder die gleiche Vision verfolgen und ihr Bestes für das Erreichen dieses langfristigen Zielzustands beitragen möchten, wird auf kleinteilige Vorgaben, engmaschige Kontrollen und zusätzliche externe Anreize verzichtet. Strukturelle Merkmale einer rein transformationalen Führungskultur sind beispielsweise: 16

- Entscheidungen werden nach dem Subsidiaritätsprinzip auf der niedrigst möglichen Hierarchiestufe getroffen. Den internen Experten kommt nicht nur eine beratende, sondern auch in Entscheidungen eine massgebliche Rolle zu. Entscheidungen werden dort getroffen, wo sie später auch umgesetzt werden müssen. Dadurch werden Kommunikationsprobleme vermieden. 17
- Auf engmaschige Vorgaben und detailreich ausgearbeitete Anforderungsprofile wird verzichtet. Vielmehr geht es darum, die individuellen Stärken eines Mitarbeiters optimal für den gemeinsamen Organisationszweck nutzbar zu machen. Der ganze Mensch erfährt Wertschätzung, weil er nicht nur nach seiner Nützlichkeit in einem maschinellen Wertschöpfungsprozess bewertet wird. 18

[6] Steyrer, J. & Meyer, M.: Welcher Führungsstil führt zum Erfolg? 60 Jahre Führungsstilforschung. In: Zeitschrift Führung und Organisation ZfO, 3/2010, S. 148 ff.

19 • Das Ziel von Veränderungsprozessen ist die Verbesserung der Veränderungsfähigkeit der Organisation. Es geht um die Steigerung der Flexibilität und des Erfahrungswissens der Organisation zum Umgang mit Veränderungen (*Organizational-Change-Capability*-Theorie). Der Fokus von Veränderungsinitiativen liegt nicht auf der Fehlereliminierung, sondern auf der Realisierung von ungenutzten Potenzialen und Opportunitäten.

20 • Grosse Gehaltsunterschiede zwischen den einzelnen Mitgliedern der Organisation lösen ein Störgefühl bei allen Beteiligten aus, weil jedes Organisationsmitglied einen wertvollen Leistungsbeitrag zur Erreichung des langfristigen Zielzustands leistet. Anstatt individueller Zielvereinbarungen wird mit Kollektivzielen gearbeitet, Boni werden teamorientiert gehandhabt.

21 Der transformationale Führungsstil weist in Validitätsuntersuchungen einen nahezu identisch grossen, positiven Zusammenhang mit objektiven Erfolgskriterien der Produktivität auf wie der transaktionale Führungsstil[7]. Darüber hinaus steht er auch mit subjektiven Effektivitätsgrössen wie der Identifikation der Mitarbeiter mit ihrer Organisation, dem *commitment* der Mitarbeiter und der Zufriedenheit am Arbeitsplatz in starkem Zusammenhang. Die subjektiven Effektivitätsgrössen spielen nachweislich die entscheidende Rolle bei der Bindung von Mitarbeitern und wirken sich positiv auf die nachhaltige Leistungsfähigkeit einer Organisation aus. Der transformationale Führungsstil kommt den Erwartungen der Generation Y entgegen.

22 Etwas detaillierter betrachtet zeichnen sich transformationale Führungskräfte durch spezifische Vorgehens- und Verhaltensweisen aus. Diese lassen sich zusammenfassend in vier Kernbereichen, den sogenannten «4 i» der transformationalen Führung, darstellen:

Persönliche Ausstrahlung	**Inspiration**	**Intellektuelle Stimulierung**	**Individuelle Behandlung**
• Enthusiasmus vermitteln • Identifikationsperson und Vorbild sein • Integer handeln • Seine Stärken kennen	• Eine fesselnde Vision/ Mission vermitteln • Emotional begeistern • Bedeutung von Zielen und Aufgaben erhöhen	• Etablierte Denkmuster aufbrechen • Status Quo herausfordern • Neue Einsichten vermitteln • Vertrauen schenken	• Mitarbeiter individuell fördern • Hohe Erwartungen und Zuversicht an die Leistung • Jegliche Unterstützung beim Erreichen der Ziele geben
Identifizierend	**Inspirierend**	**Intellektuell**	**Individuell**

Abb. 1: Vier Kernelemente der transformationalen Führung, die sogenannten 4 i

[7] Steyrer, J. & Meyer, M.: 2010, S. 148 ff.

3.2.1 Idealisierender Einfluss/Persönliche Ausstrahlung

Führen durch Inspiration, Ausstrahlung, Empathie, Werte und Vision. In der transformationalen Führung kommt der Glaubwürdigkeit der Führungskraft eine noch wichtigere Bedeutung zu als in anderen Führungsstilen, da weniger über Strukturen und Systeme als vielmehr über eine enge, vertrauensvolle Beziehung zwischen Mitarbeiter und Vorgesetztem geführt wird. Die Führungskraft muss selbst verkörpern, was sie von ihrer Organisation erwartet. Sie regt durch eigenes Beispiel die Mitarbeiter zur Nachahmung an und versteht es, Begeisterung und Zuversicht zu erzeugen. Transformationale Führungskräfte scheinen ihrer Berufung zu folgen, wirken integer und berechenbar und geben Halt und Orientierung. Sie überzeugen andere durch das eigene Handeln, nicht nur durch Worte, und können eigene Fehler eingestehen. 23

3.2.2 Inspirierende Motivation

Hier ist die Fähigkeit gefragt, Sinn zu stiften und gemeinsam mit allen Interessengruppen die Frage nach dem Wozu zu beantworten. Transformationale Führungskräfte motivieren und inspirieren, indem sie ihre Mitarbeiter durch anspruchsvolle Ziele herausfordern und hohe Erwartungen formulieren. Gleichzeitig zeigen sie Zuversicht über deren Leistungsfähigkeit und bieten jegliche Unterstützung beim Erreichen dieser Ziele an. Der Ausdruck von Vertrauen gibt den Mitarbeitern den Glauben an die eigene Wirksamkeit hinsichtlich der Erreichung der anspruchsvollen Ziele und Visionen. Führungskräfte vermitteln Enthusiasmus, Sinn und Zuversicht und sorgen für Teamgeist. Die Partner verknüpfen die Aufgaben ihrer Arbeitseinheit mit Werten und Idealen, die alle teilen können, und kommunizieren eine anspornende Zukunftsvision, die die Mitarbeiter emotional berührt. Ausserdem zeigen sie jedem einzelnen Teammitglied den eigenen Beitrag zur Erreichung dieser Vision auf, was den Mitarbeitern ein Gefühl des Stolzes und der Wertschätzung vermittelt. Das Thematisieren von moralischen Werten, Idealen und ansprechenden Zukunftsvisionen regt die Mitarbeiter dazu an, ihrer eigenen Arbeitstätigkeit einen neuen Sinn zu geben und eigene Interessen zum Wohl dieser höheren Belange zurückzustellen. Transformationale Leader gehen davon aus, dass jeder Mitarbeiter vertrauenswürdig ist und einen einzigartigen Beitrag zum gemeinsamen Vorhaben leisten kann. Sie motivieren die Mitarbeiter, sich mit dem Organisationszweck zu identifizieren und sich verantwortungsvoll einzubringen. 24

3.2.3 Intellektuelle Stimulierung

Transformationale Führungskräfte fordern den Status quo heraus, regen die kreativen und innovativen Fähigkeiten ihrer Mitarbeiter an. Sie ermuntern die Mitarbeiter, sich möglicher Probleme in der Arbeitstätigkeit bewusst zu werden und diese Probleme in einem neuen Licht zu sehen. Sie halten die Teammitglieder zu eigenständigem Problemlösen, zum kritischen Hinterfragen und zum Aufbrechen von eingefahrenen Denk- 25 mustern und Gewohnheiten an und schlagen ungewöhnliche Wege ein, um ihre Ziele und Visionen zu erreichen.

3.2.4 Individualisierte Behandlung

26 Die Leader kennen die individuellen Stärken, Herausforderungen und Vorlieben ihrer Mitarbeiter und gehen darauf ein. Sie entwickeln gezielt die Fähigkeiten und Potenziale des Einzelnen und unterstützen mit flankierenden Fördermassnahmen, Mentoring und Coaching. Sie schaffen ein Klima der Herausforderungen für die Mitarbeiter und geben ihnen damit die Möglichkeit zu persönlichem Wachstum und Weiterentwicklung und räumen in Abhängigkeit von den Fähigkeiten des Einzelnen Freiräume ein.

3.3 Auf die richtige Mischung kommt es an

27 Welcher Führungsstil ist nun der effektivste? Die Forschung gibt darauf mittlerweile eine eindeutige, empirisch belegte Antwort[8, 9]. Demnach verspricht eine bestimmte Mischung aus beiden Führungsstilen die grösste Effektivität. Trägt man die beiden Konstrukte der transaktionalen und der transformationalen Führung in einer Grafik gegeneinander ab, entstehen diverse Kombinationsmöglichkeiten. Die Abbildung 2 veranschaulicht diesen Ansatz im sogenannten Führungsgrid[10], wobei die schwarze Kurve und die Plus- und Minuszeichen die empirisch ermittelte Effektivität unterschiedlicher Kombinationsmöglichkeiten der beiden Führungsstile wiederspiegelt.

---

8 Morhart, F, Herzog, W. & Tomczak, T.: Brand-Specific Leadership: Turning Employees into Brand Champions. In: Journal of Marketing, 5/2009, S. 122 ff.

9 Parry, K. W. & Proctor-Thomson, S. B.: Testing the Validity and Reliability of the Organisational Description Questionnaire. In: International Journal of Organisational Behavior, 3/2001, S. 111 ff.

10 Bass, B. M. & Avolio, B.J.: Transformational Leadership and Organizational Culture. In: Public Administration Quarterly, 1/1993, S. 112 ff.

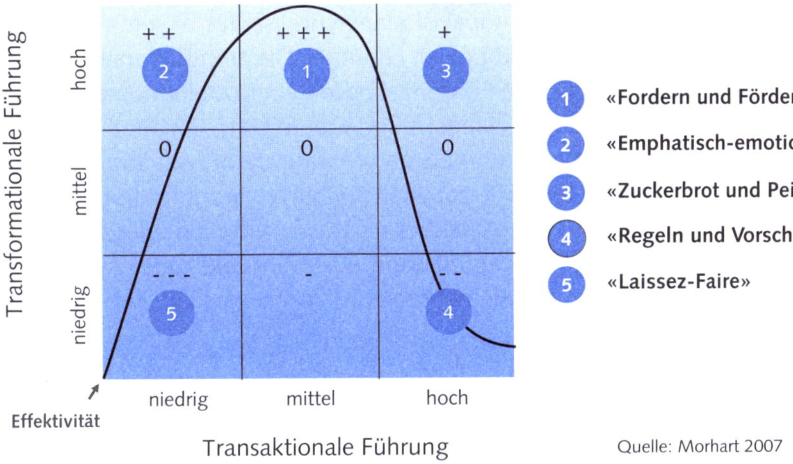

Abb. 2: Führungsgrid

Wie in Abbildung 2 zu erkennen ist, verspricht eine Kombination aus einer mittleren transaktionalen und einer maximal ausgeprägten transformationalen Führung die grösste Führungseffektivität. Dies bedeutet, dass es – im Gegensatz zur transformationalen Führung – bei der transaktionalen Führung ein Zuviel gibt, ab dem ein Mehr zu abnehmender Effektivität führt. Ein Übersteuern an Regeln, Vorgaben und Kontrollen würgt Energie und Eigeninitiative ab und verringert den Erfolg eines Leistungskollektivs. 28

Die transaktionale Führung bildet eine hilfreiche Basis für das Managen von Systemen, das Durchhalten von Standards und das Optimieren von Prozessen. Der Output der Organisation kann somit auf einem erreichten Niveau gehalten beziehungsweise kontinuierlich verbessert werden. In dynamischen Zeiten stossen transaktional geführte Kanzleien jedoch an ihre Grenzen. Dann kann es passieren, dass mehr vom Gleichen gemacht wird, obwohl längst andere Erfolgsfaktoren gefragt wären. 29

Der Führungsstil für Veränderungen ist die transformationale Führung. In einer instabilen Veränderungsphase geht es nicht um kurzfristige Gewinnmaximierung, sondern um eine Investition in zukünftige Muster, die sich der neuen Umgebung anpassen. In der Phase der Instabilität und Veränderung werden andere Führungskompetenzen benötigt. Führung in der heutigen Zeit muss eine bewusst herbeigeführte Balance zwischen Stabilität und Veränderung sein. Transaktionale Organisationen neigen zu einer Verwaltung des Status quo und gelten als unterlegen in der Innovationskraft und Entfaltung der Intelligenz und Kreativität des Kollektivs. Transformationale Organisationen zeichnen sich hingegen durch eine positive Einstellung zu Veränderungen aus, bei ihnen ist eine ausgeprägte Dynamik zu erwarten. 30

31 Die beiden Konstrukte der transaktionalen und transformationalen Führung sind komplementär, die Mischung machts. Ideal ist eine Synthese aus maximal transformationaler Führung und moderat transaktionaler Führung. Die transaktionale Führung bildet hier sozusagen die Pflicht, die alle Führungskräfte beherrschen müssen: das Managen von Stabilität durch Organisieren, Steuern und Optimieren, Schaffen von klaren Strukturen und Vorgabe von Richtung und Zielen. Wichtig ist im Mischungsverhältnis, dass die transaktionalen Elemente die Kreativität, Initiative, Identifizierung und Potenzialentfaltung des Einzelnen und des Kollektivs nicht einschränken oder behindern dürfen. Von den transformationalen Elementen kann eine Führungskraft nicht zu viel geben. Ein Mehr an transformationalen Elementen wird immer positive Entwicklung mit sich bringen.

32 Die festen Strukturen, die etablierten Anwaltskanzleien innewohnen, bringen eine hohe Ausprägung transaktionaler Führungselemente mit sich. Es besteht dabei die Gefahr der Übersteuerung und Bürokratisierung. Für erfolgreiche Kanzleien ist es erforderlich, die eigenen Strukturen und Prozesse immer wieder aufs Neue auf den Prüfstand zu heben und sicherzustellen, dass die Stärken und Potenziale des Einzelnen nicht durch Formalismus und zu enge Vorgaben ausgebremst werden. Die Erfolgsmuster von heute können zum Korsett von morgen werden; transaktional geprägte Kanzleien müssen gezielt um transformationale Führungselemente ergänzt werden.

4. Empfehlungen zur Stärkung der transformationalen Leadership in Kanzleien

33 In diesem abschliessenden Abschnitt unterbreiten wir Ideen und Vorschläge, auf welche Weise eine Stärkung der transformationalen Führungselemente in Ihrer Kanzlei zu erreichen ist.[11] Es gibt drei Ansatzpunkte für gezielte Interventionen: Ihre eigene Person, Ihre Beziehung zu anderen Mitgliedern Ihrer Organisation und Ihre Organisation als Ganzes.

4.1 Die Person

34
- Leadership beginnt mit der Führung der eigenen Person. Das Verhalten, welches Sie als Partner in Ihrer Kanzlei sehen wollen, muss durch Sie selbst vorgelebt werden. Das kulturprägende Element ist nicht das gesprochene Wort oder das ausgearbeitete Hochglanz-Leitbild, sondern das Verhalten der obersten Führungskräfte, insbesondere deren Umgang miteinander im Partnergremium.

[11] Heidbrink, M. & Jenewein, W.: High-Performance-Organisationen. Wie Unternehmen eine Hochleistungskultur aufbauen. Schäffer Poeschel 2011.

- Als Führungskraft sind Sie immer Vorbild, aber vielleicht verhalten Sie sich nicht immer vorbildlich. Wichtig ist die persönliche Integrität und Glaubwürdigkeit, die eben nicht nur durch die fachliche Kompetenz, sondern auch durch berechenbares Handeln, Offenheit, Empathie und Klarheit in den Werten und Absichten bestimmt sind. 35

- Nur wenn ich mich selbst führen kann, sollte ich andere führen. Für die Selbstführung muss ich mich und meine Werte kennen, Klarheit über meine Absichten haben und die Fähigkeit und Bereitschaft zur Selbstreflexion mitbringen. Führungskräfte erhalten permanent Rückmeldungen von ihrer Umgebung, sie schauen aber nicht immer aufmerksam genug hin und verpassen somit die Chance zur persönlichen Entwicklung. 36

- Leben Sie einen transformationalen Führungsstil. Entwickeln Sie Strahlkraft durch Integrität und Entschlossenheit, inspirieren Sie andere durch Sinnstiftung und eigene Begeisterung, vermitteln Sie neue Einsichten, brechen Sie die etablierten Denkmuster auf, fördern Sie Ihre Mitarbeiter individuell und helfen Sie ihnen, das Beste zu entfalten, zu dem sie in der Lage sind. 37

4.2 Die Beziehung

- Ab einem erreichten fachlichen Reifegrad erfolgt Persönlichkeitswachstum fast ausschliesslich über die Weiterentwicklung der eigenen Beziehungsfähigkeit. Für transformationale Führungskräfte ist es notwendig, vertrauensvolle Beziehungen zu Mandanten, Kollegen und Teammitgliedern entwickeln und dauerhaft erhalten zu können. Genau an dieser Stelle erleben erfahrene Führungspersönlichkeiten ihre Grenzen, genau an dieser Stelle kann Persönlichkeitswachstum einsetzen. Bereits in den 1940er-Jahren entschlüsselte der amerikanische Gesprächstherapeut Carl Rogers, welche Ingredienzien für den Aufbau von vertrauensvollen Beziehungen notwendig sind: Authentizität, Empathie und Wertschätzung:[12] 38

- Authentizität: Kennen Sie Ihre Werte und handeln Sie danach. Haben Sie Mut, sich selbst ohne Fassade einzubringen, Greifbarkeit und Konturen zu zeigen und eigene Erfahrungen und Überzeugungen mitzuteilen. Formulieren Sie Bedürfnisse und lassen Sie andere Ihre Anliegen spüren. 39

- Empathie: Die Fähigkeit, verbales und nonverbales Verhalten eines anderen Menschen so einzuschätzen, dass Sie dessen Befindlichkeit möglichst stimmig nachvollziehen und Verständnis für sein Handeln aufbringen können. Hören Sie aktiv und aufmerksam zu und versuchen Sie zu verstehen, was Ihr Gegenüber 40

---

12 Rogers, C.: Counseling and Psychotherapy. Boston 1942.

meint. Geben Sie wieder, welche Resonanz jemand bei Ihnen auslöst und prüfen Sie, ob sich Ihr Gegenüber wirklich verstanden fühlt.

41 • Wertschätzung: Es gilt, den leistungsunabhängigen Selbstwert, den ausnahmslos jeder Mensch hat, zu sehen und explizit zu kommunizieren. Sorgen Sie für ein authentisches und zeitgleich situationsgerechtes Feedback. Bedenken Sie die Wirkung Ihres Feedbacks, bevor Sie es aussprechen. Verwenden Sie eine wertschätzende Sprache. Nehmen Sie sich Zeit. Greifen Sie niemals die Identität Ihres Gegenübers an.

4.3 Die Organisation

42 • Klären Sie die Existenzberechtigung Ihrer Organisation und kommunizieren Sie diese wiederholt und über unterschiedliche Kanäle. Warum macht es Sinn, sich in Ihrer Kanzlei zu engagieren und Lebenszeit zu investieren? Schon Nietzsche wusste: «Wer ein Wozu kennt, erträgt das schlimmste Wie.» Erläutern Sie das individuelle und kollektive Nutzenversprechen Ihrer Vision.

43 • So viel Struktur wie nötig, so wenig wie möglich, lautet die Prämisse. Sorgen Sie für klare Zuständigkeiten und Berichtswege, doch vermeiden Sie Bürokratie. Führen Sie wechselnde Arbeitsteams ein und flexibilisieren Sie die Arbeitsformen. Die freie Wahl des Arbeitsplatzes sollte als eine reale Alternative zu Präsenzzeiten in der Kanzlei angesehen werden. Dies kann auch Vorteile für den Mandanten haben. Zum Beispiel sind auch Auftraggeber mit Kindern oft dankbar für Telefonate mit dem Anwalt nach der Gute-Nacht-Geschichte für die Kleinen. Diese neue Art zu arbeiten verlangt den Führungskräften ab, das Ergebnis und nicht den Aufwand für die Zielerreichung zu beurteilen.

44 • Schaffen Sie Gelegenheit für persönlichen Kontakt und entwickeln Sie neuartige Kooperationsformen. Soziales Netzwerken ist für die Generation Y nicht nur bei Facebook, Xing und Co wichtig. Mit den Kollegen und Chefs persönlich gut auszukommen und sich am Arbeitsplatz wohl zu fühlen, ist für die jungen Talente von hoher Bedeutung. Teil der Lösung kann ein Mentorenprogramm sein, das die Generationen verbindet und beide Seiten profitieren lässt.

45 • Die Generation Y braucht nicht nur fachliches Futter. Sie will in die persönliche Weiterentwicklung investieren. Der verstärkte Wunsch nach Internationalität der Generation Y ist erfüllbar. Über *sabbaticals,* Teilzeitarbeit etc. lassen sich Freiräume schaffen, die der Mitarbeiter für soziales Engagement oder zur Fortbildung nutzen kann. Die Fortbildungsprogramme der Kanzleien sollten die Möglichkeit zum Persönlichkeitstraining und Coaching ausserhalb der Fachlichkeit vorsehen.

- Schauen Sie sich die Beurteilungs- und Feedbacksysteme Ihrer Kanzlei genau an. Werden Sie nicht zu kleinteilig in den Anforderungen und Bewertungskriterien und betrachten Sie stets den ganzen Menschen. Achten Sie darauf, wen Sie in Ihrer Kultur ehren, befördern und als Vorbild für Nachwuchskräfte aufs Podest heben. 46

- Geben Sie Arbeitsautonomie und folgen Sie dem Prinzip *freedom to act:*[13] Berufsträger in einer Anwaltskanzlei arbeiten oft motiviert, selbständig und eigeninitiativ. Stellen Sie sicher, dass die Ideen Ihrer Mitarbeiter bis zu Ihnen durchdringen und überprüfen Sie, ob die unteren Hierarchieebenen mit ausreichender Entscheidungskompetenz ausgestattet sind. Fordern Sie mehr von Ihren Mitarbeitern: Sie wollen den ganzen Menschen mit all seinen Potenzialen und Stärken, nicht nur einen Funktionsträger in einer Prozesskette. Räumen Sie den Teammitgliedern die Freiheit der eigenständigen Interpretation ihrer Rolle ein – nur so kommen die individuellen Stärken der Teammitglieder zur Geltung. 47

5. Fazit

Aktuelle gesellschaftliche Entwicklungen wie beispielsweise eine hohe Veränderungsgeschwindigkeit und ein Wertewandel im Zusammenhang mit dem Aufkommen der Generation Y stellen erhöhte Anforderungen an heutige Führungskräfte. Kanzleien müssen sich diesem Wandel stellen und jenseits von Strukturen und Systemen die persönliche Leadership-Kompetenz ihrer Partner und Führungskräfte weiterentwickeln. Die Forschung zeigt, dass eine Mischung aus moderat transaktionaler und maximal transformationaler Führung die grösste Effektivität verspricht. In etablierten Kanzleien überwiegen transaktionale Führungselemente. In den zurückliegenden Jahren wurde viel investiert in die Professionalisierung des Bewerbermanagements, in Beurteilungs- und Zielvereinbarungssysteme, Karrierewege, Ausbildungsprogramme und Anforderungsprofile. Die Gefahr von strukturellen Führungsinstrumenten liegt in der Übersteuerung, der Entpersonalisierung und der Bürokratisierung, was den Anforderungen der nachwachsenden Führungsgeneration widerspricht. Der transformationale Führungsstil muss in Kanzleien gestärkt werden, um im Kampf um die besten Talente gewappnet zu sein und die Leistungsträger von heute dauerhaft an das eigene Haus zu binden. 48

[13] Heidbrink, M. & Jenewein, W.: High-Performance-Teams. Die fünf Erfolgsprinzipien für Führung und Zusammenarbeit. Schäffer Poeschel 2008.

C. *Leading a Team of Stars*

Rainer Loges

1. Stars?

1 Stars? Der Begriff bereichert die Literatur zum Management von *Professional Services Firms* spätestens seit dem von der Harvard Business School herausgegebenen Buch «Aligning the Stars» von Lorsch und Tierney[1]. Er betont, was *Professional Services Firms* im Allgemeinen und Anwaltskanzleien im Besonderen ausmacht: die überragende Bedeutung der Ressource Mensch. Man sagt, dass für eine Kanzlei die eigenen Mitarbeiter letztlich wichtiger seien als die Kunden[2]. Diese so wichtigen Menschen sind zugleich extrem unabhängig. Der deutsche Begriff des «freien Berufes» deutet schon darauf hin: In kaum einer Position in der modernen Wirtschaft gibt es so viel Freiheit von formalen Zwängen, wie sie der Partner einer Anwaltskanzlei hat. Und dabei wird nicht verkannt, dass diese Freiheit mit der Grösse der Kanzlei ebenso wie der Entwicklung der Kanzleistrukturen tendenziell abnimmt und dass seine Mandanten den «Freiberufler» oft mehr Beschränkungen und Zwängen aussetzen, als sie etwa ein leitender Manager in einem Grossunternehmen zu ertragen hat. Die Unabhängigkeit basiert nicht nur auf dem Status des Partners als Selbständiger und Miteigentümer der Kanzlei. Sie wird täglich bestätigt durch den Markt: Dass Rechtsberatung ein *people's business* ist, ist ein Allgemeinplatz, und Mandanten sagen gern (wenn auch mit abnehmender Tendenz): «I hire lawyers, not law firms». Wer in diesem Umfeld erfolgreich ist, ist ein Star, oder er fühlt sich zumindest so und möchte entsprechend behandelt werden. Das macht das Management von Anwaltskanzleien so besonders: Zu viel Management kann der Kanzlei mindestens ebenso viel schaden wie zu wenig.

2 Lassen sich solche Stars denn überhaupt führen? Kaum ein Senior oder Managing Partner einer grossen Kanzlei denkt nicht manchmal an das Bonmot, seine Aufgabe entspreche in etwa der, eine Herde von Katzen zu hüten. Was die Schwierigkeit der Aufgabe anbetrifft, mag das Bild stimmen. Aber es ist doch falsch: Denn in der Anwaltskanzlei haben die Katzen die Macht. Ihnen gehört die Kanzlei, und sie berufen ihren Hüter in sein Amt und entfernen ihn daraus wieder. Der Leader ist also nur begrenzt ein solcher. Von ihm wird Führung erwartet; aber die Geführten entscheiden, ob sie folgen wollen. Damit sie dies tun, muss die Führung ganz anders aussehen als in einem normalen Unternehmen.

---

1 Lorsch, Jay W. und Tierney, Thomas J.: «Aligning the Stars: How to Succeed When Professionals Drive Results» , 2002.

2 Lorsch/Tierney, aaO., S. 91: «The people you pay are more important over time than the people who pay you».

Das wichtigste Ziel von Leadership in der Anwaltskanzlei muss lauten: Teambuilding. Das Individuum, der Star, steht im Mittelpunkt. Aber mit dem Wachstum der Kanzleien und der grösseren Komplexität der Mandate gewinnt die Zusammenarbeit immer mehr an Bedeutung. Dies ist relativ leicht einsichtig und scheint in der Natur der Sache zu liegen. Es liegt aber nicht unbedingt in der Natur der Stars. Kanzleimanagement ist daher gerade nicht «Führung». Es geht darum, selbstbewusste, qualifizierte und freiheitsliebende Individualisten zu einem Team zu formen. Das gelingt dadurch und nur dadurch, dass man sie motiviert, im Interesse der Kanzlei zu handeln. 3

2. Worauf erstreckt sich Leadership in einer Anwaltskanzlei?

Das Ausmass dessen, was Stars an Leadership akzeptieren, ist sehr unterschiedlich. Es hängt von der Kultur der Kanzlei ab und ist umgekehrt ein wesentlicher Faktor, der diese Kultur bestimmt. Als Faustregel mag gelten: Wenn einmal in einem Bereich Kanzleimanagement akzeptiert wurde, bleibt es in der Regel dabei. Eine Entwicklung zurück zu mehr Individualität hat man in den letzten Jahren, wenn überhaupt, nur selten beobachtet. Die Frage stellt sich aber in der Regel auch nicht. Die Bereiche, die Management erfordern, sind im Vordringen; Freiheiten werden beschnitten. 4

Führung, oder wie wir im Folgenden besser sagen: Management, wird zunächst dort akzeptiert, wo es um Angelegenheiten geht, die Partner ungern selbst erledigen. Das betrifft etwa die Verwaltung der Kanzlei. Partner wollen über die wirtschaftlichen Daten ihres Unternehmens informiert werden und möglichst viele «Zahlen bekommen», aber sich nicht unbedingt mit dem Finanzchef oder der Buchhaltung über täglich auftretende Fragen des Rechnungswesens austauschen. Auch Fragen der Informationstechnologie interessieren zwar einige Anwälte (manchmal sehr), aber in der Regel nicht viele. 5

Management wird zudem dort akzeptiert, wo unmittelbar einsichtig ist, dass es nicht zum Ziel führt, wenn jeder uneingeschränkt versucht, seine eigene Meinung durchzusetzen. Legt das Management einer Anwaltskanzlei den Partnern den Entwurf einer neuen Imagebroschüre der Kanzlei vor, so wird fast jeder etwas daran auszusetzen haben oder zumindest Verbesserungsvorschläge machen. Trotzdem wird (fast) jedem Partner klar sein, dass eine Diskussion im grossen Kreis über Schrifttypen oder Farben nicht zielführend wäre. 6

Generell kann man sagen: Die Notwendigkeit von Management (Leadership) wird desto leichter eingesehen, je ferner der Sachverhalt von der eigentlichen Mandatsarbeit ist. Gerade in traditionell aufgestellten Kanzleien mit einer stark individualistischen Kultur ist daher die Versuchung gross, das Management entsprechend zu beschränken, nach dem Motto: «Der Managing Partner verwaltet die Kanzlei, und wir leiten unsere Referate in eigener Verantwortung.» 7

8 Damit hätte man idealerweise eine gut organisierte Kanzlei und ein funktionierendes Anwaltsunternehmen. Für den Erfolg ist dies aber nicht ausreichend. Denn die Aufgabe besteht darin, aus den Stars ein Team zu formen, ohne sie dabei zu demotivieren oder in die Flucht zu treiben. Die Fragen, die sich in diesem Prozess stellen, sind schwierig. Zu ihnen gehören:

- Welche Mandanten will die Kanzlei beraten? Welche Art von Mandaten strebt sie an? Und wer entscheidet über diese Fragen?
- Bestimmt das Management die Preise (Stundensätze) für die Arbeit der Sozietät oder jeder Partner selbst?
- Kann jeder Partner selbst entscheiden, ob (vorbehaltlich der Vermeidung von Mandatskonflikten) ein Mandat angenommen wird oder nicht?

9 Manch Leser wird sich wundern, diese Fragen hier aufgeworfen zu sehen. Für viele grosse, insbesondere internationale Kanzleien ist es selbstverständlich, dass auf diesen Ebenen nicht mehr «jeder tun und lassen kann, was er will». Für andere, oft nicht minder erfolgreiche Anwälte wäre es unvorstellbar, dass ihnen in diese Fragen eine höhere Instanz hineinregiert. Im Ergebnis dürfte klar sein: Je grösser eine Sozietät ist, je anspruchsvoller und komplexer ihre Mandate und je grösser ihre geografische Reichweite, desto eher wird sie darauf bestehen müssen, in derartigen Fragen eine einheitliche Linie zu finden. Anders ausgedrückt: desto eher muss aus der Ansammlung von Stars ein Team werden. Aber gerade an dieser Stelle beginnt of der Bereich, wo der Individualismus der Stars mit den Interessen des Teams kollidiert. Das Management der Kanzlei muss dann wissen, was es erreichen will. Es wird dies aber nur allmählich und in einem kontinuierlichen Prozess des Ausgleichs erreichen können. Wie bereits erwähnt: Zu viel Management kann der Kanzlei mindestens ebenso viel schaden wie zu wenig.

3. Management oder Politik?

10 Grosse Partnerschaften sind Unternehmen. Sie werden aber nicht geführt wie Unternehmen. Je nachdem wie «partnerschaftlich» die Kultur einer Kanzlei ist, ist der Unterschied zum Management eines normalen Unternehmens grösser oder kleiner. Die Führung einer Partnerschaft muss die Partner einschliessen und «mitnehmen». Man kann sich eine Partnerschaft vielleicht als einen Bus vorstellen, mit dem Management als Fahrer und den Partnern als Passagieren. Der Fahrer lenkt; aber er kann nur dahin fahren, wohin auch die Partner wollen. Anderenfalls bestimmen sie einen neuen Fahrer oder steigen aus.

11 Zum «Mitnehmen» gehören verschiedene Instrumente. Die Partner müssen das Management bestimmen können; die wesentlichen Entscheidungen müssen der Gesamtheit der Partner vorbehalten bleiben; grundlegenden Entscheidungen muss eine offene Debatte

innerhalb der Partnerschaft vorausgehen. Kernelement einer «partnerschaftlichen» Führung ist in jedem Fall die Kommunikation. Die Partner akzeptieren – in unterschiedlichem Umfang, aber doch im Grundsatz –, dass Entscheidungen auch gegen ihren Willen getroffen werden können. Sie wollen aber gefragt werden und ihre Meinung einbringen, und zwar vorher. Die Erfahrung zeigt: Wer rechtzeitig gefragt wurde, ist viel eher bereit, auch einen Weg mitzugehen, den er eigentlich nicht befürwortet.

Zum partnerschaftlichen Management gehört allerdings auch Autorität. Auch bei einer offenen, kommunikationsorientierten Führung muss klar sein, wer am Ende das letzte Wort hat – der oder die mit der Exekutive betrauten Partner, ein Gremium oder die Partnerversammlung. Das Management muss diese Autorität schützen, was bedeutet: sie selten beanspruchen, sie aber dann, wenn sie beansprucht werden muss, auch durchsetzen. 12

Das Management einer grossen, partnerschaftlich geprägten Anwaltskanzlei ist, nach allem, der Verwaltung eines demokratisch verfassten Gemeinwesens sehr viel ähnlicher als der Leitung eines Wirtschaftsunternehmens, bei dem die Anteilseigner das Management bestimmen und dieses alles weitere. Das Leitbild ist, genauer gesagt, eine Demokratie mit starken basisdemokratischen Elementen. Akzeptiert man diesen Vergleich (der naturgemäss hinkt, aber trotzdem hilfreich sein mag), gelangt man zwanglos zu Erkenntnissen über die Verfassung einer Anwaltskanzlei. Die Gesamtheit der Partner ist das «Volk», von dem alle Autorität ausgeht; daneben gibt es ein Gremium, das dem Parlament entspricht, sowie eine oder mehrere Personen, welche die Kanzlei «regieren». Diese sind vieles: *owner* (Miteigentümer der Kanzlei), *producer* (Anwälte), Manager[3], aber auch und nicht zuletzt Politiker. 13

4. Die «Verfassung»: Leadership im Auftrag der Stars

Es spricht viel dafür, dass es für eine grosse Anwaltskanzlei die optimale Struktur nicht gibt. Schon ein flüchtiger Blick auf die Realität zeigt, dass augenscheinlich die unterschiedlichsten Modelle funktionieren. Das betrifft die Gewinnverteilung, wo es erfolgreiche Kanzleien mit reinem *lockstep* ebenso wie mit *Eat-what-you-kill*-Systemen gibt und diversen Varianten zwischen diesen Extremen. Das betrifft die Frage, ob die Partner über die Erfolgsbeiträge (Umsätze) der anderen Partner im Detail informiert werden oder nicht. Es betrifft auch die Führungsstruktur. Die unterschiedlichsten Systeme scheinen so lange zu funktionieren, wie sie in der Kultur einer Kanzlei verwurzelt sind. Was immer schon da war, wird akzeptiert. Aber spätestens wenn man ein System ändern will, wird über die Vor- und Nachteile unvoreingenommen nachgedacht, und es entsteht fast immer eine kontroverse Diskussion. Trotzdem bietet das Leitbild des basis- 14

[3] Lorsch/Tierney, aaO., S. 92.

demokratisch verfassten Staates Anhaltspunkte dafür, wie man *a team of stars* führen kann, oder besser: wie es geführt werden möchte.

4.1 Partner

15 Wie weit alle Partner an der Führung einer Anwaltskanzlei beteiligt sein können, hängt massgeblich von ihrer Zahl ab. Je grösser eine Partnerschaft ist, desto weniger kann man erwarten, mit spontanen oder nicht strukturierten Diskussionen zu Ergebnissen zu gelangen. Entscheidungen müssen vorbereitet werden. Daraus folgt, dass die Partner in der Regel nur noch begrenzt inhaltlich eingreifen können, sondern sich darauf beschränken müssen, Vorschlägen des Managements zuzustimmen oder diese abzulehnen. In grossen Sozietäten ist es daher unvermeidlich, dass die Tagesordnung von Partnerversammlungen wesentlich mit Berichten oder Präsentationen der Verwaltung gefüllt wird. Das Zustimmungsrecht der Partner beschränkt sich zudem auf wenige wichtige Entscheidungen. Häufig sind dies Grundsatzentscheidungen wie Änderungen der Sozietätsverfassung, Fusionen oder die Eröffnung neuer Büros. Zudem behalten sich die Partner in der Regel die Entscheidung über die Aufnahme neuer Partner vor.

16 Mit zunehmender Grösse und Institutionalisierung von Kanzleien schmilzt dieser Kernbereich von Entscheidungen, die den Partnern vorbehalten sind, immer weiter. Umso wichtiger ist es, ihn zu schützen. Gerade weil aus operativen Gründen den Partnern nur relativ wenige Entscheidungsbefugnisse verbleiben, müssen diese auch echte Befugnisse sein: Mit offener Information durch die Verwaltung, vorheriger Konsultation und ausreichend Zeit für die Diskussion.

4.2 Board

17 Soweit ersichtlich, haben die meisten grossen Anwaltskanzleien eine Führung, die zumindest in Teilbereichen kollektiv strukturiert ist. Man nenne es Board, *executive committee,* Partnerschaftsausschuss, Sozietätsrat oder anders: Es empfiehlt sich, zwischen der Gesamtheit der Partner und dem eigentlichen Management (um im Bild zu bleiben: der Regierung) ein weiteres Organ zu installieren. Dessen Ausgestaltung ist in der Praxis vielfältig; der Phantasie sind dabei kaum Grenzen gesetzt. Trotzdem lassen sich verschiedene Grundfragen abschichten, die zu klären sind:

18
- Die Befugnisse des Board (wie dieses Organ hier genannt werden soll) mögen grösser oder kleiner sein. In jedem Fall aber ist die Kanzlei gut beraten, alles zu tun, um dessen Ansehen und Autorität zu stärken. Die Partner können nicht alles selbst entscheiden und sollten dies auch nicht versuchen. Umgekehrt werden sie oft nicht bereit sein, Entscheidungen der Exekutive hinzunehmen, wenn diese nur aus einer Person besteht. Umso wichtiger ist es, dass das Board als gewählte Vertretung der Partner von diesen akzeptiert wird. Dazu muss die Kanz-

lei das Board als Institution schützen und stärken. Das wird in aller Regel auch voraussetzen, dass die Mitglieder des Boards erfolgreiche Anwälte sind.

- Auch bei der Zusammensetzung des Board gibt es naturgemäss verschiedene Modelle. Dabei lassen sich zwei Grundformen unterscheiden: Das Board kann sich aus Partnern zusammensetzen, die andere wichtige Funktionen in der Sozietät haben. Nicht selten etwa besteht es aus den Leitern der verschiedenen Praxisgruppen und/oder anderen Partnern mit Sonderfunktionen. Dieses Modell erscheint funktional, weil es eine Bündelung der Zuständigkeiten bewirkt. Es besteht dabei aber die Gefahr, dass die Mitglieder sich als Vertreter von Partikularinteressen verstehen und versuchen, diese im Board durchzusetzen. Dem begegnet eine Struktur, bei der das Board mehr als ein «Rat der Weisen» strukturiert ist – also aus Personen besteht, die unabhängig von ihrer Funktion das Vertrauen der Partner geniessen. In so einer Struktur sollten sich die Partner bei der Wahl der Mitglieder des Board von Proporzgesichtspunkten (Standorte, Praxisgruppen bzw. Rechtsgebiete) idealerweise allenfalls am Rande leiten lassen. Nach der Erfahrung des Autors ist eine solche Struktur klar vorzugswürdig, wenn man ein starkes und in der Partnerschaft angesehenes Board schaffen will. 19

- Wichtig ist, dass das Board die richtige Grösse hat. Damit sich die Partner durch das Gremium auch repräsentiert fühlen, wird ein kleiner Kreis von drei, vier oder auch fünf Mitgliedern nicht ausreichend sein. Umgekehrt darf das Board aber auch nicht zu gross sein – sonst ist es nicht mehr viel effektiver als eine Partnerversammlung. Ein Gremium mit mehr als sieben oder acht Mitgliedern kann nach unserer Erfahrung die Aufgaben, die hier beschrieben sind, nicht erfüllen. Die Mitglieder würden dann nicht mehr regelmässig erscheinen und sich nicht mehr vorbereiten; die Diskussionen müssten so stark strukturiert werden, dass ein freier Gedankenaustausch oder gar ein Brainstorming nicht mehr möglich wären. Einschliesslich des Managements, das in der Regel an Board-Sitzungen teilnimmt, sollte das Organ daher nicht mehr als acht oder neun Personen umfassen. 20

- Weiter ist zu entscheiden, ob das Board mehr Aufsichts- oder mehr Entscheidungsgremium sein soll. Der hier als Arbeitstitel gewählte Begriff des Board deutet darauf hin, dass auch ein Kompromiss möglich und oft sogar sinnvoll ist. Das Management berichtet dem Board, und es bedarf für bestimmte Massnahmen dessen Zustimmung. Das Board beschränkt sich aber nicht auf eine reine Aufsichtsfunktion wie etwa der Aufsichtsrat einer deutschen Aktiengesellschaft. Es trifft vielmehr selbst Entscheidungen, die für das Management bindend sind; wenn das Board es für angemessen hält, können dies auch Entscheidungen in Fragen von eher untergeordneter Bedeutung sein. 21

22 • Schwierig ist zu entscheiden, inwieweit die Arbeit des Board für die Partner transparent sein soll. Wenn man wie oben (3.) argumentiert, dass zur partnerschaftlichen Führung einer Sozietät Kommunikation gehört, spricht dies naturgemäss für Offenheit. Diese muss allerdings dort mit strikter Vertraulichkeit kombiniert werden, wo es geboten ist. Denn ein Board kann die ihm zugedachte Aufgabe, Repräsentant der Partner zu sein und alle wesentlichen Entscheidungen zu fällen, die die Partner nicht selbst treffen, nur erfüllen, wenn intern ein ungezwungener Meinungsaustausch möglich ist. Auch muss das Board schwierige Themen prüfen und durchdenken können, ohne dass nach aussen dringende Informationen Unruhe in der Partnerschaft verursachen. Ein Board funktioniert dann am besten, wenn es sich auf absolute Vertraulichkeit während der Diskussions- und Beratungsphase verlassen kann, anschliessend aber sehr offen gegenüber den Partnern kommuniziert, was beschlossen wurde.

4.3 Management

23 Die «Regierung», also das Management, wird in nahezu jeder grösseren Kanzlei mindestens zwei Ebenen haben: die zentrale Ebene der Sozietät und die ihrer Untergliederungen, die sich etwa nach Rechtsgebieten, Sektoren (Branchen) oder Büros richten kann.

4.3.1 Kanzleimanagement und Praxisgruppen

24 Die Frage, welche Struktur die sinnvollste ist, sei hier dahingestellt. Auch hier gilt: Organisations- und Managementstrukturen einer Anwaltskanzlei müssen deren Tätigkeitsschwerpunkten, ihrem Mandantenstamm, vor allem aber ihren Werten und Traditionen, also der Kultur, angepasst sein. Wir nennen solche Untergliederungen hier zunächst nur «Praxisgruppen». Was aber entscheidet das zentrale Management und was die Praxisgruppen?

25 Offensichtlich gehören zum Aufgabenbereich des zentralen Managements alle Themen, die ihrer Natur nach kanzleiweit sind. Dies betrifft in der Regel das Risikomanagement, Rechnungswesen, IT und generell die Leitung der nicht-anwaltlichen Verwaltung. Aber auch viele Fragen des Marketing, und des Personalwesens – insbesondere das sehr wichtige Recruiting neuer Professionals – sind am besten auf Kanzleiebene angesiedelt. Anders liegt es mit den oben (2.) identifizierten, von den Partnern eher als problematisch empfundenen, weil in ihre individuelle Freiheit eingreifenden Themen. Wer entscheidet, welche Gebiete die Sozietät besetzen sollte und wie? Wer entscheidet, ob bestimmte Mandate überhaupt angenommen werden? Wer kümmert sich um das *staffing* von Mandaten? Nicht zuletzt: Wer überprüft die Leistungsfähigkeit von Partnern und spricht mit denen, deren Referate problematisch erscheinen?

26 Auch hier muss das letzte Entscheidungsrecht beim zentralen Management oder beim Board liegen. Trotzdem erscheint es sinnvoll, diese Themen auf der Praxisebene anzusie-

deln. Die dortigen Manager (Praxisgruppenleiter oder -sprecher, Fachgebietsleiter) sind «näher dran», und sie haben auch eine geringere Zahl von Partnern zu betreuen. Dementsprechend haben die Praxisgruppen in Sozietäten, die intensiv «gemanagt» werden, eine wichtigere Rolle als in eher traditionell, partnerschaftlich-individualistisch geprägten Kanzleien. In Letzteren dienen die Praxisgruppen manchmal fast nur dem fachlichen Austausch und werden geleitet von einem Partner, der eine überwiegend koordinierende Rolle hat. In Ersteren sind die Leiter der wichtigen Praxisgruppen manchmal die mächtigsten Partner der Sozietät.

4.3.2 Struktur des zentralen Managements

Wie beim hier Board genannten «Parlament» (oben 4.2.) gibt es auch beim eigentlichen Management einerseits eine Vielzahl von Ausprägungen, die in der Praxis alle funktionieren können. Andererseits ist es auch hier lohnend, einige Grundfragen zu klären: 27

- Wird die Sozietät von einem Partner, zwei Partnern oder einem Komitee geleitet? Die Antwort hierauf hängt naturgemäss nicht zuletzt davon ab, inwieweit die Sozietät bereit ist, ihre Manager von Mandatsarbeit freizustellen. Geschieht dies nur in einem geringen Umfang, führt kein Weg an einer kollektiven Führung vorbei. Sie kann durchaus effektiv sein. Allerdings dürfte ein wirklich kollektives Management zu schwerfällig und ineffizient sein. Besteht das Management aus mehreren Personen, muss es daher klar abgegrenzte Aufgabenbereiche geben. Generell erscheint es aber als effektiver, eine monistische Struktur oder allenfalls eine Doppelspitze vorzusehen. Ein einzelner Managing oder Executive Partner kann zwar nicht alles leisten, was das Kanzleimanagement erfordert. Er kann aber Aufgaben delegieren – an Partner oder an nicht-anwaltliche leitende Mitarbeiter. Der Vorteil einer solchen Struktur ist, dass die Verantwortlichkeit klar zugewiesen ist. Wenn es nicht läuft, weiss man, wer schuld ist. Ein Nebeneffekt ist, dass zwar ein Partner sich vorübergehend von der Rolle als *producer,* also als Rechtsanwalt, verabschieden muss. Dafür ist es aber auch tatsächlich nur einer; es gibt nicht eine Mehrzahl von Anwälten, die wirklich oder auch nur in den Augen ihrer Mitpartner «aus der Mandatsarbeit flüchten» können. 28
- Wie bereits angesprochen, muss die Sozietät bei der Gestaltung ihres Managements eine weitere wesentliche Entscheidung treffen: Inwieweit sollen der oder die Managing Partner noch Mandatsarbeit leisten? Die übliche Antwort hierauf ist, dass ein Kanzleimanager nur dann effektiv sei, wenn er weiterhin den Respekt seiner Partner geniesst, und dies tue er nur, wenn er neben der Managementtätigkeit in nennenswertem Umfang auch Mandatsarbeit leistet. Das ist nicht falsch, greift aber möglicherweise zu kurz. In der Tat wird die Sozietät womöglich nur einen solchen Partner mit Managementaufgaben betreuen, der gezeigt hat, dass er auch als *fee earner* erfolgreich sein kann. Er darf sich auch nicht zu sehr und zu lange vom eigentlichen Geschäft verabschieden. 29

30 • Doch sollte nicht übersehen werden, dass die Kanzlei auch einen Preis zahlt, wenn an ihrer Spitze ausschliesslich Manager-Producer (also: Manager, die auch Mandatsarbeit leisten) stehen. Zwar mag für diese die Mandatsarbeit nicht wichtiger sein als die Managementtätigkeit. Sie erscheint aber oft als dringlicher. Ein Managing Partner, der in nennenswertem Umfang Mandatsarbeit verrichtet, läuft stets Gefahr, von letzterer «aufgefressen» zu werden und nur noch diejenigen Managementaufgaben zu erledigen, die ihrerseits zeitkritisch oder unabwendbar sind. Er wird Schwierigkeiten haben, langfristige Projekte anzugehen, die wichtig sind, aber nicht eilig. Er wird auch seltener dazu kommen, einmal über den Tellerrand der eigenen Kanzlei hinauszublicken. Damit ist nicht gesagt, dass aktiv in die Mandatsarbeit eingebundene Managing Partner weniger erfolgreich sind als freigestellte. Die Kanzlei muss nur wissen, dass sie häufig nicht die Zeit haben werden, strategische oder fundamentale Fragen anzugehen. Die Sozietät muss dann sicherstellen, dass sich andere Personen – andere Partner, das Board oder externe Manager der Kanzlei – mit solchen Themen befassen.

31 • Wer ist als Managing Partner geeignet? Die Frage lässt sich kaum allgemeingültig beantworten. Ein Gesichtspunkt aber ist wichtig: In vielen Kanzleien beanspruchen gerade die erfolgreichsten Anwälte der Sozietät die Führungsämter für sich und bekommen diese auch zugesprochen. Das ist naheliegend, aber nicht sachgerecht. Managementpositionen sind nicht quasi die Belohnung für jahrelange erfolgreiche Mandatsarbeit. Wenn es um die Besetzung des Boards geht, spricht zwar durchaus noch einiges für solche Praxis (vgl. oben 4.2). Bei der Besetzung von echten Managementpositionen ist so eine Politik aber oft fatal. Denn die *rainmakers, heavy hitters* oder fachlich besonders respektierten Anwälte sind keineswegs automatisch auch gute Manager. Und gerade wegen ihres Erfolges in der Mandatsarbeit werden sie sich oft nicht genügend Zeit für Managementaufgaben nehmen. Die Kanzlei muss den Mut haben, tatsächlich denjenigen (oder diejenigen) zum Managing Partner zu machen, den sie gerade für das Management als den Geeignetsten ansieht.

32 • In vielen Sozietäten, die sich von der traditionellen Anwaltskanzlei zur Grosssozietät entwickeln, stellt sich die Frage, welche Managementaufgaben überhaupt zweckmässigerweise noch von Partnern erledigt werden. Der Managing Partner ist Jurist, der nur selten Erfahrung oder eine Ausbildung in der Führung von Unternehmen haben wird. Ist es überhaupt sinnvoll, ihn mit derartigen Aufgaben zu betrauen?

33 • Insbesondere grosse angelsächsische Sozietäten übertragen die administrative und oft auch operative Leitung der Sozietät häufig einem externen Manager. Der Managing oder Senior Partner kümmert sich dann primär um dessen Überwachung und strategische Themen. Dieses Modell erscheint in der Tat effizient. Es setzt aber voraus, dass die Partner überhaupt bereit sind, sich nicht nur führen zu

lassen, sondern dies auch noch von einem Externen. Denn auch ein administrativ und operativ tätiger General Manager einer Anwaltskanzlei wird nicht selten über Fragen entscheiden, welche die Partner unmittelbar betreffen. Auch hier gilt: Es kommt auf die Kultur an. In vielen Sozietäten wird es effektiver sein, das Management einem Partner zu überlassen, der eigentlich unterqualifiziert – und vielleicht überbezahlt – für eine solche Aufgabe ist. Denn die Partner fühlen sich dann weniger fremdbestimmt. Wie gesagt: Zu wenig Management kann besser sein als zu viel, und eine weniger effektive Managementstruktur kann besser sein als eine theoretisch optimale, bei der sich die Stars nicht mehr wohlfühlen.

D. Die HM-Akademie St. Gallen bei Hengeler Mueller

Dirk Uwer

1. Ausbildung, Fortbildung und der *War for Talent*

1 (Wenig) Glanz und (viel) Elend der Juristenausbildung in Deutschland zu beklagen ist ein Phänomen, das älter sein dürfte als dieses – zuletzt durch das Gesetz zur Reform der Juristenausbildung vom 11. Juli 2002[1] nur behutsam modernisierte, jedoch strukturell bekräftigte – zweistufige Ausbildungssystem aus universitärem rechtswissenschaftlichem Studium (mit Abschluss: «Erste Prüfung»[2]) und sich anschliessendem Vorbereitungsdienst (Referendariat mit Abschluss «Zweite Staatsprüfung»). Diese überkommene Kritik ist die eine Seite. Auf der anderen weckt der Bologna-Prozess zur Schaffung eines europäischen Hochschulraums mit der dafür notwendigen formalen (nicht: inhaltlichen) Angleichung der Studienabschlüsse – obgleich benannt nach der Wiege europäischer Rechtsgelehrsamkeit – unter solchermassen für alle juristischen Berufe gleicheförmig ausgebildeten deutschen «Einheitsjuristen» vielfach ein Unbehagen, das sich bisweilen zum offenen Ressentiment gegen eine vermeintliche Unterminierung eines Jurastudiums steigert, welches so oder ähnlich schliesslich schon etwa Goethe oder Eichendorff durchlaufen hätten und das mit einem der weltweit anspruchsvollsten Examina ende.[3]

2 Die Perspektive der grossen wirtschaftsberatenden Anwaltssozietäten ist eine andere: Unbestritten produziert das deutsche System viele erstklassig ausgebildete Absolventen, die durch hervorragende Examina ausgewiesen sind und ihre Befähigung und Leistungsbereitschaft häufig durch weitere wissenschaftliche Qualifikation (Promotion) und Postgraduierten-Programme im Ausland unter Beweis gestellt haben. Dass diese Spitzengruppe der deutschen Absolventen jeden internationalen Vergleich bestehen kann, mag die Diskussion um die deutsche Juristenausbildung zur soziotypischen Befindlichkeit relativieren. Das Problem für die Wirtschaftskanzleien ist andersgelagert: Sie sind in

[1] Bundesgesetzblatt I S. 2592.

[2] Nach Bestehen dieses aus einer universitären Schwerpunktbereichsprüfung und einer staatlichen Pflichtfachprüfung (§ 5 Abs. 1 Deutsches Richtergesetz) bestehenden Examens verleihen die Juristischen Fakultäten heute in der Regel auf Antrag, jedoch ohne weitere Prüfung den akademischen Grad «Diplom-Jurist».

[3] Zum Thema exemplarisch: Huber, Peter M.: Zwischen Konsolidierung und Dauerreform – Das Drama der deutschen Juristenausbildung. In: Zeitschrift für Rechtspolitik 2007, 188 ff. und Jeep, Jens: Der Bologna-Prozess und die deutsche Juristenausbildung: Warum die Sorge vor Bachelor und Master unberechtigt ist. In: Die Öffentliche Verwaltung 2007, 411 ff. Beispielhaft für die laute Kritik der Leserbrief des Bonner Rechtsphilosophen Rainer Zaczyk «Erhitzte Vierteljuristen» in der Frankfurter Allgemeinen Zeitung Nr. 94 vom 23. April 2007, S. 8.

einem hochkompetitiven Markt auf diese Spitzengruppe hochqualifizierter Nachwuchskräfte angewiesen. Die führenden deutschen Sozietäten stehen nicht nur in einem sich stetig verschärfenden Wettbewerb um Mandanten und attraktive Mandate, sondern auch und gleichermassen um jene Talente, ohne die sie in diesem Wettbewerb nicht dauerhaft bestehen können. Der von Michaels, Handfield-Jones und Axelrod vor einem Jahrzehnt beschriebene *war for talent*[4] ist auf dem deutschen Anwaltsmarkt Realität. Diesen Wettbewerb gewinnt heute niemand mehr durch den eindimensionalen Einsatz von Geld; die marktgerechte Gehaltsofferte ist nur ein Teil eines attraktiven und im Wettbewerb erfolgreichen Angebots. Das Angebot der Wirtschaftskanzleien trifft heute auf eine Absolventengeneration, deren Entscheidungsprogramm für den Berufseinstieg weit differenzierter ist. Soweit sich soziologisch belastbar eine Generation Y identifizieren lässt, dürfte für sie das 2005 von Stephanie Armour formulierte Schlagwort eine treffende Charakterisierung sein: «They want to work, but they don't want work to be their life.»[5] Neben der facettenreich diskutierten Work-Life Balance müssen Wirtschaftskanzleien ein Arbeitsumfeld bieten, das dem anspruchsvollen Anforderungsprofil einer Erfolg zu Recht nicht mehr bloss pekuniär verstehenden und durch die Beobachtung der globalen ökonomischen Realität mit einem durchaus gesunden ethischen und rationalen Skeptizismus ausgestatteten Generation gerecht wird. Unsere Erfahrungen bei Hengeler Mueller, ebenfalls 2005 vom Managermagazin als «Deutschlands beste Wirtschaftskanzlei»[6] klassifiziert, zeigen, dass ein exzellentes Aus- und Fortbildungssystem ein ausschlaggebendes Kriterium in einem vielschichtigen Abwägungsprozess von Bewerbern zugunsten eines bestimmten Arbeitgebers im Rechtsmarkt ist.

Fortbildung ist für Rechtsanwälte in der Bundesrepublik Deutschland eine fest im Berufs- 3
recht verankerte anwaltliche Grundpflicht.[7] Ausserhalb der Fachanwaltsordnung, die Konkretisierungen der Fortbildungspflicht für solche Anwälte enthält, die eine oder mehrere Fachanwaltsbezeichnungen führen, führt dieses zentrale Element anwaltlicher Qualitätssicherung jedoch ein berufsrechtliches Schattendasein. Zwar hat sich der 68. Deutsche Juristentag im Oktober 2010 in seiner Abteilung Berufsrecht nach kontroverser Diskussion zum Thema «Qualitätssicherung» dafür ausgesprochen, eine überprüfbare und (soweit verhältnismässig) auch sanktionierbare Fortbildungspflicht gesetzlich zu verankern.[8] Die Pflicht ist aber auch weiterhin weder konkret ausgestaltet noch sanktionierbar. Ihre Bedeutung erlangt sie eher über die ausserordentlich strenge Rechtspre-

---

4 Michaels, Ed/Handfield-Jones, Helen/Axelrod, Beth: The War for Talent. Mcgraw-Hill Professional, 2001.

5 Armour, Stephanie: Generation Y: They've arrived at work with a new attitude. In: USA Today, 6. November 2005, http://www.usatoday.com/money/workplace/2005-11-06-gen-y_x.htm (zuletzt abgerufen am 9. Oktober 2011).

6 Managermagazin 1/2005, Titelblatt und S. 64.

7 § 43a Abs. 6 Bundesrechtsanwaltsordnung: «Der Rechtsanwalt ist verpflichtet, sich fortzubilden.»

8 Dazu Dahns, Christian: Beschlüsse des 68. DJT zum anwaltlichen Berufsrecht. In: NJW-Spezial 2006, 638 f.

chung zur Haftung aus dem Anwaltsvertrag mit dem Mandanten: Sie verpflichtet den Rechtsanwalt, Gesetze, die Rechtsprechung und (wenn auch in geringerem Umfang) auch die einschlägige Literatur zu kennen, wenn er zu einem Fall berät. Tut er dies nicht, trifft ihn regelmässig ein Verschulden bei der (Falsch-)Beratung seines Mandanten.[9] Für die einem besonderen Qualitätswettbewerb ausgesetzten wirtschaftsberatenden Anwaltssozietäten ist die Fortbildung ihrer Partner und Associates freilich jenseits der Haftungsprävention überlebenswichtig. Im obersten Anwaltsmarktsegment ist die umfassende, weit über das juristische Fachwissen hinausgreifende fachliche Exzellenz der Berater das Distinktionsmerkmal schlechthin.

2. Die HM-Akademie St. Gallen als integrales Element einer «Neuen Karriere»

4 Im März 2010 hat Hengeler Mueller mit der HM-Akademie St. Gallen ein in dieser Form für Wirtschaftskanzleien bisher einzigartiges internes, berufsbegleitendes Fortbildungsprogramm für Anwälte ins Leben gerufen. Das Programm ist Teil eines intern als «Neue Karriere» bezeichneten Massnahmenpakets, das auf drei Säulen ruht: neben dem integrierten Studium eine individuelle Karriereförderung und mehr Flexibilität und Unterstützung für Familien. Was waren die Beweggründe für die «Neue Karriere»? Hengeler Mueller stand und steht im Ruf, ein Tanker zu sein, der seit hundert Jahren majestätisch auf dem Meer der Rechtsberatung kreuzt, effizient, überaus erfolgreich und unbelastet von modernistischen Anwandlungen. Das mit Erstarrung zu verwechseln, wäre jedoch ein Fehler. Denn auch wer vom Erfolg verwöhnt ist, muss sich stetig prüfen: «Wenn wir wollen, dass alles bleibt wie es ist, dann ist nötig, dass alles sich verändert.»[10] Intensive Gespräche mit Bewerbern und Associates führten zum Schluss, das bestehende Fortbildungssystem stärker zu institutionalisieren und zu strukturieren.

5 Entstanden ist ein ambitioniertes Programm, das auf fünf Jahre angelegt ist und sich in eine Zertifikats- und eine Diplomstufe gliedert. In zehn Modulen von je fünf Tagen Dauer, von denen die Teilnehmer je zwei pro Jahr besuchen, erwerben Hengeler-Mueller-Associates in den Bereichen Recht, Wirtschaft und Soft Skills fundiertes und breit angelegtes Wissen. Aufgrund der Partnerschaft mit der Universität St. Gallen, welche die Bereiche Wirtschaft und Soft Skills in Abstimmung mit Hengeler Mueller verantwortet, können Teilnehmer nach den ersten fünf Modulen ein Zertifikat und nach zehn Modulen ein Diplom erwerben.

---

9 Ausführlich dazu mit zahlreichen Nachweisen Zuck, Rüdiger: Kommentierung zu § 43a BRAO. In: Gaier, Reinhard/Wolf, Christian/Göcken, Stephan (Hrsg.), Anwaltliches Berufsrecht: Kommentar. Carl Heymanns Verlag 2010, Rn. 110 ff.

10 Tomasi di Lampedusa, Giuseppe: Der Leopard. Piper 1959, zit. nach der 22. Aufl. 1988, S. 33.

Die HM-Akademie St. Gallen ist somit in vieler Hinsicht ein – auf Dauer angelegtes – Grossprojekt: Einmal aufgrund des erheblichen finanziellen Engagements der Sozietät und des hohen administrativen Aufwands, den die Akademie mit sich bringt. So werden, wenn das Programm im Jahr 2015 vollständig ausgebaut ist, jedes Jahr 16 Module veranstaltet, von denen jeder Associate zwei besuchen wird. Aber in erster Linie, und das wird mit jedem Jahr des Bestehens deutlicher, ist das Engagement aller Beteiligten bestimmend für die Grösse dieses Projekts. Alle Partner und Counsel von Hengeler Mueller engagieren sich persönlich für die HM-Akademie St. Gallen. Nicht nur, indem sie als Dozenten mitwirken, sondern auch, weil sie es jedem einzelnen Teilnehmer ermöglichen, an sechs Wochentagen im Jahr an den Veranstaltungen teilzunehmen. 6

Die damit neben den direkten Kosten verbundenen hohen Opportunitätskosten der neuen Akademie haben – nicht unerwartet – im Anwaltsmarkt für erhebliche Unruhe gesorgt. Nachgerade eingeschüchtert vom entsprechenden *commitment* der Partner von Hengeler Mueller werden verschiedentlich die Vorzüge des eigenen, «auf den individuellen Bedarf» abgestimmten Weiterbildungsangebots betont. Die Erfahrung zeigt, dass solch wohlfeile theoretische Angebote den Praxistest selten bestehen – sie bleiben oft ein unerfülltes Versprechen, dessen Erfüllung einzufordern weder gewünscht noch unter Karrieregesichtspunkten opportun ist. Hengeler Mueller ist den umgekehrten Weg gegangen: Die Sozietät wandelt das Desiderat von Bewerbern und Associates zur Institution – und macht die Abwesenheit vom Schreibtisch zwecks Weiterbildung zur Pflicht! 7

Mit der HM-Akademie St. Gallen hat Hengeler Mueller ein hochambitioniertes und transparentes Fortbildungsprogramm geschaffen. Mit der Akademie bekennt sich die Sozietät zu ihrer Verantwortung, junge Anwälte auf höchstem Niveau fortzubilden, und geht ihnen gegenüber eine langfristige Verpflichtung ein. Was hat die Partner von Hengeler Mueller zu diesem Schritt bewogen? 8

Interne Fortbildungsveranstaltungen für Anwälte hatten im Rahmen des Vorläuferprogramms, der Hengeler-Mueller-Akademie, bereits eine lange Tradition. Das Angebot dieser «HM-Akademie» umfasste zum einen Tagesveranstaltungen mit Einführungen zu nicht-juristischen Themen, wie z.B. Bilanzwesen für Juristen oder Präsentationstechniken, die jährlich wiederholt und von externen Referenten abgedeckt wurden. Zum anderen boten Hengeler-Mueller-Partner eine Vielzahl von Tages- und Nachmittagsveranstaltungen zu unterschiedlichen rechtlichen Themen an. Die HM-Akademie wurde stets für ein Jahr konzipiert. Bei der Themenauswahl galt es vor allem, Einführungsveranstaltungen und grundlegende Themenkomplexe regelmässig anzubieten, um einer heterogenen Zielgruppe kontinuierlich Zugang zu einem Standardprogramm anspruchsvoller Fortbildung zu ermöglichen. Daneben kamen besondere Fachgebiete einzelner Dozenten und aktuelle Themen zum Tragen. 9

10 Im Zuge der Einführung der «Neuen Karriere», die sich im Rahmen eines nunmehr skalierbaren, variablen Arbeitszeitvolumens zum Grundsatz einer unveränderlichen «Nettoarbeitszeit» von sechs Associate-Jahren bis zur Assoziierungsentscheidung bekennt, wurden auch die Anforderungen für die Entwicklung eines neuen Fortbildungsprogramms definiert. Dieses sollte auf einem langfristig ausgerichteten Konzept basieren, dessen Dauer sich an den Karrierestufen orientierte, die den Weg eines Associates bei Hengeler Mueller bestimmen. Ein neuer Mitarbeiter sollte somit nicht nur Planungssicherheit hinsichtlich seines individuellen Karriereweges erhalten, sondern auch seine Fortbildungsmöglichkeiten über einen Zeitraum von mehreren Jahren zuverlässig einschätzen und mit seiner individuellen Karriereplanung koordinieren können.

11 Inhaltlich sollte das neue Fortbildungsprogramm konsekutiv Fachwissen auf hohem Niveau vermitteln und Anleitung bieten, wie dieses in der Praxis, im Umgang mit Mandanten und bei der Bearbeitung von Mandaten, effektiv einzusetzen ist. Das Curriculum sollte die drei Bereiche Wirtschaft, Recht und Soft Skills umfassen.

12 Eine weitere wesentliche Anforderung war es, die Qualität des Fortbildungsprogramms und die erbrachte Leistung der Teilnehmer nach aussen kenntlich zu machen. Somit mussten der strukturelle Aufbau und die Inhalte sowie die Teilnehmeranforderungen des neuen Fortbildungsprogramms so gestaltet sein, dass sie eine universitäre Zertifikatvergabe ermöglichten und rechtfertigten.

13 Diese Anforderungen hätten mit einem reinen In-house-Programm ohne einen externen, universitären Kooperationspartner nicht erfüllt werden können. Die Entscheidung zugunsten einer Zusammenarbeit mit der Executive School of Management, Technology & Law der Universität St. Gallen (ES-HSG) fiel am Ende eines intensiven Sondierungsprozesses ganz eindeutig aus. Für Hengeler Mueller ist die ES-HSG ein Partner, dessen anerkannt hoher Qualitätsanspruch zur Sozietät passt, der über einen qualifizierten Dozentenstamm verfügt und Erfahrung mit der Gestaltung und Durchführung von individuellen Studiengängen hat. Überdies entscheidend war die Berechtigung, Prüfungen abzunehmen und zertifizierte Abschlüsse zu vergeben.

3. Die HM-Akademie St. Gallen im Detail

14 Alle Associates, die nach dem 31. Mai 2009 bei Hengeler Mueller begonnen haben, nehmen automatisch und verpflichtend an der HM-Akademie St. Gallen teil. Dabei hängt es von ihrem Eintrittsdatum ab, ob sie im März oder im Oktober eines Jahres mit dem ersten Modul beginnen. In der Folge besucht jeder Associate pro Jahr zwei Module, die immer von Mittwoch bis Sonntag stattfinden.

Den Abschluss jedes Moduls bilden während der fünf Tage stattfindende Prüfungen[11] in den Bereichen Wirtschaft und Recht. Diese sind ein unerlässlicher Bestandteil für die Zuerkennung der Credit Points. So erlangt jeder Teilnehmer nach erfolgreichem Abschluss eines Moduls drei Credit Points. Diese Credit Points sind im Rahmen des Bologna-Systems anrechenbar auf MBA-Studiengänge der Universität St. Gallen und anderer Universitäten. Nach Erhalt des Diploms verfügt ein Absolvent über 30 Credit Points; sie können anschliessend in einem berufsbegleitenden Studiengang zum Executive MBA an der HSG oder an einer anderen Hochschule angerechnet werden. 15

Abgestimmt auf den Hengeler-Mueller-Karriereweg erhält jeder Teilnehmer mit dem Certificate of Advanced Studies, das er nach 2½ Jahren – vor der Entscheidung zur Ernennung zum Senior Associate – und dem Diploma of Advanced Studies, das er nach 5 Jahren – ein Jahr vor der Entscheidung zur Ernennung zum Partner oder Counsel – erwerben kann, einen international anerkannten Qualitätsnachweis der ES-HSG. Damit ist auch nach aussen eine dem akademischen Rang der HM-Akademie St. Gallen entsprechende Anerkennung verbunden. Der Aufwand, den Associates während ihrer Zeit bei Hengeler Mueller in ihre Fortbildung investieren, und die dort dokumentierten Leistungen bleiben erhalten, gleich, welchen Karriereweg sie einmal einschlagen. 16

Die folgende Skizze illustriert den Verlauf des Fortbildungsprogramms bis zu seiner vollen Ausbaustufe im Jahr 2015. Jedes Jahr werden zwei Jahrgänge das Studienprogramm beginnen; die Module I–V der Zertifikatsstufe werden immer zweimal im Jahr abgehalten. Das Modul VI gehört der Diplomstufe an und ist als «Springermodul» so gestaltet, dass es zu Beginn und zum Abschluss stattfinden kann. Nur so ist es möglich, zwei Jahrgänge in den Modulen VII bis X der Diplomstufe zusammenzufassen, um damit auf erwartungsgemäss geringere Teilnehmerzahlen reagieren zu können. 17

[11] Die Korrekturen und Benotungen liegen in der alleinigen Zuständigkeit der ES-HSG. Im Bereich Recht werden die Prüfungsaufgaben von Hengeler-Mueller-Dozenten entworfen, die auch Musterlösungen zur Verfügung stellen. Die individuellen Prüfungsergebnisse werden weder den Hengeler-Mueller-Dozenten noch sonst den Partnern von Hengeler Mueller bekannt gegeben.

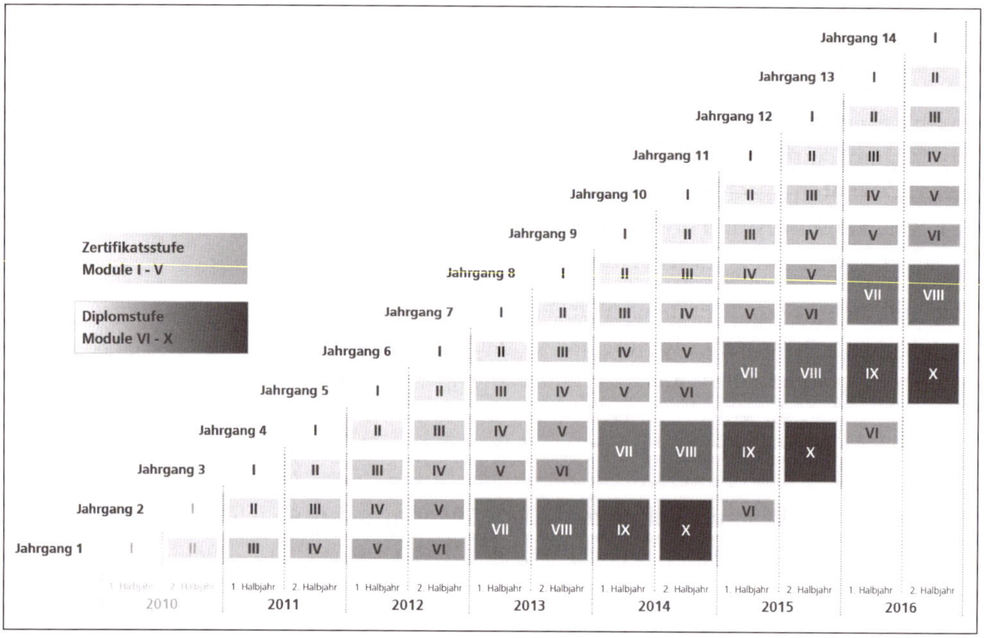

Abb. 1: Zeitlicher Aufbau der HM-Akademie St. Gallen

4. Die HM-Akademie St. Gallen in der Praxis

4.1 *Management of Expectations*

18 Die HM-Akademie St. Gallen trifft auf hohe Erwartungen. Die Partner von Hengeler Mueller wollen sichergehen, dass Abwicklung und Qualität der Veranstaltungen die Investitionen und den hohen organisatorischen Aufwand rechtfertigen. Die Teilnehmer erwarten, dass die Inhalte und deren Vermittlung dem qualitativen Anspruch auf Marktführerschaft gerecht werden und nicht nur die Abwesenheit vom Arbeitsplatz, sondern auch das Opfer an Freizeit (zwei Wochenenden im Jahr) rechtfertigen. Somit muss sich nicht nur das Gesamtkonzept bewähren, sondern jedes Modul aufs Neue überzeugen.

19 Darüber hinaus muss die HM-Akademie St. Gallen in einem permanenten Spannungsverhältnis bestehen, das sich aus dem zwangsläufig festen Zeitrahmen der Module und den unvorhersehbaren Anforderungen der täglichen Mandatsarbeit speist.

20 Um den sich aus diesen Ausseneinflüssen ergebenden Anforderungen und Unwägbarkeiten konsequent und transparent begegnen zu können, war es unerlässlich, zusätzlich zu dem organisatorischen Rahmen vorab ein Regelgerüst zu definieren und somit die Grenzen abzustecken, in denen zukünftig auftretenden Problemen begegnet werden kann. Dabei hat sich in der Praxis bereits früh gezeigt, dass diese Vorgaben die geforderte Flexibilität, auf neue Anforderungen und Entwicklungen zu reagieren, nicht

wesentlich einschränken. Zu beobachten ist dies beispielsweise bei der Gestaltung des Curriculums.

4.2 Curriculum

Das Curriculum ist das Herzstück des Fortbildungsprogramms. Von den zehn Modulen werden die fünf Module der Zertifikatsstufe zweimal im Jahr durchgeführt. Allein hinsichtlich der benötigten Dozentenzahl stellt dies eine Herausforderung dar, die ohne das Engagement der Hengeler-Mueller-Partner und -Counsel[12] sowie den qualifizierten Dozentenstamm, über den die ES-HSG verfügt, nicht zu bewältigen wäre. 21

Mindestens zwei Tage jedes Moduls sind dem Bereich Recht gewidmet. Sie werden von im jeweiligen Themenbereich spezialisierten Partnern und Counseln von Hengeler Mueller geleitet. Diese sind im Einzelfall noch stärker den zeitlichen Unwägbarkeiten der Mandatsarbeit ausgesetzt als die Teilnehmer. Trotz des organisatorischen Vorlaufs ist nicht ganz auszuschliessen, dass sie an den Veranstaltungstagen verhindert sind oder es zu kurzfristigen Absagen kommt. Da aber auch in diesen Fällen eine Verschiebung der Veranstaltung nicht in Betracht kommt, wurden für die verschiedenen Rechtsgebiete Organisationsdozenten benannt, die in der Lage sind, aus «ihrem» Dozentenstamm kurzfristig einen gleichwertigen Ersatz zu benennen. 22

Die Themengebiete des Curriculums, deren Abfolge und Gewichtung waren vorab entsprechend den Anforderungen, die Sozietät und ES-HSG an das Programm stellen, vereinbart und definiert worden. Nichtsdestotrotz bestand unter den Kooperationspartnern von Beginn an Einigkeit darüber, dass auch die Inhalte des Curriculums innerhalb dieses festgesteckten Rahmens adjustierbar sein müssen. Es sollte die Möglichkeit bestehen, auf die – anhand von anonymisierten Feedbackbögen und persönlichen Eindrücken – regelmässig durchgeführten Modulauswertungen flexibel zu reagieren und eventuell erforderliche inhaltliche Verbesserungen umsetzen zu können. 23

Dass das Curriculum 2011 bereits kleine Veränderungen zu dem Curriculum des ersten Akademie-Jahres 2010 aufweist, beweist, dass in der Praxis Anpassungen möglich sind, ohne den Fortgang des Programms zu stören. So stellte sich zum Beispiel nach den ersten zwei Durchgängen heraus, dass ein gewähltes Soft Skill-Thema nicht den Bedürfnissen der Associates entsprach; es wurde durch ein anderes ersetzt. In einem anderen Bereich hatten die referierenden Partner zu bedenken gegeben, dass einem wesentlichen rechtlichen Thema in diesem frühen Stadium nicht genügend Raum gegeben wurde. Hier konnte Abhilfe geschaffen werden, indem das Soft Skill-Thema Legal Eng- 24

[12] Die Dozententätigkeit im Rahmen der HM-Akademie St. Gallen machte eine Akkreditierung durch die Universität St. Gallen erforderlich. Bis jetzt haben sich 74 Hengeler-Mueller-Partner und -Counsel akkreditieren lassen. Sie bilden den Dozentenstamm von Hengeler Mueller.

lish in einen einjährigen Online-Kurs ausgelagert und der gewonnene Tag mit dem juristischen Thema besetzt wurde.

25 Daneben werden die Modulauswertungen und die praktischen Erfahrungen aus den Veranstaltungen auch von den dozierenden Partnern selbst zum Anlass genommen, Schwerpunkte neu zu setzen und Präsentationsunterlagen zu überarbeiten. Um Inhalte der Wirtschafts- und Soft Skill-Themen so zu gestalten, dass sie die Erwartungen von Wirtschaftsanwälten erfüllen, ohne den Fokus auf die betriebs- und volkswirtschaftlichen Komponenten zu vernachlässigen, stehen die fachlichen Organisatoren im ständigen Dialog mit der ES-HSG und präzisieren und verfeinern die Modulinhalte.

4.3 Akzeptanz und erste Reaktionen im Bewerbermarkt

26 Erste Erhebungen und Feedback-Auswertungen belegen, dass die Akzeptanz bei den Teilnehmern der HM-Akademie St. Gallen sehr hoch ist. Wesentliche Voraussetzungen für Akzeptanz sind die Freistellung von Mandatsarbeit und die Qualität der Veranstaltungen. Auf die Erfüllung beider Anforderungen legt der aus vier Partnern bestehende Akademie-Ausschuss der Sozietät besonderes Augenmerk. Jenseits des eigentlichen Weiterbildungsziels heben die Teilnehmer einen weiteren positiven Nebeneffekt hervor: die Akademie erleichtert den standortübergreifenden Kontakt zu Kollegen mit demselben Erfahrungsstand. Gemeinsame Abendessen und andere Formen des *socialising* während der Module fördern den Zusammenhalt und die Integration der Associates, was nicht zuletzt auch der Mandatsarbeit zugute kommt, wenn die Associates in standortübergreifenden Teams wieder aufeinandertreffen.

27 Die HM-Akademie St. Gallen setzt neue Massstäbe für die anwaltliche Fortbildung. Sie dokumentiert den Anspruch des Marktführers, nicht nur im juristischen, sondern vor allem auch im wirtschaftlichen Bereich durch die Zusammenarbeit mit einer der renommiertesten Business Schools der Welt auch für die Zukunft sicherzustellen, auf einer Wellenlänge mit ihren unternehmerischen Mandanten zu sein. Das Richtige getan zu haben, davon zeugen erste (eher halbherzige) Imitationsversuche im Markt. Die mit der neuen Akademie dokumentierte Innovationskraft zeigt indes, dass Hengeler Mueller auch diesen Wettbewerb nicht fürchten muss.

E. Recruitment and Remuneration of Associates in the ongoing War for Talents

KAI-UWE STECK

1. Der Wettbewerb um juristische Talente

Im Markt für wirtschaftliche Dienstleistungen sind hervorragende juristische Fähigkeiten der angestellten Rechtsberater und Berufsanfänger (sogenannte Associates) wichtig für den Erfolg. Vorteile im Wettbewerb der besten Kanzleien haben diejenigen Sozietäten, die hochwertige Beratungsleitungen jenseits ausgetretener Pfade bieten. Daher sind diese Kanzleien auf Associates angewiesen, die überlegene analytische und konzeptionelle Fähigkeiten, gepaart mit einem fundierten wirtschaft(srecht)lichen Verständnis und einer pragmatischen Herangehensweise bei grosser Belastbarkeit besitzen. Aus Sicht der Kanzleien sind solche Associates die Grundvoraussetzung für Stabilität und Wachstum. 1

Umso wichtiger ist es aus Sicht aller ambitionierten Kanzleien, derartig qualifizierte Associates einzustellen. Für diese Sozietäten – auf die der Blick in diesem Beitrag gerichtet ist – besteht die zusätzliche Herausforderung darin, die besten juristischen Talente anzuziehen, wobei sie untereinander in einem harten Wettbewerb stehen. Der sogenannte *war for talents* beginnt also mit der Suche nach den am besten qualifizierten Juristen im Bereich der Berufseinsteiger, endet jedoch nicht mit deren Einstellung. Vielmehr ist es dann Aufgabe der Kanzlei, ihre jungen Associates gezielt und mit Blick auf die Bedürfnisse anspruchsvoller Mandanten weiterzuentwickeln und möglichst auf langfristige Sicht an sich zu binden. Allerdings dürfen dabei auch die Bedürfnisse der Associates selber nicht aus den Augen verloren werden. 2

Bei der Bindung der besten juristischen Talente an eine Kanzlei spielt die Höhe des Gehalts eine zentrale Rolle. Darüber hinaus gibt es aber noch eine Reihe weiterer Faktoren *(soft factors)*, die junge Associates an eine Kanzlei binden. Das sind vor allem Aufstiegs- und Karrierechancen, Förderung durch Aus- und Weiterbildung, eine ausgewogene Work-Life Balance, das Kanzleiklima sowie das Image der Kanzlei. 3

Im folgenden Beitrag werden zunächst einige Aspekte vorgestellt, die beim *war for talents* sowohl aus Sicht der Bewerber als auch aus Sicht der Kanzleien zu berücksichtigen sind. Insbesondere werden die Anforderungen der Kanzleien an Berufseinsteiger sowie die Anforderungen der jungen Juristen an ihre künftigen Arbeitgeber aufgezeigt. Da das Einstiegsgehalt für den Berufsanfänger eine nicht zu unterschätzende Rolle bei der Wahl des Arbeitgebers spielt, wird in einem Abschnitt die Entwicklung der Einstiegsgehälter in Grosskanzleien gesondert behandelt. Der letzte Teil dieses Beitrags bietet eine Auswertung der Fakten, die dem *war for talents* zugrunde liegen. 4

2. Fakten

2.1 Angebot und Nachfrage

5 Verfolgt man aktuelle Stellenanzeigen namhafter (Gross-)Kanzleien, ergibt sich ein Wunschbild von einem jungen Associate. Um ein ernst genommener Kandidat für eine Anstellung zu werden, sollte der Bewerber überdurchschnittliche juristische Fähigkeiten und Qualifikationen mitbringen. Idealerweise verfügt er über zwei Prädikatsexamina, eine Promotion, verhandlungssichere bzw. sehr gute, möglichst im Ausland gefestigte Englischkenntnisse, eine überzeugende und sympathische Persönlichkeit, hohes Engagement, eine grosse Belastbarkeit sowie unternehmerisches Denken und ein gutes Verständnis wirtschaftlicher Zusammenhänge – also ein «weisser Hirsch», der bekanntlich sehr selten ist.

6 Junge Juristen nach dem zweiten Staatsexamen, die diese Voraussetzungen erfüllen, sind rar. Durchschnittlich beenden nur etwa 20,7% der Studenten das deutsche Jurastudium mit einem Prädikat im ersten Staatsexamen.[1] Ein Prädikat setzt eine mindestens vollbefriedigende Note voraus, die ab 9 Punkten (von insgesamt 18) vergeben wird. Das Referendariat beenden mit dem zweiten Staatsexamen durchschnittlich etwa 16,6% der Referendare mit einem Prädikat. Bereinigt man diese Zahlen um die Absolventen, die kein Interesse daran haben, Rechtsanwalt zu werden, sondern sich stattdessen als Richter, Staatsanwälte oder Verwaltungsbeamte für den öffentlichen Dienst oder für eine Tätigkeit in internationalen Wirtschaftsunternehmen oder Investmentbanken entscheiden, bleiben pro Jahr bundesweit etwa zwischen 500 und 700 Absolventen, die in beiden Staatsexamina ein Prädikat erworben haben. Die Nachfrage der Top-50-Kanzleien ist etwa doppelt so hoch. Hinzu kommt, dass nicht jeder junge Jurist, der zwei Prädikate vorweisen kann, auch fliessend Englisch spricht, Auslandserfahrung hat oder einen Doktortitel besitzt; von übrigen Soft Skills wie ausserordentlicher Belastbarkeit und unternehmerischem Verständnis ganz zu schweigen. Die Anzahl der Juristen, die tatsächlich dem Wunschbild der Kanzleien entsprechen, dürfte noch geringer sein. Spätestens hier setzt der harte *war for talents* an.

2.2 Auswahlkriterien aus Sicht der jungen Juristen

7 Aus diesem Verhältnis von Angebot und Nachfrage hinsichtlich der Berufsanfänger auf dem deutschen Juristenmarkt wird bereits deutlich, dass sich der überdurchschnittlich qualifizierte Nachwuchs seines Wertes bewusst ist – ansonsten hätte er kein unternehmerisches Verständnis, was aus genannten Gründen vorausgesetzt wird. Begehrte Kandidaten werden häufig von mehreren Kanzleien gleichzeitig umworben. Sie können sich den – aus ihrer Sicht – besten Arbeitgeber aussuchen und lassen sich mit Standardan-

[1] Der Durchschnitt wurde aus den Jahren 2005–2009 nach der Statistik des Bundesministeriums für Justiz gebildet.

geboten kaum noch locken. Das bedeutet für die Kanzleien, dass sie sich für die Bewerber besonders attraktiv darstellen müssen. In den Fällen, in denen der Bewerber noch nicht auf den Anwaltsberuf festgelegt ist, konkurrieren die Kanzleien zusätzlich noch mit internationalen Unternehmen und dem öffentlichen Dienst.

Monetäre Anreize spielen bei der Wahl der Kanzlei für Berufsanfänger selbstverständ- 8
lich eine grosse Rolle. Ein umworbener *high potential* wird die finanziellen Angebote der interessierten Kanzleien vergleichen. Ob eine Kanzlei zum fixen Einstiegsgehalt noch einen jährlichen Bonus, Weihnachts- oder Urlaubsgeld zahlt oder einen Dienstwagen stellt, wird in die Entscheidung für oder gegen einen künftigen Arbeitgeber einfliessen. Jedoch ist die Höhe des Einstiegsgehalts natürlich nicht das allein bestimmende Kriterium bei der Auswahlentscheidung der Bewerber.

Daneben gibt es weitere Kriterien, die junge Juristen bei der Wahl des zukünftigen 9
Arbeitgebers berücksichtigt wissen wollen. Wichtig sind den Bewerbern die Attraktivität der Arbeitsaufgaben, Aufstiegs- und Karrierechancen sowie eine gute Aus- und Weiterbildung in Fortbildungsprogrammen. Die Art der Aufgaben, die den jungen Associate im neuen Berufsalltag erwarten, zählt mit zu den wichtigsten Entscheidungsfaktoren bei der Arbeitgeberwahl. Hierbei ist für viele wichtig, dass die Aufgaben eine (intellektuelle) Herausforderung darstellen und es sich um abwechslungsreiche und interessante Tätigkeiten handelt; auch ein selbständiges und eigenverantwortliches Handeln wird häufig gewünscht. Will eine Kanzlei überdurchschnittlich qualifizierte und begabte Nachwuchsjuristen für sich gewinnen und diese langfristig an sich binden, sollten die Aufgaben diesen individuellen Anforderungen des Bewerbers möglichst gut entsprechen. Daneben sind auch das Kanzleiklima, der Führungsstil des Vorgesetzten (Senior Associate oder Partner) sowie eine ausgewogene Work-Life Balance Faktoren, die die Entscheidung für einen bestimmten Arbeitgeber entscheidend beeinflussen können. Gerade die Möglichkeit, Berufs- und Privatleben bestmöglich in Einklang zu bringen, hat grosse Bedeutung für Berufseinsteiger. Um eine Work-Life Balance zu ermöglichen, können Kanzleien verschiedene Beiträge leisten, etwa das Anbieten von flexiblen Arbeitszeiten, Teilzeitarbeit und Arbeitstage, die im Homeoffice geleistet werden können. Aber auch die Gewährung von Unterstützung bei der Kinderbetreuung (möglicherweise durch betriebseigene Kindergärten) sowie die Förderung von Sport-, Freizeit- und Kulturaktivitäten können die Attraktivität einer Kanzlei für Bewerber erhöhen.

3. Die Entwicklung der Einstiegsgehälter

Die Einstiegsgehälter für Associates in den Grosskanzleien bestimmen den Wettbewerb 10
um junge Talente auf der finanziellen Seite. Im Jahr 2006 zahlte erstmals eine deutsche Kanzlei Berufsanfängern ein Jahresgehalt von 90 000€. Andere Kanzleien sahen sich aus Angst um das Nachsehen im Wettbewerb um die besten Bewerber gezwungen, mit diesem Gehalt Schritt zu halten. Seitdem gab es – auch wegen der Finanzkrise – bis Ende

2010 keine grossen Erhöhungen der Einstiegsgehälter mehr. Aber trotz der Finanzkrise blieben diese Gehälter bis Ende 2010 stabil, lediglich die Bonuszahlungen wurden zum Teil reduziert. Im ersten Halbjahr 2011 stiegen die Gehälter wieder leicht an. Im Juni 2011 zahlt eine amerikanische, in Deutschland vertretene Kanzlei erstmals ein Spitzeneinstiegsgehalt für das erste Berufsjahr von 125 000€, lässt dafür aber in den ersten drei Berufsjahren die Bonuszahlungen entfallen. Die Gehälter in deutschen Büros von grossen und internationalen Wirtschaftskanzleien[2] liegen damit derzeit für Juristen im ersten Jahr zwischen 80 000€ und 100 000€, die Spitze liegt bei 105 000/110 000€ und sogar 125 000€. Zusätzlich werden von einigen Kanzleien nach dem ersten Berufsjahr Boni zwischen 5000€ und 25 000€ gezahlt. Senior-Associate-Gehälter liegen in Grosskanzleien im vierten bis sechsten Jahr durchschnittlich zwischen 120 000€ und 140 000€, wobei die Spitzen im vierten Jahr bei 160 000€ und im 6. Jahr bei 205 000€ – Spitzenreiter ist auch hier derzeit die erwähnte amerikanische Kanzlei – liegen. Auch die Boni können sich im Einzelfall bis zu 50 000€ erhöhen.

11 Im Vergleich dazu sind die Juristengehälter in Unternehmen und Behörden nicht konkurrenzfähig. Unternehmen zahlen ihren Syndikusanwälten im ersten bis dritten Jahr Gehälter zwischen 36 000€ und 65 000€.[3] Einzig Braun, Siemens und die grossen Automobilunternehmen halten mit Gehältern zwischen 70 000€ und 87 000€ im ersten bis dritten Jahr in etwa Anschluss an die Wirtschaftskanzleien. Die Gehälter für junge Juristen im öffentlichen Dienst liegen zwischen 37 000€ und 44 000€, nur die Europäische Kommission zahlt mit 51 000€ etwas mehr. Bei einer Anstellung im öffentlichen Dienst ist jedoch zu beachten, dass diese regelmässig im Beamtenverhältnis erfolgt und die Lohnabzüge daher wesentlich geringer ausfallen als in der freien Wirtschaft. Die Attraktivität des Beamtenstatus insbesondere für überdurchschnittlich talentierte Juristinnen ist im *war for talents* nicht zu unterschätzen, da eine Work-Life Balance bei einer Beschäftigung im öffentlichen Dienst regelmässig gegeben sein wird.

12 Die unsichere Wirtschaftslage und niedrige Einstellungszahlen in 2009 haben nichts daran geändert, dass der kleine Kreis der jahrgangsbesten Juristen nach wie vor Höchstgehälter aushandeln kann. Kanzleien, die trotz des allgemeinen Kostenbewusstseins über eine Anhebung ihrer Einstiegsgehälter nachdenken, haben diese talentierten Juristen im Blick. Das sind vermehrt Kanzleien, die bislang kaum beim Nachwuchs bekannt sind und nun versuchen, durch überdurchschnittliche Gehälter auf sich aufmerksam zu machen.

13 Interessant ist bei der Betrachtung der Gehälterentwicklung aus unternehmerischer Sicht – also aus Sicht der Partner – die Frage nach der Wirtschaftlichkeit der hohen Einstiegsgehälter für die jeweilige Kanzlei. Die üblichen Stundensätze, die den Mandanten

---

[2] Vgl. Aktuelle azur100-Gehaltstabelle (http://www.azur-online.de/geld/), zuletzt abgerufen am 3.4.2012.

[3] Vgl. Aktuelle azur100-Gehaltstabelle (http://www.azur-online.de/geld/), zuletzt abgerufen am 3.4.2012.

dieser Kanzleien in Rechnung gestellt werden, betragen für Associates im ersten Jahr 200€, im zweiten Jahr 250€, im dritten Jahr 300€ und ab dem vierten Jahr 350€ (zuzüglich MwSt.). Der Erfahrung nach können (bzw. sollen) für einen Associate im ersten Jahr insgesamt etwa 1000 Stunden pro Jahr bei den Mandanten abgerechnet werden (sogenannte *billable hours*), für einen Associate im zweiten Jahr insgesamt etwa 1.500 Stunden pro Jahr und für einen Associate ab dem dritten Jahr etwa 1800 Stunden pro Jahr. Das entspricht bei durchschnittlich 220 Arbeitstagen pro Jahr einer Arbeitsbelastung für einen Associate im dritten Jahr von 8,2 abrechenbaren Stunden pro Tag zuzüglich Pausen, Arbeitswegen, Fortbildung und Kanzleiarbeit, die dem Mandanten nicht in Rechnung gestellt werden können. Die Kanzlei verdient also an einem Associate im ersten Jahr rund 200 000€; bei einem Einstiegsgehalt von 90 000€ macht die Kanzlei, berücksichtigt man die Lohnzusatzkosten und Umlagen, einen geringen Gewinn. Ab dem zweiten Jahr werden die Associates deutlich gewinnbringender, legt man die genannten Zahlen zugrunde. Danach erwirtschaftet ein Associate im zweiten Jahr brutto rund 375 000€, im dritten Jahr 540 000€ und ab dem vierten Jahr 630 000€. Stellt man diese Zahlen den entsprechenden Spitzengehältern (z.B. im 6. Jahr ca. 200 000€) gegenüber, wird deutlich, warum die Kanzleien diese hohen Gehälter zu zahlen bereit sind. Dies setzt aber eine entsprechende Mandatsauslastung voraus, die in der Verantwortung der Partner liegt. Darin steckt ein hohes unternehmerisches Risiko, das sich soeben in der Finanzkrise bei vielen Wirtschaftskanzleien verwirklicht hat.

4. Vorteile im *war for talents*

Der beste Weg für ambitionierte Kanzleien, sich im *war for talents* einen Vorteil zu verschaffen und überdurchschnittlich talentierte Studenten und Referendare möglichst früh an sich zu binden, ist der Weg über die Universitäten. Durch die Gewährung von Stipendien und Auszeichnungen für begabte Jurastudenten und Doktoranden, finanzielle Unterstützung von Professuren sowie durch das Angebot von Praktikumsplätzen sowohl während des Studiums als auch für die Zeit zwischen Studium und Referendariat (vielleicht sogar mit der Möglichkeit, ein Büro im Ausland kennenzulernen), können Kontakte zu Studenten und Professoren entstehen, die die Kanzlei auf junge Talente aufmerksam werden lässt. Insbesondere Kontakte zu Professoren können sich hierbei als nützlich erweisen. 14

Erfolgversprechend ist insbesondere ein früher Kontakt zu Referendaren. Ein gegenseitiges Kennenlernen von Kanzlei und Referendar während der Anwalts- und/oder der Wahlstation ist für beide Seiten vorteilhaft. Die Kanzlei kann sich ein klares Bild über die rechtlichen und auch die sozialen Fähigkeiten des Referendars machen, während der Referendar für sich herausfinden kann, ob die Kanzlei und auch die Kollegen und Vorgesetzten seinen Anforderungen an einen künftigen Arbeitgeber entsprechen. 15

16 Keine Kanzlei kann heutzutage noch erwarten, dass junge Talente plötzlich und ohne «Werbemassnahmen» vor der Tür stehen. Sie muss sich bekannt machen – das gilt insbesondere für kleinere ambitionierte Kanzleien wie auch etwa für sogenannte Rechtsboutiquen, die partiell im direkten *war for talents* mit internationalen Grosskanzleien stehen – und auf ihre Attraktivität hinweisen. Das kann durch gezieltes Recruitment geschehen, beispielsweise auf Bewerber-Messen wie der Juracon, durch das Schalten von Anzeigen über die Anwaltskammern, im Beck'schen Referendarführer und in der Ausbildungszeitung JuS sowie im Juracon-Handbuch oder durch die Einrichtung eigener Karriere-Webseiten auf der Kanzlei-Homepage. Das Nutzen persönlicher Kontakte und Empfehlungen ist sicher einer der effektivsten Wege sowohl für die Kanzleien als auch für die Referendare und Studenten, aufeinander aufmerksam zu werden.

4.1 C. Fazit

17 Die hohen Gehälter, über die viel geredet wird, sind nicht der allein ausschlaggebende Punkt bei der Entscheidung von *high potentials* für eine Kanzlei. Die grossen Wirtschaftskanzleien unterscheiden sich aus Sicht der Bewerber zunächst nicht wesentlich voneinander. Die äusseren Gegebenheiten, wie die hohe Arbeitsbelastung und die Höhe des Gehalts, sind vergleichbar. Entscheidend im Wettbewerb um junge Talente können also auch ein humaner Umgang am Arbeitsplatz und ein kollegiales Arbeitsklima sein. Dies ist an sich eine Binsenweisheit. Aber diese «Nebengebiete» werden im *war for talents* oft vernachlässigt.

18 Die Gehälter für junge Associates in ambitionierten Wirtschaftskanzleien entsprechen etwa dem Gehalt eines Geschäftsführers eines mittelständigen Unternehmens mit jahrelanger Berufserfahrung und grosser Personalverantwortung. Diese Gehälter der Juristen erscheinen daher auf den ersten Blick unverhältnismässig hoch. Wie oben gezeigt, ist die Investition der Kanzlei in einen Associate im ersten Jahr nicht mit einem grossen Gewinn verbunden. Ab dem 2. und 3. Berufsjahr nimmt die Wirtschaftlichkeit für die Kanzlei und deren Partner jedoch deutlich zu, vorausgesetzt, die Kanzleien weisen eine gute Arbeitsauslastung auf, und die hohen Stundensätze für Associates können dem Mandanten gegenüber durchgesetzt werden (hierbei ist zu beachten, dass gerade in der vergangenen Finanzkrise der Druck auf die Stundensätze seitens der Mandanten erheblich gestiegen ist).

19 Trotz der hohen Gehälter bleiben auch überdurchschnittlich talentierte Berufsanfänger allerdings Anfänger im beruflichen Alltag. Hier sind weitere Investments (insbesondere durch Aus- und Weiterbildung) der Kanzleien in den Nachwuchs nötig.

20 Die hohen Gehälter fördern die Tatsache, dass viele junge Bewerber bei der Suche nach einem künftigen Arbeitgeber *money driven,* also geldorientiert sind. Aus Sicht der Wirtschaftskanzleien, die unternehmerisches Denken der jungen Juristen erwarten, ist das zu akzeptieren. Die deutsche juristische Ausbildung ist eine lange Ausbil-

dung (4–5 Jahre Studium, 2 Jahre Referendariat plus 1–2 Jahre für die aus Kanzleisicht ebenfalls erwünschte Doktorarbeit und den Auslandsaufenthalt). Während dieser Ausbildung sind die Einkünfte eher gering und der Unterhalt oft von Eltern finanziert oder zumindest mitfinanziert. Die Ausbildung ist insgesamt kostspielig. Diese Investition seitens der jungen Juristen soll sich schliesslich lohnen. Unternehmerisches Denken in eigener Sache bestimmt so auch die Vertragsverhandlungen um hohe Einstiegsgehälter zwischen Bewerber und Kanzlei.

Auf der anderen Seite sollte sich der Berufsanfänger auch nicht von Hochglanzprospekten der Kanzleien, Business-Class-Flügen und Assessment-Center in London, New York oder auf Mallorca blenden lassen. Wer sich von diesem Schein beeindrucken lässt, disqualifiziert sich eher für die Arbeit eines sorgfältigen Wirtschaftsjuristen. Denn eine gewissenhafte Due Diligence (Sorgfaltsprüfung) durch den Bewerber erfordert, auch hinter die «glänzenden» Fassaden der Kanzleien zu schauen, was im Idealfall bereits durch eine Tätigkeit während des Referendariats möglich ist. 21

Die hohen Gehälter sind nur eine Seite der Medaille. Die andere Seite ist eine hohe Arbeitsbelastung. Wer viel Geld verlangt (und es bekommt), sollte wissen, worauf er sich einlässt. Der Associate «verkauft» sich häufig mit Haut und Haaren, d.h. lange Arbeitstage, Nachtschichten, Arbeit am Wochenende und an Feiertagen sind die Regel. Es wird nicht selten verlangt, dass der Associate sein Leben auf den Job ausrichtet und dem jeweiligen Deal unterordnet. Der Alltag in einer Wirtschaftskanzlei ist nicht Hochglanz, sondern oftmals grau, und er besteht häufig aus Datenräumen ohne Fenster und langen Nächten mit viel Kaffee und wenig Schlaf. Vor diesem Hintergrund erscheint der Wunsch der Bewerber nach einer Work-Life Balance verständlich. 22

Überdies ist der Weg hin zur Partnerschaft, der oft als Karriereziel junger Associates gesehen wird, lang und hart. Ein erfolgreicher Partner ordnet das eigene Leben noch mehr der Arbeit in der Kanzlei unter, als das als Associate ohnehin schon der Fall ist. Etwas zynisch könnte man sagen: «Ohne Hörsturz keine Partnerschaft.» Kanzleien bieten oft nur diffuse Aussichten dahingehend, ob eine Partnerschaft überhaupt möglich ist. Der Weg zur Partnerschaft ist gerade in den grossen internationalen Wirtschaftskanzleien heutzutage nicht mehr selbstverständlich, auch wenn ein Associate die Voraussetzungen dafür 100%ig erfüllt. Ein offener Umgang mit jungen Kollegen kann etwa sein, dass die Kanzlei von Anfang an eindeutig aufzeigt, dass an sich keine Partnergarantie gegeben werden kann, dafür aber eine sehr gute Ausbildung geboten wird. Ein solches transparentes Verhalten kann den Ausschlag für einen Bewerber geben, sich für diese Kanzlei zu entscheiden, da sich auch damit ein offener Umgang mit den Kollegen andeutet. 23

Aus Sicht der Kanzleien ist abschliessend zu betonen, dass der *war for talents* nicht mit der Einstellung der besonders begabten Juristen endet, sondern eigentlich erst beginnt. Die im umkämpften Wettbewerb ausgewählten jungen Associates sind regelmässig gute 24

Juristen. Die Kunst besteht aber darin, sie zum «Staranwalt» zu machen und langfristig an sich zu binden. Auch dies ist eine oft missachtete Binsenweisheit.

F. Der Weg zum Partner in einer Anwaltskanzlei

ROBERT FURTER

1. Die Partnerschaft

Anwälte praktizieren in Partnerschaften. Wie auch immer die Kanzleien rechtlich organisiert sind, ist das diese letztlich kontrollierende Organ eine Partnerschaft[1]. 1

Anwaltskanzleien werden von den Partnern als Eigentümer gemeinsam geführt. Diese übernehmen direkte Unternehmerverantwortung, und zwar in den heute bei Grosskanzleien vorherrschenden Gewinnverteilungssystemen nicht nur für die gemeinsamen Kosten, sondern auch für den geteilten Profit. Die massgebenden Vermögenswerte einer Kanzlei sind das Human Capital – das zwar alle produzierenden Mitarbeiter umfasst, aber massgeblich eben die Partner – und der Goodwill, der ganz wesentlich durch die Reputation gebildet wird. 2

Für den Fortbestand und die Weiterentwicklung einer Anwaltskanzlei und die Aufrechterhaltung der qualitativen Exzellenz ist der Prozess zur Förderung junger Talente und deren Ernennung zu Partnern von existenzieller Bedeutung[2]. 3

2. Partnerschaft: Ein beschwerliches, aber erstrebenswertes Ziel?

Der Weg zum Partner war schon immer beschwerlich. In früheren Jahren war die Ausgangslage aber relativ einfach: Kanzleien suchten *partnership material,* und wer als junger Anwalt in eine für damalige Verhältnisse grosse Kanzlei eintrat, wollte Partner werden. Der rigorose Auswahlprozess sorgte dafür, dass mit dem Eintritt in die Kanzlei bereits ein wichtiger Schritt getan war. Wer erstklassige Leistungen erbrachte und als Person kompatibel war, hatte sehr gute Partnerschaftschancen. 4

Heute haben die Kanzleien im *hiring* verschiedene Bedürfnisse, und auch wenn dies selbstverständlich nicht gerne offen kommuniziert wird, sind die Partnerschaftschan- 5

---

1 Bei den Schweizer Anwaltsaktiengesellschaften zum Beispiel eine einfache Gesellschaft zur gesamten Hand.

2 Die nachfolgenden Ausführungen erfolgen aus der Sicht eines langjährigen Partners einer grossen Schweizer Kanzlei, die einen modifizierten *lockstep* praktiziert und beziehen sich auf die Ernennung von intern rekrutierten *equity*-Partnern. *Non-equity*-Partner werden nur am Rande diskutiert, und die Fragen zur Rekrutierung von *lateral partners* sind ausgeklammert. Unter *equity*-Partner sind solche zu verstehen, die Teilhaber sind, direkt an Gewinn und Verlust partizipieren, die Unternehmensstrategie mitbestimmen und Finanzierungsverpflichtungen haben.

cen aus verschiedenen Gründen weniger hoch als früher. Profitabilität bedingt Leverage, was die Chancen der eintretenden Anwälte schon rein prozentual schmälert. Zudem sind in den Kanzleien verschiedenste Ansprüche der Klienten zu befriedigen, sodass die Dienstleistungen auch Commodities sein können – und diese können auch von Anwälten oder Juristen erbracht werden, die aus der Sicht der Firma nicht Partnerpotenzial haben müssen. Im Weiteren sind die Anwaltsfirmen den Marktverhältnissen ausgesetzt und können es sich nicht leisten, Partnerernennungen ungeachtet eines negativen wirtschaftlichen Umfelds vorzunehmen.

6 Aber auch umgekehrt ist die Partnerschaft nicht mehr unbedingt das Ziel aller Kandidaten. Abgesehen von den Fällen, in denen junge Juristen eine Partnerschaft aus persönlichen Gründen als nicht erstrebenswert erachten, stehen die Kanzleien in harter Konkurrenz zu anderen wirtschaftlichen Organisationen, die Anwälten insbesondere in einer Zeit, in der die wirtschaftliche Ausbildung auch im Bereich der Rechtswissenschaft einen viel prominenteren Platz einnimmt, sehr attraktive Alternativen bieten. Es locken hier interessante und nicht zuletzt auch sehr lukrative Positionen im Top-Management von Grossunternehmen, im Investment Banking und in Wirtschaftsberatungsunternehmen. Und auch die Konkurrenz um Talente unter den Kanzleien ist härter geworden und im freien Markt kein Tabuthema mehr. Die Zeiten, in denen Kanzleien mit dem Eintritt eines Ausnahmetalentes davon ausgehen konnten, dass dieses seine Karriere am gleichen Ort beenden werde, sind vorbei.

3. Partnerschaftspolitik: *Up or Out?*

7 Welche Partnerschaftspolitik eine Kanzlei verfolgt, hängt wesentlich von ihrer Struktur ab. Bei kleinen, auf Unkostenbeteiligungsbasis arbeitenden Kanzleien ist die Ernennung oder Aufnahme weiterer Partner oft ein opportunistischer Prozess. Man hat beispielsweise räumliche Überkapazitäten und will die Kosten auf weitere Köpfe verteilen. Es gibt aber auch sogenannte *closed shops,* oft in Familienpartnerschaften, wo prinzipiell keine (familienfremden) neuen Partner aufgenommen, die angestellten Rechtsanwälte aber überdurchschnittlich honoriert werden[3].

8 In grossen Kanzleien herrscht prinzipiell immer noch das das *Up-or-out*-Prinzip vor. Dabei nimmt die Partnerschaft neue Partner auf, und die Partnerentscheide sind strategischer Natur. Wie bereits dargelegt, können die Kanzleien aus verschiedenen Gründen aber nicht alle Kandidaten, die subjektiv die Kriterien erfüllen, zum Partner ernennen, und die Talentierten und Ambitionierten, die den Sprung nicht schaffen, verlassen die Kanzlei innert nützlicher Frist. Fairerweise wird ein negativer Entscheid – auf wel-

---

[3] Obwohl verschiedene grosse Schweizer Kanzleien ursprünglich als Familienkanzleien gegründet werden, herrscht heute in diesen generell eine strenge *No-nepostism*-Regel vor.

chen Gründen er auch immer beruhen mag – besser früher als später kommuniziert. In der Praxis fällt dies den Kanzleien aus offensichtlichen Gründen oft schwer.

Die Kanzleien sind gut beraten, das Ausfädeln beim *out* aktiv zu begleiten. Kandidaten 9
können sehr wohl nachvollziehen, dass aus objektiven Gründen nicht jeder oder jede in die Partnerschaft aufgenommen werden kann, und es ist offensichtlich im Interesse der Kanzleien, dass ausscheidende Mitarbeiter dies im Wohlwollen tun[4]. Nicht selten eröffnen sich dabei für alle Beteiligten Win-win-Situationen, etwa wenn Mitarbeiter im Rechtsdienst von Klienten platziert werden können und bei der Vergabe von Mandaten ihre ehemaligen Kollegen berücksichtigen.

In den letzten Jahren war im Markt klar zu beobachten, dass das Prinzip des *up or out* 10
nicht mehr rigoros angewandt wird[5]. Zum Teil systematisch und zum Teil einzelfallbezogen verbleiben Mitarbeiter, die nicht in die *equity*-Partnerschaft aufgenommen werden, weiter im Unternehmen. Der Hintergrund ist einfach: Die Kanzlei hat Jahre und Geld in die Ausbildung des Mitarbeiters investiert und möchte sich dessen Know-how weiterhin sichern, während der Mitarbeiter – fast immer aus persönlichen Gründen[6] – bereit ist, auch ohne *equity*-Partnerschaft weiterhin in der Kanzlei zu verbleiben. Diese Mitarbeiter erhalten üblicherweise einen speziellen Status, beispielsweise als *non-equity* Partner oder Counsel, und ihr Arbeitsverhältnis wird individuell ausgestaltet, beispielsweise in Bezug auf Arbeitszeit, aber auch beim Verdienst, zum Beispiel mit speziellen Leistungsanreizen.

In den letzen Jahren auch verbreiteter geworden ist das System, in welchem es keinen 11
direkten Eintritt in die *equity*-Partnerschaft gibt, sondern das erste oder zweite Partnerjahr noch eine *non-equity*-Partnerschaft darstellt. Letztlich stellt dies nichts anderes als eine Verlängerung der Zeitdauer zur Vollpartnerschaft dar. Das *Closed-shop-* oder *Deadman's-shoes*-System, in welchem prinzipiell keine Partner aufgenommen werden oder nur dann, wenn es eine Partnervakanz gibt, wird in grossen Kanzleien nicht praktiziert. Zwar wird selbstverständlich auch in einer offenen Partnerschaft lange nicht jeder Partner, und es gibt Zeiten, wo Platz für mehr Partner ist. Aber um die Fortführung des Unternehmens zu garantieren, braucht das Unternehmen Partner. Mit einer (auch unausgesprochenen) *Closed-shop*-Politik manövriert sich eine Kanzlei aus dem Arbeitsmarkt.

---

4 Auch Schweizer Kanzleien sind sich heute der Wichtigkeit der Betreuung von Alumni durchaus bewusst.

5 Vgl. zum Beispiel Raasch, Janet Ellen, Making Partner or Not – is it in, up or over in the 21st Century? In: Law Practice, Juni 2007, S. 35.

6 Familie, Work-Life Balance, etc.

4. Das Partnerprofil

4.1 Unternehmensziel als Ausgangspunkt

12 In den frühen Jahren galt auch in den grossen Kanzleien oft das Motto: «We work for the fun, the glory and the money.» Natürlich gilt das auch heute noch, aber erstes Unternehmensziel ist heute Profitabilität[7]. Die grossen Anwaltskanzleien sind Wirtschaftsunternehmen, die im mittleren Bereich angesiedelt sind. Auch die grossen Schweizer Kanzleien tragen heute Sozialverantwortung für weit über 100 Mitarbeiter. Zudem sind sie in einem Wirtschaftsumfeld tätig, in welchem sich die Partner in Bezug auf Profitabilität (und somit eigenes Einkommen) an den *peers* und am ausserhalb des Anwaltsberufes existierenden Gehaltsniveau messen. Um auf Partnerschaftsstufe konkurrenzfähig zu bleiben, und somit die langfristige Existenz der Kanzlei zu sichern, braucht es ein gewisses Profitabilitätsniveau. Zudem hilft Profitabilität, die Unabhängigkeit zu wahren[8].

13 Aus Sicht der Kanzlei müssen daher neue Partner geeignet sein, mittelfristig die Profitabilität zu steigern[9].

14 Dabei spielt bei der Entscheidung auch das von der Firma implementierte Gewinnverteilungssystem eine Rolle. Von wenigen Ausnahmen abgesehen, verwässern neue Partner am Anfang den Gewinn. Bei Verteilsystemen, die in erster Linie auf der persönlichen Produktion der Partner beruhen, wie etwa dem *Eat-what-you-kill*-System, bleibt das persönliche Auskommen wesentlich im Verantwortungsbereich des neuen Partners, der meist auf den Goodwill der Partnerschaft angewiesen ist. Beim reinen *lockstep* ist die Verwässerung direkt und trifft jeden. In einer idealen Welt, in der jeder Partner von Anfang bis Ende sich gleich gut – sprich immer besser – entwickelt, stellt der reine *lockstep* sicher auch das ideale Gewinnverteilungssystem dar[10]. Nachdem es nur wenige perfekte Anwaltsfirmen gibt und Leistungsdifferenzen zwischen den Partnern in der überwiegenden Mehrheit der Firmen Fakt sind, ist heute der *lockstep* meistens modifiziert, indem objektive oder subjektive Leistungselemente in die Gewinnverteilung eingebaut sind oder es in der *equity* eine *Two-tier*-Struktur gibt. Generell ist aber zu sagen, dass Partnerentscheide in Bezug auf Profitabilität und Verwässerung umso wichtiger sind, je ausgeprägter der *lockstep* ist.

4.2 Der *Personal Case*

15 Gewisses ist selbstverständlich: Der Partnerkandidat muss erstklassig ausgebildet sein, im Ausland praktische Erfahrung gesammelt oder studiert haben, hervorragende Sprach-

---

[7] Staub, Leo, Der Anwalt als Unternehmer. In: Anwalts-Revue 6–7/2002, S. 25.

[8] Staub 2002, S. 25.

[9] Zur unternehmensethischen Seite siehe Bernard, Stephan, Anwaltliche Gewinnoptimierung ohne Schranken – eine Replik. In: Anwaltsrevue 11–12/2009, S. 529 ff.

[10] Die profitabelsten Anwaltsfirmen der Welt operieren überwiegend auf einem reinen *lockstep*.

kenntnisse besitzen, überdurchschnittlich leistungsbereit sein und ein hohes Berufsethos haben. Das genügt aber noch nicht.

Damit die Partnerschaft funktioniert, braucht es das Vertrauen der Partner ineinander[11]. 16
Vertrauen heisst Glaubwürdigkeit. Glaubwürdigkeit setzt sich aus Charakter und Kompetenz zusammen. Charakter umfasst Integrität und Intention; Kompetenz umfasst Fähigkeit und Resultate.

- Integrität: Ein Partner muss sich kongruent verhalten, und es darf keine Lücken 17
zwischen Intention und Verhalten geben. Ein Partner muss das Richtige tun, auch wenn es schwierig ist[12]. Ein Partner muss bescheiden bleiben – es zählt die Firma, nicht die Person.
- Intention: Vertrauen schafft man, indem man sich für die anderen einsetzt, sie 18
unterstützt und für sie da ist. Das gemeinsame Interesse steht vor dem eigenen.
- Fähigkeit: Ein Partner muss ein hohes Mass an Fähigkeit und Fertigkeit haben 19
und bereit sein, diese über die Zeit immer weiter zu verbessern. Ein Partner muss effektiv sein.
- Resultate: Ein Partner muss die Verantwortung für Resultate übernehmen. Re- 20
sultate, nicht Aktivitäten. Ein Partner muss gewinnen wollen.

4.3 Der Business Case

Der Business Case ist nicht für jeden Kandidaten gleich und wird über die Zeitachse auch 21
von externen Faktoren beeinflusst. Während der Personal Case zu Homogenität führen soll, sucht die Partnerschaft beim Business Case Heterogenität. So sollen die verschiedenen Stärken der einzelnen Partner kombiniert werden, um das Unternehmen als Ganzes zu stärken.

Im Business Case vorausgesetzt ist die Spezialisierung. In allen Schweizer Grosskanzleien 22
sind die Partner spezialisiert, aber ohne, dass die Partner (und auch die übrigen Juristen) nur noch auf Sachbearbeiter-Ebene praktizieren würden. Da seit einigen Jahren junge Anwälte schon sehr früh beginnen, sich zu spezialisieren (oder zur Spezialisierung angehalten werden), ist diese Voraussetzung des Business Case heute generell gegeben.

Im Übrigen setzt sich der Business Case aus individuellen Faktoren zusammen, die sich 23
mit den berühmten vier «er» umschreiben lassen[13]:

---

11 Anstelle vieler das berühmte und oft bemühte Zitat von Tom Peters: «Technique and technology are important, but adding trust is the issue of the decade.»

12 Man denke an Interessenkonflikte und Unabhängigkeit.

13 Vgl. für viele Heussen, Benno, Anwaltsunternehmen führen, München 2009, S. 112, mit sehr blumigen Beschreibungen.

- *Minder:* eine Person mit hohem Intellekt und Know-how;
- *Binder:* eine Person, die die Partnerschaft binden kann;
- *Grinder:* eine Person, die hart und viel arbeitet;
- *Finder:* eine Person, die viel Arbeit generiert.

24 Selbstverständlich ist es nicht möglich und auch nicht nötig, dass ein Partnerkandidat alle diese Faktoren perfekt auf sich vereint. So ist beispielsweise der *rainmaker* oft nicht die Person, die eine herausragende quantitative Bilanz in der Mandatsarbeit aufzuweisen hat oder sich in aussergewöhnlicher Weise um das Partnerschaftsklima kümmert. Je besser jedoch die Bilanz eines Kandidaten in Bezug auf diese vier Faktoren ist, um so mehr drängt er sich für die Partnerschaft auf und macht es für diese schwierig, keinen positiven Entscheid zu treffen.

25 Im Weiteren wird von einem Partner die für Dienstleistungsunternehmen notwendige Servicebereitschaft in der Klientenarbeit, eine hohe Energie und unternehmerisches Denken und Verhalten erwartet. Eine hohe Energie führt zu Resultaten. Unternehmerisches Denken und Verhalten bedingt Kenntnis des Klientenmarktes und der Konkurrenz und das Verstehen der die Profitabilität bestimmenden finanziellen Kennzahlen einer Anwaltskanzlei.

4.4 Mittragen der Partnerschaftsphilosophie und Akzeptanz durch die Partnerschaft

26 Und last but not least: Der angehende Partner muss in die Partnerschaft passen. Er muss die Vision und Philosophie der Partnerschaft mittragen und ein konsensfähiger Teamplayer sein. Dabei ist darauf hinzuweisen, dass es keine allgemeingültige Partnerschaftsphilosophie gibt. Die heute bestehenden grösseren Partnerschaften sind nicht zufällig gewachsen, sondern wurden über die Jahre bewusst gebildet. Wenn jemand eine Philosophie nicht teilen will, stehen ihm immer noch andere Gelegenheiten offen.

27 Die Partnerschaft ihrerseits muss neue Partner akzeptieren. Mit dem Eintritt in die Partnerschaft übernimmt der bisherige Mitarbeiter eine neue Funktion, und die Kontrolle der Partnerschaft als Ganzes und die der einzelnen Partner über Klientenbetreuung und geschäftliches Verhalten im Allgemeinen verringert sich.

5. Der Weg zum Partner

5.1 Die Karriereplanung

28 Als Faustregel erfolgt die Ernennung zum Partner sechs bis acht Jahre nach Eintritt als Rechtsanwalt. Generell oder im Einzelfall kann die Dauer auch kürzer oder länger sein.

Die Mitarbeiter werden regelmässig qualifiziert, wobei die Partner sich ab etwa 3 Jahren nach Eintritt auch über die Partnerschaftsaussichten des zu Qualifizierenden äussern müssen. Ab diesem Zeitpunkt werden die Karriereaussichten auch mit den Mitarbeitern im Rahmen der Qualifikationsgespräche formal thematisiert.

Die Mitarbeiter sollen das Anforderungsprofil und die zugrunde liegende Partnerschafts- 29
politik kennen und auch über deren Anpassungen kontinuierlich informiert werden. Wenn der Entscheid spruchreif wird, sind mit dem zur Diskussion stehenden Mitarbeiter auch die rechtlichen Rahmenbedingungen – insbesondere Partnerschaftsvertrag, Gewinnverteilungssystem, finanzielle Verpflichtungen, Rechte und Pflichten generell – zu besprechen.

5.2 Der Entscheidprozess

Es gibt verschiedene Wege, wie der Entscheid letztlich in die Partnerversammlung getra- 30
gen wird: Es gibt Kanzleien, die einen separaten Ausschuss für die Partnerselektion haben. In anderen wird die Vorbereitung des Entscheides den entsprechenden Fachgruppen oder dem Management überlassen. Es kann aber auch immer wieder vorkommen, dass eine Gruppe von Partnern mit hohem Ansehen (früher oft die Senior Partner) den Entscheid vorantreibt. In der Schweiz nicht üblich ist der Beizug Dritter, zum Beispiel für die Durchführung eines Assessments.

Partnerentscheide reifen in einem kontinuierlichen Prozess und haben durchaus eine fir- 31
meninterne politische Dimension. Die Partnerschaft diskutiert in regelmässigem Zyklus die Partnerschaftsaussichten der Mitarbeiter. Dabei hilft es einem Kandidaten natürlich, wenn er sich über die Jahre in der Partnerschaft allgemein bekannt gemacht hat. Die Organisationsform in Fachgruppen führt dazu, dass Kandidaten einer Fachgruppe den Partnern der anderen Fachgruppen zumindest in beruflicher Hinsicht weniger bekannt sind. Bei der Grösse, die die Partnerschaften heute haben, verlassen sich Partner in Einzelfragen gezwungenermassen auf die Optik von anderen.

Wenn der formelle Entscheid getroffen wird, sind die Meinungen vorgängig bereits 32
gemacht. Während früher für Partnerschaftsentscheide oft das Einstimmigkeitsprinzip galt, ist dieses heute bei vielen Kanzleien gelockert. Eine kleine Minderheit soll den Partnerentscheid nicht irrational blockieren können[14], wobei jedoch in der Praxis je nach Grösse der Firmen generell ein Mindestquorum von ⅔ oder ¾ Zustimmung aller Partner gefordert ist.

[14] Heussen 2009, S. 126.

5.3 Vorbereitung auf die Partnerschaft

33 Die Partnerschaft ist eine neue berufliche Rolle, man wird vom Mitarbeiter zum Eigentümer. Traditionell erfolgte die Vorbereitung darauf informell durch *learning by doing*. Man arbeitete viele Jahre mit einem erfahrenen Partner zusammen, der eine Mentorrolle übernahm. Von ihm lernte man das Partnerhandwerkszeug. Konnte man mit mehreren Partnern intensiv zusammen arbeiten, durfte man auch mitverfolgen, dass es im Anwaltsberuf verschiedene Wege zu Erfolg und persönlicher Befriedigung gibt – nicht zuletzt auch dadurch bedingt, welches der vier «er»[15] eine Person verkörpert.

34 Heute haben die Firmen formelle Partnerentwicklungsprogramme implementiert. Diese bringen den angehenden Partnern die Vision und Strategie der Kanzlei näher und führen sie in die Management- und Organisationsstruktur ein. Ebenso bereiten sie auf diejenigen Aufgaben vor, für die die neuen Partner von nun an Verantwortung übernehmen müssen: Klientenannahmeentscheide, Klientenbetreuung während der Mandate und nach Abschluss, Rechnungsstellung, Debitorenbewirtschaftung, persönliches Marketing und Organisation der Firma. Und nicht zuletzt werden in gemeinsamer Arbeit individuelle Businesspläne erstellt.

6. Partnerentscheide sind schwierige Entscheide

35 Partnerschaftsentscheide werden zwar gut vorbereitet und aufgrund umfassender Informationen gefällt. Aber es sind schwierige Entscheide, die nicht nur auf rationaler Ebene gefällt werden können. Insbesondere negative Entscheide und deren Eröffnung sind von starker Emotionalität begleitet. Es sind diejenigen Partner, die am meisten mit dem betroffenen Mitarbeiter zusammen gearbeitet haben, die den Entscheid wesentlich beeinflussen und letztlich auch eröffnen und vertreten müssen.

36 Es ist auf persönlicher Ebene immer einfacher, einen positiven Entscheid zu treffen. Andererseits sind positive Entscheide immer ein Risiko und in starkem Ausmass Bauchentscheide, weil die Partnerschaft für die Entscheidfindung die berufliche und persönliche Entwicklung des Kandidaten antizipieren muss.

37 Liegt die Partnerschaft falsch, ist dies schmerzlich und kostet Geld und Nerven. Das falsche Ja führt irgendwann zu einem schwierigen Trennungsprozess und beim falschen Nein wird der Mitarbeiter oft bei der Konkurrenz zum erfolgreichen Partner.

38 Schaut man sich in der internationalen Anwaltspresse die vielen Ankündigungen von Partnerwechseln an, kann man den Schweizer Kanzleien im internationalen Vergleich

[15] Siehe dazu bei Fn. 13.

trotz steigender Volatilität in Bezug auf Kontinuität und Stabilität, und somit auch in Bezug auf die Qualität der Partnerentscheide, ein überdurchschnittliches Zeugnis ausstellen.

G. Partnerkultur

FRANK E. R. DIEM

1. «Wir sind besser als die anderen»

1 «Wir sind besser als die anderen» ist eine Feststellung, die immer nur von einem Dritten kommen sollte. Und zum USP *(unique selling point)* eignet sie sich in einem Dienstleistungsmarkt, der in Deutschland von mittlerweile mehr als 158 000 Berufsträgern bedient wird, auch nicht. Sie ist vielmehr Grundvoraussetzung dafür, sich in einem sorgfältig auszuwählenden Marktsegment überhaupt positiv von anderen Anbietern absetzen zu können. Wobei ich keinen Hehl daraus machen möchte, dass die vom Auftraggeber subjektiv empfundene Dienstleistungsqualität nicht notwendigerweise mit der Verrichtungsqualität einhergehen muss, die unter objektiven Kriterien in juristischer Sicht an den Tag gelegt wurde (werden musste). Besser zu sein als «die anderen» ist deswegen in hohem Masse vom Vergleichsmassstab und den gewählten Parametern abhängig.

2 In grossen wie – noch wesentlich massgeblicher – in kleinen Rechtsanwaltsgesellschaften leben wir davon, dass der Kunde mit dem Ergebnis unserer Tätigkeit zufrieden ist. Ebenso, dass ihm im Idealfall auch die Art und Weise gefällt, wie wir dies tun. Er setzt die Parameter, und er entscheidet auch über den Vergleichsmassstab – etwa, indem er sich für eine kleine, mittlere oder grosse Kanzlei entscheidet, für eine solche im national fokussierten Bereich oder eine Einheit, die sich Internationalität auf die Fahne geschrieben hat.

3 Ich habe im Rahmen der Recherchen zu einem Büchlein, das ich nicht allzulange nach Aufnahme meiner Rechtsanwaltstätigkeit zusammen mit Kollegen aus einem Arbeitsausschuss der Bundesrechtsanwaltskammer (BRAK) zum Thema «von Qualitätsmanagement und Zertifizierung»[1] verfasst habe, die Ausführungen eines amerikanischen Marketingexperten gefunden, der als von Mandantenseite für die Einschätzung der anwaltlichen Dienstleistung bedeutendste Wahrnehmungen ermittelt hatte[2]: 1. Verlässlichkeit, 2. Schnelligkeit und Information, 3. fachliche Kompetenz/Vertrauensbildung, 4. Einfühlungsvermögen, 5. gegenständliche Wahrnehmung. Der Punkt ist, dass es mir damals, lange vor der durch ein Spin-Off erfolgten Gründung von DIEM & PARTNER klar geworden war, wie wichtig bei der Planung einer Kanzleistrategie die aus Mandantensicht überhaupt beurteilbaren Komponenten unserer Dienstleistung sein würden. «Besser sein als die anderen» würde sich also nicht primär auf die rein akademische

1 Blümel/Diem/Hocke, Qualitätsmanagement und Zertifizierung, Leitfaden für Rechtsanwälte, Verlag Dr. Otto Schmidt, 1998.

2 S. Schmidt, «Marketing The Law Firm: Business Development Techniques», New York 1996 (Loseblatt), § 13 E.03.

Leistung konzentrieren, sondern ganz wesentlich durch deren Darreichung und Erläuterung gegenüber den Kunden/Mandanten (der Begriff «Kunde» gefällt mir eigentlich besser, weil damit die Assoziation zu dem Slogan: «der Kunde ist König» leichter fällt und man sich nicht in das doch weit steriler anmutende Verhältnis zum «Mandanten» flüchten kann).

Parallel zu meiner Entscheidung, die seit meiner Jugendzeit manifeste Vorstellung von der Rechtsanwaltstätigkeit in einer dem freien Beruf angemessen scheinenden Kanzleistruktur auszuleben (was für mich die Tätigkeit in einer Grosskanzlei per se ausschloss), gesellten sich auf diese Weise Einzelaspekte, die sich mehr und mehr zum Konzept verdichteten. Dass ich mit meinen Überlegungen «das Rad nicht neu erfinden» würde, machten mir spätere Erkenntnisse unmissverständlich klar. Aber es ist zum einen typisch für einen Mittelständler, dass er alle Erfahrungen selbst machen will; zum anderen gab es zu dieser Zeit in Deutschland weder eine Managementkultur in Anwaltskanzleien noch entsprechende Literatur noch insoweit zielführende *practice groups*. Und der Blick nach England oder über den grossen Teich war stets mit der Einschränkung behaftet, dass dort nur über grosse, noch grössere und – aus Sicht des deutschen Durchschnittsanwalts – unvorstellbar grosse Kanzleieinheiten berichtet wurde. 4

Den letzten Schubs hin zur «partnerorientierten Kanzleikultur» gab mir ein Junganwalt aus einem grossen Frankfurter Büro 1992 in Dresden, als er in Ermangelung weiterer rechtlicher Argumente beim Gesellschafterstreit im Rahmen eines Restitutionsverfahrens indigniert darauf hinwies, dass er schliesslich als Anwalt der Kanzlei – nennen wir sie «XY & Partner» – auftrete, und damit ganz offenbar der Auffassung war, dies stelle einen eigenen Wert dar. 5

Damit komme ich beim Ausgangspunkt des Teils an, der sich mit der Beantwortung der von den Herausgebern gestellten Fragen beschäftigt: 6

2. Warum setzen kleine und mittlere Kanzleien auf die *partner attention* in der Mandatsbearbeitung?

Die einfachste Antwort bestünde wohl darin, zu sagen, dass gar keine andere Alternative bleibt. Aber nähern wir uns über den theoretischen, strategischen Ansatz: 7

Die deutsche Kanzleienlandschaft besteht[3] nach wie vor in der Mehrzahl aus Einzelkanzleien oder Bürogemeinschaften (Westen: 67,3%; Osten: 74,4%). Insgesamt 26,5% der Kollegenschaft im Westen der Republik (Osten: 17,8%) ist in örtlichen Rechtsanwaltsgesellschaften organisiert, und lediglich der Rest der Kollegenschaft (Westen: 6,2%, 8

[3] Quelle: «STAR»-Umfrage 2010 des IFB (Institut für freie Berufe), Nürnberg, auf Basis der Erhebungen zum Wirtschaftsjahr 2008.

Osten: 7,8%) übt seine Berufstätigkeit in überörtlichen Gesellschaften aus (wozu in der Statistik auch die internationalen Büros zählen).

9 Eine Einzelkanzlei wie auch die Bürogemeinschaft lebt ausschliesslich von der Leistung des Inhabers. Signifikante Skaleneffekte («Hebel», *gearing*) gibt es, von Insolvenzverwaltern oder vereinzelten Beraterkoryphäen abgesehen, regelmässig nicht. Und auch die örtliche Sozietät gegenwärtiger Prägung, die sich während der Phase der Mergers zu grösseren lokalen oder regional angesiedelten Einheiten (nach den «Bastille-Entscheidungen» des BVerfG in 1987 und der Öffnung des deutschen Ostens bis zu den von der Finanzkrise getriebenen Abschmelzprozessen und Demergers gegen Ende der letzten Dekade) nicht fusioniert hat (und deswegen heute nicht deutlich mehr als 25 Berufsträger zählt), wird kaum in der Lage sein, Mandate zu akquirieren, die es erlauben, in nennenswertem Umfang Associates einzusetzen und mit einträglichen Stundensätzen zu fakturieren. Die Partnerpräsenz ist damit vorgegeben, und es besteht wenig Spielraum für grosse akquisitorische Eskapaden in Richtung der Grossmandate. M&A-Transaktionen sind für solche Einheiten die absolute Ausnahme, d.h., auch Due Diligences und sonstige Prozesse, in denen hauptsächlich Mandanten- oder Transaktionsdaten erfasst und gewürdigt werden müssen, haben kaum/keine unternehmensstrategische Bedeutung. Sie werden als ertragsförderndes Sahnehäubchen gerne mitgenommen – mehr nicht.

10 Kanzleien, die sich trotz «unterkritischer» Mitarbeiterzahl im Transaktionsbereich oder dem transnationalen Rechtsverkehr bewegen, erscheinen deswegen als Ausnahmen. Die vorstehenden Statistikwerte tragen diese Schlussfolgerung nicht nur auf den ersten Blick.

11 Wer sich zum einen den grösser angelegten Dispositionen, d.h. Mandanten mit regelmässigem Beratungs- und Vertretungsbedarf verschreibt und solche Mandate auch tatsächlich akquirieren kann, gleichzeitig aber auf die offenkundigen materiellen Segnungen des *gearing* und deren wirtschaftlichen Optimierung verzichtet, nährt den Verdacht, ein Unternehmer zu sein, der ganz absichtsvoll mit seiner Innenorganisation dafür sorgt, eigendynamische Prozesse zu vermeiden, die dort zu entstehen pflegen, wo Erfolg nach Grössenwachstum ruft.

Warum dies? *Partner attention* hat durchaus erkennbare Vorzüge:

12 Der Partner bleibt damit nicht nur Herr des einzelnen Prozesses/Projektes und deswegen bevorzugter, originär informierter Ansprechpartner des Mandanten. Vielmehr vermag er im Laufe der Zeit ein Wissen über die Mandantschaft und deren Unternehmens- sowie Branchenumfeld aufzubauen. Dies macht ihn sehr effektiv und lässt ihn – in Zeiten immer aggressiver werdender Marktumfelder von eigenem Wert – mit fortschreitender Dauer der Geschäftsbeziehung immer schwerer austauschbar werden. Und schliesslich: Namentlich Mittelständler sind häufig so strukturiert, dass gerade in von ihnen als «wichtig» eingestuften Angelegenheiten der Hauptanteilseigner – so er nicht ohnehin Mit-

Geschäftsführer und qua Organstellung mit den bedeutenderen Dispositionen befasst ist – die Verbindung zu Steuerberater, Wirtschaftsprüfer und «Hausanwalt» hält. Er kommuniziert sehr gerne «auf Augenhöhe», geht er doch nach eigenem Selbstverständnis davon aus, in dem Partner einer Rechtsanwaltsgesellschaft denjenigen vor sich zu haben, der für sein Tun unmittelbar haftet, bzw. davon profitiert. Associates hingegen sieht er oftmals als blosse «Wasserträger» – anleitungsbedürftig (und damit aus seiner Sicht per se ineffizient), abhängig und nahezu beliebig austauschbar (denn er bekommt deren Lernaufwand Stunde für Stunde «mit horrenden Sätzen» verrechnet).

Partner attention kann aber auch deswegen attraktiv sein, weil der aus einer dergestalt strukturierten Einheit heraus agierende Anteilseigner eigene Haftungsrisiken schneller wahrnimmt und damit gegebenenfalls früher und effizienter gegenzusteuern vermag. Er ist an der Leistungserbringung unmittelbar beteiligt und darf die gelungene Transaktion wirklich als eigenen Erfolg verbuchen. Er arbeitet nicht primär, um am Abend die *billables* seines Teams zu aggregieren und den Umsatz zum wesentlichen Gradmesser seines Selbstwertgefühls werden zu lassen. *Partner attention* hat auch etwas von einem Lebensgefühl. Die Geschicke nicht nur des eigenen Teams, sondern der gesamten Kanzlei sind sehr unmittelbar erlebbar und beeinflussbar. Der Einfluss auf prägende Parameter der Kanzleitätigkeit, etwa in berufsethischer Sicht, ist präsent und verlangt nach eigenständigen Entscheidungen, was aus grundsätzlichen persönlichen Erwägungen heraus nicht angenommen oder wegen unakzeptabler Mandantenanforderungen vorzeitig beendet wird. 13

3. Welche Elemente machen bei DIEM & PARTNER die Partnerkultur aus?

Gemessen an den typischen Kriterien für die Einordnung einer Rechtsanwaltskanzlei sind wir wohl als eine «Exotenkanzlei» zu sehen: Für eine international tätige Kanzlei mit fünfzehn Berufsträgern personell nicht gerade üppig bestückt; mit unseren «ausserdeutschen» Tätigkeitsfeldern im türkischen, französischen und internationalen Recht und den Büros in Istanbul, Lyon sowie aktuellen Aktivitäten in den Maghreb-Staaten immer und überall auf Kooperationen angewiesen; in den Bereichen Baurecht und Social Media sehr tief spezialisiert, im klassischen Wirtschaftsrecht lediglich doppelt besetzt, ohne ständige Einsatzreserven. 14

Aber mit einer Menge langjährig gewachsener Kontakte, mit Netzwerken, Vertrauenspartnerschaften, gefestigten Kooperationen – und einer Partnerstruktur ohne Altersbrüche, Themenlastigkeit oder Machtgier. Es eint uns die Überzeugung, dass wir gemeinsam mehr zustande bringen werden als jeder Einzelne und die praktische Erfahrung, dass wir auch Rückschläge wegstecken können. Dass Ausbau und Entwicklung unserer Tätigkeitsfelder sowie die Optimierung der Arbeitsabläufe und -qualität regelmässig höher 15 bewertet werden als der letzte Euro an Entnahmen. Der Glaube an das «Gesamtkunstwerk Leben» ist es, der uns grosszügig zueinander sein lässt, es uns gegenseitig möglich macht, neben der Kanzleiarbeit ein Familienleben zu pflegen, soziale Kontakte zu erhalten und auch sportliche Aktivitäten nicht völlig zugunsten der Kanzleiziele einstellen zu müssen. Schliesslich: Wir gestehen das, was man neudeutsch «Work-Life Balance» nennt, auch unseren Associates zu und gehen davon aus, dass jeder das ihm Mögliche tut, um unser Team zu fördern.

16 Ein Franzose mit doppelter Berufsqualifikation, ein in klassischem Klavierspiel akademisch ausgebildeter Baurechtler, ein von der Social Media Community vollkommen vereinnahmter jüngster Partner. Und ein Kanzleigründer mit Mitte fünfzig, der es «aus eigener Kraft schaffen» wollte. Mit einem 1994 als stringent eingeschätzten Konzept, einer kleinen Mannschaft und ohne Abhängigkeit von einem übermächtigen Hauptmandanten. Basierend auf einem soliden Qualitätsmanagement, auf vielen – in ihrer jeweiligen Zeit innovativen – Ideen, und jeder Menge Vertrauen in uns selbst haben wir seitdem versucht, immer besser zu werden und auf dem Spielfeld der Grossen ein paar Quadratmeter für uns zu vereinnahmen. Meist ist dies bislang auch gelungen. Und das macht unsere Partnerkultur aus.

17 Mehr Details? Gemeinsam wollen wir DIEM & PARTNER sein, gemeinsam bauen wir seit 1994 aus einer Idee ein Unternehmen, das die Gründergeneration in der Gewissheit überdauern soll, dass hochwertige Rechtsberatung gut daran tut, von Charakteren repräsentiert zu werden, die eigene Brands sind. Die den Mandanten der Kanzlei das Vertrauen geben, nicht auf deren Rücken ihren eigenen Marktwert befördern zu wollen. Und die verstanden haben, dass jede Form beruflicher Zusammenarbeit die Bereitschaft voraussetzt, damit zufrieden zu sein, wenn Dinge (nur) zu 80% in der Weise erledigt werden, wie man sich dies für sich selbst vorstellt!

4. Wie wirkt sich diese Kultur intern – bei der unternehmerischen Steuerung und Entwicklung der Kanzlei – und extern – im Verhältnis zu den Mandanten und in der Mandatsarbeit – aus?

18 «Leben und leben lassen» – das ist der Obersatz zu dem, was wir in unserem Qualitätsmanagement festgelegt haben. Wir haben zu akzeptieren versucht, dass Geisteswissenschaftler keine Gardesoldaten sein können – selbst wenn sie im Vorstellungsgespräch tun, als wäre ihnen dies nicht vollkommen wesensfremd. Wir haben aber auch Wert

darauf gelegt, Aktenautisten[4] keine realistische Chance zu lassen, bei D&P längere Zeit unentdeckt ihr Dasein zu fristen.

Konkret: Wir gehen mit Neueinstellungen ein hohes materielles Risiko ein, weil wir aus jungen Juristen mit überdurchschnittlicher akademischer Qualifikation gute Berater an der Schnittstelle zwischen Unternehmen und Recht machen wollen. Und dies bedeutet einen Ausbildungsaufwand, der im Verhältnis zu unseren Ertragsmargen grenzwertig hoch erscheint. Wir tun es trotzdem, weil wir davon überzeugt sind, dass wir einiges auch durch ein entsprechendes Eigenverhalten befördern können und es nichts auf Dauer Effizienteres gibt als eigenes Vorbildverhalten. Auch wenn es immer wieder Enttäuschungen gibt (bei Lichte betrachtet wahrscheinlich auf beiden Seiten). 19

Wir müssen bei D&P weit mehr diskutieren und erläutern, als dies bei einer konsequent gelebten Hierarchie und einem ebensolchen Kanzleimanagement möglich wäre. Unsere Partner haben viele der administrativen Tätigkeiten untereinander aufgeteilt. Sie tragen die Verantwortung, arbeiten aber auch insoweit eng mit den Associates zusammen. Diese sollen von Anbeginn sehen, was – ausser juristischen Qualifikationen – vonnöten ist, um ein kleines Freiberuflerunternehmen professionell zu führen. Kultur gegen Effizienz: Auch wir lernen, dass nicht alles nur in dogmatisch vollkommener Reinkultur praktiziert werden muss, um glaubhaft zu sein. Deswegen haben wir aktuell ein Projekt «Kanzleimanager» aufgesetzt. Betriebswirtschaftlich Vorgebildete sind auch als Akademiker in manchem einfach schneller und unkomplizierter als Juristen … 20

Wir lassen bei D&P manche Chance aus, die sich erkennbar bieten würde. Einfach, weil wir ansonsten auf Kosten der Binnenkultur powern müssten – oder wir zu lange darüber diskutieren und planen. Will heissen: Die Kanzleientwicklung könnte schneller und wirtschaftlich effizienter laufen – ein Preis, den wir dafür bezahlen müssen, dass wir andere (vorstehend dargestellte) Prinzipien kultivieren. Und was die Kanzleigrösse anbelangt, müssen wir akzeptieren, dass unsere Struktur nicht beliebig skalierbar ist. Dies hat zur Konsequenz, dass etwa neue Auslandsbereiche nur sehr zurückhaltend angegangen werden können, weil sie Grössenwachstum bedeuten. 21

Unsere Mandanten schätzen das Streben der Kanzlei nach Transparenz und die erkennbaren Anstrengungen, auch ohne umfangreiche Hilfstruppen zu arbeiten. Sie geniessen, dass sie Sachverhalte nicht zum wiederholten Male gegenüber häufig wechselnden «Subalternen» erläutern müssen, sondern der den Mandanten betreuende Partner das kanzleiinterne Briefing selbst verantwortet. Sie akzeptieren die Kehrseite der Vorteile, nämlich, dass wir in manchen Belangen nicht so schnell sein können wie ganz grosse Einheiten. Bei M&A-Prozessen stellen wir aber fest, dass – abgesehen von Due Diligences, wo man einfach *headcount* benötigt, um relevante Datenmengen zu erfas- 22

[4] Ein Begriff, den ich erstmals von Prof. Dr. Christoph Hommerich, Professor für Soziologie, Marketing und Management, hörte. Er soll Juristen charakterisieren, die ihre Erfüllung darin sehen, den täglichen Wiedervorlagestapel im Tagesverlauf durch Verfügungen von links nach rechts zu befördern …

sen – unsere Art, mit den Dingen umzugehen, auf der «Zielgeraden» wieder viel Zeit gutmacht. Und bei zeitkritischen Vorgängen, die unsere Möglichkeiten übersteigen, sind wir ehrlich und ziehen weitere Kollegen hinzu, oder empfehlen die Mandanten an eine geeignete Kanzlei. Aber auch hier gilt insgesamt: Unsere Abläufe sind ergonomisch, d.h. in der Regel auch ohne grosse Erläuterung nachvollziehbar; sie werden deswegen auf Mandantenseite gerne gesehen, erfordern aber immer wieder die Bereitschaft der Partner zum Einsatz als «pädagogische Kraft».

5. Rechnet sich eine stark ausgeprägte Partnerkultur in der Kanzlei?

23 Finanziell sicher weder kurz- noch langfristig, wenn es stimmt, was – in der Anciennität vergleichbare – Partner aus grossen Kanzleien berichten. Aber es gibt auch noch andere Posten auf der «Rechnung». Die durch die «Partnerkultur» erreichbare Mandantentreue bringt Identifikation und – wenn's richtig läuft – auch Zufriedenheit mit der beruflichen Arbeit. Mandanten und ihre organschaftlichen Vertreter langjährig zu beraten, bringt Erfahrungen und Beziehungen zu Menschen, vor denen wir als Partner nie aus Gründen der blossen Umsatzerzielung oder -erhaltung buckeln müssen, um unsere Position in der Kanzlei zu rechtfertigen. Mandanten, die uns mit unseren Ecken und Kanten akzeptieren – wenn nicht sogar gerade deswegen schätzen. Deswegen: Ja, es rechnet sich!

6. Wie werden Agilität und Flexibilität der Kanzlei im Markt durch eine solche Kultur beeinflusst?

24 Sofern die Frage nicht bereits durch die vorstehenden Ausführungen beantwortet ist, eignet sie sich vielleicht auch für ein schlagwortartiges Fazit:

25 Partnerkultur fördert Individualität, Eigenverantwortung, Selbstwertgefühl, Sozialkompetenz, Auftreten, Chuzpe, aber auch Solidarität, Vertrauen, Verlässlichkeit, Fantasie und Unternehmensgeist. Man kann nun – je nach konkretem Thema – zuweisen, ob hierdurch Agilität und Flexibilität der Kanzlei in toto befördert oder behindert werden.

26 Meine Wahrnehmung ist, dass in der speziellen Konstellation von DIEM & PARTNER auch sehr spezielle Effekte eintreten, die sich nicht generalisieren lassen. Kanzleigrösse wäre ein sicher wesentlich präziserer Parameter, um Ableitungen zu formulieren. Tendenziell würde ich meinen, dass Agilität und Flexibilität von der «Partnerkultur» profitieren können – genauso ist es andererseits denkbar, dass sie Lähmungseffekte bewirkt. Im schlimmsten Fall bis zu nahezu vollständiger Erstarrung. «Denkbar» – also theoretisch.

7. Schlussbemerkung

Ich danke den Herausgebern für die Gelegenheit, einmal wieder veranlasst worden zu 27
sein, über Grundentscheidungen nachzudenken, die teilweise viele Jahre zurückliegen. «Je ne regrette rien» – und trotzdem wäre es interessant, den Zeitraum noch einmal aus der Perspektive der Grosskanzlei und ihrer Herausforderungen kennen zu lernen. Denn ich bin mir sicher, dass nicht nur beide Strukturen ihre Existenzberechtigung und Notwendigkeit zu begründen vermögen, sondern auch ihre speziellen Reize ausüben.

H. Weiterbildung und Entwicklung von Associates bei Freshfields Bruckhaus Deringer

Katrin Schirwinski

1 Jurastudium, Referendariat und Promotion – sind junge Wirtschaftsanwälte damit für eine internationale Karriere gerüstet? Berufseinsteiger werden häufig mit Herausforderungen konfrontiert, auf die sie wenig vorbereitet sind. Juristische Brillanz ist nur der Anfang. Wirtschaftsbezogene Kenntnisse sind ebenso unverzichtbar wie ein Bündel an Fähigkeiten und Kompetenzen, die nicht alle in der universitären Ausbildung vermittelt werden. Mit zunehmender Internationalisierung im Mandatsgeschäft gewinnen zudem eine international geprägte Denkweise, die Beherrschung der englischen Sprache und interkulturelle Fähigkeiten an Bedeutung. Associates müssen heute in der Lage sein, in multikulturellen Teams effizient mitzuarbeiten.

2 Welche Schlussfolgerungen ergeben sich hieraus für das Weiterbildungsprogramm einer internationalen Anwaltssozietät? Am Beispiel der Kanzlei Freshfields Bruckhaus Deringer beschreibt der folgende Beitrag die Erfolgsfaktoren für ein praxiserprobtes Qualifizierungskonzept. Die Sozietät steht für ein hohes Qualitätsversprechen im Hinblick auf eine exzellente Nachwuchsförderung. Erklärtes Ziel ist es, juristische Top-Talente zu erstklassigen Wirtschaftsjuristen mit fachlicher Exzellenz, ausgeprägten Managementfähigkeiten und überzeugender Persönlichkeit fortzubilden. Der Fokus der folgenden Betrachtung liegt auf den Weiterbildungsaktivitäten der Sozietät in Deutschland.

1. Notwendigkeit und Zielsetzung

3 Bereits unmittelbar nach der Fusion zur heutigen internationalen Sozietät im Jahr 2000 hat Freshfields Bruckhaus Deringer begonnen, ein hochkarätiges internes Weiterbildungsprogramm für hervorragend qualifizierte junge Juristinnen und Juristen einzuführen, das die universitäre Ausbildung systematisch ergänzt, höchsten Qualitätsansprüchen genügt und eine gezielte Karriereentwicklung ermöglicht.

4 Zentrale Gründe waren der zunehmende Nachwuchsbedarf und stetig steigende Anforderungen an international tätige Juristen:

- Im Recruitment ist der Blick nicht zuletzt auf ein vorausschauendes Handeln angesichts demografischer Veränderungen und der absehbaren Verknappung von qualifizierten Juristen gerichtet. Der Wettbewerb um den besten juristischen Nachwuchs hat sich bereits verschärft. Mit der Zielsetzung, für Bewerber und aktive Associates nachhaltig attraktiv zu bleiben, hat die Sozietät ihre Anstrengungen zur Stärkung herausragender Karriere- und Entwicklungschancen intensiviert[1].

- Gleichzeitig sind die Anforderungen an eine erfolgreiche Anwaltspersönlichkeit im Wandel. In Zeiten höherer Dynamik und zunehmender Komplexität im Umfeld von internationalen Unternehmen gewinnen individuelle und innovative Lösungen an Bedeutung. Mandanten erwarten einen höheren juristischen Erfahrungsgrad und rechtliche Lösungen, die der kommerziellen Realität besser entsprechen.

Die Konzeptrealisierung erfolgte in mehreren Phasen. Zunächst galt es, grundlegende Strukturen und die Lernarchitektur am Kanzleibedarf auszurichten. Eine optimale Verzahnung von Arbeits- und Lernprozessen und die konsequente Nutzenorientierung spielten eine zentrale Rolle. Die Programmteilnehmer sollten das Erlernte unmittelbar anwenden können. In jüngerer Zeit wurde – den Markterfordernissen sowie der fortschreitenden Bedarfsänderung entsprechend – das Qualifizierungsprogramm mit einem strukturierten Personalentwicklungskonzept verknüpft. Im Fokus steht heute die persönliche Weiterentwicklung und individuelle Karriereförderung der Associates. Alle Instrumente greifen in einem integrierten System ineinander. 5

2. Individualisierte Karriereförderung

Mit steigenden Ansprüchen in der Mandatsarbeit werden Möglichkeiten der persönlichen Weiterentwicklung durch die Associates zunehmend nachgefragt. Wie kann ich mich im gewählten Fachbereich stärker spezialisieren? Wie werden meine individuellen Karriereziele unterstützt? Wie erfahre ich frühzeitig, welche Perspektiven sich für mich eröffnen, und welche konkreten Massnahmen können mich zielgerichtet darauf vorbereiten? 6

Freshfields Bruckhaus Deringer begegnet den gestellten Anforderungen mit einer individualisierten Karriereförderung und Qualifizierung, die gleichermassen auf Planungssicherheit und Flexibilität gründen. 7

Planungssicherheit bietet eine verbindliche Weiterbildungsagenda mit reichhaltigen Trainingsmassnahmen. Differenziert nach der Zugehörigkeitsdauer und der fachlichen Schwerpunktsetzung erhalten Associates regelmässig anforderungsorientierte Entwicklungs- und Qualifizierungsangebote, die das Rüstzeug für die berufliche Praxis liefern. Sie dienen der Wissensvermittlung in allen praxisrelevanten Themenfeldern mit der erforderlichen Know-how-Tiefe. Darüber hinaus fördern die Veranstaltungen das gegenseitige Kennenlernen sowie den Austausch auch über die Praxisgruppen und Bürostandorte 8

---

[1] Vgl. Kapitel 1, Finken, M., S. 49 f.

hinweg. Auf diese Weise stärkt das Weiterbildungsprogramm die Zusammengehörigkeit unter den Associates und die Integration mit der Kanzlei.

9 Die notwendige Flexibilität liefern ergänzende *on-* und *off-the job-*Massnahmen zur bestmöglichen Förderung individueller Talente und Fähigkeiten. Das Leistungsspektrum ist vielfältig und erstreckt sich vom Lernen in Top-Mandaten über individuelle Coachingprogramme bis zu optionalen internen und externen Fortbildungsangeboten, die der beruflichen und persönlichen Weiterentwicklung dienen. Weibliche Associates erhalten darüber hinaus das Angebot, ein Mentorenprogramm wahrzunehmen, das von genderspezifischen Trainings- und Coachingmassnahmen für Anwältinnen flankiert wird.

10 Gezielte Entwicklungsmassnahmen beginnen unmittelbar nach Eintritt in die Sozietät und begleiten kontinuierlich den Karrierefortschritt. Verankert sind die Programme in einem systematischen Personalentwicklungskonzept.

3. Richtungweisendes Personalentwicklungskonzept

11 Associates erwarten frühzeitig die notwendige Transparenz hinsichtlich ihrer Entwicklungsmöglichkeiten und Perspektiven. Vor diesem Hintergrund wurde unter der Überschrift *career milestones* ein strukturiertes Personalentwicklungskonzept als Basis für eine individualisierte Karriereförderung eingeführt.

12 Drei *milestones* geben die Entwicklungsrichtung vor. Sie ermöglichen eine verlässliche Planung der Entwicklung und Qualifizierung.

Career Milestones (CM)	
Anforderungslevel	——► CM 1 ——► ——► CM 2 ——► ——► CM 3 ——► ——► 1. Jahr ❑ 2. Jahr ❑ 3. Jahr ❑ 4. Jahr ❑ 5. Jahr ❑ 6. Jahr ❑ 7. Jahr

Abb. 1: Dreistufiges Modell für die Erreichung der Kompetenzniveaus

13 Als transparente Leitlinie beschreiben die *career milestones* die Anforderungskriterien für konkrete Fähigkeiten und Erfahrungen, die im Verlauf der Karriereentwicklung erwartet werden.

14 Jeder Meilenstein umfasst sieben gleichartige Qualifikationsprofile, die sich nur durch ihr ansteigendes Anforderungsniveau unterscheiden. Neben den beiden Schlüsselqualifikationen *technical* und *personal skills* beschreiben fünf *business skills* ein Bündel von Fähigkeiten, Fertigkeiten und Erfahrungen, die im Verlauf der Karriere gezielt auf- und ausgebaut werden.

Technical skills

Has excellent technical knowledge, drafting and analytical skills.

- Technical excellence
- Excellent written skills
- Analytical

Client relationships	Business adviser	People and team	Project management	Business development
■ Builds strong and sustainable client relationships. ■ Client handling ■ Communicating and negotiating ■ Sector focus	■ Delivers excellent service to meet client needs. ■ Problem solving ■ Consulting skills ■ Innovation/ creativity	■ Develops own skills. Guides, coaches and motivates others. ■ Self-development ■ Team-working ■ Mentoring/ coaching ■ Leadership	■ Delivers work effectively while managing risk. ■ Project management ■ Delegation ■ Project economics	■ Develops business with existing clients. ■ Identifying opportunities ■ Client management and marketing ■ Networking

Personal skills

Individual attributes that create a rounded professional.

- Flexibility
- Professionalism
- Enthusiasm
- Judgement
- Communication
- Self-awareness
- Accountability

Abb. 2: Qualifikationsprofile der career milestones

Die *career milestones* sind an die individuelle Weiterentwicklung jedes Associates geknüpft und nur mittelbar an die Seniorität. In regelmässigen Review-Gesprächen erfahren die Anwälte frühzeitig und verlässlich, wie ihre aktuelle Qualifikation bewertet wird und welche konkreten Entwicklungsziele bevorstehen. Um die gesteckten Ziele zeitgerecht zu erreichen, werden konkrete Schritte vereinbart. Lernangebote, die inhaltlich auf das *milestones*-Konzept abgestimmt sind, begleiten die individuelle Weiterentwicklung der Associates. 15

4. Leistungsfelder der Weiterbildung

Notwendige Fähigkeiten und Kompetenzen erlangen die Anwälte in national und international organisierten Qualifizierungsprogrammen sowohl kanzleiintern als auch extern. Dabei werden insbesondere drei Leistungsfelder adressiert: 16

4.1 Juristische Exzellenz im jeweiligen Fachbereich

Anwälte müssen in erster Linie ihr Handwerk verstehen. Der Aufbau von profundem fachlichen Können wird unter Berücksichtigung der jeweiligen Spezialisierung und des Erfahrungshintergrunds durch gezielte Weiterbildungsprogramme unterstützt. Im ersten Schritt vermitteln Basiskurse berufspraktische Tipps für den Einstieg. Ausgerüstet mit 17 diesen Kenntnissen werden junge Anwälte in die Lage versetzt, bereits zu einem frühen Zeitpunkt interessante Aufgaben in Mandaten zu übernehmen. Darauf aufbauend dienen regelmässige Spezialkurse, interaktive Workshops, Seminare sowie nationale wie internationale Konferenzen der Kompetenzerweiterung auf höchstem Niveau.

18 Neben einer einzigartigen Wissenstiefe im jeweiligen Spezialgebiet werden auch Schnittstellenthemen angrenzender Fachbereiche vermittelt. Associates nutzen den Blick «über den Tellerrand», der eine integrative Beratung auch über den eigenen Praxisbereich hinaus erleichtert.

4.2 Entwicklung der individuellen Anwaltspersönlichkeit

19 Das eigene Potenzial zu verwirklichen – darum geht es bei diesem Kursangebot zur Persönlichkeitsentwicklung. Auf dem Lehrplan steht beispielsweise ein dreistufiges internationales Programm, das – im interkulturellen Kontext – Methoden und Fähigkeiten vermittelt, um im Team und beim Mandanten mit Persönlichkeit und Kompetenz noch besser zu überzeugen. Darüber hinaus dienen regelmässig stattfindende lokale Praxisworkshops der Erweiterung von Schlüsselqualifikationen. Die Associates erlernen unter anderem Techniken, um anspruchsvolle Präsentations- und Verhandlungssituationen erfolgreich zu meistern sowie Feedback professionell geben zu können. Wer noch überzeugender auf internationalem Parkett agieren möchte, kann an einem zweimonatigen Intensivkurs «Business and Legal English» an einem renommierten Londoner Institut teilnehmen.

4.3 Förderung von Management-Kompetenz und Unternehmergeist

20 Die Sozietät hat frühzeitig erkannt, dass jenseits der Fachkompetenz insbesondere betriebswirtschaftliche Kenntnisse und Führungsqualitäten für eine erfolgreiche Anwaltspersönlichkeit massgeblich sind. Bereits seit dem Jahr 2007 führt die Kanzlei in Zusammenarbeit mit der Executive School of Management, Technology and Law der Universität St. Gallen massgeschneiderte Management-Programme durch, die hochkarätiges Praxiswissen zur Unternehmensführung vermitteln.

21 Kernstück des Angebots für die Principal Associates ist die «Summer School in Management». Das praxisbewährte Intensivprogramm unter Leitung renommierter Professoren der Universität St. Gallen befähigt die Anwälte, wirtschaftliche Zusammenhänge besser zu verstehen und rechtliche Fragestellungen im Unternehmenskontext besser einzuordnen.

22 Mit Blick auf eine individualisierte Karriereförderung erhalten Principal Associates künftig auch die Möglichkeit, an Wahlmodulen des Executive MBA-Programms und des Diplomprogramms «Management for the Legal Profession» an der Universität St. Gallen

teilzunehmen. Das Angebot bietet neben der persönlichen Kompetenzerweiterung den Raum, ein interessantes Beziehungsnetzwerk ausserhalb der Sozietät zu erweitern.

5. Moderne Lernarchitektur

Bei der Wissens- und Kompetenzentwicklung beschreitet Freshfields Bruckhaus Deringer konsequent innovative Wege. Im Vordergrund steht das Lernen in Top-Mandaten mit Unterstützung des jeweiligen Leitpartners. In ausgereiften Präsenzveranstaltungen kommen regelmässig moderne Lernmethoden zur Anwendung. In Fallstudien, Plenumsdiskussionen und interaktiven Workshops sind die Teilnehmer beispielsweise aufgerufen, sich aktiv einzubringen, theoretisch erlangte Kenntnisse anzuwenden, diese zu reflektieren und Rückmeldungen zu individuellen Fragestellungen einzuholen. Unter Leitung erfahrener interner und externer Referenten bilden die Programme eine Plattform für hochkarätigen Austausch, der von den Teilnehmern sehr geschätzt wird. 23

Jenseits des klassischen Trainings dienen vorrangig individuelle Coaching- und Mentoring-Angebote der Selbstreflexion und dem Ziel, Stärken sowie Potenziale weiterzuentwickeln und karrierefördernd zu nutzen. Die Lernstrukturen sind eng mit dem Arbeitsumfeld verzahnt und durch eine hohe Praxisrelevanz gekennzeichnet. 24

6. Erfolgsfaktoren und Resümee

Das Qualifizierungskonzept hat sich in der Praxis bewährt und erfreut sich grosser Beliebtheit. Die Massnahmen und Anstrengungen der Sozietät um eine erstklassige Karriereförderung zeigen ihre Wirkung sowohl im Recruiting-Prozess, aber auch als Bindungsinstrument. 25

Die Ergebnisse von Umfragen belegen: Freshfields Bruckhaus Deringer ist die erfolgreichste Recruitment-Kanzlei. In der Trendence Studie wird Freshfields Bruckhaus Deringer beispielsweise seit 2006 stetig unter allen Kanzleien als attraktivster Arbeitgeber für Juristen geführt. Des Weiteren erhielt die Sozietät im Jahr 2008 den Juve Award als Kanzlei des Jahres für Nachwuchsförderung. 26

Das Teilnehmer-Feedback zum Inhalt und Format der verschiedenen Qualifizierungsangebote ist sehr positiv. Der Programmerfolg lässt sich auch daran messen, dass die Associates die erlangten juristischen und nicht juristischen Kenntnisse und Fähigkeiten nutzbringend im beruflichen Umfeld einbringen. 27

Welche Treiber bestimmen den Erfolg? Personalentwicklung und Weiterbildung sind Schlüsselelemente der Kanzleistrategie und fest verankert in der Unternehmenskultur. Die Bandbreite der Partnerunterstützung ist vielfältig. In jeder Praxisgruppe verantwortet ein Partner federführend die Kompetenzentwicklung im jeweiligen Fachbereich. 28

Als interne Referenten treten Partner regelmässig in Fachprogrammen auf. Schliesslich ermöglicht die Kanzlei das nicht unbeträchtliche zeitliche und inhaltliche Engagement der Associates im Rahmen von Fortbildung – die Dauer der einzelnen Fortbildungsmodule kann bis zu zwei Wochen umfassen.

29 Der Erfolg gründet darüber hinaus auf langjährigen und sehr erfolgreichen Kooperationen mit renommierten Dozenten und einem Netzwerk von Weiterbildungsanbietern, zu denen namhafte Universitäten und Business Schools gehören. Die Qualitätssicherung ist ein weiterer entscheidender Aspekt. Bestehende Konzepte werden regelmässig hinsichtlich Aktualität, Wirksamkeit, Tragfähigkeit und Nachhaltigkeit überprüft. Auch künftig wird die kontinuierliche Weiterentwicklung des Qualifizierungsangebots eine zentrale Rolle spielen. Zielsetzung bleibt, veränderte Anforderungen rechtzeitig zu identifizieren, um adäquat reagieren zu können.

I. Wege zur Professionalisierung des Kanzleimanagements

RAFFAEL BÜCHI

1. Spezielle Rahmenbedingungen

Management[1] in einer Anwaltskanzlei lässt sich nicht ohne Weiteres mit dem Management in einem anderen Unternehmen[2] vergleichen – «Anwälte ticken anders»[3]. Die Rahmenbedingungen für Kanzleimanagement[4] sind, holzschnittartig[5] dargestellt, von folgenden speziellen Faktoren geprägt: 1

- Anwälte sind – mindestens auf Stufe Partner – Individualisten, die sich nicht gern nach allgemeinen Regeln des Managements organisieren lassen[6];
- Partner wollen ihr unmittelbares Arbeitsumfeld und ihre Kanzlei selber gestalten und managen, dafür aber so wenig Zeit wie möglich aufwenden[7];
- Partner wollen von ihren Klienten und ihren Kollegen in erster Linie als Anwälte wahrgenommen werden, nicht als Kanzleimanager[8]; Mandatsarbeit im Rahmen der eigenen Praxis hat Priorität;
- Je erfolgreicher ein Anwalt ist, desto eher wird er von seinen Partnern als Führungspersönlichkeit akzeptiert;
- Bei der Partnerwahl sind Management Skills – wenn überhaupt – von untergeordneter Bedeutung; Partner werden diesbezüglich nicht geschult[9];

---

1 Zum Begriff und Beruf «Management» siehe Fredmund Malik, Führen Leisten Leben, Stuttgart München 2000, S. 46 ff., sowie ders., Management – Das A und O des Handwerks, Frankfurt am Main 2007.

2 Gewisse Parallelen bestehen allenfalls zum Management eines Lehrbetriebs – bzw. einer Universität.

3 David Maister, Strategy and The Fat Smoker, S. 229, zit. in: Benno Heussen, Anwaltsunternehmen führen, 2. Auflage München 2011, S. 5.

4 In diesem Beitrag werden unter Kanzleimanagement Führungs- und Unterstützungsarbeiten verstanden, welche zu einem möglichst guten Arbeitsumfeld für Partner, *fee earners* und andere Mitarbeiter beitragen: «Die Transformation von Ressourcen in Nutzen» (Fredmund Malik, Management – Das A und O des Handwerks, S. 35).

5 Ausnahmen bestätigen die Regel.

6 «Ausserdem lieben wir unsere Unabhängigkeit, können Widerspruch nicht vertragen und entwickeln unsere Ideen überwiegend im Streit» (Heussen, S. 3).

7 Mandatsarbeit nimmt schon genug Zeit in Anspruch, darum «fehlt jede Minute, die man dem Management widmet, im privaten Leben» (Heussen, S. 4).

8 Prestige lässt sich mit Managementarbeit kaum gewinnen, mit einer erfolgreichen eigenen Praxis hingegen schon.

9 An systematischer Ausbildung in Management mangelt es allerdings nicht nur bei Anwaltskanzleien, vgl. Malik, Führen Leisten Leben, S. 55.

- Die meisten Partner stützen sich bei der Führung ihrer Kanzlei auf Besprechungen, Telefonate, E-Mails und andere schriftliche Dokumente; moderne Mittel wie Brainstorming, Mindmapping, Workshops etc. sind wenig verbreitet oder unbekannt[10];
- Nicht-Anwälten sind Support-Funktionen vorbehalten, Führungsaufgaben werden ihnen kaum übertragen[11].

2 Unter diesen Prämissen scheint dort Potenzial für eine Professionalisierung[12] des Kanzleimanagements zu bestehen, wo Partner ihren Managementaufgaben Priorität einräumen und sich entsprechend aus- und weiterbilden[13]. Denkbar ist auch, dass sich Anwälte, deren relative Stärken im Bereich des Kanzleimanagements liegen, entsprechend spezialisieren[14] und statt mit Mandatsarbeit mit Managementaufgaben betraut werden. Der zweite Weg zur Professionalisierung scheint der wirtschaftlichere zu sein: Fällt ein Partner infolge seiner Konzentration auf Managementaufgaben als *fee earner* und Umsatzgenerator in seinem angestammten Tätigkeitsbereich aus, kostet dies die Kanzlei indirekt mehr, als wenn sich ein Anwalt bereits relativ früh auf Kanzleimanagement spezialisiert und dafür bezahlt wird.

2. Ziele

3 Die Professionalisierung des Kanzleimanagements ist nicht Selbstzweck, sondern soll – über eine Steigerung der Effizienz und Qualität – die Wettbewerbsfähigkeit[15] der Kanzlei steigern. Dabei stehen folgende Ziele im Vordergrund:

---

[10] Heussen, S. 6.

[11] In der Schweiz werden Anwaltskanzleien fast ausnahmslos von ihren (operativ tätigen) Partnern gemanagt. Nur einzelne Kanzleien haben gewisse Managementaufgaben auf Nicht-Partner (und teilweise auch Nicht-Juristen) übertragen. Mit sämtlichen wichtigen Führungsfunktionen sind aber auch bei diesen Kanzleien operativ tätige Partner betraut.

[12] Unter Professionalisierung wird im Kontext dieses Beitrags nicht nur die Entwicklung der nebenamtlich ausgeübten Managementtätigkeit innerhalb der Kanzlei zu einem Beruf verstanden, sondern auch schon ein bewussterer Umgang mit dem «Nebenjob» Kanzleimanagement und eine stärkere Gewichtung in der Prioritätenliste.

[13] Zur Ausbildung – und zur Tatsache, dass nur wenige Führungskräfte eine systematische Ausbildung in Management haben – Malik, Führen Leisten Leben, S. 55 ff.

[14] Statt sich in bestimmten juristischen Tätigkeitsgebieten über neue Regularien und die Praxis der Gerichte und Behörden auf dem Laufenden zu halten, beschäftigen sich solche Spezialisten mit Fachliteratur im Bereich Management/Kanzleimanagement, verfolgen die Entwicklungen des Marktes für juristische Dienstleistungen und besuchen entsprechende Aus- und Weiterbildungsveranstaltungen.

[15] Der Wettbewerb findet vor allem innerhalb strategischer Gruppen statt. Vgl. für den deutschen Kanzleimarkt Christoph H. Vaagt, Erfolgreiche Strategien von Wirtschaftskanzleien, Frankfurt am Main 2011, S. 9 ff.

- Entlastung der Partner von Managementaufgaben, sodass sie sich in einem stabilen Umfeld auf ihr Kerngeschäft – ihre Klienten und ihre Tätigkeitsbereiche – konzentrieren können[16];
- Schaffung optimaler Rahmenbedingungen für die Erbringung hervorragender juristischer Dienstleistungen in möglichst effizienter Art und Weise;
- Fortschritte im Bereich *client retention* und Business Development, Verbesserung im Marketing der juristischen Dienstleistungen;
- Steigerung der Attraktivität der Kanzlei im Wettbewerb um die besten Mitarbeiter.

3. Ausgewählte Bereiche mit Professionalisierungspotenzial

Professionalisierungspotenzial kann in vielen Bereichen der Kanzlei[17] geortet werden. 4
Dieser Beitrag konzentriert sich auf Wege zur Professionalisierung des Kanzleimanagements bei der Entwicklung von Wissen und Erfahrung (Know-how[18] Development[19]), der Ausbildung und Förderung von Mitarbeitern (Talent Development), dem Umgang mit bestehenden sowie bei der Akquisition neuer Klienten (Business Development).

3.1 Know-how Development

Dem Know-how Development[20] – Entwicklung, Pflege, Organisation und Weitergabe 5
von Know-how – sollte in jeder Kanzlei hohe Priorität zugemessen werden, ist doch das Know-how der Rohstoff der von einem Anwaltsunternehmen angebotenen Produkte und Dienstleistungen. Dies gilt insbesondere für Kanzleien, die ihr kumuliertes Know-

16 Vgl. Heussen, S. VIII.

17 Einen systematischen, «vollständigen» Überblick über das Management von Anwaltsunternehmen (mit praktischen Vorschlägen für Verbesserungen und Effizienzsteigerungen) bietet Benno Heussen. Er unterscheidet 16 Segmente, «die jeweils einen in sich geschlossenen Sektor bilden, jedoch mit den anderen Sektoren über viele Schnittstellen in komplexer Weise […] verbunden sind» (Heussen, S. 219 ff.).

18 Für Heussen (FN 3, S. 199) ist neben Wissen und Erfahrung auch die Servicequalität ein Know-how-Kriterium.

19 International wird vor allem der Begriff Knowledge Management (KM) resp. Wissensmanagement verwendet. Der Begriff greift jedoch genau besehen zu kurz, weil er das Element der Erfahrung nicht reflektiert.

20 Zur Vertiefung sei das diesem Thema gewidmete Grundlagenwerk im deutschen Sprachraum empfohlen: Martin Schulz/Marcel Klugmann, Wissensmanagement für Anwälte, 2. Aufl., Köln Berlin München 2006. Zum Wissensmanagement in Schweizer Kanzleien siehe Raffael Büchi, Entwicklung und Weitergabe von Know-how in Schweizer Anwaltskanzleien am Beispiel von Bär & Karrer sowie Urs Thüring, Wissensmanagement in grossen Kanzleien und solchen, die es werden wollen, in: AJP/PJA 7/2011, S. 985 ff.

how, die Aus- und Weiterbildung und die interne Vernetzung ihrer Experten und Teams als Verkaufsargument ins Feld führen.

6 Im Bereich Know-how Development scheint das Potenzial für Professionalisierung in der Schweiz besonders gross. Nur wenige Kanzleien widmen sich diesem Bereich in systematischer Art und Weise. Demgegenüber ist Legal Knowledge Management im angelsächsischen Raum schon seit den frühen Neunzigerjahren ein Thema. Ausschliesslich damit betraute Juristen – *professional support lawyers* (PSL) – sind seit Langem fixer Bestandteil der Organigramme[21]; entsprechende Karrieremodelle bis hin zur Partnerschaft sind fest etabliert[22]. Der professionelle Ansatz bezüglich Know-how Development schlägt sich in Servicequalität und Schnelligkeit nieder, die international ausgerichtete Klienten auch von Schweizer Kanzleien erwarten. Das im Zuge der Finanzkrise bei vielen Klienten geschärfte Kostenbewusstsein und die Frankenstärke[23] erhöhen den Druck auf hiesige Kanzleien, ihre Anstrengungen im Bereich Know-how Development zu erhöhen. Zudem müssen sie im Rahmen von *pitches* oder Aufnahmeverfahren für *preferred counsel panels* immer öfter detailliert über effizienzsteigernde Massnahmen Auskunft geben. Die Entwicklung von Know-how, der Umgang damit und der Nutzen für den Klienten muss regelmässig genau beschrieben werden.

7 Eine Professionalisierung in diesem Bereich kann in vielen kleinen Kanzleien schon darin bestehen, dass sich die Partner regelmässig austauschen und ihre Dokumente nach einer gemeinsamen Systematik in einer übersichtlichen Struktur ablegen. In grösseren Strukturen bedeutet Professionalisierung, dass sich ein[24] Anwalt[25] mit einem erheblichen Teil seiner Kapazität – oder ausschliesslich – mit dem Thema Know-how Development beschäftigt. Wie in anderen Fachbereichen gehört dazu auch, sich über die neuesten Trends[26] auf dem Laufenden zu halten. Der Know-how-Manager kümmert sich um die Strategie, die Organisation und die Prozesse im Bereich Know-how Development;

---

21 In der Schweiz haben Juristen mit PSL-Funktion hingegen (noch?) Seltenheitswert.

22 Siehe unter http://www.britishlaw.org.uk/job_profsupp.html (besucht am 22.11.2011). Ein Beispiel einer ausschliesslich für Know-how Development beschäftigten Anwältin mit Partnerstatus ist Paula Reid bei der international ausgerichteten irischen Kanzlei A&L Goodbody (vgl. http://www.algoodbody.com/en_person/partner-reid-paula.aspx; besucht am 22.11.2011). Mit weiteren Beispielen Clifton, Kare: New directions. In: managing partner. March 2012, Vol. 141 ISS. 6, S. 52 ff.

23 Solange die Rechtsberatung der Schweizer Kanzleien dem Klienten deutlich weniger ins Buche schlug als die Dienstleistungen internationaler Kanzleien, fielen Mängel im Bereich Wissensmanagement weniger auf. Je teurer jede *billable hour* den Klienten zu stehen kommt, desto wichtiger wird es, die Effizienz durch professionellen Umgang mit Wissen und Erfahrung zu steigern.

24 In Grosskanzleien können es selbstverständlich auch mehrere Anwälte sein. Für schweizerische Verhältnisse scheint die Beschäftigung von mehr als einem Anwalt mit reiner Know-how-Arbeit ein wenig realistisches Szenario.

25 Die Chancen für das Gelingen des internen Know-how-Projekts stehen im Allgemeinen wohl besser, wenn der Know-how-Manager von den Anwälten als einer der ihren wahrgenommen wird. Je nach Pflichtenheft und Ausrichtung kann es aber auch Sinn machen, einen juristisch ausgebildeten oder zumindest sensibilisierten Informatiker zu engagieren.

26 So etwa der Einsatz von Social Media für Know-how-Zwecke.

die inhaltliche Verantwortung für die einzelnen Know-how-Bereiche sollte m.E. hingegen bei den jeweiligen Fachspezialisten bleiben. Die interne Akzeptanz ist am grössten, wenn Partner in ihren Spezialgebieten dafür sorgen, dass der fachliche Austausch und die Erarbeitung und Sammlung von Know-how-Dokumenten für die Mandatsarbeit auch wirklich etwas bringt.

Zu den wichtigsten Elementen des Know-how Development gehört die Aus- und Weiterbildung. Entsprechende Veranstaltungen dienen nicht nur der Vermittlung von Wissen, sondern stellen auch ideale Foren für den Austausch von Erfahrungen dar. Professionalisierungspotenzial liegt zum einen in den didaktischen Methoden, die in diesen Know-how-Vermittlungs- oder Erarbeitungsanlässen zur Anwendung kommen. Zu oft wird der Stoff frontal vermittelt, wohingegen eine interaktive Erarbeitung der Materie sinnvoller wäre – Fachspezialisten sind nicht immer gute Referenten und geschickte Ausbilder. 8

Wie unsere Erfahrungen mit dem sogenannten Bär & Karrer College (BKC)[27] zeigen, kann die Zusammenarbeit mit einer Universität betreffend Aus- und Weiterbildung einen eigentlichen Professionalisierungsschub auslösen. Das BKC bettet die kanzleiinterne juristische Aus- und Weiterbildung in ein mit der Universität St. Gallen (HSG) entwickeltes Ausbildungsprogramm, das neben juristischen auch anderen Elementen der wirtschaftsanwaltlichen Tätigkeit Rechnung trägt[28]: Im BKC entwickeln die Associates nicht nur ihre wirtschaftsrechtlichen Kenntnisse weiter, sondern werden auch im Bereich Betriebs- und Volkswirtschaft sowie in Soft Skills geschult. Im Rahmen des BKC werden *credits* gutgeschrieben, die an der HSG oder im Bologna System auch an anderen Universitäten, an den Erwerb des Executive MBA angerechnet werden. 9

Planung und Betrieb des BKC gehen auf mehreren Ebenen mit einer Professionalisierung der Aus- und Weiterbildung von Bär & Karrer einher: 10

- Die Konzeption[29] des Programms erforderte eine genaue Analyse der Anforderungen, welche Klienten heute an einen Wirtschaftsanwalt stellen – eine vertiefte Auseinandersetzung mit den Komponenten juristischer Dienstleistungen;

[27] Informationen zum BKC auf http://www.baerkarrer.ch/contents/index/lang/de/mid/34 (besucht am 22.11.2011). Ausbildungsprogramme mit ähnlicher Stossrichtung bieten auch Hengeler Mueller (vgl. http://www.hengeler.com/karriere/hm-akademie-st-gallen/, besucht am 22.11.2011) und Freshfields Bruckhaus Deringer (vgl. http://stepintothecircle.com/contentTwo.aspx?mid=32&parentId=6, besucht am 22.11.2011).

[28] Internationale Spitzenkanzleien wie die *magic circle firm* Slaughter and May berücksichtigen in ihrem Ausbildungsprogramm ebenfalls nicht-juristische Elemente, vgl. http://www.slaughterandmay.com/careers/qualified-lawyers/training-and-development.aspx (besucht am 22.11.2011).

[29] Die Konzeption des BKC erfolgte im Winter 2009/2010. Seit dem Start im Jahr 2010 wird das Programm entsprechend dem Teilnehmerfeedback laufend verbessert.

- Externe Referenten[30] (für die nicht-juristischen Inhalte des Programms) – allesamt Ausbildungsprofis in ihren Spezialgebieten – setzen hohe didaktische Standards, an welchen auch interne Referenten gemessen werden;
- Die Einbettung in ein Gesamtprogramm erhöht auch die Anforderungen an die von Partnern der Kanzlei vermittelten juristischen Ausbildungsblöcke: Die internen Referenten sind ebenso wie die externen Ausbildner einem ständigen Qualitätsmonitoring unterworfen (schriftliches Feedback der Teilnehmer). Im Rahmen des BKC wurde auch die Verbindlichkeit der (internen) Weiterbildungsvorhaben erhöht. Grundkurse und Fachgruppenveranstaltungen fallen deutlich seltener dem Tagesgeschäft zum Opfer als früher.

11 Insgesamt spiegelt eine starke Gewichtung des Bereichs Know-how Development – in Form von sorgfältigem Wissensmanagement und einer über technisch juristische Inhalte hinausgehenden Schulung der Anwälte[31] – einen professionellen Umgang mit den Bedürfnissen und Anforderungen der Klienten. Diese erwarten effiziente Lösungen, die zeitgerecht geliefert werden.

3.2 Talent Development

12 «Talent is, after all, the only asset of a law firm»[32]. Vor diesem Hintergrund müsste eigentlich jede Kanzlei der Personalentwicklung – der Entwicklung der Anwälte, aber auch der anderen Mitarbeiter – zentralen Stellenwert einräumen. Dennoch scheint gerade in diesem Bereich vielerorts erheblicher Spielraum für Professionalisierung zu bestehen. Schon beim Feedback – grundlegend für Talent Development[33] – liegt vieles im Argen. Während einer «Kanzleikarriere» werden Anwälte kaum mit Feedbackregeln[34] vertraut gemacht; Partner sind in diesem Bereich typischerweise nicht geschult oder lehnen gar jede Art von Feedback ab[35]. Meistens besteht Feedback aus Tadel für Fehler und Einwegkritik während jährlicher Mitarbeitergespräche. Sorgfältiges, konstruktives Feedback ist in Kanzleien Mangelware.

---

[30] Professoren der HSG oder von dieser beigezogene Referenten.

[31] «External lawyers add the greatest value when they fully understand their clients' business» [...]. «Value [...] is fully realised when both in-house and external counsel stop thinking entirely like lawyers and shift to a more commercial mindset»; Global Leaders in Law, Leading the way to value in legal services, 2009, S.4; der Report (der die Wertschöpfung im Bereich juristischer Dienstleistungen aus der Perspektive von General Counsels untersucht) kann unter www.globalleadersinlaw.com bestellt werden.

[32] Inga Masjule, Talent management for European law firms, in: Stephanie Ramasamy (Ed.), Competitive Strategies for European Law Firms, S. 45.

[33] Heussen, S. 141.

[34] Siehe z.B. http://www.psychologie.uzh.ch/sowi/lehre/lehrveranstaltungen/documents/Feedbackregeln.pdf (besucht am 22.11.2011).

[35] Heussen, S. 141.

Eine Professionalisierung im Umgang mit dem Personalentwicklungsinstrument Feedback bedeutet Folgendes: 13

- Sowohl Feedbackgeber als auch Feedbacknehmer kennen die Feedbackregeln und wenden sie an;
- Feedback wird nicht nur von oben nach unten gegeben, sondern auch von unten nach oben, d.h., Mitarbeiter erhalten die Möglichkeit, sich über ihre Vorgesetzten zu äussern (dies, wenn möglich und gewünscht, unter Wahrung der Anonymität).

Feedbackkultur – und ein Klima stetigen Strebens nach Verbesserungen – entsteht dann, 14 wenn auch die Partner ein offenes Ohr für Rückmeldungen haben oder gar aktiv danach fragen, weil sie sich kontinuierlich weiterentwickeln wollen. Dies gilt nicht nur gegenüber ihren Mitarbeitern, sondern auch gegenüber den Klienten. Es ist erstaunlich, wie wenige Kanzleien ihre Klienten nach Feedback fragen.

Gutes Talent Development bedeutet ausserdem, die Fähigkeiten (Skills) zu definieren, 15 die von den Mitarbeitern in den verschiedenen Phasen ihrer Laufbahn[36] erwartet werden und diese Skills als Leistungsziele klar zu kommunizieren. Aufgabe der Vorgesetzten ist es dann, die Mitarbeiter über gemeinsame Mandatsarbeit[37], mit geeigneten Aufträgen und über spezifische Aus- und Weiterbildung[38] auf die Erfüllung der Leistungsziele vorzubereiten[39]. Die Mitarbeiterqualifikation kann sich an diesem «Fähigkeitenraster»[40] orientieren und wird damit vergleichbarer und weniger arbiträr.

Schliesslich erfordert professionelles Talent Development, dass sich Vorgesetzte mit ihren 16 Teammitgliedern periodisch über deren Stärken und Schwächen, Vorlieben und Abneigungen unterhalten, um die Positionierung und Entwicklung jedes Einzelnen innerhalb der Kanzlei zu planen und umzusetzen. Grundsätzlich scheint es von Vorteil, Anwälte zu Beginn ihrer Karriere noch relativ breit einzusetzen. Das Austesten verschiedener Tätigkeitsgebiete erleichtert das Erkennen von Talent und Schwächen und die Definition geeigneter Spezialisierungsbereiche im Hinblick auf eine allfällige Partnerschaft.

---

36 Klar werden die Karriereschritte bei der deutschen Spitzenkanzlei Hengeler Mueller kommuniziert, siehe http://www.hengeler.com/karriere/ihre-karriere/karriereweg/karriereweg/ (besucht am 22.11.2011).

37 Hier können Erfahrungen am besten weitergegeben werden (Heussen, S. 67); kaum etwas bringt jüngeren Anwälten mehr, als wenn sie einen erfahrenen Partner in Aktion erleben. Zur besonderen Eignung von Master-Apprentice-Systemen für die Weitergabe von *tacit knowledge* siehe David Snowden, Enabling an ecological model, preferably with intelligence, KIM Legal Vol. 5 Iss. 2, Dec. 2010/Jan. 2011, S. 16 ff.

38 Siehe die oben stehenden Ausführungen zum Thema Aus- und Weiterbildung als Teil des Know-how Development.

39 Masjule, S. 44 ff.

40 Eine Anleitung für die Erstellung eines *competency frameworks* und ein illustratives Beispiel bei Masjule, S. 46 f.

3.3 Business Development

17 Das Fundament für erfolgreiches Marketing[41] und Business Development[42] – und natürlich auch für *business* (bzw. *client*) *retention* – sind hervorragende Leistungen[43] und entsprechend zufriedene Klienten. Auf diesem Fundament können spezifische Business Development (oder *retention*) Massnahmen ergriffen werden. Im Rahmen von *pitches* hat eine sich um ein Mandat bewerbende Kanzlei gar keine andere Wahl, als Business Development zu betreiben. Eine Professionalisierung in diesem Bereich kann etwa aus folgenden Elementen bestehen:

- Regelmässige, bewusste und systematische Auseinandersetzung der Partner mit den Bedürfnissen und Wünschen der Klienten[44], aktive Erarbeitung von Massnahmen und Angeboten, die diesen Bedürfnissen Rechnung tragen[45];
- Massnahmen zur Erhaltung und zum Ausbau bestehender Klientenbeziehungen (Stichwort *cross-selling*)[46], der Identifizierung und Erschliessung neuer Geschäftsfelder und Märkte;
- Ernennung eines[47] internen Spezialisten: Anstellung eines Spezialisten für Business Development/Marketing oder Freistellung von Kapazität eines Anwalts[48] oder eines anderen Mitarbeiters mit entsprechendem Flair;
- Bündelung von Business-Development/Marketing-Aufgaben beim internen Spezialisten, der sämtliche Anstrengungen der Kanzlei in diesem Bereich koordi-

---

41 Marketing bedeutet bei Weitem nicht nur Werbung, sondern die Sicht – und entsprechende Konfiguration – aller Prozesse und Aktivitäten des Unternehmens aus der Perspektive des Kunden unter Berücksichtigung der «spezifischen Einschränkungen des Anwaltsgeschäftes», Leo Staub, Marketing in der Anwaltskanzlei, Anwalts Revue De L'Avocat 8/2009, S. 369.

42 Strategien und *case studies* aus anglosächsischer Perspektive bei Stephanie F. Dale, Business Development Strategies for Partners and Fee earners, London 2008.

43 Zu den Bausteinen juristischer Dienstleistungen und den Anforderungen der Klienten siehe oben unter Know-how Development.

44 Grundlegend hierzu ist das aktive Einholen von Feedback.

45 Ein aktuelles Beispiel ist der Wunsch vieler Klienten, vom System der strikten Abrechnung nach Zeitaufwand ganz oder teilweise abzukommen *(alternative fee arrangements).* Siehe dazu Patrick J. Lamb, Alternative Fee Arrangements: Value Fees and the Changing Legal Market, London 2010.

46 Investitionen in die Pflege und den Ausbau bestehender Klientenbeziehungen sind wesentlich rentabler als Investitionen in die Akquisition von neuen Klienten (vgl. Staub, S. 374).

47 In grossen Kanzleien können dies selbstverständlich mehrere sein. In schweizerischen Grössenordnungen scheint es undenkbar, mehrere interne Spezialisten allein für Business-Development-Zwecke einzusetzen.

48 Auch im Bereich Business Development sind fundierte Kenntnisse des Anwaltsgeschäfts wichtig. Besonders hilfreich – und insbesondere gegenüber Klienten legitimationsfördernd – kann Erfahrung auf der Klientenseite (etwa als In-house Counsel) sein.

niert und die Partner von allem entlastet, was im Bereich Marketing nicht deren spezifisches Fachwissen und persönliche Aufmerksamkeit verlangt[49];

- Identifikation von ernst zu nehmenden *client-guides*/Ranking-Agenturen; Koordination und Vorbereitung der einzureichenden *submissions* und der Folge-Interviews durch den internen Spezialisten;
- Koordination und Fokussierung der dem Business Development gewidmeten Besuche von Partnern an Konferenzen, bei Klienten und Korrespondenzkanzleien; *follow-up*[50]
- Erarbeitung, Bereitstellung und regelmässige Pflege von Marketing und *pitching*-Materialien (etwa Imagebroschüren, Standardpräsentationen, CVs, Transaktionslisten);
- Steigerung des Informationsgehalts und der Attraktivität der Website, ständige Pflege;
- Aktive Auseinandersetzung mit neuen Marketing- und Business-Development-Methoden, etwa mit den Mitteln des Web 2.0 (Social Media etc.)[51];
- Erarbeitung von auf Business Development ausgerichteten Publikationen (z.B. *client letters*) und Broschüren, die im Sinne eines *Amuse-bouche* einen Vorgeschmack des Know-hows der Kanzlei geben;
- Verarbeitung von branchen- und klientenspezifischen Informationen und Aufbereitung für die Zwecke des Business Development durch den internen Spezialisten[52];
- Training der Anwälte im Bereich Business Development[53].

---

[49] Ein Paradebeispiel für die Verschwendung von Partnerzeit für Marketingzwecke sind die unzähligen Anfragen von *client guides*, Ranking-Agenturen, Fach- und anderen Publikationen (seriöser oder weniger seriöser Natur) betreffend Inserate, persönliche Profile, *sponsored articles* (inhaltliche Beiträge, für die man bezahlen muss), *awards, trophies* usw. Diese Anfragen werden typischerweise an sämtliche Partner geschickt – wohl in der Hoffnung, die Kanzlei sei zu wenig koordiniert, um (teilweise von Eitelkeit getriebene) Einzelaktionen ihrer Partner zu vermeiden.

[50] Je besser die *Follow-up*-Möglichkeiten einer Business-Development-Initiative sind, desto wertvoller ist sie. Für das Nachhaken müssen bestimmte Personen verantwortlich gemacht werden. Vgl. Dale, S. 53.

[51] Mit neuen Ideen zum Thema Business Development für Anwälte und starkem Fokus auf Web 2.0/Social Media («some refreshingly new ways of marketing, branding and selling yourself») siehe Chrissie Lightfoot, the naked lawyer, London 2011. Das E-Book kann unter http://entrepreneurlawyer.co.uk/products-services/ebook/ (besucht am 21.11.2011) bezogen werden.

[52] «Lawyers need to keep refreshed of new markets and informed about new developments, in order to talk about them to clients. It's about going beyond the legal framework and getting to grips with the business world», Case Study Lawrence Graham LLP and Bristol Port Company: Sustaining long-term client relationships, in: Dale, S. 87.

[53] Dale, S. 35 ff.

3.4 Kanzleimanagement als Beruf – Anforderungsprofil

18 Die Anforderungen an Kanzleimanagementspezialisten sind hoch. Das Arbeitsumfeld ist von starken Persönlichkeiten geprägt, der Umgang zuweilen ruppig. In diesem Haifischbecken[54] muss der Manager in der Lage sein, die Kanzlei vorwärts zu bringen – Verbesserungen zu erwirken, die dem Unternehmen als Ganzem zugute kommen. Grundlegend dafür sind ein profundes Verständnis des Geschäfts, ausgeprägte sprachliche Fähigkeiten[55] und Führungsqualitäten. Führen muss der Kanzleimanager, indem er die Partner überzeugt. Ein autoritativer Führungsstil wäre kontraproduktiv und völlig chancenlos. Gefragt sind Sozialkompetenz – sprich die Gabe, mit vielen unterschiedlichen, starken Charakteren den passenden Ton zu treffen, Kompromisse zu finden, in kleinen Schritten und typischerweise mehreren Anläufen ans Ziel zu kommen. Dabei muss der Managementspezialist mit der gleichen Intensität tätig sein wie die Anwälte in der Mandatsarbeit. Er darf den Partnern und Associates punkto Einsatzbereitschaft und Erreichbarkeit in nichts nachstehen.

19 Je höher kanzleiintern die Akzeptanz für Partner oder Mitarbeiter ist, die sich überwiegend oder ausschliesslich mit Kanzleimanagement beschäftigen, desto höher ist der *return on investment* für entsprechende Stellen[56]. Idealerweise vertrauen die Partner und *fee earners* darauf, dass der Kanzleimanager in seinem Gebiet seine Arbeit genauso gut macht, wie die mit Mandatsarbeit beschäftigten Anwälte in ihren Tätigkeitsbereichen. Selbstverständlich kommt der Unterstützung durch die Partner entscheidende Bedeutung zu: Signalisieren sie ihren Mitarbeitern, dass sie hinter Initiativen und Bemühungen des Spezialisten stehen, kann das enorm dynamische und leistungsbereite Kollektiv einer Anwaltskanzlei innert kurzer Zeit Berge versetzen. Im umgekehrten Fall droht die Wirkung zu verpuffen.

---

54 Die Metapher mag zu dramatisch wirken, wird aber mindestens für Wirtschaftsanwaltskanzleien immer wieder verwendet.

55 Wer sprachlich nicht auf dem Niveau der Anwälte ist, verliert schnell den Respekt.

56 Ausserdem werden sich im Bereich Kanzleimanagement talentierte Anwälte eher wagen, diesen Karriereweg einzuschlagen.

Kapitel 5
Accounting und Billing

A. Einführung und Übersicht

LEO STAUB

1. Rechnungswesen

Das Rechnungswesen kleiner Kanzleien ist traditionell eher rudimentär ausgestaltet. Gelegentlich besteht es lediglich aus systematischen Aufschrieben zu Einnahmen und Ausgaben sowie – jeweils per Ende Jahr – einer Zusammenstellung der wichtigsten Bilanzpositionen. In dieser Form erfüllt es aber nur gerade die steuerlichen Anforderungen an den Nachweis von Einkommen und (Geschäfts-)Vermögen. Zur finanziellen Steuerung der Kanzlei taugt es nicht. 1

Immer mehr unternehmerisch geführte Kleinkanzleien sowie viele der mittelgrossen und grossen Kanzleien verfügen über ein modern ausgestaltetes Rechnungswesen, wie es auch in anderen Unternehmen üblich ist. In der Regel werden zwei Teile des Rechnungswesens unterschieden: die Finanzbuchhaltung und die Betriebsbuchhaltung. 2

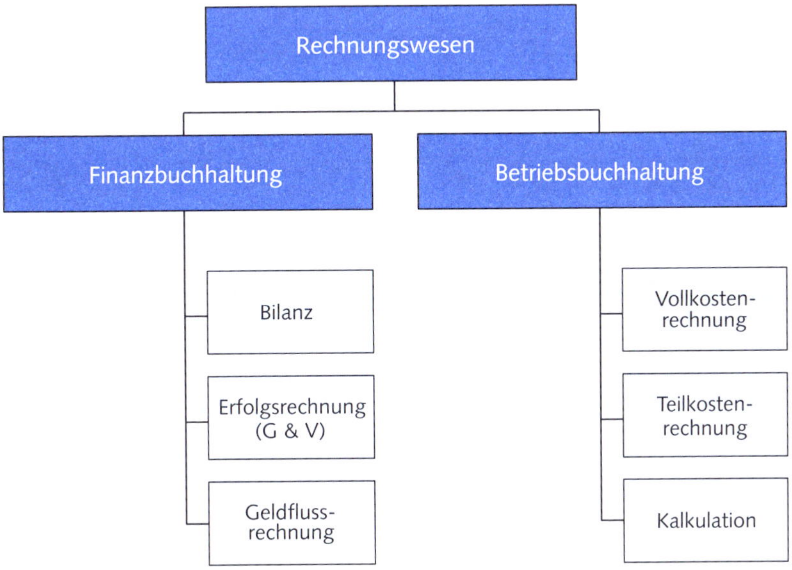

Abb. 1: Überblick über das Rechnungswesen[1]

[1] Capaul, Roman / Steingruber, Daniel: Betriebswirtschaft verstehen – Das St. Galler Management-Modell. Oberentfelden 2010, S. 358.

3 Neben seiner Dokumentationsfunktion[2] dient das Rechnungswesen auch als Basis für das Controlling (Finanzanalyse und Berichterstattung) sowie für Finanzierungs- und Investitionsentscheidungen des Unternehmens.[3] Ausserdem ist es Ausgangspunkt für die Unternehmensbewertung.[4]

4 Dieses Buch kann keine Einführung in das Rechnungswesen im umfassenden Sinn bieten. Nachfolgend soll aber auf spezifische Eigenheiten des Rechnungswesens im Kontext der Anwaltskanzlei hingewiesen werden.

1.1 Finanzbuchhaltung in einer Anwaltskanzlei

1.1.1 Bilanz

5 Die Bilanz einer Anwaltskanzlei ist typischerweise wie folgt gegliedert:

Aktiven							**Passiven**
		%	Vorjahr			%	Vorjahr
Umlaufvermögen				**Fremdkapital**			
Flüssige Mittel				Kreditoren			
Forderungen				Bankdarlehen			
Angefangene Arbeiten				Partnerdarlehen			
Aktive Abgrenzungen				Passive Abgrenzungen			
Total Umlaufvermögen				**Total Fremdkapital**			
Anlagevermögen				**Eigenkapital**			
Büroeinrichtung				Gesellschaftskapital			
IT und Geräte				Reserven			
Bibliothek				Gewinnvortrag			
Fahrzeuge				Jahresgewinn			
Total Anlagevermögen				**Total Eigenkapital**			

Abb. 2: Bilanz einer Anwaltskanzlei[5]

---

2 Horngren, Charles T. / Harrison, Walter T. / Oliver, Suzanne: Accounting. 8. Auflage, Upper Saddle River 2009, S. 92.

3 Behr, Giorgio / Leibfried, Peter: Rechnungslegung. 2. Auflage, Zürich 2010, S. 27 sowie S. 45 ff.

4 Capaul/Steingruber 2010 ebenda. Die Themen Finanzierung, Investitionen und Unternehmensbewertung werden im nachstehenden Kapitel 6 diskutiert.

5 Generell zu den Mindestgliederungsvorschriften einer Bilanz vgl. Behr/Leibfried 2010, S. 173 ff., wo sich unter anderem eine synoptische Darstellung unter Einbezug der Regeln von OR, HGB, Swiss GAAP FER und IFRS findet.

1.1.1.1 Umlaufvermögen

Ist die Kanzlei nicht in Form einer Kapitalgesellschaft konstituiert, hat sie grundsätzlich die Wahl, Honorarerträge entweder mit der Fakturierung – als Debitorenforderungen – zu bilanzieren[6] oder aber erst dann in die Buchhaltung einfliessen zu lassen, wenn die in Rechnung gestellten Honorare auch tatsächlich vereinnahmt sind.[7] Entschliesst sie sich zu einer periodengerechten Rechnungslegung, wird sie sich für die erste dieser beiden Varianten entscheiden. Wenn das auf der Mandatsarbeit anfallende Honorar ausserdem jeweils konsequent – und vollständig – in kurzen zeitlichen Abständen (zum Beispiel monatlich oder quartalsweise) fakturiert wird, entsteht ein reales Bild der in einer Periode erzielten Erträge. Weil eine Bilanz üblicherweise nicht täglich, sondern nur zusammen mit einem Abschluss, wie er sicher einmal pro Jahr, in grösseren Kanzleien möglicherweise einmal im Quartal oder Semester, erstellt wird, entfällt so auch die Position «Angefangene Arbeiten».[8] 6

1.1.1.2 Anlagevermögen

Grosse Posten im Anlagevermögen jeder Kanzlei sind die Positionen «IT und Geräte» sowie «Bibliothek». Bei beiden stellt sich regelmässig die Frage, ob einzelne Anschaffungen bilanziert oder direkt über ein entsprechendes Aufwandkonto in der Erfolgsrechnung gebucht werden sollen. Wem Transparenz und eine über mehrere Perioden hinaus ausgeglichene Rechnung wichtig sind,[9] wird Investitionen in die technische Ausstattung und in die Bibliothek der Kanzlei im Zweifel eher aktivieren. Von diesem Grundsatz ausgenommen sind in der Regel Kleinanschaffungen bis zu einem von der Kanzlei festgelegten Maximum. Im Interesse der Stetigkeit der Rechnungslegung sollten einmal festgelegte betragliche Schwellen zur Aktivierung mehrere Jahre beibehalten werden. 7

Eher selten kommt es vor, dass Anwaltskanzleien in Liegenschaften untergebracht sind, die der Kanzlei selbst gehören. Früher war dies nicht unüblich. In neuerer Zeit hat sich in der Praxis indes die Erkenntnis durchgesetzt, dass es durchaus vorteilhaft ist, Kanzleiräumlichkeiten nur zu mieten. Neben den Vorteilen geringerer Kapitalbindung und besserer Diversifikation der Anlagen der Partner spricht vor allem die grössere Flexibilität bei unternehmerischen Entscheiden für diese Variante. In einem von zunehmender Dynamik gekennzeichneten Anwaltsmarkt können sich strategiefremde Entscheidungskriterien – wie die Auslastung einer selbst genutzten Liegenschaft – negativ auf die Fähigkeit der Kanzlei auswirken, das aus Unternehmenssicht Gebotene zu tun. 8

---

6 Horngren/Harrison/Oliver 2009, S. 458.

7 Behr/Leibfried 2010, S. 73; Wulf, Martin: Buchführung und Steuern. In: Deutscher Anwaltverein (Hrsg.): DAV Ratgeber «Die eigene Kanzlei». 12. Auflage, Berlin 2008, S. 422.

8 Behr/Leibfried 2010, S. 204.

9 Behr/Leibfried 2010, S. 188.

1.1.1.3 Fremdkapital

9 Vielen Kanzleien gelingt es, Investitionen und Betrieb der Kanzlei durch Darlehen der Partner zu finanzieren. Bei der Verzinsung von Partnerdarlehen kann – in geringem Umfang – dem Postulat der Optimierung von Steuern und Sozialversicherungsabgaben nachgelebt werden, indem der Zins unter Ausnutzung des steuerlich Zulässigen möglichst hoch angesetzt wird. Möchte sich eine Kanzlei dieses Mittels bedienen, empfiehlt es sich, die Partnerdarlehen alle gleich hoch anzusetzen. Geschieht dies nicht, wird leicht der Vorwurf aufkommen, grosse Darlehensgeber unter den Partnern würden sich zulasten anderer aus der Kanzleikasse «bedienen». Tritt ein Partner aus und/oder kommt ein Partner neu hinzu, ist es deshalb unerlässlich, dass das insgesamt von den Partnern beanspruchte Darlehen wieder neu nach Köpfen auf die aktuelle Anzahl Partner verteilt wird.

10 Kreditfazilitäten von Banken werden oft nur in Form von Kontokorrent-Kreditlinien nachgefragt, die dem Liquiditätsausgleich im Tagesgeschäft dienen. Gelegentlich aber werden für grössere Investitionen auch Bankdarlehen gesucht. Damit ist aus Banksicht die Frage nach den Sicherheiten für ihr Engagement gestellt.[10] Bei Kanzleien, die als Personengesellschaften konstituiert sind und bei denen die Partner für die Verbindlichkeiten der Kanzlei deshalb persönlich haften, hängt die Kreditvergabe durch die Bank in der Regel wesentlich von den Vermögensverhältnissen der wirtschaftlich starken Partner ab. Ist die Kanzlei in der Rechtsform einer Kapitalgesellschaft verfasst, wird diese nach denselben Kriterien wie ein anderes Unternehmen beurteilt. Ertragskraft und Substanz sind entscheidend, und zwar jene des Unternehmens – hier der Kanzlei – und nicht jene seiner Eigner. Da aber Partner einer Anwaltskanzlei in der Regel danach trachten, den Kanzleigewinn möglichst weitgehend als Partnereinkommen abzuschöpfen, werden Kanzleien in der Rechtsform einer Kapitalgesellschaft wohl eher selten besonders hohe Gewinnausweise bieten und substanzstark sein. In Fällen, in denen die Bank nicht aufgrund langjähriger Geschäftsbeziehungen zu einer stark vom Vertrauen in den Erfolg der Kanzlei getragenen Beurteilung ihrer Kreditfähigkeit und -würdigkeit kommt, werden Partner daher unter Umständen selbst Real- und Personalsicherheiten bieten müssen, um der Kanzlei den Zugang zu Bankkrediten zu ermöglichen.

1.1.1.4 Eigenkapital

11 Die Höhe des Eigenkapitals der Kanzlei spielt insgesamt eine etwas geringere Rolle als in kapitalintensiven Unternehmen beispielsweise der produzierenden Industrie. Es wird sich – in Kapitalgesellschaften – deshalb eher am gesetzlich vorgeschriebenen Minimum orientieren. Im Einzelfall können zwar gewisse Überlegungen – auch steuerliche – dazu führen, dass Eigenkapital über dieses Mass hinaus aufgebaut wird. Die Bildung von Haftungssubstrat ist aber in den wenigsten Fällen der entscheidende Beweggrund

[10] Gysin, Roland: Kredit für Anwälte – Banken sind skeptisch. In: Plädoyer 3/2007, S. 12 f.

für ein hohes Eigenkapital. Für das bedeutendste Risiko der Kanzlei – die Haftung für die fehlerhafte Beratung und Vertretung von Mandanten – besteht ja in der Regel ein ausreichender Versicherungsschutz. Und für den im Ausnahmefall über die Versicherungssumme hinausgehenden Schaden bietet die Rechtsform der als Kapitalgesellschaft gefassten Kanzlei einen korporativen Schutzwall, der in aller Regel bewusst nicht allzu hoch gebaut wird. Im schlimmsten Fall ist der Konkurs einer schwach kapitalisierten Anwalts-AG nämlich leichter hinzunehmen als jener einer mit hohem Eigenkapital ausgestatteten Kanzlei.

1.1.2 Erfolgsrechnung (Gewinn- und Verlustrechnung)

Die Erfolgsrechnung oder – nach deutscher Diktion – die Gewinn- und Verlustrechnung 12
einer Kanzlei sieht üblicherweise in etwa wie folgt aus:

Aufwand		%	Vorjahr		**Ertrag**		%	Vorjahr
Personalaufwand					**Ordentliche Erträge**			
Associates					Honorarerträge Partner			
Übriges Personal					Honorarerträge Associates			
Betriebsaufwand					**Übrige Erträge**			
Unterhalt IT					Provisionserträge			
Miete					Sitzdienstleistungen			
Energie					Untervermietung			
Kommunikation					Übrige Erträge			
Werbung/Akquisition					**Finanzerfolg**			
Versicherung					Zinsaufwand			
Beratung					Zinsertrag			
Abschreibungen					Währungsdifferenzen			
Steuern								
Total Aufwand					**Total Ertrag**			
Gewinn								

Abb. 3: Erfolgsrechnung einer Anwaltskanzlei[11]

[11] Generell zu den Mindestgliederungsvorschriften einer Erfolgsrechnung vgl. Behr/Leibfried 2010, S. 210 ff., wo sich unter anderem eine synoptische Darstellung unter Einbezug der Regeln von OR, HGB, Swiss GAAP FER und IFRS findet.

1.1.2.1 Aufwand

13 Die grössten Aufwandpositionen sind – wie bei anderen Dienstleistungsunternehmen auch – üblicherweise der Personal-[12], Miet- und IT-Aufwand. Je nach Aktivierungspolitik[13] können daneben die Abschreibungen einen erheblichen Umfang annehmen, namentlich wenn zusätzlich zu den Positionen «Einrichtung», «IT und Geräte» sowie «Bibliothek» auch noch Fahrzeuge bilanziert sind.

14 In Zeiten zunehmenden Wettbewerbs und tendenziell eher sinkender Stundensätze kommt der Aufwanddisziplin in einer Anwaltskanzlei wachsende Bedeutung zu. Um den Aufwand in der Kanzlei unter Kontrolle halten zu können, müssen dessen «Treiber» erkannt und bewirtschaftet werden.

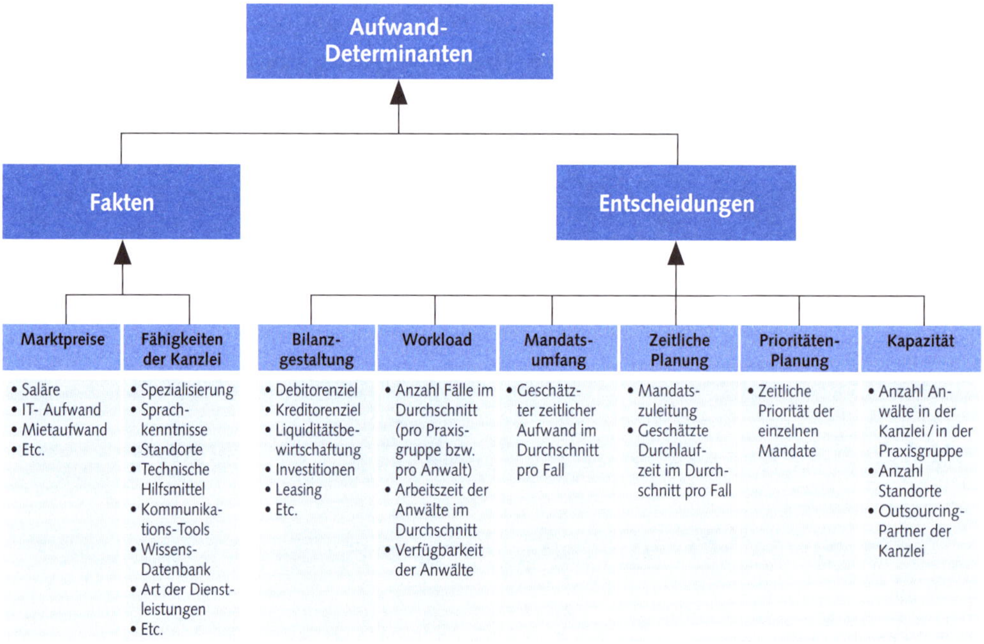

Abb. 4: Aufwand-Determinanten in Anlehnung an Thommen[14]

15 • Marktpreise

Die Marktpreise für die von der Kanzlei benötigten Ressourcen sind nur beschränkt beeinflussbar. Immerhin: Bewusste («Einkaufs»-)Entscheidungen in Be-

[12] Bei Kanzleien, die als Kapitalgesellschaft konstituiert sind, müssen selbstverständlich auch die Bezüge der Partner als Personalaufwand gebucht werden. Bei Personengesellschaften stellen die Partnerbezüge Gewinnentnahmen dar. Behr/Leibfried 2010, S. 544.

[13] Vgl. dazu vorstehenden Abschnitt 1.1.1.2.

[14] Thommen, Jean-Paul: Managementorientierte Betriebswirtschaftslehre. 8. Auflage, Zürich 2008, S. 421.

zug auf die Quantität und die Qualität dieser Ressourcen können sich erheblich auf den Aufwand der Kanzlei auswirken. Nicht monetäre Anreize für Associates, IT-Sharing mit befreundeten Kanzleien[15] oder mit Untermietern,[16] Räumlichkeiten etwas ausserhalb der teuersten Zentrumslagen, Beschränkungen beim Einrichtungsstandard für die Büros und ähnliche Massnahmen können dazu beitragen, die Beschaffungskosten für die Produktionsmittel der Kanzlei in einem vernünftigen Rahmen zu halten.

- Fähigkeiten der Kanzlei 16

  Die Art der von der Kanzlei angebotenen Dienstleistungen, die Fähigkeiten ihrer Anwälte, die Art der von der Kanzlei genutzten Vertriebskanäle (Standorte), aber auch die technische Unterstützung im Kanzleibetrieb sowohl auf der anwaltlichen wie auf der administrativen Ebene beeinflussen den Aufwand, den die Kanzlei zu tragen hat, wesentlich. Je komplexer die Dienstleistung, desto höher die Anforderungen an die Anwälte. Je besser befähigt die Anwälte sind, komplexe Aufgaben zu lösen, desto geringer der Einarbeitungsaufwand im einzelnen Mandat, desto kürzer die «Durchlaufzeit» eines Mandates und desto reibungsloser und risikoärmer – und damit kostengünstiger – die Mandatsarbeit. Der Aufwand in der Mandatsarbeit wird insbesondere auch klein gehalten, wenn die technische Unterstützung durch den elektronischen Zugriff auf gut konfigurierte Wissensdatenbanken[17] und die Kommunikation unter den Anwälten sowie mit den Mandanten mittels modernster Tools möglich ist.

- Bilanzgestaltung 17

  Bis vor Kurzem haben die Kanzleien dem sparsamen Umgang mit den zur Verfügung stehenden Ressourcen oft wenig Gewicht eingeräumt. In jüngerer Zeit ist das Kostenbewusstsein aber bei den meisten Kanzleien gewachsen. Vieles – eine angemessene Ausstattung der Kanzleiräumlichkeiten etwa, interessante Saläre für die besten Talente oder ein attraktiver Werbeauftritt – ist zwar der strategischen Positionierung der Kanzlei und den Erwartungen der Mandanten geschuldet. Die straffe Bewirtschaftung der wichtigsten Bilanzpositionen erlaubt aber oft eine signifikante Reduktion des Aufwandes, ohne dass Qualität oder Erscheinungsbild leiden. Gutes Liquiditätsmanagement, schnelle Rechnungstel-

---

15 Selbstverständlich müssen solche Modelle die Einrichtung von sogenannten *fire walls* zwischen den beteiligten Kanzleien vorsehen, damit das Anwaltsgeheimnis gewahrt bleibt.

16 Auch hier gilt, dass (räumliche und personelle) Massnahmen zur Wahrung des Anwaltsgeheimnisses zu treffen sind.

17 Schulz, Martin / Klugmann, Marcel: Wissensmanagement für Anwälte. 2. Auflage, Köln 2006, S. 13 f.; Hartung, Markus / Weberstaedt, Jakob: Click4Legal – How Deutsche Bank Manages its Suppliers of Legal Services – Case Study. Hamburg im November 2011, S. 16.

lung, wirksame Debitorenkontrolle,[18] Nutzung günstiger Finanzierungsmöglichkeiten für Investitionen, Untervermietung von nicht genutzten Räumlichkeiten, Investition in den energiesparenden Betrieb von Gerätschaften und Raumtechnik etc. tragen dazu bei, kostengünstig zu «produzieren».

18 • Workload

Zahlreiche, den Kanzleiaufwand massgeblich beeinflussende Entscheidungen haben mit der Arbeitsbelastung der Anwälte zu tun. Grosser Druck durch viele parallel zu bearbeitende Mandate sowie hohe Erwartungen der Partner an lange Arbeitszeiten und jederzeitige Verfügbarkeit von Associates steigern kurzfristig die Produktivität der Anwälte. Mittel- und langfristig aber treiben diese Phänomene die Saläre in die Höhe, reduzieren die Verweilzeit von Associates in der Kanzlei und bewirken damit eine Zunahme der Fluktuation sowie gleichzeitig eine Erhöhung der Rekrutierungs- und Einarbeitungskosten. Zu geringer *workload* aber ist ebenfalls ungesund: Die Produktivität sinkt und damit einhergehend oft auch die Zufriedenheit der Associates mit ihrer Arbeit. Gutes Coaching durch die Partner und eine professionelle Arbeitsorganisation können dazu beitragen, Arbeitsbelastung und Freizeit der Associates in einer gesunden Balance zu halten.

19 • Mandatsumfang

Erfahrungsgemäss ist es der Arbeitsproduktivität förderlich, wenn ein guter Mix erreicht wird zwischen Aufgaben, die schnell und routiniert abgearbeitet werden können und solchen, die eine intensive Beschäftigung über einen längeren Zeitraum erfordern. Qualifizierte Anwälte finden selten zu hoher Befriedigung in der Arbeit, wenn sie permanent nur mit Kurzaufträgen kleine Beiträge zu grossen Projekten liefern oder Kleinmandate bearbeiten dürfen. Umgekehrt kann es auch für talentierte Associates wohltuend sein, nicht immer nur in schwergewichtigen, lang dauernden und von hohen Risiken geprägten Transaktionen tätig sein zu müssen, sondern auch einmal Aufgaben erledigen zu können, die schnell wieder «vom Tisch» sind. Auch hier gilt, dass eine gute Arbeitsorganisation in der Kanzlei hilft, die Produktivität hoch und so den (relativen) Aufwand pro Mandat tief zu halten.

20 • Zeitliche Planung

Oft werden die Vorteile unterschätzt, die eine kurze Durchlaufzeit eines Mandates nicht nur für die Mandanten, sondern auch für die in der Mandatsar-

[18] Ries, Sven / Georg, Gerd: Full-Service-Factoring für aufstrebende Rechtsanwaltskanzleien. In: FLF 2/2008, S. 86 ff. verweisen auf die Dienstleistungen der Deutschen Anwaltlichen Verrechnungsstelle AG mit Sitz in Köln, die anwaltliche Gebühren- und Honorarforderungen von Anwälten erwirbt, unverzüglich begleicht und die Forderungen eigenverantwortlich eintreibt. Vgl. dazu auch http://www.anwvs.de/, gefunden am 11. Januar 2012.

beit engagierten Anwälte hat. Je kürzer die Bearbeitungszeit eines Mandates ist, desto geringer ist tendenziell die Produktivitätseinbusse, die nach längeren «Ruhephasen» durch neue Einarbeitung in ein Mandat notwendig ist. Gerade Beratungs-, aber unter Umständen auch etwa Prozessführungsmandate, können erheblichen Zusatzaufwand erfordern, falls das ihnen innewohnende Momentum verloren geht. Wenn immer möglich, ist deshalb bei der Zuteilung von Mandaten zur internen Bearbeitung darauf zu achten, dass die betreffenden Anwälte und Teams in wichtigen Phasen die notwendige Zeit ohne Störung auf das betreffende Mandat verwenden können.

- Prioritätenplanung 21

  Ungünstig auf den Aufwand kann sich auch auswirken, wenn das Setzen der Bearbeitungspriorität dem Zufall überlassen wird. Damit sind vor allem die Arbeitsorganisation und das Zeitmanagement des einzelnen Anwalts angesprochen. Wer dazu neigt, immer gerade jene Aufgaben zu erledigen, die aktuell auf dem Schreibtisch landen und denen der Anschein von Dringlichkeit anhaftet, die aber nicht wirklich wichtig sind, wird keine oder zu wenig Zeit für die tatsächlich bedeutenden Aufgaben haben. Es geht also darum, die richtigen Prioritäten zu setzen, wenn die Produktivität wirksam gesteuert und der Arbeitsaufwand optimiert werden soll. Wer Wichtiges liegen lässt und Abende und Wochenenden damit verbringt, sich Unwichtigem zu widmen, setzt darüber hinaus ein Überforderungssignal.[19] Dieses Signal muss von der zuständigen Führungskraft – dem Partner oder dem Senior Associate – ernst genommen werden. Neben der Einbusse an Produktivität drohen andernfalls möglicherweise weit schwerwiegendere Probleme.

- Kapazität 22

  Wichtige Determinanten für den Aufwand sind natürlich auch die Entscheidungen über den Auf- und Ausbau der Kanzleiressourcen: Zu viele oder zu wenige Anwälte in der Kanzlei oder in einzelnen Praxisgruppen, zu viele oder zu wenige Standorte und natürlich auch (falsche) *Make-or-buy*-Entscheidungen wirken sich massgeblich auf Produktivität und Aufwand aus.

Sind die Treiber für den Aufwand in der Kanzlei identifiziert und ist klar, welche Entscheidungen in der Kanzlei den Aufwand beeinflussen, ist es interessant, sich über den Charakter und Verlauf einzelner Aufwandpositionen Rechenschaft abzulegen. 23

[19] Merte, Katrin / Krautz, Barbara / Müller, Werner: Burnout – im Abwärtsstrudel. In: Unternehmensjurist. Ausgabe 5/2011, S. 58 ff.

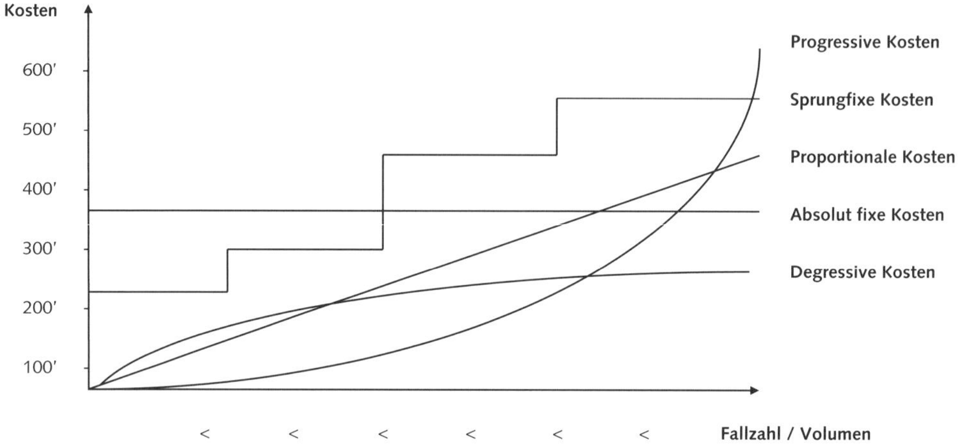

Abb. 5: Verlauf von Kosten in Abhängigkeit vom Volumen[20]

24 • *Progressiv* entwickeln sich typischerweise die Kosten für die interne Koordination von Anwälten. Jedes zusätzliche Mitglied im Team bewirkt eine überproportionale Zunahme an Komplexität und Volumen in der Kommunikation. Die in Teamsitzungen und in bilateralen Gesprächen zu investierende Zeit innerhalb und ausserhalb der Mandatsarbeit hat deshalb insbesondere in Wachstumsphasen der Kanzlei die Tendenz zu explodieren.

25 • *Sprungfixe Kosten* sind beispielsweise mit der Investition in neue Büroräumlichkeiten verbunden. Wenn Kanzleien ihre räumlichen Kapazitäten ausbauen, investieren sie häufig in eine erst in Zukunft eintretende Entwicklung, bauen also zu gross oder mieten Büros an, die in einer ersten Phase noch nicht ausgelastet werden können. Der mit dem Ausbau zusammenhängende Aufwand (z.B. die Mietzinsen) fällt aber natürlich von Beginn weg an und bleibt über eine gewisse Zeit konstant. Er steigt erst wieder, wenn die Büros im Zuge der Entwicklung erneut zu klein geworden sind und eine nächste Ausbauetappe ansteht.

26 • *Proportional* entwickeln sich üblicherweise die Lizenzkosten für IT-Software. Je mehr Arbeitsplätze mit der betreffenden Software ausgerüstet werden, desto höher ist die zu entrichtende Lizenzgebühr.

27 • *Absolut fixe Kosten* stellen in kleineren und mittleren Kanzleien mit nur einem Standort zum Beispiel die Kosten für die Bibliothek dar. Es genügt, die wichtigsten Standardwerke einmal zu beschaffen, unabhängig davon, ob sie von fünf oder von zehn Anwälten genutzt werden.

[20] Thommen 2008, S. 423.

- Eine *degressive* Entwicklung der Kosten liegt dann vor, wenn mit zunehmendem Volumen die Kosten pro Stück geringer werden. Die Leasing-Gebühr für Kopierer etwa wird häufig in Abhängigkeit von der Anzahl getätigter Kopien erhoben. Ist die Anzahl gross, sinkt die Gebühr pro Kopie. 28

1.1.2.2 Ertrag

Neben den Honorarerträgen aus anwaltlicher Tätigkeit erzielen viele Kanzleien Erträge aus weiteren Quellen. Im M&A-Geschäft etwa können für den erfolgreichen Abschluss von Transaktionen Provisionen hinzukommen, bei Sitzdienstleistungen für Stiftungen oder Gesellschaften von Mandanten entsprechende Sitzgebühren. Gelegentlich stellen Kanzleien Teile ihrer Räumlichkeiten überdies anderen Anwälten, Steuerberatern oder Wirtschafsprüfern in Untermiete zur Verfügung. Die dafür anfallenden Mietzinsen stellen ebenfalls Kanzleierträge dar. Oft erzielen Anwälte sodann Honorare für die Tätigkeit in Organen von anderen Gesellschaften oder erhalten als Referenten und Dozenten Honorar- bzw. Salärzahlungen. Je nach Abmachung unter den Partnern fallen solche Zahlungen auch in den Ertrags-Pool der Kanzlei und werden in der Kanzleibuchhaltung eingebucht. 29

Der Finanzerfolg wird in der Erfolgsrechnung üblicherweise gesondert ausgewiesen.[21] Je nach Stand des Kontokorrentkontos bei einer Bank fallen Zinsaufwand oder -ertrag an. Die entsprechenden Bewegungen können selbstverständlich auch je in ein Aufwand- und in ein Ertragskonto gebucht werden. Oft wird aber – wie in unserem Beispiel in vorstehender Abb. 3 – einfach ein einziges Konto «Finanzerfolg» auf der Ertragsseite der Erfolgsrechnung geführt, das dann – je nach Kontostand – einen positiven oder negativen Saldo aufweisen kann. 30

1.1.3 Geldflussrechnung

Die Geldflussrechnung zeigt die Veränderungen im Geldbestand eines Unternehmens in einem bestimmten Zeitraum auf.[22] Dabei werden im Wesentlichen drei Bereiche betrachtet:[23] 31

Geschäftsbereich[24] 32
Es wird nur der Zu- und Abfluss von Geld erfasst, also nicht etwa die Auflösung oder Bildung von Rückstellungen und Reserven. Ergibt sich ein Nettozufluss, ist dies der Cashflow, entsteht ein Nettoabluss, ist dies ein *cashdrain.*[25] Als «*Freier Cashflow*» wird

---

[21] Behr/Leibfried 2010, S. 559 ff.

[22] Capaul/Steingruber 2010, S. 365.

[23] Horngren/Harrison/Oliver 2009, S. 685; Berndt, Thomas / Grüner, Andreas: Controlling und Rechnungslegung. 2. Auflage, Upper Saddle River 2009, S. 7; Behr/Leibfried 2010, S. 245.

[24] Horngren/Harrison/Oliver 2009, S. 686 ff.; Behr/Leibfried 2010, S. 245 ff.

[25] Zur Berechnung im einzelnen Behr/Leibfried 2010, S. 253 ff.; Thommen 2008, S. 404 ff.

derjenige Cashflow bezeichnet, der nach Abzug der Liquidität übrig bleibt, die für die Finanzierung von Investitionen ins Anlagevermögen notwendig ist.[26]

33 *Investitionsbereich*[27]
Die zweite Stufe der Geldflussrechnung erfasst die Veränderungen im Geldbestand, die aus der Investition in Anlagevermögen oder aus der Desinvestition einzelner Assets herrühren.

34 *Finanzierungsbereich*[28]
Auch die Aufnahme oder Rückzahlung von Fremd- und Eigenkapital oder die Zahlung einer Dividende verändert die Geldbestände. Diese Veränderungen werden in einer dritten Stufe der Geldflussrechnung erfasst.

35 Zusammenfassend ergibt sich folgende Struktur der Geldflussrechnung:[29]

	Mittelfluss aus laufender Geschäftstätigkeit
+	Mittelzu- oder Abfluss aus Investitionstätigkeiten
+	Mittelzu- oder Abfluss aus Finanzierungstätigkeiten
=	**Veränderung des Bestandes an liquiden Mitteln**

1.1.4 Finanzplanung

36 Eine sinnvolle Finanzplanung umfasst drei Elemente: das Budget als operative Jahresplanung für das kommende Jahr, den Finanzplan als Mehrjahresplanung sowie den Investitionsplan.

1.1.4.1 Budget

37 Mit dem Budget sollen die finanziellen Jahresziele der Kanzlei festgehalten werden.[30] In seiner Struktur folgt es der Erfolgsrechnung. Wird letztere sauber und zeitnah geführt, kann im Verlauf des Rechnungsjahres jederzeit ein Abgleich zwischen Soll (Budget) und Ist (Erfolgsrechnung) stattfinden. Das Budget wird so zum Instrument für die rechtzeitige Planung und Umsetzung von Massnahmen, falls die gesetzten finanziellen Ziele nicht erreicht werden.[31]

---

[26] Horngren/Harrison/Oliver 2009, S. 724.

[27] Horngren/Harrison/Oliver 2009, S. 717 ff.; Behr/Leibfried 2010, S. 248 f.

[28] Horngren/Harrison/Oliver 2009, S. 719 ff.; Behr/Leibfried 2010, S. 249 f.

[29] Rüegg-Stürm, Johannes / Sander, Stefan: Controlling für Manager – Grundlagen, Methoden, Anwendungen. 8. Auflage, Zürich 2009, S. 103; Thommen 2008, S. 397.

[30] Rüegg-Stürm/Sander 2009, S. 266; Thommen 2008, S. 407.

[31] Rüegg-Stürm/Sander 2009, ebenda; Horngren/Harrison/Oliver 2009, S. 1113 ff.; Heussen, Benno: Anwaltsunternehmen führen. 2. Auflage, München 2011, S. 86.

Wichtig ist, dass das Budget jährlich wieder von Grund auf erarbeitet und nicht einfach die Zahlen der letzten Jahre fortgeschrieben werden.[32] Basis für die Erarbeitung sind die Annahmen und Erwartungen der Praxisgruppen und Managementfunktionen der Kanzlei sowie die Planungsentscheidungen der Partner. Selbst wenn sich im Laufe des Rechnungsjahres ergibt, dass das Budget mit der tatsächlichen Erfolgsrechnung nicht übereinstimmt, sollte es in der Regel dennoch nicht angepasst werden. Die Abweichungsanalyse erlaubt ja wichtige Rückschlüsse auf den Geschäftsgang.[33] Bei sich verändernden Fixpunkten für die Soll-Werte dieser Analyse werden gültige Erkenntnisse aber kaum erreicht werden können. Und: Es gibt nichts Schwierigeres, als auf permanent sich bewegende Ziele schiessen zu müssen! Eine Ausnahme von diesem Grundsatz kann gerechtfertigt sein, wenn sich das Geschäft fundamental verändert, weil beispielsweise ein Teil der Kanzlei wegen eines Spin-offs wegbricht oder während der laufenden Rechnungsperiode eine Fusion stattfindet. 38

1.1.4.2 Finanzplan als Mehrjahresplanung

Auch die Mehrjahresplanung – beispielsweise für die nächsten drei Jahre – folgt im Wesentlichen der Struktur der Erfolgsrechnung. Sie ist aber natürlich bedeutend ungenauer als das Budget und wird deshalb sinnvollerweise weniger fein gegliedert als dieses. 39

Es empfiehlt sich, die Mehrjahresplanung rollend fortzuschreiben.[34] Im Gegensatz zum Budget werden hier also jährlich die neu sich ergebenden Annahmen und Erkenntnisse eingearbeitet. 40

1.1.4.3 Investitionsplan

Drittes Element der Finanzplanung ist der Investitionsplan. Damit kann langfristig sichergestellt werden, dass Investitionen und deren Finanzierung sauber gesteuert werden. In der Regel strebt ein Unternehmen danach, innerhalb eines definierten Zeitraums die Investitionen mit den selbst erwirtschafteten Mitteln finanzieren zu können. Sofern es sich nicht lediglich um Ersatz- und Erneuerungsinvestitionen handelt, fliessen die wesentlichen Inputs zur Investitionsplanung aus der rollenden strategischen Planung.[35] 41

1.2 Betriebsbuchhaltung in einer Anwaltskanzlei

Die Finanzbuchhaltung will Vermögen und Schulden, Erträge und Aufwand zu einem Gesamtbild der finanziellen Verhältnisse des Unternehmens zusammenfügen. Dem 42

---

32 Thommen 2008, S. 409; man spricht dann vom sogenannten *zero-base budgeting.*

33 Pothe, Christian: Business Services in der Kanzlei. In: Schieblon, Claudia (Hrsg.): Kanzleimanagement in der Praxis. Wiesbaden 2011, S. 140.

34 Rüegg-Stürm/Sander 2009, S. 270.

35 Vgl. dazu die Ausführungen in Kapitel 1 vorstehend.

Betrachter soll also eine Beurteilung der finanziellen Verfassung des Gesamtunternehmens ermöglicht werden.

43 Im Gegensatz dazu hat die Betriebsbuchhaltung zum Ziel, Transparenz über die Kosten und Überschüsse im Unternehmen herzustellen und diese den einzelnen Geschäftsbereichen und Projekten zuzuordnen. Hier wird demnach Klarheit darüber geschaffen, mit welchen Aktivitäten das Unternehmen Geld verdient und in welchen es Geld verliert.[36]

1.2.1 Vollkostenrechnung

44 Die Vollkostenrechnung beantwortet die Fragen, welche Kosten (Kostenarten), wo (Kostenstellen) und wofür (Kostenträger) anfallen. Es geht hier also um die Zuordnung von Kosten.[37]

45 Bei den *Kostenarten* wird unterschieden zwischen Einzelkosten (direkte Kosten) und Gemeinkosten (indirekte Kosten).[38] Typische Einzelkosten im Anwaltsgeschäft sind die Kosten, die direkt in der Mandatsarbeit anfallen: Salärkosten von Anwälten und Sekretariatsmitarbeitenden, Kosten für externe Datenbankabfragen, Kommunikationskosten, Miete externer Sitzungs- oder Datenräume, Kopierkosten, Reisekosten etc. Gemeinkosten hingegen sind jene Kosten, die nicht direkt dem Leistungserstellungsprozess im Mandat zugeordnet werden können. Dazu gehören etwa die Salärkosten, die für Managementfunktionen der Kanzlei anfallen, die Kosten für den Unterhalt der Bibliothek und der IT, Abschreibungen, die Miete der Kanzleiräumlichkeiten etc.

46 Während die Einzelkosten direkt einem bestimmten *Kostenträger* (Mandat) zugeordnet werden können,[39] muss für die Übertragung der Gemeinkosten auf die *Kostenstelle* (Anwalt oder Praxisgruppe) ein Verteilschlüssel gefunden werden.[40] In der Praxis finden sich dazu vor allem Modelle, die eine Anbindung an die Person des Leistungsträgers (pro Anwalt bzw. Berufsträger) vorsehen und solche, die an den Umsatz eines Anwalts oder einer Praxisgruppe anknüpfen. Beide haben Vor- und Nachteile: Die Anknüpfung an den Anwalt[41] ist die genauere und erlaubt im Endergebnis einen exakteren Rückschluss auf die Produktivität des Leistungserbringers. Sie macht aber natürlich keinerlei Unterschied, was die Natur des Geschäfts der entsprechenden Kostenstelle betrifft. Einem Anwalt, der zu relativ tiefen Stundensätzen Arbeits-, Miet- oder Sozialversicherungsrecht macht, wird in diesem System der gleiche Gemeinkostenanteil aufgebürdet

---

[36] Capaul/Steingruber 2010, S. 372.

[37] Capaul/Steingruber 2010, S. 373; Thommen 2008, S. 417.

[38] Capaul/Steingruber 2010, ebenda.

[39] In der Regel geschieht dies in Anwaltskanzleien sehr einfach mittels Einsatzes der gängigen elektronischen Leistungserfassungssysteme.

[40] Spahl, Kai-Uwe: Stundensatzkalkulation, Break-Even-Analyse, betriebswirtschaftliche Auswertungen. In: Betriebs Berater Beilage 9, Heft 49/2003, S. 9 f.

[41] Immer umgerechnet auf den tatsächlichen Beschäftigungsgrad der entsprechenden Person bzw. auf sogenannte *full time equivalents* (FTE) einer Praxisgruppe.

wie einem Kollegen der gleichen Kanzlei, der wohlhabende Privatkunden bei der Strukturierung ihres Vermögens berät. Im Gegensatz zur Anknüpfung an die Person des Leistungserbringers nimmt die Anknüpfung an den Umsatz zwar Rücksicht auf diesen letzteren Umstand. Der Blick auf Produktivitätsunterschiede, die zwischen Leistungserbringern im gleichen Geschäftsfeld bestehen können, geht aber etwas verloren. Es empfiehlt sich daher, die Gemeinkostenumlage nach einem Schlüssel vorzunehmen, der mehr als ein Kriterium berücksichtigt. Man könnte etwa daran denken, die Hälfte der Gemeinkosten nach Köpfen und die andere Hälfte nach Umsätzen vorzunehmen. Selbstverständlich sind noch weit stärker ausdifferenzierte Verteilschlüssel denkbar, etwa bei der Miete nach der Anzahl Quadratmeter benutzter Bürofläche pro Praxisgruppe oder – besonders aufwendig in der Erhebung – beim Salär der Büroadministration nach Anteil beanspruchter Zeit des Sekretariatspersonals. Es ist indes zu warnen vor zu grosser Komplexität des Umlagemodells. Erreicht wird nämlich oft nur eine Scheingenauigkeit. Und selbst wenn durch Verwendung solcher Modelle eine präzisere Zuordnung von Gemeinkosten möglich ist, wiegt dieser Vorteil längst nicht in allen Fällen die gesteigerte Komplexität und den dadurch entstehenden administrativen Aufwand auf.

1.2.2 Teilkostenrechnung

Die Vollkostenrechnung ordnet die Kosten entweder direkt (Einzelkosten) oder indirekt (Gemeinkosten) über die Kostenstellen den Kostenträgern zu.[42] Die Teilkostenrechnung verzichtet auf die – oft komplexe – Umlage der vollständigen Gemeinkosten auf die Kostenträger. Das Ergebnis der Rechnung ist deshalb nicht der erzielte Gewinn pro Kostenträger, sondern lediglich der sogenannte *Deckungsbeitrag*. Erst auf Stufe Gesamtunternehmen ist bei dieser Betrachtung wieder eine präzise Aussage zum Gewinn möglich. Oft erfolgt die Teilkostenrechnung über mehrere Stufen: 47

[42] Thommen 2008, ebenda.

	Mehrstufige Deckungsbeitragsrechnung	In Tausend CHF	%
	Brutto-Honorarumsatz	**5 000**	**100**
./.	Erlösminderungen (Rabatte; Skonti; Debitorenverluste; Schadenvergütungen, etc.)	150	3
=	**Netto-Honorarumsatz**	**4 850**	**97**
./.	Variable Kosten (in Rechnung gestellte Anwalts- und Sekretariatsstunden zu Salärkosten; Kosten für externe Datenbank-Abfragen; Kommunikationskosten; Miete externer Sitzungs- oder Datenräume; Kopierkosten; Reisekosten, etc.)	2 000	40
=	**Deckungsbeitrag 1**	**2 850**	**57**
./.	Praxisgruppen-Fixkosten (Praxisgruppen-Werbekosten; Salärkosten von Anwälten und von der Praxisgruppe zugeordneten Sekretariatsmitarbeitenden, die nicht auf die Mandatsarbeit entfallen; IT-Unterhaltskosten für Anwalts- und der Praxisgruppe zugeordnete Sekretariatsarbeitsplätze; Weiterbildungskosten; Miete von Anwalts- und Sekretariatsbüros, etc.)	500	10
=	**Deckungsbeitrag 2**	**2 350**	**47**
./.	Standortfixkosten (Mietkosten für Sitzungszimmer, Bibliothek und andere gemeinsam genutzte Räume; Kosten für Standortmanagement; übrige IT-Unterhaltskosten, etc.)	600	12
=	**Deckungsbeitrag 3**	**1750**	**35**
./.	Anteil Kosten der Kanzleizentrale (Salär Managing Partner und zentrale Managementfunktionen sowie entsprechende Miet- und IT-Kosten, etc.)	300	6
=	**Betriebsergebnis Praxisgruppe**	**1450**	**29**

Abb. 6: Beispiel mehrstufige Deckungsbeitragsrechnung für Praxisgruppe

48 Die Deckungsbeitragsrechnung kann für jede Praxisgruppe, aber natürlich auch für einen Standort oder für die Kanzlei als Ganzes erstellt werden. Sie dient als Basis für die Errechnung der Gewinnschwelle *(break even)* und vor allem auch als Grundlage für die Kalkulation.[43]

1.2.3 Kalkulation

49 Immer häufiger wird von Kanzleien verlangt, dass für einzelne Mandate ein Angebot abgegeben wird.[44] Gerade bei grossen Beratungsmandaten wird gar erwartet, dass die Kanzlei eine Fixpreisofferte unterbreitet.

50 Ausgangslage für die Kalkulation ist die Deckungsbeitragsrechnung.[45] Voraussetzung für die Nennung eines Fixpreises oder eines Kostendaches ist eine möglichst zuverlässige Kalkulation des erwarteten Aufwandes (= variable Kosten im betreffenden Man-

[43] Thommen 2008, S. 417.

[44] Vgl. dazu auch Abschnitt 4.1. nachstehend.

[45] Rüegg-Stürm/Sander 2009, S. 234.

dat) zu «Herstellkosten». Dann aber müssen in einem zweiten Schritt auch die Fixkosten sowohl auf Ebene Praxisgruppe wie auch auf Ebene Gesamtkanzlei auf den Mandatspreis umgelegt werden. In einem dritten Schritt muss sodann ein kalkulatorischer Gewinn zum Preis geschlagen werden.[46] Die Fixkostenzuschläge können aus der Deckungsbeitragsrechnung abgeleitet werden. Die Höhe des Gewinnzuschlages hingegen ist in erster Linie eine strategische Entscheidung der Partner. Mit dessen Steuerung bestimmen sie letztlich die Höhe ihres Einkommens. Die Deckungsbeitragsrechnung kann dazu nur einen zusätzlichen Input liefern.

2. Die fünf Ebenen des Kanzlei-Controlling[47]

Im Controlling werden wichtige Informationen der Rechnungslegung verdichtet und zu Finanzkennzahlen verarbeitet.[48] Das Controlling muss drei Aufgaben erfüllen:[49] 51

- Es dient als *Entscheidungsgrundlage* für die Unternehmensführung. Die mittels Controlling erarbeiteten Finanzkennzahlen erlauben die finanzwirtschaftliche Steuerung des Unternehmens. Auf deren Basis wird etwa entschieden, ob die Kosten zu hoch, die Preise zu tief und der Gewinn angemessen ist, sodass gestützt darauf das Unternehmen nachhaltig investitionsfähig bleibt.
- Das Controlling hat aber auch eine *Kontrollfunktion.* Es erlaubt den Soll-/Ist-Vergleich über die Zeit und gestattet es dem Unternehmen, sich mit anderen Unternehmen aus der gleichen Branche zu messen.
- Schliesslich liefert das Controlling die Werte, die für die Festlegung der Ziele des Unternehmens und seiner Mitarbeiter wichtig sind. Es ist Grundlage für das Setzen und die *Steuerung* der Mitarbeiteranreize im Interesse der Unternehmenszielsetzungen.

2.1 Controlling im Mandat

Eine erste Controlling-Ebene dient der finanzwirtschaftlichen Steuerung der Mandate der Kanzlei.[50] Überall dort, wo dem Mandant eine Schätzung des erwarteten Honorars oder gar ein betragsmässig beziffertes Angebot unterbreitet wurde, ist es wichtig, dass der zuständige Partner die Entwicklung des aufgelaufenen Honorars sorgfältig beob- 52

[46] Spahl 2003, S. 10.

[47] In Anlehnung an Spahl 2003, S. 11.

[48] Dabei werden namentlich die Liquidität des Unternehmens, seine Ertragskraft und seine Substanz gemessen. Behr/Leibfried 2010, S. 166, sprechen von der «Zieltriade», bestehend aus Liquidität, Rentabilität und Sicherheit.

[49] Capaul/Steingruber 2010, S. 431.

[50] Horngren/Harrison/Oliver 2009, S. 861 ff., sprechen von *«job order costing system»*. Vgl. auch Spahl 2003, S. 9.

achtet. Die Kanzleiorganisation muss sicherstellen, dass die zeitnahe Verfolgung dieser Entwicklung möglich ist. Das geschieht sinnvollerweise dadurch, dass in entsprechenden Mandaten interne Überwachungslimiten eingegeben werden und die vorzugsweise elektronisch geführte Mandatskontrolle bei Erreichen dieser Limiten automatisch einen entsprechenden Warnhinweis an den verantwortlichen Partner generiert.

2.2 Leistungsnachweis für den einzelnen Anwalt

53 Auf einer zweiten Ebene muss das Controlling die Messung der Leistung der einzelnen Anwälte erlauben. Wichtige Kennzahlen sind etwa die insgesamt für die Kanzlei aufgewendete Arbeitszeit, die auf die Mandatsarbeit verwendete Zeit («direkt produktive Zeit»), die in Managementaufgaben und für den Know-how-Transfer investierte Zeit («indirekt produktive Zeit»), der erzielte Honorarumsatz und der durchschnittlich erzielte Stundensatz. Wichtig ist – dieser Grundsatz gilt generell für alle Ebenen des Controlling – , dass nur jene Kriterien zur Leistungsbeurteilung herangezogen werden, die vom betreffenden Anwalt auch selbst beeinflusst werden können.

2.3 Teamcontrolling

54 Die dritte Controlling-Ebene misst die Leistung der einzelnen Praxis- und Sektorgruppen. Das ist vielleicht die wichtigste Bezugsgrösse für das Controlling in einer Anwaltskanzlei überhaupt. Hier wird augenscheinlich, welche Geschäftsfelder für die Kanzlei wirtschaftlich besonders interessant sind. Zusätzlich zu den Grössen, die schon zur Beurteilung der Leistung der einzelnen Anwälte herangezogen wurden, sollten auf dieser Ebene deshalb auch die Deckungs- und Gewinnbeiträge der Teams ermittelt werden. Es ist nämlich nicht automatisch so, dass die auf den ersten Blick attraktiven – weil mit hohen Stundensätzen und ebensolchem Prestige gesegneten – Rechtsgebiete und Mandantengruppen im Vergleich der verschiedenen Teams obenaus schwingen. Tiefpreisige Geschäftsfelder können ihren vermuteten Rentabilitätsnachteil unter Umständen durch besonders günstige «Produktionskosten» – hohe Standardisierung, schlanke Arbeitsprozesse, weniger Bürofläche pro Anwalt etc. – wettmachen. Umgekehrt leiden Geschäftsfelder, denen auf den ersten Blick eine grosse Attraktivität zukommt (Kapitalmarktrecht, Betreuung von sogenannten *high networth individuals* etc.), möglicherweise unter sehr hohen «Produktionskosten» – nicht oder nur unvollständig dem Mandat zu belastende Reise- und Repräsentationskosten, bedeutende Aufwendungen für die Beziehungspflege etc. –, welche den Gewinnausweis der betreffenden Praxis- oder Sektorgruppe beeinträchtigen.

2.4 Controlling der Gesamtkanzlei

Das Controlling der einzelnen Praxis- und Sektorgruppen muss auf der vierten Ebene zum Controlling der Ertragskraft der Gesamtkanzlei zusammengefügt werden.[51] Für die Partner ist auf dieser Ebene besonders der Zeitvergleich interessant, der aufzeigt, wie sich die Kanzlei über die Jahre hinweg entwickelt. Bei Kanzleien, die mit dem *Lockstep*-Modell[52] arbeiten, ist die vierte Ebene auch die Basis für die Ermittlung des Partnereinkommens. 55

Auf dieser Ebene hinzukommen müssen nun noch Kennzahlen zur Überwachung der Liquidität[53] und der Substanz (Eigenkapital in Kanzleien in der Rechtsform einer Kapitalgesellschaft) der Kanzlei. 56

2.5 Balanced Scorecard

In den ersten vier Stufen des Kanzlei-Controllings war nur von finanzwirtschaftlichen Kennzahlen die Rede. Die Leistung von Anwälten, Teams oder auch der Gesamtkanzlei kann damit aber natürlich nicht vollständig erfasst werden. Für den nachhaltigen Erfolg und die strategische «Kurstreue» der Kanzlei sind zahlreiche weitere Faktoren verantwortlich, die sich kurzfristig nicht auf das finanzielle Ergebnis auswirken und sich möglicherweise darin unmittelbar nicht widerspiegeln. Auf der fünften und letzten Ebene des Kanzlei-Controllings wird dieses deshalb erweitert um die sogenannte Balanced Scorecard.[54] Mit dieser wird den Partnern und namentlich dem Managing Partner ein umfassendes Bild über den Zustand der Kanzlei und ihre Geschäftstätigkeit geboten.[55] In der Balanced Scorecard erfasst werden alle aus der Kanzleistrategie abgeleiteten Zielsetzungen, und es werden die wesentlichen Beiträge der Anwälte und der Teams zur Erreichung dieser Zielsetzungen gemessen. Diese Beiträge sind sowohl finanzwirtschaftlicher als auch anderer Natur.[56] 57

[51] Spahl 2003, S. 9.

[52] Vgl. Abschnitt 5.1. nachstehend.

[53] Küting, Karlheinz / Rösinger, Andrea / Mojadadr, Mana: Notwendigkeit eines Cash- und Liquiditätsmanagements. In: Der Betrieb, Heft 12 vom 26. März 2010, S. 625–631.

[54] Kaplan, Robert / Norton, David: The Balanced Scorecard – Measures That Drive Performance. In: Harvard Business Review on Measuring Corporate Performance. Boston 1991, S. 123–145; Rüegg-Stürm/Sander 2009, S. 301 ff.

[55] Capaul/Steingruber 2010, S. 99 f.

[56] Heussen, Benno: Managementwerkzeuge für die Anwaltskanzlei – Die Balanced Scorecard. In: Anwalts Revue 5/2005, S. 212 f.

Perspektive	Ziele	Kennzahlen / Messgrössen	Zielwerte	Erreichte Werte	Massnahmen
Finanzen	Verbesserung der Rentabilität	Partnereinkommen	CHF 400 000	CHF 350 000	• Entlastung der Associates von administrativen Arbeiten • Erhöhung des durchschnittlichen Stundensatzes um 5% • Target-Liste mit Akquisitionszielen für alle Partner
Dienstleistungen	Ausweitung des Angebots zum Vollsortiment	Zusätzliche Praxisgruppen	Je eine neue Praxisgruppe in den Jahren 2012 und 2013	Offen	• Eine Promotion eines Associates zum Partner für Immaterialgüterrecht • Ein lateral hire eines Steuerrechtlers • Je zwei gute zusätzliche Associates für die beiden Praxisgruppen
Mandanten	Steigerung der Kundenzufriedenheit	Folgemandate	Folgemandate von 50% der Erstkunden innerhalb von 12 Monaten	60%	Keine
Märkte	Ausweitung auf ganze Deutschschweiz	Mandatszugang aus den Kantonen St. Gallen, Bern und Luzern	Je zwei Mandanten mit einer Honorarsumme von > 50 000 pro Jahr	Je einen	• Road Show bei je drei ausgewählten Zielmandanten • Kostenlose Schulungsangebote für die Zielmandanten im Kartellrecht • Angebot von Kartellrechtsaudits für Zielmandanten zu einem attraktiven Pauschalpreis
Vertrieb	Nutzung von Social Media	Blog der Praxisgruppe Corporates	500 Hits pro Woche	300	• Promotion des Blogs in Newsletter für Corporate-Mandanten • Einladung an Unternehmens-Rechtsabteilungen zur Mitwirkung bei Blog
Prozesse	Verschlankung der nicht mandantenorientierten Prozesse	Erhöhung der produktiven Arbeitszeit	Teamsitzungen dauern maximal 30 Minuten	In 70% der Fälle erreicht	• Teamsitzungen nur noch im Stehen • Policy: Nach 30 Minuten sind alle Teilnehmer frei, die Sitzung zu verlassen • Keine Erörterung bilateraler Themen im Team • Standard-Traktandenliste
Know-how-Transfer	Intensivierung der internen Weiterbildung	Weiterbildungsveranstaltungen	Jeder Anwalt hält mindestens zwei Kurzreferate pro Jahr	In 90% der Fälle erreicht	Keine

Abb. 7: Beispiel für die Balanced Scorecard einer Anwaltskanzlei

2.6 *Key Performance Indicators* (KPI)

58 Die Ziele, die sich aus der Balanced Scorecard ergeben, können nun individuell verfeinert und persönlich zugeordnet werden, indem sie auf die Ebene der einzelnen Anwälte (Associates *und* Partner) sowie auf die Ebene der Praxis- und Sektorgruppen herunter gebrochen werden. Auf diese Weise lässt sich der Wertbeitrag jedes Anwalts und jedes Teams für die Gesamtkanzlei festlegen und messen. Die entsprechenden Mess-

grössen sind dann die in der betreffenden Kanzlei geltenden sogenannten *key performance indicators* (KPI).[57]

Diese KPI dienen in der Folge als Grundlage der Jahresgespräche des Managing Partners 59
mit den einzelnen Partnern – in grösseren Kanzleien mit den Leitern der Praxis- und Sektorgruppen – und natürlich auch als Basis für die Qualifikationsgespräche der zuständigen Partner mit ihren Associates. Sie sind Leitlinie für das Coaching der Associates und bezeichnen wesentliche Meilensteine auf dem Weg der Associates zur Partnerschaft.[58]

Oft werden in der Praxis zur Definition der KPI insbesondere für Associates nicht nur 60
die «harten» strategischen Zielsetzungen der Kanzlei im engeren Sinn herangezogen. Es macht Sinn, die Kanzleiinteressen für diesen Zweck etwas weiter zu fassen und beispielsweise auch die Leistungen von Associates zur Förderung jüngerer Kollegen, zur Gestaltung der Arbeitsatmosphäre im Team oder bei der Erbringung von Leistungen zu messen, die dem Gemeinwohl der Kanzlei dienen. Bei Partnern empfiehlt sich die Erweiterung des Katalogs von KPI auf Elemente, welche für die Messung ihrer Führungseigenschaften von Bedeutung sind oder für die Servicequalität im Verkehr mit anspruchsvollen Mandanten. Beide Kenngrössen können durch entsprechende Befragungen erhoben und mittels Verwendung einfacher Skalen («Grad der Zufriedenheit auf einer Skala von 1 bis 5») auch quantifiziert werden.

3. Werttreiber in der Anwaltskanzlei

Alle Werkzeuge zur Ermittlung des finanziellen Erfolges dienen letztlich dazu, die soge- 61
nannten Werttreiber in der Kanzlei zu erkennen und zu beeinflussen. Diese Werttreiber werden üblicherweise in folgender Formel abgebildet:[59]

Profit/Partner =	**Marge**	**×**	**Stundensatz**	**×**	**Anzahl Stunden**	**×**	**«Gearing»**
Beispiel:	(1 – 0,6)	×	300	×	1500	×	2

Abb. 8: «Goldene Formel» des Partnereinkommens

[57] Horngren/Harrison/Oliver 2009, S. 1210.

[58] Vgl. dazu die Ausführungen in Kapitel 4 vorstehend.

[59] Weiss, Wolfgang: Profitabilitätsmanagement. In: Schieblon, Claudia (Hrsg.): Kanzleimanagement in der Praxis. Wiesbaden 2011, S. 94 ff.

62 Der (finanzielle) Erfolg der Kanzlei wird dabei in der Grösse «Profit per Partner» zum Ausdruck gebracht.[60]

3.1 Faktoren der «Goldenen Formel» des Partnereinkommens

3.1.1 Marge

63 Mit «Marge» ist der nach Abzug des Kostensatzes der Kanzlei[61] verbleibende Satz für das Betriebsergebnis[62] gemeint. In obigem Beispiel betragen die gesamten Kosten der Kanzlei (Einzel- und Gemeinkosten[63]) 60% des Umsatzes.[64] Der Kostensatz ist also 0,6 vom Umsatz, der Satz für das Betriebsergebnis – oder eben die Marge – beläuft sich demnach auf 0,4 vom Umsatz. Ermittelt werden diese Werte in der Deckungsbeitragsrechnung.[65]

3.1.2 Stundensatz

64 In die Formel eingesetzt wird der durchschnittliche Stundensatz aller auf Mandaten arbeitenden Berufsträger in der Kanzlei.[66] Massgeblich ist nicht der theoretische Stundensatz, wie er sich aufgrund der Zuweisungen in der «Preisliste» der Kanzlei ergibt, sondern der in der Vorperiode tatsächlich erreichte Stundensatz. Dazu wird das insgesamt vereinnahmte Honorar durch die gesamthaft für die Mandatsarbeit aufgewendete Anzahl Stunden dividiert.

---

60 Hartung, Markus / Weberstaedt, Jakob: Marktentwicklung bei grossen wirtschaftsberatenden Kanzleien in Deutschland. In: AnwBl 8 + 9/2011, S. 607 ff. stellen fest, dass der Honorarumsatz grosser wirtschaftsberatender Kanzleien gegen den Gesamttrend im Markt für anwaltliche Dienstleistungen steigt. Eine Aussage zum (relevanteren) Partnereinkommen aber fehlt. Vgl. dazu auch Barth, Ulrike: Kanzleien auf Wachstumskurs. In: Handelsblatt vom 4. Oktober 2011, S. 18, sowie Juve Rechtsmarkt 08/11, S. 6.

61 Sollen die Werttreiber einer Praxis- oder Sektorgruppe gemessen werden, sind selbstverständlich nur die für die entsprechende Gruppe geltenden Faktoren in die Formel einzusetzen.

62 Vgl. dazu vorstehende Abb. 6.

63 Vgl. vorstehenden Abschnitt 1.2.1.

64 Einer Befragung der Mitglieder des Zürcher Anwaltsverbandes zufolge betragen die durchschnittlichen Kosten – pro fakturierbare Arbeitsstunde und ohne Partnereinkommen – abhängig von der Mandatsstruktur der Kanzlei CHF 106 bis 152. Vgl. Studie des Statistischen Amtes des Kantons Zürich: Die Struktur der Anwaltschaft im Kanton Zürich (Bezugsjahr 2009). Februar 2011, S. 44.

65 Vgl. vorstehende Abb. 6.

66 Der in FN 64 erwähnten Studie zufolge erzielen Partner Stundensätze von CHF 259 bis 540 im Durchschnitt ihrer Kanzleikategorie (die Studie unterscheidet «Einzelkanzleien», «Unkostengemeinschaften» und «Ertragsgemeinschaften»), Associates durchschnittlich CHF 256 bis 396 und Substituten/Referendare durchschnittlich CHF 169 bis 216. Vgl. Studie des Statistischen Amtes des Kantons Zürich: 2011, S. 30.

3.1.3 Anzahl Stunden[67]

Hier geht es um die tatsächlich in der Mandatsarbeit abgerechneten Stunden im Durchschnitt pro Kopf aller Berufsträger. In die Rechnung eingesetzt wird also wiederum nicht der theoretische Wert in Form lediglich von Vorgaben an Associates und Partner. 65

3.1.4 *Gearing*

Mit dem Begriff *gearing* ist die Hebelwirkung gemeint, die durch den Einsatz von Associates erzielt werden kann. Die Zahl «1» würde bedeuten, dass nur Partner in der Kanzlei arbeiten, keine angestellten Anwälte. Die Zahl «2,4» sagt aus, dass in der betreffenden Kanzlei auf jeden Partner im Durchschnitt 1,4 Associates kommen. Zur Bestimmung dieses Faktors sind natürlich nicht die Anzahl der Associates massgebend, sondern das Total ihrer sogenannten *full time equivalents.*[68] 66

3.2 Analyse der Werttreiber

Der Nutzen dieser «goldenen Formel» besteht namentlich darin, Auswirkungen von bestimmten Massnahmen auf das Partnereinkommen zu analysieren. Dazu ein paar Beispiele: 67

- Beispiel 1

  Denkt eine Kanzlei daran, das Partnereinkommen durch die Anstellung zusätzlicher Associates *gearing* zu erhöhen, erhöht sie selbstverständlich den Profit-Hebel. Zusätzliche Rekrutierungs-, Lohn- und Weiterbildungskosten führen aber auch zu einer potenziellen Verminderung der Marge, es sei denn, der Umsatz könne mindestens – und unverzüglich – im gleichen Verhältnis gesteigert werden. Dies aber ist natürlich unrealistisch, namentlich in der Anfangsphase des Engagements von neuen anwaltlichen Mitarbeitern.

  Damit nicht genug: Eine Verschiebung des Verhältnisses zwischen Partnern und Associates zulasten der Partner wird tendenziell eine Verminderung des durchschnittlichen Stundensatzes zur Folge haben.

  Da aber eine Erhöhung des Faktors *gearing* um – sagen wir – 20% von 2,5 auf 3,0 einen weit grösseren Einfluss auf die Rentabilitätsrechnung hat als eine Reduktion der Marge durch höhere Personalkosten um 10% von 0,50 auf 0,55 und

---

[67] Der gleichen Studie zufolge fallen bei vollzeitig beschäftigten Anwälten pro Jahr 1518 fakturierbare und 479 nicht fakturierbare Arbeitsstunden an. Vgl. Studie des Statistischen Amtes des Kantons Zürich: 2011, S. 16. Eine amerikanische Studie beziffert die Zahl der abgerechneten Arbeitsstunden von Associates pro 2010 im Durchschnitt auf 2027 (Vorjahr: 1957). Vgl. Li, Victor: Under Pressure. In: The American Lawyer. Online-Ausgabe vom 1. September 2011, gefunden am 1. September 2011 auf http://www.law.com/jsp/tal/PubArticleFriendlyTAL.jsp?id=120251194 3820.

[68] Vgl. vorstehende FN 41.

die Verminderung der Anzahl verrechneter Stunden um etwas mehr als 3% von durchschnittlich 1600 auf 1550, wird sich die Anstellung zusätzlicher Associates in unserem Beispiel möglicherweise dennoch lohnen.

- Beispiel 2

  Eine Kanzlei beabsichtigt, einen der Partner zum vollzeitlich mit Führungsaufgaben beschäftigten Managing Partner zu berufen. Wird ihm dafür ein Lohn bezahlt, so steigen die Kosten und sinkt deshalb die Marge. Er ist aber nicht mehr in der Mandatsarbeit tätig und belastet deshalb den durchschnittlichen Stundensatz und die durchschnittlich abgerechnete Anzahl Stunden nicht. Anders sieht es aus, wenn der Managing Partner nach wie vor wie jeder andere Partner im *Lockstep*-System verbleibt. Die Marge wird in diesem Fall nicht beeinträchtigt. Der Managing Partner muss aber natürlich sowohl bei der Berechnung des durchschnittlichen Stundensatzes als auch bei der Ermittlung der Anzahl berechneter Stunden mit in die Kalkulation einbezogen werden. Diese beiden Faktoren werden also entsprechend geringer ausfallen.

  Die Formel erlaubt hier demnach einen Variantenvergleich, zu dem selbstverständlich auch noch weitere Kriterien herangezogen werden müssen. Dazu gehören etwa Fragen im Zusammenhang mit Problemen, wenn der betreffende Partner nach Beendigung seiner Tätigkeit als Managing Partner wieder in die Mandatsarbeit zurückkehren soll oder auch die Frage, ob er – losgelöst von Verpflichtungen im Mandatsgeschäft – bei seinen Kollegen noch auf die gleiche Akzeptanz stösst wie vor seiner Berufung.

- Beispiel 3

  Die Kanzlei möchte durch eine Marketing-Offensive neue Mandate gewinnen. Die Partner verabschieden zu diesem Zweck ein Marketing-Budget, das (1) Werbe-Massnahmen, (2) Massnahmen zur Pflege bestehender Mandanten (regelmässige Besuche durch sogenannte Relationship-Partner) und (3) ein Paket mit Discounts für besonders attraktive Mandanten mit hohem Honorarvolumen enthält.

68 Die Werbemassnahmen (1) werden die Kosten erhöhen und damit die Marge reduzieren, die Massnahmen zur Pflege bestehender Mandanten (2) werden sich in einer ersten Phase negativ auf die Anzahl abgerechneter Stunden auswirken, und die Discounts (3) werden den durchschnittlichen Stundensatz senken. Es lässt sich mittels der «goldenen Formel» nun errechnen, um welchen Wert die Anzahl abrechenbarer Stunden gesteigert werden muss, damit zusätzliche Associates ausgelastet und so das *gearing* erhöht werden kann. Beides muss das Partnereinkommen – trotz höherer Kosten und trotz (unbezahlter) Investition in die

Kundenpflege – steigern. Der so ermittelte Zielwert ist dann der Massstab, an dem der Erfolg der getroffenen Massnahmen gemessen werden kann.

4. Billing

Des Anwalts liebste Beschäftigung ist selbstverständlich das Schreiben der Rechnung für die Mandatsarbeit. Die scherzhafte – nicht nur auf Richter, sondern oft auf Juristen ganz allgemein gemünzte – Aussage aus den Digesten[69] «iudex non calculat» ist zweifelsohne falsch, jedenfalls was die Honorarstellung durch Anwälte anbelangt. 69

Nichtsdestotrotz ist die Honorarfrage mindestens für die Mandanten häufig Ursache von Ärger. Die in Kapitel 2 zitierten Studien belegen, dass viele Mandanten mit der Honorarpolitik von Anwälten unzufrieden sind. Es wird beklagt, dass Anwaltshonorare häufig intransparent und unberechenbar sind. Sie werden darüber hinaus nicht selten als ungerechtfertigt hoch empfunden.[70] Auf diesem Feld bietet sich daher ein grosses Potenzial für Verbesserungen. 70

4.1 Offertstellung

Immer häufiger erwarten namentlich Unternehmensmandanten von ihren Anwälten, dass diese für ihre Arbeit in einem bestimmten Mandat ein Angebot unterbreiten. Dies ist oft auch in Fällen gefordert, für die keine eigentliche Ausschreibung an mehrere Kanzleien ergeht. Mandanten wollen von ihrem Anwalt einfach wissen, mit welchen Kosten sie für die Mandatsführung im konkreten Fall zu rechnen haben. 71

In der Praxis begegnen Anwälte einem solchen Ansinnen gelegentlich mit dem Argument, es könne keine Schätzung der Honorarhöhe erfolgen, weil schlicht und einfach nicht absehbar sei, wie viel Aufwand im Mandat anfalle. Es gibt natürlich Situationen, in denen dieses Argument sticht. Die Arbeit in der Führung eines Prozesses hängt wesentlich davon ab, wie einfach oder schwer die sachlichen Vorbringungen zur Begründung der eigenen Position beweisbar sind, wie komplex die Rechtslage ist, als wie valabel sich die Position des Prozessgegners erweist und wie sich dieser im Verfahren verhält. Wer es mit einem Prozessgegner zu tun hat, der alle prozessualen Mittel zur Erschwerung und Verzögerung der Wahrheitsfindung ausnützt, wird viel mehr Aufwand betreiben müssen als jener, dessen Gegenpart ebenfalls an einem schlanken Verfahren interessiert ist. Dennoch: In vielen Mandaten ist eine vernünftige Schätzung des voraussichtlich anfallenden Aufwandes möglich. Je grösser die Erfahrung des Anwaltes auf einem bestimmten Gebiet ist, desto zuverlässiger fällt auch die Aufwandschätzung aus und desto ein- 72

[69] Macer Dig. 49, 8, 1, 1.

[70] Vgl. Kapitel 2 vorstehend sowie Krämer, Andreas / Mauer, Reinhold: Preiskommunikation in der Beratungspraxis. In: Anwalts Revue 8/2005, S. 317 ff.

facher ist die Abgabe eines Angebotes möglich. Wer selbstbewusst ein gut begründetes Angebot abgibt, wirkt deshalb professionell.

73 Ganz abgesehen davon, dass ein formelles Angebot dem Mandanten Sicherheit und Transparenz bietet, generiert es auch Vertrauen. Der Mandant darf sich in solchen Fällen sicher sein, dass der Berufsstolz des tüchtigen Anwaltes eine disziplinierende Wirkung hinsichtlich der Honorarstellung entfaltet.

74 Je nach Art des Mandates wird die Angebotsstellung unterschiedlich ausfallen müssen. Für die Führung eines Prozesses beschränkt sie sich vielleicht tatsächlich auf die Nennung von Stundensätzen. Für die Erarbeitung eines Gutachtens oder eines Vertrages aber, für das Schreiben eines Memorandums oder auch für die Begleitung eines Börsenganges oder eines Unternehmensverkaufes wird ein erfahrener Anwalt den voraussichtlich anfallenden Arbeitsaufwand recht zuverlässig schätzen können. Gestützt darauf ist dann oft auch die Nennung eines Fixpreises oder eines Kostendaches möglich. Damit ein Angebot treffsicher ausfällt, sind jedenfalls folgende Elemente wichtig:[71]

- Möglichst genaue Umschreibung des Auftrags des Mandanten;
- Unterteilung des Projektes in einzelne Projektschritte, welche die von der Kanzlei in der entsprechenden Phase zu leistende Arbeit sowie die dieser Arbeit zugrunde liegenden Annahmen beschreiben;
- Definition der Arbeiten, die vom Mandanten als Projektbeiträge zu leisten sind;
- Festlegung der Meilensteine, die den Abschluss der einzelnen Phasen bilden;
- Schätzung des Aufwandes für jeden einzelnen Projektschritt unter Einsetzung einer Position «Reserve» pro Projektschritt;
- Bezeichnung der Partner und Associates, die für die einzelnen Arbeiten in den Projektschritten eingesetzt werden;
- Multiplikation der geschätzten Anzahl Arbeitsstunden mit dem offerierten Stundensatz für die zur Mandatsarbeit vorgesehenen Partner und Associates;
- Zusammenzug der Aufwandschätzungen für alle Projektschritte und Angabe des geschätzten Gesamtaufwandes für das Projekt;
- Anbringen eines Vorbehaltes, dass
    - die Offerte eine Schätzung darstellt und auf der Annahme beruht, die Angaben des Mandanten zum erteilten Mandat seien vollständig;
    - die gegebenenfalls vorhandene Gegenpartei professionell arbeitet und ebenfalls an einer effizienten Erledigung der Angelegenheit interessiert ist;

[71] Vgl. dazu auch Hartung/Weberstaedt, 2011, S. 11.

o sich keine Umstände ergeben, die den Umfang der Arbeiten am Mandat wesentlich beeinflussen.

- Vereinbaren, dass notwendige zusätzliche Aufwendungen in einer Projektphase mit nicht angefallenen Aufwendungen in anderen Projektphasen kompensiert werden dürfen und für die Honorarstellung demnach die Schätzung des Gesamtaufwandes massgeblich ist;
- Falls kein Fixhonorar oder Kostendach offeriert wird: Angebot, dass bei Erreichen des geschätzten Aufwandes pro Projektschritt unverzüglich eine Benachrichtigung des Mandanten erfolgt und weiterer Aufwand nur betrieben wird, wenn dazu das ausdrückliche Einverständnis des Mandanten vorliegt;
- Unter Umständen vereinbaren, dass Überschreitungen von maximal (10)% von der geschätzten Honorarsumme ohne Weiteres zusätzlich in Rechnung gestellt werden dürfen.

4.2 Leistungserfassung

Noch vor nicht allzu langer Zeit war es durchaus üblich, dass Anwälte für ihre Bemühun- 75
gen in Mandaten, die aussertariflich abgerechnet werden durften, ein pauschales Honorar forderten. Ältere Kollegen erinnern sich, dass sie in den Anfangszeiten ihrer praktischen Tätigkeit die Mandate periodisch anschauten, Aufwand und Mandantennutzen nach bestem Wissen und Gewissen abschätzten und dann dem Mandanten einen runden Betrag in Rechnung stellten, meist versehen mit dem Hinweis «Unsere anwaltlichen Bemühungen in der Angelegenheit XY während des vergangenen Halbjahres». Unter diesem Regime waren exakte Aufschriebe zu den erbrachten Leistungen kaum je notwendig. Es genügte, sich von Zeit zu Zeit das Dossier anzuschauen. Tempi passati!

Im Zuge der «Amerikanisierung» des Anwaltsgeschäfts ist es mittlerweile völlig zum 76
Standard geworden, dass die anwaltlichen Leistungen im Mandat detailliert erfasst werden.[72] Die Leistungserfassung bildet denn auch das Herzstück aller gängigen IT-Kanzleiprogramme. Ein einzelner Eintrag umfasst Datum, aufgewendete Zeit, Name des Leistungserbringers und Bezeichnung der Leistung. Üblich ist die Eingabe einer Mindestzeit pro Verrichtung (z.B. zehn Minuten), auch wenn diese in der Realität weniger Zeit beanspruchte.

Das IT-Programm generiert dann zu einem von Anwalt gewünschten Zeitpunkt auto- 77
matisch die Honorarnote, woraus – je nach Vorgabe der Kanzlei bzw. nach Wunsch des Mandanten – die erfassten Leistungen in mehr oder weniger grosser Detailschärfe ersichtlich sind.[73]

[72] Spahl 2003, S. 10 f.
[73] Vgl. dazu auch nachstehenden Abschnitt 4.4.

78 In neuerer Zeit sind Rechtsabteilungen von Unternehmen dazu übergegangen, Rechnungen ihrer Anwälte mittels spezieller IT-Software oder gar mithilfe von darauf spezialisierten Beratungsunternehmen systematisch auf ihre Angemessenheit hin zu überprüfen. Als Benchmark gelten Daten aus einer Vielzahl von eigenen oder – anonymisierten – Rechtsfällen anderer Unternehmen. So werden auffällige Häufungen (z.B. die Wiederholung bestimmter Arbeitsgänge) oder nicht marktgerechter Aufwand (z.B. zu viel aufgewendete Zeit für einzelne Arbeitsschritte) erkannt. Die Kanzlei muss dann damit rechnen, dass ihre Rechnung zur Überarbeitung zurückgewiesen wird. Im Zuge dieser Entwicklung wird von Kanzleien ausserdem gelegentlich verlangt, dass sie ihre eigenen Leistungserfassungssysteme an die Bedürfnisse der von den Unternehmensmandanten betriebenen «Kontrollsysteme» anpasst. Dies kann mit hohen IT-Investitionen verbunden sein.

4.3 Alternative Honorarmethoden

79 Immer häufiger nehmen vor allem Unternehmensmandanten Anstoss daran, dass Anwaltskanzleien ihre Bemühungen nach Aufwand abrechnen. Sie erwarten von ihrem Anwalt, dass er sich angemessen an den Risiken beteiligt, die sich aus der Unsicherheit über den Ausgang einer Rechtssache oder über den tatsächlich anfallenden Aufwand ergeben.

80 Tatsächlich bietet ja die Abrechnung auf der Basis der aufgewendeten Zeit keinerlei ökonomischen Anreiz für den Anwalt, effizient zu arbeiten und das Mandat in der kürzest möglichen Zeit zu erledigen.[74] Seine Integrität, Berufsehre und Professionalität, aber auch sein Interesse an einer Weiterarbeit mit dem Mandanten über den Abschluss des ersten Mandates hinaus, bürgen zwar dafür, dass die Honorarnote den wirklich erbrachten Aufwand nicht übersteigt. Gerade erfolgreiche Kanzleien sind überdies so stark mit Arbeit eingedeckt, dass sie es sich gar nicht leisten können, mehr Zeit als unbedingt notwendig auf ein einzelnes Mandat zu verwenden. In den letzten Jahren ist zudem der Markt für anwaltliche Dienstleistungen – auch was deren Preis betrifft – bedeutend transparenter geworden. Insbesondere Unternehmensmandanten setzen dieses Wissen bei der Aushandlung des Honorars für die Mandatierung externer Anwälte gekonnt ein.[75] Zu guter Letzt bildet die Angst, bei einem entsprechenden Fehltritt an Reputation einzubüssen, eine weitere wirksame Hürde für die Missachtung der Grundsätze ehrlicher Fakturierung. Dennoch: Bei vielen Mandanten bleibt ein ungutes Gefühl, wenn es um

[74] Bechtold, Rainer: Zusammenarbeit zwischen Unternehmensjurist und externem Anwalt. In: Hambloch-Gesinn, Sylvie / Hess, Beat / Meier, Andreas L. / Schiltknecht, Reto / Wind, Christian (Hrsg.): In-house Counsel in internationalen Unternehmen, Basel 2010, S. 244 f.; Krämer, Andreas: Mehr Bewegung bei der Honorargestaltung. In: Anwalts Revue 1/2005, S. 10.

[75] Watter, Rolf: Gedanken eines langjährigen Rechtsberaters von Unternehmen. In: Hambloch-Gesinn, Sylvie / Hess, Beat / Meier, Andreas L. / Schiltknecht, Reto / Wind, Christian (Hrsg.): In-house Counsel in internationalen Unternehmen, Basel 2010, S. 254 f.

die Beurteilung geht, ob der die Basis der Honorarnote bildende angebliche Aufwand des Anwalts auch effektiv getätigt und darüber hinaus gerechtfertigt war.

Alternative Honorarmethoden[76] wie Fixpreise, Kostendächer, Discounts bei Erreichen definierter Honorarumsätze pro Jahr, die Vereinbarung von Erfolgskomponenten zusätzlich zu einem (reduzierten) Basishonorar oder sogenannte *retainer fees*[77] in Kombination mit reduzierten Stundensätzen und Ähnliches können dazu beitragen, beim Mandanten Vertrauen zu schaffen.[78] Auch hohe Honorare werden erfahrungsgemäss klaglos akzeptiert, wenn der Mandant den Eindruck erhält, dass die Kanzlei bereit ist, einen Teil des unternehmerischen Risikos zu tragen, das mit der verständlichen Erwartung des Mandanten nach Effizienz bei der Mandatserledigung verbunden ist. 81

4.4 Rechnungstellung

Oft ist nicht die Höhe der Honorarforderung Stein des Anstosses,[79] sondern die Art der Rechnungstellung durch die Kanzlei. Mandanten können sich ärgern, wenn aus den Detailaufschrieben zur Honorarnote hervorgeht, dass jede Kleinigkeit abgerechnet wurde und 5-minütige Telefonate neben mehrstündigen Arbeiten an einem Memorandum auf der Liste der Leistungen auftauchen. Am Ende der Beliebtheitsskala stehen etwa die Abrechnung von Briefen, in denen die Kanzlei dem Mandanten gute Wünsche zum neuen Jahr schickt oder die Auslagen für Sandwiches, die zu einer in der Kanzlei stattfindenden Sitzung gereicht wurden. Aber auch eine zu grobe Gliederung der Leistungen («Bemühungen im Zusammenhang mit der Vorbereitung des Prozesses») oder eine zu vage Beschreibung der Arbeiten («Rechts- und Aktenstudium») können Anlass für einen Honorarzwist sein. Es gilt deshalb, beim Leistungsbeschrieb den goldenen Mittelweg zu finden: Der Mandant soll sich ausreichend über die Arbeit des Anwalts ins Bild setzen können, soll sich aber nicht über zu viel Detailtreue ärgern müssen! 82

---

76 Heussen 2011, S. 177 f.; Staub, Leo: Der In-house Legal Counsel und die Rechtsabteilung im Jahr 2020. In: Hambloch-Gesinn, Sylvie / Hess, Beat / Meier, Andreas L. / Schiltknecht, Reto / Wind, Christian (Hrsg.): In-house Counsel in internationalen Unternehmen. Basel 2010, S. 49. Brandstetter, Franz: Zusammenarbeit mit externen Rechtsanwälten – Kosten. In: Brandstetter, Franz (Hrsg.): Rechtsabteilung und Unternehmenserfolg. Wien 2011, S. 161. Wolf, Mark / Notestine, Kerry: Controlling Outside Counsel Costs Through an Alternative Billing Model. In: ACC Docket, May 2008, S. 70 bis 84.

77 Darunter ist eine pauschale Entschädigung für die Bereitstellung anwaltlicher Leistungen während einer Periode (z.B. während eines Jahres) zu verstehen. Damit abgegolten sind üblicherweise Leistungen im Sinne des sogenannten *legal housekeeping*, beispielsweise die telefonische Beratung des Mandanten, der Zugang zu Wissensdatenbanken oder Mustersammlungen der Kanzlei, die Schulung von Mitarbeitern des Mandanten, etc.

78 Einer deutschen Studie zufolge nutzen aber immer noch 54% der Unternehmensmandanten individuelle Stundensätze. Lediglich 9% der Befragten vereinbaren mit den mandatierten Kanzleien Pauschalhonorare. Vgl. Henning, Otto: General Counsel Benchmarking Report 2009. S. 144 f. Ausserdem: Lamberth, Rebecca / Hansen Stephanie/Marshall Christina: Alternative Fee Arrangements – Who's Responsible for Making them Work? In: California Litigation, Vol. 22, No 2, 2009, S. 1 ff.

79 Heussen 2011, S. 185.

83 Ein zweiter wichtiger Aspekt der Rechnungstellung ist die zeitliche Kadenz. Die meisten Mandanten schätzen es, wenn sie regelmässig und zeitnah über den angefallenen anwaltlichen Aufwand orientiert werden. Honorarnoten, die Zeiträume von einem halben Jahr und mehr erfassen, zeugen nicht von Professionalität, es sei denn, der Mandant wünscht dies. Es hat sich in der Praxis die Regel ausgebildet, dass Beratungsmandate monatlich oder dreimonatlich akonto abgerechnet werden. Bei Prozessmandaten für Privatpersonen ist dies oft nicht möglich. Hier gilt noch meist, dass eine erste Honorarabrechnung nach Abschluss einer Prozessphase (z.B. nach Abschluss des Beweisverfahrens oder des Schriftenwechsels) oder gar nach Abschluss des Verfahrens vor einer Instanz erfolgt.

84 Nicht zu unterschätzen ist auch der Wortlaut einer Anwaltsrechnung. Das der Beziehung zum Anwalt zugrunde liegende Vertrauensverhältnis soll deshalb im angeschlagenen Ton, in dem um Begleichung der Rechnung gebeten wird, seinen Ausdruck finden. Eine Honorarnote, in der ein Satz steht, in welchem für das Mandat und die Zusammenarbeit gedankt wird, wird sicherlich besser akzeptiert als eine solche, die neben dem zu bezahlenden Betrag nur noch den Hinweis auf die Zahlungsfrist enthält.

5. Gewinnverteilung

85 In der Praxis gibt es so viele Systeme zur Verteilung des Kanzleigewinnes unter die Partner, wie es Kanzleien gibt. Immerhin: All diese Systeme bewegen sich zwischen zwei Polen, die gemeinhin als *lockstep* und *eat what you kill,* letzteres gelegentlich auch als *merit based system,* bezeichnet werden.[80] In der Realität kommen diese Systeme aber kaum in absolut reiner Form vor. Oft sind Elemente beider Modelle zu einem kanzleispezifischen System zusammengemischt.[81]

86 Interessant ist, dass immer mehr Unternehmensmandanten wissen wollen, welches Gewinnverteilungssystem in der von ihnen mandatierten Kanzlei Anwendung findet. Mit der entsprechenden Information möchte man namentlich Rückschlüsse auf die Art und Weise ziehen, wie Partner Mandate innerhalb der Kanzlei zuweisen und wie die einzelnen Teams zusammengesetzt werden. Ganz generell geht es darum, herauszufinden, welche Anreize auf Partner wirken, wenn es um die Organisation der Mandatsarbeit geht.

---

80 Heussen 2011, S. 265 ff.; Lechner, Christoph / Kreutzer, Markus: Dimensionen der Führung von Beratungsunternehmen – Ergebnisse einer Studie. In: ZUb 2/2007, S. 57.

81 Heussen 2011, S. 272 f.

5.1 *Lockstep*

In diesem System werden alle Kosten und alle Erträge gepoolt. Jeder Partner erhält dann nach Massgabe eines Schlüssels, der in seiner reinen Form lediglich die Anzahl Jahre, die ein Kollege als Partner in der Kanzlei verbracht hat, berücksichtigt, einen gleich hohen Anteil am Gewinn. Jeder Partner innerhalb der definierten Jahres-«Bänder» erhält also gleich viel.[82] 87

Die *Vorteile* dieses Systems sind im Wesentlichen die folgenden[83]: 88

- Die Partner sind am Wohlergehen der Gesamtkanzlei deutlich stärker interessiert als in anderen Gewinnverteilungssystemen. Strategische Entwicklungen, z.B. hinein in neue Geschäftsfelder, und eine unternehmerische Führung der Kanzlei sind also leichter möglich.
- Mandate werden mit hoher Wahrscheinlichkeit von jenen Anwälten in der Kanzlei bearbeitet, die dazu am besten geeignet sind.
- Managementfunktionen werden bereitwilliger übernommen, weil sichergestellt ist, dass damit keine Einkommenseinbusse verbunden ist.
- Es kann auf eine Einkaufssumme für neue Partner verzichtet werden. Der «Einkauf» erfolgt dadurch, dass in den ersten Jahren der Partnerschaft das eigene Einkommen etwas geringer ist als jenes der Partner, die über viele Jahre hindurch den Ruf der Kanzlei begründet haben.

Im Sinne von *Nachteilen* können sich folgende Effekte einstellen: 89

- Signifikante Unterschiede zwischen den Partnern in der Fähigkeit, neue Mandanten und Mandate zu akquirieren, in der Anzahl bezogener Urlaubstage, in der Anzahl betreuter Associates, in der Anzahl abgerechneter Stunden oder in der Höhe des marktgängigen Stundensatzes für die Arbeit in verschiedenen Rechtsgebieten können sich negativ auf die Stimmung im Kreise der Partner auswirken. Es besteht die Gefahr des Entstehens von Neid, Missgunst und Misstrauen. Unzufriedene – oft gerade jene, die besonders erfolgreich sind – neigen dazu, die Kanzlei zu verlassen.
- Lässt die Leistungsfähigkeit von Partnern mit zunehmendem Alter nach, entsteht unter Umständen grosser Druck auf die betreffenden Partner, aus der Kanzlei auszuscheiden.

---

82 Seisler, Harald: Vergütungssysteme in Partnerschaften. In: Schieblon, Claudia (Hrsg.): Kanzleimanagement in der Praxis. Wiesbaden 2011, S. 78 ff.

83 Seisler 2011, S. 85 ff.; Heussen 2011, S. 267 ff.

- Diskussionen um den Wertbeitrag von Praxisgruppen, die weniger Einkommen generieren als andere (z.B. Arbeitsrecht im Vergleich mit Kapitalmarktrecht), können die Atmosphäre in der Sozietät belasten.
- Es gibt nur sehr beschränkt die Möglichkeit, für «Stars» innerhalb der Sozietät durch individuelle Zugeständnisse attraktive Kompensationspakete zu schaffen. Zum einen lässt dies das System nicht zu, zum andern würde eine solche Spezialbehandlung Einzelner der durch das Gewinnverteilungsmodell geprägten Kanzleikultur zuwiderlaufen. In der Tendenz könnte dies – muss aber natürlich nicht – dazu führen, dass hervorragend qualifizierte Individuen die Kanzlei verlassen. Es müssen daher immer wieder grosse Anstrengungen unternommen werden, die Kanzlei und das Partnereinkommen durch unternehmerische Weiterentwicklung zu fördern.

90 In den grossen, international tätigen Anwaltskanzleien ist das *Lockstep*-System das gängige Basismodell für die Ausgestaltung des Gewinnverteilungs-Modus. Dominanter Treiber für dieses Faktum ist wohl der Umstand, dass als Kanzlei in diesem Umfeld nur erfolgreich ist, wer sich unternehmerisch bewegt.

5.2 *Eat what you kill*

91 In diesem System erzielt jeder Partner das Einkommen, das ihm aufgrund der selbst und in dem von ihm geführten Team[84] geleisteten Arbeit zusteht.[85] Dieses Einkommen wird auf der Basis einer Deckungsbeitragsrechnung[86] ermittelt. Vom Honorarumsatz des Partners werden die direkten und indirekten Kosten sowie ein Anteil an den Kanzleigemeinkosten abgezogen. Der verbleibende Gewinn ist sein Einkommen. Der einzelne Partner funktioniert im Grunde genommen wie ein eigenes Anwaltsunternehmen innerhalb der Kanzlei.

92 Die *Vorteile* dieses Systems sind die folgenden:[87]

- Die Partner haben eine hohe intrinsische Motivation zu grosser Leistung.
- Jeder Partner achtet peinlich darauf, dass die Mandatsarbeit effizient und unter weitgehender Schonung der seine Rechnung belasteten Kanzleiressourcen erfolgt.
- «Stars» in der Kanzlei können sich voll entfalten. Die Individualität wird gefördert.

---

[84] Seisler 2011, S. 81 f.
[85] Seisler 2011, S. 79 ff.
[86] Vgl. dazu vorstehende Abb. 6.
[87] Seisler 2011, S. 85 ff.; Heussen 2011, S. 271 f.

- Ist ein Partner weniger leistungsfähig als andere, kann er aber weiterhin neben den in seinem Bereich direkt und indirekt anfallenden Kosten den ihm zugerechneten Gemeinkostenanteil erwirtschaften, wird er nicht unter Druck seiner Kollegen geraten, die Kanzlei zu verlassen.
- Den Partnern ist es im Grunde genommen egal, wie viel Urlaub die Kollegen beziehen, wie lange sie abends arbeiten, wie viele Associates sie auslasten oder welchen Anteil ihrer Arbeitszeit sie in Aktivitäten investieren, die nichts mit der anwaltlichen Tätigkeit zu tun haben.

Daneben gibt es aber natürlich auch Nachteile: 93

- Es ist sehr schwer, unter den Partnern Verständnis für die Bedürfnisse der Gesamtkanzlei als Unternehmen zu entwickeln. Lediglich langfristig wirksame Investitionen in die Entwicklung der Kanzlei sind oft nur nach anspruchsvollem Diskurs und gelegentlich belastender Diskussion möglich. Namentlich ein am Ende seiner Berufslaufbahn stehender Kollege wird unter Umständen wenig Lust haben, anteilig – z.B. nach Massgabe seines (hohen) Umsatzes – höhere Kosten auf sich zu nehmen, um das Geschäft der Kanzlei langfristig zu fördern.
- Die Investitionsfähigkeit der Kanzlei richtet sich nach den Möglichkeiten der schwächsten Glieder in der Kette. Soll die Investition durch Partnerdarlehen finanziert und soll dieses gleichmässig auf die Partner verteilt werden, ist die Vermögenssituation des am wenigsten begüterten Partners die anteilige Obergrenze für die Investition.
- Ein Partner wird dazu neigen, ein Mandat, das er akquiriert hat, selber bzw. in seinem Team zu bearbeiten, selbst wenn es in der Kanzlei möglicherweise Kollegen gibt, die dazu fachlich besser geeignet wären. Um diesen Effekt zu vermeiden, sind Kanzleien häufig gezwungen, Anreize für die Weiterleitung von Mandaten innerhalb der Kanzlei zu schaffen. Dies kann durch die Einrichtung von Provisionslösungen für die Akquisition von Mandaten geschehen. Die Diskussion über diese Lösung sind oft anspruchsvoll: Was soll gelten, wenn der Mandant mehrere Partner in der Kanzlei anspricht? Wie wird verfahren, wenn ein von Kollege Meier akquirierter Mandant mit der Arbeit von Kollegin Müller sehr zufrieden ist und Folgemandate platziert? Wie lange soll der Effekt der Erstakquisition bei Dauermandanten eine Provision für den ursprünglichen Akquisiteur auslösen?
- Die Kanzleikultur kann belastet werden durch das Nebeneinander von guten «Verkäufern» und «stillen Schaffern». Es braucht zudem gelegentlich viel Toleranz und Einfühlungsvermögen aller Beteiligten, wenn Diskussionen um den Wertbeitrag einzelner Partner zum Gesamtwohl der Kanzlei (z.B. der Arbeitsrechtler in einer auf Transaktionen ausgerichteten Kanzlei) aufkommen.

- Managementfunktionen werden nicht ohne Weiteres übernommen. In der Regel ist die Bereitschaft dazu nur da, wenn diese Funktionen separat und zu interessanten Ansätzen entschädigt werden. In der Praxis entspinnt sich dann gelegentlich eine schwierige Diskussion darüber, wie eine faire Kompensation dieser Leistung für die Gesamtkanzlei aussehen soll.
- Weil es – im Gegensatz zum *Lockstep*-System – keine dem System innewohnende «Vorsorge-Komponente» gibt, indem ältere Partner etwas mehr verdienen als jüngere, müssen neu eintretende Partner sich in der Regel in die Partnerschaft einkaufen. Der Einkaufserlös wird dann nach einem Schlüssel unter die bereits bisher in der Kanzlei aktiven Partner verteilt. Dieser Schlüssel orientiert sich häufig nach der Anzahl Jahre, die ein Kollege bereits Partner ist.

94 Einzelne grosse amerikanische Kanzleien, im europäischen Kontext aber vor allem auch kleinere und mittelgrosse Kanzleien leben für sich häufig ein *Eat-what-you-kill*-System. Oft haben sie dieses nicht in reiner Form implementiert, sondern versuchen, die Nachteile des Systems durch Elemente des *Lockstep*-Systems auszugleichen. So sieht man in der Praxis beispielsweise Modelle, in denen die indirekten Kanzleikosten (inkl. Gemeinkosten) sowie die Honorarerträge der Associates gepoolt sind und nach Köpfen gleichmässig auf die Partner verteilt werden. Die individuelle Einkommenskomponente besteht dann nur noch im Honorarumsatz der einzelnen Partner, gegebenenfalls vermindert um ihren Anteil an den Kanzleikosten, soweit diese nicht durch Honorarerträge der Associates gedeckt werden können.

B. Management Accounting in einer Anwaltskanzlei

Andreas C. Albrecht

1. Management Accounting und Reporting

Mit Management Accounting wird üblicherweise das interne Rechnungswesen einer Unternehmung bezeichnet. Im Unterschied zur rechtlich vorgeschriebenen, unter Umständen auch publizierten Rechnungslegung geht es dabei darum, diejenigen betriebsinternen Kennzahlen aufzubereiten, die das Management für die Führung des Unternehmens benötigt. Dass dabei der Rhythmus der Datenaufbereitung rascher ist als bei der eigentlichen Rechnungslegung, versteht sich von selbst. 1

Eine Anwaltskanzlei zeichnet sich typischerweise dadurch aus, dass die Eigentümer der Unternehmung im Tagesgeschäft auch die Leistungserbringer sind. Sie sind gleichzeitig Akteure der Unternehmensführung und Unterworfene derselben. Um diesen Spagat bewältigen zu können, bestimmen sie, zumindest in grösseren Kanzleien, einen (oder wenige mehrere) Partner, dem sie das Management im Tagesgeschäft übertragen. Dieser hat u.a. die Aufgabe, die für die Führung der Kanzlei erforderlichen Zahlen aufzubereiten. Er wird es aber dabei nicht belassen können, sondern er muss diese Zahlen auch in geeigneter Form seinen Partnern mitteilen. Diese wiederum nehmen diese Zahlen einerseits als Eigentümer der Unternehmung und andererseits als Mitarbeiter mit bestimmten Funktionen und Verantwortlichkeiten entgegen. Diesen Prozess des Aufbereitens und der internen Verteilung von Führungskennzahlen nenne ich im Folgenden Reporting. 2

Das Reporting hat die Funktion eines Scheinwerfers. Es lenkt den Blick auf bestimmte Fakten und lässt andere im Dunkeln. Diese Eigenheit ist naturgegeben, denn die dargestellten Zahlen sollen ja eine Zusammenfassung, ein Kondensat der realen Gegebenheiten sein, das mit zumutbarem Zeitaufwand zur Kenntnis genommen werden kann. Weglassung ist also Pflicht. Wer regelmässig Kennzahlen von Unternehmungen studiert, der weiss, dass man sich bei der Lektüre nicht nur die Frage stellen muss, was die vorhandenen Zahlen zeigen, sondern auch, welche Fakten von den Verfassern bewusst oder unbewusst im Dunkeln gelassen werden. 3

Die Frage ist also: Worauf wollen wir den Lichtkegel richten? Wohin wollen wir den Blick der Leserin lenken? Um diese Frage zu beantworten, muss zuerst geklärt werden, welchem Zweck das Reporting dienen soll. Was soll damit bewirkt werden? 4

Der Zweck des Reporting besteht zunächst darin, die Differenz zwischen demjenigen festzustellen, was die Kanzlei tatsächlich leistet, und demjenigen, was sie aufgrund der 5 zur Verfügung stehenden Ressourcen leisten könnte. Es geht also primär darum, brachliegendes Potenzial aufzuspüren. Damit sollen die Adressaten motiviert werden, das ungenutzte Potenzial nutzbar zu machen. Dies ist meines Erachtens der wichtigste Zweck eines guten Reporting; an diesem Zweck muss sich jedes Reporting messen lassen.

6 In zweiter Linie dient das Reporting der Kontrolle der Zielerreichung. Neben qualitativen wird sich jede Unternehmung auch quantitative Ziele setzen, die in Zahlen ausgedrückt werden können. Das Reporting zeigt, wie weit diese Ziele erreicht werden, und zwar nicht erst im Nachhinein, nach Abschluss eines Geschäftsjahres, sondern laufend im Sinne fortschreitender Statusberichte und Resultatprognosen. Falls sich abzeichnet, dass wichtige Ziele möglicherweise verfehlt werden, muss dies frühzeitig erkennbar sein. Damit soll bewirkt werden, dass Korrekturmassnahmen ergriffen werden (z.B. eine Veränderung der Art oder der Intensität der Leistungserbringung, eine Anpassung der Ziele bzw. der strategischen Planung, eine Anpassung der Ressourcenallokation o.Ä.).

7 In dritter Linie dient das Reporting der Verteilung des Unternehmensgewinns, mithin der Bemessung der erfolgsabhängigen Lohnkomponenten der Mitarbeiter und Mitarbeiterinnen und der Festlegung der individuellen Gewinnanteile innerhalb der Partnerschaft. Gerade für die einvernehmliche Verteilung des Unternehmensgewinns sind verlässliche Zahlen von elementarer Wichtigkeit. Unter diesem Aspekt kommt dem Reporting geradezu friedenserhaltende Bedeutung zu.

2. Relevante Zahlen

2.1 Gewinnrelevante Zahlen

8 Grundsätzlich relevant sind zunächst diejenigen Werte, von denen der Gewinn der Partnerschaft direkt abhängt. Das sind die drei Faktoren Produktivität, Rentabilität und Leverage. Jeder dieser drei Faktoren kann für sich als Quotient zweier weiterer Werte dargestellt werden. Es ergibt sich insgesamt die folgende Abhängigkeit:[1]

$$\text{Gewinn pro Partner} = \text{Produktivität} \times \text{Rentabilität} \times \text{Leverage}$$

$$\frac{\text{Gewinn}}{\text{Partner}} = \frac{\text{Honorarumsatz}}{\text{Anwälte}} \times \frac{\text{Gewinn}}{\text{Honorarumsatz}} \times \frac{\text{Anwälte}}{\text{Partner}}$$

Abb. 1: Relevante Zahlenverhältnisse

9 Jeder dieser drei Quotienten, d.h. jedes der drei damit dargestellten Zahlenverhältnisse, ist für den in der Partnerschaft zur Verteilung stehenden Gewinn relevant. Alle diese Werte müssen daher in irgendeiner Weise Bestandteil der Finanzberichterstattung sein.

[1] David H Maister: Managing the Professional Service Firm. New York 1993/1997, S. 32.

2.2 Produktivität

Die Produktivität steht für den Honorarumsatz, den die Anwälte und Anwältinnen einer Kanzlei pro Kopf erbringen und fakturieren. Dieser Wert muss regelmässig und in kurzen Zeitabständen (mindestens monatlich) erhoben werden. Sinnvollerweise wird dabei nicht nur eine einzige Zahl, nämlich der in der betreffenden Periode pro Kopf erzielte Umsatz, aufgeführt, sondern, gegliedert nach Teams, für jeden Anwalt und jede Anwältin die individuelle Zahl der erbrachten verrechenbaren Arbeitsstunden und der damit erzielte Umsatz. 10

Das Reporting sollte aber nicht nur über die tatsächlich erbrachten Leistungen Auskunft geben, sondern auch darüber, wie viele Leistungseinheiten während der betreffenden Zeitperiode bei voller Auslastung hätten erbracht werden können (verfügbare Ressourcen). Eine verlässliche Erhebung der verfügbaren Ressourcen kann sich nicht darauf beschränken, die Gesamtsumme der Beschäftigungspensen der einzelnen Anwälte und Anwältinnen aus der Lohnbuchhaltung zu entnehmen und diese mit einem Zwölftel der Jahressollstundenzahl zu multiplizieren. Ferienabwesenheiten, Feiertage und andere Umstände können das Quantum der in einem bestimmten Monat tatsächlich verfügbaren Ressourcen erheblich verändern, weshalb diese Umstände bei der Erhebung der Ressourcen berücksichtigt werden müssen. Erst ein Vergleich der präzise erhobenen Ressourcen mit der Menge der tatsächlich erbrachten Leistungen gibt ein aussagekräftiges Bild der effektiven Auslastung und zeigt auf, wo allenfalls Potenzial brachliegt. 11

Die regelmässige und kurzfristige Überwachung der Auslastung ist für die effiziente Führung einer Kanzlei unerlässlich. Erstens unterstützt diese Überwachung die sinnvolle Verteilung der anfallenden Arbeit. Zweitens zeigt sie, ob und in welchen Teams der Kanzlei die Zahl der verfügbaren Anwälte in einem sinnvollen Verhältnis zum akquirierten Arbeitsvolumen steht. Drittens legt sie offen, in welchem Mass die einzelnen Partner ihre Akquisitions- und Auslastungsverantwortung wahrnehmen. 12

2.3 Rentabilität

Die Rentabilität steht für das Verhältnis des Gewinns zum zugrunde liegenden Honorarumsatz. Entscheidend für diesen Wert sind somit der Umsatz und die Kosten. 13

Üblicherweise werden in einer Kanzlei die Stundensätze, die für die Fakturierung der Leistungen der einzelnen Anwälte zur Anwendung kommen, im Sinne eines Standards für den Regelfall festgelegt. Diese Standardstundensätze werden unter Berücksichtigung der zu erwartenden Kosten so festgesetzt, dass die Kanzlei bei voller Auslastung und standardgemässer Verrechnung den erwarteten Gewinn erzielt. Das bedeutet, dass es für die periodische Überwachung der Rentabilität unter normalen Umständen genügt, die Auslastung und die fakturierten Stundensätze zu überwachen (wie es bereits oben unter dem Titel der Produktivität geschildert wurde). Sofern die Anzahl der erbrachten 14 verrechenbaren Arbeitsstunden und die fakturierten Stundensätze der Planung entsprechen, dürfte die Rentabilität im erwarteten Bereich liegen.

15 Das bedeutet nicht, dass das Management der Kanzlei die Kosten nicht überwachen soll. Selbstverständlich müssen die laufenden Ausgaben überwacht werden, und auch die Einhaltung des Budgets ist ständig zu kontrollieren. Aber das ist eine Sache des Managements und muss nicht laufend in der gesamten Partnerschaft ausgebreitet werden. Solange sich nämlich die Ausgaben im Rahmen des Budgets bewegen, hat es überhaupt keinen Sinn, jeden Monat in der Partnerschaft über die Kosten zu debattieren. Erstens führt dies nur zu einer unfruchtbaren Erbsenzählerei, und zweitens können die wesentlichen Kostenblöcke sowieso nicht im Zeithorizont eines Monats signifikant verändert werden. Viel nützlicher und dem Frieden dienlicher ist es, ein Mal pro Jahr in der Partnerschaft konzentriert, vertieft und mit aller Offenheit über die Kosten der Kanzlei zu diskutieren und zu beschliessen. Damit diese Debatte sinnvoll und zur Befriedigung aller geführt werden kann und alle anschliessend dazu bereit sind, das Kostenthema wieder für ein Jahr zur Seite zu legen, ist es jedoch unabdingbar, dass bei dieser Gelegenheit die Jahres- und Budgetzahlen in einer aussagekräftigen und übersichtlichen Darstellung und in unanfechtbarer Qualität vorliegen. Nichts ist frustrierender und friedensstörender als eine Debatte über Finanzzahlen, die nicht aussagekräftig dargestellt oder unvollständig oder teilweise gar falsch sind.

2.4 Leverage

16 Der Leverage steht für das Verhältnis der Gesamtanzahl der Anwälte und Anwältinnen der Kanzlei zur Zahl der Partner und Partnerinnen.

17 Bei gegebener Produktivität (d.h. bei gegebenem Umsatzvolumen pro Anwalt) und gegebener Rentabilität steigt der Gewinn pro Partner mit steigendem Leverage. Diese Einsicht könnte dazu verleiten, den Leverage durch Anstellung weiterer Anwälte beliebig zu erhöhen. Dies ist jedoch nicht in jedem Fall zielführend. Erstens müssen nämlich die Partner auch die nötige Akquisitionskraft haben, um die zusätzlichen Anwälte auszulasten (sonst sinkt die Produktivität). Zweitens müssen die neu angestellten Anwälte auch angeleitet und beaufsichtigt werden, was die nicht in unbegrenztem Umfang zur Verfügung stehende Zeit der Partner beansprucht. Namentlich aus dieser zweiten Einschränkung ergibt sich, dass das richtige Mass des Leverage vom Geschäftsmodell der Kanzlei (oder eines Teams innerhalb der Kanzlei) abhängt: Wo sehr anspruchsvolle Arbeit geleistet wird, wird der Leverage eher bescheiden sein (die Stundensätze und damit die Rentabilität sind in diesem Fall eher höher). Wo vorwiegend Routinearbeit geleistet wird, die mit wenig Beaufsichtigungsaufwand auch von jüngeren, angestellten Anwälten bewältigt werden kann, wird der Leverage höher sein (bei tieferen Stundensätzen). Mit beiden diesen prototypischen Modellen kann gleich viel Gewinn pro Partner erzielt werden. Wichtig ist, dass die Kanzlei eine Vorstellung davon hat, in wel-

chem Tätigkeitsbereich sie sich bewegt und was der für diesen Bereich angemessene Leverage ist. Erst dann macht es nämlich Sinn, den Leverage im Rahmen des regelmässigen Reporting zu überwachen.

2.5 Andere relevante Zahlen

Neben denjenigen Zahlen, von denen der Gewinn direkt abhängt, sind auch andere Zahlen für die Führung der Kanzlei wichtig. 18

Zuerst zu nennen ist die Liquidität. Die Fähigkeit der Unternehmung, ihren finanziellen Verpflichtungen termingerecht nachzukommen, ist essenziell. Damit dies gewährleistet ist, muss eine Liquiditätsplanung erstellt werden und eine ständige Überwachung der Liquiditätsentwicklung stattfinden. 19

Ebenso wichtig ist die Realisierungsrate. Diese steht für die Zeit, die vergeht, bis eine erbrachte Leistung verbucht, fakturiert und bezahlt ist. Erstens beeinflusst die Realisierungsrate die Liquidität. Zeigt die Überwachung, dass der Rhythmus der Rechnungsstellung nicht den Vorgaben entspricht, kann möglicherweise die Liquiditätsplanung nicht eingehalten werden. Zweitens lehrt die Erfahrung, dass ein ungenügender Fakturierungs- und Inkassorhythmus den Abschreibungsbedarf erhöht und damit den Gewinn schmälert. Je länger es dauert, bis eine erbrachte Leistung fakturiert wird, und je länger abgewartet wird, bis auf klientenseitige Zahlungsausstände reagiert wird, desto grösser wird der Anteil der Honorarforderungen, der schliesslich nicht mehr eingebracht werden kann. (Es versteht sich von selbst, dass eine Reaktion auf einen Zahlungsausstand nicht notwendigerweise in einer Betreibung bestehen muss. Ein freundlicher Telefonanruf wirkt oft viel besser und schneller. Aber zumindest dies sollte rasch geschehen – bevor der Klient vergessen hat, wie nützlich ihm die in Anspruch genommenen Dienste waren.) 20

3. Form und Rhythmus der Berichterstattung

Neben der Frage, welche Zahlen überwacht und dargestellt werden sollen, beschäftigt auch die Frage, in welcher Form und in welchem Rhythmus diese Zahlen dargereicht werden können. Dabei gibt es einige Regeln zu beachten. 21

3.1 So wenig wie möglich, so viel wie nötig

Wie bei vielen Dingen im Leben ist auch beim Reporting das quantitativ sinnvolle Mass zu finden. Wer jeden Monat ein halbes Kilo Papier mit Zahlen und Diagrammen auf seinem Schreibtisch findet, wird kaum je alles lesen. Daher muss das Management sich bei denjenigen Zahlen, die in der Kanzlei verteilt werden, auf das Wichtige beschränken. 22

3.2 Handlungsgrundlagen zustellen, Informationen bereitstellen

23 Es gibt grundsätzlich zwei Formen, wie aufbereitete Zahlen zum Leser kommen können: Entweder sie werden ihm zugestellt, oder er holt sie sich selbst. Letzteres erfordert, dass die Zahlen an einem vereinbarten Ort zur Abholung bereitgestellt werden.

24 Diejenigen Zahlen, die den Adressaten dazu bringen sollen, etwas Bestimmtes zu tun, müssen demselben direkt zugestellt werden. So ist es etwa sinnvoll, dass jeder Partner seine persönlichen Umsatz-, Fakturierungs- und Inkassokennzahlen zugestellt erhält, denn er soll ja auf allfällige Planabweichungen reagieren. Ebenso ist es sinnvoll, dass die Leiter der verschiedenen Teams die wesentlichen Zahlen ihres Teams zugestellt bekommen, denn sie sollen ja auf Auslastungsungleichheiten, Umsatzeinbrüche, Zahlungsausstände etc. in ihrem Team reagieren, indem sie die betreffenden Personen ansprechen und auf geeignete Massnahmen hinwirken.

25 Andererseits gibt es Zahlen, die eher das legitime Informationsbedürfnis einzelner Partner befriedigen, als dass damit eine konkrete Handlungsaufforderung verbunden wäre. Dazu gehört etwa die monatliche Umsatz- und Auslastungsentwicklung der Gesamtkanzlei. Solche Informationen sollen an einem geeigneten Ort (z.B. in einem mit Zugriffsbeschränkung versehenen Speicherort auf dem Dokumentenserver) bereitgestellt werden, damit jeder interessierte Partner sich diese Daten zu Gemüte führen kann.

3.3 Zahlen gehören kommentiert und besprochen

26 Zahlen gehören kommentiert und besprochen. Das Management der Kanzlei kann sich nicht damit begnügen, den Partnern monatlich einen Wust von Zahlen zuzustellen und darauf zu vertrauen, dass jeder sich daraus das Wesentliche zusammensucht. In den meisten Fällen wird das zur Folge haben, dass die Zahlen schlicht ignoriert werden. Allenfalls werden sie missverstanden oder völlig unterschiedlich interpretiert, oder jeder sucht sich daraus diejenigen Details, die seine persönlichen Erwartungen bestätigen. Demgegenüber kann ein mitgelieferter kurzer Kommentar viel Nützliches bewirken: Erstens kann auf dieser Grundlage ein gemeinsames Verständnis der aktuellen Geschäftslage entstehen, was ein koordiniertes Reagieren ermöglicht. Zweitens wird damit den Empfängern der Berichterstattung das Studium der Zahlen erleichtert, was Arbeit und Zeitaufwand spart. Drittens kann aufgrund eines Kommentars eine Diskussion entstehen, die letztlich zu besseren und vertieften Erkenntnissen führt.

4. Klientenbezogenes Reporting

27 Ausser Acht gelassen wurde hier bis jetzt der Aspekt, dass ein gutes Reporting auch eine Unterstützung für die Mandantenpflege *(client relationship management)* sein kann. Die Kanzlei ist interessiert, die je auf ihre wichtigsten Klienten und Mandatsquellen ent-

fallenden Umsatz- und Inkassozahlen regelmässig zu beobachten. Aufschlussreich ist auch die Analyse, mit wie vielen Mandanten welcher Anteil des Umsatzes erzielt wird (typischerweise wird etwa mit 20% der Mandanten 80% des Umsatzes erzielt, was die Frage aufwirft, ab welchem Umsatzvolumen ein Mandant gewinnbringend bedient werden kann).

All dies stellt jedoch erhöhte Anforderungen an die Erhebung der Daten und an die Standarisierung der damit verbundenen internen Prozesse. So ist etwa die sinnvolle und effektive Verknüpfung von Mandaten, die von formell verschiedenen, wirtschaftlich aber miteinander verbundenen Gesellschaften stammen, in der Praxis ein tückenbehaftetes Unterfangen. Wie weit es sich lohnt, diesbezüglichen Aufwand zu betreiben, hängt letztlich auch vom Geschäftsmodell und von der Klientenstruktur ab, die eine Kanzlei hat oder anstrebt. 28

5. Fazit

Ob ein Reporting seinen Zweck erfüllt, hängt davon ab, ob es die Adressaten in die Lage versetzt, die für sie wichtigen Fragen zu beantworten. Sehen wir rasch, wo Potenzial brachliegt? Erkennen wir Fakturierungs- und Zahlungsausstände? Habe ich jederzeit ein zuverlässiges Wissen darüber, ob meine persönliche Leistung meinen Erwartungen und denjenigen der Kanzlei entspricht? Wer diese Fragen positiv beantworten kann, darf sich glücklich schätzen. Die anderen sollten ihrem Kanzleimanagement eine Wunschliste schicken. 29

C. *Key Performance Indicators* für Associates und Partner

Marcus Schriefers

1. Vorwort

1 Kennzahlen sind ein Instrument aus der Betriebswirtschaft. Wenn ein Anwalt sich bemüht, über Kennzahlen zu schreiben, schreibt also meist ein betriebswirtschaftlicher Laie, so auch hier. Die widergespiegelten Erkenntnisse resultieren zum einen aus der Erfahrung des Rechtsanwaltes und Partners, der in einer Sozietät ein Controlling und damit verbunden Kennzahlen einführte, ergänzt um Angaben von befreundeten Anwälten zu einer eigenen kleinen Umfrage, zum anderen aus der beruflichen Erfahrung im Umgang mit solchen KPI in Logistikverträgen, dem Arbeitsbereich des Autors.

2 Die folgende Darstellung versucht zum einen zu erläutern, was überhaupt grundsätzlich unter Kennzahlen bzw. den Schlüsselkennzahlen zu verstehen ist, was man betriebswirtschaftlich mit Kennzahlen erreichen will, was den Vorgang einer Kontrolle der Schlüsselkennzahlen angeht und was letztlich die Schlüsselkennzahlen im Zusammenhang mit einer Anwaltskanzlei für Auswirkungen haben.

3 Zuletzt stellt sich die Frage, was man mit den so gewonnenen Ergebnissen in der Konsequenz umsetzt.

2. Was sind Kennzahlen und insbesondere Schlüsselkennzahlen – KPI?

2.1 Kennzahlen

4 Kennzahlen sind die Grundlage des Controllings, also der Prüfung der Effizienz von Abläufen eines Unternehmens, eines Betriebes. Betrieb in diesem Sinn ist die eigenständige, abgrenzbare wirtschaftliche Einheit. Controlling ist eine Vereinfachung zum Zwecke der Steuerung des Betriebes, aufbauend auf möglichst objektiven Faktoren. Das Problem des Controllings ist dabei die schwierige Gewichtung der Messgrössen, eine im Zweifelsfall eher kurzfristige Betrachtung und die vermeintliche Objektivierung, die jedenfalls die nicht messbaren Faktoren ausser Acht lässt. Dessen muss man sich beim Einsatz von Controlling und Kennzahlen bewusst sein. Der Einsatz von Kennzahlen bedeutet immer, dass man bestimmte Faktoren für eine Bewertung heranzieht, aber andere nicht. Dies bedingt eine notwendige Unschärfe, ein notwendiger Nachteil der Vereinfachung.

2.2 Schlüsselkennzahlen – *Key Performance Indicators*

Die Schlüsselkennzahlen sind aus den Kennzahlen herausgegriffen diejenigen, die unter- 5
nehmerische Leistung spiegeln sollen, also den Erfolg oder Misserfolg messen.

Dabei werden bestimmte Prozesse gemessen und gewertet, es können darauf aufbau- 6
end auch Ziele entsprechend definiert werden – ein separater zweiter Schritt – Grundlage der betriebswirtschaftlichen Betrachtung und dieser Stellungnahme ist aber allein die Prozessbewertung, nicht die Zieldefinition.

Im übertragenen Sinne kann z.B. die Umsatzmessung ein solcher KPI sein, die Umsatz- 7
steigerung dann das daraus definierte Ziel. Erfasst werden können Finanzzahlen wie Ergebnis, Rentabilität und Liquidität, Kundenbeziehungen wie Kundenbindung, Preise und Image, aber auch reine Prozesse wie Qualitäten und Projektergebnisse, immer vorausgesetzt, es gibt entsprechende Messwerte.

3. Der Vorgang der KPI-Kontrolle

3.1 Ausgangspunkt: Messen und Bewerten

Controlling setzt zuerst voraus, dass man entscheidet, was man betrachten will und wie 8
man es messen kann, wobei die Reihenfolge hier auch anders sein kann: was überhaupt kann man messen, was will man davon bewerten.

Der zweite Schritt betrifft dann die Schaffung von Bewertungskriterien für die gewon- 9
nenen Messergebnisse.

Die folgenden Feststellungen sind allgemeinbezogen, nicht notwendigerweise auf die 10
Kanzleiorganisation konzentriert, auch wenn diese natürlich berücksichtigt ist.

3.1.1 Der Messvorgang

Was zu messen ist, entscheidet sich sachlich nach der Art des Betriebes, ist also eben in 11
der Anwaltskanzlei anders als in einem produzierenden Unternehmen zu bewerten. In der Kanzlei stellt sich meist erst die Frage, was man messen kann.

Die Messzahlen, die eine Anwaltskanzlei insbesondere mit entsprechendem Anwaltspro- 12
gramm zur Verfügung stellen kann, sind regelmässig die Mandanten, die Mandate, der Zeitaufwand, der Umsatz und die Rechnungsabläufe wie Rechnungsdatum und Zahlungseingang. Dabei bieten diese Systeme nur die absoluten Zahlen, sie können meist keine Zusammenhänge herstellen.

Dies ist mit Zahlen aus einem Buchhaltungssystem zu kombinieren. Das Buchhaltungs- 13
system bietet selbstverständlich auch die Umsätze und die Rechnungsdaten, zusätzlich dann aber die Kostenpositionen wie Personal, Raumkosten, allgemeine Kosten, Mar-

ketingaufwand und Zinsaufwand. Diese Systeme bieten meist auch im Rahmen moderner betriebswirtschaftlicher Auswertungen nicht nur die absoluten Zahlen, sondern auch diese Zahlen in Zusammenhängen und Verhältnismässigkeiten, sowohl aufeinander bezogen als auch im zeitlichen Vergleich.

14 Entsprechend ist ergänzend auch festzulegen, in welchen zeitlichen Intervallen welche Werte festgestellt und miteinander verglichen werden.

3.1.2 Bewerten

15 Hat man sich entschieden, welche Messgrössen zur Verfügung stehen, dann muss entschieden werden, was daraus für Schlussfolgerungen gezogen werden und entsprechend was man messen will. Die Zahl der Mandanten ist möglicherweise weniger ausschlaggebend als die Zahl der Mandate, der Zeitaufwand wird von geringerer Bedeutung, wenn eine Abrechnung von Prozesstätigkeiten nach gesetzlicher Gebührenordnung stattfindet. Dies sind beispielhafte Kriterien, die es zu bedenken gilt.

16 Regelmässig ist der Ausgangspunkt, dass man ja den wirtschaftlichen Erfolg kurz-, mittel- und/oder langfristig messen will. Hier setzt dann erneut eine Abwägungsnotwendigkeit ein, nämlich insbesondere die Frage, ob der wirtschaftliche Erfolg am Kanzleierfolg insgesamt gemessen wird oder am Partnergewinn. Kanzleierfolg kann dabei das Image der Kanzlei (Renommée der Mandanten, Zahl der Mandate) insgesamt sein, ihr Gesamtumsatz bzw. ihr Gesamtgewinn, beim Partnergewinn kann es der einzelne Partnergewinn sein oder die Gesamtbetrachtung des insgesamt zu verteilenden Gewinnes.

3.2 Allgemeingültige Kriterien

17 Die Zusammensetzung der jeweiligen Kanzleien und ihre interne Struktur erscheinen so vielfältig, dass es fast nicht möglich erscheint, allgemeingültige Kriterien für die anzuwendenden Massstäbe aufzustellen. Zwischen der Betrachtung der Gewinne des einzelnen Partners und der Bedeutung der Kanzlei jeweils als Bewertungspunkt besteht in den Kriterien eine solche Diskrepanz und Diversifikation, dass ein gemeinsamer Nenner, auch aus eingeholten Erfahrungen anderer Kanzleien, nicht festgestellt werden kann.

4. *Key Performance Indicators* für eine Anwaltskanzlei

4.1 Allgemein verwendete Kriterien

18 Im Rahmen der betriebswirtschaftlichen Betrachtung von KPI werden im Rahmen der bereits genannten generellen Unterscheidung zwischen Finanzen, Kunden und Prozessen noch einmal weitere Unterscheidungen eingeführt, wobei jetzt nur grobe Kriterien genannt werden können, die als Beispiele für eine feinere Unterteilung dienen können.

So sind im Bereich der Finanzen Ergebniskenngrössen wie EBT oder EBIT üblich, Rentabilitätskenngrössen wie Umsatzrendite, Liquidität oder Cashflowkennzahlen.[1] Im Rahmen der Kundenbeziehungen sind es die Zu- und Abgangsquoten, Bewertungskennungen für die Marketingkommunikation und letztlich Preismanagement wie Gewinnspanne. 19

Die Prozesskriterien sind möglicherweise für Anwaltskanzleien weniger relevant, denn dabei steht in erster Linie die Qualität im Vordergrund, die sich hier einer Bewertung entzieht. Eine weiter gehende Messung von Prozessen wäre nur dann denkbar, wenn entsprechende Prozesse im Rahmen des anwaltlichen Betriebes festgelegt und damit überhaupt vergleichbar und messbar wären. Dies erscheint aber nach den Erfahrungen des Autors noch nicht realistisch zu sein. 20

4.2 Was ist für eine Kanzlei sinnvoll?

a) Die Auswahl der notwendigen Kriterien erscheint äusserst subjektiv. Sie ist einmal abhängig von der persönlichen Perspektive, der Landes- bzw. Standortsichtweise, aber auch letztlich davon, ob diese Kriterien wirklich für eine Erfolgsbemessung oder aber letztlich doch für eine Gewinnverteilung verwendet werden. 21

   Zum Teil ist auch festzustellen, dass unterschiedliche Kriterien an Partner und Mitarbeiter angelegt werden, meist allerdings nur vor dem Hintergrund, dass eben die KPI's für die Partner als Grundlage der Gewinnverteilung angewendet werden, was selbstverständlich für die Mitarbeiter nicht gilt, hier ist es eher eine wirkliche Erfolgsmessung. 22

   An beiden Stellen, Gewinnverteilung und Mitarbeiterbewertung, wird das Problem der Schematisierung durch Kennzahlen virulent: Der Erfolg einer Kanzlei wird auch durch Faktoren wie den internen Verwaltungszeitaufwand, die wissenschaftliche Veröffentlichung, die Pro-bono-Tätigkeit u.Ä. geprägt – kaum messbare Faktoren, die sich einer «objektiven» Bewertung entziehen. Schon die Bewertung der Akquisitionstätigkeit einerseits und der abrechenbaren Mandatsarbeit andererseits stellt die Kanzleien vor Probleme. Je mehr personenbezogen die KPI eingesetzt werden, umso schwieriger, auch unschärfer, werden die Ergebnisse. 23

b) Versucht man, allgemeingültige Ansätze zu kreieren, so stechen primär drei Punkte ins Auge, nämlich die allgemeine Entwicklung, die Sicherstellung ausreichender Finanzmittel und die Überprüfungen der Kostenpositionen im Verhältnis zum Umsatz, also die Rentabilität. 24

   Hier wieder muss man sich bewusst machen, dass das Konzept der KPI auf die Betrachtung eines eigenständigen Betriebes ausgelegt ist, also in heutiger Anwaltsterminologie einem «Profitcenter». Der «Erfolg» des einzelnen Anwaltes lässt sich nur 25

[1] Zu den Begrifflichkeiten vgl. Kapitel 6 nachstehend.

dann richtig ermitteln, wenn man nicht nur den Umsatz richtig zuschlüsselt, sondern auch die Kosten wie Personal und Miete (einfach), Kommunikation und Marketing (schwierig) und Wissensmanagement (möglich?). Die These ist deshalb, dass die Unschärfe der Bewertung umso grösser wird, je mehr personenbezogen die Bewertung ist.

26 Die Messzahlen des einzelnen Anwaltes (Umsatz, Zeiteinsatz) sind insofern natürlich Messwerte, denn dies sind die primären Produktivitätszahlen des Betriebes Anwaltskanzlei – ein Messwert ist allein aber keine Schlüsselkennzahl, die eine Effizienzbewertung des Gesamtbetriebes zulässt.

27 c) Geht man von den oben unter Rz. 19 und 20 genannten drei Ansätzen (Umsatz, Liquidität, Mandatsentwicklung) aus, so bietet es sich dann z.B. an, die Umsatzrentabilität zu messen, den Cashflow und, um wenigstens ein mittelfristiges Element in die Betrachtung aufzunehmen, die Quote der Mandatszu- und -abgänge pro Zeitraum.

28 d) Bei der Gewichtung spielt jetzt insbesondere der Punkt eine Rolle, der oben schon angeschnitten wurde, nämlich die Frage, ob die KPI-Bewertung eben auch Grundlage einer Gewinnverteilung unter den Partnern ist. Sofern die Gewinnverteilung ausser Betracht bleibt, was eigentlich systemimmanent ist – die Bewertungsfaktoren sind nicht für die Gewinnverteilung gedacht, sondern für die allgemeine Bewertung der Effizienz einer Kanzlei als des «Betriebes» –, ist der Personenbezug der Kennzahlen weniger massgeblich, vielmehr wird die Durchschnittsbetrachtung der Umsatz- und Kostenverhältnisse der Kanzlei insgesamt relevant, möglicherweise noch standortbezogen, um Effizienzen der einzelnen Büros festzustellen.

29 Will man dagegen auch die Gewinnverteilung, das kann auch den Bonus für Angestellte einschliessen, in die Betrachtung aufnehmen, müssen entsprechend die Bewertungen personenbezogen vorgenommen werden, und es müssen sowohl Umsätze wie auch gegebenenfalls Kostenpositionen personenbezogen bemessen werden. Dies setzt dann eine gewisse Profitcenter-ähnliche Betrachtung voraus. Regelmässig entfernt sich diese Betrachtungsweise von dem eigentlichen Standard der allgemeinen Erfolgsbetrachtungsweise einer KPI und sollte deshalb sehr genau betrachtet werden.

30 Man sollte an dieser Stelle auch nicht ausser Acht lassen, dass der Erfolg des einzelnen Anwaltes nur sehr selten ein rein persönlicher Erfolg ist – er hängt meist mit dem Erfolg der Kanzlei zusammen. Auch dies relativiert in nicht messbarer Form den Wert der auf den einzelnen bezogenen Daten. Es hat auch den oft unerwünschten Nebeneffekt des Denkens in den Kategorien «mein Umsatz», «dein Umsatz» anstelle von «unser Umsatz».

5. Anwendung und Bewertung der Messzahlen

Es bedarf einer ganzen Reihe von Einzelschritten, um nach Festlegung der Prinzipien wirklich zu Ergebnissen zu kommen. Dies ist jetzt sozusagen die verwaltungstechnische Seite des Controllings: 31

5.1 Wer besorgt die Zahlen?

Hier stellt sich schon die Frage, ob man dies buchhaltungsintern auswerten lässt, ob die Kanzlei einen internen Controller benennt oder ob man es dem externen Steuerberater überlässt, die relevanten Zahlen zusammenzustellen. Die Erfahrungen des Autors sprechen entweder für die interne Buchhaltung oder den externen Steuerberater. Der einzelne Partner, der die Verantwortung dafür übernimmt, gerät zu sehr in internen Rechtfertigungsdruck in Durchführung und Umsetzung und muss dafür zu viel Zeit aufwenden. 32

5.2 Wer bewertet die Zahlen?

Hier stellt sich die gleiche Frage aufs Neue, ob man nämlich einen aussenstehenden Steuerberater heranzieht, einen einzelnen Partner oder möglicherweise einen Partnerausschuss. Erneut ist der einzelne Partner wahrscheinlich die schlechteste Alternative, besser ist ein aussenstehender und quasi neutraler Betrachter, ansonsten zumindest der Ausschuss, bestehend aus verschiedenen Partnern, der den Rechtfertigungsdruck – siehe oben – schultert. 33

5.3 Was geschieht mit den gewonnenen Erkenntnissen?

Dies ist eine Frage der Transparenz und damit auch wieder der Kanzleikultur, entsprechend vielfältig sind die Ansätze: 34

- Die erste Möglichkeit ist, dass der Controller die gewonnenen Erkenntnisse intern an eine Geschäftsführung weitergibt. Dort werden sie intern betrachtet und verfolgt, nur bei Ausrutschern oder sonstigen besonderen Fällen wird dies nach aussen kommuniziert.
- Der entgegengesetzte Ansatz ist, alle Zahlen sofort gegenüber jedenfalls allen Partnern, vielleicht auch allen Anwälten, transparent zu machen. Dagegen spricht, dass dies üblicherweise eine Vielzahl von Diskussionen auslöst, die sich selten als hilfreich erweisen. Es setzt schon eine besonders gute Diskussionskultur voraus, um dem Streit gerecht zu werden.
- Die dritte Alternative ist dann der Mittelweg, nämlich dass die Geschäftsführung in Kenntnis der Zahlen einzelne Anwälte anspricht, in deren Bereich solche

Schieflagen ermittelt wurden, wobei einzelne Anwälte auch einzelne Standorte sein können. Hier können die pro Anwalt ermittelten Messzahlen durchaus zu einer sinnvollen Anwendung kommen.

6. Konsequenzen der Bewertung

35 Die bereits angesprochene und wohl häufig verwendete Konsequenz ist die Einflussnahme auf die Gewinnverteilung. Partner werden also an den Erfolgsstandards gemessen und müssen danach auch ihren Gewinn messen lassen.

36 Der entgegengesetzte und natürlich betriebswirtschaftlich vorzugswürdige Ansatz ist die Umsetzung allgemeiner Massnahmen wie ein verbessertes Rechnungsmanagement, Honoraranhebung oder -senkung, verstärkte Marketingmassnahmen oder Ähnliches. Dies scheint aber, so die gewonnene Übersicht, weniger verbreitet zu sein.

7. Wer zieht die Konsequenz?

37 Hier bietet sich natürlich in erster Linie wieder die Geschäftsführung an, die das entweder nach eigenem Ermessen oder unter Zugrundelegung bestimmter Kriterien durchführt. Zweite Möglichkeit ist ein aus den Partnern bestehender Ausschuss, der dies diskutiert und dann umsetzt. Die dritte und demokratischste Alternative ist natürlich, dies an die Partnerversammlung insgesamt zu verweisen. Diese Alternativen hängen auch jeweils von den Grössen der einzelnen Kanzleien ab. Eine Kanzlei mit mehr als 15 Partnern wird sich schwertun, solche Fragen jeweils an die Partnerversammlung zu verweisen, bei einer Kanzleigrösse von bis zu fünf Partnern ist dies weniger problematisch.

8. Zusammenfassung

8.1 Erkenntnisse aus einer privaten Umfrage

38 Der Autor hat insgesamt 30 Kanzleien weltweit angeschrieben, bei denen ihm einzelne Partner persönlich bekannt sind und denen er die Frage stellte, inwieweit zum einen überhaupt solche KPI verwendet und mit welchen Konsequenzen diese KPI angewendet werden.

39 Festzustellen ist erstens, dass der Rücklauf relativ gering war und vielfach nur telefonisch die Mitteilung kam, dass die Kanzleien diese Kriterien nicht öffentlich machen möchten. Daraus kann man zum einen folgern, dass tatsächlich doch vielfach KPI verwendet werden, aus irgendwelchen Gründen diese aber als eine Art Betriebsgeheimnis gewertet werden. Die Vermutung liegt nahe, dass sie eben letztlich zur Gewinnver-

teilung herangezogen werden. Die tatsächlich eingegangenen Antworten bestätigen diese Vermutung.

Wie nicht anders zu erwarten, sind es grundsätzlich drei massgebliche Punkte, die bemessen werden, nämlich die abrechenbaren Stunden, die erzielten Umsätze und die Mandatszugänge. 40

Eine Unterscheidung zwischen Partnern einerseits und anwaltlichen Mitarbeitern andererseits findet offensichtlich nur selten statt. Meist werden die Kriterien über alle Anwälte gleichmässig angewendet. Zum Teil stellt man auch fest, dass anstelle von KPI für das Unternehmen selbst Kriterien für die Entwicklung und Bewertung junger Anwälte – im Sinne einer Qualitätskontrolle – aufgestellt werden, Partner dagegen nicht betrachtet werden. 41

Die Bandbreite der Anwendung erscheint so weit, dass sich einheitliche Standards nicht feststellen lassen. 42

8.2 Versuch einer Zusammenfassung

Nach den eigenen Erkenntnissen des Autors und den erhaltenen Kommentaren ist die betriebswirtschaftliche Betrachtungsweise solcher Schlüsselkennzahlen in Kanzleien wenig ausgeprägt. Es sind meist einzelne und wenige Kriterien, die herangezogen werden, dann aber auch gleichzeitig, vielleicht sogar überwiegend im Hinblick auf eine Gewinnverteilung Anwendung finden. 43

Grössere Kanzleien scheinen Standards häufiger anzuwenden als kleinere Kanzleien, angloamerikanische Kanzleien öfter als die klassisch mittelständischen deutschsprachigen Kanzleien. 44

Aus betriebswirtschaftlicher Sicht muss man wohl feststellen, dass das Thema in den meisten Kanzleien unzureichend beachtet wird. Gerade im Hinblick auf die immer ausgefeilteren Anwalts- und Buchhaltungsprogramme, die inzwischen ja auch Schnittstellen aufweisen, ist es technisch sicherlich nicht mehr schwierig, auch sehr genaue anwaltsbezogene Schlüsselkennzahlen zu messen und daraus Konsequenzen zu ziehen. Eine solche Denk- und Handlungsweise scheint aber in den Kanzleien noch nicht ausgeprägt zu sein. 45

8.3 Das persönliche Fazit

Die eigene Erfahrung ist durch zwei Eindrücke massgeblich geprägt: 46

Erstens war im eigenen Umfeld zwar anerkannt, dass es eigentlich ein Controlling mit Messkennzahlen geben sollte. Die Umsetzung war jedoch ausgesprochen schwierig und blieb in Anfängen stecken, da die verhaltenen (und offenen) Widerstände doch gross waren. 47

48 Zweitens tendieren die Partner einer wirtschaftsberatenden Kanzlei regelmässig dazu, den persönlichen Gewinn als das Kriterium des Erfolges der Kanzlei zu sehen, sodass auch der Messwert einer Schlüsselkennzahl von diesen Partnern eigentlich immer nur unter dem Gesichtspunkt der Auswirkung auf den persönlichen Gewinn gesehen wird.

49 Tatsächlich ist es aber wohl betriebswirtschaftlich nachweisbar so, dass der Gesamterfolg eines Betriebes und damit der Kanzlei zumindest mittelfristig sehr viel stärker gewinnfördernd ist – mit der entsprechenden Auswirkung auf den persönlichen Gewinn des Einzelnen – als die Konzentration auf den einzelnen Gewinn schon zu Beginn. Insofern sollte zum einen bei der Bestimmung der Messgrössen die Gewinnverteilung ausser Betracht bleiben. Selbst wenn man zu dem Ergebnis kommt, was durchaus akzeptabel ist, die Umsatzrentabilität und damit ja eine massgebliche Gewinngrösse als Kriterium festzuhalten, ist dies die Gesamtumsatzrentabilität der Kanzlei, nicht die des Einzelnen. Kriterien sollten ohne die Gewinnverteilung im Vordergrund zu sehen bestimmt werden. Sie sollten neutral bewertet, konsequent begutachtet und rein sachbezogen umgesetzt werden. Es erscheint ratsam, gerade im Hinblick auf den einleitenden Satz, der ja auch auf den Laienstatus des Autors verweist, an dieser Stelle Hilfe von aussen anzunehmen. Zum einen hat der Aussenstehende nicht den Verdacht an sich, er wolle sozusagen zum eigenen Nutzen die Gewinnverteilung ändern, zum anderen zeigt die Erfahrung, dass man einem Aussenstehenden eher zuhört.

50 Auch mittelständische wirtschaftsberatende Kanzleien sind heute Unternehmen mit Umsätzen von häufig über EUR 10 000 000 und höher. Für ein gewerbliches Unternehmen dieser Grösse ist es völlig selbstverständlich, mit Controlling zu arbeiten. Diese Selbstverständlichkeit sollte sich auch bei Anwaltskanzleien als Einsicht durchsetzen. Die Betriebswirtschaft ist in der Lage, auch eine Anwaltskanzlei zu bewerten, und man sollte auf diese Kenntnisse zurückgreifen, wenn man diese Systeme installiert.

D. Control of Legal Fees

Hans Peter Frick

1. Context

Most businesses, particularly the public fast moving consumer good enterprises are under considerable overall cost pressure, which we in the past have not seen to this extent, and have to be very creative to cope with this challenging environment. Consumers, distributors, authorities, shareholders and other stakeholders are pushing for lowering the cost of consumer products, typically in the food industry. 1

Nestlé, the leading global Nutrition, Health and Wellness Company nurtures a strong culture of decentralization and is selling its products through its own subsidiaries or representatives in almost all countries of the world. The products are manufactured in 443 factories in 83 countries and the Group employs some 281 000 persons and created a turnover in 2010 of CHF 110 billion. 2

Nestlé Legal is as much decentralized as the operations it supports; it employs some 260 lawyers worldwide in 60 local Legal Departments. Its activity is more focused on supporting the business and providing for solutions to achieve its objectives than on being involved in legal proceedings or administrative matters. Hence, Nestlé is not really an active litigious company; it rather seeks practical business solutions to solve conflicts, if possible through mediation or other alternative dispute resolution methods. 3

More and more often Nestlé finds itself in the defendant's role, in class actions concerning World War II slave labor, apartheid issues in South Africa and child labor concerns on cocoa plantations. Further, US litigators generally commence actions against the ultimate shareholder of local companies and antitrust authorities investigate the behavior of the important players in the markets, which leads to mass class actions in North America. Patents and brands are challenged by competitors and the important investments in Intellectual Assets must of course be safeguarded. 4

In such a strongly decentralized environment, the local Legal Departments are embedded in the local operations and so are their budgets and their appreciation where to spend the money. 5

The Group General Counsel is accountable to the CEO for the total legal spending in the Group and, hence, has a strong interest to make sure that there is a certain level of control on legal spending throughout the year. For these purposes, he has established an efficient structure internally in his function on a worldwide basis and also an External Lawyer Management Program defining how to work with outside counsel and how to manage legal spend. The Group General Counsel further instructed his Regional Counsel 6 to closely manage the legal spend in their respective markets, together with the Heads of the Market Legal Departments.

7 The External Lawyer Management Policy states clearly that all Legal matters in the Group are to be handled by Nestlé Legal and the Businesses refer first to their in-house relationship lawyer. It also defines the type of law firms Nestlé Legal wants to work with, the way they are appointed and that for each mandate the instructing lawyer establishes carefully a proper scoping of the work to be performed with the adequate support provided by the company and, if possible, the necessary budgets agreed before work starts.

8 It further defines the partnering relationship Nestlé Legal wants to build with law firms that reach a certain annual turnover and the way such a relationship operates.

2. Management of Legal Matters

9 At Nestlé, Legal matters are managed by the Legal Department and legal work is done in principle in-house.

10 External advisors are only engaged if the in-house lawyers cannot provide the necessary support or if the in-house team is stretched. This might be the case for very specialist areas outside the core business of the company and where there is a need for a very specific expertise. This is usually the case for litigation and capital market activities.

11 External advisors are often engaged for projects and transactions in the area of M&A or multijurisdictional commercial or media advertising matters. Then, they complement the in-house teams and we consider the outside advisors to be members of Nestlé Legal.

12 Eventually, in some instances, the management of legal matters in a specific area can be totally delegated to a law firm, as it can happen for activities in the area of R&D where Nestlé appoints some 1000 universities, research laboratories or scientists to work on R&D projects. Such relationships are covered by contract established by external advisors following direct instructions of the Nestlé internal scientists. Similarly for debt recovery work, construction projects or property leasing support Nestlé might want to delegate these activities to an outside service provider.

3. Budgeting of Legal Fees and Controlling

13 Budgeting of Legal Fees is a process that, in my experience, is rather built on past history than on the capacity to predict the future. It is simply impossible to seriously forecast in September what issues will have to be dealt with in the next fiscal year, what acquisitions will mature and who will sue the company on what grounds. Hence, at global level we were able to establish a budget and – most importantly – also keep it, based

on the experience over the last 10 years or so and to balance the legal spend between the geographic regions, their importance and the particular issues at hand.

The budget so established for the Group and for the individual operations serves as broadband within which the direct responsible lawyers, typically the Head of the local Legal Departments or Global Business Units operate. 14

Within this broadband, it is quite easy to establish a detailed budget for repeat business such as the R&D contract area mentioned above. A precise scoping and description of the task will help the outside advisor to elaborate an estimate, make an offer and then a fixed fee arrangement can be concluded. Standard processes can be addressed with standard solutions. 15

Major projects or transactions can easily be subdivided into various phases. Some of them are quite repetitive, like Due Diligence in an M&A project, and they can be systemized with electronic search tools and check lists, so that establishing a budget can be quite easy. 16

When it comes to the negotiation phase in the deal and the late night work takes its toll on the participants, then a budget process has it limits. In our experience, a flat fee with a success element is usually the best solution. This can be negotiated beforehand, but it is also possible after the transaction. The continued business relationship puts natural limits that will avoid excess requests. 17

Some companies have a purchasing function which will negotiate the fees with the law firms. Nestlé also offers this service, but although I can see advantages in the purchasing process of commodities and standard services, I have not been in favor of doing so for outside legal support and other professional services. In the area of Legal Services, most projects we are working on are sensitive and usually classified as secret, and the purchaser simply lacks the basic knowhow on what is important for this or for that legal work. 18

4. Importance of selecting the right firm

Legal spend is conditioned by the selection of the outside law firm and the way the relationship is managed by the in-house lawyer. 19

Not all law firms have the same cost structure and the same fee levels. As in «horses for courses», a firm that is less expensive than the one being a «magic circle firm» will do a perfect job for that particular project. It might also be advisable to contact international firms at their place of business where the fees are not as high as in other jurisdictions and define the basis of the relationship in that currency. 20

21 There are even some outside service providers, like AdvanceLaw, that can establish contacts between great firms, not being in major capitals but offering an adequate support at a reasonable cost.

22 Establishing a relationship with the right firm must not be limited to providing legal work. It goes much further and it comprises many other facets of the relationship. Above receiving newsletters and invitations to workshops and internal events, it represents an important investment in time of both, the external advisor and the in-house team, to understand really the business of the client and to explain the strategy and the internal mechanism of the client.

23 It includes also regular sessions between outside advisors and the in-house team in specific practice areas. One of them, that Group General Counsel at Nestlé put in place, was the EU Monitoring Project which was performed with a law firm in Brussels during one full day three times a year.

24 And finally, the lead relationship partner of the firm must regularly visit with the lead in-house lawyer whereas General Counsel keeps the freedom to participate when he wants.

5. Deal Management Systems

25 With one law firm, Nestlé developed a tool for managing the end-to-end legal input for M&A processes. Roles, scope and responsibilities are defined for each task in the transaction from the confidentiality agreement through post signing wrap up, whether the transaction is conducted as a bidding process or a purely negotiated approach. For each task the lawyers taking charge of it are designated, whether in-house or with the external advisors. If the task was delegated to the externals, then a cost estimate has to be made upfront and agreed upon.

26 As an example, the drafting of the main agreement for the acquisition is done by the law firm and the in-house team takes care of the more operational agreements, such as the documents covering the patents, business know-how and trademarks or the transition agreements for supply and manufacturing activities or the IT services transition agreement. The law firm has the best experience in the acquisition agreements, while the in-house team is best equipped to deal with the Nestlé specific operational issues.

27 This tool allows the in-house project manager to know how many external lawyers work on that particular step and how we progress against budget. It is of course not a perfect system, but allows to anticipate issues before they arise and the necessary adjustments can be made.

28 It is a benefit to both, the firm and the General Counsel in managing the legal spend and adds transparency to the process. It brings a certain element of objectivity to the

process and shows why additional costs may have to be incurred, allows both in-house and externals to manage the resources and offers the possibility to quickly redeploy them to other areas that need attention. It definitely has a positive impact for the client on the level of the fees charged.

The Deal Management System was quite a breakthrough in how Nestlé and that firm manage transactions and we were willing to agree that the law firm would use this system as a marketing tool to use it with other, selected clients of the firm. 29

6. Legal billing

In Nestlé Legal, which operates on a worldwide basis, there is and there cannot be just one or two ways how bills for legal work are accepted. 30

In some parts of the world, electronic billing is widely the standard and in other parts a paper statement of fees is paid by a banker's check. And one should not underestimate that electronic billings need still to be checked at the receiving end. 31

7. Control of Legal Fees

Controlling the legal fee statements is the responsibility of each Legal Department at operational level. At Nestlé's Headquarters, the Office Manager received all the invoices and it was her task to make sure that the lawyer who instructed the law firm also checked whether the invoice corresponds with the service delivered. Only the person who gives the mandate can decide whether the result is in line with what was asked for. This was done on a random basis, as the lawyers had more important things to do than checking invoices. However, the instructing lawyer remained responsible for the «good to pay» release. 32

I would think that a regular «Quality control» would be more appropriate. For both, in-house and external advisors, a serious *post mortem,* where all that functioned well and all that can be improved is discussed in detail, would be more beneficial, beneficial for both parties. 33

8. Summary

Legal fees are a part of the whole relationship, a relationship which both, external advisors and the in-house team have built over the years and we have always looked at our outside advisors as being an integral part of Nestlé Legal. 34

The trust we have shared, the reciprocal recognition and understanding have been the foundation of the business relationship which was built over many years. 35

36 Performance is not only the legal advice, it is also the maintaining of a relationship, the understanding of the business Nestlé is in and the comprehension of the people and of the management of the company, the building up and maintaining a high comfort level with the client so that business people can concentrate on minding their business.

37 Fees must be fair and properly remunerate the effort and the knowhow that was contributed. An open and transparent cooperation will guarantee that. It is much more than just about money!

38 Many in-house lawyers and General Counsel will advance that they now have to control the legal spend and even find creative ways to reduce it. In my experience, this process has to start in the legal department itself, it cannot simply be pushed on the external law firms.

39 In 2002, Nestlé Legal has embarked on a project known under the name of *«Running Shoes»*. Running Shoes was an ambitious project to streamline the global Nestlé legal function and its network of some 1700 outside service providers. The findings showed various areas of possible improvements that could lead to a dramatic decrease in legal spend. Strong functional reporting lines were established to have a better view on where the money was spent, duplication was eliminated, some areas of legal work were concentrated at regional level, non-legal work was delegated to administrative assistants and duplication of work between outside advisors and in-house staff was eliminated. This naturally led to a reduction of internal headcounts and a reduction of the number of external advisors, and as a consequence to increase the professionalism of the legal service providers. An external lawyer management program was established, defining new ways for legal fees structures. While the hourly fee remained, discounts were negotiated off headline rates, together with further discounts on the achievement of volumes and a range of other benefits. The overall result was that both, in-house cost reductions and outside savings, contributed to reducing the total legal spend from one year to the other from CHF 150 million to CHF 90 million.

40 Nestlé Legal was able to maintain the total legal spend (in-house and outside) since then at the same level expressed in a percentage of total net proceeds of sale of the group.

41 Building on long-term relationships, having trust in each other and elaborating innovative approaches to providing legal services were the building blocks of this success. And control of legal fees became an integral part of the relationship between the in-house team and the external advisor.

E. Alternative Honorarmodelle im Anwaltsgeschäft

ANDREAS KRÄMER

1. Warum ist das Thema «Honorar» so wichtig?

Bei der Festlegung der Preishöhe bzw. des Honorarmodells handelt es sich um eine der wichtigsten Entscheidungen im anwaltlichen Marketing, bestimmt diese doch im Wesentlichen die Höhe des Umsatzes der Kanzlei. In der Regel hat eine Veränderung des Honorars deutlich stärkere Effekte auf den Gewinn der Kanzlei als die variablen oder festen Kosten. Neben dieser internen Perspektive kommt eine externe Perspektive hinzu: Mandanten gehen heute offener mit dem Thema Honorar um und erwarten auch eine schlüssige Argumentation zum Honorar. Insbesondere mittlere und grössere Unternehmen suchen immer häufiger nach alternativen Honorarmodellen, die eine bessere Planbarkeit der Rechtsberatungskosten ermöglichen. 1

Daraus ergeben sich Chancen, wenn es gelingt, durch eine bedürfnisorientierte Honorargestaltung die Umsatzsituation der Kanzlei und/oder die Mandantenbindung zu verbessern, allerdings auch Risiken, wenn die Gestaltung der anwaltlichen Honorarpolitik falsch angegangen wird. Um die unterschiedlichen Wirkungsmechanismen möglicher Honorarmodelle im Einzelnen zu betrachten, wird im Weiteren beispielhaft von folgenden Rahmenbedingungen ausgegangen: Ein Einzelanwalt plant einen Arbeitseinsatz von jährlich 2185 Stunden. Davon sollen 60% abrechenbar sein, also 1311 Stunden pro Jahr bzw. etwa 110 Stunden pro Monat. In einer Überschlagsrechnung zu seinen Kosten und der Entlohnung der eingebrachten Zeit geht der Anwalt von einem Zielumsatz von EUR 132 000 aus (EUR 11 000 pro Monat). 2

Bei den betrachteten Honorarmodellen handelt es sich zuerst um die Reinformen des Zeithonorars, des Festhonorars bzw. der Pauschale sowie des Erfolgshonorars (in Ergänzung zu den gesetzlichen Gebührenregelungen). Darüber hinaus werden jeweils auch Mischformen dargestellt[1]. 3

[1] Die Darstellung der Honorarmodelle findet hier verkürzt statt. Dem interessierten Leser sei empfohlen: Krämer, Andreas; Mauer, Reinhold; Kilian, Mathias: Vergütungsvereinbarung und -management. München 2005.

2. Wirkungsweise unterschiedlicher Honorarmodelle

2.1 Zeithonorar

4 Feste Stundenhonorare haben immer noch eine hohe Bedeutung. Gerade grössere, auf Wirtschaftsrecht spezialisierte Kanzleien geben gerne ihre Stundenhonorare preis, weil sich darin auch ein gewisser Imageeffekt widerspiegelt (erwarteter Preis-Qualitäts-Zusammenhang). Das untere Ende dürfte im Rahmen von Web- oder Telefonberatungen gegeben sein. So ergibt sich bei einem Minutenhonorar von 1,89 € ein maximaler Stundensatz von ca. 114 € (dieser wird aber für den Anwalt nicht im vollen Masse umsatzwirksam). Hierbei wird ein völlig anderes Mandantensegment angesprochen, als dies bei höherpreisigen Beratungen der Fall ist. Im Falle einer persönlichen Beratung in der Kanzlei fallen Honorare zwischen 100 € und 600 € an. In der Studie des Soldan Instituts wurde für 2008 aus den Angaben der befragten Anwälte ein Mittelwert von 186 € für feste Stundenhonorare ermittelt.

5 Für die aussergerichtliche Beratung stellt heute die Abrechnung nach Zeitaufwand die am weitesten verbreitete Vergütungsform dar, wobei folgende Besonderheiten zu beachten sind:

- Die Berechnungsmethode ist einfach. Das Gesamthonorar für ein Mandat ergibt sich aus der Multiplikation des Stundensatzes mit den erforderlichen Stunden. Insbesondere für grössere Unternehmen ist die Rechnungskontrolle erheblich vereinfacht. Diesen Mandanten ist wichtig, ein Gefühl dafür zu haben, wie Honorarforderungen zusammengesetzt sind. Es ergeben sich allerdings kaum Anhaltspunkte für die Einhaltung gewisser Budgetgrenzen.[2] Der Mandant erhält ein vermeintliches Sicherheitsgefühl, wenn er unterstellt, dass der Anwalt schon deshalb nicht mehr Stunden als nötig in Rechnung stellen wird, weil die Zeit separat erfasst wird und so als «Kontrollmedium» nutzbar ist. Tatsächlich bleibt die Gesamthöhe des Beratungshonorars für den Mandanten intransparent, weil die Anzahl der wirklich erforderlichen Arbeitsstunden durch den normal rechtskundigen Mandanten nicht abzuschätzen ist.
- Das Zeithonorar bietet sich an, wenn die Wertschöpfung der Beratung schwer quantifizierbar ist bzw. falls der Beratungsaufwand zum Zeitpunkt der Mandatserteilung nicht abgeschätzt werden kann (Es ist unsicher, wie aufwendig sich die Beratung herausstellen wird.). Durch die Orientierung des Honorars an der Menge der eingebrachten Zeit kann allerdings ein besonders hoher Wert der Beratung bei geringem Zeitaufwand nicht in Rechnung gestellt werden.
- Das Zeithonorar führt im Allgemeinen zu einer vergleichsweise höheren Rentabilität der Kanzlei. Der problematische Anreiz zur Maximierung der eingebrach-

[2] Krämer, Andreas: Mehr Bewegung bei den Anwaltshonoraren, Anwaltsrevue, Heft 1/2005, S. 10.

ten Zeit (aus Sicht der Mandanten) führt auch zu einer Umsatzmaximierung für die Kanzlei. Schliesslich übernimmt der Anwalt kein Ergebnisrisiko. Dies wird in Abb. 1 deutlich. Die Kanzlei stellt einen Stundensatz von EUR 100 in Rechnung. Bei 110 abrechenbaren Stunden errechnet sich ein Umsatz von EUR 11 000, und so ist der Jahreszielumsatz von EUR 132 000 gewährleistet. Damit werden aber gleichzeitig immanente Systemschwächen des Zeithonorars offenkundig. Realisiert der Anwalt Effizienzgewinne, zum Beispiel durch Standardisierung und/ oder Spezialisierung auf bestimmte Beratungsfelder, wirkt dies kontraproduktiv, weil diese Einsparungen bei Weitergabe an den Mandanten kurzfristig einen geringeren Beratungsumsatz bedeuten. Im Gegensatz dazu wirken Ineffizienz und «Übererfüllung» der Beratungsleistung umsatzsteigernd.

- Das Zeithonorar bzw. «der Stundensatz» eines Anwaltes ist gleichzeitig die Masseinheit, in der der Marktwert des Anwaltes gemessen wird. Die Einfachheit des Zeithonorars überträgt sich, erst einmal unabhängig von der Qualität der Leistung, als Kriterium auf die Bewertung der Leistungsfähigkeit des jeweiligen Anwaltes. Das Rechtsberatungsgeschäft ist und bleibt ein *people business*.

Die Problematik des Honorarmodells «Abrechnung nach zeitlichem Aufwand» ist nicht anwaltsspezifisch, sondern gilt grundsätzlich im Beratungsgeschäft.[3] Es besteht eine Informationsasymmetrie, denn der Mandant kann nicht einschätzen, ob der Leistungsstand der Beratung eher zu 30% oder zu 80% erreicht wurde. Transparent ist im besten Fall, wie viele Stunden angefallen sind und welches Honorar sich errechnet. 6

2.2 Zeithonorar mit variabler Komponente

Eine Möglichkeit, diesen problematischen Anreizwirkungen entgegenzutreten, kann in der Bildung eines gestuften Zeithonorars bestehen. Hier handelt es sich in der Wirkung um ein ähnliches Verfahren wie ein Mengenrabatt. In unserem Beispiel wird zu einer Zielmarke von 70 Stunden im Monat ein Stundensatz von 120 EUR gezahlt, darüber hinaus jedoch nur noch 60 EUR (Abb. 1, Fall 2). Auch hier ist der Anreiz zur Übererfüllung an Stunden gegenüber einem linearen Stundensatz reduziert. Für die ersten eingebrachten 70 Stunden erzielt die Kanzlei 8400 EUR Honorarvolumen, für die folgenden 40 Stunden bis zur Kapazitätsgrenze von 110 Stunden nur 2400 EUR. 7

Grundsätzlich beinhaltet dieses Honorarmodell den Anreiz, dass der Anwalt seine eingebrachten Stunden begrenzt, wenn er die Zielgrösse «Mittlerer Stundensatz» vor Augen hat. Die Abrechnungspraxis in Deutschland wendet solche Zwei-Block-Tarife oder das degressiv-fallende Stunden-Honorar bislang allerdings kaum an. Eigene Erfahrungen mit der Verhandlung solcher – vom Ansatz her intelligenter Abrechnungsformen – zei- 8

[3] Krämer, Andreas: Honorarstrukturen für Unternehmensberater, in: Niedereichholz, C. et. al.: Handbuch der Unternehmensberatung, Berlin 2011, Abschnitt 7535; S. 10 ff.

gen, dass die Mandanten hier skeptisch bis ablehnend reagieren. Gegen entsprechende Vergütungsmodelle könnte aus Sicht des Mandanten sprechen, dass (1) der Mandant befürchtet, hinter den gestaffelten Tarifen verstecke sich ein «Trick», (2) der Mandant nicht verstehen kann oder will, dass der Anwalt auf das «ihm zustehende» Normalhonorar freiwillig verzichtet oder (3) der Mandant durch den für ihn preisgünstigen Tarif abgeschreckt wird (er vermutet dahinter eventuell eine zu geringe Nachfrage der Leistungen dieses Anwaltes, diese wiederum ausgelöst durch eine schlechte oder zu schwache Leistung).

2.3 Festhonorare und Honorar-Obergrenzen

9 Der Begriff Festvergütung, ebenso wie Pauschalabrechnung (oder im Englischen *fixed fee* bzw. *flat fee*) umfasst einen vor der Mandatsübernahme festgelegten Preis für eine definierte Leistung. Im modernen Wirtschaftsleben sind Pauschalangebote weit verbreitet: Von der Jahreskarte für das örtliche Schwimmbad bis hin zur Monatszeitkarte für Transportmittel des öffentlichen Verkehrs. Gemein ist diesen Beispielen, dass der Verbraucher einen Festbetrag bezahlt und dann eine Dienstleistung uneingeschränkt nutzen kann.

10 Die Erfahrungen aus Nordamerika zeigen: Von den unterschiedlichen als Alternative zum Stundenhonorar infrage kommenden Honorarmodellen hat das Pauschalhonorar die höchste Akzeptanz im Markt für anwaltliche Beratungsleistungen. Auch der Blick zu nahe liegenden Beratungsprofessionen ergibt ein ähnliches Bild.

11 Genau so, wie das Stundenhonorar nicht das Non plus ultra sein kann, verfügt allerdings das Pauschalhonorar ebenso über Stärken und Schwächen, die es genauer unter die Lupe zu nehmen gilt. Ein tiefgreifendes Verständnis dieser Besonderheiten ist erforderlich, um eventuelle Trugschlüsse auf anwaltlicher Seite zu verhindern.

12 Abb. 1 Fall 3 zeigt die Funktionsweise. Aus Gründen der Vergleichbarkeit wird bei diesem Honorarmodell wie beim Stundenhonorar ein Gesamthonorarvolumen von 11 000 EUR im Monat unterstellt. Wie unser Beispiel zeigt, erzielt die Kanzlei einen Stundensatz von deutlich über 200 EUR pro Stunde, wenn es gelingt, das Mandat mit einem Umfang von weniger als 50 Stunden zu bearbeiten, bei einem Einsatz von 110 Stunden errechnet sich ein Stundensatz von 100 EUR, bei mehr als 110 Stunden fällt der Stundensatz. Wie leicht nachzurechnen ist, trägt der Anwalt das Risiko, wenn mehr Ressourcen beansprucht werden als ursprünglich geplant war. Wichtig ist, dass ein Komplettpreis fixiert wird, zu dem sich die Kanzlei zur Erbringung der geforderten Leistung verpflichtet. Die Honorarbestimmung ist im Gegensatz zum Stundenhonorar wertbasiert. («The fee is determined not by the time spent, but by the value of the service to the client»).

Es wird also ein Service-Paket für den Mandanten geschnürt. Folgende Konsequenzen ergeben sich daraus für den Anwalt[4]:

- Das Pricing des Leistungspaketes erfordert nicht nur die exakte Bestimmung der Vollkosten je Stunde, sondern es sind auch Erfahrungs- und/oder Schätzwerte hinsichtlich des erwarteten zeitlichen Inputs notwendig. Erfolgt diese Kalkulation ungenau, kann die Beratungsdienstleistung leicht zum Verlustgeschäft werden, weil nachträgliche Honorarforderungen kaum zu realisieren sind. In der Praxis ist das häufiger der Fall, wenn nicht geplante Aktivitäten erforderlich werden, ohne dass eine klare Leistungsbeschreibung vorliegt bzw. kein klares Verständnis über die Abrechnung von Zusatzleistungen (ausserhalb des Leistungspaktes) besteht.
- Das System stiftet (im Gegensatz zum Zeithonorar) einen Anreiz, die Beratung möglichst effizient zu gestalten. Wenn der Umsatz eines Projektes bekannt ist, gilt es unter dem Gesichtspunkt der Gewinnmaximierung, die Kosten zu senken. Allerdings nicht, ohne die erwartete hohe Qualität der Leistung zu gewährleisten (eine eindeutige Leistungsbeschreibung ist erforderlich, um ein *underperforming* des Anwalts zu verhindern.). Diese Form der Honorargestaltung bietet sich insbesondere dann an, wenn die Beratungsleistungen überschaubar und zusätzlich leicht standardisierbar sind. Es liegt auf der Hand, dass Spezialisten und erfahrene Berater Preis(gestaltungs-)vorteile gegenüber anderen Anwälten haben.
- Um dem Mandanten die Chance zu geben, über eine eventuelle Budgetüberschreitung frühzeitig informiert zu werden und intern Transparenz über die Arbeitsproduktivität in der Kanzlei zu haben, ist auch hier die Erfassung der eingebrachten Zeit zu empfehlen. Dabei wird deutlich: Die Nutzung von Pauschalhonoraren entbindet nicht von der Notwendigkeit, die «ungeliebte» Zeiterfassung durchzuführen bzw. die aufgewendete Zeit für das Mandat zu dokumentieren.
- Falls die absolute Höhe des Honorars für den Mandanten ein entscheidendes Kriterium der Kanzleiwahl darstellt, können hier Wettbewerbsvorteile gegenüber anderen Kanzleien mit abweichenden Honorarsystemen generiert werden. Prominentes Beispiel ist etwa die Vereinbarung zwischen der US-Kanzlei Orrick Herrington & Sutcliffe und Levi Strauss. Die Kanzlei deckt nahezu den gesamten weltweiten Rechtsberatungsbedarf des Bekleidungsunternehmens ab – für einen festen Jahresbetrag.

Das Festhonorar hat das Potenzial für eine echte Win-win-Wirkung, weil es dem Mandanten Transparenz und Sicherheit in Bezug auf den zu zahlenden Preis gibt und für den Anwalt die Chance besteht, durch eine effiziente Bearbeitung des Beratungspro- 13

[4] Vgl. dazu insbesondere Reed, Richard: The Fixed Fee: The Favorite Alternative Billing Method, Law Practice Management, Vol. 22 (1996), May/June, S. 22–27.

jektes tatsächlich einen höheren Stundensatz zu erzielen, als dies bei einem Zeithonorar der Fall wäre. Unterschätzt der Anwalt seinen erforderlichen Arbeitseinsatz, wird aus diesem potenziellen Nutzen ein Nachteil.

14 Um eine spezielle Form des Festhonorars handelt es sich beim sogenannten *retainer*. Dem Mandanten wird dabei pro Zeiteinheit (z.B. Monat) ein festgelegtes Honorar (z.B. 2000 EUR) berechnet. Dafür kann der Mandant die Kanzlei um einen Rechtsrat fragen, solange die Beratung eine bestimmte Dauer (z.B. 10 Std.) nicht überschreitet. Diese Preisbestimmungsmethode ermöglicht eine verbesserte Geschäftsbeziehung zu den Klienten. Voraussetzung für einen störungsfreien Ablauf ist aber auf jeden Fall eine detaillierte schriftliche Fixierung, welche Beratungsleistungen im Vertrag enthalten sind, damit es nicht zu unnötigen Diskussionen kommt. Die Vorteile dieser Methode bestehen in der Festlegung eines Mindestumsatzes (Verringerung von Liquiditätsschwankungen) sowie in einer möglicherweise engeren Mandantenbindung für die Kanzlei.

15 Eine andere, verstärkte Variante eines reduzierten Stundensatzes ist die Kappung der Stundenzahl bzw. die Vereinbarung eines Höchstbetrages für die Beratung (im Englischen *cap*). Die Kappungsgrenze ist ein in der Praxis gängiges Modell, insbesondere bei von der Arbeitszeit für den Mandanten unübersichtlichen Fällen, wie der Erstellung eines grösseren Rechtsgutachtens. Für den Mandanten bedeutet dies, dass ein bestimmtes Gesamtbudget nicht überschritten wird (=Planungssicherheit nach «oben»), verknüpft mit der Chance, dass die Beratungskosten auch niedriger als angenommen ausfallen können.

16 Die Kombination aus Stundensatz und Kappungsgrenze ist für den Mandanten vorteilhaft (im Vergleich zum reinen Zeithonorar), für den Anwalt hingegen mit Risiken verbunden (zumindest im Vergleich zu einem Festhonorar wie oben beschrieben). Denn das Risiko der unentgeltlichen Mehrarbeit trägt allein der Anwalt, Effizienzvorteile durch schnelle Bearbeitung des Mandates werden «an den Kunden weitergegeben». Die Effekte sind in Abb.1 als Fall 4 beschrieben.

17 Bei der Diskussion von Pauschalhonoraren sollte auf eine Spezialform der Pauschalvergütung aufmerksam gemacht werden, die insbesondere in den USA durch die American Bar Association stark unterstützt wird, das sogenannte *uniform-task-based billing* – die Abrechnung nach genau festgelegten «Arbeitspaketen». In unserem Beispiel wird von 4 Arbeitspaketen ausgegangen, denen jeweils eine exakte Stundenzahl zugeordnet wird (Abb.1, Fall 5). Es handelt sich also um nichts anderes als ein weiter unterteiltes Pauschalhonorar. Dies kann dann helfen, wenn auf beiden Seiten Unsicherheit über den tatsächlich zu erwartenden Arbeitsanfall besteht. Verrechnet sich der Anwalt zu seinen Ungunsten im Paket 1, kann dies durch eine besonders leichte Abwicklung im Paket 2 überkompensiert werden. Letztendlich wird die Streuung des Risikos eingegrenzt, im Positiven wie im Negativen. Auch wenn die Berechnungsgrundlagen stundenbasiert sind, werden dem Mandanten Honorare für Pakete in Rechnung gestellt.

2.4 Erfolgskomponenten in der Honorarvereinbarung

18 Bei Erfolgshonoraren handelt es sich um ein in der deutschen Anwaltschaft besonders heiss diskutiertes Thema. Erfolgshonorare sowie die Beteiligung am Erfolg der anwaltlichen Bemühungen waren in Deutschland gemäss § 49 b II BRAO grundsätzlich und ausdrücklich verboten. Seit Inkrafttreten des Gesetzes zur Neuregelung des Verbots der Vereinbarung von Erfolgshonoraren vom 1. Juli 2008 (BGBl. 2008, I, S. 1000) dürfen Rechtsanwältinnen und Rechtsanwälte mit ihren Mandanten in bestimmten Ausnahmefällen eine erfolgsabhängige Vergütung vereinbaren. Dies ist dann zulässig, wenn der Mandant aus wirtschaftlichen Gründen auf eine Erfolgsvereinbarung angewiesen ist, weil er andernfalls seinen Anspruch nicht durchsetzen könnte. Insgesamt ist zu konstatieren, dass die (deutschen) Anwälte Erfolgshonoraren überwiegend negativ gegenüberstehen.

19 Bei einem reinen Erfolgshonorar erhält der Anwalt einen bestimmten, vorher festgelegten Betrag oder aber einen bestimmten Prozentsatz des Gewinns, den der Mandant aus der Beratung zieht. Für den Anwalt bedeutet das im Extremfall ein «Alles-oder-Nichts-Spiel». Erfolgshonorare sind in verschiedenen Spielarten denkbar:

- Ein erstes Differenzierungskriterium ist, ob der Rechtsanwalt im Misserfolgsfall keine Vergütung erhalten soll *(no win, no fee)* oder ob er in jedem Fall eine Vergütung erhalten soll, diese aber nach dem Erfolg seiner Bemühungen differenziert ist *(no win, less fee).*
- Zweites Differenzierungskriterium ist, aus welcher Berechnungsgrundlage sich das Erfolgshonorar ergeben soll. Dies steht im Ermessen der Beteiligten: Es kann sich um ein erfolgsdifferenzierendes oder erfolgsabhängiges Pauschal-, Zeit- oder Tarifhonorar handeln.
- Der Rechtsanwalt kann schliesslich entscheiden, ob er das für ein vergleichbares Mandat gewöhnlich beanspruchte Honorar angesichts des Risikos, ohne Bezahlung zu bleiben, erhöht oder nicht: Beansprucht er z.B. im Erfolgsfall nur die in einem Tarifgesetz vorgesehenen Gebühren oder lässt er sich wegen des übernommenen Risikos diese «gewöhnliche» Vergütung durch eine pauschale Erfolgsprämie, eine Abrechnung aus einem höheren Streitwert oder eine Erhöhung der gesetzlichen Gebühren aufstocken.
- Eine besondere Variante des Erfolgshonorars ist schliesslich der als quota litis bezeichnete Streitanteil, bei dem der Rechtsanwalt einen bestimmten prozentualen Anteil am Erstrittenen erhält. Diese insbesondere in den USA gebräuchliche Art des Erfolgshonorars unterscheidet von den sonstigen Modellen, dass vom Erfolg der anwaltlichen Tätigkeit nicht nur abhängt, ob der Rechtsanwalt überhaupt eine Vergütung erhält, sondern auch, wie viel er erhält («je erfolgreicher, desto mehr»). Die quota litis ist daher gleichsam eine qualifizierte Form des Er-

folgshonorars. Aufgrund der doppelten Erfolgsabhängigkeit der Vergütung ist die quota litis besonders umstritten und in vielen Rechtsordnungen verboten, während «einfache» Erfolgshonorare fast überall zulässig sind und Deutschland mit seinem nahezu umfassenden Verbot weltweit ein vergütungsrechtlicher Aussenseiter ist.

20 Als Preisbestimmungsmethode hat das ergebnisorientierte Vorgehen Vorteile, da eine einfache Bestimmung des Honorars möglich ist. In amerikanischen Kanzleien, die sich der eigenen Qualität und der Nutzenstiftung sicher sind, findet sie ebenso Akzeptanz, wie in den Fällen, in denen aufgrund von Liquiditätsproblemen die Mandanten nur so in der Lage sind, sich einen Anwalt zu leisten. In diesem Zusammenhang sind vier Grundvoraussetzungen für den effizienten Einsatz von Erfolgshonoraren zu nennen. Dazu gehören (1) die objektive Messbarkeit der Zielerreichung, (2) die Verhinderung von Zielkonflikten, (3) die Zielerreichung im Einflussbereich des Anwalts und (4) die Abgrenzbarkeit des vom Anwalt geleisteten Beitrags von externen Einflüssen[5]. Aus diesen Anforderungen ergibt sich, dass Erfolgshonorare als Pricing-Methode Unsicherheiten mit sich bringen und Benachteiligungspotenziale beinhalten können, wenn sie nicht in ihrer Wirkungsweise verstanden und sachgerecht vereinbart werden.

21 Die Wirkungsweise eines Erfolgshonorars ist aus Abb. 1 Fall 6 ersichtlich. Aus Gründen der Veranschaulichung wird von einem Basishonorar in Höhe von 8000 EUR ausgegangen, welches im Erfolgsfalle um nochmals 8000 EUR auf dann 16 000 EUR erhöht wird (beim reinen Erfolgshonorar fällt entweder ein Honorar für den Anwalt an oder nicht). Wie auch im Rahmen des reinen Erfolgshonorars ergibt sich eine erhebliche Varianz bei den erreichbaren Stundensätzen, einerseits durch die Unsicherheit der erforderlichen Stunden begründet, anderseits durch die Zahlung der Boni. Ein erheblicher Teil des Risikos verbleibt – wie leicht zu erkennen ist – beim Anwalt. Dies ist auch der Grund dafür, dass im Rahmen von Erfolgshonoraren meist erhebliche Zahlungen im Erfolgsfall fliessen.

22 Auch die Kombination einer Erfolgskomponente mit einem Zeithonorar ist in unterschiedlichen Ausprägungen denkbar. In Abb. 1 Fall 7 wird ein Modell aufgezeigt, bei dem ein vergleichsweise geringer Stundensatz von 80 EUR bis 100 EUR berechnet wird, darüber hinaus zusätzlich zum Zeithonorar 10 000 EUR im Falle des Erfolges.

2.5 Besondere Mischformen der Honorarmodelle

23 Abschliessend soll auf eine besondere Mischform des Honorarmodells aus *retainer* (Fester Vorschuss) und reduziertem Zeithonorar hingewiesen werden: Denkbar ist beispielsweise ein Vertrag, bei dem eine Kanzlei sich gegen Zahlung von 5000 EUR bereit erklärt,

5 Ausführlich zu den hieraus resultierenden Problemen Kilian, Matthias, Der Erfolg und die Vergütung des Rechtsanwalts, Bonn 2003, S. 425 ff.

einen Mandanten zu beraten, wobei die einzelnen anfallenden Stunden mit einem relativ niedrigen Stundensatz berechnet werden (Abb.1, Fall 8 «Basishonorar + reduz. Zeithonorar»).

Für die Anwaltskanzlei besteht dabei der Vorteil, dass sich Liquiditätsschwankungen ausgleichen lassen. Schliesslich fällt die Zahlung der «Grundgebühr» unabhängig davon an, ob eine Leistung erbracht wird oder nicht. Es ist leicht ersichtlich, dass diese Vorgehensweise besonders hohe Anforderungen an die Vertragsgestaltung zwischen Anwalt und Mandant stellt[6]. In anderen Wirtschaftsbereichen sind Systeme, die eine fixe und variable Komponente verbinden, recht häufig anzutreffen. Als Beispiel seien nur Mietwagen (Tagesmietpreis plus Preis je gefahrene km) oder Telefonnutzung (Grundgebühr plus Gebühr je Einheit) genannt. Im o.g. Beispiel entspricht das Honorar bei 110 abgerechneten Stunden exakt dem Betrag, der für das feste Honorar kalkuliert wurde (Abb.1, Fall 3). Für den Anwalt besteht dann der Anreiz, weniger als 110 Stunden einzusetzen, wenn bei anderen Mandaten Stundensätze über 60 EUR erzielbar sind. Ist dies nicht der Fall – ist die Kanzlei also insgesamt stark unterausgelastet – greifen diese Anreizmechanismen nicht. Rein rational erwirtschaftet die Kanzlei dann den höchsten Umsatz, wenn möglichst viele Stunden (auch bei einem Stundensatz von 60 EUR) abgerechnet werden. Nur eine Abwandlung von dieser Honorarform stellt die Variante RVG-Vergütung plus einem moderaten Stundensatz dar, die ebenfalls möglich und natürlich auch zulässig ist. 24

3. Voraussetzungen und Konsequenzen einer differenzierten Honorargestaltung

Seit der Freigabe der aussergerichtlichen Beratung ab dem 1.7.2006 durch den neuen § 34 RVG muss sich in Deutschland jeder Anwalt mit den Fragen beschäftigen, welche Honorarmodelle und welche Honorarhöhen sinnvoll sind. Dies zwingt den Anwalt faktisch dazu, mit dem Mandanten eine Vergütungsvereinbarung zu treffen. Die Entwicklung ist klar: Anwälte sollen zunehmend auf Honorarbasis abrechnen, müssen aber damit rechnen, dass Mandanten preissensibel sind und möglicherweise das Honorar verhandeln möchten oder mindestens Planungssicherheit der Ausgaben für die Rechtsberatung erwarten. Daraus ergeben sich Anforderungen an eine veränderte Kommunikation der Honorarmodelle und -höhen durch den Anwalt und zwar während des gesamten Beratungsprozesses (vor dem Kontakt, beim Erstkontakt bis hin zum Abschluss der Beratung). 25

6 Fällt der Stundensatz zu niedrig und die Basisgebühr zu hoch aus, besteht für den Mandanten ein zu grosser Anreiz, die Kanzlei auch in belanglosen Fragen zu kontaktieren, deren Lösung im Normalfall als zu aufwendig gesehen würde. Auf der anderen Seite hat der Mandant wenig Nutzen, wenn sowohl die Basisgebühr als auch der Stundensatz zu hoch ausfallen.

26 Ein weiterer wichtiger Trend hat einen wesentlichen Einfluss auf die anwaltlichen Honorarmodelle – der zunehmende Grad der Spezialisierung. In Deutschland lässt sich diese Entwicklung prägnant anhand der Fachanwalts-Zahlen aufzeigen. Eine Fortschreibung der Entwicklung der Fachanwalts-Zahlen der letzten zehn Jahre lässt erwarten, dass der Anteil der Rechtsanwälte mit Fachanwaltstitel bis 2020 auf ca. 40 bis 45% ansteigen wird (1980 waren dies noch 5%).

27 Neben den externen Veränderungen sind interne Aspekte zu berücksichtigen, um die richtigen Honorarentscheidungen zu treffen: Erst nach der Entscheidung für eine gewisse Basisstrategie (Wie wollen wir uns von anderen Kanzleien abheben? Worin liegen unsere Stärken und Schwächen? Welche Marktsegmente wollen wir bedienen? Wer sind unsere Zielkunden? Wo [räumlich] wollen wir unsere Beratungsleistung anbieten? Wie treten wir in der Aussendarstellung auf?) etc. sind Preisentscheidungen zu treffen. Wie erkennbar ist, ergeben sich theoretisch Dutzende mögliche Modelle, wobei zunächst drei Eckpunkte ins Auge zu fassen sind: (1) Die Orientierung an den eigenen Kosten. Um den Kanzleibetrieb überhaupt am Laufen zu erhalten, sind die variablen Kosten zu decken. Ist dies nicht gewährleistet, geht kein Weg an der Illiquidität der Kanzlei vorbei. (2) Die Orientierung am Wettbewerb. Bei rationaler Entscheidungsfindung geht die Ökonomische Theorie davon aus, dass Kunden den Nutzen unterschiedlicher Anbieter mit dem jeweiligen Preis in Verbindung bringen und sich für die Kanzlei entscheiden, die den grössten Nutzen pro Geldeinheit versprechen. (3) Die Orientierung an der Zahlungsbereitschaft der Mandanten. In der Regel bietet die Leistung des Anwalts den Mandanten einen unterschiedlichen Nutzen. Dies kann der reine Rechtsrat oder aber eine Serviceleistung sein.

28 Die unterschiedenen Honorarmodelle wirken differenziert im Hinblick auf Zieldimensionen der Kanzlei, sei es die Liquiditätslage, die Umsatzmaximierung, die Zufriedenheit der Dauer-Mandanten oder auch die Neuakquise von Mandanten und deren Bindung (um nur einige Ziele zu nennen). Je nach Gewichtung dieser Ziele ist das ein oder andere Honorarmodell vorzuziehen. Dabei sind zwei Perspektiven zu verbinden: (a) Was sind die Erwartungen des Mandanten in Hinblick auf das Honorar bzw. auf die Honorarmodelle und (b) welche Honorarmodelle möchte die Kanzlei tatsächlich anbieten und welche explizit nicht?

29 Die vorangegangen Überlegungen zeigen, dass es sich beim «leidigen» Thema Honorar um einen wirtschaftlich entscheidenden Faktor für die Kanzlei handelt. In der Tat ist es möglich, sich dieser Thematik strukturiert und strategisch zu nähern und die wichtigsten unternehmerischen Entscheidungen nicht nur auf Bauchgefühl zu fundieren. Voraussetzungen dafür sind jedoch Informationen hinsichtlich der Kostenstruktur und der Effizienz der Arbeitszeit in der Kanzlei, Informationen über die Wettbewerber im gleichen Marktsegment sowie hinsichtlich der realen Bedürfnisse der Mandanten gemäss dem Ausspruch: «Strategy without numbers is like flying without instruments».

In diesem Beitrag sind unterschiedliche Honorarsysteme vergleichend dargestellt worden. In der Praxis ist es möglich, mehrere Honorarsysteme nebeneinander anzubieten. Entscheidend ist, dass sich Anwälte pro-aktiv mit diesen auseinandersetzen und sie mit Blick auf Win-win-Chancen (für die Kanzlei und Mandanten) bewerten. 30

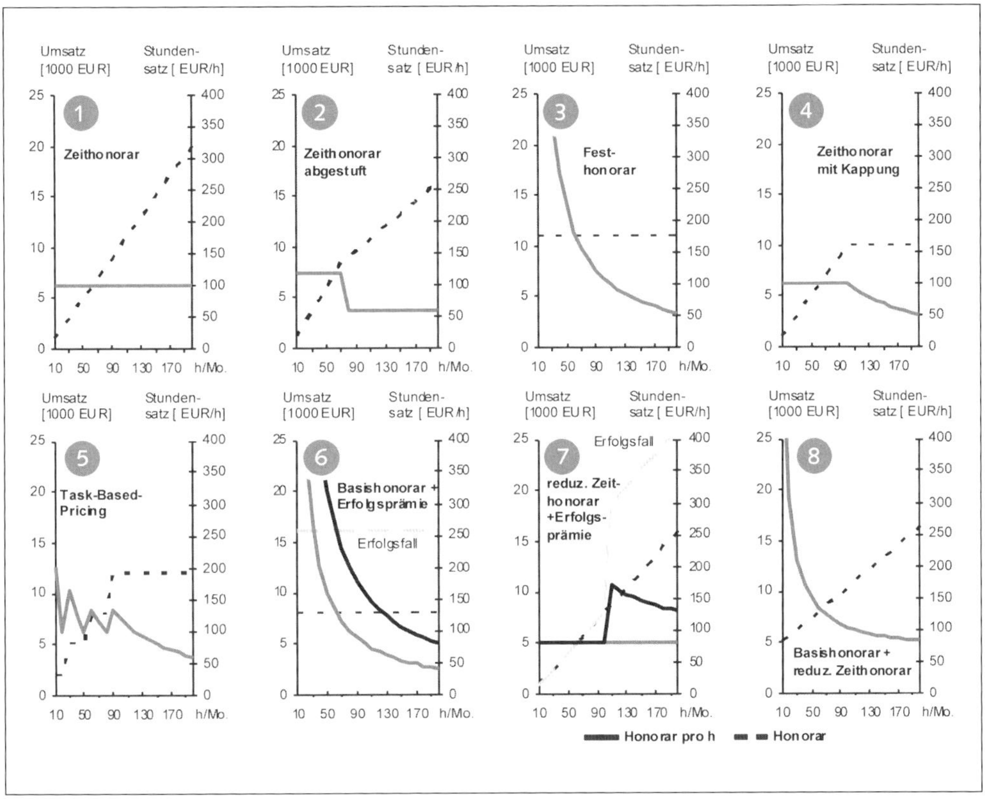

Abbildung 1: Unterschiedliche Honorarmodelle im Vergleich

F. Gewinnverteilung unter Berücksichtigung des *Managed Lockstep*

Markus Hartung

1. Einleitung

1 Beim Geld hört der Spass bekanntlich auf. In Kanzleien wird das besonders deutlich, wenn es um die Gewinnverteilung geht. Gewinnverteilungssysteme sind für sich gesehen ein kleines Geheimnis: Genaue Untersuchungen darüber, welche Verteilungssysteme von welchen Kanzleien verwendet werden, gibt es nicht. Empirische Literatur ist rar, allerdings gibt es einige theoretische Abhandlungen.[1] Man weiss ungefähr noch, welche Kanzleien ihre Gewinne nach *lockstep* verteilen und welche eher einem *merit-based system* zuneigen, aber genaue Informationen sind selten. Das ist ungewöhnlich und schwer zu erklären, denn Kanzleien sind deutlich weniger zurückhaltend, wenn es um ihre Visionen und strategische Ziele geht; solche Informationen findet man auf der Homepage von Kanzleien. Auch bei der Bekanntgabe ihrer wirtschaftlichen Erfolge, gemessen an durchschnittlichen finanziellen Kennzahlen – Umsatz pro Anwalt, *profit per partner* (abgekürzt: PEP) – sind sie informationsbereit. Wenn es aber darum geht, wie der finanzielle Erfolg der strategischen Ausrichtung verteilt wird, hüllen Kanzleien sich lieber in Schweigen. Von daher kann man es nicht hoch genug einschätzen, wenn in den beiden folgenden Kapiteln eingehende Informationen aus der Sicht von Praktikern zu solchen Systemen gegeben werden. Diese Einführung befasst sich kurz mit dem strategischen Zusammenhang, in dem man Gewinnverteilungssysteme betrachten muss.

2. Gewinnverteilung und strategische Ausrichtung

2 Gewinnverteilung und strategische Ausrichtung gehören untrennbar zusammen. Man kann nicht isoliert über funktionierende Gewinnverteilungsmodelle in Kanzleien sprechen, ohne einen Blick auf die strategische Ausrichtung zu werfen. Sinn der strategischen Ausrichtung ist es, den gemeinsamen Willen aller Partner zur Zielerreichung zu definieren und umzusetzen. Gewinnverteilungssysteme haben das Ziel, das Ergebnis

[1] Einen sehr guten Überblick über Gewinnverteilungs- oder Vergütungssysteme findet man bei Seisler, H.: Vergütungssysteme in Partnerschaften, in: Schieblon, C. (Hrsg.), Kanzleimanagement in der Praxis, Wiesbaden 2011, S. 75–89, mit einem umfangreichen Literaturnachweis ebda., S. 12; Gilson, R./Mnookin, R.: Sharing among the Human Capitalists: An Economic Inquiry Into the Corporate Law Firm and How Partners split Profits, in: 37 Stan. L. Rev. 313 (1985); Schulze-Borges, F.: Performance in Professional Service Firms, Wiesbaden 2011, passim; Schulze-Borges befasst sich mit Performancemessung in Professional Service Firms, ohne auf Gewinnverteilungssysteme im Einzelnen einzugehen.

der gemeinsamen Arbeit möglichst gerecht unter den Partnern zu verteilen. Letzteres ist nur dann erfolgreich möglich, wenn der Beitrag der Partner zum Erfolg der Kanzlei im Rahmen der strategischen Ausrichtung stattgefunden hat. Dreh- und Angelpunkt bei der strategischen Ausrichtung einerseits und der Gewinnverteilung andererseits ist die Definition des für die strategische Zielerreichung erforderlichen Beitrags und dessen Honorierung.

Strategiekrisen in Kanzleien beginnen häufig als Auseinandersetzungen über das Gewinnverteilungssystem – ausgelöst dadurch, dass einzelne Partner unzufrieden sind mit dem System, weil sie meinen, dass ihr Beitrag unzureichend honoriert wird. Tatsächlich sind sie dann aber mit der gesamten Ausrichtung der Kanzlei unzufrieden: Denn sie sehen sich umgeben von Partnern, deren Beitrag oder Performance nicht an das heranreicht, das man selber generiert, die aber gleichwohl ähnlich vergütet werden. 3

Man unterscheidet in Wirtschaftskanzleien grundsätzlich zwei Systeme, oder eher Typisierungen der Gewinnverteilung: 4

- *Lockstep* – zu deutsch: Gleichschritt – die Höhe des persönlichen Gewinnanteils hängt nur davon ab, wie lange man schon Partner ist,[2] sowie
- *Merit-based systems* (auch *eat what you kill* genannt) – die Höhe des persönlichen Gewinnanteils hängt davon ab, wie erfolgreich man akquiriert und Mandate bearbeitet.

Diese beiden Grundsysteme gibt es in den verschiedensten Varianten, auch in Kombinationen. Wenn man die «richtige» Art der Gewinnverteilung für eine Kanzlei finden will, muss man sich zunächst mit Vision und strategischen Zielen befassen. 5

3. Wann eignet sich welches System?

Grundsätzlich gilt: Wenn eine Kanzlei als Ziel hat, dass Partner möglichst in Teams[3] für bestimmte Mandanten arbeiten sollen – umfassend als *full service* oder spezialisiert auf bestimmte Bereiche –, oder wenn die Kanzlei eine Reihe von institutionalisierten Mandatsbeziehungen auf- und ausbauen will, oder wenn es zur Strategie gehört, neue Geschäftsfelder zu erschliessen, dann empfiehlt sich eher ein *Lockstep*-System. In solchen Kanzleien kommt es für die Erreichung strategischer Ziele viel eher darauf an, dass Partner gemeinschaftlich im Team arbeiten, nur mit Blick auf die Bedürfnisse des Mandanten, mit der Folge, dass die individuelle Performance einzelner Partner sehr viel näher 6

[2] *Lockstep* meint in seiner eigentlichen Bedeutung des Wortes: *A way of marching with each person as close as possible to the one in front.*

[3] Der Begriff Team wird hier verstanden als Gruppe von Berufsträgern, deren Zusammensetzung einzig dem Ziel folgt, einem Mandanten die bestmögliche Mannschaft für ein bestimmtes Projekt zur Verfügung zu stellen.

beieinander liegt. Das Ziel besteht darin, möglichst flexibel für die wichtigen Mandanten der Kanzlei zu arbeiten, ohne dass Partner sich Gedanken über ihren individuellen Anteil und dessen Honorierung machen müssen. In der Regel spielt die individuelle Akquisefähigkeit von Partnern eine geringere Rolle, weil es viel eher darum geht, gemeinsam schwierigste Mandate für global agierende Mandanten zu bearbeiten. Deshalb findet man bei den globalen marktführenden Kanzleien eher ein *Lockstep*-System. [4]

7 Wenn eine Kanzlei hingegen z.B. viele Büros mit einer breiten Marktaufstellung hat und bestrebt ist, für möglichst viele Mandanten und mit weiter Marktabdeckung zu arbeiten, empfiehlt sich eher ein System, das die individuellen Akquisefähigkeiten berücksichtigt. In solchen Kanzleien arbeitet ein Anwalt häufig für «seine» Mandanten. Auch wenn er auf die Hilfe anderer Partner oder Mitarbeiter zurückgreift, ist er doch hauptsächlich alleine und eigenverantwortlich für «seine» Mandanten zuständig. Dann ist es aber auch angemessen, dass er entsprechend seiner eigenen Performance vergütet wird, und es wäre nicht fair, wenn er unter der schwächeren Performance anderer Partner leiden oder von der stärkeren Performance seiner Kollegen profitieren würde.

8 In einer *UK-Magic Circle Firm* ist die *Lockstep*-Philosophie einmal wie folgt formuliert und begründet worden:

9 «As a firm, we regard collegiality as a vital factor in our success. We are therefore committed to maintaining the lockstep as a crucial element of our collegiate culture. Collegiality requires that individual partners must feel bound into the business, and we must therefore ensure that in both of their roles – as managers of our business, and as owners of the firm – partners feel enfranchised, and able to participate effectively and efficiently in all strategic decisions. Collegiality also dictates that, in the same way as partners expect to receive a fair reward and to be treated fairly by the firm, the firm and perhaps collectively is entitled to expect a fair overall contribution from every partner as part of a team. There cannot be too wide a disparity of overall contribution and take. (…)»

10 **«Essentially, lockstep is a bet that the benefit we derive from removing barriers to teamwork and cooperation across practices and offices – in enabling us to do target work for target clients more effectively, in encouraging the development of broad institutional relationships and in minimising internal competition – will over time be more effective than incentivising particular individual behaviours with financial rewards under some alternative system.»** *(Hervorhebung durch den Verfasser)*

11 Das zeigt die Bedeutung des *lockstep* (in allen grossen englischen Kanzleien, die dieses System haben): Es ist Ausdruck des kollegialen partnerschaftlichen Verhältnisses der

[4] Ähnlich Seisler,(s.o., Fn. 1); derzeit diskutieren einige global agierende Kanzleien Änderungen ihres *Lockstep*-Systems, weil es in einzelnen Märkten oder Jurisdiktionen funktioniert, nicht aber als einheitliches System in völlig unterschiedlichen Märkten.

Partner zueinander und geht davon aus, dass eine Partnerschaft insgesamt gemeinsam mehr erreicht, als wenn einzelne Stars besonders viel erhalten.

4. Gewinnverteilung und Gerechtigkeitsempfinden

Vermutlich entspricht ein *merit-based system* auf den ersten Blick eher dem Gerechtigkeitsempfinden, weil man nur schwer die Frage beantworten kann, warum jemand am Ende des Jahres mehr entnehmen kann, als er individuell erwirtschaftet hat. *Lockstep*-Systeme stehen daher unter dem Generalverdacht, dass es dort für «schwache Partner» einfacher ist, sich zu verbergen und trotzdem einen unangemessen hohen Gewinnanteil zu bekommen, nur weil sie schon länger in der Kanzlei arbeiten; gelegentlich wird auch behauptet, dass es verdeckte Pensionssysteme sind. Mit dieser Sichtweise verwechselt man *Lockstep*-Systeme aber mit einem Generationenvertrag, etwa wie bei Sozialversicherungssystemen. So verstandene *Lockstep*-Systeme funktionieren nicht auf Dauer, weil starke Partner irgendwann die Kanzlei verlassen werden. 12

5. *Lockstep* oder *Managed Lockstep?*

Es gibt, wie erwähnt, keine eingehende Untersuchung darüber, welche Kanzleien welches Gewinnverteilungssystem haben. Allerdings ist bekannt, dass gerade die grossen internationalen Kanzleien, insbesondere im englischen *magic circle, Lockstep*-Systeme haben. Auch in Deutschland haben gerade die besonders erfolgreichen grossen wirtschaftsberatenden Kanzleien ein solches System. Das hat wiederum mit der strategischen Ausrichtung dieser Kanzleien zu tun und deren Verständnis von Partnerschaft: Vermutlich würden Kanzleien wie Hengeler Mueller oder Gleiss Lutz das oben zitierte Credo des *Magic Circle* ohne weiteres für sich akzeptieren, auch wenn sie ansonsten der Meinung sind, dass sie in ihrer Art der strategischen Ausrichtung und der Kanzleikultur meilenweit von englischen Kanzleien entfernt sind. 13

Tatsächlich funktioniert ein solches System jedoch nur in der Form des sogenannten *managed locksteps.* Mit diesem Begriff wird der enge Zusammenhang zwischen strategischer Ausrichtung einerseits und Gewinnverteilung andererseits beschrieben. Damit ist verbunden, dass die Kanzlei eine sehr fokussierte strategische Ausrichtung hat, Partner auf einen Teil ihrer Unabhängigkeit verzichten und etwa nur für solche Mandanten arbeiten, die im strategischen Fokus der Kanzlei liegen. Das ist aber nicht alles – ein *managed lockstep* geht von dem Grundgedanken aus, dass jeder Partner nachhaltig solches Geschäft bearbeitet, das seine Mitgliedschaft in der Kanzlei und seine jährliche Gewinnentnahme rechtfertigt. Das alleine würde aber den Unterschied zu einem *merit based system* noch nicht erklären. Zur *Lockstep*-Philosophie gehört es, dass Partner dort tätig werden, wo es für die Kanzlei wichtig ist, auch wenn damit unmittelbar erst einmal nur ein Investment verbunden ist, kein unmittelbarer Ertrag. Das mag zum Beispiel 14 in neu zu erschliessenden Bereichen sein, wo die Geschäftsentwicklung längere Zeit in Anspruch nimmt, ohne dass Mandate akquiriert werden. Würde jeder Partner zunächst darauf schauen, was das für seinen persönlichen Gewinnanteil bedeutet, würde sich vermutlich niemand finden, der solche Aufgaben übernimmt. *Lockstep* ist folglich eher ein System, das strategisches Handeln ermöglicht.

15 Andererseits ist *lockstep* ein Instrument, um sicherzustellen, dass Partner für die strategisch wichtigen Mandanten der Kanzlei arbeiten, unter Vernachlässigung eigener strategischer Vorstellungen, die von denen der Kanzlei abweichen. Das geht von der Prämisse aus, dass die gemeinsame Arbeit für strategisch wichtige Mandanten ertragreicher und profitabler ist als die Arbeit, die ein Einzelanwalt für «seine» Mandanten bearbeitet – siehe dazu das o.g. englische Zitat: «Lockstep is a bet».

16 Die weitere Prämisse ist, dass *Lockstep*-Systeme nur einen gewissen Spread in der Performance vertragen: Ein Kanzleibereich, der etwa auf Dauer 15% und mehr unter dem Kanzleischnitt erwirtschaftet, wirft Fragen nach seiner Berechtigung, mindestens nach seiner inneren Organisation auf. Folglich ist jeder Bereich bestrebt, seine Performance so auszurichten, dass man möglichst im Schnitt der Kanzlei erfolgreich ist, oder sogar erfolgreicher. Gelingt das nicht, werden Partner unruhig, und es ist dann Aufgabe des Managements, sich mit diesen Bereichen zu befassen.

17 In einem solchen System spielt Führung und Kontrolle eine wesentliche Rolle. Es bleibt den Partnern nicht ohne Weiteres alleine überlassen, ob, wann und wie sie sich strategisch verhalten, sondern es ist Aufgabe des Kanzleimanagements, für die Umsetzung der Strategie Sorge zu tragen und Partner anzuhalten, sich entsprechend zu verhalten. Daher der Begriff des *managed lockstep*.

18 Die *Managed-lockstep*-Systeme machen es besonders deutlich, wie integral die Gewinnverteilung in der strategischen Ausrichtung ist. Das zeigen eine Reihe von begleitenden Massnahmen und Prozessen:

- Ein wesentlicher Teil der strategischen Ausrichtung ist die Frage, für welche Mandanten man arbeiten will und was man für diese Mandanten tun will; sodann aber auch verbunden mit entschiedener Umsetzung der beschlossenen Massnahmen;
- Die Ausbildung der Mitarbeiter basiert auf einem Curriculum, das als Teil der strategischen Ausrichtung entwickelt worden ist und so gestaltet ist, dass diese Arbeit für die Mandanten auch geleistet werden kann;
- Neue Partner werden nicht ernannt, weil sie exzellente Juristen oder schon so lange dabei sind, sondern auf Grundlage eines Business Case, also weil sie sich in Bereichen bewiesen haben, die im strategischen Fokus der Kanzlei liegen;

- Nach der Partnerernennung finden regelmässige Weiterbildungsmassnahmen statt;
- Partner sind einer regelmässigen Performance Review unterzogen.

6. Gewinnverteilungssysteme als Motivationsinstrument – oder als Strategietreiber

Der enge Zusammenhang zwischen strategischer Ausrichtung und Gewinnverteilung 19
wird auch deutlich, wenn man sich vor Augen führt, dass die Gewinnverteilung nicht nur eine möglichst gerechte Honorierung des Beitrags der Partner im Rahmen der strategischen Ausrichtung sein soll, sondern ihrerseits Mittel ist, um eine bestimmte strategische Ausrichtung weiterzutreiben bzw. Partner zu motivieren, ihre Aktivitäten im Rahmen der beschlossenen Ausrichtung der Kanzlei zu entfalten. Das wird gerade bei *Lockstep*-Systemen deutlich: Wenn die Wette aufgeht – siehe oben: *lockstep is a bet* –, wonach die gemeinsame Mandatsbearbeitung ertragreicher ist als die Addition vieler individueller Bemühungen, dann werden diejenigen Partner, die im Kern des strategischen Fokus arbeiten, erfolgreicher sein als diejenigen, die sich eher individuell um die Akquise und Bearbeitung von Mandaten bemühen, die einen solchen Teamansatz nicht erfordern. Denn im Zweifel ist die Bearbeitung solcher Mandate, die z.B. grenzüberschreitend sind und wo es für betreffenden Kanzleien nur wenige Konkurrenten gibt, deutlich ertragreicher. Dadurch wird ein Druck in der Weise ausgeübt, dass sich jeder Partner eher zu dem profitablen Kerngeschäft hin orientiert, will er sich nicht dem Vorwurf aussetzen, auf Kosten seiner Partner zu leben. Wer das nicht schafft, muss sich über kurz oder lang der Frage stellen, welche Zukunft er in einer solchen Kanzlei hat.

Soweit die Theorie. Ob Gewinnverteilungssysteme überhaupt taugliche Motivations- 20
instrumente sind, Partner also dahin bewegen, das zu tun, was der gemeinsam beschlossenen Strategie entspricht, ist nicht erforscht, sondern Gegenstand von Mutmassungen. Vermutlich wird man schnell Einigkeit dahin erzielen, dass ein Verteilungssystem, das jemandem zu wenig gibt, nicht motiviert, sondern für Konflikte sorgt. Weiterhin gilt, dass ein System dann motiviert, wenn ein Partner das individuelle Empfinden hat, dass seine und die Leistung seiner Partner gerecht erfasst und vergütet werden. Beides muss vorliegen: Ein Partner wird ein System als ungerecht und demotivierend wahrnehmen, wenn zwar seine persönliche Leistung (objektiv) angemessen honoriert wird, seine Partner aber zu gut oder zu schlecht wegkommen. Das auf den ersten Blick «richtige» Ergebnis erscheint dann nicht als Ergebnis eines rationales Prozesses unter Anwendung von für alle geltenden gleichen Kriterien, sondern als ein nur zufällig richtiges Ergebnis. Solche Ergebnisse geben keine klare Botschaft, haben also keinen klaren motivierenden Effekt, sondern führen eher dazu, dass Partner für sich selber entscheiden, was gut ist und was nicht.

21 Fraglich ist weiterhin, welchen Motivierungseffekt ein Verteilungssystem hat, das jemandem zu viel gibt. Dieser Effekt wird hauptsächlich in *Lockstep*-Systemen vorkommen, ist aber auch bei *merit based systems* nicht ausgeschlossen. Wenn wir oben gesagt haben, dass ein *lockstep* den motivierenden Effekt hat, dass sich Partner entlang der beschlossenen Strategie orientieren, so ist das eine blosse Annahme – aber was geschieht, wenn ein Partner den Eindruck hat, den Anforderungen nicht gerecht zu werden und es kein Management gibt, das diesen Umstand mit ihm bespricht und notfalls Konsequenzen ergreift? Ob das Gewinnverteilungssystem dann auch den gewünschten motivierenden Effekt erzielt, oder ob Partner in solchen Situationen nicht eher persönliche Überlebensstrategien entwickeln, ist auch nur Gegenstand von Mutmassungen (in vielen Unternehmen gibt es solche Phänomene, die unter dem Begriff *corporate survivor* diskutiert werden). Diese Überlegungen mögen aber zeigen, dass ein *Lockstep*-System ohne enge Management-Begleitung eher zu unerwünschtem Verhalten führt.

7. Gewinnverteilung und Reporting

22 Zum Abschluss eine kurze Bemerkung zum Zusammenhang zwischen Reporting, also betrieblichem Berichtswesen, und Gewinnverteilung. Hierbei geht es nicht darum, in der Finanzbuchhaltung den verteilungsfähigen Gewinn oder durch eine Kostenstellenrechnung die einzelnen Beiträge von Partnern zur Bemessung der Gewinnanteile in *merit-based systems* zu ermitteln. Vielmehr geht es um die Lenkungseffekte auf das Verhalten von Partnern, die man mit dem Reporting erzielen kann. Die – empirisch nicht belegte – Erfahrung lehrt: *You get what you measure.* Strategische Ausrichtung und Reporting müssen also aufeinander abgestimmt sein, Partner müssen für das «belohnt» werden, was sie im Sinne der Strategie beitragen: Wenn eine Kanzlei institutionelle Mandantenbeziehungen auf- und ausbauen will (und also eher ein *Lockstep*-System wählt), dann sollte sie in ihrem Reporting gegenüber Partnern deren Erfolg auch daran messen, also ein mandantenbezogenes Reporting verwenden. Nur das gewährleistet, dass Partner sich entsprechend der Strategie verhalten, weil ihr Beitrag entsprechend den strategischen Zielen gemessen und anerkannt wird. Würde hier lediglich die individuelle Performance von Partnern gemessen, dann hätte man den Effekt, dass Partner ihre individuelle Performance in den Vordergrund stellen, also im Zweifel nicht im Team arbeiten oder Mandate an Kollegen weitergeben. Das führt zu einer *Lockstep*-Kanzlei mit einer *Merit-based*-Kultur unter den Partnern. Es ist dann nur eine Frage der Zeit, bis es zu erheblichen Konflikten kommen wird.

G. *Lockstep*

Alexander Ritvay/Ingo Theusinger

1. Einführung

Die Art und Weise der Gewinnverteilung hat grossen Einfluss auf eine Partnerschaft von Rechtsanwälten – unabhängig von der rechtlichen Organisationsform. Sie betrifft die Kultur einer Sozietät, ihren Organisationsgrad, ihre strategische Ausrichtung und in letzter Konsequenz auch die Qualität der Beratungsleistungen. Die Entscheidung für ein bestimmtes Gewinnverteilungssystem beeinflusst daher auch die Marktwahrnehmung der Sozietät und ihre Attraktivität für Mandanten und den juristischen Nachwuchs. 1

In der Praxis werden verschiedene Gewinnverteilungssysteme durchaus erfolgreich genutzt: Die Bandbreite reicht von so genannten *Equal-share*-Modellen bis hin zu «Eat what you kill»-Systemen. Es gibt nicht das per se richtige Gewinnverteilungssystem. Vielmehr beeinflussen verschiedene Faktoren wie die Geschichte und Grösse einer Sozietät, ihre Marktstellung (inkl. ihres Spezialisierungsgrades) und ihre Expansionspläne die Entscheidung. In grossen Wirtschaftskanzleien ist das sogenannte *Lockstep*-System[1], in dem der erwirtschaftete Gewinn typischerweise nach einem unten näher erläuterten Punktsystem verteilt wird, besonders verbreitet und erfolgreich.[2] 2

Nachfolgend werden zunächst die Funktionen eines Gewinnverteilungssystems im Überblick dargestellt, bevor auf das strenge und das modifizierte *Lockstep*-System und deren Herausforderungen in der Praxis eingegangen wird. 3

2. Funktionen des Gewinnverteilungssystems

Primäres Ziel eines Gewinnverteilungssystems ist es, den von allen Mitgliedern der Sozietät erwirtschafteten Gewinn nach nachvollziehbaren und akzeptierten Kriterien zu verteilen. Bei der Auswahl dieser Kriterien muss die Sozietät entscheiden, welche Anreize sie für welche Leistung setzen möchte. Zunächst muss innerhalb der Partnerschaft grundsätzliche Einigkeit darüber bestehen, welche Beiträge hierbei berücksichtigt werden sollen. Dazu gehören neben den finanziellen Beiträgen in Form von Akquisitionserfolgen und erwirtschaftetem Gewinn auch Einsätze im Dienste der Gemeinschaft beim Manage- 4

---

1 Der Begriff *lockstep* beschreibt ursprünglich eine Form des Gänsemarschs, wo Vorder- und Hintermann eng zusammen im Gleichschritt marschieren. Er ist heute als Bezeichnung eines Vergütungssystems gebräuchlich, das in erster Linie in Anwaltskanzleien verwendet wird.

2 Allg. dazu Henderson, North Carolina Law Review 2006, 1691 ff.; Seisler, in: Schieblon, Kanzleimanagement in der Praxis, 2011, Kap. 5, Rn. 9.

ment, beim Aufbau neuer Geschäftsfelder, bei der Gewinnung von Personal, bei der Schulung und Betreuung von Mitarbeitern oder im Marketing.

5 Bei der Gewichtung der unterschiedlichen Kriterien sollten sich alle Beteiligten vor Augen führen, dass eine höhere Vergütung nach neueren Untersuchungen nicht zwingend mit höherer Leistung verknüpft ist. Studien deuten vielmehr darauf hin, dass Transparenz und Vergleichbarkeit der eigenen Vergütung mit der von vergleichbar tätigen Anwälten entscheidend ist für die Zufriedenheit.[3] Neben finanziellen Vorteilen spielt auch die darüber hinausgehende Anerkennung der Leistung für Partner eine wichtige Rolle[4], beispielsweise durch Herausstellung besonderer Erfolge oder Bildung von Teams unter der Leitung des betreffenden Partners, der dadurch eine herausgehobene Stellung erhält.

6 Ferner ist zu bedenken, dass die Auswahl des Gewinnverteilungssystems Auswirkungen auf die Qualität der Beratungsleistungen haben kann. Fördert das System die finanziellen Beiträge eines Einzelnen in besonderer Weise, besteht die Gefahr, dass Arbeit und Informationen nicht richtig verteilt werden. In der Welt der Grosskanzleien hängen der Erfolg und die Profitabilität aber massgeblich von Teamarbeit ab, sei es beim sogenannten *cross-selling* der Dienstleistungen anderer Partner bzw. Praxisgruppen oder in der konkreten Mandatsbearbeitung, die typischerweise mehrere Fachbereiche zusammenführt.

7 Nach alledem wird deutlich, dass das Gewinnverteilungssystem auch ein Mittel zur Steuerung und Führung der Partnerschaft ist, da die Partner sich häufig den Anreizen entsprechend verhalten. So können Vergütungssysteme den Einzelkämpfer oder den Teamplayer belohnen und somit auch einen entscheidenden Beitrag zur Kultur der Kanzlei und ihrem Ruf bei Mandanten und dem juristischen Nachwuchs leisten.

8 Vor diesem Hintergrund soll nachfolgend gezeigt werden, welche Anreize das *Lockstep*-System setzt und welche Herausforderungen bei der Anwendung in der Praxis zu bewältigen sind.

3. *Lockstep*

9 Im Markt finden sich strenge[5] und modifzierte[6] *Lockstep*-Systeme, die nachfolgend im Überblick dargestellt werden.

---

[3] Vgl. Greiner/Ockenfels/Werner, Wage Transparency and Performance: A Real-Effort Experiment, Economics Letters, June 2011, 236 ff.; Heussen, Anwaltsunternehmen führen, 2. Aufl. 2011, S. 266.

[4] Heussen, Anwaltsunternehmen führen, 2. Aufl. 2011 S. 266; siehe zu solchen Aspekten auch Graven, Mit Speck fängt man keine Mäuse, Financial Times Deutschland v. 03.08.2011, S. 26.

[5] Strenge *Lockstep*-Systeme finden sich z.B. bei Freshfields Bruckhaus Deringer, Hengeler Mueller und bei Clifford Chance.

[6] Modifizierte *Lockstep*-Systeme (auch *structured lockstep* genannt) finden sich z.B. bei Hogan Lovells, Shearman & Sterling und Noerr.

3.1 Strenger *lockstep*

3.1.1 Funktionsweise

Das *Lockstep*-System basiert auf einem vorab festgelegten Gewinnverteilungsschlüssel: Jedem Partner steht eine bestimmte Zahl von Gewinn-Punkten zu. Neu aufgenommene Partner erhalten eine Eingangspunktzahl, die sich pro Jahr der Zugehörigkeit zur Partnerschaft automatisch und linear um eine bestimmte Zahl bis zum Erreichen eines Maximalpunktwertes erhöht.[7] 10

Aus Sicht des einzelnen Partners muss man die Punkteverteilung als Kurve auf einer Zeitachse von 25–30 Jahren begreifen. Im strengen *Lockstep*-System sind andere Differenzierungen als das Dienstalter nicht vorgesehen. Die Sozien fassen in diesem System nicht Beschluss über die Gewinnverteilung. Vielmehr wird der Gewinn nach Abschluss des Geschäftsjahres durch die Summe der Gewinnpunkte dividiert und multipliziert mit der jeweiligen individuellen Punktzahl an die einzelnen Partner verteilt.[8] 11

Die Stellschrauben des strengen *lockstep* sind (i) die Eingangspunktzahl, (ii) die höchste erreichbare Punktzahl und (iii) die Dauer bis zum Erreichen dieser Punktzahl bzw. die jährliche Steigerungsrate. Insbesondere die letzte Frage bewegt in der Praxis die Leistungsträger. Im Markt ist teilweise die Tendenz zu beobachten, dass das Verhältnis zwischen Eingangs- und Höchstpunktzahl (sogenannter Spread, typischerweise zwischen 1:3 und 1:6) ebenso wie die Zeit bis zum Erreichen des Plateaus abnimmt. Im Gegenzug verlängert sich der Track bis zum Erreichen der Partnerschaft. Dieser Zeitraum kann heute in einigen Sozietäten durchaus bis zu zehn Jahre umfassen. 12

Das *Lockstep*-System ist im Grunde ein Generationenvertrag. Neu eintretende Jungpartner müssen keine Kapitaleinlage leisten und sich nicht einkaufen. Sie beginnen mit der Eingangspunktzahl und mit dem Versprechen, jährlich ein Stück nach Oben zu kommen. Dabei profitieren sie von den Strukturen und Werten, die die älteren Partner geschaffen haben. Letztere kapitalisieren insofern die von ihnen geschaffenen Werte und lassen die Neupartner daran teilhaben. Über die Dauer der zugrundegelegten Zugehörigkeit eines Partners zu der Sozietät von 25–30 Jahren sorgt die Punktekurve für eine faire Gewinnverteilung. Das ist die innere Rechtfertigung dafür, ungeachtet der aktuellen Leistungsbeiträge eine disproportionale Gewinnverteilung vorzunehmen.[9] Deshalb tun sich reine *Lockstep*-Kanzleien mit Quereinsteigern schwer, deren Entnahmen nicht am Anfang der Kurve einsetzen. 13

---

[7] Seisler, in: Schieblon, Kanzleimanagement in der Praxis, 2011, § 5 Rn. 9.

[8] Seisler, in: Schieblon, Kanzleimanagement in der Praxis, 2011, § 5 Rn. 9.

[9] Bis vor kurzem war es in *Lockstep*-Kanzleien üblich, pensionierten Partnern aus dem Cashflow der Kanzlei eine Pension zu zahlen. Wirtschaftlich betrachtet war das ein Teil der Gewinnverteilungskurve im *lockstep*. Inzwischen haben aber nahezu alle Grosskanzleien ihre Pensionsregelungen abgeschafft und insofern die Gewinnverteilung im *Lockstep*-System zugunsten der aktiven Partner verändert.

14 Ein *Lockstep*-Modell, auf dessen Kriterien sich die Partnerschaft geeinigt hat, erfordert keinen besonderen Verwaltungsaufwand. Allerdings ist es auch in diesem System erforderlich, Leistung zu beurteilen, um einem Leistungsgefälle bzw. einer relativen Minderleistung einzelner Partner zu begegnen. Die Partner müssen sich im Vorfeld auf ein Verfahren zur Ermittlung der Leistung und auf die Kommunikation der Ergebnisse dieser Evaluierung einigen.

3.1.2 Funktionsbedingung

15 Das *Lockstep*-System beruht auf der Annahme, dass die Leistungsbeiträge der Partner über die Dauer gleichwertig sind. Deshalb ist es für den Erfolg eines *Lockstep*-Systems entscheidend, dass die Partnerschaft möglichst homogen ist oder besser: aus in annähernd demselben Umfang erfolgreichen Partnern besteht. Andernfalls entstehen Spannungen zwischen den Partnern. Je grösser die Partnerschaft ist, umso schwieriger wird es, diese Funktionsbedingung zu erhalten, denn mit der Grösse wächst die Heterogenität. Konflikte können ausserdem entstehen, wenn Partner in unterschiedlichen Fachbereichen oder Regionen (Ländern) tätig sind, die strukturell eine unterschiedliche Profitabilität aufweisen.

3.1.3 Stärken und Schwächen

16 Das (reine) *Lockstep*-System hat verschiedene Vorzüge, allerdings auch gewisse damit verbundene Schwächen bzw. Risiken:

17 ***Lockstep* fördert den Zusammenhalt.** So prägt es auch die Firmenkultur. Das Gesamt-Ergebnis zählt und wirkt sich unmittelbar auf die Gewinnverteilung jedes Einzelnen aus. Alle Sozien sitzen «in einem Boot». Eine *Lockstep*-Kanzlei ist daher auch eine Solidargemeinschaft. Sie federt Schwankungen im Leistungsvermögen oder den Leistungsbeiträgen ab. Gibt es indes keine Transparenz oder Rechenschaftspflicht, besteht die Gefahr, dass sich Partner «ausruhen». Umsatzstarke Partner könnten das Gefühl bekommen, andere Partner «mitziehen» zu müssen.

18 ***Lockstep* unterstützt die Arbeitsteilung.** Weil alle Sozien den Gewinn nach einem vorher festgelegten Schlüssel teilen, fördert der *lockstep* die Bereitschaft, Gemeinschaftsaufgaben zu übernehmen, die sich nicht unmittelbar im Gewinn niederschlagen, wie z.B. Aufgaben im Management oder im Recruiting. Auf der anderen Seite kennt das System auch die Gefahr der «Flucht in die Verwaltung». Dem begegnen *Lockstep*-Kanzleien häufig dadurch, dass Verwaltungsaufgaben in einer Art Rotation nur temporär übernommen werden.

19 ***Lockstep* sichert Qualität.** Da das Gesamtergebnis der Partnerschaft im Vordergrund steht, besteht grundsätzlich kein Anreiz, Mandatsbeziehungen zu monopolisieren oder Mandate zu bearbeiten, die ein anderer Sozius aufgrund seines Fachwissens besser bearbeiten kann. Ferner werden im Idealfall die Ressourcen für die Gemeinschaft effizient

und gewinnbringend eingesetzt, da alle Sozien ermuntert werden, andere Sozien in die Bearbeitung der Mandate einzubeziehen. Der *lockstep* fördert die Teamarbeit, die ein ganz entscheidender Faktor für den Erfolg einer Sozietät ist.

***Lockstep* ermöglicht *full service*.** Das Beratungsspektrum zahlreicher Kanzleien erfordert die Tätigkeit hochqualifizierter Anwälte in vielen Fachbereichen. Allerdings sind nicht alle Fachbereiche in gleicher Weise profitabel. Im *Lockstep*-System spielen diese Unterschiede anders als in einem rein leistungsorientierten Vergütungsmodell keine entscheidende Rolle. Durch das *Lockstep*-System wird der *Full-service*-Ansatz insofern gefördert. Gleichwohl liegt hier gerade deswegen ein Konfliktpotenzial. Deshalb haben die meisten reinen *Lockstep*-Kanzleien in den letzten zehn Jahren ihr Beratungsspektrum fachlich und geografisch ganz erheblich verkleinert, um auch in dieser Hinsicht eine möglichst grosse Homogenität zu erreichen. 20

***Lockstep* fordert Vertrauen.** Alle Sozien und auch alle Mitarbeiter müssen darauf vertrauen, dass alle in ihrem jeweiligen Aufgabenbereich vollen Einsatz zeigen. Besteht dieser Einsatz tatsächlich oder auch nur im Empfinden Einzelner nicht oder nicht mehr, ist das Gleichgewicht gestört und das gesamte System in Gefahr. 21

3.2 Modifizierter *lockstep*

Um den vorstehend skizzierten Risiken des reinen *Lockstep*-Systems zu begegnen, verwenden zahlreiche Sozietäten modifizierte Systeme.[10] Nachfolgend werden die gängigen Modifikationen und die damit verbundenen Herausforderungen dargestellt. 22

3.2.1 Anpassung durch nicht linearen Anstieg der Gewinnpunkte

Manche Sozietäten haben das *Lockstep*-System so abgewandelt, dass sie vorab eine von der Anciennität abhängige Festvergütung zahlen und nur den danach verbleibenden Gewinn nach dem *lockstep* verteilen.[11] Diese Variante ähnelt dem reinen *lockstep* sehr, sodass im Ergebnis dort dieselben Stärken und Schwächen zu beobachten sind. 23

Ferner sind modifizierte *Lockstep*-Systeme bekannt, die Elemente eines sogenannten *merit-based systems* einführen. Ab einer bestimmten Schwelle erfolgt der Anstieg der Punktzahl nicht automatisch, sondern nach einer Bewertung (z.B. durch sogenannte *credits*) des finanziellen Beitrags des Partners zum Erfolg der Sozietät in Form von akquiriertem oder verantwortetem Umsatz. Der Anreiz, *credits* zu erwerben und die notwendige Umsatzzurechnung widersprechen allerdings den Zielen des *lockstep*. Deshalb wird teils auf eine individuelle Umsatzerfassung und -zurechnung verzichtet, teils internen *referrals* an andere Partner eine grössere Bedeutung als dem eigenen finanziellen Bei- 24

[10] Hierzu zählen unter anderem Hogan Lovells, Shearman & Sterling und Noerr.
[11] Seisler, in: Schieblon, Kanzleimanagement in der Praxis, 2011, § 5 Rn. 12.

trag zugemessen. Ausserdem wird die Erfüllung von Management- und Gemeinschaftsaufgaben in die Bewertung der Leistungsbeiträge einbezogen.

25 Solche Modifikationen begegnen einer Schwäche des reinen *lockstep*, der Gefahr einer «automatischen Beförderung», unabhängig vom Leistungsvermögen des jeweiligen Partners. Entsprechend funktionieren Modifikationen, die einmalige Sonderzahlungen bzw. dauerhaft gegenüber der eigentlichen *peer-group* erhöhte Punktzahlen gewähren. Schliesslich sind länder- bzw. praxisgruppenabhängige Besonderheiten in *Lockstep*-Systemen zu beobachten (z.B. unterschiedliche «Bänder»). Die Gewinnverteilung innerhalb so gebildeter Gruppen folgt dann wiederum dem *lockstep*. Ein solches System ermöglicht es, auf regionale Besonderheiten, wie z.B. den im Vergleich zu Grossbritannien späteren Berufseinstieg in Deutschland, oder auch die Profitabilitätsunterschiede, die zwischen einzelnen Ländern bestehen, zu reagieren.[12]

26 Die im vorstehenden Absatz skizzierten Varianten verlassen die Grundannahme des *Lockstep*-Systems, dass der Beitrag jedes Partners über die Dauer gleichwertig ist. Sie reagieren auf zwangsläufig bestehende Leistungsunterschiede in der Praxis. Die Herausforderung liegt darin, eine ausgewogene Mischung zwischen dem Grundgedanken des *lockstep* und der Betonung von anreizorientierten Komponenten zu finden, d.h. konkret akzeptierte Kriterien für die vorstehend skizzierten Modifikationen zu bestimmen.[13] Werden solche Elemente zu stark betont, besteht die Gefahr, dass die für die jeweiligen Komponenten typischen Risiken die Vorteile des *Lockstep*-Systems konterkarieren. Wird beispielsweise die Profitabilität des einzelnen Partners zu sehr in den Blick genommen, werden Anreize gesetzt, Mandate zu «monopolisieren», Ressourcen ineffizient zu allokieren oder gar gegeneinander zu arbeiten.

3.2.2 Anpassung durch Anhalten oder Absenkung der Gewinnbeteiligung

27 Die vorstehend genannten Modifikationsmöglichkeiten befassen sich mit Mechanismen, die den Anstieg der Entnahmerechte betreffen. Denkbar ist es auch, kumulativ oder alternativ, Herabstufungsmechanismen einzusetzen, die die Punktzahlen der betroffenen Partner absolut oder relativ senken, in dem sie Punkte verlieren oder auf ihrer Stufe (temporär) angehalten werden.

28 Ein solches Herabstufungsmechanismus ist das Abschmelzen der Punktzahl älterer Partner vor Erreichen der Altersgrenze. Die Akzeptanz einer solchen Regelung hängt ab von den Kriterien, die für den Beginn und den Verlauf des Abschmelzens angelegt werden. Grundsätzlich bieten die Verweildauer eines Partners auf dem Plateau oder das Lebensalter objektive Ansatzpunkte für den Beginn des Abschmelzens. Der Verlauf kann unter-

---

[12] Offenbar denken Freshfields Bruckhaus Deringer und Linklaters über eine entsprechende Anpassung ihres bislang reinen *Lockstep*-Systems nach, siehe http://www.legalweek.com/legal-week/news/2098887/freshfields-linklaters-mull-shake-lockstep-model (besucht am 29. Dezember 2011).

[13] Siehe hierzu auch Heussen, Anwaltsunternehmen führen, 2. Aufl. 2011, S. 271 ff.

schiedlichen Regelungen unterliegen. In manchen Sozietäten erfolgt das Abschmelzen linear nach den für den *lockstep* angewendeten Kriterien, also in jährlichen Raten. Zu rechtfertigen ist das Abschmelzen, wenn man den *lockstep* als Generationenvertrag begreift, dem über einen Zeitraum von 25–30 Jahren eine Punktekurve zugrunde liegt, die ansteigt und wieder abfällt. Deshalb passt das Abschmelzen eher zum reinen *Lockstep*-System. In modifizierten *Lockstep*-Systemen kann ein altersbedingtes Abschmelzen Schwierigkeiten bereiten, weil es den linearen Normalverlauf der Punktekurve in der vorbestimmten Form nicht gibt, sondern jedenfalls auch die individuellen Leistungsbeiträge berücksichtigt werden.

In der Praxis verwenden Sozietäten auch Herabstufungsmöglichkeiten, wenn der Beitrag des Partners über einen längeren Zeitraum unter dem Durchschnitt der Partner auf seiner *Lockstep*-Stufe liegt, oder um den Spread zu justieren. Damit sollen das richtige Gleichgewicht bewahrt, eine der Leistung und der Anciennität gerecht werdende Verteilung erreicht und Spannungspotenziale neutralisiert werden. Der Prozess ist aufwendig und delikat, denn man muss versuchen, dem Einzelnen und den Interessen der Gemeinschaft gerecht zu werden. Die Interrelationen und die Leistungsbeiträge sind aber mannigfaltig. Herabstufungen sind sensibel, weil sie als Sanktion empfunden werden. Der Verlust schmerzt doppelt. Hinzu kommt, dass der *Peer*-Vergleich eine besondere Bedeutung hat. Während der überproportionale Anstieg eines besonders erfolgreichen, sich in derselben *peer-group* befindlichen Partners leichter Akzeptanz findet, geht die Herabstufung gegenüber den *peers* mit einem Gesichtsverlust einher, selbst wenn sie wirtschaftlich nur Symbolcharakter hat.[14] 29

Eine Herabstufung muss allerdings nicht nur negativ besetzt sein. Sie kann auch dazu beitragen, auf besondere Lebenssituationen eines Partners zu reagieren. Entscheidet sich dieser, beispielsweise mehr Zeit mit seiner Familie zu verbringen, bietet die Herabstufung eine Möglichkeit, die Gewinnentnahme dieses Partners an seinen freiwillig veränderten Beitrag anzupassen. Krankheitsbedingte reduzierte Leistungsbeiträge können ein anderer Grund sein. 30

3.2.3 Verfahrensfragen

Bei einem modifizierten *lockstep* kommt Verfahrensfragen eine besondere Bedeutung zu. Vor allem müssen die Kriterien, die der Bewertung der Leistungsbeiträge zugrunde gelegt werden, möglichst transparent sein und kontinuierlich über längere Zeiträume angewendet werden. Änderungen der Kriterien oder ihrer Gewichtung müssen mit ausreichenden Vorlaufzeiten kommuniziert werden. 31

[14] Vgl. auch Greiner/Ockenfels/Werner, Wage Transparency and Performance: A Real-Effort Experiment, Economics Letters, June 2011, 236 ff.

32 Eine Schwierigkeit liegt darin, dass viele Leistungsbeiträge nicht messbar und in einer Grosskanzlei auch nicht für alle Sozien transparent sind. Eine Überbetonung der Umsatzseite, die besser messbar ist als andere Dienste an der Gemeinschaft, führt allerdings zu Fehlanreizen und würde dem Gedanken des *lockstep* zuwiderlaufen. Die Kunst besteht darin, das richtige Mass zwischen individueller Incentivierung und Vergemeinschaftung des individuellen Erfolgs zu finden und zu kommunizieren.

33 Für den Erfolg des Systems ist es von entscheidender Bedeutung, ein Verfahren zu entwickeln, das von der überwiegenden Mehrheit der Partner akzeptiert wird. Manche Kanzleien machen die Punkteentscheidungen nicht transparent, um Verwerfungen zu vermeiden. Hier entscheidet ein Gremium, das aus geborenen und/oder gekorenen Mitgliedern besteht und nur dem Betroffenen die Entscheidung mitteilt. Das erscheint problematisch. Die Gewinnverteilung ist eine Angelegenheit aller Sozien, die sich gegenseitig für ihr Tun und Lassen Rechenschaft schulden. Eine Partnerschaft basiert auf Vertrauen. Dazu gehört auch Transparenz.

4. Zusammenfassung der Ergebnisse

34 Das universal für jede Kanzlei in jedem Entwicklungsstadium passende Gewinnverteilungssystem existiert nicht. Das *Lockstep*-System ist nach unserer Auffassung in der Praxis verbreitet und erfolgreich, weil es die Kernelemente fördert, die den Erfolg einer integrierten Anwaltskanzlei in besonderem Mass ermöglichen: Attraktivität der Firmenkultur, Qualität der Arbeit und Teamarbeit. Nach den Untersuchungen von Henderson besteht sogar eine Korrelation zwischen Prestige der Kanzlei und Gewinnverteilungssystem: Danach verfügen *Lockstep*-Kanzleien über das grössere Prestige gegenüber der Konkurrenz.[15]

35 Das reine *Lockstep*-System wird den Anforderungen in der Praxis jedoch nicht immer gerecht, weil es unterschiedliche Beiträge zum Erfolg der Partnerschaft nivelliert. Daher sind Modifikationen in einem gewissen Rahmen sinnvoll und erforderlich. Auf der anderen Seite zeigt die Erfahrung, dass auch die Möglichkeit zur Modifikation nicht alle Spannungen beseitigt, denn manchen wird die Differenzierung zu mild, manchen zu hart erscheinen. Die Herausforderung in der Umsetzung besteht darin, die Vorteile des *lockstep* so mit den Vorteilen von beitragsorientierten Modellen zu verbinden, dass die Partnerschaft das Beste der verschiedenen Vergütungsansätze erhält.

[15] Henderson, North Carolina Law Review 2006, 1691 ff.

H. *Eat what you kill*

HARALD SEISLER

1. Einführung

Die klassische Partnerschaft kontinentaleuropäischer Prägung geht davon aus, dass alle Partner ihre gesamte Arbeitskraft in den Dienst der Sozietät stellen, Chancen und Risiken teilen und deshalb bei gleicher Seniorität in der Partnerschaft ungeachtet ihrer tatsächlichen finanziellen Beiträge im konkreten Geschäftsjahr auch die gleichen Gewinnanteile erhalten sollen. 1

Den Gedanken, zwar die Räumlichkeiten und die Kosten zu teilen, die Einnahmen jedoch allein demjenigen zuzuordnen, der sie erbracht hat, finden wir dagegen in der Bürogemeinschaft, die nur nach aussen als Partnerschaft erscheint. 2

Mit zunehmender Grösse der Kanzleien und insbesondere mit der Präsenz an verschiedenen Standorten und gar in verschiedenen Ländern schwindet für den einzelnen Partner die Möglichkeit, die tatsächlichen Beiträge der anderen Partner zu überblicken und zu beurteilen. Ebenso werden sich bei zunehmender Grösse einer Partnerschaft auf längere Sicht Partner herausbilden, die weit überdurchschnittliche finanzielle Beiträge erwirtschaften, während es andererseits Partner geben wird, deren finanzielle Beiträge – aus welchen Gründen auch immer – unterdurchschnittlich sind. 3

Wenn die Profitabilität der Partnerschaft hoch ist und damit die Zufriedenheit der Partner mit ihren Gewinnanteilen stimmt, wird man über Leistungsunterschiede bei den einzelnen Partnern eher hinwegsehen, solange diese nicht im Einzelfall allzu gravierend und dauerhaft sind. Wo dagegen eine nicht zufriedenstellende Profitabilität und deutliche und anhaltende Leistungsunterschiede innerhalb der Partnerschaft zusammentreffen, kommt gerne der Gedanke auf, die Gewinnverteilung an den finanziellen Leistungsbeiträgen der Partner auszurichten. 4

Damit soll der Unzufriedenheit der finanziell überdurchschnittlich erfolgreichen Partner, der sogenannten *rainmaker,* mit Gewinnanteilen, die sie angesichts ihrer Leistung für zu gering halten, Rechnung getragen und versucht werden, die Abwanderung solcher Leistungsträger zu profitableren Wettbewerbsfirmen zu verhindern. 5

Schon in den Dreissigerjahren des vergangenen Jahrhunderts soll die US-Kanzlei Hale & Dorr ein an den finanziellen Beiträgen der Partner orientiertes Gewinnverteilungssystem ausgedacht und praktiziert haben[1]. Mit der internationalen Expansion der Grosskanzleien US-amerikanischer oder britischer Prägung sind die als *merit-based* oder ver- 6

[1] Vgl. Greene, The Lawyer's Guide to governing your Firm, USA 2009, S. 62.

einfachend auch als *eat what you kill* bezeichneten modifizierten Hale&Dorr-Systeme weltweit zunehmend anzutreffen, wenngleich nicht immer in der reinen US-Form, sondern eher in Kombination mit einem *Lockstep*-System oder einem auf individueller Partnerbeurteilung beruhenden Bewertungssystem[2].

2. Orientierungsmassstäbe

7 Das klassische Hale&Dorr-System belohnt die Partner für drei Kategorien von mandatsbezogener Tätigkeit :

- Den Partner, der den Mandanten akquiriert hat (der *finder*);
- Denjenigen, der den Mandanten betreut und das konkrete Mandat beschafft (der *minder*);
- Den, der am konkreten Mandat arbeitet (der *grinder*).

8 Für jede dieser Kategorien werden an den verantwortlichen Partner Punkte vergeben[3]. In welchem Verhältnis die vergebenen Punktzahlen zu einander stehen, lässt sich beliebig variieren. So werden wachstumsorientierte Firmen für die Akquisition eines neuen Mandanten mehr Punkte vergeben als für die Gewinnung eines Mandats eines bereits bestehenden Mandanten. Das System ist durchaus flexibel. Natürlich kann auch ein Partner die Punkte für mehrere oder alle drei Kategorien erhalten, sofern in seiner Person die entsprechenden Voraussetzungen vorliegen.

9 Die Anzahl der für ein konkretes Mandat insgesamt zu vergebenden Punkte darf aber aus betriebswirtschaftlichen Gründen jedenfalls nicht an dem mit dem Mandat erzielten Umsatz, sondern muss an dem durch das Mandat generierten Deckungsbeitrag[4] bzw. Gewinn festgemacht werden, um zu vermeiden, dass Gewinnung und Bearbeitung profitablen und unprofitablen Geschäfts zu gleichen Gewinnanteilen führen.

10 Der Gewinnanteil der einzelnen Partner bestimmt sich – wie auch bei *Lockstep*-Systemen – dadurch, dass der Gesamtgewinn der Partnerschaft durch die Gesamtzahl der vergebenen Punkte geteilt wird. Hierdurch errechnet sich ein Punktwert, der mit der dem jeweiligen Partner nach dem System zukommenden Punktzahl multipliziert, dessen Gewinnanteil ergibt.

---

2 Vgl. Marron, It's still eat what you kill, Canadian Lawyer Magazine, June 2011.

3 Vgl. Anderson, Partner Compensation Systems, Edge International, 2001.

4 Zur Berechnung siehe Weiss in: Schieblon, (Hrsg.), Kanzleimanagement in der Praxis, Wiesbaden 2011, S. 99.

3. Voraussetzungen im Rechnungswesen der Kanzlei

Um ein beitragsorientiertes Gewinnverteilungssystem sachgerecht handhaben zu können, muss das Rechnungswesen der Kanzlei in der Lage sein, die im Zusammenhang mit dem Mandat angefallenen kalkulatorischen Kosten mandatsbezogen auszuweisen. 11

Der Gewinn aus einem Mandat hängt vor allem davon ab, wie viele Personen wie viele Stunden zu welchen tatsächlichen Abrechnungssätzen zum Umsatz beigetragen haben und mit welchen Kosten die Stunden der betreffenden Leistungserbringer zu bewerten sind. 12

Aus dem Rechnungswesen müssen sich also zumindest die für die Mandatsbearbeitung angefallenen Stunden von Partnern und Mitarbeitern, multipliziert mit dem individuellen Kosten-Stundensatz, in den neben den Personalkosten insbesondere auch ein Grossteil der Gemeinkosten, vor allem die Raumkosten, einfliessen müssen, ergeben. Selbstverständlich ist beim Umsatz auch nicht auf den in Rechnung gestellten, sondern auf den vom Mandanten tatsächlich gezahlten Betrag abzustellen. 13

Kosten, die weder Personal- noch Raumkosten sind (die bei Weitem grössten Kostenpositionen in Kanzleien)[5], wird man im Allgemeinen nicht konkret auf das Mandat niederbrechen, sondern über einen Gemeinkostenzuschlag berücksichtigen. Allenfalls wenn die Kanzlei für bestimmte Mandanten besonders kostenträchtigen Akquisitions- und/oder Betreuungsaufwand (z.B. für interne Schulungen beim Mandanten) hat, kann man darüber nachdenken, diesen auf die Mandate dieses Mandanten umzulegen. 14

In manchen Sozietäten werden bei den Kosten/Kopf/Stunde sogar die Auslastungssätze der betreffenden Partner/Mitarbeiter herangezogen, mit dem Ergebnis, dass die Arbeitsstunde eines Mitarbeiters, der bereits bei 100 % der für ihn budgetierten abrechenbaren Stunden liegt, kostenmässig geringer belastet ist als die eines in gleicher Höhe bezahlten Mitarbeiters, der nur 70 % seiner Budgetvorgabe erreicht hat. Damit wird jedoch die Unsitte gefördert, bei immer den gleichen Mitarbeitern Arbeit abzuladen, während andere Mitarbeiter gering ausgelastet bleiben. 15

In jedem Falle stellt die Anwendung eines *merit-based*-Gewinnverteilungssystems gehobene Anforderungen an das Rechnungswesen der Kanzlei. 16

4. Gewinnverteilungssystem als Management-Tool

Ein jedes Gewinnverteilungssystem kann als Steuerungsinstrument zur Erreichung der strategischen Ziele der Partnerschaft dienen und eingesetzt werden, weil es bestimm- 17

[5] Vgl. Weiss a.a.O., S. 93.

tes Handeln des individuellen Partners honorieren und damit fördern wird oder auch nicht[6].

18 Wenn das Management Teamgeist und Kooperation innerhalb der Partnerschaft fördern will, kann dies über teamorientierte Vergütungsmodelle erreicht werden. *Lockstep*-Systeme gelten als geeignet, das menschliche Klima innerhalb der Partnerschaft zu fördern und machen keinen Unterschied zwischen Einsatz für wichtige nicht-abrechenbare Tätigkeiten und Arbeit am Mandat.

19 *Merit-based*-Systeme belohnen überdurchschnittlich erfolgreiche Akquisiteure und Arbeiter und sollen damit zur Steigerung von Umsatz und Profitabilität der Sozietät beitragen.

20 Am Ende des Tages stehen aber bei jedem Gewinnverteilungssystem den Vorteilen auch systemimmanente Nachteile gegenüber, die es bei der Entscheidung für ein bestimmtes System zu berücksichtigen gilt.

5. Vorteile der *Merit-based*-Systeme

21 Beitragsorientierte Gewinnverteilungssysteme fördern in erster Linie die Motivation von Individuen, deren besondere Fähigkeiten in den Bereichen von Akquisition und zeitlichem Einsatz liegen. Dadurch, dass sowohl die Akquisition neuer Mandanten und neuer Mandate als auch die erfolgreiche Bearbeitung der gewonnenen Mandate massgeblich die persönliche Vergütung des Partners bestimmen, werden an ihrem Einkommen orientierte Partner besondere Bemühungen entfalten, dieses Jahr für Jahr weiter zu erhöhen.

22 Es hält bei richtiger Gestaltung die Partner dazu an, die strategisch gewünschte Art von Mandanten und Mandaten zu akquirieren und bei Honorarvereinbarungen und Mandatsbearbeitungen den Gesichtspunkt der Profitabilität des Mandats besonders zu beachten. Somit kann das Gewinnverteilungssystem ein hervorragendes Instrument zur Steuerung der Kanzlei in eine bestimmte strategische Richtung sein.

23 Über das Punkteverhältnis zwischen *findern*, *mindern* und *grindern* können bestimmte Tätigkeiten und Erfolge besonders belohnt und damit gefördert werden. Auch kann man unabhängig von der konkreten Profitabilität des Mandats die zu vergebende Punktzahl für das Mandat danach variieren, ob der Mandant zu einer Gruppe von Firmen gehört, aus der man mehr Mandanten und/oder Mandate gewinnen will oder zu einer Gruppe, die die Firma als nicht zu ihrer Zielgruppe gehörig ansieht. So kann eine Kanzlei, deren Zielvorgabe darin besteht, die Zahl der Mandanten aus einer bestimmten Branche oder von einer bestimmten Grösse zu erweitern, für Mandate aus diesen Bereichen Bonus-

[6] Vgl. Krauss in Schieblon, (Hrsg.), Kanzleimanagement in der Praxis, Wiesbaden 2011, S. 51.

punkte vergeben, um den Anreiz, solche Mandate zu akquirieren, zu steigern. Umgekehrt kann man weniger Punkte für Mandate vergeben, die die Kanzlei eigentlich nicht bearbeiten will.

Von intensivem und erfolgreichem Marketing der *rainmaker* profitieren aber auch die anderen Partner und Mitarbeiter, die zur Bearbeitung der neu akquirierten Mandanten und Mandate herangezogen werden und damit ihre Auslastung und abrechenbaren Leistungen verbessern. Das System trägt somit zumindest auf kurze Sicht zur Verbesserung der Profitabilität bei. 24

Das System fördert auch die Zufriedenheit der leistungsstarken Partner mit der Sozietät, weil sich ihre persönliche Leistung unmittelbar in ihrer Vergütung ausdrückt. Insofern ist es für Wettbewerber sehr viel schwieriger, die *rainmaker* abzuwerben, weil jedenfalls das Vergütungsargument weit weniger gewichtig ist, als es bei am *lockstep* orientierten Kanzleien der Fall sein kann, bei denen auch der *rainmaker* nach dem durchschnittlichen Partnerergebnis vergütet wird. 25

Umgekehrt kann es für *rainmaker* aus Wettbewerbskanzleien ohne ein beitragsorientiertes Gewinnverteilungssystem attraktiv sein, sich einer Partnerschaft anzuschliessen, die seine Akquisitions- und Leistungskraft höher vergütet, als dies in seiner jetzigen Firma der Fall ist. Die Einführung eines merit-based Systems kann also dazu beitragen, «Rainmaker» für die Sozietät zu gewinnen. 26

Auch sollte man in einer Zeit, in der das Thema Work-Life Balance immer grösseres Gewicht hat, daran denken, dass für Partner, die für eine bestimmte Zeit andere Prioritäten setzen wollen, um sich z.B. um die Erziehung ihrer Kinder kümmern zu können, *merit-based*-Systeme Vorteile haben, weil ihr geringerer Einsatz sich in geringeren Gewinnanteilen niederschlägt und sie sich nicht für ihre geringere finanzielle Leistung rechtfertigen müssen oder gar unter Druck des Managements geraten[7]. 27

6. Nachteile des Systems

Eat what you kill-Systeme richten das Interesse der Partner der Kanzlei in erster Linie auf mittelbare (Akquisition) oder unmittelbare (Erbringung abrechenbarer Leistungen) finanzielle Ergebnisse und damit primär auf kurzfristig sichtbare Erfolge. 28

Dagegen werden wichtige Voraussetzungen für eine langfristig erfolgreiche Tätigkeit einer Kanzlei, wie z.B. die Rekrutierung, Ausbildung und Förderung des beruflichen Nachwuchses und die Sicherung und Kontrolle der Qualität der erbrachten Leistungen 29

[7] Vgl. Anderson, a.a.O.

nicht durch das System honoriert und geraten damit in Gefahr, gegenüber der Generierung kurzfristigen Erfolgs in den Hintergrund zu treten.

30 Auch darf nicht ausser Acht gelassen werden, dass in aller Regel die Zahl der *rainmaker* in einer Sozietät sehr viel kleiner ist als die Zahl derjenigen Partner, die über Jahre hinaus solide bis ordentliche Leistungen erbringen, damit in finanzieller Hinsicht nicht besonders aus der Partnerschar herausragen, gleichwohl jedoch das Rückgrat der Partnerschaft bilden. Als Folge eines beitragsorientierten Gewinnverteilungssystems können einige wenige Partner ein Vielfaches dessen verdienen als das, was der durchschnittliche Partner mit nach Hause bringt. Da der Faktor des persönlichen Neids auch bei Berufskollegen durchaus vorkommen soll, wird einer relativ kleinen Zahl mit ihrer Vergütung zufriedener Partner eine substanzielle Zahl unzufriedener oder gar neidischer Partner gegenüberstehen. Dies kann sich verstärken, wenn es sich bei dem *rainmaker* um einen relativ jungen Partner handelt, da der Faktor Seniorität beim rein leistungsorientierten System ja keine Rolle spielt, im Verhältnis der Kollegen untereinander dagegen schon.

31 Auch wenn, wie oben dargestellt, über die Vergabe von Bonuspunkten die Akquisitionsziele der Partner vom Management beeinflusst werden können, so kann profitabilitätsorientierte Akquisition andere Zielvorgaben der Partnerschaft negativ beeinflussen. So sind insbesondere für *Full-service*-Partnerschaften beitragsorientierte Gewinnverteilungssysteme problematisch, weil in aller Regel in transaktionsbezogenen Fachbereichen höhere Ergebnisbeiträge erzielt werden, als dies beispielsweise im Tagesgeschäft des Arbeits- oder Vertragsrechts möglich ist. Von daher wird der Andrang zur Betätigung in den profitableren Bereichen sehr viel grösser sein als in den weniger gewinnbringenden Bereichen, die aber im Interesse der strategischen Ziele der Partnerschaft ebenfalls nicht nur vorhanden sein, sondern auch eine qualitativ hochwertige Arbeit erbringen müssen.

32 Auch spielt das Qualitätsthema eine Rolle. Wenn ein Partner ein finanziell besonders lukratives Mandat akquiriert hat, wird seine Bereitschaft, in bestimmten Fachfragen den hierfür besser qualifizierten Partner einzuschalten, geringer sein, wenn dies zulasten seines Gewinnanteils geht.

33 Selbst wenn die Regeln, nach denen Punkte für die Akquisition eines Mandanten oder eines Mandats verteilt werden, hinreichend klar definiert worden sind, werden sich im Tagesgeschäft immer wieder Anlässe finden, diese Regeln anhand des konkreten Einzelfalles in Frage und in Streit zu stellen. Für wie lange kann ein Partner Akquisitionspunkte für einen bestimmten Mandanten beanspruchen, wenn dessen Hauptansprechpartner und Akquisiteur der konkreten Mandate seit Langem ein anderer Partner ist? Wie sind Fälle zu behandeln, in denen ein Mandant bspw. Mandate immer nur dem Fachbereich Arbeitsrecht der Sozietät erteilt hat, nun aber ein Grossmandat dem Fachbereich Banking erteilt? Ist dies eine Akquisition des Fachbereichs Arbeitsrecht oder des Bereichs Banking? Über solche Punkte lässt sich insbesondere unter Juristen trefflich und

ausgiebig diskutieren und Zeit verwenden, die besser in die Akquisition neuer Mandate gesteckt werden würde.

Bei *Eat what you kill*-Systemen besteht also immer die latente Gefahr, dass der individuelle Partner als seinen Hauptwettbewerber nicht die konkurrierenden Sozietäten, sondern den eigenen Partner aus einem anderen Fachbereich, Standort oder gar aus dem gleichen Büro ansieht und seine Energien damit nicht auf die Generierung von zusätzlichem Gewinn, sondern eher auf die Verteilung des vorhandenen Gewinns richtet. 34

Nur am finanziellen Beitrag orientierte Gewinnverteilungsmodelle sind damit auch alles andere als teambildend. Sie verleiten vielmehr zur Konzentration auf die Erhöhung des persönlichen Gewinnanteils, belohnen Egoismus und bieten keinen Anreiz, Aufgaben im nicht abrechenbaren Aufgabenbereich der Partnerschaft zu übernehmen. Sie sind somit zumindest nicht förderlich für den langfristigen Erfolg der Partnerschaft. 35

7. Vergütungssystem und Management

Ich habe eingangs erwähnt, dass ein Einstieg in ein am finanziellen Beitrag orientiertes Vergütungssystem oft dann diskutiert wird, wenn eine Sozietät Profitabilitätsprobleme hat und die Gefahr gesehen wird, dass leistungsstarke Partner die Kanzlei verlassen, weil sie sich unzureichend bezahlt fühlen. 36

Dabei wird jedoch übersehen, dass die Einführung eines *Eat what you kill*-Systems keineswegs die zugrunde liegenden Ursachen der Profitabilitätsprobleme löst, sondern lediglich den Mangel (an Profitabilität) umverteilt. Um wenige *rainmaker* zufrieden zu stellen, wird die Mehrheit der solide, aber nicht herausragend beitragenden Partner schlechter bezahlt, als dies bisher der Fall war. Die Zufriedenheit weniger wird mit der Unzufriedenheit vieler erkauft. 37

In der vorhandenen US-Literatur wird verschiedentlich behauptet, dass *Eat what you kill*-Systeme zu einem schwachen Management führen[8]. Man kann jedoch mit guten Gründen die Auffassung vertreten, dass umgekehrt ein Schuh daraus wird, nämlich, dass ein schwaches Management Profitabilitätsprobleme über die Gewinnverteilung zu lösen versucht, statt den zugrunde liegenden Ursachen zu Leibe zu rücken. 38

Schlechte Profitabilität kann verschiedenste Ursachen haben, beispielsweise eine schlechte Mandanten- und/oder Mandatsstruktur, unzureichende professionelle Qualität, niedrige Leistungsbereitschaft oder Kreativität im Marketing, mangelnde Fokussierung auf erfolgversprechende Ziele und vieles andere mehr. Die Beseitigung derartiger Probleme erfordert die Ausgabe anspruchsvoller aber realistischer Ziele, Beharrlichkeit in deren Verfolgung, Überzeugungsarbeit bei den Partnern und Mitarbeitern und die 39

[8] Greene, a.a.O., S 63.

Bereitschaft, sich von solchen Partnern und Mitarbeitern zu trennen, die den langen und steinigen Weg zurück in die richtige Spur nicht mitgehen wollen. Änderungen am Gewinnverteilungssystem können zwar kurzfristig die Abwanderung von Leistungsträgern verhindern. Wenn aber die Ursachen der schlechten Profitabilität nicht konsequent und dauerhaft beseitigt werden, wird man mit der Gewinnverteilung allein die *rainmaker* nicht auf Dauer halten können. Denn auch deren Erfolge hängen jedenfalls zu einem nicht unerheblichen Teil davon ab, dass sie in einer Partnerschaft tätig sind, in der Qualität und Klima stimmen, die als solche eine hohe Reputation geniesst und hochqualifizierten Nachwuchs anzieht und an sich binden kann.

40 Ein gutes Management wird deshalb die Einführung leistungsbezogener Partner-Vergütungsmodelle allenfalls als Teil einer Gesamtmassnahme ansehen. Gleichzeitig müssen aber die Ursachen der schwachen Profitabilität bekämpft werden. Es ist sicherzustellen, dass auch finanzielle Anreize dafür bestehen, firmennotwendige nicht abrechenbare Arbeit, insbesondere im Personal- und Qualitätsbereich zu erbringen. Reine *merit-based*-Systeme können dies nicht leisten.

41 Es ist also kein Zufall, dass weltweit in den absoluten Top-Kanzleien, in denen Reputation, Erfolg und Profitabilität stimmen, nach wie vor die Gewinne eher nach *Lockstep*-Systemen verteilt werden[9], auch wenn es dabei zuweilen leistungsbezogene Komponenten geben mag.

---

9 Ebenso Heussen, Gewinnverteilung – Strategie- Unternehmenskultur, Ein Gesamtkonzept, 2006; Marron, Law Firm Management: Eat what you kill revisited, Canadian Lawyer Magazine, January 2006.

Kapitel 6
Finance

A. Einführung und Übersicht

LEO STAUB

In der Lehre werden sehr unterschiedliche Fragestellungen unter den Begriff «Finance» subsumiert. Hier wird versucht, die wichtigsten dieser Themen entlang des Lebenszyklus der Anwaltskanzlei zu diskutieren. Begonnen wird mit der Gründung und den damit zusammenhängenden Problemstellungen, und zu Ende gebracht wird der thematische Bogen mit der Nachfolgeregelung älter gewordener Partner bzw. mit dem Verkauf der Kanzlei. 1

1. Gründung einer Anwaltskanzlei

Auch wenn gelegentlich der Eindruck entsteht, dass der zunehmende Wettbewerb und die härter gewordenen Marktbedingungen für Anwaltskanzleien Neugründungen erschweren: Immer wieder entscheiden sich junge Kollegen allein oder im Verbund mit Gleichgesinnten, selbst eine Kanzlei zu gründen. Eine wissenschaftliche Untersuchung, die der Frage nachspürt, wohin all die Associates gehen, die als Folge des *Up-or-out-*Prinzipes[1] die erste Anwaltsstelle verlassen, fehlt allerdings. Berichte über Neugründungen in einschlägigen Zeitschriften[2] und entsprechende Inserate in der Tagespresse sprechen dennoch eine deutliche Sprache. In den letzten Jahren sorgen vor allem sogenannte Spin-offs[3] von ganzen Teams junger Anwälte aus grossen Kanzleien einerseits und Start-Ups[4] von Einzelanwälten an Standorten ausserhalb der grossen Zentren andererseits für einen kräftigen Strom von Neugründungen. 2

1.1 Businessplan[5]

Unerlässliches Hilfsmittel zur Entscheidungsfindung im Zuge einer Neugründung ist der Businessplan.[6] In den Businessplan fliessen alle Fakten und Annahmen ein, die die neu zu gründende Kanzlei beschreiben. Er hilft, die unternehmerische Idee der Kanzleigrün- 3

[1] Vgl. dazu Kapitel 4 vorstehend.

[2] Vgl. beispielsweise die Rubrik «Kanzleien – Namen und Nachrichten» in der Zeitschrift JUVE Rechtsmarkt, Köln.

[3] Damit sind Abspaltungen von einzelnen Anwälten oder ganzen Anwaltsteams aus bestehenden Kanzleien in neugegründete Kanzleien gemeint. Vgl. dazu Buse, Patrick: Selbständigkeit durch Spin-Off – Der Reiz der kurzen Wege in der eigenen Kanzlei. In: Legal Tribune Online vom 29. September 2011 (gefunden bei http://www.lto.de/de/html/nachrichten/4428/selbststaendigkeit-durch-spin-off-der-reiz-der-kurzen-wege-in-der-eigenen-kanzlei/ am 27. Januar 2012).

[4] In Mode gekommene Bezeichnung für Neugründungen.

[5] Fueglistaller, Urs / Müller, Christoph / Volery, Thierry: Entrepreneurship. Wiesbaden 2004, S. 215 ff.

[6] Stocker, Pascal O.: Der Businessplan – Ein integratives Managementinstrument zur Entwicklung und Umsetzung von Geschäftsvorhaben. In: Anwalts Revue 11-12/2007, S. 492 ff.; Axmann, Mario / De-

der zu strukturieren und skizziert die in Aussicht genommene Entwicklung der Kanzlei in den ersten Jahren ihres Bestehens. Im Businessplan abgebildet werden sowohl qualitative Überlegungen zu Strategie, Marketing, Führung und Organisation als auch die erwarteten Folgen dieser Überlegungen für den notwendigen Ressourceneinsatz. Als Resultante ergibt sich eine Aufstellung über die zur Finanzierung der Startphase notwendigen Investitionen und über den erhofften wirtschaftlichen Erfolg.[7] Ein solcher Businessplan könnte in etwa wie folgt strukturiert werden:[8]

Bereich	Thema	Beschrieb	Operationalisierte Ziele	Wege zum Ziel	Dokumente
SWOT-Analyse	Stärken-Schwächen-Profil	• Personen • Standort • Ressourcen	Einzigartigkeit (USP)	Strategie	Strategiepapier
	Chancen-Risiko-Profil	• Wettbewerbssituation • Marktentwicklungen in der Region	Wettbewerbsvorsprung	Strategie	Strategiepapier
Strategie	Dienstleistungen	• Gesellschaftsrecht • Vertragsrecht • Familienrecht • Erbrecht	Drei Praxisgruppen bis in 5 Jahren	• Akquisition eines dritten Partners • Suche von drei Associates	Kanzleileitbild
	Mandanten	• Privatpersonen • Inhaber von KMU • KMU	Honorarumsatz je $^1/_3$ pro Mandantensegment	Liste mit Ziel-Mandanten für jeden Partner	• Kanzleileitbild • Marketingplan
	Märkte	Region im Umkreis von 20 km um den Kanzleistandort	80% der Mandanten aus der Region	Beschränkung auf einen Standort	Kanzleileitbild
	Vertrieb	Zahlreiche Aktivitäten der Partner in der Region	Honorarumsatz CHF x pro Partner nach 3 Jahren	Vgl. Marketingplan	Marketingplan
Personen	Gründungspartner	• Dr. Hans Muster • Dr. Elisabeth Müller	• Fachanwalt Fam.recht • Fachanwältin Erbrecht	Zusatzausbildungen	• Lebensläufe • Finanzieller Status
	Gesuchter dritter Partner	XY	Spezialist im Gesellschafts- und Vertragsrecht bis in 2 Jahren	*lateral hire*	Anforderungsprofil
	Gesuchte Associates	Drei Associates bis in 5 Jahren	Anwälte mit Berufsausübungsbefähigung und Abschlussnote mind. xy	Inserat und Suche im Netzwerk	Anforderungsprofile
	Sekretariat / Empfang	1 Sekretariatskraft	Kaufmännische Ausbildung	Inserat	Anforderungsprofil

gen, Thomas A.: Der Weg zum Kanzleierfolg – Der Businessplan als Anwaltsstrategie. In: BRAK Magazin 02/2006, S. 4 ff.

7 Capaul, Roman / Steingruber, Daniel: Betriebswirtschaft verstehen – Das St. Galler Management-Modell. Oberentfelden 2010, S. 110 ff.

8 Für Muster und Checklisten zu Businessplänen finden sich zahlreiche Vorlagen. Anstelle vieler vgl. die Vorlagen der UBS für das Firmenkundengeschäft (gefunden bei http://www.ubs.com/ch/de/swissbank/kmu/foundation/geschaftspl.html am 27. Januar 2012) oder jene von Vaagt, Christoph: Businessplan für Anwaltskanzleien (gefunden bei www.soldaninstitut.de/ am 20. Januar 2012).

Bereich	Thema	Beschrieb	Operationalisierte Ziele	Wege zum Ziel	Dokumente
Organisation	Prozesse	Sorgfältig geplanter Leistungserstellungsprozess	Kanzleimanagement-Handbuch bis in 12 Monaten	Bewährtes Muster einer befreundeten Kanzlei als Basis	Handbuch
	Strukturen	• Organisation nach Fachgruppen • Managing Partner	Festlegung Führungsstruktur vor Start	Partnerworkshop	• Handbuch • Protokoll Workshop
	IT-System	• Standard ERP-Software • Robuste Hardware mit eigenem Server	Evaluation vor Start	Inanspruchnahme externer Beratung	• Konzept • Offerte
	Bibliothek	• Standardwerke in den Fachbereichen • Entscheidsammlungen • Zugriff auf externe Datenbanken • Vorlagensammlung	Wissensmanagement-System bis in 6 Monaten	Beratung durch befreundete Kanzlei	Handbuch
	Räumlichkeiten	• Büro • Einrichtung	Evaluation und Beschaffung vor Start	Zuweisung von Teilprojekten an Partner	• Planunterlagen • Offerten • Mietvertrag
	Büro-Technik	• Kommunikation • Drucker	Evaluation vor Start	Inanspruchnahme externer Beratung	• Konzepte • Offerten
Finanzen	Ziele für die nächsten 3 Jahre	• Ertrag • Aufwand • Gewinn • Liquidität • Cashflow	Je CHF xy	Zusammenarbeit mit Buchhalter	• Budget für 12 Monate • Finanzplan für 3 Jahre • Geldflussplan
	Planbilanzen für die nächsten 3 Jahre	• Aktiven • Fremdkapital • Eigenkapital	Je CHF xy	Zusammenarbeit mit Buchhalter	Planbilanzen
	Finanzbedarf Investitionen	• IT CHF xy • Technik CHF xy • Bibliothek CHF xy • Mobiliar CHF xy	60% Finanzierung durch Partner 40% Bankfinanzierung	Verhandlungen mit Partnern und Bank	• Darlehensverträge mit Partnern • Finanzierungsgesuch an Bank
	Finanzbedarf Betrieb	Bankkredit zum Ausgleich von Liquiditätsschwankungen im Tagesgeschäft	Kontokorrent-Limite bei Bank im Betrag von CHF xy	Verhandlungen mit Bank	• Gesuch an Bank

Abb. 1: Beispiel Business-Plan für eine Kanzleigründung

Der Business-Plan ist immer auch Grundlage für Budget und Finanzplan.[9] Ausserdem 4
dient er als Basis für die Investitionsplanung und die Investitionsrechnung[10] sowie für die Gespräche unter den Partnern und gegebenenfalls mit der Bank über Darlehen zur Finanzierung von Investitionen und Betrieb.[11]

---

9 Vgl. Kapitel 5 vorstehend.

10 Vgl. Abschnitt 1.3. nachstehend.

11 Fueglistaller, Urs / Jakl, Martina L. / Müller, Christoph: Businessplan. In: Dubs, Rolf / Euler, Dieter / Rüegg-Stürm, Johannes / Wyss, Christina E. (Hrsg.): Einführung in die Managementlehre. Band 5, Bern 2004, S. 119. An der Heiden, Sigrun: Harte Zahlen als Türöffner. In: ProFirma September 2008, S. 46 f.

1.2 Gesellschaftsform

5 Wird eine Kanzlei neu gegründet, stellt sich die Frage nach der im konkreten Fall richtigen Rechtsform.

1.2.1 Einzelunternehmen

6 Seit einigen Jahren ist auch in der Schweiz klar, was in anderen Jurisdiktionen – weil selbstverständlich – kaum erörtert wird: Die Führung einer Anwaltskanzlei wird als kaufmännisches Gewerbe qualifiziert.[12] Der als Einzelner eine Kanzlei betreibende Anwalt ist daher verpflichtet, seine Kanzlei ins Handelsregister einzutragen, sofern er damit einen Umsatz von mindestens CHF 100000 erreicht.[13] Er ist buchführungspflichtig[14] und unterliegt der Betreibung auf Konkurs.[15]

7 Diese Rechtsform ist für Ein-Personen-Kanzleien die Regel.

1.2.2 Personengesellschaft

8 Zu denken ist hier an die einfache Gesellschaft, die Kollektivgesellschaft und die Kommanditgesellschaft. Interessant ist aber auch ein Blick auf die Limited Liability Partnership LLP, wie sie unter anderem im amerikanischen und britischen Recht existiert.

1.2.2.1 Einfache Gesellschaft[16]

9 Betreiben mehrere Partner zusammen eine Anwaltskanzlei, so stellt sich die Frage nach der Gesellschaftsform, in welcher sie ihre Zusammenarbeit pflegen. Ist jeder der beteiligten Anwälte auf eigene Rechnung tätig, beschränkt sich der Zusammenschluss auf das Teilen der Infrastrukturlasten. Zeitigt er keine externen Wirkungen, indem ein gemeinsamer Auftritt (gemeinsame Mandatsführung, gleicher Briefkopf, gemeinsame Kanzleibezeichnung, gleiches Konto, gemeinsames Vollmachtformular, gemeinsame Mehrwertsteuer-Nummer etc.) gesucht wird, besteht zwischen ihnen eine einfache Gesellschaft. Es gibt keine Solidarhaftung für Sorgfaltspflichtverletzungen oder für unerlaubte Handlungen eines anderen Anwalts derselben Unkostengemeinschaft[17], die auf der Mandatsarbeit gründen. Die Solidarhaftung beschränkt sich auf Verpflichtungen gegenüber Gläubigern aus dem Betrieb der Infrastruktur (z.B. dem Vermieter oder dem Leasinggeber für das Fotokopiergerät).

---

[12] BGE 124 III 363, S. 365 f.
[13] Art. 36 HRegV.
[14] Art. 957 Abs. 1 OR.
[15] Art. 39 Abs. 1 Ziff. 1 SchKG.
[16] Art. 530 ff. OR. Vgl. dazu auch Fellmann, Walter: Anwaltsrecht, Bern 2010, S. 513 ff.
[17] Fellmann 2010, S. 515.

In einer einfachen Gesellschaft bleiben sehr wenige Möglichkeiten zur Zusammenarbeit, wenn ausgeschlossen werden soll, dass gegenüber Mandanten eine solidarische Haftbarkeit entsteht. Es empfiehlt sich deshalb, die Kooperationsfelder im Gesellschaftsvertrag sorgfältig zu beschreiben und darauf zu achten, dass die Zusammenarbeit keine Aussenwirkung hat. Um die unerwünschten Folgen einer Missachtung dieser Beschränkung auf die Innenwirkung der Unkostengemeinschaft im Kanzleileben zu vermeiden, sollte zudem in den Berufshaftpflicht-Policen der einzelnen selbständig tätigen Anwälte eine Deckung für den Fall vorgesehen werden, dass im Streitfall eine Qualifikation der Kanzleigemeinschaft als Kollektivgesellschaft erfolgt.[18] 10

1.2.2.2 Kollektivgesellschaft[19]

Haben sich die an der Kanzlei beteiligten Partner darauf geeinigt, ihr Geschäft gemeinsam zu betreiben, so ist damit automatisch eine Kollektivgesellschaft entstanden. Der Abschluss eines formellen Gesellschaftsvertrages ist nicht notwendig. Konkludentes Verhalten genügt.[20] 11

Für grössere Kanzleien besteht die Vermutung, dass sie sich als Kollektivgesellschaft qualifizieren.[21] 12

Bei der Kollektivgesellschaft sind nun natürlich Zusammenarbeitsprozesse zwischen den einzelnen Partnern denkbar, die weit über den gemeinsamen Betrieb der Infrastruktur hinausgehen. Mit dieser Gesellschaftsform sind die Voraussetzungen für die Spezialisierung und die arbeitsteilige Mandatsführung gegeben, aber auch etwa für die gegenseitige Stellvertretung oder die gemeinschaftliche Anstellung von Associates, für einen gemeinsamen Werbeauftritt und für vieles mehr. Im rechtlichen Rahmen einer Kollektivgesellschaft ist so die Entwicklung einer Anwaltskanzlei zu einer eigentlichen Law Firm möglich. Damit verbunden sind die solidarische Haftung für die Arbeit der Kollegen und die faktische Notwendigkeit, eine gemeinsame Haftpflicht-Police abzuschliessen, die namentlich auch die Deckung für den Solidarhaftungsfall mit umfasst.[22] 13

1.2.2.3 Kommanditgesellschaft[23]

Die Kommanditgesellschaft kombiniert Elemente der Kollektivgesellschaft (unbeschränkt haftende Komplementäre) mit jenen einer Kapitalgesellschaft (Haftungsbeschränkung für die Kommanditäre auf die im Handelsregister eingetragene Kommandite). In der Praxis ist sie nicht relevant. Ihre Eignung für Anwaltsgesellschaften wird denn auch kaum 14

---

18 Fellmann 2010, S. 473 und 516.
19 Sie ist in Art. 552 OR ff. geregelt.
20 Fellmann 2010, S. 517.
21 BGE 124 III 363; 130 III 707, S. 712 f.
22 Fellmann 2010, S. 515; Luterbacher, Thierry: Kollektivrisiko bei Anwaltsgesellschaften. In: Anwalts Revue 5/2009, S. 247 ff.
23 Art. 594 ff. OR., im deutschen Recht die §§ 161 ff. HGB.

je diskutiert.[24] Lässt man die Kapitalgesellschaft als Rechtsform für Anwaltsgesellschaften zu, wird aber *a maiore ad minus* gelten müssen, dass auch Kanzleien in der Rechtsform einer Kommanditgesellschaft – einer Art Zwischenform zwischen Personen- und Kapitalgesellschaft – rechtens sind.

15 In gewissen Konstellationen würde eine Kommanditgesellschaft durchaus Sinn machen. Sie könnte etwa als juristisches Gewand für Partnerschaften dienen, die den Status von Salary Partners[25] (als Kommanditäre) kennen, oder sie ist vorstellbar, wenn es im Rahmen von Nachfolgelösungen darum geht, dass die bisherigen Partner einen Teil des zum Betrieb der Kanzlei notwendigen Kapitals stehen lassen, ohne weiter für den Kanzleibetrieb verantwortlich sein zu wollen. Denkbar ist auch, dass man nur Seniorpartner voll haften lassen will und für Juniorpartner (noch) eine Haftungsbeschränkung vorgesehen sein soll. In allen diesen Fällen ist eine Lösung mittels der Rechtsform der Kommanditgesellschaft möglich. Es ist allerdings zuzugeben, dass das gewünschte Ergebnis in den genannten Konstellationen auch auf anderen Wegen erreicht werden kann.

1.2.2.4 Limited Liability Partnership LLP

16 Limited Liability Partnerships LLP sind – um im Bild zu bleiben, welche die kontinentaleuropäischen Rechtsordnungen zeichnen – eine Art Kommanditgesellschaft ohne Komplementäre. Sie verbinden die Haftungsbeschränkung[26] mit dem Vorteil, dass die Gesellschafter automatisch auch zur Geschäftsführung befugt sind.[27] In steuerlicher Hinsicht wird sie wie eine Personengesellschaft behandelt und bietet damit gewisse Vorteile gegenüber der Kapitalgesellschaft.[28]

17 In Deutschland gibt es bereits eine bedeutende Anzahl namentlich grosser Rechtsanwaltsgesellschaften, die für sich die Rechtsform der LLP gewählt haben.[29]

1.2.3 Anwalts-Kapitalgesellschaft

18 Im Vordergrund steht hier natürlich die Aktiengesellschaft. Grundsätzlich denkbar sind aber auch die GmbH und die Genossenschaft.

---

[24] Luterbacher 2009, S. 248.

[25] Als Salary Partners werden Kollegen bezeichnet, die gegen Aussen die Position als Partner einnehmen, aber (noch) nicht am vollen unternehmerischen Risiko teilhaben. In der Regel besteht indes ein Teil ihres Gehalts in einer vom Erfolg abhängigen variablen Vergütung.

[26] U.K. Limited Liability Partnership Acts 2000, Art. 1 Abs. 4.

[27] U.K. Limited Liability Partnership Acts 2000, Art. 6 Abs. 1.

[28] Siehe für Deutschland: Empfehlungsschreiben des Bundesfinanzministeriums vom 19. März 2004.

[29] BRAK Stellungnahme Nr. 31/2011 vom Mai 2011, S. 3.

1.2.3.1 Aktiengesellschaft[30]

Herrschende Lehre[31] und Praxis[32] in der Schweiz[33] lassen Kapitalgesellschaften als Rechtsform für Anwaltskanzleien zu, wenn gewährleistet ist, dass die angestellten Anwälte – sowohl die Partner mit Aktionärsstatus als auch die angestellten Anwälte, die nicht am Aktienkapital beteiligt sind – ihren Beruf unabhängig ausüben können.[34] Heute sind in der Schweiz bereits eine Mehrheit der grossen Kanzleien und eine stets wachsende Zahl kleiner und mittlerer Kanzleien als Aktiengesellschaft konstituiert.[35] 19

Für die betreffenden Kanzleien gelten damit nicht nur die berufsrechtlichen Regelungen zur Führung einer Anwaltskanzlei, sondern selbstverständlich auch die Governance-Regeln der Aktiengesellschaft. Namentlich Rechnungslegung, Revision und Organpflichten sind in meist zwingend geltenden Vorschriften des Aktienrechts bedeutend straffer geregelt als im weitestgehend dispositiven Recht der Personengesellschaften. Darauf ist bei der Gestaltung der Führungsprozesse und -strukturen, aber insbesondere auch bei jenen Abläufen, die der Risikobeschränkung und dem Gläubigerschutz dienen, zu achten. Es muss etwa ein IKS[36] betrieben und ein Risikomanagement[37] eingeführt werden. Bei auftauchenden Schwierigkeiten gelten die Sanierungsbestimmungen des Aktienrechts[38], und es sind die einschlägigen Auskunfts-[39] und Sonderprüfungsrechte[40] der Aktionäre zu respektieren. Darüber hinaus sind auch die zwingend ausgestalteten Einberufungsregelungen für die Generalversammlung[41] und das Recht der Aktionäre zur Anfechtung von Generalversammlungsbeschlüssen[42] zu beachten. 20

Als Lohn winken im Wesentlichen eine wirkungsvolle Haftungsbeschränkung für den Fall der unsorgfältigen Mandatsführung und die mit der korporativen Verfestigung einher gehende erhöhte Solidität im Verhältnis zu Arbeitnehmern und anderen Vertragspartnern sowie für die Fälle des Neueintritts und des Austritts von Partnern. Dem Vorteil der 21

30 Art. 620 ff. OR.

31 Fellmann 2010, S. 522 ff. mit zahlreichen Verweisen auf die einschlägigen Lehrmeinungen.

32 Zusammenstellung der Entscheide kantonaler Instanzen zu dieser Frage bei Fellmann 2010, S. 527. Eine von der herrschenden kantonalen Praxis abweichende Ansicht zur Zulassung von Kapitalgesellschaften als Rechtsform für Anwaltskanzleien (Kanton St. Gallen) ist zurzeit Gegenstand bundesgerichtlicher Prüfung.

33 Aktiengesellschaften sind in zahlreichen weiteren Ländern als Rechtsform für Anwaltskanzleien zugelassen (vgl. Fellmann 2010, S. 538), namentlich auch in Deutschland (BGH, Beschluss vom 10. Januar 2005 (AnwZ (B) 27/03 und 28/03, in: NJW 2005, S. 1568 ff.).

34 Art. 8 Abs. 1 lit. d und Art. 12 lit. b BGFA.

35 Von Rechenberg, Beat: Die Anwaltsgesellschaft als Faktum. In: Anwalts Revue 4/2010, S. 190 ff.

36 Vgl. Art. 728 Abs. 1 Ziff. 3 OR.

37 Vgl. Art. 663b Ziff. 12 OR.

38 Art. 725 f. OR.

39 Art. 660 f., 678 oder 697 OR.

40 Art. 697a f. OR.

41 Art. 699 OR.

42 Art. 706 und 691 OR.

Haftungsbeschränkung und der institutionellen Verstärkung des organisatorischen Fundaments der Kanzlei steht als Nachteil eine nicht unerhebliche Erhöhung der Komplexität in Prozessen und Strukturen gegenüber. Ausserdem ändert natürlich das Besteuerungs-Regime für die Kanzlei. Diese Vor- und Nachteile sind bei der Entscheidung der Partner über die zu wählende Rechtsform sorgfältig gegeneinander abzuwägen.

1.2.3.2 GmbH

22 Die GmbH bietet im Verhältnis zur Aktiengesellschaft den Vorteil, dass sie in vielen Bereichen besser an die individuellen Bedürfnisse der Partner einer Kanzlei angepasst werden kann.[43] Das gesetzlich verbriefte Recht der Gesellschafter, aktiv in der Geschäftsführung[44] und bei der Vertretung der Gesellschaft[45] mitzuwirken, bildet die traditionell starke Rolle der Partner in der Führung der Anwaltskanzlei möglicherweise oft genauer ab als der Ausschluss der «einfachen» Partner von der Willensbildung in den geschäftsführenden Organen der Aktiengesellschaft. Auch die strenge Vinkulierung der Stammanteile der GmbH[46] trägt unter Umständen im Einzelfall zur Attraktivität dieses Modells bei.[47]

23 In der Schweiz haben Kanzleien nur zögerlich begonnen, diese Form der Kapitalgesellschaft für sich zu nutzen. Eigentlich erstaunlich, zumal etwa in Deutschland gar eigens eine «Rechtsanwalts-GmbH» geschaffen wurde, um dem Bedürfnis der Anwaltssozietäten nach einer korporativen Verfassung ihrer Kanzlei möglichst massgeschneidert Rechnung zu tragen.[48] Auch für die Schweiz gilt aber, dass die GmbH als Gesellschaftsform für Anwaltskanzleien grundsätzlich zulässig ist.[49]

1.2.3.3 Genossenschaft

24 Sie wird als mögliche Rechtsform für Anwaltskanzleien in der Schweiz soweit ersichtlich nicht diskutiert, kommt aber grundsätzlich natürlich ebenfalls infrage.

1.2.4 Publikums-Kapitalgesellschaft

25 In den meisten Ländern, in denen Kapitalgesellschaften als Rechtsform für Anwaltskanzleien zugelassen sind, steht diese Zulassung unter anderem unter dem strengen Vorbehalt, dass mindestens die Mehrheit aller Organe der Gesellschaft mit aktiv in der Kanz-

---

[43] Fellmann 2010, S. 533.

[44] Art. 809 Abs. 1 OR.

[45] Art. 814 Abs. 1 OR.

[46] Art. 786 Abs. 1 und 2 OR.

[47] Fellmann 2010, S. 534.

[48] Fellmann 2010, S. 535 f. mit Hinweisen zur Rechtsanwalts-GmbH in Deutschland und in Österreich sowie zur *société d'exercice libéral à responsabilité limitée* in Frankreich und zur *limited liability company* in den USA.

[49] Schwarz, Jörg: Anwalts-AG und Anwalts-GmbH – Einige Überlegungen zu gesellschaftsrechtlichen Fragen. In: Anwalts Revue 5/2008, S. 232 ff.

lei tätigen Anwälten besetzt sein und sich auch die Mehrheit des Kapitals im Besitz der Kanzleianwälte befinden muss.[50]

Einzelne Jurisdiktionen sehen nun diesbezüglich eine Öffnung vor.[51] So lässt die australische Incorporated Legal Practice (ILP) die Beteiligung und die Geschäftsführung durch Personen zu, die nicht Anwälte zu sein brauchen. Es ist sogar der Börsengang dieser Gesellschaften möglich.[52] Die in der ILP tätigen Anwälte unterstehen dennoch nach wie vor den einschlägigen Berufsregeln. 26

Auch in England und Wales ist eine ähnliche Entwicklung im Gang. Seit der Inkraftsetzung des Legal Services Act 2007[53] sind für Anwaltskanzleien sogenannte Alternative Business Structures (ABS) möglich. Es wurde insbesondere die anwaltliche Berufsausübung zusammen mit Berufsfremden unter dem Dach einer gemeinsam betriebenen Kanzlei, einer sogenannten Legal Disciplinary Practice (LDP), zugelassen, wobei aber sichergestellt sein muss, dass der Einfluss der Nicht-Anwälte in der Geschäftsführung sowie in der Ausübung von Mitwirkungs- und Vermögensrechten auf maximal 25% beschränkt ist. In einem weiteren Schritt sind neu auch sogenannte Multi-Disciplinary Practices (MDP) geplant. Diese sollen die vollständige oder partielle Drittkapitalbeteiligung ermöglichen. Auch hier wird aber gelten, dass die in einer MDP tätigen Anwälte an die spezifischen Berufsregeln gebunden bleiben.[54] 27

Für Deutschland, Österreich und die Schweiz ist wohl festzuhalten, dass eine solche weitgehende Öffnung nicht unmittelbar bevorsteht. 28

1.3 Investitionsrechnung

Wenn Partner in die Kanzlei investieren – sei es zur Finanzierung der Startphase der Kanzlei, zur Leistung einer Einkaufssumme in die Partnerschaft, zur Finanzierung grösserer Anschaffungen oder zum Kauf einer anderen Kanzlei im Rahmen der Umsetzung einer Wachstumsstrategie – stellt sich regelmässig die Frage nach der Rendite der Investition.[55] 29

---

50 Fellmann 2010, S. 538 ff.; vgl. für die Schweiz den Beitrag von Gaudenz G. Zindel in diesem Buch mit Hinweisen zur neuesten Rechtsentwicklung.

51 Lemke, Stefanie: Anwaltsgesellschaften mit berufsfremder Kapitalbeteiligung – Die Incorporated Legal Practices in Australien und die Alternative Business Structures in England und Wales. In: Forschungs-Paper des Instituts für Anwaltsrecht der Universität Köln, Köln 2011 (gefunden bei legalprofession.uni-koeln.de/.../ILPs_in_Australien_und_ABSs_in_England_und_Wales am 27. Januar 2012).

52 Lemke 2011, S. 2. Einzelne Kanzleien haben diesen Schritt auch bereits (erfolgreich) gewagt, so beispielsweise Slater & Gordon (vgl. http://www.slatergordon.com.au/investors/, gefunden am 27. Januar 2012), deren Aktien an der Australian Stock Exchange (ASX) gehandelt werden.

53 Legal Services Act 2007 (vgl. http://www.legislation.gov.uk/ukpga/2007/29/contents, gefunden am 27. Januar 2012. Vgl. auch The Law Society: The Legal Services Act 2007 – briefing. 2007, S. 1–6.

54 Lemke 2011, S. 4 ff. Der entsprechende Gesetzgebungsprozess ist abgeschlossen, das einschlägige Bewilligungsverfahren aber noch nicht geregelt. Damit wird bald gerechnet; vgl. Kerkhoff, Parissa: Going Private. In: Juve Rechtsmarkt. Nr. 12 vom Dezember 2011, S. 54 f.

55 Rüegg-Stürm, Johannes / Sander, Stefan: Controlling für Manager. 8. Auflage, Zürich 2009. S. 145 f.

Ausserdem möchten die Partner wissen, in welchem Zeitraum sie mit einer Rückzahlung der investierten Mittel rechnen können.

30 Antworten auf diese Fragen gibt die Investitionsrechnung,[56] die in verschiedenen Varianten vorkommt:

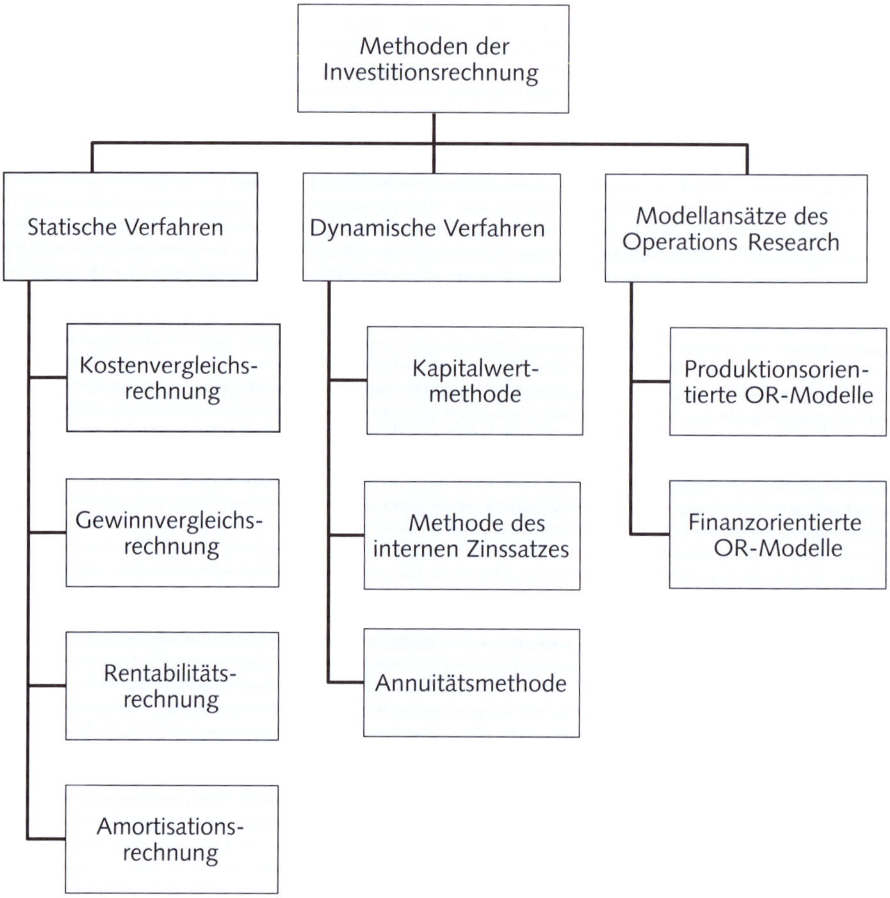

Abb. 2: Übersicht über die Investitionsrechnungs-Verfahren nach Thommen[57]

---

[56] Spremann, Klaus: Finance. 4. Auflage, München 2010, S. 11 ff.

[57] Thommen, Jean-Paul: Managementorientierte Betriebswirtschaftslehre. 8. Auflage, Zürich 2008, S. 534. Vgl. auch Rüegg-Stürm/Sander 2009, S. 149.

1.3.1 Statische Verfahren

Die statischen Verfahren sind einfach, aber – im Vergleich zu den anderen Verfahren – auch etwas ungenau. In der Praxis sind sie wegen ihrer Einfachheit dennoch weit verbreitet. 31

Anstelle einer Berücksichtigung des zeitlichen Anfalls von Kosten und Erträgen einer Investition während der Investitionsperiode rechnen die statischen Verfahren lediglich mit Durchschnittswerten. Auf ein Ab- und Aufzinsen zeitlich unterschiedlich anfallender Geldströme wird verzichtet.[58] 32

1.3.1.1 Kostenvergleichsrechnung[59]

Hier geht es um die Entscheidung, jene Investitionsvariante zu wählen, bei der die tiefsten Kosten anfallen. Diese Methode empfiehlt sich dann, wenn die in den Vergleich einbezogenen Investitionsvarianten alle etwa gleich grosse Erträge generieren oder man diese nicht vernünftig messen kann, weil sie nicht direkt dem Investitionsobjekt zugerechnet werden können. 33

In der anwaltlichen Praxis kommt die Kostenvergleichsrechnung zur Anwendung, wenn beispielsweise Angebote mehrerer technisch gleichwertiger IT-Hardware- oder Telefonielösungen oder auch etwa verschiedene Varianten von Mieterausbauten zur Erneuerung der Kanzleiräumlichkeiten verglichen werden sollen. 34

[58] Thommen 2008, S. 533.
[59] Capaul/Steingruber 2010, S. 410 ff.

Kosten pro Jahr in CHF	IT-Anlage I	IT-Anlage II
Ausgangsdaten		
• Anschaffungskosten	130 000	160 000
• Nutzungsdauer in Jahren	5	6
• Liquidationserlös	10 000	10 000
Kapitalkosten		
• Abschreibungen linear	24 000	25 000
• Zinsen auf dem Ø gebundenen Kapital (10%)	7 000	8 500
Total Kapitalkosten	31 000	33 500
Betriebskosten		
• Lohnkosten intern	40 000	30 000
• Materialkosten (Papier, Farbe etc.)	5 000	5 000
• Unterhaltskosten (Service-Abo)	7 000	8 000
• Energiekosten	1 200	900
• Sonstige Betriebskosten	p.m.	p.m.
Total Betriebskosten	53 200	43 900
Gesamtkosten pro Jahr		
• Kapitalkosten	31 000	33 500
• Investitionskosten	53 200	43 900
Total	**84 200**	**77 400**

Abb. 3: Beispiel Kostenvergleichsrechnung IT-System Kanzlei[60]

35 In unserem Beispiel ergeben sich für die Variante II deshalb Vorteile, weil deren Lebensdauer im Vergleich zur Variante I länger ausfällt und ihr wegen des zusätzlichen Komforts in der Bedienung weniger Personalaufwand zugerechnet werden muss. Sie erscheint deshalb als die günstigere der beiden Varianten, obwohl deren Anschaffung deutlich teurer ist.

1.3.1.2 Gewinnvergleichsrechnung[61]

36 Hier wird nun neben den Kosten auch der Erlös mit in die Rechnung eingesetzt. Diese Methode findet Anwendung, wenn aus mehreren Investitionsmöglichkeiten jene mit dem höchsten Gewinn ausgewählt werden soll.[62]

---

[60] Die Zinskosten auf dem durchschnittlich gebundenen Kapital werden nach folgender Formel errechnet, wobei p der Zinsfuss ist (Thommen 2008, S. 535 f.):

$$\text{Zinskosten} = (\text{Liq.erlös} + \frac{\text{Investitionsbetrag} - \text{Liq.erlös}}{2}) \times \frac{p}{100}$$

[61] Capaul/Steingruber 2010, S. 413 f.

[62] Thommen 2008, S. 538.

Haben sich beispielsweise Partner entschlossen, dass sie in den Ausbau der Kanzlei und deshalb in neue Büroräumlichkeiten für zusätzliche Associates investieren möchten, wird sich die Frage stellen, welchen Umfang die in Aussicht genommene Erweiterung der Kanzlei annehmen soll. Die Gewinnvergleichsrechnung erlaubt die Auswahl zwischen verschiedenen Investitionsvarianten, denen gewisse Annahmen zur Gewinnentwicklung zugrunde gelegt werden. 37

Beträge in CHF	Erweiterung um zwei Büros	Erweiterung um vier Büros
Ausgangsdaten		
• Anschaffungskosten Mieterausbau	80 000	160 000
• Nutzungsdauer Neubau in Jahren	20	20
• Liquidationserlös	0	0
• Umsatzpotenzial pro Associate pro Jahr	300 000	300 000
• Umsatzerwartung pro Associate pro Jahr (Ø über gesamte Nutzungsdauer)	230 000	210 000
• Variable Kosten pro Associate pro Jahr (Ø über gesamte Nutzungsdauer)	120 000	100 000
• Fixe Kosten pro Associate pro Jahr	60 000	50 000
Kostenvergleich		
• Fixe Kosten der Erweiterung		
– Abschreibungen	4 000	8 000
– Zinsen (10% auf Ø gebundenem Kapital)	4 000	8 000
– Sonstige (Anteil Overhead)	120 000	200 000
• Variable Kosten der Erweiterung pro Jahr (Löhne, Material, IT-Lizenzen etc.)	240 000	400 000
Gesamtkosten pro Jahr für Erweiterung	368 000	616 000
Gesamtkosten pro Jahr pro Associate	184 500	154 000
Gewinnvergleich		
• Umsatz pro Jahr	460 000	840 000
• Gewinn pro Jahr	92 000	224 000
• Gewinn pro Associate pro Jahr	46 000	56 000
• Gewinn über ganze Nutzungsdauer Neubau	**920 000**	**1 120 000**
Zusatzanalysen		
• Gewinnschwelle pro Associate bei ? Umsatz pro Jahr	**184 000**	**154 000**

Abb. 4: Beispiel Gewinnvergleichsrechnung Büroerweiterung

Der anfängliche Nachteil, dass es in der Variante «vier zusätzliche Büros» unseres Beispiels länger dauert, die neuen Associates voll auszulasten, bewirkt, dass in dieser Variante der über die ganze Investitionsperiode gerechnete Durchschnittsumsatz pro Associate tiefer ausfällt als in der Vergleichsvariante. Dieser Nachteil aber wird durch eine bessere Verteilung der Fixkosten auf zwei zusätzliche Berufsträger mehr als kompensiert. 38

1.3.1.3 Rentabilitätsrechnung[63]

39 Sie ist wertvoll, wenn die Partner der Kanzlei beispielsweise darüber befinden müssen, ob sie mit einer anderen Kanzlei fusionieren wollen. Dabei werden sie von der Überlegung ausgehen, dass der bisher erzielte Gewinn durch die Transaktion für die Zukunft sicher nicht verschlechtert, sondern – im Gegenteil – wenn möglich gesteigert werden soll.

40 Ob dies gelingt, hängt von einem Vergleich der Rentabilität vor und nach der Akquisition ab. Die Rentabilität wird deshalb (1) für die bestehende Kanzlei und (2) für das Fusionskonstrukt, die neue Kanzlei, je einzeln berechnet. Die ermittelten Werte werden dann anschliessend einander gegenübergestellt.

41 Zur Berechnung der Rentabilität kommt folgende Formel zur Anwendung:

$$\text{Rentabilität} = \frac{\text{Ø Gewinn pro Jahr}}{\text{Ø eingesetztes Kapital}} \times 100$$

42 Für die Berechnung der Rentabilität der bisherigen Kanzlei wird als «durchschnittlich eingesetztes Kapital» das von den Partnern und gegebenenfalls das von der Bank zur Verfügung gestellte verzinsliche Fremdkapital eingesetzt. In die Formel zur Ermittlung der künftigen Rentabilität nach Kanzleifusion wird bei der Berechnung des Zukunftsgewinns (hoffentlich!) berücksichtigt werden können, dass Synergieeffekte aufseiten der Fixkosten entstehen (Rationalisierungseffekt) und das Fusionskonstrukt erfolgreicher am Markt operieren kann, womit die Erwartung von Zugewinnen bei der Auslastung und beim durchschnittlich abgerechneten Honorar verbunden sind. Gleichzeitig werden aber die Einmalkosten der Fusion bis zu deren Rückführung an Partner oder Bank das «durchschnittlich eingesetzte Kapital» erhöhen.

43 Bei reinen Rationalisierungsinvestitionen kann anstelle des «Ø Gewinns pro Jahr» einfach die Grösse «Ø Kostenersparnis pro Jahr» in die Rechnung eingesetzt werden.[64]

1.3.1.4 Amortisationsrechnung[65]

44 In der Amortisationsrechnung wird die Zeitdauer ermittelt, die bis zur Rückzahlung der Investition verstreicht *(pay-back period)*.[66] Die Rückzahlung kann entweder aus Gewinnen oder aus Kostenersparnissen erfolgen.

45 Die Werte, die in die Rechnung eingesetzt werden, können aus der Kosten- und Gewinnvergleichsrechnung übernommen werden. Es gibt zwei Methoden, um die *pay-back period* zu berechnen: die Kumulationsrechnung und die Durchschnittsmethode.

---

[63] Capaul/Steingruber 2010, S. 414.

[64] Thommen 2008, S. 541.

[65] Capaul/Steingruber 2010, S. 415 f.

[66] Rüegg-Stürm/Sander 2009, S. 154; Thommen 2008, S. 542.

Bei der Kumulationsrechnung wird der Gewinn bzw. wird die Kostenersparnis pro Jahr so lange addiert, bis die Summe kumuliert dem ursprünglichen Investitionsbetrag entspricht. Dieses Vorgehen empfiehlt sich, wenn die zur Rückzahlung anfallenden Grössen nicht in regelmässiger Höhe anfallen.[67] 46

Die Durchschnittsmethode setzt den Kapitaleinsatz für die Investition ins Verhältnis zu 47 den damit verbundenen durchschnittlichen Rückflüssen (Gewinn plus Abschreibungen bzw. Kostenersparnis plus Abschreibungen) über die Zeit. Im Verkehr mit Banken ist es üblich, diese Rechnung mit dem sogenannten Freien Cashflow anstelle von Gewinn oder Kostenersparnis anzustellen. Der Freie Cashflow ist derjenige Teil des Cashflows, der nach Abzug der für die Investitionen des Unternehmens notwendigen Mittel übrig bleibt, um die Amortisation eines Darlehens zu betreiben.[68]

Stehen verschiedene Investitionsvarianten zur Verfügung, wird die Rechnung für alle 48 der zum Vergleich stehenden Varianten angestellt. Jene mit der tiefsten Amortisationszeit ist dann die günstigste.[69] Es sind vor allem die Fremdkapitalgeber, die an der Amortisationsrechnung interessiert sind. Sie ist ein Indikator für das Risiko einer Investition. Je länger nämlich die Amortisationszeit ist, desto tendenziell unzuverlässiger sind die Annahmen, die der Investition zugrunde gelegt wurden.[70]

1.3.2 Dynamische Verfahren

Im Gegensatz zu den statischen Methoden werden hier die Zahlungsströme nach Mass- 49 gabe ihres zeitlichen Eintritts während der Nutzungsdauer der Investition erfasst. Daraus ergibt sich, dass sämtliche künftigen Ein- und Ausgänge von Zahlungen auf den Anfangszeitpunkt der Investition hin diskontiert (auch «abgezinst») werden müssen.[71]

Auf diese Weise wird der sogenannte Barwert der künftigen Ein- oder Auszahlungen 50 ermittelt. Die mathematische Herleitung des von Zinsfuss und Investitionsdauer abhängigen Diskontierungsfaktors zur Berechnung des Barwerts ist üblicherweise nicht notwendig. Die entsprechenden Faktoren können sogenannten Abzinsungstabellen entnommen werden.[72]

---

67 Thommen 2008, ebenda.
68 Behr, Giorgio / Leibfried, Peter: Rechnungslegung. 2. Auflage, Zürich 2010, S. 371.
69 Thommen 2008, S. 543.
70 Thommen 2008, ebenda.
71 Thommen 2008, S. 545.
72 Je separat für einmalige («Abzinsungsfaktor») und jährlich gleichmässig wiederkehrende («Abzinsungssummenfaktor») Zahlungsflüsse. Vgl. Thommen 2008, S. 545 ff. Anstelle vieler: www.advocat24.de/user_files/tabellen/Abzinsungstabelle.pdf (gefunden am 4. Februar 2012) oder www.zoebeli-modesti.ch/_downloads/zusammenfassumg_brw.pdf (gefunden am 4. Februar 2012).

1.3.2.1 Kapitalwertmethode (Net Present Value Method)[73]

51 Bei dieser Methode werden alle mit einer Investition zusammenhängenden Ein- und Auszahlungen auf einen bestimmten Stichtag abgezinst. Die Differenz zwischen den abgezinsten Ein- und Auszahlungen ist dann der Kapitalwert.[74] Dieser hängt demnach ab von der Höhe der Geldflüsse einerseits und dem Kapitalisierungszinsfuss, zu dem diese Geldflüsse abgezinst werden, andererseits.

52 Die Bestimmung des Zinssatzes kann unterschiedlich erfolgen: (1) Man kann ermitteln, wie hoch die zur Finanzierung der Investition zu leistenden Darlehenszinsen sind und setzt den Kapitalisierungszinsfuss so hoch an, dass damit die Finanzierungskosten gedeckt sind. Also: Kapitalisierungszinsfuss gleich Darlehenszinsfuss. Ein nächster Ansatz (2) besteht darin, dass man eine Zielrendite vorgibt, die man unter Berücksichtigung von Risiken und Chancen der Investition erreichen möchte.[75] Zu guter Letzt kann man (3) auch überlegen, wie hoch die Rendite auf einer alternativen Anlage sein würde und diesen Zinssatz in die Berechnung einsetzen.[76]

53 Die erste dieser drei Methoden macht vor allem Sinn, wenn ein grosser Teil der Investition fremdfinanziert ist und wenig Eigenkapital eingesetzt wird. Die zweite Methode steht im Vordergrund, wenn umgekehrt ein hoher Eigenkapitaleinsatz der Partner geplant ist. Die dritte Methode schliesslich wird häufig dann zur Anwendung kommen, wenn etwa in einem Fusionsprojekt mit einer anderen Kanzlei zu überlegen ist, ob sich das Vorhaben im Vergleich zur Variante «organisches Wachstum» lohnt.

54 Lohnend ist eine Investition immer dann, wenn deren Kapitalwert positiv ist, wenn also nach Rückzahlung der Investition und nach Ausrichtung eines angemessenen Zinses auf dem durch die Investition gebundenen Kapital ein Überschuss verbleibt.[77]

1.3.2.2 Methode des internen Zinssatzes (Internal Rate of Return Method)[78]

55 Diese Methode unterscheidet sich von der Kapitalwertmethode nur in einem Punkt: Es wird als Kapitalisierungszinsfuss für die Ein- und Auszahlungen der Zinssatz gewählt, der notwendig ist, damit sich gerade ein Kapitalwert von null ergibt.[79] Der ermittelte Zinssatz ist dann also die effektive Verzinsung der Investition.[80] Liegt dieser Satz über dem erwarteten Mindestzinssatz, ist das Investitionsprojekt besonders vorteilhaft.

---

73 Spremann 2010, S. 21 ff.; Capaul/Steingruber 2010, S. 418 ff., Rüegg-Stürm/Sander 2009, S. 156 ff.
74 Thommen 2008, S. 548.
75 Weber, Bruno/Siegert, Theo/Gomez, Peter: Firmen kaufen und verkaufen. Zürich 2007, S. 25 ff.
76 Thommen 2008, S. 549.
77 Thommen 2008, S. 549 f.
78 Capaul/Steingruber 2010, S. 421.
79 Spremann 2010, S. 27.
80 Thommen 2008, S. 550 f.

1.3.2.3 *Annuitätenmethode*[81]

Die Annuitätenmethode basiert ebenfalls auf der Kapitalwertmethode. Ist der Kapitalwert errechnet, wird in einem nächsten Schritt nun noch ermittelt, wie hoch die gleich grossen Einzahlungsüberschüsse (unter Verrechnung von Zinseszinsen) pro Jahr der Investitionsdauer sind.[82] Dazu wird der Kapitalwert mit dem sogenannten Wiedergewinnungsfaktor multipliziert. Letzterer ist nichts anderes als der Kehrwert des Rentenbarwertfaktors,[83] wie er sich aus den entsprechenden Zinstabellen ergibt.[84] 56

Auch hier gilt, was bereits zur Kapitalwertmethode gesagt wurde: Ist die Annuität einer Investition grösser als null, ist diese vorteilhaft.[85] 57

1.3.3 Modellansätze des Operations Research

Methoden des Operations Research werden im Zusammenhang mit der Investitionsrechnung genutzt, um Investitionen nach betrieblichen oder finanziellen Kriterien optimal zu planen bzw. bestehende Anlagen und Prozesse zu optimieren. Dazu werden unter anderem Simulationen und Sensitivitätsanalysen durchgeführt.[86] Ihre Anwendung auf Investitionen in Anwaltskanzleien scheint in der Praxis nicht vorzukommen. Auf ihre Darstellung wird hier deshalb verzichtet. 58

1.4 Finanzierung

Die Finanzierungsmöglichkeiten für Unternehmen sind zahlreich. Sie können nach Massgabe der Finanzierungsquelle wie folgt geordnet werden: 59

[81] Rüegg-Stürm/Sander 2009, 162.
[82] Thommen 2008, S. 551.
[83] Thommen 2008, S. 552.
[84] Vgl. vorstehende FN 72.
[85] Thommen 2008, ebenda.
[86] Domschke, Wolfgang/Drexl, Andreas: Einführung in Operations Research. 6. Auflage, Berlin 2005, S. 3 ff.

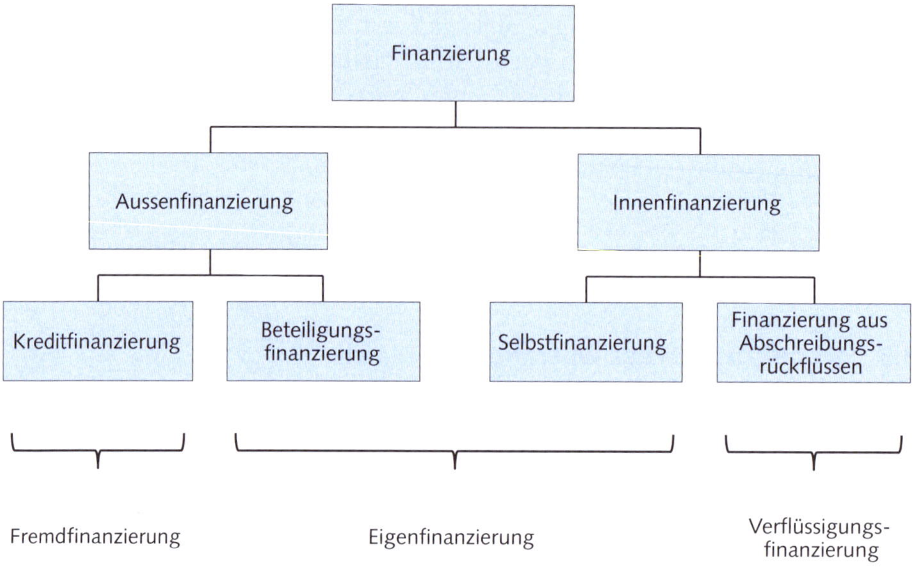

Abb. 5: Formen der Unternehmensfinanzierung[87]

1.4.1 Formen der Aussenfinanzierung

60 Bei der Aussenfinanzierung wird dem Unternehmen von aussen (neues) Kapital zugeführt.

1.4.1.1 Kreditfinanzierung[88]

61 Kreditgeber können sowohl Partner wie auch aussenstehende Dritte (z.B. Banken) sein. Bei grösseren Investitionen, aber auch zur Überbrückung von Liquiditätsschwankungen im Tagesgeschäft – hier oft als Kreditlinien von Geldinstituten gewährt –, sind solche Kredite üblich. Da die Investitionsvolumina im Dienstleistungsgeschäft in der Regel bedeutend geringer sind als etwa in Industrie oder Handel, kommen viele Kanzleien ohne Investitionskredite von Banken aus.[89] Entsteht trotzdem einmal entsprechender Bedarf – etwa bei grösseren IT-Investitionsvorhaben –, werden die entsprechenden Darlehen oft von den Partnern zur Verfügung gestellt.

62 Vorstellbar ist, dass Kredite von Partnern oder Dritten gegen eine Beteiligung am Erfolg einer Investition gewährt werden, beispielsweise als partiarische Darlehen. Man spricht in

[87] Thommen 2008, S. 437. Ähnlich Capaul/Steingruber 2010, S. 391.

[88] Capaul/Steingruber 2010, S. 391 f.

[89] Heussen, Benno: Anwaltsunternehmen führen. 2. Auflage, München 2011, S. 259.

diesen Fällen, in denen Elemente der Kredit- und der Beteiligungsfinanzierung gemischt sind, auch von *Mezzanine*-Finanzierung.[90] Im Kanzleialltag kommen solche Finanzierungen selten vor. Es ist aber denkbar, dass sich beispielsweise nicht alle Partner an der Finanzierung einer Investition beteiligen (können). Das in einer solchen Situation ungleich höhere Risiko der Darlehensgeber könnte mittels einer variablen Zinskomponente abgegolten werden, die sich etwa an der erwarteten Umsatzsteigerung oder an einer erhofften Kostenersparnis orientiert.

Selbstverständlich sind auch nicht bezahlte Lieferantenforderungen Kredite im hier besprochenen Sinn. Im Unterschied zu den eben diskutierten Darlehenskrediten werden sie zinslos gewährt. Kanzleien zeichnen sich jedoch in der Regel dadurch aus, dass sie gute Zahler sind. Dies ist schon aus Rücksicht auf ihre tadellose Reputation wichtig. Die Ausstände bei Lieferantenforderungen sind daher meist gering. 63

1.4.1.2 Beteiligungsfinanzierung[91]

Ist die Kanzlei in der Rechtsform einer Kapitalgesellschaft verfasst, so sind die Partner zugleich auch Aktionäre. Sie zeichnen Aktienkapital mit oder ohne Aufgeld auf den Nominalwert der Aktien *(Agio)*. Das so der Kanzlei zufliessende Geld ist eine Form der Beteiligungsfinanzierung. 64

In der Regel ist das dem Unternehmen im Rahmen einer Beteiligungsfinanzierung zugewendete Kapital teures Geld. Weil der Beteiligungsinhaber im Falle des Scheiterns des Unternehmens zuerst die Rückzahlung des Fremdkapitals hinnehmen muss, bevor er selber bedient wird, möchte er eine angemessene Risikoprämie auf dem einbezahlten Kapital erzielen. Es kann sich daher in Fällen, in denen der Kapitalbedarf der Kanzlei gross ist – zum Beispiel zur Finanzierung des Markteintritts in neue Märkte mit eigenen Standorten –, empfehlen, einen Mix zwischen Eigen- und Fremdfinanzierung anzustreben. 65

In Jurisdiktionen, in denen Anteile an Anwaltsgesellschaften an der Börse gehandelt werden dürfen,[92] steht Kanzleien natürlich ein weit grösseres Potenzial zur Aufbringung von Beteiligungskapital zur Verfügung. Namentlich bei der Umsetzung von Wachstumsstrategien eröffnen sich hier Möglichkeiten für die Entwicklung insbesondere von grossen internationalen Kanzleien, die weit über das hinausgehen, was bisher am Markt zu beobachten war. Unter Umständen wird sich auf dem globalen Markt für anwaltliche Dienstleistungen deshalb eine Zwei-Klassen-Gesellschaft ausbilden mit Kanzleien, die lediglich auf den beschränkten Kreis von Partnern zur Beteiligungsfinanzierung setzen dürfen und jenen Wettbewerbern, die zur Kapitalbeschaffung auf die Börse zählen können. Da Kanzleien als Publikumsgesellschaften aber bisher ausschliesslich in Australien zugelassen waren, hielten sich die Konsequenzen dieses Phänomens der «ungleich lan- 66

[90] Spremann 2010, S. 51; Thommen 2008, S. 436.
[91] Capaul/Steingruber 2010, S. 392.
[92] Vgl. dazu vorstehenden Abschnitt 1.2.4.

gen Spiesse» bei der Kapitalbeschaffung von Kanzleien in Grenzen. Die geplante Öffnung der Kapitalmärkte für englische Kanzleien könnte die Spielregeln für internationale Grosskanzleien indes völlig verändern. Die renommiertesten Vertreter des sogenannten *magic circle* grosser Kanzleien am Finanzplatz London sind bereits heute sehr international aufgestellt und unterhalten an allen bedeutenden Wirtschaftszentren Standorte. Aussenstehende Kapitalgeber dürften hier durchaus interessante Renditemöglichkeiten sehen und viel versprechenden Kanzleien mit der Zeichnung von Aktienkapital die Ressourcen für einen kräftigen Expansionsschub zur Verfügung stellen wollen.

1.4.2 Formen der Innenfinanzierung

67 Bei den Formen der Innenfinanzierung wird das notwendige Kapital vom Unternehmen selbst erwirtschaftet.

1.4.2.1 Selbstfinanzierung[93]

68 Hier werden zur Finanzierung des Unternehmens Gewinne zurückbehalten. Da bei Personengesellschaften Gewinne – auch steuerlich – immer direkt den Gesellschaftern zugerechnet werden, ist diese klassische Form der Selbstfinanzierung nur bei Kanzleien möglich, die als Kapitalgesellschaft konstituiert sind. Erzielte Gewinne werden nicht als Dividenden an die Partner ausgeschüttet, sondern als Gewinnvortrag oder als Reserven in die Kanzleibilanz eingebucht.

69 Eine weitere Form der Innenfinanzierung stellt die Bildung von Rückstellungen dar. Diese sind als Fremdkapital gebucht, weil sie Verbindlichkeiten gegenüber Dritten[94] darstellen, mit denen unter Umständen zu rechnen ist, die in der Regel ihrer Höhe nach noch nicht definitiv feststehen und bei denen auch oft unklar ist, wann sie zeitlich anfallen.[95]

70 Der Verkauf von bilanzierten Vermögenswerten des Unternehmens stellt lediglich eine Vermögensverflüssigung dar. Sie wirkt sich nicht auf das Kapital – aber natürlich auf die Liquidität – des Unternehmens aus und ist deshalb nach Massgabe der hier zugrunde gelegten Begrifflichkeiten keine Form der Unternehmensfinanzierung.[96]

1.4.2.2 Finanzierung aus Abschreibungsrückflüssen

71 Die notwendigen Abschreibungen auf Teilen des Umlaufs- und Anlagevermögens des Unternehmens werden in die Preise seiner Produkte und Dienstleistungen einkalku-

[93] Capaul/Steingruber 2010, S. 392.

[94] Nach IAS/IFRS (Art. 37) bestehen dafür drei Voraussetzungen: (1) Die Verpflichtung gegenüber Dritten muss *more likely than not* sein (das heisst mit einer Wahrscheinlichkeit von über 50% eintreten), sie muss (2) einen wahrscheinlichen *(more likely than not)* Abfluss von Ressourcen des Unternehmens zur Folge haben, und (3) und sie muss verlässlich geschätzt werden können *(best estimate)*.

[95] Thommen 2008, S. 436.

[96] Thommen 2008, S. 435 f.

liert.[97] Über den Verkauf dieser Produkte und Dienstleistungen fliesst das Entgelt für die Abschreibungen wieder in das Unternehmen zurück und steht zur Finanzierung von Investitionen zur Verfügung.

2. Unternehmensbewertung

Die Unternehmensbewertung spielt bei Anwaltskanzleien in der Regel keine grosse Rolle. 72
Es gibt aber dennoch Fälle, in denen es vorteilhaft ist, den Wert der Kanzlei bestimmen zu können: wenn es etwa darum geht, die Einkaufssumme für einen neuen Partner festzulegen, eine Nachfolgeregelung für einen Partner zu treffen, die Kanzlei zu verkaufen, sie aufzusplitten oder sie mit einer anderen Kanzlei zu fusionieren. Bei Kanzleien, die als Kapitalgesellschaft verfasst sind, ist die Unternehmensbewertung durch Steuerverwaltung bzw. Finanzamt sodann Grundlage für die Besteuerung der Unternehmensanteile.

In der Praxis werden die hier vorgestellten Methoden der Unternehmensbewertung 73
namentlich bei nicht an der Börse notierten Unternehmen zur Anwendung kommen. Bei Unternehmen, deren Anteile an der Börse gehandelt werden, entspricht der Unternehmenswert den addierten Kurswerten aller ausgegebenen Aktien *(Börsenkapitalisierung).* Der Kurswert reflektiert die Erwartungen der Nachfrager nach Unternehmensbeteiligungen an die künftige Entwicklung der Märkte im Allgemeinen und an jene des betreffenden Unternehmens im Besonderen.[98] Diese Erwartungen lassen sich nur beschränkt aus effektiv errechneten Substanz- oder Ertragswerten herleiten, auch wenn Analysten selbstverständlich entsprechende Überlegungen anstellen. Die «Börsenpsychologie» spielt hier oft eine mindestens ebenso grosse Rolle wie «harte» Fakten.

Es gibt zahlreiche Methoden zur Unternehmensbewertung. Die in der Praxis am häu- 74
figsten zu beobachtenden Methoden werden nachstehend in ihren Grundzügen dargestellt.

2.1 Substanzwert-basierte Methoden

Bei der Ermittlung des Substanzwertes wird der Wert des im Unternehmen steckenden 75
Eigenkapitals berechnet.[99] Abgestellt wird dabei nicht auf den Buchwert der Aktiven und Passiven, sondern in der Regel auf deren Fortführungswert.[100] Zum Buchwert hinzuzuzählen sind also die stillen Reserven auf den möglicherweise zu weit abgeschriebenen

---

[97] Vgl. dazu Kapitel 6 vorstehend.

[98] In der wissenschaftlichen Diskussion ist diese Aussage keineswegs unbestritten. Eine sehr schöne Darstellung des aktuellen Standes der Diskussion liefert Adolff, Johannes: Unternehmensbewertung im Recht der börsennotierten Aktiengesellschaft. München 2007, S. 15 ff.

[99] Weber/Siegert/Gomez 2007, S. 101 f.

[100] Rüegg-Stürm/Sander 2009, S. 167.

Aktiven oder auf den zu hoch gebildeten Rückstellungen. Die Höhe der stillen Reserven auf Aktiven lässt sich bestimmen, indem die Wiederbeschaffungskosten dieser Aktiven mit deren Buchwerten (nach Vornahme der ordentlichen Abschreibungen) verglichen werden.[101] Davon in Abzug gebracht werden müssen sodann die latenten Steuern auf eben diesen stillen Reserven und auf nicht betriebsnotwendigen Aktiven. Die diesem Schritt zugrunde liegende Überlegung ist, dass nicht betriebsnotwendiges Vermögen und die stillen Reserven eines Tages ausgeschüttet – oder im Falle einer Personengesellschaft eines Tages liquidiert, veräussert – werden müssen. In diesem Moment werden dann Steuern anfallen, die aber bereits im (früheren) Zeitpunkt der Bewertung «latent» da sind und deshalb bei der Bewertung berücksichtigt werden sollen.

76 Der Substanzwert eines Unternehmens wird nur in den seltensten Fällen als verlässlicher Unternehmenswert anerkannt. Mit ihm sind zu viele Unwägbarkeiten verbunden. Ausserdem wird damit der immaterielle Wert des Unternehmens nicht erfasst. Es kann mit der Substanzwertmethode namentlich nicht festgestellt werden, welcher Ertrag mit der vorhandenen Substanz zu erzielen ist. Gerade bei Dienstleistungsunternehmen wie einer Anwaltskanzlei hängt der Unternehmenswert wesentlich von den Fähigkeiten der Anwälte, von ihrer Reputation, ihrer Attraktivität für talentierte Nachwuchsleute, ihrer strategischen Positionierung und von der Qualität ihres Mandantenstammes ab. Der Nettowert ihrer Aktiven, bestehend aus Büroeinrichtung, IT und Bibliothek, ist in der Regel ohne jede Aussagekraft.

77 Auch diese Regel bleibt nicht ohne Ausnahme. Insbesondere beim Einkauf junger Anwälte in die Partnerschaft kann die Überlegung im Vordergrund stehen, dass eine anteilige Bezahlung des immateriellen Wertes der Kanzlei («Goodwill») nicht fair ist, weil der betreffende junge Kollege vielleicht schon in seiner Zeit als Associate massgeblich zur Wertsteigerung der Kanzlei beigetragen hat. In diesen Fällen erscheint ein Einkauf in diesen Goodwill unter Umständen nicht gerechtfertigt. Es genügt ein Einkauf in die Substanz. Ähnlich könnte argumentiert werden, wenn ein neuer Partner in ein Lockstep-System[102] eintritt. Dieses erlaubt den älteren Partnern üblicherweise, in den späteren Jahren ihrer Laufbahn überproportional am Kanzleigewinn zu partizipieren. Der «Einkauf» erfolgt so über die Jahre, solange junge Partner noch nicht die höchste Partizipationsstufe in der Partnerschaft erreicht haben. Schliesslich ist ein Einkauf oft auch dann unrealistisch, wenn der betreffende Kollege im Rahmen eines *lateral hire* zur Kanzlei stossen soll und seine Verhandlungsposition aufgrund seines «Marktwertes» stärker als jene der aufnehmenden Kanzlei ist.[103]

78 Es gibt aber natürlich Unternehmen, bei denen der Substanzwert auch aus anderen Gründen von Bedeutung ist: Ein qualitativ hochwertiger Immobilien- oder Wertschrif-

---

101 Thommen 2008, S. 559.
102 Vgl. Kapitel 4 vorstehend.
103 Vgl. dazu auch Abschnitt 3.1. nachstehend.

tenbestand, ein gesunder Bestand unbestrittener Forderungen gegenüber Dritten, eine hohe Liquidität oder eine wegen überdurchschnittlich gesunder Finanzierungsstruktur besonders solide Bilanz finden im Substanzwert ihren Niederschlag. In solchen und ähnlichen Fällen muss dieser bei der Ermittlung des Unternehmenswertes Berücksichtigung finden.

2.2 Ertragswert-basierte Methoden[104]

Der Ertragswert eines Unternehmens ist sein kapitalisierter Ertrag. Auch hier ist die entscheidende Frage jene nach dem Kapitalisierungszinsfuss: Welches ist die Erwartung an den Zins, den ein Investor auf dem eingesetzten Kapital erzielen möchte? 79

In der Praxis wird in der Regel mit einem Zinsfuss operiert, der sich aus unterschiedlichen Komponenten zusammensetzt: 80

Faktor	Satz
Reiner Kapitalzins auf risikolosen Anlagen am Bewertungsstichtag (z.B. Durchschnittsrendite 10-jähriger Bundesanleihen der Schweizerischen Eidgenossenschaft)	1%
Zuschlag für erschwerte Verkäuflichkeit (z.B. Käufermarkt für Unternehmensbeteiligungen / Markterfolg der Strategie noch nicht nachhaltig bewiesen / mittelfristige Standortbindung zu hohen Mietzinsen)	3%
Zuschlag für im Vergleich zu risikolosen Anlagen grösseres Risiko (z.B. Marktanteil nicht dominant / Margendruck von Kundenseite / Klumpenrisiko mit einzelnen Kunden / Innovationsrisiko IT / Gewährleistungsrisiko / Fremdwährungsrisiko / Markterschliessungsrisiken bei Expansion in neue Märkte)	4%
Zuschlag für nur partielle Ausschüttbarkeit von Gewinnen (Ersatzinvestitionen IT und Gerätepark / Investitionen für eventuelle Standortverlegung / Anstieg der Gewinnsteuer-Belastung)	1%
Total	9%

Abb. 6: Beispiel für die Berechnung des Kapitalisierungszinsfusses zur Unternehmensbewertung

[104] Spremann 2010, S. 137 ff.

81 In unserem Beispiel ist also die Ausgangslage der gegenwärtig tiefe Zins für risikolose Staatsanleihen. Über Zuschläge für die im konkreten Fall geschätzte beschränkte Liquidität der Anlage, ihr – im Vergleich zu Staatsanleihen – erhöhtes Risiko und für die teilweise Einbehaltung künftiger Gewinne wird die erwartete Rendite errechnet.

82 Die zweite schwierige Frage, die bei der Ermittlung des Ertragswertes zu beantworten ist, ist jene nach dem in die Formel einzusetzenden erwarteten Gewinn. Soll auf die Vergangenheit abgestellt und beispielsweise als Gewinn der Durchschnittsgewinn der letzten drei Jahre veranschlagt werden, unter Umständen noch unterschiedlich gewichtet, so dass beispielsweise der Gewinn des letzten Jahres dreifach, jener des Vorjahres doppelt und jener des ersten in die Berechnung fallenden Jahres einfach gezählt wird? Oder soll mit dem künftig nachhaltig zu erwartenden Gewinn gerechnet werden? Beide Methoden haben ihre Vor- und Nachteile: Das Abstellen auf den Gewinn in der Vergangenheit nimmt keinerlei Rücksicht auf die Investitionen, die das Unternehmen in seine Zukunft getätigt hat oder auf Risiken, die sich in den nächsten Jahren absehbar in Form eines tieferen Unternehmensertrages materialisieren werden. Wird hingegen der künftige Ertrag in die Rechnung eingesetzt, so ist dies zwangsläufig mit (ungenauen) Schätzungen verbunden und mit Annahmen, die eintreffen können oder eben auch nicht.

83 Hinzu kommt, dass entschieden werden muss, welches der massgebliche «Ertrag» sein soll. Einiges spricht für den Gewinn nach (Unternehmens-)Steuern. Das ist schliesslich der Betrag, der zur Bedienung der Investoren maximal zur Verfügung steht. Damit aber bleiben die Investitionsbedürfnisse des Unternehmens unberücksichtigt. Soll deshalb eher der Freie Cashflow[105] als für die Berechnung des Unternehmenswertes relevante Ertragsgrösse herangezogen werden?[106] Er würde sicherstellen, dass vom operativen Cashflow[107] jener Betrag in Abzug käme, den das Unternehmen zur Finanzierung notwendiger Investitionen und zur Amortisation von Darlehen braucht.

84 Die Formel zur Ermittlung des Ertragswertes lautet:[108]

$$\text{Ertragswert} = \frac{\text{Ø Ertrag}}{\text{Kapitalisierungszinssatz}}$$

[105] Rüegg-Stürm/Sander 2009, S. 171.

[106] In seiner ursprünglichen Form geschieht die Einsetzung künftiger Erträge in die Formel zur Ermittlung des Ertragswertes mittels des Cashflows. Die entsprechende Methode wird denn auch als «Discounted Cashflow-Methode» (DCF-Methode) bezeichnet. Vgl. Spremann 2010, S. 145 ff.; Thommen 2008, S. 566 f.; Weber/Siegert/Gomez 2007, S. 112; Rüegg-Stürm/Sander 2009, S. 176 f.

[107] Der operative Cashflow errechnet sich wie folgt: Gewinn + Abschreibungen +/– Bildung/Auflösung von langfristigen Rückstellungen und stillen Reserven +/- Bewertungskorrekturen auf dem Anlagevermögen. Vgl. Thommen 2008, S. 405; Rüegg-Stürm/Sander 2009. S. 95 f.

[108] Thommen 2008, S. 563.

In der anwaltlichen Praxis ist die Anwendung reiner ertragswert-basierten Methoden selten zu beobachten. Zu sehr hängt der künftige Ertrag von den Fähigkeiten und dem Einsatz der in der Kanzlei tätigen Individuen ab, zu wenig kann der Erfolg der Partnerschaft als Ganzes zugerechnet werden. Immerhin: Je grösser und stabiler die Kanzlei, desto eher liesse sich der Einsatz dieser Methode begründen, insbesondere dann, wenn sie als Kapitalgesellschaft konstituiert ist. Die Bewertung von als Personengesellschaften konstituierten Kanzleien mittels ertragswert-basierter Methoden hingegen ist anspruchsvoll. Sie setzt voraus, dass ein Teil des Kanzleigewinnes als ordentlicher «Unternehmerlohn» für die Partner abgegrenzt und für die Zwecke der Gewinnermittlung dem Aufwand zugerechnet wird. Als Basis für die Errechnung des massgeblichen Ertrages dient dann lediglich noch der über diesen Unternehmerlohn hinausgehende Gewinn. Im konkreten Fall dürfte die Diskussion über die Höhe des angemessenen Unternehmerlohnes aber recht anspruchsvoll sein. 85

2.3 Kombiniert substanz- und ertragswert-basierte Methode

Erscheint der Einbezug des Substanzwertes zur Ermittlung des Unternehmenswertes im Einzelfall berechtigt, soll er aber nicht allein wertbestimmend sein, so wird in der Praxis häufig ein Verfahren angewandt, das Substanz- und Ertragswert kombiniert. Verbreitet ist die sogenannte «Praktikermethode»:[109] 86

$$\text{Unternehmenswert} = \frac{\text{Ertragswert} + \text{Substanzwert}}{2}$$

Oft wird diese Formel so abgeändert, dass der Ertragswert doppelt und der Substanzwert einfach gewichtet wird. Sie lautet dann: 87

$$\text{Unternehmenswert} = \frac{(2 \times \text{Ertragswert}) + \text{Substanzwert}}{3}$$

Es ist durchaus vorstellbar, dass diese Methode auch bei der Bewertung von Anwaltskanzleien Anwendung findet. Zur Festlegung des Steuerwertes von Anwalts-Kapitalgesellschaften wird sie – in leicht abgewandelter Form – jedenfalls ohnehin herangezogen. 88

[109] Thommen 2008, S. 564 f. spricht in diesem Zusammenhang vom «Mittelwertverfahren.»

2.4 Multiples-Methoden[110]

89 Die Berechnung von Substanz- und Ertragswert beruht – wie oben ausgeführt – oft auf Annahmen, denen eine gewisse Unsicherheit anhaftet. Die entsprechenden Methoden führen zwar zu einem mathematisch sauber hergeleiteten Ergebnis. Dieses aber ist bei realistischer Betrachtung meist nur scheinbar genau. Immerhin: Die Anwendung verschiedener Methoden in einem Methoden-Mix wird zur Festlegung einer Bandbreite führen, innerhalb derer ein Preis gefunden werden kann.[111]

90 In den letzten Jahren haben sich in der Bewertungspraxis immer stärker die sogenannten Multiple-Methoden durchgesetzt. Sie fussen auf der Einsicht, dass ein errechneter Unternehmenswert noch lange nicht heissen muss, dass dieser mit dem Preis, der vom Käufer für das Unternehmen oder für Anteile davon bezahlt wird, übereinstimmt. Die Multiple-Methoden eignen sich besonders gut zur Plausibilisierung eines mittels «wissenschaftlicher» Methoden ermittelten Unternehmenswertes, auch wenn gilt: Wert und Preis sind zwei unterschiedliche Paar Schuhe![112]

91 Die Multiple-Methode operiert mit einem Faktor, der – multipliziert mit dem EBIT[113] oder dem Umsatz eines Unternehmens – den Unternehmenswert ergibt. Der Faktor wird nicht mathematisch hergeleitet, sondern ist nichts anderes als der Erfahrungswert, der sich für die betreffende Branche, den betreffenden Markt und die betreffende Grössenkategorie des Unternehmens ergibt, wenn man die Unternehmenstransaktionen über einen gewissen Zeitraum beobachtet. Viele Wirtschaftsprüfungsunternehmen und Fachzeitschriften werten die entsprechenden Bewegungen am Markt aus und ermitteln so periodisch die Multiples.[114]

92 Für Anwaltskanzleien existieren – soweit ersichtlich – (noch) keine spezifischen, statistisch erhärteten Multiples. Zu selten sind die öffentlich zugänglichen Informationen, die zur Ermittlung eines statistisch aussagekräftigen Erfahrungswertes zusammengetragen werden könnten.

93 Immerhin: Die deutsche Bundesrechtsanwaltskammer BRAK hat sich mit der Frage der Bewertung von Kanzleien auseinandergesetzt.[115] Sie empfiehlt eine Kombination von Substanzwert[116] und einem Umsatz-Multiple. Dieser Umsatz-Multiple ist aber nicht ein

---

[110] Weber/Siegert/Gomez 2007. S. 104 ff.

[111] Gantenbein, Pascal / Gehrig, Marco: Moderne Unternehmensbewertung – Bewertungsziel mit Methodenmix erreichen. In: Der Schweizer Treuhänder, 2007/9, S. 602 ff.

[112] Spremann 2010, S. 155 und 157 ff.

[113] Zum Begrifflichen vgl. Spremann 2010, S. 67 ff. sowie Kapitel 5 vorstehend.

[114] Anstelle vieler: Finance Magazin Online (gefunden auf http://www.finance-research.de/multiples/ am 11. Februar 2012). Einige der publizierten Multiples stellen keine Mittelwerte statistisch erhobener Faktoren dar, sondern sind Mittelwerte eingeholter Expertenmeinungen.

[115] Bernd, Lenzen / Ettmann, Carsten: Ertragswert- und Umsatzmethode zur Bewertung von Rechtsanwaltskanzleien. In: BRAG Mitteilungen 2005, S. 13 ff.

[116] Vgl. dazu Abschnitt 2.1. vorstehend.

statistisch hergeleiteter Wert, sondern ist für jeden einzelnen Fall aus einer Kriterienliste heraus zu ermitteln, wobei als Ausgangslage für die Bestimmung des Multiple der Wert 1 gelten soll. Das heisst also, dass zum Substanzwert der betreffenden Kanzlei ihr Jahresumsatz hinzugezählt wird, verändert um prozentuale Zu- und Abschläge, wie sie sich aus der Anwendung der Kritierienliste ergeben. Der Wert des Multiple soll dann noch um den Gesamtkostensatz der Kanzlei reduziert werden.

Wesentlichen Parametern in der von der BRAK propagierten Methode mangelt es – wie 94
gesagt – an einer statistischen Herleitung. So ist namentlich nicht klar, wie der Ausgangswert von 1 für die Berechnung des Umsatzmultiple zu begründen ist.[117] Diesem «Mangel» wird dann zwar mit der Einführung von Ertragswert-Komponenten in die Rechnung begegnet. Im Ergebnis ist die BRAK-Methode damit aber dann wohl nichts anderes als eine Kombination von Substanz- und Ertragswert.[118]

3. Nachfolgeregelung in der Anwaltskanzlei

Die meisten Kanzleien erneuern sich permanent, indem sie in regelmässigen Abstän- 95
den junge Anwälte als Partner aufnehmen. Die Aufnahmefrequenz hängt stark vom Promotionsmodell[119] ab, aber natürlich vor allem auch von der Grösse der Kanzlei. Eine grosse Kanzlei wird nur schon zur Sicherstellung des Bestandes jährlich eine gewisse Anzahl ihrer Associates zu Partnern ernennen, während eine kleine Kanzlei dies vielleicht nur tut, wenn beispielsweise alle 15 Jahre die Ablösung einer Partnergeneration ansteht. Weitere Gründe für die Aufnahme neuer Partner können die Wachstumsstrategie der Kanzlei, die Erweiterung des Kanzleiangebots um Dienstleistungen in neuen Rechtsgebieten oder der Ersatz von Anwälten sein, die im Rahmen eines Spin-off die Kanzlei verlassen haben.

---

[117] Berndt, Thomas / Gutsche, Robert / Offenhammer, Christian: Unternehmensbewertung von Professional Service Firms – Mandanten-Cashflows als zentrale Grösse. In: Betriebs Berater, Heft 20/2010, S. 1204.

[118] Cotterman, James D.: Valuation of a Law Firm and a Law Practice. In Altman Weil Inc. (Hrsg.), March 2008, S. 10 f. empfiehlt einen reinen Ertragswert-Multiple.

[119] *Up-or-out* versus *dead-man's-schoes;* vgl. dazu Kapitel 4 vorstehend.

3.1 Einkauf in die Partnerschaft[120]

96 In vielen Fällen wird sich bei der Aufnahme neuer Partner die Frage nach dem Einkauf in die Partnerschaft stellen.[121] Ob die Diskussion dieser Frage am Ende auch zur Entrichtung einer Einkaufssumme führt, hängt von verschiedenen Faktoren ab.[122]

97 In erster Linie ist die Frage des Einkaufs eine Frage der Verhandlungsmacht im konkreten Fall. Ist die Partnerschaft an einem Kollegen stark interessiert, weil dieser über besonders attraktive Fach- oder Marktkenntnisse verfügt oder weil er vielleicht einen speziell lukrativen Mandantenstamm mitbringt, wird es wohl kaum zur Bezahlung einer Einkaufssumme kommen. Im Gegenteil: In der Praxis sind Fälle zu beobachten, in denen im Rahmen von *lateral hires* die aufnehmende Kanzlei dem neuen Kollegen sogar ein Eintrittsgeld zahlt oder auf andere Weise besonders interessante Bedingungen für den Wechsel zu schaffen sucht. Dies kann namentlich dadurch geschehen, dass der Kollege im Lockstep-System der Kanzlei ein paar Stufen überspringt und in eine Gewinnbeteiligungsklasse eingestuft wird, auf die er gestützt auf seine (fehlende) Seniorität noch keinen Anspruch hätte.

98 In Kanzleien, die ein Lockstep-System betreiben, in welchem die älteren Partner einen höheren Anteil am Gewinn erhalten als die jüngeren Kollegen, wird ebenfalls in den seltensten Fällen eine Einkaufssumme verlangt werden. Der in einem solchen Lockstep enthaltene «Generationenvertrag» kompensiert die Vorteile des Eintritts in eine gut gehende Partnerschaft ja bereits.

99 Bei Kanzleien, deren Gewinnverteilungssystem nach dem Grundsatz *eat what you kill* aufgebaut ist, stellt sich die Frage etwas anders. Hier lässt sich ein Einkauf mindestens in die Substanz der Kanzlei ohne Weiteres rechtfertigen. Auch der Einbau einer Ertragswert-Komponente in die Berechnung der Einkaufssumme ist statthaft, wenn dem neuen Kollegen die Zuweisung von Mandaten aus dem Fundus der bisherigen Partner garantiert ist.

100 Anwaltskanzleien, die als Kapitalgesellschaften konstituiert sind, regeln den Verkauf von Anteilen an neu eintretende Partner mit Vorteil in ihren Partnerschaftsverträgen. Neue Kollegen müssen beim Kauf von Anteilen in der Regel mindestens deren Nominalwert bezahlen, oft aber den tatsächlichen Substanzwert, manchmal ergänzt um Ertragswertkomponenten. Diese Regelung wird meist mit der Bestimmung kombiniert, dass austretende Partner zu vertraglich festgelegten Bedingungen ihre Anteile an die Kanzlei – in diesen Fällen ist vorstellbar, dass der Verkaufspreis für den bisherigen Partner anders

[120] Vgl. dazu auch die Ausführungen in Kapitel 4 vorstehend.

[121] Miescher, Matthias / Galli, Patrick: Anwaltsbüro – Nachfolgeregelung. In: Anwalts Revue 9/2008, S. 412.

[122] Vgl. dazu auch Abschnitt 2.1. vorstehend.

festgelegt wird als der Kaufpreis für den neuen Kollegen – oder direkt an neu eintretende Partner verkaufen müssen.

3.2 Due Diligence

Neu eintretende Partner werden vor dem Vollzug ihrer Entscheidung zur Annahme der Partnerschaft prüfen müssen, ob der Eintritt in die Kanzlei mit wesentlichen Risiken verbunden ist. Solche Risiken können sich vor allem aus Haftungsfällen ergeben, deren Ursprung in der Zeit vor ihrem Eintritt liegt, sowie – dies betrifft nur *lateral hires* – dem Risiko, dass Mandate wegen Interessenkollision niedergelegt werden müssen.[123] 101

Das erste dieser beiden Risiken ist im Rahmen der Due Diligence[124] kaum zu entdecken. Der neu hinzustossende Partner wird daher gut beraten sein, wenn er mit seiner künftigen Haftpflichtversicherung über den Einschluss von Risiken in die Deckung spricht, die vor seinem Engagement ihren Ursprung genommen haben. Auch wenn im konkreten Streitfall die Haftung wegen des späteren Eintritts des betreffenden Partners unter Umständen abgewendet werden kann, können doch Schadenabwehrkosten entstehen, die versichert sein müssen. Die neue Haftpflicht-Police sollte daher diesbezüglich eine Art Vorwirkung entfalten. 102

Das zweite Risiko – jenes des Verlusts von laufenden Mandaten wegen Interessenkollision – muss im Rahmen der Due Diligence sorgfältig geprüft werden. Es müssen (wohl nach dem *signing*, aber vor dem *closing*) die beiderseitigen Mandatsbeziehungen offen gelegt werden, und es ist im Konfliktfall zu entscheiden, welcher der Beteiligten – der neu eintretende Partner oder die Kanzlei, in die er eintritt – seine eigenen Interessen hinter jene des gemeinsamen Vorhabens hintanstellt. 103

[123] Bower, Ward: Merging Law Firms – Part II. In: Altman Weil Inc. (Hrsg.): Report to Legal Management, March 2008, S. 8.

[124] Weber/Siegert/Gomez 2007, S. 257 ff.

3.3 Partnerschaftsvertrag

104 Im Partnerschaftsvertrag wird die Beziehung der Partner untereinander geregelt. Regelungsbedürftig sind namentlich folgende Punkte:

Elemente Partnerschaftsvertrag
Rechtsform der Partnerschaft und Kreis der Partner
Verweis auf das Organisationsreglement der Kanzlei als integrierter Bestandteil des Partnerschaftsvertrages
Verbot der Übertragung und der Belastung von Aktien ausserhalb der im Partnerschaftsvertrag vorgesehenen Möglichkeiten
Regelung der Wahl und Abwahl für die Besetzung von Organ- und Managementfunktionen in der Kanzlei und der Entschädigung dieser Tätigkeiten
Regelung der Gewinnverteilung
Regelung der Beschlussfassung in Sachgeschäften (Aufnahme neuer Partner, Investitionen, Partnerdarlehen, Fusion, Erlass und Änderung des Organisationsreglementes etc.)
Regelung des Ausscheidens von Partnern (Ausscheidungsgründe, Ausscheidungs-Modalitäten, insbes. Rückkauf- bzw. Rückverkaufsverpflichtung von Anteilen, Rückzahlung von Darlehen, Ablösung von Garantien und/oder Bürgschaften, gleichzeitiges Ausscheiden mehrerer Partner, Liquidation etc.)
Dauer und Kündigung des Vertrages

Abb. 7: Checkliste für Partnerschaftsvertrag am Beispiel einer als Aktiengesellschaft verfassten Kanzlei[125]

105 Um den Partnerschaftsvertrag zu entlasten, sollte ein separates Organisationsreglement geschaffen werden, auf das im Partnerschaftsvertrag verwiesen wird. Vorstellbar ist daneben, dass einzelne weitere im obigen Beispiel als Teil des Partnerschaftsvertrages geregelte Punkte in ein separates Reglement ausgelagert werden (z.B. in ein Reglement über die Aufnahme neuer Partner oder in einem Reglement über die Gewinnverteilung).

[125] Vgl. dazu auch Heussen 2011, S. 288 f.

Ein Organisationsreglement könnte sich an folgenden Eckpunkten orientieren: 106

Elemente Organisationsreglement
Organigramm mit den einzelnen Führungsgremien
Partnerversammlung (Aufgaben, originäre Kompetenzen und subsidiäre Zuständigkeit, Vorsitz und Protokollführung, Sitzungskadenz, Einberufung und Tagesordnung, Beschlussfassung etc.)
Geschäftsleitung (Zusammensetzung, Aufgaben, Kompetenzen, Reporting, Vorsitz und Protokollführung, Sitzungskadenz, Einberufung und Tagesordnung, Beschlussfassung, Entschädigung etc.)
Managing Partner (Aufgaben, Kompetenzen, Reporting, Entschädigung, Karenzfrist bei Wiederaufnahme der Mandatsarbeit nach Beendigung des Amtes etc.)
Fach- und Industriegruppen (Zugehörigkeit, Aufgaben, Kompetenzen, Leitung, Reporting etc.)
Management-Support (Administration, Finanzen, HR, Wissensmanagement, Marketing, IT-Infrastruktur, Qualitätsmanagement, Risikomanagement etc.)

Abb. 8: Checkliste für Organisationsreglement einer grösseren Kanzlei

4. M&A im Kanzleiumfeld

Bis in die 80er-Jahre des 20. Jahrhunderts hinein war die Entwicklung des Anwaltsmarktes in Europa durch organisches Wachstum der Kanzleien und durch einen eng an die Aktivitätsdauer der Partner geknüpften Lebenszyklus geprägt. In den letzten zwanzig Jahren hingegen wurde das Gesicht des Marktes vor allem durch Fusionen und Spinoffs verändert, und zwar grundlegend. 107

Vor diesem Paradigmawechsel war eine Anwaltskanzlei aus einem Standort heraus tätig, die Partner waren Generalisten, und eine Kanzlei mit zehn Anwälten bezeichnete sich bereits als «Grosskanzlei» (oder wurde von Kollegen hinter vorgehaltener Hand verächtlich als «Fabrik» verunglimpft). Der Markt war praktisch nicht dem Wettbewerb ausgesetzt und entwickelte sich beschaulich so fort, wie er es schon viele Jahrzehnte zuvor getan hatte.[126] 108

Seither aber ist der Anwaltsmarkt einer ungeheuren, bis heute ungebrochenen Dynamik ausgesetzt. Internationalisierung, ja Globalisierung hat eingesetzt, Spezialisierungsstrategien dominieren die Kanzleilandschaft, die grössten Law Firms – auch in Europa – 109

[126] Vgl. dazu Kapitel 1 vorstehend.

beschäftigen mehrere Tausend Berufsträger, die Kanzleiorganisation folgt in der Regel einer Markt- und nicht einer Kompetenzlogik, Prozessoptimierung und Kostenmanagement rufen nach professionellem Kanzleimanagement und ständige Anpassung an sich schnell verändernde Marktbedingungen ist das Gebot der Stunde.

110 Kanzleien erfinden sich so immer wieder neu, suchen nach noch erfolgreicheren Geschäftsmodellen, schrumpfen und wachsen und versuchen, mittels ständiger Erneuerung ihrer Angebotsplattformen ihr Kompetenzportfolio und ihre Wirtschaftlichkeit zu optimieren. Kein Wunder, dass unter diesen Umständen Fusionen und Spin-offs an der Tagesordnung sind.

4.1 Kanzleifusionen

111 Auf die Chancen und Gefahren der Realisierung von Wachstumsstrategien mittels Kanzleifusionen wurde bereits hingewiesen.[127] An dieser Stelle soll der Fusionsprozess etwas näher beleuchtet werden.[128]

4.1.1 Fusionsmotiv

112 Für den Erfolg einer Fusion ist es wichtig, dass das dem Vorhaben zugrunde liegende Motiv trägt. Es kann in ganz unterschiedlichen Bedürfnissen[129] gründen:

4.1.1.1 Kostenvorteile durch die Erzielung sogenannter economies of scale[130] oder Streben nach einer stärkeren Marktstellung zur Durchsetzung attraktiverer Preise

113 In beiden Fällen bietet es sich an, mit einer ähnlich aufgestellten Kanzlei zu fusionieren. Das Zusammenlegen von Infrastruktur und Führungsorganisation kann zu einer markanten Kosteneinsparung führen. Die Formierung einer Law Firm, die zum Marktführer im definierten lokalen, regionalen, nationalen oder sogar supranationalen Markt werden kann, verbessert die Wahrnehmung aus der Perspektive potenzieller Mandanten und bietet gute Voraussetzungen für eine Ausweitung und Vertiefung des Kompetenzportfolios. Daraus ergibt sich die Chance zu einer Verstärkung der Innovationsfähigkeit der Kanzlei und zur Verbesserung der Dienstleistungsqualität, was unter günstigen Umständen bessere Honorare zur Folge hat.

---

[127] Vgl. dazu Kapitel 1 vorstehend.

[128] Becker, Ulrich: Management von M&A-Transaktionen. In: Müller-Stewens, Günter / Kunisch, Sven / Binder, Andreas (Hrsg): Mergers & Acquisitions – Analysen, Trends und Best Practices. Stuttgart 2010, S. 232 f.

[129] Fueglistaller/Müller/Volery 2004, S. 146 ff.; Bower, Ward: Merging Law Firms. In: Altman Weil Inc. (Hrsg.): Report to Legal Management, February 2008, S. 5.

[130] Bower, Ward: Merging Law Firms – Part II. In: Altman Weil Inc. (Hrsg.): Report to Legal Management, March 2008, S. 2 f.

4.1.1.2 Margenvorteile durch die Ausweitung der Wertschöpfung und die Sicherung der Vertriebskanäle[131]

In diesen Fällen sollte die Fusion mit einer in der Wertschöpfungskette vor- oder nach- 114
gelagerten Kanzlei angestrebt werden. Es könnte sich etwa das Zusammengehen mit einem *low-cost*-Anbieter von anwaltlichen Commodities empfehlen oder die Fusion mit einer Kanzlei, die sich auf den Vertrieb von juristischen Dienstleistungen über das Internet spezialisiert hat.

4.1.1.3 Reduktion der Risiken und Kosten einer Marktausweitung

In diese Kategorie von Fusionsmotiven gehört der Zusammenschluss mit Kanzleien, mit 115
denen neue Märkte erschlossen oder die bisherige grenzüberschreitende Kooperation vertieft werden können.

4.1.1.4 Finanzielle und steuerliche Vorteile

Kaufkraftunterschiede und Währungsdisparitäten können dazu führen, dass Fusionen 116
mit Kanzleien in anderen Märkten zu besonders günstigen Bedingungen möglich sind. Wenn in den betreffenden Märkten auch noch Rechtsformen für Anwaltsgesellschaften zur Verfügung stehen, die steuerlich speziell attraktiv sind,[132] kann dies ein starkes Motiv für eine Fusion sein.

4.1.1.5 In der Persönlichkeit einzelner Partner liegende Motive

In der Praxis kommt es gelegentlich vor, dass die (Wachstums- oder Ertrags-)Poten- 117
ziale, die in einer Fusion gesehen werden, von den Partnern überschätzt werden.[133] Dieses Phänomen wird in der Literatur als *Hybris-Hypothese*[134] diskutiert. Zugrunde liegt häufig ein übersteigertes Ego der Schlüsselpersonen. Ist dies der Treiber für die Fusion, wird ein zu hoher Preis in Kauf genommen, in unserem Zusammenhang beispielsweise, indem verdiente Partner «überfahren» werden – und dann ausscheiden – oder die Fusionskosten durch die tatsächlich erzielbaren Fusionseffekte kaum mehr eingespielt werden können.

---

131 Bower, Ward: Merging Law Firms – Part II. In: Altman Weil Inc. (Hrsg.): Report to Legal Management, March 2008, S. 2.

132 Vgl. dazu Abschnitt 1.2.2.4. vorstehend.

133 Weber/Siegert/Gomez 2007, S. 63 f.

134 Hopfmüller, Lisa / Schimmer, Markus: M&A als Teil der Unternehmensstrategie – Perspektiven aus der M&A-Forschung. In: Müller-Stewens, Günter / Kunisch, Sven / Binder, Andreas (Hrsg): Mergers & Acquisitions – Analysen, Trends und Best Practices. Stuttgart 2010, S. 188.

4.1.2 Fusionsziel

118 Das Ziel der in Aussicht genommenen Fusion muss im Kreis der Partner gründlich diskutiert und eindeutig festgelegt werden. Das ist entscheidend, wenn verhindert werden soll, dass man sich im Sog der Dynamik des in Gang gesetzten Fusionsprozesses nicht von Opportunitäten leiten lässt. Ein klar definiertes Ziel bietet auch in der grössten Hektik und bei der Entscheidung von Detailfragen die notwendige Orientierung.

4.1.3 Auswahl des Fusionspartners

119 Auch die Auswahl des Fusionspartners hat sich dem festgesetzten Fusionsziel unterzuordnen. In der Regel wird zuerst eine sogenannte *long list* erstellt, aus der anschliessend anhand der aus dem Fusionsziel abgeleiteten Kriterien eine Auswahl *(short list)* herausdestilliert wird.

120 Auf dieser *short list* werden die möglichen Fusionspartner nach Massgabe ihrer Attraktivität für das Vorhaben sodann in eine klare Rangfolge gebracht. Dies geschieht, indem alle verfügbaren Informationen über die betreffenden Kanzleien gesammelt und ausgewertet werden, letzteres immer mit Blick auf das mit der Fusion verfolgte Ziel. Wichtig sind hier namentlich auch «weiche» Kriterien, wie etwa die Reputation der Kanzlei, deren Kultur oder bereits bestehende persönliche Beziehungen zu einzelnen ihrer Exponenten. Die Kanzleien müssen zueinander passen![135]

121 Steht fest, welche Kanzlei der bevorzugte Fusionspartner ist, wird in einem ersten Kontaktgespräch sondiert, ob überhaupt die Bereitschaft besteht, über die Fusionsidee zu diskutieren. Kommt ein positives Signal zurück, muss ein eigentlicher Projektplan erstellt werden, wie er auch in anderen Transaktions-Projekten üblich ist, der dann abgearbeitet wird.

4.1.4 Herstellen der Fusionsfähigkeit

122 Unter dem Eindruck der Gespräche und Verhandlungen zwischen den Partnern des Fusionsprojektes geht häufig vergessen, dass die Vorbereitung der eigenen Kanzlei auf die Fusion von überragender Bedeutung ist.[136] In der Praxis ist oft zu beobachten, dass gut aufgesetzte Projekte ganz oder teilweise scheitern, weil die eigene Mannschaft auf dem Weg zur Fusion schlicht verloren geht.

---

[135] Hellwig, Hans-Jürgen: Kanzleifusion. In: DAV-Ratgeber – Die eigene Kanzlei. 2008, S. 279 ff.
[136] Weber/Siegert/Gomez 2007, S. 213 ff.

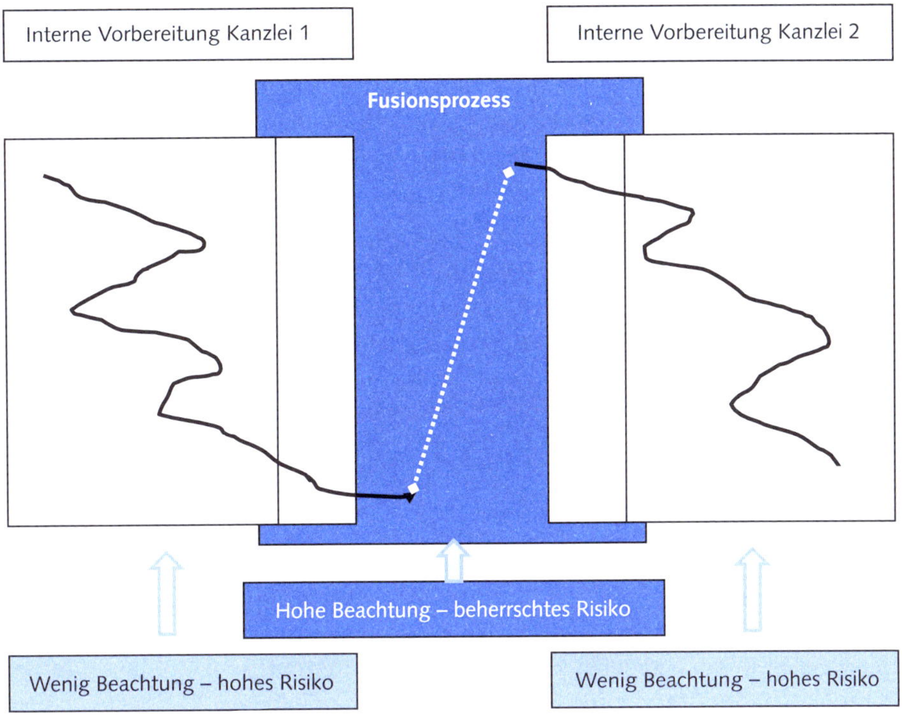

Abb. 9: Risiken aus mangelnder Fusionsfähigkeit

Es fehlt in solchen Fällen gelegentlich das Sensorium der Kanzleiführung für die Schwere der Entscheidung, die in der Regel sämtliche Kanzleiangehörige in ihrem unmittelbaren Arbeitsumfeld ganz persönlich betrifft. Die Kanzleiführung muss sorgfältig darauf bedacht sein, alle Kanzleiangehörigen zeit- und stufengerecht über das Fusionsvorhaben zu informieren. Soweit möglich – der Zwang zur Vertraulichkeit wird hier Grenzen setzen –, sind die Ziele der Fusion und die wichtigsten Prozessschritte im Kreis der Partner intensiv zu diskutieren. Soll das Fusionsvorhaben gelingen, muss über die grossen Züge des Projektes Einigkeit bestehen. In der Detaildiskussion werden noch genügend Aspekte auftreten, die zur Belastungsprobe werden. Partner, die schon im Grundsätzlichen von der Kanzleiführung oder der Mehrheit der Kollegen abweichende Auffassungen haben, werden die Sozietät spätestens nach Umsetzung der Fusion verlassen. Eine gründliche Vorbereitung der eigenen Kanzlei auf diesen Schritt hat massgeblich Einfluss darauf, wie hoch die Umsetzungsverluste sind. Eine schlechte Vorbereitung kann zur Folge haben, dass eine kritische Menge von Schlüsselpersonen abspringt und sogar der Fusionserfolg als Ganzes gefährdet ist. 123

4.1.5 Fallstricke im Fusionsprozess

4.1.5.1 Ausreichende Managementkapazität

124 Anwälte sind in der Regel eng in die Mandatsarbeit eingebunden, selbst wenn sie in der Kanzlei Führungsfunktionen ausüben. Und: Wenn der Mandant drängt, wird dieser Mandatsarbeit höhere Priorität eingeräumt als der Mitwirkung in strategischen Projekten der Kanzlei.

125 Zwar unterhalten grosse Kanzleien oft Stabsabteilungen für das Rechnungswesen, das Personalwesen oder das Marketing, in denen Fachkräfte arbeiten, die nicht Anwälte sind. In diesen Abteilungen ist das Wissen um die Planung und Abwicklung von grossen Kanzleientwicklungs-Projekten unter Umständen (teilweise) vorhanden. Die entsprechenden Mitarbeiter sind daher wichtige Ressourcen in Fusionsprojekten. Letztlich aber muss ein solches Projekt von den Partnern der Kanzlei getrieben und auch ganz wesentlich mitgestaltet werden. Eine Delegation vieler entscheidender Elemente der Projektarbeit im Fusionsprozess an angestellte Mitarbeiter oder aussenstehende Berater ist nicht möglich.

126 Für den Erfolg eines Fusionsvorhabens ist entscheidend, dass sich die in Führungsfunktionen eingebundenen Partner mit ganzer Kraft für den Erfolg des Projektes engagieren. Oft ist es nicht die eigentliche Projektarbeit, welche am meisten Zeit konsumiert. Viel aufwendiger ist in der Regel die Kommunikation mit den Kolleginnen und Kollegen in der Kanzlei, mit den Mandanten und mit anderen Stakeholders. Es gilt daher, dass die erfahrenen und einflussreichen Partner der Kanzlei für die Dauer des Fusionsprojektes – dazu gehört namentlich auch die Phase der *post merger integration*[137] – einen Grossteil ihrer Zeit dem Projekt widmen.

4.1.5.2 Persönliche Befindlichkeiten

127 Man würde meinen, dass erfolgreiche Partner einer Anwaltskanzlei ihre Freude am Beruf in erster Linie aus der Anerkennung von Mandanten und Berufskollegen schöpfen, aus dem (finanziellen) Erfolg ihrer Tätigkeit und aus der herausfordernden Beschäftigung mit spannenden Fragestellungen. In der Praxis zeigt sich aber immer wieder, dass auch andere Aspekte eine Rolle spielen.

128 Gerade in Fusionsprojekten werden in gewisser Hinsicht die Karten neu gemischt: Es braucht einen neuen Kanzleinamen, die Positionen in den Führungsgremien sind neu zu besetzen, und es sind jene Partner zu bestimmen, die in der Kommunikation nach Aussen auftreten, Interviews geben und Kanzleimitteilungen an Mandanten, Medien und Behörden unterschreiben. Unter Umständen werden auch Büros neu zugeteilt werden müssen und Sekretariats-Dienstleistungen anders organisiert.

[137] Vgl. Abschnitt 4.1.5.4. nachstehend.

In der Diskussion um diese Aspekte der Fusion wird deutlich, dass ein solches Projekt die Kanzleiangehörigen, namentlich aber die Partner, im Innersten berührt und häufig auch stark verunsichert.[138] Wenige reagieren gelassen, wenn ihr Name aus der Kanzleibezeichnung gestrichen werden soll oder sie in Zukunft nicht mehr der Geschäftsleitung angehören. Kollegen, die in der Kommunikation das (sympathische und kompetente) Gesicht der Kanzlei verkörpern dürfen und deshalb im Rampenlicht stehen, werden um ihre Rolle beneidet. Und es wird mit Argwohn registriert, dass einzelne Partner in den neuen Büroräumlichkeiten ein Eckzimmer mit Ausblick in zwei Himmelsrichtungen zugeteilt erhalten, andere aber in ein Büro direkt beim Aufzug einziehen sollen. 129

Es braucht viel Einfühlungsvermögen, um negative Effekte von persönlichen Befindlichkeiten zu vermeiden. Oft müssen gerade führende Partner in der Gestaltung ihrer künftigen Position Abstriche machen, um den Schattenwurf auf weniger zentrale Figuren in der Kanzlei kleiner zu halten. Gelingt dies, ist für den Erfolg von Fusionsprojekten viel gewonnen. Ist die hektische Phase der «Häutung» vorbei, kann später vieles wieder in grösserer Gelassenheit diskutiert und – falls notwendig – vielleicht auch wieder zurechtgerückt werden. 130

4.1.5.3 Fusionsbedingungen

In der Dynamik einer Kanzleifusion steht insbesondere zu Beginn des Prozesses die Begeisterung für eine als ideal erscheinende gemeinsame Zukunft im Vordergrund. Geht es dann aber um die Festlegung der Fusionsbedingungen, beginnt die Knochenarbeit. 131

Zu den am schwierigsten zu entscheidenden Fragen gehören etwa folgende: 132

- Haben zwei Fusionspartner unterschiedliche IT-Systeme, ist darüber zu befinden, welches der beiden Systeme aufgegeben wird. Die Partnerschaft, die verzichten muss, wird dann über eine Abgeltung der notwendig werdenden Sonderabschreibung diskutieren wollen.
- Betreiben fusionierende Kanzleien Standorte in der gleichen Stadt, muss festgelegt werden, wo künftig der Standort der neuen Kanzlei sein soll. Damit sind oft nicht nur Kostenfolgen verbunden (der Mietvertrag für aufgegebene Büros läuft weiter, Nachmieter müssen gesucht werden), sondern es ergeben sich auch emotionale Fragen, die behutsam gelöst werden wollen.
- Wenn sich die Rentabilitäts-Kennziffern[139] der fusionierenden Kanzleien stark unterscheiden, müssen Wege gesucht werden, diese Werte anzugleichen. Das kann mit der Reduktion der eigenen Anspruchshaltung, aber auch etwa mit der

---

[138] Böning, Uwe: Übernahmen und Fusionen – Psychologie ist nicht alles, aber ohne Psychologie ist alles nichts. In: Müller-Stewens, Günter / Kunisch, Sven / Binder, Andreas: Mergers & Acquisitions – Analysen, Trends und Best Practices. Stuttgart 2010, S. 347 ff.

[139] Vgl. dazu Kapitel 5 vorstehend.

Übernahme von mehr Verantwortung – beispielsweise für ein grösseres Team von Associates und der damit verbundenen grösseren Auslastungsverantwortung – verbunden sein.

- Bei Vorliegen von Interessenkollisionen muss eine Kanzlei zugunsten der anderen auf die Weiterführung von Mandaten verzichten oder unter Umständen gar die Geschäftsbeziehung zu einzelnen Mandanten abbrechen. Das kann zur Folge haben, dass die betreffenden Partner in der Zukunft massive Schwierigkeiten haben werden, die finanziellen Ziele in ihrem Verantwortungsbereich zu erreichen.
- Die Kanzleibezeichnung wird neu gestaltet. Das führt in der Regel zwangsläufig dazu, dass die Namen einzelner Partner aus dem Kanzleinamen verschwinden. Es muss den davon betroffenen Partnern daher gelingen, die Kanzleibezeichnung bis zu einem gewissen Grad als Abstraktum zu sehen und nicht als Anerkennung einer besonderen Lebensleistung. Das ist nicht immer ganz einfach. Ganz abgesehen davon ist aber ein Namenswechsel immer auch mit gewissen objektiven Risiken verbunden. In der Vergangenheit getätigte Investitionen in den Bekanntheitsgrad der Kanzlei verfallen nutzlos, und es müssen neue Investitionen gewagt werden, um diesen Effekt zu kompensieren.

4.1.5.4 Post merger integration[140]

133 Ist die Fusion geschafft, sind die neuen, gemeinsamen Büroräumlichkeiten bezogen und liegen die neuen Visitenkarten druckfrisch auf dem Tisch, können sich die Partner noch lange nicht in Sicherheit wähnen. Jetzt erst kommt die Fusion auf den Prüfstand: Wird das neue Konstrukt von den Mandanten akzeptiert? Ist es auch für junge Talente attraktiv? Fühlen sich die Kanzleiangehörigen wohl und identifizieren sie sich mit der neuen Kanzlei? Wachsen die Teams zusammen? Wird der Führungsanspruch der neu besetzten Leitungsorgane kanzleiintern anerkannt? Können die gesetzten Fusionsziele erreicht werden?

134 Dem Zusammenwachsen der Kanzlei nach erfolgter Fusion und ihrer Akzeptanz im Markt muss die genau gleiche – wenn nicht sogar grössere – Sorgfalt gewidmet werden wie der Planung und der Umsetzung des Fusionsprojektes.[141] Fusionen scheitern in der Regel nicht im Fusionsprozess, sondern nach dessen Abschluss:[142] Mandanten ergreifen die Gelegenheit zum Kanzleiwechsel, weil sie vielleicht schon länger nicht mehr voll-

[140] Müller-Stewens, Günter: Post Merger Integration – zum Stand des Wissens. In: Müller-Stewens, Günter / Kunisch, Sven / Binder, Andreas: Mergers & Acquisitions – Analysen, Trends und Best Practices. Stuttgart 2010, S. 198 ff.

[141] Bower, Ward: Merging Law Firms – Part II. In: Altman Weil Inc. (Hrsg.): Report to Legal Management, March 2008, S. 8 f.

[142] Schreiner, Andreas / Wirth, Markus / Wirth, Thomas: «From Good to Great» – Erfolgsfaktoren aus der Praxis in der Umsetzung von Post Merger Management. In: Müller-Stewens, Günter / Kunisch, Sven / Binder, Andreas: Mergers & Acquisitions – Analysen, Trends und Best Practices. Stuttgart 2010, S. 290.

ständig mit den Dienstleistungen ihrer Anwälte zufrieden waren. Associates sehen eine Chance, sich – mit der Zusicherung von Mandanten zur weiteren Mandatierung im Rücken – mit eigener Kanzlei selbständig zu machen. Partner ziehen sich frustriert ins Schneckenhaus zurück und verweigern sich der Mitarbeit in den Gremien. Anwälte lehnen die Mitarbeit von Kollegen der «anderen» Kanzlei in gemeinsamen Mandatsteams explizit oder implizit ab, weil diese ihnen nicht sympathisch sind. Wettbewerber äussern sich – natürlich immer hinter vorgehaltener Hand – abfällig über die neue Kanzlei.

Diesen Gefahren muss begegnet werden, indem ein Projekt aufgesetzt wird, das zum 135
Ziel hat, die Kanzleikulturen zusammenzuführen.[143] Das wird nur über die Zeit gelingen. Es braucht dazu eine hervorragende Kommunikation,[144] kräftige Symbole und starke Vorbilder an der Spitze der Kanzlei.[145] «Minderheiten» müssen gehört und mit Positionen bedacht werden, die vielleicht nicht ihrer effektiven Bedeutung entsprechen. In vielen kleinen Schritten muss Vertrauen aufgebaut werden. Führungsentscheide müssen transparent und schnell gefällt sein.[146] Und: Es braucht glaubwürdige Exponenten der Fusion, die ehrlich, unprätentiös und authentisch auftreten und so im Innern und gegen Aussen die Zuversicht verströmen, dass dem Projekt Erfolg beschieden sein wird. Gelingt es, einen echten *team spirit* entstehen zu lassen, der alle Kanzleiangehörigen auf die gemeinsame Zukunft einschwört, wird die Fusion ein Erfolg!

4.2 Spin-offs bei Anwaltskanzleien

In jüngerer Zeit ist im Anwaltsgeschäft eine gewisse Marktsättigung eingetreten, deren 136
Folgen durch die erst kurz zurückliegende Finanzkrise noch verstärkt wurde.[147] Der zunehmende Kostendruck auf Anwaltskanzleien führt ausserdem dazu, dass diese gezwungen sind, die Wertschöpfungstiefe ihres Angebots zu überdenken und ihr Dienstleistungsangebot zu verwesentlichen.[148] Diese Effekte hatten in den letzten Jahren zur Folge, dass die grössten Kanzleien nicht mehr gewachsen sind. Wachstum fand vornehm-

[143] Weber/Siegert/Gomez 2007, S. 298 ff.; Schreiner / Wirth / Wirth 2010, S. 293.

[144] Sadowski, Kristin Alena / Sandstede, Michael / Weyand, Christian: Kommunikation als Erfolgsfaktor bei M&A- und Integrationsprozessen. In: Müller-Stewens, Günter / Kunisch, Sven / Binder, Andreas: Mergers & Acquisitions – Analysen, Trends und Best Practices. Stuttgart 2010, S. 326 ff.; Vgl. auch Kapitel 8 nachstehend.

[145] Sadowski/Sandstede/Weyand 2010, S. 344.

[146] Rigall, Juan / Tarlatt, Alexander: Strukturelle Integration als Herausforderung des Managements von Post Merger Integration. In: Müller-Stewens, Günter / Kunisch, Sven / Binder, Andreas: Mergers & Acquisitions – Analysen, Trends und Best Practices. Stuttgart 2010, S. 314 ff.

[147] Hartung, Markus: Strategische Ausrichtung von Kanzleien. In: Schieblon, Claudia (Hrsg.): Kanzleimanagement in der Praxis. Wiesbaden 2011, S. 26 ff. belegt aber, dass die verschiedenen Kanzleisegmente in Deutschland von dieser Entwicklung in unterschiedlicher Weise betroffen sind. Den grossen Kanzleien ist es trotz gebremsten Wachstums gelungen, die Rentabilität zu steigern. Über den gesamten Markt betrachtet aber sinkt die Ertragskraft von Anwaltskanzleien in Deutschland. Vgl. dazu auch Kapitel 1 vorstehend.

[148] Vgl. dazu Kapitel 2 und 3 vorstehend.

lich im Segment der mittelgrossen Kanzleien statt. Und zu guter Letzt: Im Geschäft mit anspruchsvollen Unternehmensmandanten ist immer häufiger die Forderung zu hören, dass anstelle von Associates günstiger und effizienter arbeitende externe Anbieter einzusetzen seien, wenn es um die Erbringung von anwaltlichen Commodities geht.[149]

137 Diese Entwicklungen bewirken, dass immer weniger Associates grosser Kanzleien die Chance erhalten, Partner zu werden. Oft sind es nicht einmal mehr 5% eines Associate-Jahrganges, welche die Promotion zur Partnerschaft schaffen.[150]

138 Die betreffenden jungen Kolleginnen und Kollegen sind aber überaus qualifiziert und haben einige Jahre Erfahrung sammeln können in höchst anspruchsvollen Mandaten für attraktive Mandanten. Letztere wiederum konnten sich in der Zusammenarbeit unter der Verantwortung einer grossen Kanzlei von den Fähigkeiten der betreffenden Anwälte überzeugen. Damit aber wird das Fundament für ein neues unternehmerisches Projekt gelegt: Junge Associates sehen die Möglichkeit, ihr in der Grosskanzlei erworbenes Renommee auszunutzen und gehobene anwaltliche Dienstleistungen selbst erfolgreich am Markt anzubieten, Unternehmensmandanten wittern die Chance, qualifizierte Anwaltsarbeit zu deutlich tieferen Preisen einzukaufen. Die Voraussetzung dazu ist, dass sich Teams von Associates von ihren Kanzleien absetzen und eine neue Kanzlei gründen, einen sogenannten Spin-off eben. Gewinner dieses Phänomens sind die jungen Anwälte und ihre Mandanten. Das Nachsehen hat die Grosskanzlei, aus der Associates und Mandate stammen.

139 In den letzten Jahren sind viele solcher Spin-offs gelungen. Wie nachhaltig diese Projekte sind, ist aber noch nicht schlüssig nachzuprüfen, weil das Phänomen ganz einfach noch zu jung ist. Klar ist, dass damit aber nicht nur Chancen, sondern auch Risiken verbunden sind:

- Weil die jungen Kanzleien noch nicht Gelegenheit hatten, sich einen Namen zu schaffen, hängt deren Beziehung zu wichtigen Mandanten häufig von der persönlichen Verbindung zwischen den betreffenden Anwälten und der zuständigen Führungskraft beim Mandanten ab. Verlässt diese Führungskraft das Unternehmen und tritt eine neue Person an ihre Stelle, wird sich diese fragen, ob sie weiterhin mit der jungen Kanzlei zusammenarbeiten will. Dagegen spricht unter Umständen, dass man sich (noch) nicht kennt und die Übernahme der Verantwortung für eine Mandatsvergabe leichter fällt, wenn die entsprechenden Anwälte einer bekannten Grosskanzlei angehören.
- In den ersten Jahren ihrer Existenz wird die junge Kanzlei mit tiefen Gemeinkosten operieren können. Wächst sie, gründet sie zusätzliche Standorte, muss eine leistungsfähigere IT angeschafft werden, braucht es ausgebaute organisatori-

[149] Vgl. dazu Kapitel 3 vorstehend.
[150] Vgl. dazu Kapitel 4 vorstehend.

sche Strukturen und vielleicht gar einen Stab von qualifizierten Angestellten, die keine Mandatsarbeit leisten, steigen diese Gemeinkosten. Mit der Zeit wird sie sich dem Gemeinkostenniveau angleichen, wie es auch in etablierten grösseren Kanzleien besteht. Der Kostenvorteil ist verschwunden, und die Honorare müssen so angehoben werden, dass die Partner weiterhin ihr gewohntes Einkommen erzielen. Tut man das nicht, kommt es zum Spin-off …

Bisher kaum zu beobachten – aber selbstverständlich denkbar – ist, dass grosse Anwalts- 140
kanzleien im Rahmen einer Fokussierungsstrategie[151] Teile ihres Geschäfts verkaufen. Als Käufer könnte beispielsweise ein Team junger Associates auftreten. Im Zuge einer strategischen Bereinigung und Straffung des Geschäfts würde ein solcher Schritt für eine Grosskanzlei möglicherweise durchaus Sinn machen. Ist eine Trennung des bisherigen Geschäftsmodells entlang einer einigermassen scharfen Linie in zwei selbständig lebensfähige Kanzleien möglich, sind auch ohne Weiteres Vorteile für die Käuferschaft vorstellbar. Es stünde gar einer nachfolgenden Zusammenarbeit der alten mit der neuen Kanzlei nichts entgegen.

Handelt es sich bei der verkaufenden Kanzlei um eine Kapitalgesellschaft, käme nach 141
Spaltung der «Mutterkanzlei» in zwei Gesellschaften ein sogenannter *share deal* infrage; es würden demnach die Aktien veräussert. In allen anderen Fällen würde es sich um einen *asset deal* handeln.[152] Es müssten also jene Aktiven und Passiven sowie – mit deren Einverständnis – jene Mandantenbeziehungen und Mandate ausgeschieden werden, die an die neue Kanzlei gehen sollen. Materielle und immaterielle *assets* müssten bewertet werden, sodass eine Grundlage für die Bestimmung des Kaufpreises geschaffen würde.

[151] Vgl. dazu Kapitel 1 vorstehend.
[152] Weber/Giesert/Gomez 2007, S. 174.

B. Finanzierung einer Anwaltskanzlei

PATRICK RÜTSCHE

1. Einleitung – Abgrenzungen

1 Wie jede Firma muss sich auch eine Anwaltskanzlei mit der Finanzplanung befassen. Dabei geht es unter anderem um die Sicherstellung ausreichender Liquidität sowie um die Frage, wie das Umlauf- und das Anlagevermögen zu finanzieren ist.

2 Es ist nicht das Ziel dieses Abschnittes, alle möglichen Kapitalstrukturen und Finanzierungsmöglichkeiten aufzuzeigen. Dazu ist die Landschaft der Kanzleien zu heterogen. Spezifische Finanzierungsmodelle für die Finanzierung von Anwaltskanzleien gibt es ohnehin nicht. Es kommt stets auf den konkreten Einzelfall an: Handelt es sich um eine kurzfristige Überbrückungsfinanzierung eines Einzelanwaltes als Einzelfirma oder einer grossen Anwalts-AG, oder etwa um einen Partnereinkauf in eine grosse Anwaltsfirma, welche als Kollektivgesellschaft organisiert ist?

3 Ziel dieses Kapitels ist es, aus der Sicht einer finanzierenden Bank aufzuzeigen, welche Finanzierungsbedürfnisse in der aktuellen Praxis an eine Bank gestellt werden und welches die Voraussetzungen für eine mögliche Fremdfinanzierung sind. Konkret wird nachfolgend in einem separaten Abschnitt detailliert auf Betriebsfinanzierungen, das heisst Kontokorrentlimiten zur Sicherstellung der Liquidität eingegangen und in einem weiteren Abschnitt werden Spezialfinanzierungen wie Partner-, Ausbildungs- und Wachstumsfinanzierungen betrachtet.

2. Besonderheiten im Umgang mit der Fremdfinanzierung von Rechtsanwaltskanzleien und Grundsätze der Fremdfinanzierung

2.1 Besonderheiten

4 Im Unterschied zu anderen Branchen lässt sich das Anwaltsgeschäft mit relativ geringen Anfangsinvestitionen betreiben. Kapitalintensiv sind allenfalls der Erwerb oder Umbau einer Büroliegenschaft. Ein elementares Bedürfnis sind demgegenüber Betriebsmittelkredite zur Überbrückung verschiedener Zahlungsfristen (sofort fällige laufende Kosten wie Miete, Telefon, Löhne usw. bei erst späterem Eingang der Honorare). In der Gründungsphase ersuchen Rechtsanwälte um etwas grosszügigere Kreditlimiten, damit die Kanzlei entsprechend ausgestattet werden kann. Spezielle Finanzierungsformen wie Leasing kommen jedoch kaum zur Anwendung.

Zentrale Frage bei der Finanzierung einer Kanzlei ist, wer als Kreditnehmer auftritt. Ist 5
es der Rechtsanwalt als Privatperson oder als Einzelfirma, ist es der Zusammenschluss einiger Rechtsanwälte in einer Personengesellschaft, ist es eine Anwalts-AG, die auch als solche Mandate annimmt, oder ist es eine Verwaltungsgesellschaft der Kanzlei, die zum Beispiel die Liegenschaft und das Büromobiliar hält sowie Sekretariatsangestellte beschäftigt, jedoch nicht selbst Mandate annimmt.

Die gesetzlichen Voraussetzungen für die Zulassungsbewilligung des Rechtsanwaltes 6
sowie die Standesregeln bringen weitere Besonderheiten im Umgang mit der Finanzierung von Rechtsanwaltskanzleien mit sich. Einerseits kann sich der Rechtsanwalt zum Beispiel keine Verlustscheine leisten, andernfalls er seine Zulassung und damit unter Umständen sein Erwerbseinkommen verliert. Andererseits kann er sich wegen der geforderten Unabhängigkeit auch nicht dazu verpflichten lassen, sämtliche Zahlungsströme und Transaktionen über das Konto der zu finanzierenden Bank abzuwickeln.

2.2 Grundsätze der Fremdfinanzierung

Die finanzierende Bank tritt in der Regel «nur» als Fremdkapital- und nicht als Eigenka- 7
pitalgeberin auf. Dadurch sollte jeder Kredit aus den erwirtschafteten Mitteln verzinst und auch in entsprechender Zeit zurückbezahlt (amortisiert) werden. Der Verwendungszweck des Kredites bestimmt die Amortisationsdauer bis zur vollständigen Rückführung. Im Vordergrund jeder Beurteilung eines Kreditgesuches stehen damit die freien erwirtschafteten Barmittel, der sogenannte *free cash flow*.

free cash flow	= Betriebsgewinn (EBIT)[1]
	+ Zinskomponente Leasing[2]
	– kalkulatorische Steuern
	+ Abschreibungen
	– durchschnittliche Ersatzinvestitionen
	(– Dividenden)

Der so errechnete *free cash flow* ist ein vergangenheits- und stichtagsbezogener Wert. 8
Die finanzierende Bank ist aber daran interessiert, die Zukunft abzuschätzen. Schliesslich muss auch der Schuldendienst aus den künftigen Erträgen bestritten werden. Für jede kommerzielle Finanzierung gilt es also, die nachhaltigen betrieblichen *free cash flows*

[1] Betriebsgewinn (EBIT): nachhaltig erzielbarer Betriebsgewinn vor Zinsen und Steuern.

[2] Um die Vergleichbarkeit mit der konventionellen Kreditfinanzierung zu gewährleisten, ist eine Korrektur des EBIT erforderlich. Die im Leasingaufwand enthaltenen Zinskosten sind in diesen Fällen aufzurechnen.

abzuschätzen, diese anschliessend abzudiskontieren und damit die betrieblich nachhaltige Verschuldungskapazität zu bestimmen.

Verschuldungskapazität = Abdiskontierungsfaktor × nachhaltiger *free cash flow*

9 Unter Umständen kann die nachhaltige Verschuldungskapazität noch durch nicht betriebliche Erträge, wie zum Beispiel Gewinne aus nicht betriebsnotwendigen Liegenschaften, erhöht werden.

10 Grundlage für jede Finanzierungsprüfung sind ausreichende und verlässliche Informationen über den Kreditnehmer und dessen Tätigkeit (testierte Abschlüsse, Budgets, Honorarvolumen, Besitzverhältnisse, Partnerschaften, Kompetenzen, Strategien, Abhängigkeiten, Positionierung gegenüber anderen Anwaltskanzleien etc.) – im Idealfall ein kurzer Businessplan.

11 Neben der Berechnung der Verschuldungskapazität ist auch darauf zu achten, dass für unvorhergesehene Entwicklungen ausreichend Liquidität und Risikokapital vorhanden sind. Je höher diese Sicherheitspuffer sind und je tiefer das verzinsliche Fremdkapital im Verhältnis zur gesamten Verschuldungskapazität ist, desto tiefer ist auch das Ausfallrisiko für den Kreditgeber. Solche tieferen Risiken haben in der Regel bessere (tiefere) Zinskonditionen zur Folge.

12 Zusätzliche Sicherheiten wie Bürgschaften, Garantien oder Wertschriftendepots erhöhen die Finanzierungslimite ebenfalls. Voraussetzung ist aber, dass diese Sicherheiten auch vertraglich, das heisst rechtlich verbindlich, für die Kreditfazilität haften.

3. Betriebsfinanzierungen

3.1 Finanzierungsgrundsätze

13 Der häufigste Fall einer Finanzierungsanfrage an eine Bank betrifft das Bedürfnis nach einer Kontokorrentlimite zur Sicherstellung der Liquidität, zum Ausgleich unterschiedlicher Zahlungsfristen, oder zur Anschaffung von Mobiliar. Falls es sich bei der kreditersuchenden Partei um eine etablierte Kanzlei handelt, die mehrjährige Abschlusszahlen aufweist und auch künftige Erträge und Kosten plausibel darstellen kann, so lassen sich nachhaltige Verschuldungskapazitäten rechnen und damit auch Betriebsfinanzierungen sprechen. Nur haben solche etablierten Kanzleien in der Regel bereits genügend Mittel erwirtschaftet und benötigen keine Kontokorrentlimiten. Blanko-Limiten auf Vorrat werden heute in der Regel nicht mehr erteilt.

14 Anders verhält es sich bei einer neu gegründeten Kanzlei. Diese könnte gerade zu Beginn Betriebsfinanzierungslimiten gebrauchen. Die Schwierigkeit besteht aber darin, glaubhaft nachhaltige *free cash flows* aufzuzeigen. Vergangenheitszahlen existieren ja keine.

Damit hängen künftige Erträge einer neuen Anwaltskanzlei hauptsächlich von der Persönlichkeit des Rechtsanwalts ab. Sogenanntes *name lending* wird aber heute praktisch nicht mehr getätigt. Umso höher sind bei Neugründungen die Anforderungen an einen Businessplan, in welchem künftige Ertrags- und Kostenzahlen begründet sowie die Kompetenzen des Anwaltes dargelegt werden.

Ohne Transparenz über die Ertrags- und Kostenzusammensetzung können keine nachhaltigen Verschuldungskapazitäten berechnet werden. Selbstverständlich ist aber das Anwaltsgeheimnis gewahrt. Eine Offenlegung der Mandatsstruktur mit Namen und entsprechenden verrechneten Honoraren ist nicht notwendig. 15

3.2 Rechtsform des Kreditnehmers

3.2.1 Finanzierung eines Rechtsanwaltes als Privatperson/Einzelfirma

Grundsätzlich erteilt die UBS an Privatpersonen nur kurant oder hypothekarisch gedeckte Kredite; also keine bestätigten Blankolimiten. Ungedeckte Kredite bleiben Firmen vorbehalten. Dieser geschäftspolitische Entscheid ist für den Rechtsanwalt weniger entscheidend, weil der Einzelanwalt geschäftlich als Einzelfirma operiert. Obwohl der Rechtsanwalt in dieser Konstellation persönlich haftet, hat auch er ein Budget sowie Geschäftszahlen vorzulegen, sofern er um eine Blankofinanzierung ersucht. Gegen den Todesfall oder den Erwerbsausfall durch Unfall oder Krankheit hat sich der Kreditnehmer allenfalls zu versichern. 16

Sollten die nachhaltigen Ertrags- und Kostenzahlen nur vage beurteilt werden können, kann der Umstand, dass der Anwalt bei Verlustscheinen seine Zulassung verliert, den Kreditentscheid positiv beeinflussen. Seine finanzielle Situation sowie sein finanzielles Umfeld (zum Beispiel umfangreicher Liegenschaftsbesitz oder Anwartschaften) können ebenfalls in den Entscheid miteinbezogen werden. 17

3.2.2 Finanzierung einer Kanzlei als Personen-/Kollektivgesellschaft

Die Solidarhaftung der einzelnen Partner kann dazu führen, dass im Einzelfall eine grosszügigere Betriebskreditlimite, zum Beispiel in Form eines Kontokorrentkredites, gesprochen wird. Voraussetzung ist aber die Transparenz über die finanziellen Verhältnisse, zumindest einzelner Partner. Sofern eine Limite blanko, also ohne Verpfändung von Wertschriftendepots, aufgesetzt werden soll, muss ein Businessplan vorliegen, der die künftig erwartete Kosten- und Ertragsstruktur aufgezeigt. In einem konkreten Fall sind einige Anwälte aus einer Kanzlei ausgeschieden und haben eine neue Kanzlei gegründet. Sie konnten darlegen, dass sie eine Anzahl grösserer Kunden auch in der neuen Struktur weiter beraten werden. Ausserdem wurden vergangene Ertragszahlen mit diesen Kunden (selbstverständlich anonymisiert oder im Total) offengelegt. Zusammen mit einer Kostenschätzung konnte ein *free cash flow* budgetiert und darauf basierend 18 die Verschuldungskapazität, respektive eine Betriebskreditlimite errechnet werden. Solche Finanzierungen bei Neugründungen sind aber in relativ kurzer Zeit vollständig zu amortisieren.

3.2.3 Finanzierung einer Kanzlei als AG

19 Auch bei der Finanzierung einer Kanzlei als Aktiengesellschaft muss der Kredit aus freien erwirtschafteten Mitteln zurückbezahlt und verzinst werden. Ein Businessplan und vergangene Abschlusszahlen sollten zur Berechnung des nachhaltigen *free cash flow*, respektive für die Berechnung des Verschuldungspotenzials, vorgelegt werden. Sind die künftige Ertragsstruktur vage, die Eigenkapitaldecke knapp oder die Belehnung der maximalen Verschuldungskapazität hoch, dann werden zusätzliche Sicherheiten verlangt. Zum Beispiel können durch Errichten von Solidarbürgschaften die wesentlichen Partner für den Kredit haften und damit wieder eine Fremdfinanzierung ermöglichen.

20 Gegenwärtig werden etliche Kanzleien von Kollektivgesellschaften in Anwalts-Aktiengesellschaften überführt. Gerade bei bestehenden grosszügigen Kreditlimiten ändert sich dadurch das Risiko für den Kreditgeber, zumal in diesem Schritt häufig Substanz ausgeschüttet und die neue AG eher knapp mit Eigenkapital ausgestattet wird. Dadurch wachsen bei der finanzierenden Bank die Bedürfnisse nach detaillierteren Informationen oder Zusatzsicherheiten.

21 Bei der Finanzierung einer reinen Verwaltungsgesellschaft wird mangels (Honorar-)Einnahmen kaum eine Blanko-Finanzierung gesprochen. In diesem Fall könnten wiederum einzelne Rechtsanwälte via Solidarbürgschaft für die Kredittranche gerade stehen und somit eine Fremdfinanzierung ermöglichen.

3.3 Exkurs: Finanzierung der Betriebsliegenschaft

22 Die oben genannten Finanzierungsgrundsätze gelten auch für die betrieblich genutzten Liegenschaften. Da der gesamte Schuldendienst aus betrieblich erwirtschafteten Mitteln geleistet wird, bestimmt der *free cash flow* aus der Anwaltstätigkeit die Finanzierungsobergrenze für die Büroliegenschaft. Der Verkehrswert (Kaufpreis) einer betrieblich genutzten Liegenschaft ist damit weniger entscheidend.

4. Spezialfinanzierungen

4.1 Partnerfinanzierungen

23 Gelegentlich benötigt ein Rechtsanwalt einen Kredit, damit er sich in die Partnerschaft einer Kanzlei einkaufen kann. In vielen Fällen wird der Kredit direkt durch die Kanzlei gewährt, oder die benötigten Mittel werden aus dem privaten Umfeld des Anwaltes bereitgestellt. Falls eine solche Spezialfinanzierung durch eine Bank geprüft werden soll,

müssen ihr die künftigen Ertragserwartungen aufgezeigt werden. Massgebliche Informationen dazu sind die Ertragsrechnungen der Kanzlei, die Partnerschaftsverträge, die Ausschüttungspolitik respektive der Gewinnverteilungsmechanismus. Selbstverständlich sind die Informationsanforderungen betreffend Kanzlei weniger hoch, wenn die Bonität des Kreditnehmers nachweislich gut ist (Vermögensstatus, Anwartschaften, Versicherungen usw.).

4.2 Ausbildungsfinanzierungen

Für Ausbildungsfinanzierungen gilt grundsätzlich dasselbe wie für Partnerfinanzierun- 24
gen. Allerdings ist auch die beste Ausbildung kein Garant für künftige *cash flows*. Eine Finanzierungszusage ohne zusätzliche Sicherheiten wäre reines *name lending* und findet deshalb in der Praxis kaum Anwendung.

4.3 Wachstumsfinanzierung

Solche Finanzierungen kommen selten vor. Ihnen liegen in der Regel Businesspläne 25
und vergangene Abschlusszahlen zugrunde, das heisst sie erfolgen *cash-flow*-basierend. Die oben gemachten Ausführungen betreffend Betriebsfinanzierungen gelten hier ebenfalls.

5. Fazit

Da die Anwaltslandschaft sehr heterogen ist, hat die Prüfung immer im konkreten Ein- 26
zelfall zu erfolgen. Gängige Finanzierungsmodelle gibt es nicht. Ausserdem ist wegen der fehlenden Kapitalintensität die Kreditnachfrage nur gering. Eine Fremdfinanzierung durch eine Bank wird deshalb vor allem dann infrage kommen, wenn bereits eine längere enge Zusammenarbeit besteht, weitere Sicherheiten vorhanden sind und damit der Kredit weitgehend gedeckt ist, oder weiteres Geschäftspotenzial in Aussicht steht, sodass sich der Arbeitsaufwand und das eingegangene Risiko betriebswirtschaftlich rechnet. Zentral ist aber das gegenseitige Vertrauen, das auch durch umfassende Information gefördert wird.

C. Bewertung einer Anwaltskanzlei

RUDOLF TSCHÄNI

1. Einleitung

1 In den vergangenen 20 Jahren haben sich die Strukturen der Anwaltskanzleien enorm verändert. Früher herrschten Einzelkanzleien vor, auch wenn bereits in Gemeinschaften praktiziert wurde. Der Trend zur Anwaltsgemeinschaft ist jedoch unübersehbar.[1] Solche Gemeinschaften werden nach Unkostengemeinschaften und Ertragsgemeinschaften unterschieden. Unkostengemeinschaften zeichnen sich dadurch aus, dass der (im Einzelnen vertraglich definierte) Aufwand unter den Teilhabern nach gewissen Kriterien (z.B. Umsatz) verteilt wird, während im Prinzip jedem Einzelnen der Ertrag aus seinen Mandaten allein gutgeschrieben wird. Ertragsgemeinschaften tragen praktisch den gesamten Aufwand zentral, bevor der resultierende Gewinn nach einem bestimmten Schlüssel an die Teilhaber verteilt wird. Dieser Unterschied hat grosse Auswirkungen auf die Buchhaltung und Rechnungslegung, welche ja Ausgangspunkt für jede Bewertung darstellen. Die gemeinsame Buchhaltung einer reinen Unkostengemeinschaft ist auf die Unkostenermittlung konzentriert, sodass für die Bewertung die Buchhaltung der einzelnen Inhaber im Vordergrund steht. Anders verhält es sich bei Ertragsgemeinschaften, die in reiner und gemischter Form vorkommen. Reine Ertragsgemeinschaften sind solche, in welchen der Gewinn nach Seniorität der Teilhaber verteilt wird, während bei den gemischten Ertragsgemeinschaften weitere Kriterien (vor allem eigener Umsatz) entscheidend sind. Gemeinsam ist den Ertragsgemeinschaften aber, dass sie über eine Bilanz und eine Gewinn- und Verlustrechnung für das gesamte Unternehmen verfügen. Bei gewissen Unkostengemeinschaften mag dies zwar auch zutreffen, doch ist deren Bedeutung für die Bewertung zweitrangig.

---

[1] Vgl. dazu Statistisches Amt des Kantons Zürich, Die Struktur der Anwaltschaft im Kanton Zürich (Bezugsjahr 2009), Ergebnisse der Mitgliederbefragung des Zürcher Anwaltsverbands, Februar 2011, S. 9 sowie Schweizerisches Institut für gewerbliche Wirtschaft (Universität St. Gallen), Studie Praxiskosten des Zürcher Anwaltsverbands (Basisjahr 1999), März 2001, S. 4. Nach Auskunft des Schweizerischen Anwaltsverbandes (SAV) ist die Zahl der Mitglieder von 2002 bis 1. Januar 2010 von total 6652 (Basis 2000: 6222) auf 8423 Anwältinnen und Anwälte, entsprechend 26,6% (Basis 2000: 35,4%) angestiegen. Parallel dazu sind immer grössere Kanzleien entstanden. Schweizweit bestanden per 1. Januar 2010 bereits zwei Kanzleien mit (je) mehr als 100 SAV-Mitgliedern und neun Kanzleien mit 50 bis 100 Anwältinnen und Anwälten, 15 Kanzleien wiesen eine Betriebsgrösse von 20 bis 50 und 64 Kanzleien mit 10 bis 20 Anwältinnen und Anwälten auf (=90 Kanzleien mit 10 und mehr Anwältinnen und Anwälten). Da kein Verbandszwang besteht, dürften die effektiven Zahlen noch höher liegen. Umgekehrt hatte der SAV per 1. Januar 2010 nur noch 729 Mitglieder in Einzelkanzleien (=8,65%). Diese Anzahl hat sich in den letzten zehn Jahren also halbiert.

Die Bewertungen von Einzelkanzleien und Unkostengemeinschaften weichen strukturell 2
nicht wesentlich voneinander ab. Die nachfolgenden Ausführungen zu Gemeinschaften beziehen sich daher auf Ertragsgemeinschaften. Diese qualifizieren in der Regel als Personengesellschaften,[2] doch haben sich nach einer neueren Entwicklung verschiedene Anwaltsgemeinschaften in Aktiengesellschaften umgewandelt. Die zivilrechtliche Ausgestaltung einer Anwaltskanzlei könnte Auswirkungen darauf haben, ob und nach welchen Grundsätzen bei gewissen Vorgängen eine Bewertung der Kanzlei vorgenommen werden muss.[3] Solche Vorgänge, welche die Bewertung einer Kanzlei notwendig machen können, sind die Aufgabe der Anwaltstätigkeit, der Tod eines Inhabers, der Ein- oder Austritt eines oder mehrerer Kanzleimitglieder, die Aufspaltung einer Kanzlei oder der Zusammenschluss von einer oder mehreren Kanzleien.[4] Auch die Scheidung eines Inhabers kann Anlass dazu geben, die Kanzlei zu bewerten.[5] Eine Schlussfolgerung vorwegnehmend ist zu sagen, dass bei diesen Vorgängen eine Gesamtbewertung der Kanzlei in

---

2 Neben der Rechtsform der *einfachen Gesellschaft* (Art. 530 ff. OR) kommt die Ausgestaltung als *Kollektivgesellschaft* (Art. 552 ff. OR) in Betracht, was das Bundesgericht in BGE 124 III 363, in welchem die Anwaltstätigkeit (zumindest jeder grösseren Anwaltskanzlei) als kaufmännisches Unternehmen qualifiziert wurde, ausdrücklich anerkannte (s. auch schon BGE 100 Ib 345). Vgl. auch Fellmann, Walter, Anwaltsrecht, Bern 2010, N 1566 f. S. ferner aus steuerlicher Sicht das bundesgerichtliche Urteil 2A_338/1998 vom 16. Mai 1997, publ. in StE 1997 A 24.32 Nr. 3 und den Entscheid des Verwaltungsgerichts des Kantons Zürich vom 2. September 1998, publ. in StE 1999 B 11.4 Nr. 1.

3 S. FN 13 nachstehend.

4 Nicht weiter eingegangen sei hier auf die Bewertung einer Kanzlei, wie sie erfolgt, wenn eine Kanzlei in eine Aktiengesellschaft eingebracht oder umgewandelt wird. Diesfalls steht die steuerliche Betrachtung im Vordergrund. Es gilt, die Besteuerung der stillen Reserven bzw. von Goodwill zu vermeiden, weshalb zu Buchwerten eingebracht wird. S. dazu das Steuer-*Ruling* des Kantonalen Steueramtes Zürich vom 24. März 2005 (abrufbar auf <http://www.zav.ch/> im Member-Bereich unter http://www.sav-fsa.ch/fileadmin/user_upload/sav/dokumente/Dokumente_Anwaltsgesellschaften/Steuerruling%20ZH.pdf) (besucht am 15. Dezember 2011).

5 Die Scheidung der Ehe bewirkt die Auflösung des gesetzlichen oder von den Parteien ehevertraglich vereinbarten Güterstandes. Im Falle des gesetzlichen Güterstandes der Errungenschaftsbeteiligung führt dies dazu, dass Errungenschaft und Eigengut ihrem Bestand nach festzulegen und die entsprechenden Vermögenswerte voneinander zu trennen sind (Art. 204 ff. ZGB). Keine Beachtung finden Vermögenswerte, die erst nach dem Auflösungszeitpunkt in Erscheinung treten. Die rechtskräftige Scheidung bewirkt damit eine endgültige Abrechnung unter den Ehegatten (vgl. dazu BGE 121 III 154; Hausheer, Heinz/Aebi-Müller, Regina, Art. 204 N 3 f., 16, in: Honsell, Heinrich/Vogt, Nedim Peter/Geiser, Thomas (Hrsg.), Basler Kommentar zum Zivilgesetzbuch I, Art. 1–456 ZGB, 4. Auflage, Basel 2010, zit. BSK ZGB I-Bearbeiter). Der geschiedene Ehegatte hat folglich keinen Anspruch auf zukünftige, nach dem Zeitpunkt der Auflösung des Güterstandes erwirtschaftete Gewinne der Anwaltskanzlei. Vorbehalten bleibt allerdings eine indirekte Beteiligung an diesen Gewinnen, wenn und soweit ein allfällig vom einen der geschiedenen Ehegatten zu leistender nachehelicher Unterhalt (Art. 125 ff. ZGB) aus dem diesem ausbezahlten Gewinnanteil geleistet wird. Die Bewertung der Vermögensgegenstände hat bei Auflösung des Güterstandes der Errungenschaftsbeteiligung grundsätzlich nach dem Verkehrswert im Zeitpunkt der güterrechtlichen Auseinandersetzung zu erfolgen (Art. 211, 214 ZGB), wobei sich der Verkehrswert gemäss bundesgerichtlicher Auffassung (BGE 121 III 155) bei einem zu bewertenden Unternehmen, das fortgeführt werden soll, nach anerkannten Grundsätzen der Betriebswirtschaftslehre (im Rahmen einer Gesamtbewertung von Aktiven und Passiven) bestimmt. Vgl. dazu auch BSK ZGB I-Hausheer/Aebi-Müller, Art. 211 N 16 m.w.H.; Urteil des Bundesgerichts 5C.85/2003 vom 30. Juni 2003.

der Regel nicht erfolgt, vielmehr wird bloss ein Teil bewertet, nämlich jener, der wegen der diesen Teil repräsentierenden Teilhaber wegfällt oder einer Kanzlei hinzugefügt wird. Wichtig ist ferner, dass Anwaltskanzleien als Ganzes bisher kaum verkehrs- bzw. veräusserungsfähige Unternehmen darstellen. Das hat damit zu tun, dass der *fonds de commerce* einer Kanzlei nach wie vor sehr stark mit den Teilhabern persönlich verbunden ist. Fällt der Teilhaber infolge Tod, Berufsaufgabe oder Abspaltung weg, so lässt sich in der Regel der Wert unabhängig von ihm nicht realisieren.[6]

3 Bewertungsmethoden gibt es viele.[7] Im Vordergrund steht für Schweizer Kanzleien die Ermittlung des Substanzwertes. Darüber hinaus ist danach zu fragen, inwieweit der Ertragswert für die Bewertung einer Kanzlei eine Rolle spielt. Ausser Ansatz bleibt dieser von vornherein, wenn der Betrieb nicht fortgeführt wird (z.B. bei Tod des Inhabers einer Einzelkanzlei). Diesfalls ist der Wert allein zu Liquidationswerten zu ermitteln.

2. Substanzwert

4 Für die Ermittlung des Substanzwertes, d.h. des Nettovermögenswertes, ist von der Bilanz auszugehen. Die Bilanz einer Anwaltskanzlei enthält auf der Aktivseite typischerweise die folgenden Positionen:

5 Das Umlaufvermögen besteht aus flüssigen Mitteln, Debitoren, angefangenen Arbeiten (wobei diese nicht immer aktiviert werden, was von den anwendbaren Rechnungslegungsgrundsätzen abhängt) und gewissen transitorischen Posten.

6 Das Anlagevermögen setzt sich zur Hauptsache aus Sachanlagen zusammen, darunter Büromobiliar und -geräte (inkl. Bibliothek), IT-Anlagen sowie (wenn die Kanzlei in Mieträumen tätig ist) Einbauten und Installationen und (wenn die Kanzlei ein eigenes Gebäude erworben hat) Grundstück und Gebäude.

7 Auf der Passivseite sind in erster Linie Einlagen der Inhaber zu nennen sowie Vorschüsse und gewisse transitorische Passiven. Möglicherweise, aber nicht unbedingt, ist die Kanzlei auch mit Darlehen durch die Inhaber oder von dritter Seite finanziert.

8 Die Erfolgsrechnung zeigt auf der Ertragsseite normalerweise Honorarertrag sowie etwa Finanzertrag. Auf der Aufwandseite sind in erster Linie Personalaufwand, Raumaufwand (Miete und dergleichen), allgemeine Verwaltungskosten, Abschreibungen und Finanzaufwand zu nennen.

---

[6] Immerhin werden nicht wenige Mandanten bei einer Anwaltsgemeinschaft verbleiben, wenn der sie betreuende Teilhaber infolge Todes oder Berufsaufgabe ausscheidet. Ein gewisser Wert «wächst» demnach der Gemeinschaft zu. Diese Fälle werden in der Regel zum Voraus vertraglich geregelt. Denkbar sind einmalige Pauschalzahlungen oder *Earn-out*-Arrangements.

[7] Vgl. Boemle, Max/Stolz, Carsten, Unternehmungsfinanzierung, 13. Auflage, Zürich 2002, S. 685 ff. m.w.H. Vgl. auch Miescher, Matthias/Galli, Patrick, Bewertung einer Anwaltskanzlei, Anwaltsrevue 9/2009, 419 ff.

Wie man sieht, ist die Rechnungslegung einer Anwaltskanzlei ziemlich einfach. In der Bilanz finden sich normalerweise kaum stille Reserven, und umgekehrt sind auch kaum Überbewertungen anzutreffen. Beurteilungsspielräume bestehen immerhin in den Positionen des Delkredere und bei den Abschreibungen auf den Anlagen. Erhöhte Abschreibungen auf Investitionen in Ein- und Umbauten können zwangsläufig zu stillen Reserven führen. Sie schmälern zudem den Gewinn in der Abschreibungszeit. Weiter bleiben besondere Umstände vorbehalten, so zum Beispiel, wenn eine Kanzlei Gegenstand von Haftungsansprüchen geworden ist. Von diesen Vorbehalten abgesehen wird die durch einen Inhaber geleistete Kapitaleinlage die realen Werte, d.h. auch seinen Anteil an dem ihm zukommenden Vermögen, ziemlich genau widerspiegeln. Demnach ist dem austretenden Inhaber seine Kapitaleinlage zurückzubezahlen, während sich der eintretende Inhaber anteilsmässig in die Substanz «einkaufen», d.h. eine Kapitaleinlage leisten muss. Stille Reserven oder – umgekehrt – Überbewertungen werden, wenn auch nicht immer[8], berücksichtigt. Abhängig von den Umständen wird eine Zwischenbilanz errichtet. Stirbt ein Inhaber, so ist seinen Erben ebenfalls der Kapitalanteil auszubezahlen. Im Falle einer Einzelkanzlei wird diese liquidiert oder weiter verkauft, wobei es zu Abschlägen kommt, weil die Kanzlei nicht mehr oder nur noch teilweise weiterbetrieben werden kann. Im Falle einer Aufspaltung ist danach zu unterscheiden, ob davon überhaupt ein wesentlicher Bereich der Bilanz beschlagen wird. Als Beispiel sei der Fall erwähnt, dass sich aus einer Kanzlei, bestehend aus 20 Partnern, fünf Partner abtrennen. In der Regel werden die scheidenden Partner keine Aktiven beanspruchen, sondern in einem neuen Büro ihre eigene Infrastruktur aufbauen. Die Gegenstände, die sie trotzdem mitnehmen, dürften persönlicher Natur sein und gar nicht in der Bilanz figurieren, so zum Beispiel die persönliche Bibliothek, Know-how-Sammlungen oder Bilder[9] im Büro. In diesen Fällen wird den sich abspaltenden Partnern der (allenfalls um stille Reserven oder Überbewertungen adjustierte) Kapitalanteil ausbezahlt. Abhängig von den Umständen einer Spaltung wird vielleicht doch eine Zuteilung bzw. Abrechnung der Substanz per Stichtag vorzunehmen sein. Wegleitend hierfür sind jedoch wiederum die Kapitalkonti der involvierten Partner. 9

Bewertungsfragen können sich dagegen ergeben, wenn eine Kanzlei ein Grundstück zu Eigentum erworben hat. Eine solche Kanzlei profitiert über die Zeit hinweg von Wertsteigerungen des Grundstücks oder erleidet allenfalls Wertverluste. Dem ist mit einer Bewer- 10

---

8 Nicht wenige Kanzleien sehen in ihren Verträgen vor, dass weder beim eintretenden noch beim austretenden Teilhaber über die stillen Reserven abgerechnet wird. Beweggrund hierfür ist einerseits die «Wahrung des Friedens», andererseits das Verständnis, dass die Partner über die jährliche Gewinnverteilung abschliessend entschädigt sein sollen. Austretende Teilhaber erhalten ihren Kapitalanteil (und allenfalls zur Verfügung gestelltes Fremdkapital) zurück, während die neu eintretenden Partner schematisch nach einer (von stillen Reserven unabhängigen) Formel ihren Kapitalanteil einbezahlen.

9 Offenbar haben gewisse Kanzleien Kunstgegenstände gemeinsam erworben (s. Tomin, Kristina, Über das Reden und Schweigen – wenn Anwälte Kunst sammeln, Jusletter 4. Juli 2011). Dies kann im Einzelfall Anlass zu erheblichen Bewertungs- und Abgrenzungsschwierigkeiten geben.

tung des Grundstücks Rechnung zu tragen, wobei die Folgen vom Vorgang abhängig sind, welcher den Bedarf nach einer Bewertung auslöst. Stirbt der Inhaber einer Einzelkanzlei, so erfolgt die Bewertung zunächst nach erb- und steuerrechtlichen Gesichtspunkten. Wenn ein Teilhaber aus der Kanzlei austritt, so hat er Anspruch auf Abgeltung der Wertvermehrung.[10] Umgekehrt müsste über einen etwaigen Verlust abgerechnet werden. Wenn ein neuer Teilhaber eintritt, so muss er im Normalfall das Gebäude mitfinanzieren. Korrekt abgegrenzt müsste jeweils eine Bewertung des Grundstücks stattfinden, doch lassen sich selbstverständlich differenzierte vertragliche Abreden vorstellen. Denkbar ist zum Beispiel, dass dem neu eintretenden Teilhaber eine marktmässige Miete belastet wird. Im Falle der Aufspaltung wird das Grundstück in der Regel bei einem Teil der Kanzlei verbleiben. Dieser Teil muss gegenüber den abtretenden Inhabern für Wertsteigerungen abrechnen, oder diese müssen allfällige Wertverluste ausgleichen. Im Falle eines Zusammenschlusses ist anzunehmen, dass das Grundstück in die neue Gesellschaft eingebracht wird, die einbringenden Inhaber haben die Möglichkeit, sich die Wertsteigerung anrechnen zu lassen. Ganz allgemein lassen sich für die Bewertung des Grundstücks kaum anwaltsspezifische Überlegungen vorbringen; diese hat nach allgemeinen Prinzipien zu erfolgen. Einschränkend ist aber ohnehin festzuhalten, dass die meisten Schweizer Anwaltskanzleien ihre Räume nicht zu Eigentum halten, sondern mieten. Anlass zur Bewertung von Grundstücken ergibt sich somit nur selten. Der gemeinsame Erwerb eines Grundstücks wird gerade wegen der Bewertungsabgrenzungen vermieden. Manchmal sind Arrangements zu sehen, dass ein Inhaber das Grundstück in seinem Eigentum hat und der Gemeinschaft gegen einen marktüblichen Zins zur Verfügung stellt.

11 Stets abzugrenzen ist der aufgelaufene Gewinn. Dieser kommt anteilsmässig dem scheidenden Inhaber zu; in den Fällen der Aufspaltung oder des Zusammenschlusses sind die Gewinne ebenfalls auf das Stichdatum abzugrenzen.

3. Ertragswert

12 Von grösserer Erheblichkeit ist die Frage, inwieweit für die Bewertung einer Kanzlei der Ertragswert berücksichtigt und wie dieser ermittelt wird. Zu bedenken sind wiederum die Umstände, die gegebenenfalls zum Bedarf nach einer Bewertung führen.

13 Verstirbt ein Einzelanwalt, so erlischt das Auftragsverhältnis im Regelfall[11]. Schon deswegen kann nicht davon die Rede sein, dass die Erben einem Dritten den Mandatsstamm

[10] In den Gesellschaftsverträgen wird der dingliche Anspruch des ausscheidenden Inhabers auf das Grundstück oder die Einbauten regelmässig ausgeschlossen.

[11] Art. 405 Abs. 1 OR.

verkaufen könnten.[12] Praktisch relevanter ist der Fall, dass ein Einzelanwalt infolge Alters seine Geschäftstätigkeit aufgeben und einem Dritten verkaufen will. Auch dieser Vorgang ist nach meiner Wahrnehmung jedoch relativ selten. Häufiger ist anzutreffen, dass der Anwalt einen jüngeren Kollegen bei sich im Büro aufnimmt, mit dem Ziel, diesem nach einer Übergangsfrist die Kanzlei zu übergeben. Eine Bewertung im betriebswirtschaftlichen Sinn ist hier selten anzutreffen. Vielmehr übergibt der Einzelanwalt seine Kanzlei dem jüngeren Kollegen gegen Bezahlung einer Pauschalsumme oder eines *earn-out,* womit der Substanzwert und bis zu einem gewissen Masse der sich im Mandatsstamm widerspiegelnde Ertragswert abgegolten werden.

Der Ertragswert (manchmal auch Goodwill genannt, insoweit er den Substanzwert über- 14
steigt) spielt nach meiner Beobachtung, und von gewissen Ausnahmen abgesehen, auch dann keine Rolle, wenn der Inhaber einer Kanzlei aus dem Büro austritt oder ein neuer Inhaber einer Kanzlei beitritt. Im Vordergrund stehen diesfalls vielmehr Überlegungen, wem die Ertrag generierenden Mandate «gehören» und zuzuordnen sind. Der austretende Inhaber beansprucht die Mandate, die er als Hauptverantwortlicher geführt hat. In den Kanzleien bestehen hierzu in der Regel eindeutige Auffassungen, doch kann es trotzdem geschehen, dass der Klient mit dem ausscheidenden Inhaber nicht «mitgehen» will. Hat der austretende Teilhaber massgeblich an einem zurückbleibenden Mandat mitgearbeitet, so wird hierfür trotzdem nichts bezahlt. Abweichende Resultate können sich ergeben, wenn in der betroffenen Kanzlei Akquisitionsprämien üblich waren. Solche Prämien werden in der Regel zeitlich begrenzt vereinbart, sodass sie bei einem Austritt für eine gewisse Zeit weiterbezahlt werden könnten. Von einem eintretenden Teilhaber, sei es dass dieser neu direkt *(lateral)* oder nach einer gewissen Angestelltenzeit als Partner beitritt, wird in der Regel keine Goodwill-Zahlung erhoben, wiederum von gewissen Ausnahmen abgesehen. Dass der eintretende Teilhaber unter Umständen vom Goodwill im Sinne der Reputation und des guten Namens der Kanzlei (Stichwort: Brand *name*) profitiert, wird im Rahmen der Gewinnverteilung für die Zukunft in einem bestimmten Mass berücksichtigt, ohne dass der Berechnung eine detaillierte betriebswirtschaftliche Bewertung zugrunde gelegt würde. Ausschlaggebend für die Einzelheiten sind die Modalitäten, wie der Gewinn ermittelt und verteilt wird. In einem reinen *Lockstep*-System, in dem der gesamte Kanzleigewinn abhängig von der Seniorität, vorbehältlich eines Prozent- oder Punktedachs, verteilt wird, wird der neue Partner in Erwartung seiner künftigen Ertragskraft in den Gewinnschlüssel eingebaut. Bei gemischten Systemen gilt dies für den *Lockstep*-Teil ebenfalls, während sich ansonsten der Gewinn aufgrund der Stunden oder allenfalls der Umsätze bezogen auf den vom Anwalt bearbeiteten Mandate errechnet. Nicht zu sehen sind in der Schweiz bisher Teamwechsel, das heisst dass eine Gruppe von Anwälten die Kanzlei wechselt und von der neuen Kanzlei eine Art *Sign-on*-Bonus erhält.

---

[12] Hinzuweisen ist zudem auf Art. 22 der Standesregeln des Schweizerischen Anwaltverbands vom 10. Juni 2005, wonach der Kauf von Mandaten untersagt ist.

15 Ähnliche Überlegungen werden bei Aufspaltungen und Zusammenschlüssen angestellt. Es geht in erster Linie darum, die Mandate zu «verteilen». Diese werden in der Regel nicht mit Zahlungen abgegolten, sondern abhängig von der Zuständigkeit der Partner, den Wünschen der Klienten und unter Berücksichtigung weiterer Kriterien (Interessenkonflikt, Fachkompetenz, Infrastruktur) zugeordnet.

16 Bei Ausscheiden von Partnern, insbesondere wenn ein ganzes Team sich abtrennt, stellt sich wirtschaftlich, wenn dies auch in der bisherigen Praxis nicht wirklich adressiert worden ist, gegenteils die Frage, ob nicht die abgehenden Partner den zurückbleibenden in einer zu bestimmenden Weise dafür Komfort leisten sollten, dass diese in einer grösser kalibrierten Struktur mit längerfristigen Verträgen und entsprechenden Verpflichtungen «sitzengelassen» werden.

4. Kanzlei als *Bucket with holes in the bottom*

17 Bewertungen von Schweizer Kanzleien gestalten sich somit in der Praxis als ziemlich einfach. Abgestellt wird in erster Linie auf den Substanzwert. Sofern sie vernünftig geführt ist, lässt sich dieser im Wesentlichen der Buchhaltung entnehmen. Der Anspruch eines Inhabers lautet auf den Kapitalanteil sowie den (anteiligen) Betrag des aufgelaufenen Gewinns. Bereinigungen müssen unter Umständen, und unabhängig von den vertraglichen Vereinbarungen, infolge des Delkredere, der Abschreibungen oder der Rückstellungen vorgenommen werden, wenn diese zu nicht marktmässigen Positionen geführt haben. Ein besonderer Ertragswert (Goodwill) entfällt normalerweise, denn die den Ertrag generierenden Mandate werden den Inhabern, entsprechend dem auslösenden Ereignis (Ein- oder Austritt, Aufspaltung, Zusammenschluss), zugeordnet.

18 Es fragt sich, ob dieser faktische Befund mit den anwendbaren rechtlichen Vorschriften im Einklang steht. Für die Beantwortung dieser Frage ist namentlich auf die gesellschaftsrechtliche Praxis der Gerichte hinzuweisen, wonach für die Ermittlung des Verkehrswerts mangels anderer vertraglicher Abrede der Ertragswert (Goodwill) miteinzubeziehen ist.[13] Angesichts dieser Praxis tun die Anwaltskanzleien gut daran, in ihren Verträgen

[13] Der ausscheidende Gesellschafter erhält bei der einfachen Gesellschaft und bei der Kollektivgesellschaft eine schuldrechtliche Abfindungsforderung, deren Höhe sich nach dem Gesellschaftsvertrag richtet und im Streitfall durch den Richter nach den Grundsätzen von Art. 580 OR festzusetzen ist (Staehelin, Daniel, Art. 545/546 N 7, in: Honsell, Heinrich/Vogt, Nedim Peter/Watter, Rolf (Hrsg.), Basler Kommentar zum Obligationenrecht II, Art. 530–1186 OR, 3. Auflage, Basel 2008, zit. BSK OR II-Bearbeiter). Gleiches gilt auch im Fall der Vereinbarung einer Fortsetzungsklausel, wenn also die Gesellschafter vereinbaren, dass beim Tod eines Gesellschafters die Gesellschaft durch die verbleibenden Gesellschafter ohne die Erben des Verstorbenen fortgesetzt wird. Der schuldrechtliche Abfindungsanspruch kommt hier den Erben zu (BGE 100 II 379; BSK OR II-Staehelin, Art. 545/546 N 12). Nach der Regelung von Art. 580 Abs. 2 OR ist die Höhe der Abfindungsforderung bei Fehlen einer Regelung im Gesellschaftsvertrag und bei Ausbleiben einer Einigung der Parteien «in Berücksichtigung der Vermögenslage der Gesellschaft im Zeitpunkt des Ausscheidens und eines allfälligen Verschuldens des ausscheidenden Gesellschafters» fest-

vorzusehen, dass bei im Einzelnen umschriebenen Vorgängen für die Bewertung der Ertragswert (Goodwill) ausser Ansatz bleibt, bzw. der Anspruch auf den anteiligen Vermögenswert oder, wo gewollt, auf Rückzahlung der Kapitalkonten und den aufgelaufenen Gewinn geht.[14]

Das Abstellen auf den Substanzwert ist Ausfluss davon, dass ertragsmässig betrachtet die Kanzlei eine Durchflussstation ist. Die Inhaber schaffen Wert, den sie nach einem vereinbarten Schlüssel umgehend wieder an sich weiterleiten. Oder wie es salopp formuliert worden ist: «A law practice can be likened to a bucket with holes in the bottom.»[15] Es lässt sich nicht ausschliessen, dass in Zukunft dem Ertragswert eine grössere Bedeutung zukommt, wenn sich Kanzleien vermehrt institutionalisieren, wozu der Wechsel der Form zu einer Aktiengesellschaft beiträgt bzw. ein Ausdruck davon ist. Die Kanzleien, welche die Rechtsform der Aktiengesellschaft gewählt haben, haben jedoch bisher – auch aus steuerlichen Gründen – praktisch ihre gesamten Gewinne weiterhin an die Partner ausgeschüttet, welche formell Arbeitnehmer der Gesellschaft geworden sind. Der Ertragswert bleibt deshalb auch in dieser Rechtsform gegenwärtig ohne Belang, zumal in den Aktionärbindungsverträgen zwischen den Partnern die Bezahlung eines Ertragswerts häufig explizit ausgeschlossen wird.[16] 19

zusetzen. Das Gesellschaftsvermögen ist aufgrund einer Fortführungsbilanz auf das Ausscheidungsdatum hin zu bewerten (BGE 93 II 254 f.). Die stillen Reserven und der Goodwill sind zu aktivieren. Bei der Gesamtbewertung sind sowohl die Sachwerte als auch der Ertragswert zu berücksichtigen. Wenn die Liquidationsbilanz allerdings einen höheren Wert ergibt, so ist die Fortführungsbilanz durch die Liquidationsbilanz zu ersetzen (vgl. BSK OR II-Staehelin, Art. 580 N 4 m.w.H.). Bei einer Anwaltskanzlei in Form einer Aktiengesellschaft (Anwalts-AG) ist ein Ausscheiden lediglich auf dem Weg der Übertragung der Mitgliedschaft möglich. Bei einer AG ist die statutarische Beschränkung der Übertragbarkeit der Namenaktien die Regel. Ohne Grundangabe kann eine Anwalts-AG die Übertragung der Namenaktien nur ablehnen, wenn sie bereit ist, die zur Veräusserung anstehenden Aktien «zum wirklichen Wert im Zeitpunkt des Gesuches zu übernehmen» (Art. 685b Abs. 1 OR). Im Fall einer Übertragung der Aktien kraft Gesetzes (z.B. Erbgang, Erbteilung, eheliches Güterrecht) ist die Übernahme der Aktien zum wirklichen Wert die einzige Möglichkeit, den Rechtsnachfolger abzulehnen. Der wirkliche Wert bestimmt sich nach bundesgerichtlicher Auffassung (BGE 120 II 259; bestätigt im Urteil 4C.363/2000 vom 3. April 2001, E. 3b) als Gesamtwert der Gesellschaft auf der Grundlage von Substanz- und Ertragswert (innerer Aktienwert), wobei grundsätzlich auf den Fortführungswert des Unternehmens abzustellen ist. Der Liquidationswert bildet dabei aber nicht in jedem Fall die untere Bewertungsgrenze (vgl. BSK OR II-Oertle/du Pasquier, Art. 685b N 12 m.w.H.).

14 Dieses Konzept einer Anwaltskanzlei liegt auch der ZAV-Vorlage für einen Gesellschaftsvertrag einer Ertragsgemeinschaft (Ziff. 7 und 8) zugrunde. Diese Vertragsvorlage und weitere ZAV-Musterverträge sind abrufbar auf <http://www.zav.ch/> im Member-Bereich unter «Publikationen/Dokumente»/»Musterdokumente/Vorlagen».

15 Malak, Jason M., Valuation Issues: Law Practices and Goodwill, 2008, S. 3 (abrufbar unter <http://www.cogentvaluation.com/pdf/ValuationIssuesLawPracticesandGoodwill.pdf>, zuletzt besucht am 15. Dezember 2011).

16 Dies ist zulässig, hat aber bloss vertragliche und nicht gesellschaftsrechtliche Auswirkungen. (Böckli, Peter, Schweizer Aktienrecht, 4. Auflage, Zürich/Basel/Genf 2009, § 6 N 212, 214, 297; Kläy, Hanspeter, Die Vinkulierung: Theorie und Praxis im neuen Aktienrecht, Diss. Basel 1996, Basel 1997, S. 489; Flückiger, Andreas, Richtlinien des Bundesgerichts für die Aktienbewertung – Was ist der «wirkliche» Aktienwert nach Art. 685b OR?, ST 2003, S. 263 ff., 266). Interessant ist in diesem Zusammenhang auch das Steu-

20 Zu keinem anderen Ergebnis gelangen Bewertungsexperten, welche nach anerkannten Bewertungsprinzipien bewerten, wobei an einigen Orten aber Fehlvorstellungen über die Verkehrsfähigkeit von Anwaltskanzleien zu bestehen scheinen. Insgesamt herrscht aber doch die Auffassung vor, dass der Ertragswert im Prinzip ausser Ansatz zu bleiben hat. Dies ist in den Besonderheiten des regulierten Anwaltsberufs und der persönlichen Bindung der Mandate begründet. Bewertungstechnisch wird der Ertrag durch die Partnerbezüge reduziert, welche als Arbeitsentgelt veranschlagt werden.

21 Zusammenfassend ist also festzuhalten, dass in der Schweiz die Bewertung einer Anwaltskanzlei faktisch, rechtlich und bewertungstechnisch im Prinzip auf der Basis des Substanzwertes erfolgt. Stille Reserven werden – vorbehaltlich anderer vertraglicher Regelungen – ausgeglichen. Ein Goodwill (Ertragswert) wird in der Regel nicht berücksichtigt.

---

erruling des Kantonalen Steueramtes Zürich vom 24. März 2005 (Nachweis in FN 4 vorne) betreffend die Besteuerung von Anwaltskanzleien, die als Aktiengesellschaften inkorporiert sind: «Die Mitgliedschaftsrechte bzw. Kapitalanteile der Partner an der Anwaltskörperschaft können aus standesrechtlichen Gründen nur an andere Rechtsanwälte veräussert werden. Bei den unterzeichnenden Anwaltskanzleien können sie vertraglich nur zum Substanzwert gekauft und verkauft werden. Die Kapitalanteile sind daher für die Zwecke der Vermögenssteuern nach dem Substanzwert zu bewerten.»

D. Fusion von Anwaltskanzleien

VINCENT JEANNERET/OLIVER TRIEBOLD[1]

1. Einleitung

Wenn eine Anwaltskanzlei ein gewisses Entwicklungsstadium erreicht hat, sei sie nun stark gewachsen oder geschrumpft, muss sie sich notwendigerweise mit der Frage des Zuzugs neuer Kräfte von aussen auseinandersetzen. Es handelt sich dabei meist um die Aufnahme eines oder mehrerer Partner (sogenannte *lateral entries*), die von einer anderen Anwaltskanzlei stammen. Solche Zuzüge können mitunter das Ausmass eines ganzen Teams oder gar eines umfassenden Geschäftsbereichs annehmen. 1

Der folgende Beitrag befasst sich jedoch mit Veränderungen weitaus grösseren Ausmasses. Bei einer Fusion von Anwaltskanzleien äussert sich der beidseitig übereinstimmende Wille der Partner zweier oder mehrerer Anwaltskanzleien, ihre bisherigen Kanzleien aufzulösen, um sich in einer neuen Struktur gemeinsam neu zu erfinden. 2

Unser Beitrag zielt dabei nicht auf ein Szenario ab, in welchem die eine Kanzlei sich eine andere einverleibt, ohne dabei ihren Namen, ihre Struktur oder ihre Grundprinzipien zu ändern. In einem solchen Fall handelt es sich schlicht um eine Übernahme oder Absorption, die weit weniger interessant ist als eine echte Fusion gleichberechtigter Partner *(merger of equals).* Dies obwohl einige der nachfolgend beschriebenen Phänomene und Prozesse je nach Ausgangslage in unterschiedlicher Intensität ebenfalls zum Tragen kommen können. 3

Im Folgenden konzentrieren wir uns auf die Fusion von lediglich zwei Anwaltskanzleien. Die hier kurz skizzierten Grundsätze und Empfehlungen lassen sich aber auch auf die Fusion von mehr als zwei Anwaltskanzleien übertragen, wobei bei mehreren involvierten Kanzleien dann als dritte Dimension noch die psychologisch komplexen und verhandlungstechnisch anspruchsvollen Aspekte einer *ménage à trois* dazukommen. 4

[1] Die Autoren haben selbst die Fusion der Anwaltskanzleien Schellenberg Haissly (Zürich/Genf) und Brunschwig Wittmer (Genf) im Jahre 2000 miterlebt. Sie führte zur Gründung der Anwaltskanzlei Schellenberg Wittmer, die heute als eine der führenden Schweizer Wirtschaftsanwaltskanzleien mit über 130 Juristen und Standorten in Zürich und Genf bekannt ist. Vincent Jeanneret wurde damals mit spezifischen Aufgaben in der Vorbereitung und Umsetzung der Fusion betraut. Seither begleitete er die Entwicklung der Kanzlei in verschiedenen Funktionen, seit zwei Jahren auch als ihr Managing Partner. Oliver Triebold erlebte die Fusion aus der Optik des Mitarbeiters, wurde im Jahr 2003 Partner und Management-Committee-Mitglied und war 2007 bis 2009 Managing Partner. Für den vorliegenden Artikel stützen sie sich auf ihre persönlichen Erfahrungen sowie auf ihre Kenntnisse und Beobachtungen bezüglich weiterer Fusionen, die sie als Aussenstehende mitverfolgen konnten.

5 Unzweifelhaft gäbe das Thema dieses Beitrags ausreichend Stoff für die Publikation eines ganzen Buches ab und verdiente es, auf der Basis monatelanger Recherchen in weit epischerer Breite als hier dargestellt zu werden. Vorliegend müssen wir uns darauf beschränken, den Gegenstand unseres Beitrags in geraffter Form darzustellen.

2. Das mit einer Fusion angestrebte Ziel

6 Für eine Fusion gibt es meist verschiedene Gründe. Es kann sich alternativ oder kumulativ um folgende Aspekte handeln:

- Die Notwendigkeit einer geografischen Ausdehnung, im eigenen Land in einen anderen Kanton, oder ins Ausland;
- Der erklärte Bedarf nach Schaffung oder Verstärkung eines oder mehrerer Geschäfts- oder Tätigkeitsbereiche;
- Die Notwendigkeit, die Nachfolge oder Kontinuität zu sichern, die Partnerschaft zu verjüngen oder zu stärken, indem jüngere oder erfahrenere Partner aufgenommen werden;
- In gewissen Fällen, in der Zukunft einen stärkeren Zusammenhalt zu schaffen und bestehende heikle Vereinbarkeitsprobleme unter den Partnern zu lösen;
- Die Suche nach der kritischen Masse, um strategische Mandate gewinnen zu können;
- Im Allgemeinen, durch externen Einfluss und eine mehr oder weniger gründliche Umstrukturierung die Lösung eines Problems herbeizuführen, die ein internes Wachstum alleine nicht zugelassen hätte.

7 Grundsätzlich möchten wir unterstreichen, dass eine Fusion nicht auf die leichte Schulter genommen werden darf. Dem Entscheid, eine Fusion ins Auge zu fassen, sollte eine gründliche Analyse des aktuellen Zustands und der künftigen Herausforderungen der Kanzlei vorausgehen. In dieser Phase der Selbstanalyse sollten die Partner die Offenheit und den Mut haben, sich kritisch und objektiv Mängel oder gar Misserfolge einzugestehen, ohne sich dabei in einen Strudel der vollständigen Selbstzerfleischung ziehen zu lassen. Nach und nach wird dann gegebenenfalls die Fusionsidee als die Lösung erkannt, welche die aufgedeckten Schwachstellen zu lösen vermag.

8 Dies kann an der Funktionsweise der Kanzlei liegen, am Stagnieren einzelner Aktivitätsbereiche oder an der Tatsache, dass es Klienten gibt, die unzufrieden sind, wenn die Kanzlei in gewissen Bereichen und/oder in anderen Gerichtsbarkeiten nicht tätig ist und erwartete Dienstleistungen nicht anbieten kann. Schliesslich kann das Abwandern gewisser Klienten oder Partner zur Konkurrenz Auslöser einer solchen Selbstreflexion sein.

In der Regel braucht es ein oder sogar mehrere einschneidende Vorkommnisse, damit eine Mehrheit der Partner sich entschliesst, die Fusionsidee näher zu prüfen und dann auch umzusetzen. Anwälte sind von Natur aus eher konservativ eingestellt und scheuen die Idee einer Veränderung, um nicht zu sagen eines Abenteuers, dessen Gelingen nicht garantiert ist, sei es auf der menschlichen oder – prosaischer – auf der quantitativen Ebene der Umsatzzahlen und der Profitabilität. 9

Auch wenn eine Fusion oft auf die Mehrheit der Partner motivierend wirkt, da sie Entwicklung und Expansion begrüssen, gibt es jene, welche wissen oder ahnen, dass eine Fusion kurz- oder langfristig ihr Ausscheiden bedeutet. Zu dieser Kategorie gehören nicht nur die chronischen *underperformers,* sondern auch die, welche im unumstösslichen Auswahlverfahren Gefahr laufen, von anderen verdrängt zu werden. Während die «gefährdeten» Partner sicherlich beruhigt werden sollten, gilt es jedoch zu beachten, dass jeder Fusionsprozess beim Auftreten des einen, anderen oder mehrerer der folgenden Fälle zum Scheitern verurteilt ist: 10

Es gibt ein Risiko des Scheiterns bei der Abstimmung, wenn eine zu grosse Minderheit oder gar die Mehrheit der Partner sich mit dem geplanten Ziel nicht identifizieren lässt oder sich darin nicht widererkennt; die Fusion wird dann abgelehnt, selbst wenn die Führungspersonen sie wünschen. 11

Es gibt ebenfalls ein Risiko des Misslingens, wenn den Partnern, und vor allem jenen, die sich in Gefahr wähnen, zu umfängliche Zukunftsgarantien gemacht werden. Die Auswirkung jeder Fusion ist – ob gewollt oder nicht –, dass sich der natürliche und unausweichliche Auswahlprozess in der Partnerschaft akzentuiert. Das zu verhindern hätte den Effekt, dass es der fusionierten Einheit nicht ermöglicht wird, voll von den allgemein erwarteten Fusionsvorteilen zu profitieren. 12

Kurz, eine Fusion kann nicht stattfinden, ohne dass die Partner beider beteiligten Kanzleien vernünftig und offen über die wahren Gründe einer Fusion debattiert haben. Jede Kanzlei sollte sachlich überprüfen, ob die entstehende neue Fusionseinheit wirklich den beidseitig separat ausdiskutierten Zielen entspricht. 13

3. Die Geheimhaltung

Jeder Fusionsprozess sollte strikter Geheimhaltung unterliegen. Es ist jedoch nicht möglich, eine Fusion durchzuführen, wenn intern, eventuell auch extern, nicht ein Minimum von Personen darüber informiert ist. Insbesondere ist es unmöglich, einen formellen Fusionsprozess in Angriff zu nehmen, solange nicht alle Partner der beiden beteiligten Kanzleien darüber informiert sind. 14

Man muss sich darauf einigen, das Geheimnis so lange zu wahren, bis der Prozess in seinem finalen Stadium angelangt ist und die interne und externe Kommunikation zum Ein- 15 satz bereitstehen. Dabei wird es wichtig sein, dem Projekt von Anfang an einen Codenamen zu geben, der verhindert, dass viele Angestellte rasch viele nicht verrechenbare Stunden einem nicht näher bezeichneten Spezialprojekt zuschreiben. Meistens verbreiten sich Gerüchte schneller als die Wahrheit, und dies in einem Ausmass, das man nicht vermutet.

16 Sollten Drittpersonen, vor allem Berater, beigezogen werden, müssen sie eine Geheimhaltungserklärung unterzeichnen. Folglich gilt dies für Marketing-, Unternehmensberater- oder Revisionsunternehmen.

4. Der Ablauf des Fusionsprozesses

17 Da sehr viele verschiedene Szenarien vorstellbar sind, ist es umso schwieriger, allgemeine Regeln aufzustellen. Halten wir aber fest, dass in einer grossen Anzahl der Fälle eine Kanzlei die Initiative ergreift und eine andere Kanzlei auf einen möglichen Zusammenschluss anspricht. In diesem Szenario verfügt die erste Kanzlei hinsichtlich der Selbstanalyse und der notwendigen Überlegungen auf Partnerebene über einen Vorsprung. Denn sie hat offensichtlich bereits intern die erhofften Vorteile einer Fusion identifiziert und die Annäherung an eine ausgewählte Kanzlei besprochen.

18 Im Gegensatz dazu ist die angefragte Kanzlei in der Regel nicht oder kaum auf diese Eventualität gefasst. Es gilt daher, nichts zu überstürzen und dem Gegenüber die notwendige Zeit einzuräumen, dies intern nachzuholen. Der Kontakt sollte daher informell zum Managing Partner oder einem bekannten Partner der Kanzlei hergestellt werden und erst dann offizieller werden, wenn die erste Kontaktaufnahme positiv verlaufen ist.

19 Zu diesem Zeitpunkt sollte das Fusionsangebot bereits in möglichst groben Zügen vorgestellt werden, ohne aber vollständig ausgearbeitet zu sein. Es soll eine konkrete Verhandlungsgrundlage bieten, ohne dabei zu viel vorwegzunehmen. Um das Interesse zu wecken, sollten zahlreiche Punkte, insbesondere auch wichtige, offengelassen und dem gemeinsamen Erarbeitungs- und Verhandlungsprozess überlassen werden.

20 Stösst das Angebot grundsätzlich auf Interesse, schafft man gemeinsam einen paritätischen Leitungsausschuss, der sich auf wenige Personen beschränkt und Partner beider Kanzleien einbezieht.

21 Sollten die Partner im Voraus abstimmen, ob eine Fusion infrage kommt? Dies kann empfehlenswert sein, scheint uns aber nicht unerlässlich. Der Vorteil davon ist, dass man sich nicht auf einen zeit- und energieraubenden Ablauf einlässt, ohne abgeklärt zu haben, ob die Fusion, unabhängig von ihren Modalitäten, nicht prinzipiell zum Scheitern verurteilt ist. Der Nachteil einer unmittelbaren Abstimmung ist das Risiko eines negativen Abstimmungsergebnisses zu einem Zeitpunkt, in welchem die Konturen der Fusion

noch unscharf sind und die mangelnde Kenntnis der konkreten Umstände Platz für irrationale Ängste lässt. Zudem wird in einem Moment abgestimmt, in welchem die Partner der beiden Kanzleien noch kein Vertrauen zueinander aufbauen konnten. Deshalb sollte nicht über die Fusion an und für sich abgestimmt werden, sondern – wenn schon – lediglich über den grundsätzlichen Vorschlag, mit einer anderen Kanzlei in einen Fusionsprozess einzutreten. Ein Eintretensentscheid *(entrée en matière)*, sozusagen. Nicht mehr und nicht weniger.

Wir empfehlen deshalb, die Partner anfangs informell auf das Fusionsvorhaben anzu- 22
sprechen, ohne eine formelle Abstimmung durchzuführen. Wichtig ist nur zu wissen, wer kategorischer Gegner jeglicher Fusion ist. Wenn das die weitaus überwiegende Mehrheit der Partner ist, hat das Projekt wohl keine Chance, obwohl damit zu rechnen ist, dass man den einen oder anderen noch überzeugen kann. Bei den wohl mehrheitlich kritischen Geistern gilt es herauszufinden, welche Punkte den Partnern wichtig sind, damit man denen im Fusionsprozess besondere Beachtung schenken kann.

Sobald das Eintreten in den Fusionsprozess entschieden ist, sollten alle Punkte näher 23
bestimmt werden, die in der Fusionsvereinbarung aufgeführt und beschlossen werden müssen, u.a. welche Rechtsform die Kanzlei haben soll und wie die neue Kanzlei geleitet werden soll[2]. Um zügig voranzukommen, scheint es sinnvoll, mehrere, wiederum paritätisch zusammengesetzte Arbeitsgruppen zu bilden. Diese Arbeitsgruppen unterstehen dem Leitungsausschuss und erhalten einen konkreten Auftrag und einen bestimmten Zeitrahmen. Die Arbeitsgruppen arbeiten dann gemeinsame Lösungsvorschläge aus. Im Falle von Unstimmigkeiten sollten Alternativlösungen ausgearbeitet und dem Leitungsausschuss vorgelegt werden, welcher möglicherweise die Meinungsverschiedenheiten glätten oder diese allen Partnern unterbreiten kann, damit sie vor der Endabstimmung geschlichtet werden können.[3]

Am Ende der Ausarbeitungsphase sollten die Parameter der Fusion klar definiert sein und 24
in ihrer Endform innerhalb jeder der beiden Kanzleien dem Partnergremium zur Endabstimmung vorgelegt werden. Für diese Entscheide gelten, dass die Fusion nur stattfinden kann, wenn beide Kanzleien sie gemäss den unter der Ägide des Leitungsausschusses festgelegten Regeln und Modalitäten akzeptieren.

---

2 In einem fortgeschrittenen Stadium und unter Berücksichtigung aller Geheimhaltungsgarantien sollten auch die Interessenkonflikte und die Art und Weise, wie sie gelöst werden, in Augenschein genommen werden. Das ist eine sehr heikle Übung, da das Ausmass der Konflikte und der getroffenen Entscheidungen den Zusammenschluss gefährden, beziehungsweise einen Spin-off heraufbeschwören könnte.

3 Es empfiehlt sich, für folgende Themen je eine eigene Arbeitsgruppe einzusetzen: (1) Gründungs- und Verfassungsdokumente (Fusionsvertrag, Partnerschaftsvertrag, allenfalls zusätzlich Aktionärsbindungsvertrag, Statuten und Organisationsreglement sowie Arbeitsvertrag), (2) Steuern, (3) Pensionskasse, (4) Strategie, (5) Governance, (6) Klientenbasis und Interessenskonflikte, (7) gesellschaftsrechtliche bzw. vertragsrechtliche Umsetzung der Fusion, (8) IT und Infrastruktur, (9) Kommunikation (intern und extern).

5. Das Definieren gemeinsamer Ziele

25 Eine Fusion ist nur dann erfolgreich, wenn sich die Partner möglichst umfassend über ihre gemeinsame Zukunft im Klaren sind. Die Partner der beiden Kanzleien sollten sich grossmehrheitlich über die Positionierung und die Strategie ihrer künftigen Kanzlei in groben Zügen einig sein. Ohne eine Einigung in diesen wichtigen Punkten, die von den Mitteln und Wegen unabhängig sind, welche die Partner zur Zielerreichung wählen werden, ist die Fusion rasch zum Scheitern verurteilt. An dieser Stelle ist anzumerken, dass das Festlegen rein quantitativer Ziele im Sinne von Profitabilität und Gewinn pro Partner allein keine tragfähige Strategie darstellt, sondern im besten Fall die Konsequenz aus einer bestimmten Positionierung beschreibt.

26 Es sollten deshalb die folgenden Punkte geklärt sein:

- Welchen Werten ist die Kanzlei verpflichtet? Wie gedenkt sie, mit ihren Mitgliedern den Anwaltsberuf auszuüben?
- Sieht die aus der Fusion neu entstandene Kanzlei vor, lediglich an einem Standort oder an mehreren Standorten tätig zu sein; und wenn mehrere Standorte zur Debatte stehen, soll die Kanzlei in mehreren Gerichtsbarkeiten tätig sein, insbesondere auch überregional, national oder gar international?
- Soll sie zu einer *First-tier*-Kanzlei aufsteigen oder eine bleiben und auf der Liste der wenigen Kanzleien erscheinen, welche einem in einer bestimmten Jurisdiktion sofort als Marktführer in den Sinn kommen?
- Sollen die Rechtsanwälte der Kanzlei Generalisten oder Spezialisten sein?
- Sieht sie sich als hochspezialisierte Boutique mit einem eng eingegrenzten Tätigkeitsbereich oder als *one stop shop*, der das gesamte Wirtschaftsrecht abdeckt?
- Welche Grösse soll die Kanzlei haben? Falls ein zukünftiges Wachstum geplant ist, in welchem Zeitrahmen soll dies erreicht werden und auf welche Weise?
- Wollen die Partner nur die Kosten teilen oder auch den Gewinn? Falls eine Gewinnverteilung stattfinden soll, wie soll das Gewinnverteilungssystem aussehen? *Eat what you kill* oder *Lockstep?*

27 Wie in jedem Fusionsprozess muss man sich allerdings darauf einigen, welche Punkte, manche grundlegend, manche sekundär, Gegenstand vertiefter Verhandlungen sein sollen. Es sollte bei einer Fusion gleichberechtigter Partner vermieden werden, dass eine Kanzlei ihr Modell und ihre bisherige Struktur in allen Punkten der anderen Kanzlei aufzwingt. Es ist oft besser, gemeinsam eine neue Lösung zu erarbeiten, sich mittels gegenseitigem Geben und Nehmen in der Mitte zu treffen und sicherzustellen, dass alle beteiligten Personen von der Richtigkeit und der Relevanz der gefundenen Lösungen überzeugt sind. In dieser Hinsicht lohnt es sich, gewisse grundlegende nicht oder bis-

her unbefriedigend funktionierende Arbeitsabläufe zu hinterfragen. Dabei muss man sich bewusst sein, dass Neues, welches nach gemeinsamer Erarbeitung erst festgelegt wurde, im Nachhinein viel schwieriger zu verändern ist, da es Ausdruck des gemeinsamen Konsenses ist. Die getroffene Wahl sollte deshalb dem Zahn der Zeit standhalten können, im Wissen, dass die Partner häufig im einen oder anderen individuellen Punkt veränderungsresistent sind, vor allem wenn etwas im Ganzen unter Berücksichtigung von Gleichgewicht und Kohärenz entschieden wurde.

6. Einige wichtige Aspekte

6.1 Der zukünftige Name der Kanzlei

Der neue Firmenname wird von aussen oft als eine Indikation der vorherigen Kräfteverhältnisse und – wichtiger noch – als ein Ausdruck der zukünftigen Dominanz interpretiert. Um den Eindruck zu vermeiden, die eine Kanzlei hätte sich die andere schlichtweg einverleibt, sollte nicht einfach der alte Name einer der beiden Kanzleien übernommen werden. Bei einem *merger of equals* sollte die fusionierte Kanzlei entweder im Rahmen des Möglichen die Namen der beiden ehemaligen Kanzleien widerspiegeln, was Kontinuität und Evolution versinnbildlicht, oder aber es sollte sich um einen gänzlich neuen Namen handeln, was einen umfassenden Neuanfang symbolisiert. Im letzteren Fall wählen die Parteien meist entweder ein Fantasiegebilde[4] oder einen Namen eines ehemaligen, berühmten Partners einer der beiden fusionierten Kanzleien. Wichtig ist es, schon im Vorfeld der Namensdiskussion die Verfügbarkeit und ausreichende Unverwechselbarkeit des Kanzleinamens abzuklären und nach dem Entscheid dann umgehend die Namensrechte inklusive Domain Namen zu sichern. 28

6.2 Die zukünftige Governance

6.2.1 Die Partnerversammlung als oberstes Organ

Anwaltsfirmen sind von Natur aus partnerschaftliche Gebilde und werden dies, zumindest in unseren Breiten, auch grossmehrheitlich bleiben, unabhängig davon, in welcher Rechtsform sie sich organisieren. Eine echte Partnerschaft basiert prinzipiell auf Gleichberechtigung der Partner und direkter Demokratie. Die Ausübung dieser demokratischen Rechte ist in vielerlei Hinsicht die Basis für Kohäsion und Kohärenz. Deshalb sind wir der Meinung, dass sich individuelle Governance-Rechte wie z.B. gewisse positive Managementrechte eines einzelnen Partners oder aber individuelle Vetorechte verbie- 29

4 Hier bestehen wieder Interdependenzen mit der zukünftigen Rechtsform des fusionierten Unternehmens. Für jede Rechtsform gelten spezifische Regeln bezüglich möglicher Firmennamen, die es zu beachten gilt. So kommt ein reiner Fantasiename für die Rechtsform der Kollektivgesellschaft nicht in Frage, muss doch der Name mindestens eines Gesellschafters im Namen vorkommen.

ten. Vielmehr sollte die Mehrheit aller Partner über die Geschicke der Kanzlei entscheiden, aber auch dies nicht unbeschränkt. Die «Verfassung», d.h. die Grundparameter der Anwaltskanzlei sollten auch einem einfachen Mehr der Partner entzogen sein. Entscheidungen, die solch wichtige Aspekte betreffen, sollten einem qualifizierten Mehr unterstellt werden.

30 Darüber hinaus drängen sich im Rahmen einer Fusion weitere Schutzmechanismen auf. Es muss sichergestellt werden, dass die Kanzlei mit der grösseren Anzahl Partner die Partner der kleineren Kanzlei nicht einfach in jeder Abstimmung dominieren kann. In gewissen Fällen scheint es deshalb wichtig, dass für bestimmte Entscheide eine doppelte Mehrheit vorgesehen wird. Dieser Mechanismus sollte aber nur für eine befristete Übergangsphase gelten, denn eine solche Regel perpetuiert die Vergangenheit (mit den zwei Lagern der Partner der vormals bestandenen Kanzleien) und steht nach einer gewissen Zeit der vollständigen Integration der Partnerschaft im Wege. Bei einem *merger of equals* sollte denn auch nach Wegfall dieses Schutzmechanismus die Anzahl der Partner der kleineren Kanzlei ausreichen, um zumindest in den oben beschriebenen Fällen der «Verfassungsänderung» eine Sperrminorität zu erreichen.

31 Neben den ursprünglichen Kanzleien können auch andere Aspekte gewisse Minderheitsschutzrechte rechtfertigen (Standorte, Sprachminderheiten, gewisse Departemente, Altersgruppen, etc.). Es muss aber sehr sorgfältig bedacht werden, welche Autonomie man diesen Minderheiten geben will, denn jede Abweichung vom Grundsatz der Gleichberechtigung wirkt unweigerlich desintegrierend und hindert das vollständige Zusammenwachsen der Partnerschaft.

32 In der Kompetenzausscheidung zwischen Partnerversammlung einerseits sowie Exekutivorganen (Geschäftsleitung und Administration) andererseits scheint es uns klar zu sein, dass als Ausgangspunkt zunächst alles und jedes von den Partnern entschieden werden kann. Dennoch ist es ineffizient und nicht praktikabel, alles immer von der Gesamtpartnerversammlung entscheiden zu lassen. So sollten die Traktanden klar bestimmt werden, welche die Partnerversammlung zwingend immer entscheiden muss. Die Rolle der Geschäftsleitung besteht diesbezüglich in der Vorbereitung des Geschäfts und allenfalls in einer Empfehlung, wie entschieden werden sollte und aus welchen Gründen. Alle anderen Entscheide sollten der Gesamtgeschäftsleitung oder der Geschäftsleitung eines Sitzes anheimgestellt werden. Bezüglich dieser Sachgeschäfte müssen jedoch die Partner durch transparente Rechenschaftsablegung in Form von Protokollen stets informiert werden, damit sie im Bedarfsfall einen ihnen nicht genehmen Entscheid an sich ziehen und korrigieren können.

6.2.2 Die ersten Exekutivorgane

33 Zunächst erscheint es uns klar, dass das oberste Exekutivorgan, sei es nun Geschäftsleitung, *management committee* oder ähnlich genannt, wiederum paritätisch zusam-

mengesetzt sein sollte. Zwei aus jeder Kanzlei haben sich nach unserer Beobachtung bewährt. Dies erlaubt es, auch innerhalb einer Kanzlei verschiedene Strömungen durch je einen Repräsentanten vertreten zu lassen. Der Vorsitzende des Exekutivorgans sollte – zumindest in der Anfangsphase – lediglich primus inter pares sein und keinen echten Stichentscheid haben. Ansonsten wird die Besetzung dieses Amts zu einer sehr schwierigen politischen Aufgabe.

In den verschiedenen Exekutivgremien sollte jede Kanzlei gleichwertig repräsentiert werden, was man zwischen den Fusionspartnern mit Vorteil bereits in der Fusionsvereinbarung unter Nennung der zu Wählenden bindend festlegt. Innerhalb der fusionierenden Kanzleien sollte die Besetzung der ersten Gremien mit viel Sorgfalt und Bedacht vorgenommen werden. Es gilt jene zu wählen, welche der Fusion positiv gegenüber stehen, eine natürliche Autorität besitzen, innerhalb ihrer Kanzlei unangefochten sind, und es verstehen, die eigenen Partner zu einen und nicht zu spalten. Von Vorteil sind ferner eine integrative Persönlichkeit, Entscheidungsfreudigkeit, Managementerfahrung und eine ausgeprägte interne und externe Kommunikationsfähigkeit. Schliesslich ist eine gehörige Portion Kritikfähigkeit vonnöten, denn jeder, der einmal in einer Anwaltskanzlei eine Exekutivposition inne hatte, weiss aus Erfahrung, dass alle anderen Partner grundsätzlich vieles – wenn nicht alles – besser wissen. 34

Auf die neuen Gremien wartet eine nicht leichte Aufgabe, müssen sie doch als Fahnenträger der Fusion die Partner immer wieder aufs Neue auf das gemeinsame Ziel einschwören können, jene versichern, die zweifeln, jene fördern, die der Förderung bedürfen, und jene begeistern, die dem Vorhaben kritisch oder auch nur gleichgültig gegenüberstehen. 35

6.3 Das Gewinnverteilungsmodell

Wie bereits vorstehend erwähnt, müssen sich die fusionierenden Kanzleien darüber einigen, wie ihr Unkosten- und Gewinnverteilungssystem aussehen soll. Ausgangspunkt müssen die bisher bestehenden Systeme, Kulturen und Philosophien der beiden Kanzleien sein. Dabei sind die Pros und Kontras jedes Systems abzuwägen. Je näher sich die beiden Systeme bereits ursprünglich sind, desto grösser sind die Chancen einer erfolgreichen Fusion und desto kleiner ist der Bedarf, in den Köpfen der Partner einen *change process* auszulösen und diesen nach der Fusion aktiv zu begleiten. 36

Eine Fusion ist aber auch Anlass, nach weiteren bestehenden Modellen Ausschau zu halten, um sich inspirieren zu lassen. Dabei muss man sich aber bewusst sein, dass die Gewinnverteilung in Anwaltskanzleien wesensgemäss ein spannungsgeladenes Diskussionsthema ist. Nirgends ist das Perfekte mehr der Feind des Machbaren als hier. Ein perfektes System besteht ohnehin nicht. Jedes solche System setzt aber bestimmte monetäre *incentives* und hat weitreichende Auswirkungen auf die Integration und das Zusammenarbeiten der Partner. Ziel sollte es deshalb sein, ein Verteilungsmodell zu kre- 37 ieren, das in Berücksichtigung der bisherigen Systeme der beiden Fusionspartner einen Kompromiss darstellt und dabei die Umsetzung der gemeinsam definierten Ziele fördert oder diese zumindest nicht hindert.

38 Zum System gehören auch die Festlegung der Leistungsparameter, die gemessen werden sollen, und die Einrichtung der notwendigen Mess- und *Tracking*-Instrumente, mithilfe derer diese Parameter dann periodisch in verlässlicher Weise festgestellt werden können. Zwar kommt man nicht umhin, die Performance pro Partner zu messen und zu bewerten, aber das Hauptaugenmerk sollte in der Förderung des Integrationsgedankens und deshalb auf das Messen des kollektiven Gelingens gelegt werden.

6.4 Gemeinsame Sprache

39 Einer besonderen Herausforderung sieht sich gegenüber, wer über Sprachgrenzen hinaus fusionieren will. So werden in solchen Fällen künftig innerhalb der Kanzlei zwangsläufig mehrere Sprachen nebeneinander bestehen. Obwohl emotionslose Kosten- und Aufwandüberlegungen schnell einmal das Umstellen auf eine Amtssprache empfehlen, sollte man nicht leichtfertig damit umgehen. Die Muttersprache ist ein wesentlicher Bestandteil der eigenen Kultur, und sie spielt auch eine nicht zu unterschätzende Rolle bei der Frage, ob der Einzelne sich mit der Gesamtkanzlei identifizieren kann oder nicht. Soweit es deshalb die auf beiden Seiten vorhandenen Fremdsprachenkenntnisse erlauben, empfiehlt sich eine Regel, gemäss welcher jeder seine Muttersprache sprechen kann und darf. Darüber hinaus sollten innerhalb vernünftiger Grenzen wichtige konstitutive Dokumente in beiden Sprachen verfasst und unterhalten werden.

40 Soll eine Vereinheitlichung der Geschäftssprache erfolgen, empfiehlt es sich wiederum aus den bereits vorstehend dargelegten Gründen, nicht die Muttersprache einer der beiden Ursprungskanzleien zu wählen. In einem solchen Fall drängt sich auf, als Kompromiss auf Englisch als lingua franca auszuweichen.

6.5 Einbindung des eigenen Nachwuchses

41 Jede Fusion führt zu Verunsicherung, nicht nur bei den Partnern der fusionierenden Kanzleien, sondern vielleicht noch stärker bei den Personen, die nicht unmittelbar involviert sind, nämlich bei den juristischen Mitarbeitenden und dem Administrativpersonal. Ein besonderes Augenmerk muss dabei den eigenen Nachwuchstalenten gelten. Langjährige juristische Mitarbeitende, die eine Partnerzusage erhalten haben oder kurz davor stehen, sollten zwischen den Kanzleien ebenfalls besprochen werden. Um die eigene Glaubwürdigkeit als Arbeitgeber nicht zu verspielen, darf man prinzipiell auf feste Zusagen und Versprechen, welche die eigene Kanzlei gemacht hat, auch im Kontext einer Fusion nicht einfach zurückkommen. Sie müssen eingehalten werden. Es empfiehlt sich

daher, diese Namen auf eine *shortlist* zu setzen und allenfalls für deren Partnerwahl einen speziellen Wahlmodus abzumachen.

Vor der allgemeinen internen Kommunikation sollten diese Kandidaten unter Geheimhaltungspflicht über die Fusion und die Wahrung ihrer Rechte informiert werden. Nur mit einer solchen Einbindung lässt sich verhindern, dass sich hoffnungsvolle Talente aufgrund der mit der Fusion einhergehenden Verunsicherung innerlich von der Kanzlei abwenden und extern nach Alternativen suchen. 42

6.6 Der Zeitplan der Fusion

Jede Fusion setzt eine schrittweise Integration voraus. Der Fusionsvertrag sollte die Fristen festlegen, bis wann die Fusion technisch abgeschlossen ist. Aufgrund unserer Erfahrung müssen letztlich mindestens die folgenden Schritte geregelt werden: 43

- Datum des Eintretensentscheids der beiden Kanzleien;
- Datum der Unterzeichnung der Vertragsdokumente, einschliesslich des Fusionsvertrages und der internen Reglemente;
- Datum der internen[5] und externen Kommunikation in Bezug auf die Fusion;
- Datum des Inkrafttretens der neuen Organe und der Einstellung der Tätigkeiten des Leitungsausschusses;
- Effektives Datum der Fusion[6] und Verabschiedung des neuen Firmennamens, der neuen Corporate Identity, zum Beispiel mit Briefpapier, Website und aller Marketingdokumentationen (Broschüren, Factsheets etc.);
- Datum der gesamten Vereinheitlichung der internen Vorgehensweisen und Prozesse;
- Datum des Inkrafttretens der neuen Gewinnverteilungsregeln.

7. Kommunikation

7.1 Interne Kommunikation

Die interne Kommunikation ist einer der wesentlichen Erfolgsfaktoren für eine Fusion. Wie bereits vorstehend erwähnt, ist die Nachricht einer Fusion an sich stets destabilisierend. Zu Recht wird sie immer als Ankündigung einer Reihe von mehr oder weniger kurzfristigen Veränderungen wahrgenommen. 44

5 Auch wenn es nur für einige Stunden ist, die interne Kommunikation muss ohne Ausnahme immer vor der externen Kommunikation erfolgen.

6 Spätestens zu diesem Datum muss die heikle Frage der Interessenkonflikte unbedingt gelöst sein.

45 Die interne Kommunikation muss also dieser Verunsicherung entgegenwirken. Es gilt die verfolgten Ziele, die geplanten Mittel und vor allem die Bedeutung der Fusion intern zu erklären. Die neue Regelung sollte skizzenhaft darstellen, ob Entlassungen kurz- oder mittelfristig zu erwarten sind. Schliesslich müssen die Strategie und die zukünftige Positionierung der fusionierten Kanzlei erklärt werden. Es ist auch zu bedenken, dass die interne und externe Kommunikation absolut deckungsgleich sein müssen, da jeder Partner und jeder Mitarbeitende unweigerlich extern ein Botschafter der Fusion wird.

7.2 Externe Kommunikation

46 Die Botschaft nach aussen erfolgt meist in Form einer Pressemitteilung und richtet sich in erster Linie an die bestehenden und potenziellen Klienten und in zweiter Linie an den Markt bzw. die Konkurrenz, die potenziellen zukünftigen Mitarbeiter, allenfalls auch die Medien, und nicht zu vergessen die Behörden, insbesondere die Justiz- und Aufsichtsbehörden. Diese Kommunikation beschreibt vor allem die Grösse und die Tätigkeitsbereiche der fusionierten Einheit. Sie positioniert die Kanzlei ausserdem gegenüber den Hauptkonkurrenten. Die externe Kommunikation ist bezüglich der erwarteten positiven Auswirkungen der Fusion durchaus optimistisch, aber sachlich und angemessen zu halten. Denn der zukünftige Erfolg wird am Massstab der anfänglichen Ankündigungen gemessen werden.

47 Diese Medienkommunikation wird begleitet von einem Versand eines kurzen Briefs der beiden Kanzleien an alle Klienten (aktuelle und manchmal auch ehemalige). Darin wird die Fusion angekündigt und den Klienten dargelegt, was sie von der fusionierten Unternehmung erwarten dürfen. Bei den strategisch wichtigsten und allenfalls weiteren speziellen (z.B. den ältesten) Klienten der Kanzleien ist ein persönliches Gespräch angebracht.

48 Ein weiterer, immer wichtiger werdender Bestandteil der externen Kommunikation sind die elektronischen Medien. Gleichzeitig mit der mündlichen und schriftlichen Ankündigung der Fusion sollten auf den bestehenden Internetseiten der fusionierenden Kanzleien und sobald als möglich auch auf der neuen Internetseite der neuen fusionierten Kanzlei entsprechende Berichte geschalten werden. Schliesslich ist es überlegenswert, ob den E-Mail-Signaturen der Mitarbeitenden automatisch eine kurze Kommunikation hinzugefügt werden sollte.

8. Die Zeit nach der Fusion

49 Die Zeit, welche nach Ankündigung der Fusion und – wichtiger noch – gleich nach deren Vollzug folgt, ist wegweisend. Die interne Kommunikation und Interaktion muss in dieser Zeit gepflegt werden. Es ist stets zu überprüfen, wie es um die Standhaftigkeit der Partner sowie die Wahrnehmung und den Enthusiasmus der Mitarbeitenden bestellt

ist. Denn eine Fusion kann man nicht wirklich verordnen. Sie muss von den Akteuren gelebt, befürwortet und mit Inhalt gefüllt werden. Zu diesem Zweck muss man mehr denn je zuhören, sich versammeln, das Gespräch suchen, transparent informieren und offen kommunizieren.

In Echtzeit korrigiert man, was nicht geht, was nicht funktioniert und was nicht verstanden wird. Es sollte eine ständige Aussprache stattfinden, offen und ehrlich, im gemeinsamen Vertrauen darauf, dass man gemeinsame Ziele hat und an deren Umsetzung und Erreichung gemeinsam arbeitet. Die individuellen und gemeinsamen Erfolge werden stärker hervorgehoben als die Unzulänglichkeiten und Misserfolge stigmatisiert werden. 50

Eine Fusion bringt oft eine Reihe von kurz- oder mittelfristigen Austritten mit sich. Trotz aller Bestrebungen, welche an den Tag gelegt werden, gibt es Partnerabgänge. In der internen Kommunikation sollten diese Austritte erklärt und in der externen relativiert werden. In den meisten Fällen wird die fusionierte Kanzlei zwar kurzfristig auf dem Papier geschwächt, aber mittel- und langfristig in ihrer neuen Ausrichtung gestärkt und fokussiert aus diesen Herausforderungen hervorgehen. Sehr schnell werden dann die ersten Erfolge und das stetig wachsende Vertrauen ineinander die Hauptakteure von der Richtigkeit ihrer Entscheidung überzeugen. 51

9. Fazit

Die Fusion von Anwaltskanzleien ist nicht grundlegend verschieden von der Fusion anderer Unternehmen, auch wenn wir Anwälte dies gerne glauben würden. Sie entspricht meist einer wirtschaftlichen Logik, und sie muss in all ihren Facetten professionell durchgeführt werden. 52

Allem voran ist eine Fusion jedoch ein menschliches Abenteuer. Erfolg und Misserfolg, verhältnismässig oder total, hängen insbesondere von diesem menschlichen Faktor ab. Dies birgt Gefahren und das Risiko der Enttäuschung. Gelingt sie jedoch, dann hat man die Gewissheit, etwas Grösseres und Besseres geschaffen zu haben. 53

E. Aufspaltung von Anwaltskanzleien

JÖRG-MARTIN SCHULTZE

1. Einführung

1 Während es vor etwa 20 Jahren normal war, sein gesamtes Anwaltsleben bei ein und derselben Kanzlei zu verbringen, ist der Anwaltsmarkt heute durch einen mehr oder weniger regelmässigen Wechsel von Anwälten gekennzeichnet. Normalerweise wechseln Anwälte von einer (Gross-)Kanzlei zu einer anderen (Gross-)Kanzlei: Obwohl dabei rechtlich der Anwalt aus einer Partnerschaft ausscheidet und in eine neue aufgenommen wird, geht es praktisch weniger um echte Partnerschaften als um den Wechsel von Führungskräften in Anwaltsunternehmen, bei dem die Wechselnden vor allem in finanzieller Hinsicht keinerlei Risiko eingehen, da sie für etwaige Risiken über einen gewissen Zeitraum durch Garantien abgesichert werden. Entsprechend sind derartige Wechsel häufig, aber nicht Gegenstand dieses Beitrags.

2 Hier geht um den Sachverhalt der Aufspaltung von Anwaltskanzleien im Sinne des «aus eins mach zwei». Eine Variante der Aufspaltung ist, dass mehrere Anwälte einer Kanzlei sich rechtsgebietsübergreifend zusammentun und eine neue Kanzlei gründen. Alternativ dazu steht der Fall, dass mehrere Anwälte einer Praxisgruppe ihre Tätigkeit in einer neu gegründeten sogenannten Boutique-Kanzlei fortsetzen. Es versteht sich von selbst, dass diese Art von Wechsel mit keinerlei Garantien abgesichert ist, sondern eine mit Risiken und natürlich den dementsprechenden Chancen behaftete unternehmerische Entscheidung darstellt: Die Gründung einer Anwaltskanzlei bedeutet für alle Beteiligten eine finanzielle Investition. Zu der unmittelbaren Investition in die neue Einheit sind bei der Berechnung der Gesamtinvestitionssumme auch diejenigen Posten zu addieren, die den Verlust erworbener Rechte oder beim Verbleiben in der alten Kanzlei fälliger Zahlungen widerspiegeln.

2. Anlässe und Ursachen für die Abspaltung

3 Natürlich gibt es in jedem Fall mehrere, hier nicht im Einzelnen zu besprechende Anlässe, die den Beteiligten den Weg in die Eigenständigkeit weisen. Da Anwälte sehr selbstbewusst sind, was das Betreiben ihres eigenen Geschäfts betrifft, sind Anlässe für Ärger in den meisten Fällen Eingriffe in den Tätigkeitsbereich des Anwalts oder dessen Umfeld oder einfach enttäuschte Erwartungen über das eigene Fortkommen oder die Entwicklung der Praxis. Der häufig kommunizierte Grund sind «unterschiedliche Auffassungen über die weitere Strategie».

Spannender als die Frage nach den Anlässen ist aber die Frage, was eigentlich die sachliche Begründung für den Schritt in die Selbständigkeit ist. Denn keiner gibt aus Ärger über unterschiedliche Positionen innerhalb einer grösseren Einheit bestehende Positionen auf und keiner nimmt freiwillig die Belastungen eines signifikanten finanziellen Einsatzes auf sich, wenn er nicht davon überzeugt ist, eine «bessere Welt» zu wählen. 4

Zunächst ist festzuhalten, dass anders als beim blossen Wechsel von Anwälten individuelle Gründe des Einzelnen für die Abspaltung ganzer Gruppen keine Rolle spielen. Die Begründung für die Sinnhaftigkeit der Abspaltung muss von allen Mitgliedern der Gruppe, zunächst vor allem von den sich abspaltenden Partnern, geteilt werden. 5

Der Ansatz von Grosskanzleien ist im allgemeinen der des *one stop shop.* Sie bieten alle Dienstleistungen, die das Unternehmen für seine Tätigkeit benötigt, unter einem Dach und unter einer einheitlichen Firma an. Während der Allgemeinanwalt, der alles kann, die Vertrauensperson für die kleinen Unternehmer ist, ist es das Ziel der Grosskanzlei, die Vertrauensperson für ein gesamtes Unternehmen mit allen ihren Rechtsproblemen zu sein. Da aber Allgemeinanwälte heute nicht mehr in der Lage sind, in Spezialgebieten qualitativ hochwertigen Rechtsrat zu erteilen, haben sich auch in den Grosskanzleien spezielle Praxisgruppen herausgebildet, in denen Spezialisten bestimmter Rechtsbereiche zusammengefasst sind. Aufgabe solcher Spezialisten-Gruppen in Grosskanzleien ist es dann, das üblicherweise vorhandene Transaktionsgeschäft zu unterstützen oder den vorhandenen Mandanten auch in Spezialgebieten wettbewerbsfähigen Rechtsrat anzubieten. Da es auf die Dauer zu einer wettbewerbsfähigen Spezialpraxis gehört, dass diese auch über eigene Reputation am Markt verfügt und in der Lage ist, eigenständig, d.h. ohne konkrete Hilfe anderer Praxisgruppen oder der Kanzlei insgesamt Mandate zu akquirieren, sind die heutigen Spezialisten-Praxisgruppen in Grosskanzleien üblicherweise so aufgestellt, dass sie auf der einen Seite die Serviceleistungen für das Transaktionsgeschäft erbringen, auf der anderen Seite eigenständig Mandate aus dem Spezialgebiet bearbeiten. Dieses Modell funktioniert gut, wenn die transaktionsbegleitende und die eigenständige Tätigkeit in einem vernünftigen, d.h. allseits akzeptierten Verhältnis stehen. Wenn hier keine Ausgewogenheit herrscht, kann es zu Problemen kommen. 6

Eine weitere Quelle für Probleme sind Mandanten-Konflikte, die dazu führen können, dass die Spezialeinheiten Mandate in ihrem Spezialgebiet nicht annehmen können, weil die Grosskanzlei den entsprechenden Gegner in einem oder mehreren anderen Gebieten in erheblichem Masse berät. Natürlich hätte ein Mandant, der von einer Grosskanzlei im Steuerrecht und Arbeitsrecht beraten wird, keinerlei Verständnis dafür, wenn dieselbe Kanzlei ihm durch einen Kronzeugenantrag für einen Wettbewerber ein Bussgeld in ein- oder mehrstelliger Millionenhöhe bescheren würde. Auch ein Angriff auf wesentliche Schutzrechte des Mandanten oder eine Klage gegen seine Wettbewerbspraktiken wären nicht möglich, obwohl der Mandant sich in den entsprechenden Rechtsgebieten Kartellrecht, geistiges Eigentum und unlauterer Wettbewerb anderweitig beraten und vertreten lässt. Dieses Problem wird bei internationalen Kanzleien dadurch verstärkt, dass die 7 steuer- und arbeitsrechtliche Beratung in China, Brasilien oder den USA erfolgen kann, aber gleichwohl die genannten Tätigkeiten für einen Wettbewerber in Europa verhindern. Dieser offensichtliche Nachteil der Grosskanzlei muss ausgeglichen werden durch Anzahl und Qualität der an anderer Stelle der Grosskanzlei akquirierten Mandate, die der Spezialeinheit zugute kommen. Hier kann es zu Friktionen kommen, wenn für einzelne Gruppen das Verhältnis von Kostenbelastung zu Anzahl und Qualität der durch die Grosskanzlei für diese Gruppe generierten Mandate nicht mehr stimmt.

8 Ein weiterer Grund für die Abspaltung ganzer Gruppen besteht darin, dass das Management der Kanzlei Praxisgruppen nur nach ihrem aktuell messbaren Beitrag zum Kanzleiergebnis bewertet, strategische Überlegungen aber nur eine geringe Rolle spielen. In manchen Grosskanzleien ist für bestimmte, unterdurchschnittlich zum Ergebnis beitragende Praxisgruppen einfach kein Platz mehr, was dann zu entsprechenden Restrukturierungsmassnahmen führt.

9 Und schliesslich wollen Anwälte die Dinge selbst in die Hand nehmen, mit der Konsequenz, dass das Management von Anwälten ein schwieriges Unterfangen ist: Anwälte kann man führen, d.h. ihre Stärken fördern und versuchen, sie beim Ausgleich ihrer nicht so stark ausgebildeten Fähigkeiten zu unterstützen, ein Management im Sinne des Vorschreibens, bestimmte Dinge zu tun, ist nach unseren Erfahrungen unmöglich, und dies gilt vor allem dann, wenn der Anwalt eine Alternative hat, also nicht auf seinen derzeitigen Arbeitsplatz angewiesen ist.

10 Anwälte, die sich im Rahmen eigener Kanzleien selbständig gemacht haben, geniessen vor allem die Freiheit, ihre Praxis allein an den Bedürfnissen des Marktes (also der Mandanten) und nicht an den Bedürfnissen des Managements einer Grosskanzlei auszurichten. Obwohl auch in kleinen Einheiten Mandatsanfragen wegen Konflikten abgelehnt werden müssen, ist das zum einen seltener als in Grosskanzleien der Fall und vor allem in jedem Fall leicht nachvollziehbar. Auch die Freiheit hinsichtlich der Personalentwicklung und des Leverage (d.h. dem Verhältnis zwischen Partnern und angestellten Berufsträgern) ist ein Umstand, der immer wieder als positive Folge der Verselbständigung genannt wird. Das ist schon deshalb nicht erstaunlich, da viele Abspaltungen einen ihrer Gründe darin hatten, dass die weitere Entwicklung von Anwälten an Leverage-Überlegungen gescheitert ist.

3. Der Prozess der Abspaltung

11 Der Abspaltungsprozess beginnt mit der «Findungsphase», d.h. dem Zeitraum, in dem sich Partner zusammenfinden und gemeinsam entscheiden, die Kanzlei zu verlassen und ihre Tätigkeit zukünftig unabhängig in einer eigenen Einheit fortzuführen. Da man gewöhnlich schon länger zusammenarbeitet und deshalb über die strategische Ausrichtung grundsätzlich Einigkeit besteht, ist das Hauptproblem in dieser Phase, dass alle Part-

ner die Überlegungsphase beenden und sich endgültig entscheiden, die Kanzlei zu verlassen. Insoweit sind konkrete, von der Kanzlei geschaffene Anlässe natürlich hilfreich, zu einer endgültigen Entscheidung zu kommen.

Nach dieser grundsätzlichen Entscheidung folgt die «Machbarkeitsstudie»: Diese Auf- 12
gabe kann erst mit dem notwendigen Elan angegangen werden, wenn die grundsätzliche Entscheidung zur Abspaltung gefallen ist. Der wesentliche Teil der Machbarkeitsstudie sind die Überlegungen über einen Businessplan, der in diesem Stadium vor allem das notwendige finanzielle Investment und damit die von den Partnern zu leistenden Beiträge betrifft. Dabei stellt man – nicht überraschend – fest, dass das in Grosskanzleien übliche Beratungsniveau in einer kleinen Einheit mit weniger Aufwand zu erreichen ist. Sodann muss man sich auch mit der potenziellen Einnahmenseite befassen, dabei aber von Anfang an akzeptieren, dass sich die Einnahmenseite zwar im gewohnten Umfeld der Grosskanzlei budgetieren, sich aber nicht wirklich berechnen lässt. Hier ist unternehmerischer Geist gefragt, der von der Überzeugung ausgeht, dass ein gutes, qualitativ hochwertiges Angebot, für das zudem viele Mandanten Bedarf haben, mittel- bis langfristig in jedem Fall seine Abnehmer finden wird.

Nach dem Blick auf die grosszügig gerechnete Kosten- und die vorsichtig gerechnete 13
Einnahmenseite gilt der nächste Blick dem Worst Case-Szenario, wobei dieses nicht den Fall betrifft, dass nur die Kosten ohne jedwede Einnahmen betrachtet werden, sondern es realistisch die Belastungen des Einzelnen durch eine schlecht verlaufende Unternehmensgründung darstellen sollte. Sich hierüber Gedanken zu machen, ist wichtig, um den Höchstbetrag für die von den Partnern zu leistenden Einlagen zu bestimmen, jenseits derer eine Verpflichtung zur weiteren Einlagenleistung nicht mehr besteht und das neue Unternehmen gegebenenfalls wieder liquidiert werden würde.

Schliesslich ist diese Phase auch durch die Überlegung geprägt, welche Mandate und 14
Mandanten dem Weg in die Eigenständigkeit wohl folgen werden. Auch hier ist wieder die unternehmerische Entscheidung gefragt und ein Prozentsatz von x% anzunehmen, der natürlich möglichst realistisch sein sollte.

Nach Aufstellung des Businessplans geht es an die Umsetzung, wobei bis zur Kündigung 15
der Partnerschaftsverhältnisse in der alten Kanzlei natürlich nur die rein internen Dinge in Angriff genommen werden können. Die wichtigsten Punkte für eine Anwaltskanzlei sind die Kanzleiräume und die IT-Ausstattung. Hinzu kommt der Name der Kanzlei, der wichtig für die eigenständige Identität ist.

Nach der Entscheidung über die Abspaltung, die Bestätigung dieser Entscheidung durch 16
den Businessplan und eine Reihe von intern vorbereitenden Massnahmen kommt der Zeitpunkt der Kündigung gegenüber der bisherigen Kanzlei. Damit verbunden ist die Trennungsnachricht zumindest in der kanzleiinternen Welt. Ab dem Zeitpunkt der Kündigung laufen die Interessen von Kanzlei und sich abspaltender Gruppe naturgemäss auseinander. Es ist jedoch auf beiden Seiten wichtig, die «Konkurrenz» zwischen der

alten Einheit und der sich verselbständigenden Gruppe nicht zu übertreiben. Denn bis zum endgültigen Ausscheiden zum Ablauf der Kündigungsfrist oder einem einvernehmlich vorher vereinbarten Termin sind beide Seiten durch die Verpflichtungen des Partnervertrages gebunden. So ist eine sofortige «Kaltstellung» der Gruppe, d.h. das Abschneiden von aller internen Arbeit durch die Kanzlei, genauso problematisch wie es die werbende Ansprache von Mandanten für die Zeit nach dem Ausscheiden durch die Gruppe wäre. Hinsichtlich der werbenden Ansprache von Mandanten der bisherigen Kanzlei muss die ausscheidende Gruppe den Startvorteil der alten Kanzlei akzeptieren und die vorzeitige Ansprache von Mandanten, nicht zuletzt im Sinne eines geordneten Ausscheidens, strikt unterlassen.

17 Das Wichtigste bei einer Abspaltung ist, eine ununterbrochene Beratung der Mandanten sicherzustellen, und dieses Interesse besteht auf beiden Seiten. Gerade bei der Abspaltung von mehreren Mitgliedern einer einzigen Praxisgruppe ist dies so, da eine Reihe von Mandanten, die Leistungen dieser Praxisgruppe beziehen, auch in anderen Praxisgruppen mit der Kanzlei verbunden sind. Die Interessengleichheit bei der Beratung von Mandanten führt in der Praxis dazu, dass diese meist funktioniert und sich der Mandant am Ende des Tages nach der Trennung von Praxisgruppe und Kanzlei entscheiden wird, von wem er weiter beraten werden möchte.

18 Die Notwendigkeit, werbende Handlungen gegenüber bestehenden Mandanten vor dem Ausscheiden zu unterlassen, bedeutet übrigens nicht, dass Mandanten nicht über das bevorstehende Ausscheiden informiert werden können. Eine solche Information ist sogar anzuraten, denn Mandanten schätzen es am allerwenigsten, wenn sie über Veränderungen bei ihren Rechtsberatern aus der Presse erfahren. Wie die Kommunikation gegenüber den Mandanten erfolgt, ist eine Frage des Einzelfalls. Weniger wichtig ist dabei, von wem die Information kommt; sie sollte aber in jedem Fall zwischen alter Kanzlei und ausscheidenden Anwälten abgestimmt sein.

19 Nicht ganz so kompliziert wie bei den Mandanten ist die Lage bei den angestellten Anwälten und dem Assistenzpersonal. Diese Gruppen dürfen wegen der aus dem Partnerschaftsvertrag resultierenden Treuepflichten erst dann angesprochen werden, wenn die Tatsache des bevorstehenden Ausscheidens generell kanzleiintern bekanntgemacht wird. Ab diesem Zeitpunkt können aber Angebote zur Weiterbeschäftigung in der neuen Kanzlei gemacht werden. Der bisherige Arbeitgeber hat hieran auch häufig ein Interesse, wenn er für die Mitarbeiter nur schwer eine andere Verwendung finden kann.

20 Zwischen der Kündigung und dem endgültigen Ausscheiden gilt es, viele kritische Punkte in angemessener Weise zu regeln, und dabei sollte keine Seite vergessen, dass man lange Jahre vertrauensvoll zusammengearbeitet und Freud und Leid des Anwaltslebens geteilt hat, sowie beide Seiten dem Umstand Rechnung tragen, dass man sich, wie es so heisst, im Leben immer zweimal sieht. Auch bei der Regelung der Trennungsmodalitäten ver-

derben viele Köche den Brei. Deshalb ist jeder Seite zu empfehlen, einen Hauptansprechpartner zu benennen, der dann auch den Überblick über das Ganze behalten kann.

Wenn alles gut geklappt hat, vollzieht sich der Wechsel in die neue Einheit ziemlich profan: Am Abend des letzten Arbeitstages in der alten Kanzlei verlässt man diese, um am nächsten Morgen seinen Schreibtisch in der neuen Kanzlei einzurichten. 21

4. Die Reaktion der Mandanten

Die Reaktion der Mandanten auf einen Spin-off ist nur schwer vorherzusagen. In unserem Fall war sie sehr positiv, was aber auch heisst, dass durchaus Mandanten bei der bisherigen Kanzlei verblieben sind oder sich eine neue Kanzlei gesucht haben. Die Mandanten, die uns gefolgt sind oder die zwischenzeitlich neu zu uns gestossen sind, schätzen offensichtlich das Konzept der kartellrechtlichen Spezialexpertise in einem kleinen Rahmen: Kartellrechtliche Sachverhalte, bei denen man eine Vielzahl von Personen braucht, sind eher selten. Und das internationale Netzwerk konnten wir als kleine Einheit schnell und qualitativ hochwertig aufbauen. 22

5. Die neue Identität

Da es nicht das Ziel der Abspaltung ist, als namenlose kleine Einheit im Anwaltsmarkt zu verschwinden, ist den Fragen der Schaffung einer neuen Identität und des Aussenauftritts von Anfang an grosse Bedeutung beizumessen. Die Schaffung eines Brand kann nur dann funktionieren, wenn mit dem Namen im Markt eine bestimmte Art der Beratung verbunden wird, und zwar unabhängig von den einzelnen Personen. 23

Wichtig zur Identifikation sind heute ein einprägsamer Name und ein optisch ansprechendes Logo, das wir noch in gewollter Vieldeutigkeit durch unseren *claim* «Meeting Competition» unterlegen. Die Farben unseres Aussenauftritts sind zwei verschiedene Grüns, die helfen sollen, uns ohne grösseres Nachdenken und schon «von Weitem» als Commeo zu erkennen. 24

Bei der Schaffung einer eigenen Identität hat uns natürlich unterstützt, dass wir uns in den vergangenen zehn Jahren im Rahmen unseres bisherigen Arbeitsumfeldes eine gewisse Reputation am Markt erarbeitet hatten. Wie der Wechsel in die eigenständige Einheit gezeigt hat, hängt diese Reputation vor allem an uns als Gruppe, denn der Markt hat von Anfang an Commeo mit unserer Gruppe identifiziert. Nach nur einem Jahr wurde unsere neue Kanzlei durch den renommierten JUVE Verlag für die JUVE Awards 2011 gleich zweimal nominiert, zum einen für den Gründerzeit-Award für bemerkenswerte Neugründungen, zum anderen für den Award als Kanzlei des Jahres für Kartellrecht (zusammen mit dem Sieger Freshfields sowie den Sozietäten Cleary Gottlieb, Hogan Lovells und Oppenländer). In den Begründungen für diese Nominierungen wird 25 vor allem die Bewunderung der Wettbewerber für unseren «mutigen Schritt» hervorgehoben, sogar von «Neid» ist die Rede. Es spricht also Einiges dafür, dass unsere Abspaltung einer Praxisgruppe nicht die letzte ihrer Art war, sondern dass das Beispiel noch in dem einen oder anderen Fall Schule machen könnte.

Kapitel 7
Risikomanagement in der Anwaltskanzlei

A. Einführung und Übersicht

LEO STAUB

1. Zum Begriff des Risikos

Duden online umschreibt den Begriff «Risiko» wie folgt: «Möglicher negativer Ausgang bei einer Unternehmung, mit dem Nachteile, Verlust, Schäden verbunden sind; mit einem Vorhaben, Unternehmen o.Ä. verbundenes Wagnis.»[1] 1

Diese Umschreibung wird in der Betriebswirtschaftslehre seit Langem nicht mehr verwendet. Eine moderne Sicht beschränkt die Bedeutung von Risiko nämlich nicht mehr nur auf seine negative Konnotation. So sind Risiken zwar mit Unsicherheit verbunden, weil die Erwartung an den Eintritt einer bestimmten Tatsache in der Zukunft nicht gewiss ist und das, was wirklich eintritt, mit den zuvor daran geknüpften Erwartungen unter Umständen nicht übereinstimmt. Die Abweichung von der Erwartung oder vom Ziel kann aber natürlich negativ oder positiv sein. Aus dieser Sicht ist daher Risiko grundsätzlich immer Chance und Gefahr zugleich.[2] Mit Haller kann von Risiko als dem Spannungsfeld von Chancen und Gefahren gesprochen werden.[3] 2

Risiko ist sodann nie eine feste, quasi objektive Grösse. Die Wahrnehmung eines bestimmten Risikos ist vielmehr immer subjektiv, hängt ab von der Kultur, in der das betreffende Individuum eingebettet ist, von seiner Stellung im Unternehmen oder in der Gesellschaft, von seinen individuellen Einstellungen und Prägungen sowie von seinem Erfahrungshintergrund.[4] 3

Zu guter Letzt: Risiken gibt es nur da, wo sich Dinge verändern. Risiken erwachsen also aus der Dynamik des Unternehmensgeschehens. Sie sind bei einer statischen Betrachtung der aktuellen Situation nicht erkennbar, sondern manifestieren sich auf dem Weg von einer einmal festgestellten Ausganslage zum angestrebten Ziel als Folge von Einflüssen, die sich positiv oder negativ, als «Beschleuniger» oder «Störfaktor» auswirken.[5] 4

---

[1] Duden online, gefunden bei http://www.duden.de/rechtschreibung/Risiko am 22. November 2011.

[2] Haller, Matthias: Risikomanagement. In: Dubs, Rolf / Euler, Dieter / Rüegg-Stürm, Johannes / Wyss, Christina E. (Hrsg.): Einführung in die Managementlehre, Band 4, Bern 2004, S. 149; Thelemann, Klaus-Michael: Ergebnisse einer Befragung der Stakeholder zu Risikomanagement und Compliance. In: Corporate Compliance Zeitschrift CCZ 1/2008, S. 25 f.

[3] Haller 2004, S. 154.

[4] Haller 2004, S. 148. Derselbe: Je planmässiger die Menschen vorgehen, desto wirksamer vermag sie der Zufall zu treffen – Abschiedsvorlesung vom 8. Juni 2004 an der Universität St. Gallen. In: IVW Jahresbericht 2003, S. 17.

[5] Haller 2004, S. 157.

2. Bezugssysteme von Risiken

5 Je nach Position, die der Betrachter einnimmt, sieht daher ein Risiko anders aus und unterscheidet sich die Einschätzung einer Situation als Risiko. Die Standpunkte, von denen aus ein Risiko betrachtet wird, hängen mithin ab vom Bezugssystem, dem ein Betrachter im Einzelfall zugeordnet werden kann. In Anlehnung an Haller kann folgende Klassifikation dieser Bezugssysteme im Umfeld einer Anwaltskanzlei vorgenommen werden:[6]

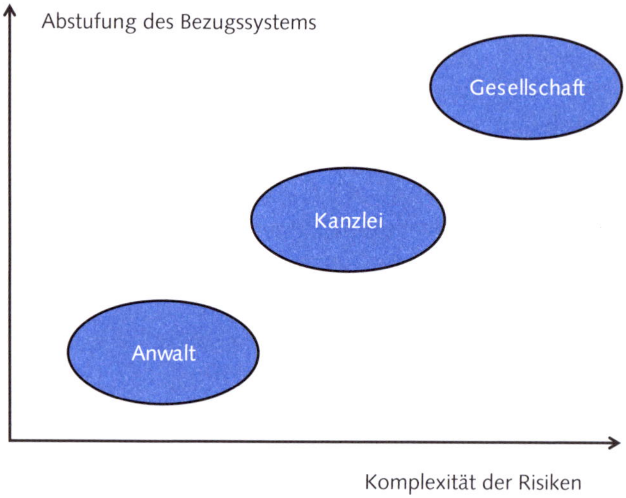

Abb. 1: Komplexität von Risiken in Abhängigkeit vom Bezugssystem

6 Je komplexer das System ist, für welches die Risikobetrachtung vorgenommen wird, desto komplexer ist auch das Risiko, das betrachtet wird. Um ein Risiko vernünftig beurteilen zu können, sind deshalb in Bezugssystemen, die aus mehr als einer Person bestehen, alle relevanten Standpunkte zu erheben und in die Risikobetrachtung mit einzubeziehen. Nur wenn alle wesentlichen Wahrnehmungen eines Risikos auch wirklich verstanden werden, ergibt sich eine ausgewogene Beurteilung des Risikos.[7]

2.1 Der Anwalt

7 Erster Referenzpunkt – von «Bezugsgruppe» kann bei einem einzelnen Individuum schlecht gesprochen werden – ist natürlich der Anwalt. Er entwickelt sich im Zuge seiner Laufbahn vom Anfänger zum Experten, vom Generalisten zum Spezialisten, vom Rechtsberater und Parteivertreter, der einfache Fälle bearbeitet, zum erfahrenen Anwalt

[6] Haller 2004, S. 150.
[7] Haller 2004, ebenda.

in komplexen, oft grösseren Mandaten. In jedem Punkt seiner Laufbahn arbeitet der Anwalt mit einem aktuellen Portfolio von Fähigkeiten und Neigungen, mit einer für diesen Punkt konfigurierten Infrastruktur und einem entsprechenden finanziellen Potenzial sowie mit einem bestimmten Mandantenumfeld. Dieses Portfolio an Möglichkeiten generiert Erwartungen: an die Attraktivität der Mandate und Mandanten, an die Entwicklung der Honorarumsätze und seiner Reputation oder an das Wachstum seines Einkommens.

Von jedem Punkt seiner Laufbahn aus wird der Anwalt nun üblicherweise danach trachten, das Optimum aus den ihm zur Verfügung stehenden Möglichkeiten herauszuholen. 8
Er wird versuchen, fachlich und ökonomisch interessantere Mandate und Mandanten zu akquirieren. Gleichzeitig wird er in seine Infrastruktur (Räumlichkeiten, IT, Sekretariat, Bibliothek, etc.) investieren, um einen professionelleren Auftritt zu erreichen. In allen damit zusammenhängenden Entscheidungen wird er Risiken eingehen müssen. Daran ist letztlich die Erwartung geknüpft, dass unter dem Strich ein Benefit resultiert in Form eines höheren Einkommens, einer gesteigerten Befriedigung bei der Ausübung seines Berufs oder eines Zuwachses an Reputation.

Diese Risiken können sich als Gefahr oder als Chance erweisen. Der Anwalt kann beispielsweise im Bestreben, sein Geschäft weiterzuentwickeln, ein Mandat annehmen, das 9
seine Fähigkeiten übersteigt und deshalb zu einem Schaden für seinen Mandanten und letztlich zu einer Haftung führt. Oder er wird mit einem Mandat betraut, das er hervorragend bearbeitet, damit grosse Resonanz in der Öffentlichkeit erzielt und dies für ihn einen bedeutenden Zuwachs an hochwertigen Mandaten zur Folge hat. Ein Anwalt, der in Räumlichkeiten an bester Geschäftslage investiert und deshalb seine günstige, aber bescheidene Büroinfrastruktur aufgibt, nimmt das Risiko in Kauf, dass mit dem Wechsel keine Aufwertung seines Erscheinungsbildes – und damit auch kein höherer Mandatsumsatz – einhergeht, er deshalb mit seiner Entscheidung sein Einkommen vermindert. Vielleicht führt aber gerade der Ortswechsel dazu, dass seine Kanzlei im Urteil potenzieller Mandanten attraktiver wird und der Umzug deshalb trotz insgesamt höherer Kosten eine Einkommenssteigerung bewirkt.

Selbstverständlich wird der Anwalt seine Entscheidungen mit den Erwartungen abzu- 10
stimmen versuchen, die seine Stakeholder mit dem einzugehenden Risiko verbinden: mit seinem Lebenspartner, seinen Kindern, der finanzierenden Bank etwa oder mit den bisherigen Mandanten. In diesem Sinne ist er natürlich nicht ganz allein. Dennoch: Letztlich entscheidet er über die einzugehenden Risiken. Basis ist das Portfolio an Möglichkeiten, das er selber erarbeitet hat und steuert. Die Komplexität der mit seinen Entscheidungen verbundenen Risiken ist daher beschränkt.

2.2 Die Kanzlei

11 Kommt die Kanzlei als Bezugsgruppe für die Beurteilung von Risiken hinzu, steigt die Komplexität. Jetzt erweitert sich das «Set» an Potenzialen: Es gehören auch die als Partner oder Associates in der Kanzlei arbeitenden Kollegen dazu, der Mandantenstamm ist grösser, Infrastrukturkosten können auf mehrere Schultern verteilt werden, womit grössere Investitionen möglich sind, oder es kann Zeit in Projekte zur Unternehmensentwicklung gesteckt werden, ohne dass gleich die Einkommensbasis wegbricht, weil die dafür aufgewendete Zeit nicht einem Mandanten in Rechnung gestellt werden kann.

12 Neu sind aber auch die Bedürfnisse und Erwartungen der Kollegen in die Beurteilung von Risiken mit einzubeziehen. Und – typisch für Anwaltskanzleien – es ist zu berücksichtigen, dass Risiken nicht mehr dem Einfluss nur eines einzigen Anwalts unterliegen. Kollegen müssen sich aufeinander verlassen können, dass die geleistete Arbeit den Anforderungen des Rechts, der in der Kanzlei geltenden Standards und den Erwartungen der Partner entspricht. Es kommen bei der Beurteilung einzugehender Risiken die Gesichtspunkte mehrerer – in grösseren Kanzleien gar zahlreicher – Personen zusammen. Dazu müssen auch die Erwartungen einer höheren Anzahl von Mandanten in der Entscheidung über die Eingehung von Risiken verarbeitet werden. Häufig sind sodann in Kanzleien, die aus mehreren Anwälten bestehen, die Komplexität und der Interessenwert der geführten Mandate höher. All diesen Umständen ist zu verdanken, dass die Komplexität der Risiken zunimmt.

13 Damit wird auch die Beherrschung und Steuerung der Risiken anspruchsvoller. Das Verantwortungsbewusstsein, das Können und die Sorgfalt eines Einzelnen genügen nicht mehr. Wo viele Personen und Faktoren auf Risiken Einfluss nehmen, müssen Systeme implementiert werden, um diese Risiken zu bewirtschaften. Der Aufbau, die Pflege und die permanente Weiterentwicklung dieser Systeme bewirkt für sich allein genommen schon wieder ein Mehr an organisatorischer Komplexität, das beherrscht sein will.

2.3 Die Gesellschaft

14 Schliesslich muss für viele Entscheidungen, die Risiken mit sich bringen, auch die Bezugsgruppe «Gesellschaft» mit einbezogen werden.[8] Was bedeuten Änderungen von gesellschaftlich bestimmten Einstellungen beispielsweise für die Rekrutierung junger Talente? Müssen Partnerkompensations-Modelle angepasst werden, weil die Politik stark pro-

[8] Unter dem Begriff «Corporate Social Responsibility» wird in jüngerer Zeit die gesellschaftliche Perspektive unternehmerischen Tuns intensiv – und weit über die hier thematisierten Auswirkungen dieser Perspektive auf das Risikomangement von Anwaltskanzleien hinaus – diskutiert. Zur Bedeutung des Begriffs für Anwaltskanzleien siehe Spiesshofer, Birgit: Corporate (Social) Responsibility – auch ein Thema für Anwälte? In: AnwBl 2/2009, S. 95. Generell zu den Verpflichtungen des Unternehmens gegenüber der Gesellschaft: Capaul, Roman / Steingruber, Daniel: Betriebswirtschaft verstehen – Das St. Galler Management-Modell. Oberentfelden 2010. S. 59 ff.

gressive Anreizsysteme steuerlich benachteiligen will? Kann die Verlagerung des Kanzleistandortes von einer Adresse in Bahnhofsnähe zu einer Lage an der Peripherie der Stadt, die mit öffentlichen Verkehrsmitteln nur schwer erreichbar ist, einzelne Mandanten zu einem Kanzleiwechsel bewegen? Führt die gesellschaftliche Ächtung bestimmter Industrien oder Gewerbe dazu, dass die Übernahme von Mandanten aus der betreffenden Branche für die Kanzlei langfristig mit Nachteilen verbunden sein kann? Oder manchmal auch umgekehrt: Wäre es für die Kanzlei von Vorteil, dem gesellschaftlichen Trend nach grösserer Diversität nachzuleben und ganz gezielt mehr Anwälte in die Kanzlei aufzunehmen, die den Anforderungen dieses Trends entsprechen? Könnte beispielsweise mit Entscheidungen zur Schaffung idealer Arbeitsbedingungen für Frauen ein Mehrwert für die Kanzlei erzielt werden?

Schon der Schritt vom Blickwinkel des einzelnen Anwaltes zum Einbezug auch der Standpunkte der Kanzlei führt – wie gesehen – zu einem erheblichen Anstieg von Komplexität bei der Beurteilung von Risiken. Die Ausweitung der Risikobetrachtung auf Ansprüche der Gesellschaft an die Kanzlei steigert die Komplexität weiter. Kommt hinzu, dass diese Risikoaspekte nun praktisch gänzlich ausserhalb des Einflussbereichs von Anwalt und Kanzlei liegen. Sie sind einfach da und müssen in die Risikobeurteilung eingebracht werden. Geformt und gesteuert werden können sie nicht. Für etliche Entscheidungen sind sie aber zentral und wirken sich demzufolge auch erheblich auf die Risikolage – im Sinne von Chance und Gefahr – aus. 15

3. Verantwortung für den Umgang mit Risiken

Der Anwalt ist als Mandatsführer im Auftragsverhältnis zum Mandanten,[9] als Mitgesellschafter im Verhältnis zu seinen Partnern,[10] als Angestellter in der Position eines Associate[11] oder als Organ einer (Anwalts-)Kapitalgesellschaft[12] zur Sorgfalt verpflichtet. Das Mass der anzuwendenden Sorgfalt kann sich zwar je nach Rechtsinstitut, das im konkreten Fall zur Anwendung kommt, unterscheiden. Wichtige Grundaspekte der erforderlichen Sorgfalt bleiben sich aber, unabhängig davon, ob es um Sorgfalt im Mandats-, Arbeits- oder Gesellschaftsverhältnis geht, gleich. 16

---

9 Für das schweizerische Recht vgl. Art. 398 OR sowie Art. 321 StGB und Art. 11, 29 und 102 StGB, für das deutsche Recht §§ 675 Abs. 1, 280 Abs. 1 und 276 BGB.

10 Für das schweizerische Recht vgl. Art. 538 OR, für das deutsche Recht § 708 BGB.

11 Für das schweizerische Recht vgl. Art. 321e OR, für das deutsche Recht §§ 611, 619a, 280 Abs. 1 und 276 BGB.

12 Für das schweizerische Recht vgl. Art. 717 OR, für das deutsche Recht §§ 93, 116 AktG und § 43 GmbHG i.V.m. § 59c BRAO.

17 Diese Grundaspekte der Sorgfalt beim Umgang mit Risiken beschreiben wesentliche rechtliche Anforderungen an ein Risikomanagement, wie es nachstehend[13] skizziert wird.

3.1 Sorgfalt in der Entscheidungsfällung

18 Zur Konkretisierung der Sorgfalt bei Entscheidungen von Organen in Kapitalgesellschaften wurde die Business Judgement Rule entwickelt. Ursprünglich aus den USA kommend,[14] hat die Business Judgement Rule in den letzten Jahrzehnten auch in vielen kontinentaleuropäischen Rechtsordnungen Fuss gefasst. In Deutschland fand sie sogar Eingang in das kodifizierte Aktienrecht.[15] Für die Schweiz gilt eine von Lehre und Rechtsprechung entwickelte, eng an die amerikanische Rechtsprechung angelehnte Fassung. Die Regel besagt, dass die Erfüllung der Sorgfaltspflicht bei Entscheidungen von Gesellschaftsorganen bejaht wird, wenn die Entscheidung

- nicht gegen zwingende gesetzliche oder statutarische Vorschriften verstösst;
- mit dem Gesellschaftszweck nicht im Widerspruch steht und im Gesellschaftsinteresse gefällt wurde;
- in einem ordnungsgemässen Verfahren zustande gekommen ist;
- ohne dass Mitglieder, die mitgestimmt haben, sich in einem relevanten Interessenkonflikt befunden haben
- und die Entscheidung als grundsätzlich nachvollziehbar und sachlich vertretbar erscheint.[16]

19 Für die Praxis der Entscheidungsfindung heisst dies, dass die Entscheidung auf der Grundlage angemessener Informationen beruhen, Gelegenheit zu ausreichender Diskussion und Nachfrage bestehen und ein vertiefender Gedankenaustausch zu den Hauptpunkten stattfinden muss. Ausserdem muss sich das entscheidende Organ über die für den Entscheid ausschlaggebenden Kriterien Klarheit verschafft und Alternativen erwogen haben.[17]

---

13 Vgl. nachstehend Abschnitt 5.

14 Grass, Andrea R.: Business Judgement Rule. Zürich 1998, S. 33 ff.

15 Vgl. § 93 Abs. 1 Satz 2 AktG: «Eine Pflichtverletzung liegt nicht vor, wenn das Vorstandsmitglied bei einer unternehmerischen Entscheidung vernünftigerweise annehmen durfte, auf der Grundlage angemessener Information zum Wohle der Gesellschaft zu handeln.» Klindt, Thomas / Pelz, Christian / Theusinger, Ingo: Compliance im Spiegel der Rechtsprechung. In: NJW33/2010, S. 2388 ff.

16 Böckli, Peter: Schweizer Aktienrecht. 4. Auflage, Zürich 2009, N 584 f. zu § 13; Staub, Leo: Überlegungen zur Erfassung und Steuerung rechtlicher Risiken im Unternehmen (aus Schweizer Sicht). In: CCZ Corporate Compliance Zeitschrift 4/2009, S. 122 f., mit zahlreichen weiteren Hinweisen auf Lehre und Rechtsprechung; Grass 1998, S. 112 ff.

17 Böckli 2009, N 589 zu § 13.

Es geht also in erster Linie darum, Entscheidungen in einem korrekten Prozess zu fällen bzw. um die Frage, *wie* Entscheidungen gefällt werden.[18] Risiken, die mit diesen Entscheidungen verbunden sind, führen nicht zur Haftung, wenn das der Entscheidung vorangehende Verfahren die Anforderungen der Business Judgement Rule erfüllt, selbst wenn die Entscheidung einen Schaden zur Folge gehabt hat. 20

3.2 Sorgfalt in der Beurteilung der eigenen Fähigkeiten

Übernimmt ein Anwalt ein Mandat oder innerhalb der Kanzlei eine Managementaufgabe, die ihn überfordert, handelt er ohne die erforderliche Sorgfalt.[19] Der Anwalt selbst trägt die Verantwortung dafür, dass er nur Aufgaben übernimmt, für die er das entsprechende Wissen, die notwendigen Fertigkeiten und die Erfahrung mitbringt. Nun ist es durchaus denkbar, dass jemand eine Aufgabe antritt, in die er zuerst hineinwachsen muss. Eine allzu lange «Aufwärm-Phase» wird man dem betreffenden Anwalt aber nicht einräumen dürfen. Er wird ausserdem bereits Vorkenntnisse mitbringen müssen, um den notwendigen Schritt zum angestrebten Fähigkeits-Niveau realistischerweise schaffen zu können, und er muss auch den Nachweis erbringen können, dass er sich vom Moment an, in dem er die Anforderungen hätte erkennen sollen, intensiv um die erforderlichen Qualifikationen bemüht hat.[20] 21

3.3 Sorgfalt in der Organisation

Das Management von Risiken in der Kanzlei kann nicht einfach dem einzelnen Anwalt überlassen werden. Die Identifikation, Analyse, Bewertung und Steuerung von Risiken muss «organisiert» werden. Dazu gehört ein ordentlicher Prozess, der in der Kanzlei auch tatsächlich gelebt wird, und es gehört dazu die Bezeichnung der für den Prozess zuständigen Stellen in der Kanzleiorganisation. Die Organisation im Sinne von Prozessen und Strukturen ist so zu konfigurieren, dass wesentliche Risiken in der Mandatsarbeit und im Kanzleimanagement rechtzeitig erkannt und bewirtschaftet werden können. Fehlt es an dieser Organisation, mangelt es an der erforderlichen Sorgfalt.[21] 22

---

[18] Hauschka, Christoph: Grundlagen der Compliance-Organisation. In: Hambloch-Gesinn, Sylvie / Hess, Beat / Meier, Andreas L. / Schiltnecht, Reto / Wind, Christian (Hrsg.): In-house Counsel in internationalen Unternehmen. Basel 2010, S. 212.

[19] Sogenanntes «Übernahmeverschulden». Anstelle vieler: Loser, Peter: Die Vertrauenshaftung im schweizerischen Schuldrecht. Bern 2006, N 154 und 158 sowie Koller, Alfred: Schweizerisches Obligationenrecht Allgemeiner Teil. Bern 2009, § 47, N 27 ff.

[20] Staub 2009, S. 123.

[21] Sogenanntes «Organisationsverschulden». Anstelle vieler: Loser 2006. N 302; Weber, Rolf: Verantwortlichkeit der Unternehmensorgange für regulatorische Interventionen. In: Weber, Rolf / Isler, Peter (Hrsg.): Verantwortlichkeit im Unternehmensrecht IV. Europainstitut Zürich, Bd. 87, S. 119; Klindt / Pelz / Theusinger 2010 S. 2386 ff.; Hauschka 2010, S. 212 f.; Staub 2009, ebenda.

23 Gesetzgebung,[22] Soft Law[23], Rechtsprechung[24] und Lehre[25] sind in jüngerer Zeit explizit dazu übergegangen, Unternehmen zur Einführung von Massnahmen im Sinne eines Risikomanagements zu verpflichten. Viele dieser Regeln gelten natürlich mindestens auch für jene Kanzleien, die in Form einer Kapitalgesellschaft konstituiert sind.

4. Von der Risikobeherrschung zum Risikodialog

4.1 Risikobeherrschung

24 Eine in der Praxis noch oft anzutreffende Sicht auf das Risikomanagement ist die Konzentration auf die Beherrschung von Risiken.[26] Dieser Auffassung liegt die Annahme zugrunde, dass sich manifeste Risiken quasi mechanistisch – oft mit technisch-naturwissenschaftlichen Mitteln – beherrschen lassen.

25 Dieses eingeschränkte Verständnis von Risikomanagement als eine Art «Feuerwehr» genügt aber gerade in Anwaltskanzleien nicht. Zum einen sind für viele Massnahmen zur Risikobewirtschaftung «demokratische» Entscheidungen der Partner erforderlich, für die im Ernstfall schlicht keine Zeit zur Verfügung steht. Zum andern erlaubt die Beschränkung auf Risikointerventionen auch keine Auseinandersetzung über die mit Risiken verbundenen Chancen. Die Abwägung von Gefahr und Chance und die bewusste Inkaufnahme von Ungewissheit über möglicherweise sich ergebende Abweichungen von

---

22 Für die Schweiz Art. 663b Ziff. 12 sowie 728a Abs. 1 Ziff. 3 OR, wo vom Verwaltungsrat einer Gesellschaft im Anhang zur Jahresrechnung die Durchführung einer Risikobeurteilung und von der Revisionsstelle die Prüfung der Existenz eines internen Kontrollsystems gefordert wird (vgl. dazu Möller, Manuela / Steiner, André: Prüfung der Existenz des IKS gemäss Art. 728 OR. In: GesKR 1/2008, S. 18 ff.). Für Banken und Versicherungen gelten weiter gehende und konkretere Vorschriften zum Risikomanagement; vgl. dazu Staub 2009, S. 125, Fn. 50.

23 Beispielhaft der Swiss Code of Best Practice, der in Rz. 19 f. verlangt, der Verwaltungsrat einer Gesellschaft habe «je nach Besonderheit des Geschäfts auch das Risikomanagement» vorzusehen.

24 Das Schweizerische Bundesgericht etwa hat sich in BGE 122 III 200 insofern zu einem wesentlichen Aspekt des Risikomanagements geäussert, als es gesagt hat, dass sich ein Verwaltungsrat nötigenfalls kurzfristig und mehr als vorgesehen in einem Unternehmen engagieren muss, wenn es um die Bewältigung schwieriger Situationen gehe. Die deutsche Rechtsprechung (Urteil des BGH vom 17. Juli 2009 in Az 5 StR 394/08) geht hier noch viel weiter und weist dem Compliance Officer im Unternehmen unter bestimmten Umständen gar eine strafrechtliche Garantenstellung bei Organisationsmängeln im Unternehmen zu; vgl. dazu Kraft, Oliver / Winkler, Klaus: Zur Garantenstellung des Compliance-Officers – Unterlassungsstrafbarkeit durch Organisationsmangel? In: Corporate Compliance Zeitschrift CCZ 1/2009, S. 29 ff. sowie Hauschka 2010, S. 214 ff.

25 Binder, Andreas / Dubs, Rolf / Hilb, Martin / Manser Gabriela / Müller, Roland / Spielmann, Nina: Best Practice im KMU – Empfehlungen zur Führung und Aufsicht von kleinen und mittleren Unternehmen. St. Gallen 2009, S. 9; Strasser, Othmar: Strafrechtliche Verantwortung des Unternehmensjuristen einer Schweizer Bank. In: Monti, Mario / Liechtenstein, Nikolaus / Westbrook, Jay / Wildhaber Luzius (Hrsg.): Wirtschaftsrecht und Justiz in Zeiten der Globalisierung. Bern 2007, S. 762 f.; Staub 2009, S. 123 ff. mit zahlreichen weiteren Hinweisen auf die Lehre.

26 Haller, Matthias: Risiko-Management und Risiko-Dialog. In: Schütz, Martin (Hrsg.): Risiko und Wagnis. Zürich 1990, S. 253.

einmal gefassten Zielen werden praktisch verunmöglicht. Und: Schon die Identifikation von Risiken, die sich in der anwaltlichen Arbeit vor allem als kaum offensichtliche Unsicherheit in der Beurteilung von Sachverhalt und Rechtslage ergeben, wird schwierig, wenn – um die richtige Massnahme zur Risikobeherrschung zu ergreifen – zuerst abgewartet werden muss, bis das Risiko manifest ist. Überaus anspruchsvoll ist aus dieser Perspektive auch die Risikoprävention.[27]

Unternehmen und Kanzleien, die sich auf die Risikobeherrschung beschränken, fokus- 26
sieren deshalb in der Regel auf das Bemühen, erkannte Risiken zu versichern, und auf Krisenmanagement. Das genügt natürlich nicht.

4.2 Risikosteuerung

Zum Postulat der Risikobeherrschung hinzu kommen muss jedenfalls jenes der Risiko- 27
steuerung. Hier geht es darum, Risikomanagement als integrierten Prozess in der Kanzlei zu etablieren, der im Sinne einer Querschnittsbetrachtung alle Dienstleistungs- und Unterstützungsprozesse[28] durchdringt.

Risiken werden in dieser Betrachtung nicht mehr einseitig als potenzielle Störfälle gese- 28
hen. Sie werden vielmehr als «normale» Begleiterscheinung aller Aktivitäten des Unternehmens und namentlich auch seiner Interaktion mit den Stakeholders verstanden. Dieses Grundverständnis führt dazu, dass Risiken systematisch erhoben, identifiziert, analysiert, bewertet und gesteuert werden.[29]

Voraussetzung der Risikosteuerung ist namentlich, dass sich die Partner der Kanzlei ganz 29
bewusst mit Chancen und Gefahren auseinandersetzen, die sich aus bestimmten Konstellationen ergeben. Sie werden dabei vielleicht sogar willentlich Risiken schaffen und eingehen, wenn damit eine Rendite erzielbar ist, die im Falle einer negativen Abweichung von den gesetzten Zielen die Finanzierung von Kosten der Gefahrenbeseitigung erlaubt und darüber hinaus einen schönen Beitrag zum Partnereinkommen beisteuert. Wenn es beispielsweise um die Frage geht, ob Anwälte mit einer Ausbildung im Ausland eingestellt, ob sogenannte Legal Opinions[30] abgegeben werden sollen oder ob ein Kollege aus einer anderen Kanzlei im Zuge eines *lateral hire*[31] neu als Partner aufgenommen werden soll: Jede dieser Entscheidungen kann eine den üblichen Rahmen sprengende Gefahr für die Kanzlei sein, die aber mit der Erwartung einer überdurch-

[27] Haller 1990, S. 252.

[28] Vgl. dazu Kapitel 3 vorstehend.

[29] Biedenkopf, Sebastian: Risiko- und Issues-Management als Aufgabe auch der Rechtsabteilung. In: Hambloch-Gesinn, Sylvie / Hess, Beat / Meier, Andreas L. / Schiltnecht, Reto / Wind, Christian (Hrsg.): In-house Counsel in internationalen Unternehmen. Basel 2010, S. 146.

[30] Beurteilung der Rechtslage in einem Sachverhalt, ohne dieser Beurteilung die übliche ausführliche Begründung voranzustellen.

[31] Vgl. dazu Kapitel 4, vorstehend.

schnittlichen Rendite verbunden ist. Sie stellt damit ein Risiko dar, das von den Partnern gegebenenfalls bewusst eingegangen wird.

30 Risikosteuerung bedeutet überdies, dass Risiken bewusst geformt werden. Risiken werden nicht einfach mehr als unabänderliche Tatsachen akzeptiert. Es werden vielmehr Vorkehrungen getroffen, um ihnen ein gewolltes «Design» zu geben, indem beispielsweise mit vertraglichen oder organisatorischen Massnahmen auf die Ausprägung des Risikos Einfluss genommen, es mit Blick auf mögliche Abweichungen von festgelegten Zielen kanalisiert wird.

4.3 Risikodialog

31 Im Zuge einer nächsten – und letzten – Weiterentwicklung der Risikomanagementperspektive erfolgt ihr Ausbau zum Risikodialog, wie er von Matthias Haller an der Universität St. Gallen erarbeitet wurde. Dieser Ansatz beinhaltet folgende Elemente:[32]

(1) Risikobehaftete Aktivitäten werden auf die diversen Wahrnehmungsformen des Risikos hin untersucht und die verschiedenen Wahrnehmungen dann bei der internen und externen Kommunikation berücksichtigt.

(2) Risikowahrnehmung und Risikobewältigung werden inhaltlich und konzeptionell in den konkreten Zusammenhängen verknüpft.

(3) Konflikte, die sich aus den jeweils aktuellen Entscheidungen für die verschiedenen Bezugsgruppen ergeben, werden herausgearbeitet.

(4) Mit allen vom Risiko Betroffenen werden Instrumente entwickelt, welche die Diskussion und die zur Bewirtschaftung des Risikos erforderliche Offenheit fördern.

(5) Das Unternehmen bildet sogenannte «Kernzellen», welche die Aufgabe haben, den Risikodialog weiter zu entwickeln.

(6) Es wird die Mitwirkung in Gremien gefördert, die auf gesellschaftlicher Ebene ähnliche Ziele verfolgen und auf gesellschaftliche Akzeptanz gewisser Risiken angewiesen sind.

(7) Die Risikokommunikation wird – intern oder mit externer Unterstützung – laufend weiterentwickelt.

32 Was die Punkte 1 bis 5 betrifft, so empfiehlt es sich, die entsprechenden Teilprozesse in das Managementsystem der Kanzlei einzuarbeiten.[33] Besonders lohnend ist es, für die Bewirtschaftung zentraler Risiken – wie z.B. die Abgabe von Legal Opinions, die Compliance, die Datensicherung oder die Gewährleistung der Funktionstüchtigkeit der

[32] Haller 1990, S. 254.
[33] Vgl. dazu Kapitel 3, Abschnitt 5.1.

Kanzleitechnologie – eine verantwortliche Stelle zu bezeichnen. Verdienstvoll ist überdies natürlich die Mitarbeit in Verbandsgremien, welche sich im weitesten Sinn mit dem Risikomanagement in Anwaltskanzleien befassen.[34]

5. Der Risikomanagementprozess

In der Managementlehre und -praxis wurden unter dem Titel «Risikomanagementsysteme» diverse Ansätze zur Identifikation und Analyse von Risiken, zu deren Bewertung und Steuerung sowie zur Berichterstattung über Risiken entwickelt.[35] Ihnen allen gemeinsam ist ein Prozessdesign, das im Wesentlichen folgende Elemente enthält: 33

Abb. 2: Risikomanagementprozess in Anlehnung an Thommen[36]

[34] Das können Gremien in Anwaltsverbänden sein, die sich mit Kanzleimanagement, Qualitätsmanagement, PR oder Ähnlichem befassen; vgl. die Arbeitsgemeinschaft «Kanzleimanagement» im DAV oder das PR-Gremium in der BRAK.

[35] Brühwiler, Bruno: Risikomanagement als Führungsaufgabe. 3. Auflage, Bern 2011, S. 46 ff.; Derselbe: Neue Standards im Risikomanagement. In: Management & Qualität 5/2008, S. 26 f.; Staub 2009, S. 125. Dazu gehören etwa das COSO II Framework (umgesetzt in den Sarbanes Oxley Acts 2002), das ISO-ONR Risikomanagement 49000 (für Europa), das AS/NZS 4360 Risk Management (Australien/Neuseeland) oder das «Starnberger Risiko-Management-Modell».

[36] Thommen, Jean-Paul: Managementorientierte Betriebswirtschaftslehre. 8. Auflage, Zürich 2008, S. 867. Ähnlich auch Boutellier, Roman / Kalia, Vinay: Enterprise-Risk-Management: Notwendigkeit und Gestaltung. In: Gassmann, Oliver / Kobe, Carmen: Management von Innovation und Risiko. 2. Auflage, Berlin 2006, S. 39 f.

5.1 Festlegung der Risikopolitik

34 Im Rahmen der Festlegung der Risikopolitik wird sich die Kanzlei bewusst,

- welche Risiken sie eingehen und welche sie vermeiden will;
- welchen quantitativen Beschränkungen die einzelnen Risiken bzw. Risikokategorien unterliegen sollen;
- wo die Grenzen der Tragbarkeit von Risiken für die Kanzlei liegen;
- wer zuständig sein soll für die einzelnen Funktionen im Risikomanagement (Antragstellung, Entscheidung, Überwachung und Steuerung);
- wie der Risikomanagementprozess gestaltet werden soll
- und wie die Berichterstattung über die Risiken zu geschehen hat.[37]

5.2 Identifikation und Analyse der Risiken

35 Hier geht es darum, Risiken in der Kanzlei überhaupt zu erkennen. Ein intuitives, auf Erfahrung gestütztes Vorgehen genügt dazu nicht. Im Ernstfall haftungsbefreiend wirkt nur eine systematische Identifikation von Risiken, beispielsweise entlang des Leistungserstellungsprozesses in der Kanzlei, der nicht nur den Kernprozess der Wertschöpfung, sondern auch alle unterstützenden Prozesse umfasst und auch die Prozesse, die der Interaktion der Kanzlei mit ihren Stakeholders dienen.[38] Über die einzelnen Glieder des Leistungserstellungsprozesses sind dann – gleichsam in einer Matrix – Suchfelder zu legen, die als «Risiko-Kategorien»[39] oder «Risikofelder»[40] bezeichnet werden können. Diese Risikofelder lassen sich sodann weiter in Primärrisiken und Sekundärrisiken unterteilen.

---

[37] Jaeger, Stefan: Managerkontrolle und Unternehmenswert. Zürich 2007, S. 109.

[38] Thommen 2008, S. 866 ff.; Baumann, Roger / Döhler, Christiane / Hallek, Jens / Wintergerste, Torsten: Implementierung des Enterprise-Risk-Managements. In: Gassmann, Oliver / Kobe, Carmen: Management von Innovation und Risiko. 2. Auflage, Berlin 2006, S. 61 f.; Kritisch: Biedenkopf 2010, S. 147.

[39] Capaul / Steingruber 2010, S. 472 f.; Wyss, Lukas: Juristisches Risk Management und Hedging als Mittel zur Risikokontrolle. Bern 2005, S. 49 f.

[40] Staub 2009, S. 126, Fn. 69.

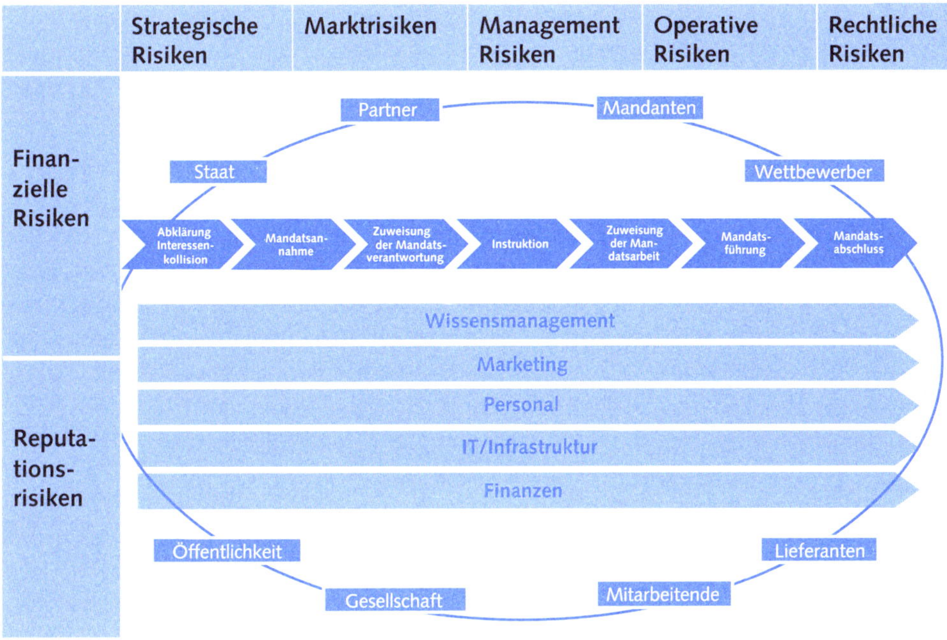

Abb. 3: Identifikationsmatrix für Risiken der Anwaltskanzlei

5.2.1 Primärrisiken[41]

5.2.1.1 Strategische Risiken

Strategische Risiken sind Risiken, die sich aus der langfristigen Perspektive der Kanzlei ergeben. In jüngerer Zeit sind Risiken dieser Art in vielen Kanzleien manifest geworden. So haben sich vor allem grosse Wirtschaftsrechtskanzleien in Zeiten hohen Wirtschaftswachstums auf Unternehmens-Transaktionen konzentriert. Als dann in der Folge der Finanzkrise 2009 der Markt für Transaktionen einbrach, führte die Fokussierung auf dieses zyklische Geschäft auch in den betreffenden Kanzleien zu markanten Einbrüchen. Umgekehrt sind Kanzleien in Zeiten ökonomischer Krisen gut positioniert, wenn sie sich etwa (unter anderem) mit Sanierungen und Insolvenzverfahren beschäftigen. Die zunehmende Internationalisierung des Geschäfts auch vieler KMU hat sodann beispielsweise dazu geführt, dass Fragen des Immaterialgüterrechts und lizenzvertragliche Problemstellungen an Bedeutung gewonnen haben. Kanzleien, die Dienstleistungen in diesem Gebiet anbieten, konnten denn auch von dem entsprechenden Trend profitieren. 36

Strategische Risiken können sich aber natürlich nicht nur in Fragen der Festlegungen beim Dienstleistungssortiment ergeben, sondern entstehen auch in allen anderen strate- 37

41 Vgl. dazu Staub 2009, S. 126 ff.

gischen Themen: in der – zu starken oder umgekehrt gerade zu schwachen – Ausrichtung auf bestimmte Mandantensegmente, der Positionierung in gewissen (geografischen) Märkten oder in der Entscheidung, welche Vertriebskanäle für die Dienstleistungen der Kanzlei genutzt und welche nicht genutzt werden.[42]

5.2.1.2 Marktrisiken

38 Marktrisiken sind sowohl als Beschaffungsrisiken wie auch als Absatzrisiken denkbar. So besteht ein bereits mehrfach angesprochenes Risiko vieler Kanzleien darin, dass regelmässig die für die nachhaltige Entwicklung der Kanzlei notwendige Anzahl gut qualifizierter junger Nachwuchsleute rekrutiert werden kann. Beim Vorstoss grösserer Kanzleien in asiatische Märkte lässt sich sodann beispielsweise beobachten, dass die Fluktuation bei Associates und Partnern vor Ort sehr hoch und die Investition in die Aus- und Weiterbildung neuer Kanzleiangehöriger deshalb oft gefährdet ist.

39 Auf der Absatzseite können Marktrisiken unter anderem darin bestehen, dass Honorarerträge in lokalen Währungen starken Schwankungen ausgesetzt sind oder sich die Haftungsrisiken in gewissen Ländern als Folge legislativer Eingriffe oder von Änderungen in der Rechtsprechung zuungunsten anwaltlicher Dienstleister verschärfen. Gerade auch bei kleineren und mittleren Kanzleien können zudem Klumpenrisiken entstehen, wenn ein Grossteil der Mandatsarbeit für einen oder wenige Mandanten geleistet wird. Fällt ein solcher Mandant weg, kann die Geschäftsgrundlage des betreffenden Anwalts oder der Kanzlei gefährdet sein.

5.2.1.3 Managementrisiken

40 Managementrisiken können entstehen, wenn die organisatorische Reife der Kanzlei nicht mit deren – qualitativem oder quantitativem – Wachstum Schritt hält. Gemessen am Umfang oder an der Komplexität des Geschäfts erweist sich die Organisation der Kanzlei dann möglicherweise als mangelhaft.

41 Solche Managementrisiken können in allen Kanzleiprozessen auftreten: So ist es denkbar, dass Mitarbeitende, Associates oder Partner mit Aufgaben betraut werden, denen sie fachlich nicht gewachsen sind oder dass als Folge übermässigen Drucks zugewiesene Aufgaben nicht mehr mit der erforderlichen Sorgfalt erledigt werden können. Zu den Managementrisiken können aber auch Risiken gezählt werden, die sich aus Cha-

---

[42] Hier geht es beispielsweise um die Frage, ob es der Kanzlei gelingt, im Verkehr mit jüngeren Mandanten deren Ansprüche an die elektronische Kommunikation mit dem Anwalt (Video-Konferenzen, Skype und Ähnliches), den Zugriff auf die Wissensdatenbank der Kanzlei oder gar die Nutzung von sogenannten Social Media zu erfüllen.

raktermängeln von Kanzleiangehörigen ergeben oder aus Entschädigungssystemen, die für die Risikobereitschaft der Anwälte kritische Anreize setzen.[43]

5.2.1.4 Operative Risiken

Typische operative Risiken von Anwaltskanzleien sind Risiken im Zahlungsverkehr, in der Datensicherheit,[44] beim Funktionieren der Kanzlei-IT, bei der Dossierführung oder bei der Überwachung von Kosten- und Investitionsbudgets. 42

Zu den wichtigsten operativen Risiken zählen im Kanzleibetrieb aber auch die Compliance-Risiken.[45] [46] Hier geht es darum, dass die Kanzleiangehörigen alle mit der Berufsausübung zusammenhängenden Regeln und Beschränkungen befolgen, sie beispielsweise Interessenkollisionen vermeiden, das Anwaltsgeheimnis wahren, Insider-Regelungen befolgen, die Geldwäschereigesetzgebung respektieren oder die berufsrechtlichen Anforderungen an die Werbung für anwaltliche Dienstleistungen beachten. 43

In der Lehre zum Risikomanagement werden rechtliche Risiken wie beispielsweise Gewährleistungsrisiken ebenfalls zu den operativen Risiken gezählt.[47] Für unsere Zwecke scheint diese Zuordnung nicht angezeigt. Das Eingehen rechtlicher Risiken betrifft das Anwaltsgeschäft im Kern. Es lohnt sich daher, rechtliche Risiken bei der Betrachtung von Anwaltskanzleien als eigenes Risikofeld zu behandeln. 44

5.2.1.5 Rechtliche Risiken

Der Begriff «Rechtliches Risiko» wird im vorliegenden Zusammenhang üblicherweise verstanden als Risiko bei der Erbringung einer inhaltlich oder formal möglicherweise mit juristischen Mängeln behafteten anwaltlichen Dienstleistung.[48] «Rechtliches Risiko» kann aber auch bedeutend weiter verstanden werden. Die International Bar Associa- 45

---

43 Zu denken ist etwa an die unkritische Belohnung einer hohen Anzahl abrechenbarer Stunden zulasten von Aufwendungen für «interne» Aufgaben von Partnern (in den Bereichen Personal, Finanzen, Wissensmanagement, IT, Marketing und Ähnlichem); vgl. Staub 2009, S. 127.

44 Pothe, Christian: Business Services in der Kanzlei. In: Schieblon, Claudia (Hrsg.): Kanzleimanagement in der Praxis. Wiesbaden 2011, S. 137.

45 Zum Begriff, zur Entwicklung und zur Organisation anstelle vieler Kammerer-Galahn, Gunbritt: Compliance – Herausforderung für Unternehmensleiter und deren Rechtsberater. In: AnwBl 2/2009, S. 77; Klindt / Pelz / Theusinger 2010, S. 2385 ff.; Bachmann, Daniel: Compliance – Rechtliche Grundlagen und Risiken. In: Der Schweizer Treuhänder 1-2/2007, S. 93 ff.; Atkinson, Joe / Leandri, Susan: Best Practices: Organizational Structure that supports Compliance. In: Financial Executive, December 2005, 21, 10; ABI/INFORM Global S. 36 ff.; Taylor, Chris: The Evolution of Compliance. In: Journal of Investment Compliance, Vol. 6 No. 4 2005, S. 54 ff.; Hauschka 2010, S. 205 ff.

46 Für die Zwecke der Bewertung von Risiken werden Compliance Risiken nachfolgend zusammen mit den rechtlichen Risiken der Kanzlei betrachtet; vgl. Abschnitt 5.3 nachstehend.

47 Staub 2009, S. 127, mit weiteren Hinweisen in Fn. 75.

48 Vgl. dazu die Ausführungen von Nobel, Peter: Der Risikobegriff und rechtliche Risiken. In: ZSR Band 129 (2010) Heft 1, S. 22 ff.

tion[49] versteht darunter Folgendes: «Legal risk is the risk of loss caused primarily by one or more of

- a defective transaction;
- a claim (including a defence to a claim or counterclaim) being made or some other event that
- results in a liability for the institution or other loss (e.g. as a result of the termination of a contract);
- a failure to take appropriate measures to protect assets (e.g. intellectual property) owned by the institution; or
- change in law.»

46 Daraus ergibt sich auch für Anwaltskanzleien die Notwendigkeit, rechtliche Risiken explizit in die Bemühungen um ein Management von Risiken einzubeziehen.[50] Ausgangspunkt dazu muss das anwaltliche Kerngeschäft sein. Juristische Dienstleistungen lassen sich grob unterteilen in Rechtsberatung einerseits und anwaltliche Vertretung in Verfahren andererseits.

47 Typischerweise sind rechtliche Risiken in der Rechtsberatung vor allem Risiken in der Sachverhaltserfassung und in der Anwendung materiellen Rechts: Der Sachverhalt wird unvollständig oder falsch interpretiert, oder eine einschlägige Norm wird übersehen oder falsch ausgelegt. Daraus ergibt sich dann ein Rechtsrat, der den Mandanten dazu verleitet, etwas zu tun oder zu unterlassen, das ihn – wirklich oder potenziell – schädigt.

48 Rechtliche Risiken in der Verfahrensführung können darin bestehen, dass Beweise scheitern oder Verfahrensregeln missachtet werden, indem beispielsweise Fristen verpasst werden.

49 Beide Arten von Risiken anwaltlicher Dienstleistungen führen dazu, dass – immer unter der Voraussetzung, dass dem Mandanten daraus ein Schaden erwächst – der Anwalt haftpflichtig wird. In gewissen Fällen riskiert er überdies ein berufsrechtliches Verfahren. Im Übrigen gilt aber auch hier: Rechtliche Risiken können Chancen und Gefahren bergen.[51]

---

[49] International Bar Association Working Group 2003.

[50] Wyss, Lukas: Das IKS und die Bedeutung des (Legal) Risk Management. In: SZW/RSDA 1/2007, S. 36 f.; Wohlmann, Herbert / Weiner, Anette: Die Verantwortung des Unternehmensjuristen – Das veränderte Aufgabenfeld aufgrund neuer Vorschriften in den Bereichen Compliance und Corporate Governance und die gesteigerte Verantwortung im Unternehmen. In: SJZ 105 (2009), S. 172; Staub, Leo: Legal und Compliance als «Assurance»-Funktionen im Unternehmen. In: Newsletter Unternehmensjuristentage. Ausgabe 2/2010, S. 9.

[51] Taisch, Franco: Management and Law on Corporate Boards. In: Wirtschaftsrecht in Bewegung. Zürich/St. Gallen 2008, S. 162.

5.2.2 Sekundärrisiken

Die aufgezählten Primärrisiken haben das Potenzial, ein Sekundärrisiko nach sich zu ziehen. Darunter sind finanzielle und Reputationsrisiken zu verstehen. 50

5.2.2.1 Finanzielle Risiken

Primärrisiken können in dreifacher Hinsicht mit finanziellen Risiken verbunden sein: 51

Ein erstes finanzielles Risiko ist jenes der Beeinflussung des Kanzleigewinnes bzw. des Partnereinkommens, indem sich – im Falle eines negativen Verlaufs des eingegangenen Risikos – der Honorarertrag vermindert oder sich die Marge[52] verschlechtert. Das ist typisch für strategische Risiken, aber auch für Markt- und Managementrisiken. Es werden etwa zu grosse oder zu teure Kanzleiräumlichkeiten bezogen, es wird eine Kanzleifusion beschlossen, die sich im Nachhinein als falsch erweist, oder es werden junge Anwälte zu Partnern befördert, die ihrer neuen Rolle nicht gewachsen sind. Aber auch der Abschluss von Rahmenverträgen für die Beratung von Unternehmen zu ungünstigen Konditionen, die Beschaffung allzu komplexer IT-Systeme oder die ungenügende Betreuung und Überwachung von Associates gehören dazu. 52

Ein zweites finanzielles Risiko sind die mit dem Anwaltsgeschäft verbundenen Haftungsrisiken. Diese lassen sich zwar oft versichern. Es kann aber natürlich im konkreten Einzelfall die Versicherungssumme zu tief sein, ein Ausschlussgrund im Vertrag mit der Haftpflichtversicherung greifen, oder es können im Nachgang zu einem Schadenfall die Versicherungsprämien steigen. 53

Ein drittes finanzielles Risiko schliesslich besteht in den Kosten der Schadenabwehr, wenn gegenüber der Kanzlei Haftpflichtansprüche aus unsorgfältiger Mandatsführung geltend gemacht werden. 54

Im Rahmen der Festlegung der Risikopolitik der Kanzlei[53] muss deshalb im Kreise der Partner diskutiert werden, wie es um den Risikoappetit der Kanzlei bestellt ist. Dieser findet seine Maximalausprägung jedenfalls in der Risikotragfähigkeit der Kanzlei. Letztere ist wiederum begrenzt durch die finanziellen Möglichkeiten der Partner und ihre Bereitschaft, mit eigenen Mitteln zur finanziellen Ausstattung der Kanzlei beizutragen. In der Praxis können hier beträchtliche Spannungen entstehen. Ältere Partner haben in der Regel zwar eine eher geringere Risikoneigung als ihre jungen Kollegen, weil sie naturgemäss mit einer zeitlich enger begrenzten Chance auf den *return on investment* rechnen können. Jüngere Partner neigen dazu, mehr zu wagen, verfügen aber üblicherweise (noch) nicht über die notwendigen Rücklagen, um auch einmal einen mit dem eingegangenen Risiko verbundenen Verlust verkraften zu können. Hinzu kommt, dass 55

---

[52] Hier verstanden als Brutto-Marge, als Differenz also zwischen Honorarumsatz und Kanzleikosten; vgl. dazu Kapitel 5 vorstehend.

[53] Vgl. vorstehend Abschnitt 5.1.

auch Partner innerhalb des gleichen Alters- und Erfahrungsbandes natürlich in völlig unterschiedlichen persönlichen Verhältnissen leben und deshalb gänzlich unterschiedliche Fähigkeiten zur Tragung von Risiken aufweisen können. Letzteres ist oft auch der Fall, wenn Partner in *Eat-what-you-kill*-Modellen verschiedene Rechtsgebiete bearbeiten, die sich in Bezug auf die Verdienstmöglichkeiten stark unterscheiden.

56 Kanzleien tun deshalb gut daran, mittels sogenannter Sensitivitätsanalysen den absehbaren Verlauf verschiedener Szenarien eines Risikos zu prüfen. Es wird beispielsweise bei einer Investition zu überlegen sein, wie sich Änderungen in den getroffenen Annahmen – Auswirkungen auf das Honorarvolumen, Zinssatzänderungen bei Bankdarlehen oder Lebensdauer einer Investition – auf die Rentabilität der Investition auswirken.[54]

5.2.2.2 Reputationsrisiken

57 Ein Sekundärrisiko ist auch das Reputationsrisiko. Es birgt in der Regel ebenfalls finanzielle Risiken, verdient aber eine gesonderte Betrachtung. Anwälte und Anwaltskanzleien leben vom Vertrauen ihrer Mandanten und des Publikums in ihre Integrität. Sie sind deshalb besonders empfindlich, wenn Reputationsrisiken im Raum stehen.[55]

58 Ein Reputationsrisiko besteht dann, wenn die Kanzlei von ihren Stakeholders auf eine Weise wahrgenommen wird, die ihren Ruf schädigt, indem die finanzielle oder sonstige Leistungsfähigkeit der Kanzlei, ihre Kompetenz, ihre Integrität oder ihre Vertrauenswürdigkeit in Zweifel gezogen werden.[56] Kurz: Reputationsrisiken entstehen, wenn das Vertrauen der Bezugsgruppen der Kanzlei – Mandanten, Mitarbeiter, Gerichte, Behörden – beschädigt wird. Das kann ganz unterschiedliche Ursachen haben: ein Kanzleiangehöriger veruntreut anvertrautes Mandantenvermögen, ein Anwalt lässt sich einen unverzeihlichen «Kunstfehler» zuschulden kommen, ein Partner äussert sich in der Öffentlichkeit auf ungehörige Weise zu einer politischen Frage, eine Kanzlei behandelt ihre Associates schlecht, oder sie kommt Zahlungspflichten nur schleppend nach.

59 Reputationsrisiken wirken sich – wie gesagt – gewöhnlich auch finanziell aus. Sie sind aber sehr schwer zu beziffern.[57] Im schlechtesten Fall kann die Verwirklichung eines Reputationsrisikos einen Anwalt oder eine Kanzlei in den Ruin treiben, also einen wirtschaftlichen «Totalschaden» zur Folge haben.[58] Im besten Fall hat der Eintritt eines Reputationsschadens nur eine vorübergehende finanzielle Schädigung zur Folge oder

---

[54] Thommen 2004, S. 528 f.

[55] Ganz ähnlich wie die Banken; vgl. dazu Rohner, Urs/Cerutti, Romeo: Legal und Compliance im globalen (Finanz-)Unternehmen. GesKR 2007, S. 2.

[56] Biedenkopf 2010, S. 151; Staub 2009, S. 126.

[57] Ein Ansatz dazu findet sich bei Gaumert, Uwe: Management von Reputationsrisiken. In: Die Bank, Heft 2/2008, S. 54 ff.

[58] Vallens, Ansi: The Importance of Reputation. In: Risk Management, April 2008, 55,4; ABI/INFORM Global, S. 36 ff.; Neufeld, George A.: Managing Reputation Risk. In: Risk Management, September 2007, 54,9; ABI/INFORM Global, S. 38 ff.

bleibt – selten – gar ohne wirtschaftliche Konsequenzen. Umgekehrt kann ein gravierender Reputationsschaden entstehen, selbst wenn sich die im Zeitpunkt der Entstehung von den Stakeholders getroffene Einschätzung im Nachhinein als falsch erweist. Wird beispielsweise ein Anwalt in ein Betrugsverfahren verwickelt, ist sein Ruf beeinträchtigt, selbst wenn er freigesprochen wird und sich somit im Nachhinein ergibt, dass dem betreffenden Anwalt keinerlei Vorwürfe gemacht werden können. Dies ist Folge der Tatsache, dass die Reputation eines Unternehmens – hier einer Kanzlei – ein Gut ist, das nur in der Erwartung der Stakeholders gründet. Ist diese Erwartung – gerechtfertigt oder nicht – enttäuscht, ist auch der Ruf beschädigt.[59]

5.3 Bewertung der Risiken

5.3.1 Bewertungsmethode

Sind die für die Kanzlei relevanten Risiken erkannt und analysiert, geht es in einem nächsten Schritt um deren Bewertung. Die Bewertung von Risiken ist das Ergebnis zweier Faktoren: dem Schadenpotenzial und der Eintretenswahrscheinlichkeit.[60] 60

Bei der Ermittlung des Schadenpotenzials muss eingeschätzt werden, wie hoch der mögliche (finanzielle) Schaden des einzugehenden oder bereits eingegangenen Risikos ist. Das Schadenpotenzial kann für die Zwecke der Risikobewertung in Geld gemessen werden, als Prozentsatz des durchschnittlichen jährlichen Kanzleigewinns oder beispielsweise auch des Eigenkapitals der Kanzlei.[61] 61

Die Eintretenswahrscheinlichkeit eines Risikos beantwortet die Frage, mit welcher Wahrscheinlichkeit sich das ermittelte Schadenpotenzial verwirklichen wird. Das ist naturgemäss immer dann besonders schwierig, wenn es keine historischen Daten zu einem bestimmten Risiko gibt, wenn also die Kanzlei nicht in der Lage ist zu sagen, wie häufig das betreffende Risiko in der Vergangenheit zu einem Schaden geführt hat. Das ist aber im Kanzleiumfeld der Normalfall. Dennoch gibt es natürlich Risiken, deren Eintretenswahrscheinlichkeit sich beziffern lässt. Aufgrund der historischen Personalfluktuation oder der Erfahrung mit der Verbleibdauer von Associates in der Kanzlei lässt sich die Eintretenswahrscheinlichkeit eines frühzeitigen Austritts von Associates aus der Kanzlei schätzen. Das kann wichtig sein, wenn entschieden wird, ob die Kanzlei in die Weiterbildung von Associates investieren soll. Oder: Die Eintretenswahrscheinlichkeit des Versagens der IT-Hardware der Kanzlei lässt sich – abhängig von der Lebensdauer der 62

[59] Staub 2009, ebenda, mit weiteren Verweisen.

[60] Capaul / Steingruber 2010, S. 474; Boutellier / Kalia 2006, S. 37; Thommen 2008, S. 870 f.; Shenhar, Aaron J. / Dvir, Dov: Reinventing Project Management, Boston 2007, S. 171; Strasser, Othmar: Management von Compliance Risiken als Aufgabe von Unternehmensjuristen. In: Niggli, Alexander / Amstutz, Marc (Hrsg.): Verantwortlichkeit im Unternehmen – Zivil- und strafrechtliche Perspektiven. Basel 2007, S. 284 ff.

[61] Letzteres, wenn die Kanzlei in Form einer Kapitalgesellschaft konstituiert ist.

betreffenden Investition – einigermassen zuverlässig beziffern. Es empfiehlt sich, die Eintretenswahrscheinlichkeit von Risiken der Kanzlei nur ganz grob zu schätzen. Thommen etwa schlägt die Abstufung in «gering/nahe null – mittel/unter 50% – hoch/über 50% – sehr hoch/nahe 100%» vor.[62]

63 Damit ergibt sich folgende Formel zur Bewertung von Risiken in der Kanzlei:

Schadenpotenzial × Eintretenswahrscheinlichkeit = Risikowert.

64 Die relevanten Risiken können – nachdem sie aufgrund dieser Formel bewertet wurden – in eine sogenannte «Riskolandkarte» übertragen werden.[63]

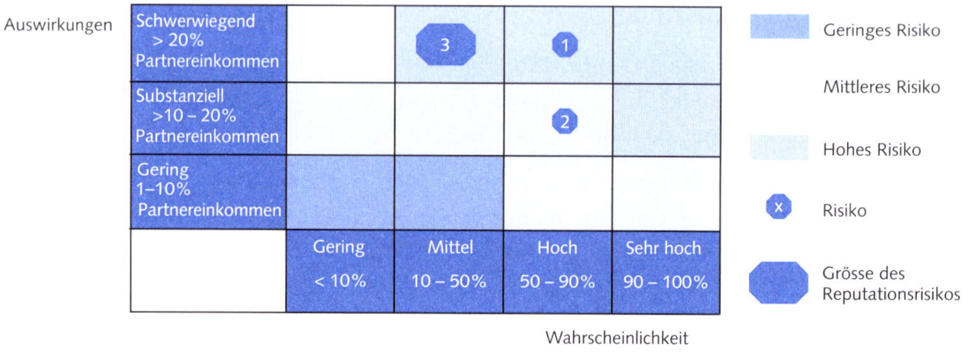

Abb. 4: Risikolandkarte

65 Die Risikolandkarte hilft, Entscheidungen über die Steuerung von Risiken nach Massgabe ihrer Bedeutung für die Kanzlei mit der richtigen Priorität zu treffen. Risiken im «roten» Bereich muss die grösste Beachtung geschenkt werden. Sie müssen vermieden, abgewälzt oder – wo dies nicht möglich ist – mit geeigneten Massnahmen vermindert werden. Risiken im «grünen» Bereich sollen in Kauf genommen werden, ohne dass Ressourcen zu deren Bewirtschaftung eingesetzt werden. Risiken im «gelben» Bereich schliesslich verdienen erhöhte Aufmerksamkeit. Es ist sorgfältig abzuklären, mit welchen Massnahmen diese Risiken in Schach gehalten oder in Richtung des «grünen» Bereichs entwickelt werden. Ausserdem sollte deren Eingehung mit einer für die Kanzlei interessanten Renditeerwartung verbunden sein.

62 Thommen 2008, S. 871.

63 Thommen 2008, ebenda; Wyss 2005, S. 61; Baumann / Döhler / Hallek / Wintergerste 2006, S. 55; Staub, S. 130.

5.3.2 Bewertung rechtlicher Risiken im Besonderen

Wie vorstehend erwähnt, gehört die Eingehung rechtlicher Risiken untrennbar zum Kerngeschäft der Kanzlei. Immer dann, wenn sie Rat erteilt oder ein Vertretungsmandat übernimmt, geht sie ein Haftungsrisiko ein. Namentlich Kanzleien, die Unternehmensmandanten vertreten, werden sodann regelmässig aufgefordert, eine Einschätzung zu den Risiken laufender Verfahren abzugeben. Anhand dieser Einschätzung bildet der Mandant dann die entsprechende Rückstellung in seiner Bilanz. 66

Kanzleien werden damit nicht umhin kommen, rechtliche Risiken bestimmter Geschäftsfelder oder auch einzelner Mandate – sei es für eigene Zwecke des Kanzleirisikomanagements oder im Auftrag eines Mandanten – abzuschätzen. Damit sind aber beträchtliche Schwierigkeiten verbunden. Wie soll beispielsweise das Risiko, einen Zivilprozess zu verlieren, beziffert werden, wie das Risiko der Abgabe einer Legal Opinion oder das Risiko von *non-compliance* mit Geldwäscherei-Vorschriften für Finanzintermediäre? 67

5.3.2.1 Ermittlung von Schadenpotenzial und Eintretenswahrscheinlichkeit in streitigen Rechtsfragen (dispute risks)

Die Einschätzung von Prozessrisiken[64] im sogenannten *lawyer's letter* als Grundlage für die Bildung von Rückstellungen[65] im Unternehmen gehört bereits seit Langem zur Aufgabe von Wirtschaftsanwälten. In den meisten Fällen werden die entsprechenden Einschätzungen sehr seriös vorgenommen und basieren auf intimen Kenntnissen des Sachverhalts, der Rechtslage und der jeweils aktuellen Verfahrenssituation. Oft wenden Kanzleien in der Praxis zudem das «Vier-Augen-Prinzip» an, wenn es um die Bezifferung des Prozessrisikos geht. Ebenso häufig aber fehlt es an einem systematischen Vorgehen. Die für die Einschätzung verantwortlichen Kollegen verlassen sich auf ihre Erfahrung und ihre Fachkenntnisse. Das aber ist gefährlich. Kein Prozess-führender Anwalt kann sich vollständig der Gefahr der subjektiven Beurteilung der Prozessaussichten entziehen. Er vertritt ja eine Partei und wird sich – bewusst oder unbewusst – mit den eingenommenen Standpunkten mindestens teilweise identifizieren. Damit einher geht natürlicherweise die Einschränkung seiner Fähigkeit zur objektiven Beurteilung der Risiken im Verfahren. Diesem *bias* versuchen Anwälte in der Praxis entgegenzuwirken, indem sie ihn mit einer besonders kritischen Beurteilung der eigenen Chancen und Gefahren im Prozess kompensieren. Auch dieser – an sich nicht ungesunde – Reflex kann aber eben dazu führen, dass die tatsächlich vorgenommene und dem Mandanten kommunizierte Risikoeinschätzung eine grosse Abweichung von einer möglichst objektiven Beurteilung aufweist. 68

---

[64] Der Begriff «Prozess» wird in diesem Zusammenhang verwendet für ein formelles Verfahren vor einer staatlichen oder nicht staatlichen Instanz zur Beilegung eines Rechtsstreites.

[65] Vgl. dazu IFRS/IAS Art. 37.

69 Es empfiehlt sich daher, die Kriterien für die Einschätzung von Prozessrisiken sorgfältig zu erheben und im Einzelfall systematisch anzuwenden. Damit wird nicht nur eine zuverlässigere Prognose zu den beurteilten Risiken möglich, sondern der betroffene Anwalt wird damit auch jederzeit den Beleg dafür erbringen können, dass er keine wesentlichen Aspekte der Risikobewertung ausser Acht gelassen hat. Ein solches Beurteilungsschema könnte etwa wie folgt aussehen:

	Schadenpotenzial	Eintretenswahrscheinlichkeit	Risikoeinschätzung
Worst Estimate («Brutto-Risiko»)	Maximaler Schadensbetrag	100%	
Materielle Rechtslage			
Prozessuale Rechtslage			
Beweislage			
Jurisdiktion			
Rechtsprechung			
Ressourcen der Gegenpartei			
Prozessneigung der Gegenpartei			
Eigene Ressourcen			
Eigener Druck wegen Reputation			
Grundsatzfrage			
Eigene Corporate Legal Culture			
Vergleichschancen			
Realistic Estimate («Netto-Risiko»)			

Abb. 5: Bewertungsmatrix für dispute risks[66]

70 Die Kriterien auf dieser Checkliste sollen zu einer qualitativen und – wo möglich – auch quantitativen Aussage zu den einzelnen Risikoaspekten führen. Der beurteilende Anwalt beschreibt also in jedem einzelnen Feld in obiger Matrix, wie sich das Prozessrisiko im

[66] In Anlehnung an Staub 2009, S. 128. Unter dem Kriterium «Jurisdiktion» werden Besonderheiten in einem bestimmten Rechtskreis bewertet, unter «Grundsatzfrage» der Umstand, dass es in gewissen Fällen nicht um eine ökonomische Abwägung im Einzelfall geht, sondern die streitige Frage für eine Partei eben grundsätzliche Bedeutung hat, sie unabhängig vom Interessenwert im konkreten Fall gerichtlich geklärt werden soll. Unter «Corporate Legal Culture» schliesslich ist die Haltung des Unternehmens zur Austragung von Streitigkeiten vor Gericht zu verstehen, die in seiner Kultur begründet liegt. Alle übrigen in der Matrix verwendeten Begriffe sind selbsterklärend.

Licht des betreffenden Kriteriums verändert. Er geht dabei vom maximal möglichen Risiko aus, nämlich dem gänzlichen Unterliegen im Prozess und der Gutheissung der Maximalforderung der Gegenpartei. In der Folge werden die risikoreduzierenden und die risikoerhöhenden Faktoren diskutiert. Am Schluss resultiert immer noch lediglich eine Schätzung. Die Anwendung dieser Matrix ist also keine mathematische Methode zur Ermittlung des Risikos, sondern ein Modell, das eine Annäherung an das realistischerweise bestehende Risiko und eine systematische Einschätzung des Risikos erlaubt. Nicht mehr und nicht weniger.

5.3.2.2 Ermittlung von Schadenpotenzial und Eintretenswahrscheinlichkeit in unstreitigen Rechtsfragen (consulting risks)

Die Bewertung von Beratungsrisiken ist weit anspruchsvoller als die Beurteilung von Prozessrisiken. Hier liegt der Fall nicht auf dem Operationstisch, über den sich neben dem prozessführenden Anwalt auch bereits der Vertreter der Gegenpartei und der Richter beugt. Das Beratungsrisiko ist lediglich latent vorhanden, schlecht beleuchtet und höchstens dem internen Diskurs in der Kanzlei ausgesetzt. Dennoch kann es unter Umständen Sinn machen, Beratungsrisiken ebenfalls einer Bewertung zu unterziehen. Namentlich dann, wenn die Kanzlei in ein neues Geschäftsfeld, ein neues Rechtsgebiet oder in die Beratung von Mandanten in neuen Märkten vorstossen möchte, empfiehlt es sich, das Vorhaben einer vorgängigen Analyse und Bewertung der damit verbundenen Risiken zu unterziehen. Ein entsprechendes Modell könnte wie folgt aufgesetzt sein: 71

	Schadenpotenzial	Eintretenswahrscheinlichkeit	Risikoeinschätzung
Unsicherheit im Sachverhalt			
Unsicherheit in der Identifizierung der relevanten Rechtsfragen			
Unsicherheit in der Analyse der relevanten Rechtsfragen			
Unsicherheit in der Entwicklung von Rechtsetzung und Rechtsprechung			
Unsicherheit bezüglich Kompatibilität mit nichtrechtlichen Faktoren			
Unsicherheit in der Bewertung verschiedener Lösungsszenarien			
Unsicherheit bezüglich Machbarkeit in der Umsetzung			
Unsicherheit bezüglich Ausreichen der Ressourcen zur Umsetzung			

	Schadenpotenzial	Eintretenswahrscheinlichkeit	Risikoeinschätzung
Unsicherheit bezüglich zeitgerechter Umsetzung			
Unsicherheit bezüglich Umsetzung zu den kalkulierten Kosten			
Best Estimate			

Abb. 6: Bewertungsmatrix für consulting risks[67]

72 Die quantitative Einschätzung von Beratungsrisiken ist meist nicht möglich. Oft wird es wohl bei einer qualitativen Bewertung sein Bewenden haben müssen. Immerhin: Die Überlegungen zur Risikobewertung können beispielsweise Anregungen für den mit dem Mandanten abzuschliessenden Mandatsvertrag generieren und im Rahmen des gesetzlich Möglichen zu haftungsbeschränkenden Bestimmungen führen. Solche Bestimmungen können dann neben sachlichen Haftungseinschränkungen durchaus auch quantitative Limiten (in Geld und/oder Zeit) für Beratungsrisiken postulieren.

5.3.2.3 Ermittlung von Schadenpotenzial und Eintretenswahrscheinlichkeit bei Compliance-Risiken

73 Im Compliance-Management als Teil des Risikomanagements der Kanzlei[68] geht es darum sicherzustellen, dass die Aktivitäten der Kanzlei und ihrer Anwälte mit den Erfordernissen des Rechts, der Standesregeln, der Kanzleiregularien und den über das berufsrechtliche Minimum hinausgehenden, kanzleispezifischen Anforderungen an ethisches und kollegiales Verhalten übereinstimmen.[69]

74 Auch hier empfiehlt es sich wieder, Risiken systematisch zu erfassen und in einer Bewertungsmatrix so darzustellen, dass anhand dieser Matrix eine Beurteilung bestimmter Mandate oder anwaltlicher Geschäftsfelder möglich ist.

---

67 In Anlehnung an Staub 2009, S. 129.

68 Rohner / Cerutti 2007, S. 3.

69 Staub 2009, ebenda, mit Hinweisen auf Quellen in der schweizerischen und deutschen Literatur zum Compliance-Management.

	Schadenpotenzial	Eintretenswahrscheinlichkeit	Risikoeinschätzung
Gefährdung im betreffenden Rechtsgebiet (z.B. Korruption)			
Art und Höhe der drohenden Sanktionen			
Gefährdung im betreffenden Markt (z.B. Land)			
Gefährdung der betroffenen Kanzleieinheit (z.B. Einkauf)			
Gefährdung des betroffenen Produktes (z.B. Family Office Services)			
Gefährdung des betroffenen Prozesses (z.B. Provisionsanreiz)			
Zuverlässigkeit des relevanten Kontrollprozesses (z.B. 4-Augen-Prinzip)			
Zuverlässigkeit der involvierten Personen			
Qualität der betreffenden Schulungsmassnahmen			
Besondere Faktoren im Einzelfall			
Best Estimate			

Abb. 7: Bewertungsmatrix für Compliance Risiken

5.4 Massnahmen zur Risikosteuerung

Die Partner der Kanzlei müssen nun in einem nächsten Schritt entscheiden, wie sie mit den identifizierten und bewerteten Risiken umgehen wollen. Dazu stehen ihnen folgende Optionen zur Verfügung:[70] 75

5.4.1 Akzeptanz des Risikos

Das Anwaltsgeschäft ist mit Risiken verbunden, die in Kauf genommen werden müssen. So ist es etwa völlig unrealistisch, die Mandatsarbeit von Partnern in ihren Spezialgebieten in allen Fällen einer gleichwertigen Zweitbeurteilung unterziehen zu wollen, bevor das Ergebnis der Arbeit an den Mandanten übermittelt wird. Es ist ebenso unrealistisch, bei der Anstellung von jungen Associates zu erwarten, dass diese nach Beendi- 76

[70] Capaul / Steingruber 2010, S. 475 ff.

gung ihrer Tätigkeit in der Kanzlei keinesfalls zu einem Wettbewerber gehen und deshalb die Investitionen der Kanzlei in die Aus- und Weiterbildung junger Leute immer nur der Kanzlei zugute kommen. Risiken dieser Art gehören zu den üblichen Unternehmensrisiken von Anwälten, die akzeptiert werden müssen. Massnahmen zur Verminderung solcher Risiken oder gar zu ihrer Vermeidung würden unter Umständen so negative Folgen monetärer und nicht monetärer Natur zeitigen, dass der Geschäftserfolg der Kanzlei gefährdet wäre. In den eben erwähnten Beispielen würden sich Partner wohl nicht ernst genommen fühlen und die Kanzlei verlassen, wenn ein straffes «Kontroll-Regime» aufgezogen würde, und junge Talente wären vermutlich nicht motiviert, Verträge zu unterzeichnen, die ihnen nach Beendigung ihres Engagements in der Kanzlei eine Tätigkeit bei einem Wettbewerber untersagen würde.

5.4.2 Vermeidung des Risikos

77 Die Kanzlei definiert gewisse Risiken, die sie nicht eingehen will. So gibt es in der Schweiz Kanzleien, die für sich festgelegt haben, dass sie keine Tätigkeiten ausüben wollen, die sie als Finanzintermediäre qualifizieren würde. Oder eine Partnerversammlung beschliesst, keine Mandate anzunehmen, die ihr von Personen aus bestimmten Ländern angetragen werden. Die Liste mit Risiken, welche die Kanzlei auf keinen Fall eingehen will, ist vorzugsweise Teil der von den Partnern verabschiedeten und schriftlich formulierten Risikopolitik.[71]

5.4.3 Verminderung des Risikos

78 Hier entscheidet sich die Kanzlei dazu, gewisse Risiken einzugehen. Sie ergreift aber gleichzeitig Massnahmen, welche die Eintretenswahrscheinlichkeit oder die mögliche Schadenshöhe beschränken.

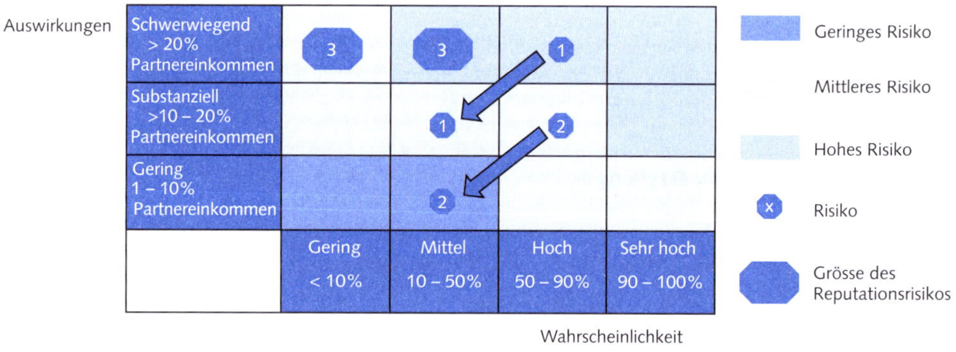

Abb. 8: Wirkungsziele bei Massnahmen zur Risikoverminderung

[71] Vgl. vorstehenden Abschnitt 5.1.

Viele Kanzleien haben in einem Kernbereich ihres Risikomanagements – da, wo es um die rechtlichen Risiken in der Mandatsarbeit geht – Massnahmen zur Risikoverminderung implementiert. Die Regeln zur Zusammenstellung von Projektteams sehen beispielsweise vor, dass die Kriterien fachliche Diversität, ausreichende Seniorität, Schnittstellenkenntnisse und genügende Verfügbarkeit berücksichtigt werden müssen. Schriftsätze und Korrespondenz von einiger Bedeutung müssen im Kreis der Partner oder innerhalb der Praxisgruppe zirkulieren. Legal Opinions sollen einem Legal-Opinion-Komitee vorgelegt werden, bevor sie dem Mandanten zugestellt werden. Manche Kanzleien verpflichten Partner und Associates zum Nachweis regelmässiger Weiterbildung, die deutlich über das berufsrechtlich erforderliche Minimum hinausgeht, oder es werden hochwertige Wissensdatenbanken eingerichtet und unterhalten, die sicherstellen, dass das Erfahrungswissen der Kanzlei jedem Anwalt jederzeit zur Verfügung steht. Im Bereich der Compliance sind die Schulung der Kanzleiangehörigen[72], gegebenenfalls der Erlass und die Überwachung[73] von Weisungen sowie das Coaching im Einzelfall von besonderer Bedeutung.[74] 79

Risikoverminderung wird aber natürlich auch in Prozessen betrieben, welche ausserhalb des Leistungserstellungsprozesses im engeren Sinn stehen. So werden in Kanzleien etwa Datensicherungskonzepte sowohl für die auf Papier wie auch für die elektronisch erfassten Daten eingeführt und betrieben. Es gibt Compliance-Beauftragte und Schulungsveranstaltungen zu den wichtigsten Compliance-Risiken.[75] Gleichstellungs-Beauftragte sorgen für die Einhaltung der Kanzleipolitik zur personellen Diversität[76] und für die Respektierung der persönlichen Integrität der Mitarbeitenden, oder es wird eine Stelle eingerichtet, an die man sich in Fällen von Mobbing wenden kann. In vielen Kanzleien gibt es Bestimmungen zur Nutzung von E-Mail-Tools oder zum Gebrauch von sogenannten Social Media. Erste grosse Kanzleien denken auch bereits darüber nach, ob die Schaffung eines Whistleblower-Prozesses[77] Sinn macht, den Kanzleiangehörige nutzen können, wenn der Verdacht aufkommt, dass einzelne Anwälte der Kanzlei sich ungesetzlich 80

---

[72] Jaisli, Urs: Aufgaben und Herausforderungen der Compliance-Funktion. In: Hambloch-Gesinn, Sylvie / Hess, Beat / Meier, Andreas L. / Schiltnecht, Reto / Wind, Christian (Hrsg.): In-house Counsel in internationalen Unternehmen. Basel 2010, S. 221 ff.

[73] Liese, Jens / Schulz, Martin: Risikomanagement durch Compliance-Audits. In: Betriebs-Berater, BB 22.2011, S. 1347 ff. empfehlen die Durchführung von sogenannten Compliance-Audits zur Sicherstellung der Funktionsweise des Compliance-Prozesses und seiner Wirkung. Vgl. dazu auch Rieder, Markus S. / Jerg, Marcus: Anforderungen an die Überprüfung von Compliance-Programmen. In: Corporate Compliance Zeitschrift CCZ, 6/2010, S. 201 ff.

[74] Rohner / Cerutti 2007. S. 4.

[75] Hemeling, Peter: Gedanken eines Syndikusanwalts zu Compliance. In: Hambloch-Gesinn, Sylvie / Hess, Beat / Meier, Andreas L. / Schiltnecht, Reto / Wind, Christian (Hrsg.): In-house Counsel in internationalen Unternehmen. Basel 2010, S. 236 f.

[76] Müller, Catherine / Sander Gudrun: Innovativ führen mit Diversity-Kompetenz. Bern 2009, S. 165 ff.

[77] Generell zum Begriff des Whistleblowing: Portmann, Dominique: Whistleblowing. In: SJZ 103 (2007), Nr. 7, S. 179 ff.

verhalten. Aber auch Brandschutzsysteme oder Warnanlagen, die vor Einbruch schützen, gehören zu den Steuerungsmassnahmen zur Verhinderung von Kanzleirisiken.[78]

81 Alle diese Beispiele zeigen, dass die grosse Mehrheit der identifizierten Risiken der Kanzlei bewusst in Kauf genommen werden müssen, es sich aber in der Praxis eben auch bewährt, diese Risiken mittels geeigneter Steuerungsmassnahmen auf das von der Kanzlei akzeptierte Mass zu reduzieren.

5.4.4 Abwälzung des Risikos

82 Risiken schliesslich, die sich weder vermeiden noch durch geeignete Massnahmen auf ein tragbares Mass reduzieren lassen, müssen abgewälzt werden. Dies geschieht dadurch, dass die entsprechenden Risiken versichert[79] oder abgesichert[80] werden.

83 Für Anwälte ist in vielen Jurisdiktionen der Abschluss einer Berufshaftpflichtversicherung[81] gesetzlich vorgeschrieben.[82] In Kanzleien mit mehreren Partnern kann an Stelle einer Einzel-Police ein Versicherungsvertrag für die Sozietät insgesamt treten. Bei Abschluss einer solchen «Kanzleipolice» ist darauf zu achten, dass nicht nur Schäden gedeckt sind, die ein einzelner Anwalt wegen seiner eigenen (mangelhaften) Arbeit tragen muss, sondern auch Zahlungen an Geschädigte, die er aufgrund der solidarischen Haftung für die Aktivitäten seiner Partner zu leisten hat.[83] Mindestens in der Schweiz üblich ist auch der Abschluss einer Zusatzversicherung zur Berufshaftpflichtversicherung, welche den Anwalt gegen die Schadenfolgen bei der Ausübung von Organfunktionen in Unternehmen schützt.

84 Selbstverständlich gibt es neben der Berufshaftpflicht auch weitere Risiken, deren Versicherung sich empfiehlt. Brand, Diebstahl oder Betriebsunterbruch werden üblicherweise versichert.[84] Unter Umständen wird von Partnern aber auch etwa verlangt, eine Todesfallrisikoversicherung als Sicherheit für Investitions- oder Betriebskredite von Banken abzuschliessen.

---

[78] Loretan, Stephan: Business Continuity Management in der Anwaltskanzlei. In: Anwalts Revue 9/2005, S. 360, fasst die Massnahmen zur Sicherung der operativen Handlungsfähigkeit der Kanzlei im Notfall unter dem Begriff «Business Continuity Management» zusammen.

[79] Pothe 2011, S. 138.

[80] Bei der Absicherung der Risiken spricht man auch von «Hedging». Hier wird ein risikobehaftetes Geschäft durch Massnahmen abgesichert, die mit dem betreffenden Geschäft nicht oder kaum korrelieren, sodass bei Eintritt des Risikos aus der Hedging-Massnahme ein Ertrag resultiert, der den Schaden aus dem gehedgten Risiko kompensiert. Vgl. dazu Staub 2009, S. 131, Fn. 104.

[81] Heinzelmann, Regula: Haftpflichtversicherungen. In: Kuhn, Moritz / Heinzelmann, Regula / Huber, Werner / Rufener, Adrian (Hrsg.): Wie versichere ich mein Unternehmen? Zürich 2001, S. 97 ff.

[82] Für die Schweiz Art. 12 lit. f Bundesgesetz über die Freizügigkeit der Anwältinnen und Anwälte BGFA; für Deutschland § 51 der Bundesrechtsanwaltsordnung BRAO.

[83] Luterbacher, Thierry: Kollektivrisiko bei Anwaltsgesellschaften. In: Anwalts Revue 5/2009, S. 250 f.

[84] Pothe 2011, S. 143.

Die Absicherung von Risiken im Rahmen von Hedging-Massnahmen ist vorstellbar, wenn eine Kanzlei bedeutende Fremdwährungsrisiken eingeht. Solche Risiken können – zeitlich beschränkt – abgesichert werden, wenn entsprechende Termingeschäfte abgeschlossen oder andere geeignete Finanzinstrumente eingesetzt werden. Klassisch werden Risiken aber auch etwa abgesichert durch Pfand oder Zahlungsrückbehalt[85]. 85

5.5 Überwachung und Reporting der Risiken

Letztes Element des Risikomanagementkonzeptes der Kanzlei ist die permanente Überwachung und die angemessene Berichterstattung an die Partner. 86

Überwachung und Reporting müssen in einem geregelten Prozess erfolgen, und die damit verbundene Verantwortung muss einzelnen Partnern oder dazu befähigten Mitarbeitern in der Kanzleiadministration zugewiesen sein. In der Praxis hat sich dazu in etwa folgende Struktur ausgebildet:[86] 87

- Auflistung der «roten» und «gelben» Risiken, geordnet nach Risikokategorie;
- Qualitativer Beschrieb und Analyse der Risiken;
- Aktuelle Bewertung und Priorisierung der Risiken;
- Laufende schriftliche Dokumentation der Massnahmen und von deren Wirkung zur Steuerung der einzelnen Risiken, im Falle umfangreicher Massnahmen nach den Grundsätzen des Projektmanagements.

Daraus ergibt sich ein Risikoreport zuhanden der Partner, dem folgende Form gegeben werden könnte:[87] 88

---

85 Üblich etwa bei grösseren Investitionen in die Kanzlei-Software, bei denen die Schlusszahlung erst erfolgt, wenn sämtliche bei Abnahme der Software festgestellten Mängel behoben sind.

86 Staub 2009, S. 131.

87 Staub 2009, S. 131.

Risiko-Kategorie	Risiko	Beschrieb	Risikowert Ausgangslage	Massnahmen	Verantwortung	Termin	Risikowert nach Massnahme
Strategisches Risiko	Verlust im Transaktionsgeschäft als Folge eines Konjunktureinbruchs	Transaktionsteam zu gross. Folge: Zu hohe Salärkosten. Abbaubar nur mit Wirkungsverzögerung von sechs Monaten	1,2 Mio.	30% der Associates im Transaktionsteam ersetzen durch Free-Lancer. Attraktives Angebot für Zusammenarbeit nach Spin-Off ausarbeiten.	Leiter Praxisgruppe M&A	30.6.2012	0,4 Mio.
Marktrisiko	Zu wenig Nachwuchs in der Praxisgruppe Finance	Verkürzte Verweildauer von bestehenden Associates wegen Arbeitsüberlastung um zwei Jahre	1,3 Mio.	Workshop-Serie für Jurastudenten am Kanzleistandort zusammen mit Professor, der die Auswahl der TN übernimmt. Associates als Tutore einsetzen.	Leiter Praxisgruppe Finance	31.12.2012	1 Mio.
Management Risiko	Datenverlust als Folge des Ausfalls der IT-Hardware	Klumpenrisiko bei Datenspeicherung auf einen einzigen Server	2,5 Mio.	Abschluss Hosting-Agreement für Speicher-Back-Up mit externem Anbieter	IT-Verantwortlicher	31.3.2012	0,2 Mio.
…	…	…	…	…	…	…	

Abb. 9: Risikoreport

89 Zusammen mit der laufend aktualisierten Risikolandkarte[88] ergibt sich für die Partner so ein gutes Bild der Risikolage der Kanzlei.

[88] Vgl. vorstehende Abb. 4.

B. Compliance Management in der Anwaltskanzlei

Christoph B. Bühler

1. Einleitung

Der Anwalt hat im besten Interesse seines Mandanten zu handeln. Bei dieser an sich selbstverständlichen Aufgabe hat es jedoch nicht sein Bewenden. Vom Anwalt wird auch erwartet, dass er seine Tätigkeit über die Erfüllung seines Auftrages hinaus auf die Aufrecherhaltung der Rechtsordnung ausrichtet und seinen Beruf nach den Berufsregeln sowie bestimmten ethischen Standards ausübt. Das Bundesgericht hat den Rechtsanwalt denn auch als «Diener des Rechts und Mitarbeiter der Rechtspflege»[1] bezeichnet und damit dessen besondere Bindung zum Recht ausgedrückt. Diese vielseitigen Ansprüche an den Rechtsanwalt können in ein Spannungsverhältnis zueinander treten. Der Anwalt wird dann sozusagen zum Vermittler zwischen dem Rechtsstaat und seinem Mandanten[2]. 1

Vor dem Hintergrund dieses komplexen Anforderungsprofils ist der Aufbau und das Betreiben eines wirksamen, auf die konkreten Verhältnisse ausgelegten Compliance Management für Anwaltskanzleien unabdingbar geworden. 2

2. Definition und Abgrenzung des Compliance-Management

Der Begriff Compliance wird in der Praxis nicht einheitlich verwendet[3]; er bedeutet im betriebswirtschaftlichen Verständnis im Wesentlichen die Einhaltung von Regeln (Regulierungen, Standards, unternehmensinterne Verhaltensregeln). Gerade für Anwaltskanzleien ist der Begriff jedoch weiter zu fassen: Zur Compliance gehört nicht nur die 3

[1] BGE 116 Ia 237, S. 241.

[2] Bernhart, Christof, Die professionellen Standards des Rechtsanwalts, Ein Handbuch zum Anwaltsrecht, 2. A. Zürich 2011, S. 16.

[3] Buff, Herbert, Compliance, Führungskontrolle durch den Verwaltungsrat, Diss. Zürich 2000, S. 10 ff.; Bachmann, Daniel, Compliance – Rechtliche Grundlagen und Risiken, Der Schweizer Treuhänder, 1-2/2007, S. 93 ff.; Müller, Thomas, Compliance Management, Dargestellt am Beispiel der Versicherungswirtschaft, Zürich 2007, S. 25 f.; Kellerhals, Andreas, Herausforderungen mit in- und ausländischem Kartellrecht und Eingriffsgesetzen. In: Berni, Markus / Kellerhals, Andreas (Hrsg.), Internationales Handelsrecht III: Compliance Management als juristische Kernfunktion im Unternehmen, Zürich 2009, S. 1 ff., 3; Roth Monika, Compliance – Voraussetzung für nachhaltige Unternehmensführung, Zürich 2010, S. 15 f.; Wieland, Josef, Compliance Management als Corporate Governance – konzeptionelle Grundlagen und Erfolgsfaktoren. In: Wieland, Josef / Steinmeyer, Roland / Grüninger Stephan, Handbuch Compliance-Management, Berlin 2010, S. 15 ff., 15.

Gewährleistung der «Regeltreue», sondern auch die Sicherstellung eines integren und berufsethisch verantwortungsvollen Handelns aller in der Kanzlei tätigen Personen[4]. Obwohl solche Verhaltensgebote vom Staat grundsätzlich nicht erzwungen werden können, erwarten die interessierten Anspruchsgruppen, dass sich das Unternehmen in Wahrnehmung seiner Eigenverantwortung zu ihnen bekennt und die eingegangenen Selbstverpflichtungen auch einhält[5].

4 Compliance ist letztlich Ausfluss der Leitungs- und Organisationsverantwortung, die unmittelbar die Unternehmensführung betrifft, und damit Teil der Corporate Governance[6]. Die Gesamtheit der Massnahmen, mit denen der angestrebte Zustand eines regelkonformen Verhaltens des Unternehmens erreicht werden soll, kann mit dem Begriff Compliance Management zusammengefasst werden[7]. Ein professionelles Compliance-Mangement ist Ausdruck dafür, dass das Unternehmen nebst dem Streben nach langfristiger Rentabilität auch eine Kultur der Integrität pflegt und ihre gesellschaftliche Verantwortung wahrnimmt.

3. Funktionen des Compliance Management

5 Eine Kanzlei ist in den Augen ihrer Klienten nur so gut wie ihre Reputation. Die Funktion eines wirksamen Compliance Management besteht somit in erster Linie darin, die Einhaltung der Regeln sicherzustellen, um den guten Ruf der Anwaltskanzlei zu schützen und die Haftungs- und Reputationsrisiken zu minimieren. Sie umfasst nach dem hier vertretenen weiten Begriffsverständnis namentlich auch die Funktion, in der Kanzlei die

[4] Ein engeres, sich ausschliesslich an den Rechtsnormen orientierendes Begriffsverständnis der Compliance vertritt demgegenüber Hauschka, Christoph E., Grundlagen der Compliance-Organisation, in: Hambloch-Gesinn, Sylvie et al. (Hrsg.), In-House Counsel in internationalen Unternehmen, Basel 2010, S. 205 ff., 205; dieser will die vom Unternehmen einzuhaltenden allgemeinen Wertvorstellungen von dem für die Compliance relevanten Regelwerk ausklammern, weil Compliance sonst «vollständig konturenlos» werde und die Verpflichtung hierzu «ohne Grenzen» sei.

[5] Jaisli, Urs, Aufgaben und Herausforderungen der Compliance-Funktion. In: Hambloch-Gesinn, Sylvie et al. (Hrsg.), In-House Counsel in internationalen Unternehmen, Basel 2010, S. 219 ff., 219; vgl. zur faktischen Verbindlichkeit von «soft law» Bühler, Christoph B., Regulierung im Bereich der Corporate Governance, Zürich 2009, N 50 ff. und 70, m.w.H.

[6] Art. 716a Abs. 1 Ziff. 5 OR ordnet in der Aktiengesellschaft die Oberaufsicht über die mit der Geschäftsführung betrauten Personen, «namentlich im Hinblick auf die Befolgung der Gesetze, Reglemente und Weisungen» den unübertragbaren und unentziehbaren Kernkompetenzen des Verwaltungsrates zu. Vgl. dazu Bühler, Christoph B., 2009, N 624 und 634; Böckli, Peter, Schweizer Aktienrecht, 4. A. Zürich 2009, § 13 N 378 ff.; Hemeling, Peter, Gedanken eines Syndikusanwalts zu Compliance. In: Hambloch-Gesinn, Sylvie et al. (Hrsg.), In-House Counsel in internationalen Unternehmen, Basel 2010, S. 231 ff., 238; Wieland, Josef, 2010, S. 25 f.

[7] Jaisli, Urs, 2010, S. 220; Gellis, Jossy, Compliance- Abstützung durch Rechnungswesen, IKS und Risk Management. In: Internationales Handelsrecht III: Compliance Management als juristische Kernfunktion im Unternehmen, Zürich 2009, S. 93 ff.

Voraussetzungen und das Bewusstsein zu schaffen, dass alle Mitarbeitenden sämtliche für die Kanzlei relevanten Regeln selbständig befolgen und einhalten können.

In der Anwaltskanzlei haben insbesondere die Vermeidung bzw. Offenlegung von Interessenkonflikten sowie die Wahrung des Berufsgeheimnisses einen hohen Stellenwert[8]. 6

4. Gegenstand des Compliance Management einer Anwaltskanzlei

Die spezifischen Compliance-Themen einer Anwaltskanzlei werden weniger durch seine Grösse als vielmehr durch das jeweilige Geschäftsfeld definiert[9]. Eine abschliessende Behandlung aller Gegenstände des Compliance Management, mit denen Anwaltskanzleien konfrontiert werden können, würde den Rahmen dieses Beitrages sprengen[10]. In Wirtschaftsanwaltskanzleien sind typischerweise vor allem die folgenden Regelungsbereiche Gegenstand des Compliance Management: 7

4.1 Erfüllung der Voraussetzungen für die Ausübung des Anwaltsberufs

Die Ausübung des Anwaltsberufs setzt zunächst voraus, dass der Anwalt handlungsfähig ist und gegen ihn keine strafrechtliche Verurteilung oder Verlustscheine vorliegen[11]. Der Anwalt muss sodann in der Lage sein, seine Tätigkeit unabhängig auszuüben. Er darf namentlich nicht dem Einfluss eines Dritten ausgesetzt sein, der nicht in einem Anwaltsregister eingetragen ist und damit seinerseits die Unabhängigkeitsanforderung erfüllt[12]. 8

Das Anwaltsgesetz[13] stellt an die Ausübung des Anwaltsberufs zudem bestimmte fachliche Minimalanforderungen: der Anwalt muss einen Hochschulabschluss mit einem bestimmten Diplom abgeschlossen, ein Praktikum von mindestens einem Jahr absolviert und das Anwaltsexamen bestanden haben. Nur wenn diese Voraussetzungen erfüllt sind, ist der Eintrag ins Anwaltsregister zulässig. 9

---

8 Buff, Herbert, 2000, S. 10, 25; Kellerhals, Andreas, 2009, S. 4.

9 Saitz, Bernd, Compliance in mittelständischen Unternehmen – Theoretische Anforderungen und pragmatische Ansätze zur Umsetzung. In: Wieland, Josef / Steinmeyer, Roland / Grüninger Stephan, Handbuch Compliance-Management, Berlin 2010, S. 147 ff., 152.

10 Vgl. für einen Überblick über die einschlägigen, auf die Tätigkeit des Anwalts anwendbaren Regeln Bernhart, Christof, 2011, S. 67 ff.

11 Art. 8 Abs. 1 lit. a–c BGFA.

12 Staehelin, Ernst / Oetiker, Christian, Kommentar zu Art. 8. In: Fellmann, Walter / Zindel, Gaudenz G. (Hrsg.), Kommentar zum Anwaltsgesetz, 2. A. Zürich 2011, N 33.

13 Art. 7 BGFA.

10 Es ist die Aufgabe nicht nur jedes einzelnen Anwalts und des personalverantwortlichen Partners, sondern auch des Compliance Manager der Kanzlei, sicherzustellen, dass die in der Kanzlei tätigen Rechtsanwälte diese Voraussetzungen sowohl bei als auch nach ihrem Eintritt permanent erfüllen.

4.2 Einhaltung der Berufsregeln

11 Von den in der Kanzlei tätigen Rechtsanwälten wird sodann erwartet, dass diese bei der Vertretung der Klienten das Recht und die einschlägigen Berufsregeln einhalten[14]. Zu den Regeln, die einen festen Bestandteil des Compliance-Programms jeder Anwaltskanzlei bilden sollten, gehören insbesondere:

12 • Pflicht zur Wahrung der Klienteninteressen: Durch das Mandatsverhältnis wird ein besonderes Loyalitätsverhältnis begründet. Der Rechtsanwalt ist zur getreuen Erfüllung der mit dem Auftrag verbundenen Aufgaben verpflichtet[15]. Daraus leitet sich namentlich die Pflicht zur Vermeidung von Interessenkonflikten sowie das Verbot der Vertretung gegensätzlicher Interessen oder von Doppelvertretungen ab[16].

13 • Pflicht zur Wahrung des Berufsgeheimnisses: Anwältinnen und Anwälte unterstehen zeitlich unbegrenzt und gegenüber jedermann dem Berufsgeheimnis über alles, was ihnen infolge ihres Berufes von ihrer Klientschaft anvertraut worden ist[17]. Der Schutz der Vertraulichkeit ist ein universaler Grundsatz und gehört zu den tragenden Prinzipien des anwaltlichen Berufsstandes[18].

14 • Sorgfaltspflicht: Die Anwältinnen und Anwälte haben ihren Beruf sorgfältig und gewissenhaft auszuüben; dies ergibt sich ausdrücklich aus Art. 12 lit. a BGFA[19],

---

[14] Bernhart, Christof, 2011, S. 67 ff.; Fellmann, Walter, Kommentar zu Art. 12 BGFA. In: Fellmann, Walter / Zindel Gaudenz G. (Hrsg.), Kommentar zum Anwaltsgesetz, 2011, Art. 12 N 1 ff.; Feil, Erich / Wennig, Fritz, Anwaltsrecht, Wien 2004, S. 76.

[15] Bernhart, Christof, 2011, S. 90; Leins, Sara, Anwaltsrecht und Anwaltsgesellschaften in Australien, Bonn 2005, S. 73 f.

[16] Testa, Giovanni Andrea, Die zivil- und standesrechtlichen Pflichten des Rechtsanwalts gegenüber dem Mandanten, Zürich 2001, S. 95; Studer, Niklaus, Neue Entwicklungen im Anwaltsrecht, SJZ 100 2004, S. 229 ff., 235; Bernhart, Christof, 2011, S. 95 ff.; vgl. auch Urteil BGer vom 7. August 2009, 2C.121/2009 und Urteil BGer vom 28. Oktober 2004, 2A.594/2004.

[17] Das Berufsgeheimnis hat seine Rechtsgrundlage in Art. 13 Abs. 1 BGFA, Art. 321 StGB; Art. 398 OR und Art. 28 ZGB sowie in Art. 15 der Standesregeln SAV. Vgl. Nater, Hans/Zindel, Gaudenz G., Kommentar zu Art. 13. In: Fellmann, Walter / Zindel, Gaudenz G. (Hrsg.), Kommentar zum Anwaltsgesetz, 2. A. Zürich 2011, N 1 ff.

[18] Pfeifer, Michael, Die zentrale Bedeutung des Anwaltsgeheimnisses (in der Schweiz). In: Nater, Hans (Hrsg.), Professional Legal Services: Vom Monopol zum Wettbewerb, Zürich 2000, S. 73 ff.; Grossfeld, Bernhard / Edelkötter, Frank, Der Rechtsanwalt als «unabhängiges Organ der Rechtspflege» – Entstehung und Bedeutung. In: Gerhardt, Walter (Hrsg.), Festschrift für Wolfram Henckel zum 70. Geburtstag, Berlin 1995, S. 311 ff., 326; Berhart, Christof, 2011, S. 158.

[19] Fellmann, Walter, 2011, Art. 12 N 8 ff.

aus dem auf das Mandatsverhältnis anwendbaren Auftragsrecht[20] sowie aus Art. 1 der Standesregeln des Schweizerischen Anwaltsverbandes. Zur sorgfältigen Ausübung des Anwaltsberufs gehört namentlich auch, dass der Anwalt die für seine Berufsausübung erforderlichen organisatorischen Vorkehrungen trifft[21] und für seine Klientschaft sowie für die Behörden erreichbar ist[22].

- Berufsethik: Der Anwalt hat seinen Beruf nach seinem Gewissen und den allge- 15
  meinen Geboten der Ethik auszuüben[23]. Das Berufsethos verlangt, dass er alle Personen, mit denen er beruflich zu tun hat, gerecht, anständig und mit Respekt behandelt, und insbesondere jedem Mandanten, unabhängig von dessen Person oder Ansehen, den bestmöglichen professionellen Beistand gibt[24].
- Pflicht zur Wahrung der Kollegialität: Nach den standesrechtlichen Vorgaben[25] 16
  soll der Rechtsanwalt seine Berufskollegen anerkennen und ihnen gegenüber ehrlich, fair und höflich auftreten.
- Aufzeichnungs- und Aufbewahrungspflicht: Die Dokumentationspflicht ist ein 17
  wesentlicher Bestandteil einer ordnungsgemässen anwaltlichen Tätigkeit; sie erfordert die Anlage eines für jeden Auftrag gesonderten Dossiers, in der die Bearbeitung des Mandats durch den Rechtsanwalt dokumentiert ist. Sämtliche mandatsrelevanten Akten sind zudem über einen Zeitraum von zehn Jahren zu archivieren[26].
- Pflicht zur Fortbildung: Recht und Praxis entwickeln sich weiter und sind einem 18
  steten Wandel unterworfen. Aus der Sorgfaltspflicht des Anwalts und dem Anspruch, den Qualitätsstandard zu erhalten, ergibt sich die Pflicht zur laufenden Fortbildung[27].

---

[20] Art. 398 Abs. 2 OR.

[21] Fellmann, Walter, 2011, Art. 12 N 17 ff.

[22] Vgl. Entscheid der Aufsichtsbehörde über die Anwältinnen und Anwälte des Kantons Luzern vom 13. Juni 2003 (AR 03 12); Beschluss der Aufsichtskommission über die Anwältinnen und Anwälte im Kanton Zürich vom 5. Oktober 2006 (KG 060019/U) E. III. 2.

[23] Leins, Sara, 2005, S. 49; Bernhart, Christof, 2011, S. 71 ff.

[24] Wolf, Susan, Ethics, Legal Ethics, and the Ethics of Law. In: Luban, David (Hrsg.), The good lawyer – Lawyer's role and lawyers' Ethics, Totowa 1984, S. 38 ff., 46 f.; Bernhart, Christof, 2011, S. 77.

[25] Art. 24 ff. Standesregeln des Schweizerischen Anwaltsverbandes SAV.

[26] Testa, Giovanni Andrea, 2001, S. 177; Kilian, Matthias, Das anwaltliche Mandat, München 2008, S. 57; Offermann-Burckart, Vertretungs- und Tätigkeitsgebote. In: Kilian, Matthias / von Stein, Jürgen (Hrsg.), Praxishandbuch für Anwaltskanzlei und Notariat, Bonn 2005, S. 645 ff., 763; Bernhart, Christof, 2011 S. 239 ff.

[27] Levis, Maeline-Claire, Zivilrechtliche Anwaltshaftpflicht im schweizerischen und US-amerikanischen Recht, Zürich 1981, S. 15 und 33; Kull, Michael, Die zivilrechtliche Haftung des Anwalts gegenüber dem Mandanten, der Gegenpartei und Dritten, Zürich 2000, S. 55; Leins, Sara, 2005, S. 70; Bernhart, Christof, 2011, S. 208.

19 • Pflicht beim Umgang mit fremden Vermögenswerten: Aus dem vertraglichen Vertrauensverhältnis zwischen dem Klienten und dem Anwalt resultiert eine besondere Sorgfaltspflicht beim Umgang mit fremden Vermögenswerten[28]. Erhält die Kanzlei Gelder von ihren Mandanten nicht nur als Honorar, sondern auch zur Begleichung von Forderungen, Schadensregulierung oder Aufbewahrung und Übertragung, so gilt sie als «Finanzintermediärin» im Sinne von Art. 2 Abs. 3 GwG. Sie muss sich in diesem Fall einer anerkannten Selbstregulierungsorganisation anschliessen[29] und deren einschlägige Regeln[30] einhalten.

20 • Versicherungspflicht: Gemäss Art. 12 lit. f. BGFA haben Anwältinnen und Anwälte eine Berufshaftpflichtversicherung nach Massgabe der Art und des Umfangs der Risiken, die mit ihrer Tätigkeit verbunden sind, abzuschliessen. Es handelt sich hierbei nicht um eine Voraussetzung für den Eintrag im Anwaltsregister, sondern um eine blosse Berufspflicht des Rechtsanwalts[31].

5. Organisation und Prozesse

5.1 Einzelfallbezogene Ausgestaltung der Compliance-Organisation

21 Es besteht kein Patentrezept für ein effektives Compliance Management einer Anwaltskanzlei. Dieses muss vor allem die Besonderheiten der Kanzlei gebührend berücksichtigen[32]. Je nach Grösse, Rechtsform, Organisation, strategischem Risikoprofil und Kultur der Anwaltskanzlei fällt die inhaltliche Ausgestaltung des Compliance-Programms unterschiedlich aus. Die Partner müssen dabei jene Massnahmen treffen, die ihnen aufgrund ihrer eigenen Erfahrung für ihre Kanzlei geeignet, sachgerecht und zumutbar erscheinen[33].

22 Kleinere Anwaltskanzleien ergreifen in der Regel wenige pragmatische Compliance-Massnahmen und implementieren die auf sie zugeschnittenen, spezifischen organisatorischen Elemente direkt in den bestehenden Organisationsstrukturen[34]. Unter Umständen genügen das gute Beispiel und die persönliche Durchsetzungskraft der Partner zusam-

---

28 Kilian, Matthias, Rechtliche Grundlagen der anwaltlichen Tätigkeit, München 2005, 2005, S. 159; Bernhart, Christof, 2011, S. 251.

29 Gemäss Art. 14 Abs. 1 und 3 GwG i.V.m. Art. 44 FINMAG.

30 Vgl. Reglement der Selbstregulierungsorganisation des Schweizerischen Anwaltsverbandes und des Schweizerischen Notarenverbandes vom 15. Juni 2010.

31 Walter Fellmann, Kommentar zu Art. 12 BGFA. In: Fellmann, Walter / Zindel, Gaudenz G. (Hrsg.), Kommentar zum Anwaltsgesetz, 2. A. Zürich 2011, Art. 12 N 129a.

32 So für die Aktiengesellschaft ausdrücklich auch Ziff. 20 der Leitlinien des Swiss Code of Best Practice for Corporate Governance: «Der Verwaltungsrat ordnet die Funktion der Compliance nach den Besonderheiten des Unternehmens; ...»

33 Wind, Christian, 2008, S. 93; Kellerhals, Andreas, 2009, S. 31.

34 Lampert, Thomas. In: Hauschka, Christoph E. (Hrsg.), Corporate Compliance, München 2007, S. 142 ff.; Saitz, Bernd, 2010, S. 158.

men mit einigen Botschaften zu den Grundwerten des Unternehmens, die z.B. in einer internen Büroordnung schriftlich festgehalten werden.

Bei grösseren Anwaltskanzleien – heute mehrheitlich in der Rechtsform der Aktiengesellschaft – ist die Organisation in der Regel komplexer; allein die handelnden Personen sind mit 100 oder mehr Anwälten bedeutend zahlreicher als in kleinen «Anwaltsboutiquen» mit wenigen Partnern, die nach wie vor überwiegend als Personengesellschaften organisiert sind. Hier ergibt sich die Einhaltung der Vorschriften weniger «von selbst»; es sind vielmehr rechtliche Vorgaben zu etablieren, die dauerhaft nachgehalten werden müssen[35]. Ein professionell strukturiertes Compliance Management mit einer separaten unabhängigen Compliance-Funktion parallel zum bestehenden Kanzlei-Management (Compliance-Ausschuss oder zentrales Compliance Office) hat innerhalb der Organisation daher einen höheren Stellenwert[36]. 23

5.2 Grundelemente des Compliance Management

Das Compliance Management ist ein dynamischer Prozess, der im Wesentlichen die folgenden sechs Grundelemente umfasst: 24

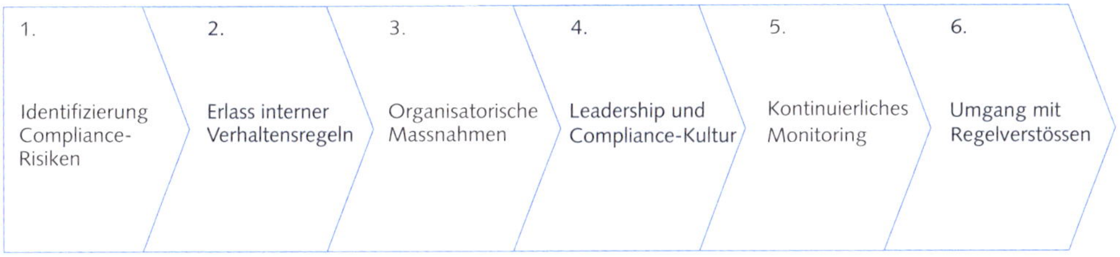

Abb. 1

5.2.1 Identifizierung der Compliance-Risiken

Die Etablierung einer wirksamen Compliance sollte mit einer Analyse der für die Kanzlei relevanten Compliance-Risiken beginnen[37]. In Anwaltskanzleien lassen sich grundsätzlich die folgenden Compliance-relevanten Risikogruppen unterscheiden: 25

- Verhaltensrisiken: Risiken, die in der Folge der Unangemessenheit oder des Versagens interner Abläufe oder des Fehlverhaltens von Anwältinnen bzw. Anwälten oder Mitarbeitenden eintreten[38], wie z.B. ungenügende oder falsche Beratung durch einen Anwalt; Übernahme eines Mandates trotz Interessenkonflikt; 26

---

[35] Hauschka, Christoph E., Grundlagen der Compliance-Organisation. In: Hambloch-Gesinn, Sylvie et al. (Hrsg.), In-House Counsel in internationalen Unternehmen, Basel 2010, S. 205 ff., 205.

[36] Saitz, Bernd, 2010, S. 157.

[37] Buff, Herbert, 2000, S. 281 ff.; Müller, Thomas, 2007, S. 33 ff.; Saitz, Bernd, 2010, S. 167.

[38] Wieland, Josef, 2010, S. 29.

Verlust von Klientendossiers oder wichtiger Beweisdokumente infolge versäumter Archivierung etc.

27 • Rechtsrisiken: Risiken, die sich aus Verstössen gegen Rechtsnormen oder Standesregeln ergeben, namentlich Haftungsfolgen, strafrechtliche oder standesrechtliche Sanktionen[39].

28 • Reputationsrisiken: Risiken, die sich verwirklichen, wenn die Klienten aufgrund eines regelwidrigen Verhaltens das Vertrauen in die Kanzlei verlieren[40].

5.2.2 Erlass interner Verhaltensregeln und Standards

29 Basierend auf den Ergebnissen der Risikoanalyse sind zu den wichtigen Themen Verhaltensregeln und Standards, welche die Unternehmenswerte definieren, schriftlich zu formulieren und zu kommunizieren[41]. Eine ausschliesslich mündliche Kommunikation birgt stets die Gefahr, dass die getroffenen Aussagen nicht als verbindlich betrachtet und später nicht im gewünschten Sinn interpretiert werden[42]. Zentral ist in Anwaltskanzleien etwa die Etablierung eines standardisierten Verfahrens für das Vorgehen bei der Klärung von Interessenkonflikten vor der Mandatsannahme. Die Standardisierung kann aber auch in der Sicherstellung eines bestimmten Qualitätsanspruchs dienen, indem etwa die Eintrittsschwelle für Juristen hinsichtlich des Studiumsabschlusses beim Prädikat «magna cum laude» angesetzt wird. In einer wirtschaftsrechtlich ausgerichteten Kanzlei ist wegen der einschlägigen insiderstrafrechtlichen Vorschriften sodann regelmässig klarzustellen, wie die Mitarbeitenden mit Wissensvorsprüngen umzugehen haben, die sie im Rahmen von Mandaten erhalten. Die Art und Weise der textlichen Niederlegung von Compliance-Regeln ist nicht bestimmt. In einer kleinen Kanzlei sind die entsprechenden Verhaltensregeln oft in den Arbeitsverträgen mit den Mitarbeitenden integriert. In komplexeren und grösseren Organisationen werden die Erwartungen an die Compliance demgegenüber eher in einem separaten Verhaltenskodex oder gar in einem Handbuch festgelegt.

5.2.3 Organisatorische Massnahmen

30 Sind die Compliance-Risiken erfasst, sind innerhalb der Kanzlei klare Strukturen zu schaffen, die Verantwortlichkeiten eindeutig zuzuweisen und effiziente Prozesse einzuführen, um diese Risiken zu minimieren[43].

---

39 Roth, Monika, 2010, S. 227 f.; Wieland, Josef, 2010, S. 28.

40 Bühler, Christoph B., 2009, N 440 und 524; Wieland, Josef, 2010, S. 28; Roth, Monika, 2010, S. 229 ff.

41 Kellerhals, Andreas, 2009, S. 5; Wieland, Josef/Grüninger, Stephan, 2010, S. 118.

42 Saitz, Bernd, 2010, S. 163; Heussen, Benno, Anwaltsunternehmen führen, 2. A. München 2011, S. 303.

43 Wind, Christian, Die «To-Do-Liste» eines Compliance Verantwortlichen für die Unternehmensleitung. In: Berni, Markus/Kellerhals, Andreas (Hrsg.), Internationales Handelsrecht II: Neue Risiken für Unter-

Zu den organisatorischen Massnahmen gehört insbesondere die Bestimmung eines Verantwortlichen für die Umsetzung des Compliance-Programms, die Definition eines Meldeweges bei Verstössen sowie die Überwachung der Einhaltung der unternehmensinternen Vorgaben[44]. 31

Die Partner haben dabei als oberstes Führungsorgan sicherzustellen, dass die Compliance-Organisation mit angemessenen Ressourcen und den erforderlichen internen Befugnissen ausgestattet ist[45]. Die Compliance-Funktion sollte sodann *unabhängig* sein; sie ist von einem Partner oder Mitarbeitenden mit unmittelbarer Berichtslinie zu den Partnern bzw. zum Managing Partner wahrzunehmen[46]. Es muss dabei sichergestellt werden, dass die Mitarbeitenden wissen, wie und wo sie Fehlverhalten melden können. 32

5.2.4 Leadership und Compliance-Kultur

Compliance-Massnahmen beschränken sich nicht auf den Erlass von Regeln. Kern des Compliance Management ist eine sorgfältige Führung. Die Partner haben die Erwartungen an die Compliance vorzuleben. Ein die Compliance fördernder *tone from the top* gehört zu den erfolgskritischen internen Faktoren[47]. Der Vorbildfunktion der Partner kommt insbesondere in Anwaltskanzleien, die stark durch Unternehmerpersönlichkeiten geprägt sind, eine entscheidende Bedeutung zu[48]. Gleiches gilt für die Befähigung und Sicherstellung autonomer Entscheidungskompetenz der Mitarbeitenden in ethischen Konfliktsituationen, zu denen keine expliziten Verhaltensleitlinien existieren[49]. Die Partner haben daher auch die gebührende Sorgfalt in der entsprechenden Auswahl, Instruktion und Überwachung der Mitarbeitenden der Kanzlei anzuwenden. 33

Indem die Partner die Grundwerte der Kanzlei sowie die Verhaltensgrundsätze kommunizieren, demonstrativ und konsequent entlang dieser Leitlinien handeln und für die Überwachung und Durchsetzung des Compliance-Programms sorgen, schaffen sie eine eigentliche Compliance-Kultur, die sicherstellt, dass die Einhaltung der Regeln für alle in der Kanzlei tätigen Personen – vom Empfang bis zum Partner – selbstverständlich ist[50]. 34

nehmen und Management wegen Bestechung und Korruption, Zürich 2008, S. 93 ff., 94; Wieland, Josef / Grüninger, Stephan, 2010, S. 120.

44 Kellerhals, Andreas, 2009, S. 9.

45 Wieland, Josef / Grüninger, Stephan, 2010, S. 121.

46 Hemeling, Peter, Gedanken eines Syndikusanwalts zu Compliance. In: Hambloch-Gesinn, Sylvie et al. (Hrsg.), In-House Counsel in internationalen Unternehmen, Basel 2010, S. 231 ff., 236 f.

47 Saitz, Bernd, 2010, S. 162.

48 Buff, Herbert, 2000, S. 22; Kellerhals, Andreas, 2009, S. 30 f.; Saitz, Bernd, 2010, S. 161.

49 Wieland, Josef / Grüninger, Stephan, 2010, S. 118.

50 Hossli, Daniel, Compliance Management im internationalen Pharmaunternehmen. In: Berni, Markus / Kellerhals, Andreas (Hrsg.), Internationales Handelsrecht III: Compliance Management als juristische Kernfunktion im Unternehmen, Zürich 2009, S. 33 f., 34; Wieland, Josef / Grüninger, Stephan, Die 10 Bausteine des Compliance-Management: ComplianceProgramMonitor. In: Wieland, Josef / Grüninger, Stephan, Handbuch Compliance-Management, Berlin 2010, S. 111 ff., 117 und 120.

5.2.5 Kontinuierliches Monitoring

35 Klare Organisationsstrukturen und Kompetenzabgrenzungen erleichtern das frühzeitige Erkennen eines Fehlverhaltens. Ein präventiv wirkendes Compliance Management setzt jedoch auch eine prozessbegleitende systematische Überwachung (sogenanntes Monitoring) in kritischen Bereichen und Kontrollen in unregelmässigen Abständen voraus[51]. Dieser Prozess sollte auf das Risikoprofil der Kanzlei ausgerichtet und in die Compliance-Kultur des Unternehmens eingebettet sein. So können etwa eine zentral geführte Fristenkontrolle, die laufende Überprüfung der von den Anwälten betreuten Mandate (in kleineren Kanzleien etwa durch die Zirkulation der Tageskopien) oder die systematische Anwendung des Vier-Augen-Prinzips bei der Durchführung sensibler Funktionen, wie z.B. bei Zahlungen, die zulasten des Kanzleikontos gehen, die Compliance-Risiken einschränken.

36 Das Führungsgremium in der Anwaltskanzlei hat zusätzlich zur Sicherstellung der Funktionsfähigkeit der Compliance die Aufgabe, das Compliance-Programm einer regelmässigen Bewertung mit Blick auf seine Effektivität und Effizienz zu unterziehen. Es hat sich Rechenschaft darüber abzugeben, ob die anwendbaren Verhaltensleitlinien hinreichend bekannt sind und ihnen auch nachgelebt wird[52]. Dies dient der Qualitätssicherung und der Sicherstellung der Anpassungsfähigkeit an veränderte Rahmenbedingungen[53].

5.2.6 Umgang mit Regelverstössen

37 Das Compliance Management ist schliesslich nur effektiv, glaubwürdig und nachhaltig, wenn im Falle von Regelverstössen auch Konsequenzen gezogen und diese intern kommuniziert werden[54]. Das Management macht deutlich, dass es Non-Compliance nicht toleriert und diese Sanktionen nach sich zieht. In leichten Fällen kann eine Abmahnung angezeigt sein. Ein schwerer Regelverstoss kann aber auch eine sofortige Auflösung des Arbeitsverhältnisses aus wichtigem Grund zur Konsequenz haben. Die Fehlbaren sind unter Umständen auch strafrechtlich zur Rechenschaft zu ziehen. Zeitnahes Handeln ist insbesondere angezeigt, wenn der Beizug einer Behörde erforderlich ist oder die Reputation der Kanzlei auf dem Spiel steht. Auch wenn es aufgrund von Qualifikationen schwerfallen mag, sich bei einem schweren Verstoss von dem betreffenden Mitarbeitenden zu trennen, sind Folgefälle vorprogrammiert, wenn hier nicht konsequent gehandelt wird[55].

---

[51] Hossli, Daniel, 2009, S. 60; Wieland, Josef, 2010, 34; Wieland, Josef / Grüninger, Stephan, 2010, S. 126; Saitz, Bernd, 2010, S. 168.

[52] So ausdrücklich die Empfehlung in Ziff. 19 des Swiss Code of Best Practice for Corporate Governance.

[53] Wieland, Josef / Grüninger, Stephan, 2010, S. 123.

[54] Hossli, Daniel, 2009, S. 61.

[55] Saitz, Bernd, 2010, S. 162.

6. Fazit

Compliance Management ist nicht nur ein Thema für Grosskanzleien. Auch für kleinere «Anwaltsboutiquen» ist es unumgänglich, die relevanten Compliance-Anforderungen systematisch zu erheben, die daraus resultierenden Risiken zu analysieren, auf das Unternehmen zugeschnittene Massnahmen zu ergreifen und deren Effektivität zu überwachen. Ein wirksames Compliance Management ist dabei weniger eine Frage von bestimmten Strukturen und Prozessen; es muss vor allem gelebt werden. Handeln die Partner konsequent entsprechend ihren Erwartungen an die Compliance und fördern sie die Eigenverantwortung der Mitarbeitenden, so schaffen sie eine nachhaltige Unternehmenskultur, in der die Einhaltung der Regeln selbstverständlich ist. 38

C. Berufs- und Standesregeln als regulatorische Beschränkungen im Management einer schweizerischen Kanzlei

Mirko Roš

1. Einleitung

1 Anwaltskanzleien müssen sich als Unternehmen in einem immer anforderungsreicheren Markt für rechtliche Dienstleistungen bewähren. Sie stehen dabei im Wettbewerb mit zahlreichen anderen, «para-anwaltlichen» Dienstleistern wie Banken, Family Offices, Treuhandunternehmen oder Unternehmensberatungen. Im Gegensatz zu vielen dieser Wettbewerber sind Anwaltskanzleien aber bedeutenden regulatorischen Einschränkungen unterworfen. Welche Berufs- und Standesregeln erweisen sich als besonders nachteilig in diesem Wettbewerb? Mit welchen Massnahmen kann diesen Nachteilen begegnet werden? Welche Entwicklungen zeichnen sich für das Schweizer Berufs- und Standesrecht der Zukunft ab?

2. Liberalisierung der Berufs- und Standesregeln – ohne Grenzen ?

2 Seit geraumer Zeit zeichnet sich in vielen Ländern eine starke Liberalisierung von Berufs- und Standesregeln in den freien Berufen ab. Dies nicht nur in der Anwaltschaft. Diese Entwicklung wird durch eine Vielzahl von Faktoren gefördert, und es stellt sich einerseits die Frage, ob und inwieweit denn berufsspezifische Regeln überhaupt noch notwendig und sinnvoll sind und andererseits, ob durch die scheinbar grenzenlose Liberalisierung nicht Grundwerte des Anwaltsberufs, Grundwerte der auf anwaltliche Beratung und Vertretung angewiesenen Klienten und damit Grundwerte eines demokratischen Rechtsstaats erodiert bzw. gefährdet werden. Die Beantwortung dieser Fragen hängt sehr stark vom Grundverständnis der Rolle des Anwalts, die dieser in der Gesellschaft hat bzw. haben soll, ab. Sie fällt, nicht überraschend, je nach Kultur und Tradition eines Landes sehr unterschiedlich aus. Besonders in lateinischen Ländern wird dem Anwalt eine sehr viel bedeutendere gesellschaftspolitische Rolle zugedacht als etwa im angelsächsischen Raum. Für einen französischen oder italienischen Anwalt hat der in der Deutschschweiz wenig aussagekräftige Begriff der «Würde des Anwalts» einen sehr realen, gesellschaftspolitischen Bezug. Der französische Anwalt «muss seine Aufgaben mit Würde, gewissenhaft, unabhängig, rechtschaffen und menschlich und unter Einhaltung der Bedingungen seines Eids erfüllen. Überdies respektiert er bei dieser Erfüllung die Prinzipien

von Ehrenhaftigkeit, Loyalität, Unparteilichkeit, Kollegialität, Feinfühligkeit, angemessener Zurückhaltung und Wohlverhalten. Gegenüber seinen Mandanten muss er Sachkenntnis, Einsatzbereitschaft, Achtsamkeit und Sorgfalt nachweisen.»[1] Der Anwalt in der Deutschschweiz sieht sich zwar auch nicht nur als «Erbringer von Rechtsdienstleistungen» – eine Umschreibung, gegen die sich der französische Anwalt mit jeder Faser seiner Anwaltsseele verwahrt –, er sieht die Rolle des Anwalts aber wesentlich nüchterner. Im Vordergrund steht für ihn die Professionalität bei der Vertretung seiner Klienten. Der Präsident der deutschen Bundesrechtsanwaltskammer (BRAK), Axel Filges, sieht die Rolle des Anwalts wie folgt: «Verstehen Sie mich nicht falsch, auch ich erwarte von einem Rechtsanwalt, einer Rechtsanwältin, dass sie sich innerhalb und ausserhalb ihres Berufes rechtschaffen und menschlich verhalten. Das erwarte ich aber auch von den Vertretern anderer Berufe».[2] Trotzdem ist auch seiner Ansicht nach der Anwaltsberuf nicht einfach ein Beruf wie irgend ein anderer. Mit Blick auf die Entwicklungen in England und Wales, die durch die Einführung von sogenannten *alternative business structures* (ABS) den Rechtsberatungsmarkt praktisch vollständig liberalisiert haben und es zulassen, dass Anwaltskanzleien auch vollständig nicht anwaltlichen Investoren gehören, stellt er fest, dass es für ihn unvorstellbar sei, dass eine Anwaltskanzlei fremden Händen gehöre.[3] Die Frage der Kapitalbeteiligung von Nicht-Anwälten an Anwaltsgesellschaften wird heute aber heiss umstritten diskutiert.[4] Ob dies in der Schweiz in naher Zukunft von Bedeutung ist, darf indessen bezweifelt werden.

2.1 Bedeutung der Entwicklungen innerhalb der EU: Seilziehen um die Rolle des Anwalts

Das Berufsrecht der Anwälte in Europa wird heute ganz wesentlich durch die Praxis der Europäischen Organe geprägt. Vereinfacht gesagt, wird seitens der Europäischen Kommission sehr stark auf eine Liberalisierung gedrängt, im Wesentlichen aufgrund der letztlich doch dogmatischen Vorstellung, dass mehr Markt auch mehr Konkurrenz und damit eine höhere Wettbewerbsfähigkeit und höhere Qualität hervorrufe. Andererseits hat umgekehrt der EuGH in verschiedenen neueren Entscheidungen klargestellt, dass für den Anwaltsberuf besondere Werte gelten, die nicht einfach nur ökonomischen Überlegungen geopfert werden dürfen. So stellte er in den Fällen Akzo Nobel Chemicals und Akcros Chemicals fest, dass das Gebot der Unabhängigkeit erfordere, dass ein Anwalt 3

[1] Louis Buchman: Frankreich: Berufsrecht und Anwaltsethik gemeinsam geregelt, in: BRAK-Mitteilungen, 3/2011, S. 115.

[2] Axel Filges: Wettbewerb oder Ethik ? Oder beides? In: BRAK Mitteilungen 3/1, S. 105.

[3] Axel Filges: Wettbewerb oder Ethik ? Oder beides? In: BRAK Mitteilungen 3/1, S. 105.

[4] Die Fédération des Barreaux d'Europe (FBE) hat sich in einer Resolution vom 23. Mai 2009 dafür ausgesprochen, dass in jenen Ländern, in welchen externe Aktionäre, die keine Rechtsanwälte sind, als Mitinhaber von Anwaltskanzleien zugelassen sind, diese in Bezug auf das Kapital und die Verwaltung der Anwaltskanzleien in der absoluten Minderheit sein müssen: http://www.fbe.org/de/beschlusse/resolution-zu-den-art443.html?lang=de (besucht am 31.10.2011).

nicht bei seinem Klienten angestellt sei.[5] Und er postulierte neuerdings in einem Entscheid vom 23. Mai 2011, der die polnischen Telecomregulierungsbehörde UKE betraf, dass sich diese in einem Verfahren vor dem EuGH nicht von firmeninternen Anwälten vertreten lassen könne, da diese dem Erfordernis der Unabhängigkeit nicht genügten. Dies erfordere einen unabhängigen Dritten, der in einem Mitgliedstaat die Zulassung besitzen müsse, Dritte vor Gerichten zu vertreten. Die Überlegungen des EuGH sind bemerkenswert und zeigen, dass die Frage, ob und wie weit der Anwaltsberuf seiner berufsspezifischen Regulierungen beraubt werden darf und soll, noch lange nicht im Sinne einer grenzenlosen Liberalisierung entschieden ist:

4 «Cette exigence d'avoir recours à un tiers correspond à la conception du rôle de l'avocat selon laquelle celui-ci est considéré comme collaborateur de la justice et est appelé à fournir en toute indépendance et dans l'intérêt supérieur de celle-ci, l'assistance légale dont le client a besoin. Cette conception répond aux traditions juridiques communes aux Etats membres et se retrouve également dans l'ordre juridique de l'Union, ainsi qu'il résulte, précisément, de l'article 19 du statut de la Cour …»[6]

2.2 Welche Aspekte stehen heute in der EU im Zentrum der Regulierungsdiskussionen ?

5 Es sind dies u.a.: Die Frage der Zulässigkeit von Anwaltsgesellschaften und der Frage, ob sich solche in Fremdbesitz, also von Investoren, die nicht Anwälte sind, befinden dürfen, der *multidisciplinary partnerships (MDP)* sowie der Werbung mittels Klientennamen und mittels Mailing-Listen an potenzielle Klienten. Die Europäische Kommission hat dazu einen sogenannten «Performance Check – Business Services» zur Vernehmlassung gestellt.[7] Sie will damit die Umsetzung der Dienstleistungsrichtlinie der EU überprüfen. Beispielhaft wird ein Modell einer Eurotax Ltd. genannten Aktiengesellschaft von Anwälten, Steuerberatern und Buchhaltern geschildert. Die Gesellschaft soll sich zu 51% im Besitz der genannten Berufspersonen und zu 49% im Besitz von nicht-berufsbezogenen Dritten befinden. Die Gesellschaft soll grenzüberschreitend in allen EU-Mitgliedsländern ihre Dienstleistungen erbringen können, sei es durch Reisen in dieselben, durch Gründung von Zweigniederlassungen oder auch allein unter Einsatz moderner Kommunikationsmittel, insbesondere auch durch Onlineberatungen. Eurotax Ltd. würde eine Werbekampagne mittels TV-Werbesendungen in allen EU-Staaten planen und dabei auch die Namen ihrer 30 grössten Gesellschaftskunden nennen. Der *performance check* beinhaltet einen 20-seitigen Fragenkatalog, in welchem dargestellt

---

[5] C-550/07P, Urteil vom 14.9.2010, EuGRZ 2010, S. 589.
[6] T 226/10, Rz 17, Urteil vom 23. Mai 2011.
[7] Vgl.: http://ec.europa.eu/internal_market/services/services-dir/mutual_evaluation_en.html (besucht am 31.10.2011).

werden soll, welche Aspekte dieses Modells im jeweiligen Mitgliedstaat problematisch sind und weshalb.

Einmal mehr müssen wir in der Schweiz zur Kenntnis nehmen, dass hier im europäischen Kontext Weichen gestellt werden, ohne dass sich der schweizerische Gesetzgeber, geschweige denn die schweizerische Anwaltschaft, dazu äussern können.[8] 6

Weshalb sollen sich auch schweizerische Anwaltskanzleien nicht in der ihnen optimal erscheinenden Struktur organisieren können? Weshalb sollen sie nicht auch Nicht-Anwälte aufnehmen, wenn sich diese ihren Berufs- und Standesregeln unterziehen und es für die den Klienten zu erbringenden Dienstleistungen Sinn macht? Weshalb soll in einer Anwaltskanzlei nicht ein Ökonom als Manager tätig sein, weshalb in einer auf Arzthaftpflichtfragen spezialisierten Anwaltskanzlei nicht auch ein Arzt? Das Entscheidende ist aus meiner Sicht, dass sämtliche Mitglieder einer Anwaltskanzlei den für die Anwälte geltenden Berufs- und Standesregeln unterstehen. Dies wäre bei entsprechender Ausbildung und Anpassung der gesetzlichen Grundlagen durchaus möglich. Dann könnten diese Personen m.E. auch Mitinhaber der jeweiligen Kanzleien sein. Eine andere Frage ist es, ob Dritte aussenstehende Aktionäre, die nicht den Berufs- und Standesregeln unterstehen, Mitinhaber von Anwaltskanzleien sein dürfen. Dies ist m.E. klar zu verneinen. 7

2.3 Erfolgshonorare

Im *performance check* nicht erwähnt, aber m.E. im Anwaltsmarkt international von zunehmender Bedeutung und auch in Europa mehr und mehr verbreitet, ist die Frage von erfolgsbezogenen Honoraren:[9] 8

In vielen kontinentaleuropäischen Rechtsordnungen war lange jede erfolgsbezogene Honorierung des Anwalts unzulässig. Doch auch dies ist heute im Fluss, und zwar nicht oder weniger aus kartellrechtlichen Gründen, sondern primär aufgrund des Umstands, dass der Zugang zum Recht, der *access to justice* für einen Grossteil der Bevölkerung je länger je unerschwinglicher wird. Heute ist einerseits in gewissen Staaten, so z.B. in England, eine Tendenz festzustellen, ganze Rechtsgebiete von der unentgeltlichen Rechtspflege auszunehmen. Dies um den Staat finanziell zu entlasten. Die Rechtsuchenden werden vermehrt dazu angehalten, sich Anwälte zu suchen, die sie auf einer erfolgsorientierten Basis beraten. Dies stellt indessen m.E. eine Kapitulation des Rechtsstaats dar: Wenn es finanziell schwächer gestellten Schichten, ja auch dem Mittelstand, faktisch nicht mehr möglich ist, den Zugang zum Recht zu finden, ist dies eine Bedrohung für den Rechtsstaat. Andererseits sprechen in gewissen Fällen die Interessen der Klienten dafür, erfolgsorientierte Entschädigungen zuzulassen. Es gilt hier die richtige Balance zu 9

8 Die Vernehmlassungsfrist lief am 15. Oktober 2011 ab.

9 Vgl. dazu: Corinne Widmer Lüchinger: Die zivilrechtliche Beurteilung von anwaltlichen Erfolgshonorarvereinbarungen. In: AJP/PJA 11/2011, S. 1445 ff.

finden. Das deutsche Bundesverfassungsgericht hat hierzu am 12. Dezember 2006 einen wegweisenden Entscheid gefällt und entschieden, dass das (damalige) absolute Verbot anwaltlicher Erfolgshonorare einschliesslich des Verbots der quota litis mit Art. 12 Abs. 1 des Grundgesetzes insofern nicht vereinbar war, als es keine Ausnahmen zuliess. Im konkreten Fall vereinbarte eine Rechtsanwältin ein Erfolgshonorar von ⅓ des allfälligen Verfahrensgewinns. Die in den USA lebende Mandantin erhob einen Entschädigungsanspruch für ein von den nationalsozialistischen Machthabern enteignetes Grundstück in Dresden und obsiegte. Die Anwältin wurde zunächst für den Abschluss eines Erfolgshonorars mit einer Busse bestraft. Das Bundesverfassungsgericht stellte jedoch fest, dass sich das absolute Verbot anwaltlicher Erfolgshonorare als Hindernis für den Zugang zum Recht erweise, wenn ein Rechtsuchender aufgrund seiner wirtschaftlichen Verhältnisse das Risiko, im Misserfolgsfall mit den Kosten qualifizierter anwaltlicher Untersuchung belastet zu bleiben, nicht oder zumindest nicht vollständig zu tragen vermag, und ihn dies abhält, seine Rechte zu verfolgen.[10] Der deutsche Gesetzgeber hat diesen Überlegungen in einer Neufassung des Gesetzes über die Vergütung der Rechtsanwältinnen und Rechtsanwälte Rechnung getragen.[11]

10 Es ist zu erwarten, dass der Druck der Klienten, die nicht nur ein erfolgsorientiertes Honorar wünschen, wie es heute auch in der Schweiz i.S. eines pactum des palmario zulässig ist,[12] sondern eigentliche Erfolgshonorare i.S. eines pactum des quota litis vereinbaren wollen, zunehmen wird. Die anwaltlichen Dienstleistungen wurden m.E. mit der Aufhebung der Honorarempfehlungen nicht unbedingt billiger, sondern im Gegenteil häufig teurer. Für Klienten aus dem Mittelstand wird es dadurch immer schwieriger, ihre Rechte durchzusetzen. Die Gewährleistung des Zugangs zum Recht wird zum Lackmustest für den Rechtsstaat. Die schweizerische Anwaltschaft wird sich bemühen müssen, hier eine Lösung vorzuschlagen, wie sich unter Wahrung der Vermeidung von

---

[10] 1 BvR 2576/04, Rz. 102.

[11] Rechtsanwaltsvergütungsgesetz vom 5. Mai 2004 (BGBl. I S. 718, 788), das zuletzt durch Artikel 11 des Gesetzes vom 23. Mai 2011 (BGBl. I S. 898) geändert worden ist. Dessen § 4a Erfolgshonorar lautet:

(1) Ein Erfolgshonorar (§ 49b Abs. 2 Satz 1 der Bundesrechtsanwaltsordnung) darf nur für den Einzelfall und nur dann vereinbart werden, wenn der Auftraggeber aufgrund seiner wirtschaftlichen Verhältnisse bei verständiger Betrachtung ohne die Vereinbarung eines Erfolgshonorars von der Rechtsverfolgung abgehalten würde. In einem gerichtlichen Verfahren darf dabei für den Fall des Misserfolgs vereinbart werden, dass keine oder eine geringere als die gesetzliche Vergütung zu zahlen ist, wenn für den Erfolgsfall ein angemessener Zuschlag auf die gesetzliche Vergütung vereinbart wird.

(2) Die Vereinbarung muss enthalten:
1. die voraussichtliche gesetzliche Vergütung und gegebenenfalls die erfolgsunabhängige vertragliche Vergütung, zu der der Rechtsanwalt bereit wäre, den Auftrag zu übernehmen, sowie
2. die Angabe, welche Vergütung bei Eintritt welcher Bedingungen verdient sein soll.

(3) In der Vereinbarung sind ausserdem die wesentlichen Gründe anzugeben, die für die Bemessung des Erfolgshonorars bestimmend sind. Ferner ist ein Hinweis aufzunehmen, dass die Vereinbarung keinen Einfluss auf die gegebenenfalls vom Auftraggeber zu zahlenden Gerichtskosten, Verwaltungskosten und die von ihm zu erstattenden Kosten anderer Beteiligter hat.

[12] Walter Fellmann, in: Fellmann/Zindel, Kommentar zum Anwaltsgesetz, 2. Auflage, Zürich 2011, Rz. 122 ff. zu Art. 12.

Interessenkonflikten und der Unabhängigkeit des Anwalts sachgerechte Lösungen finden lassen, wenn sie nicht von den Entwicklungen im Ausland überholt werden will. Eine Quadratur des Kreises? Modellcharakter könnte beispielsweise einer limitierten Zulassung von Quota-Litis-Abreden analog dem *Contingency Fees Act* vom 13. November 1997 in Südafrika zukommen, womit ein Erfolgshonorar mit zahlreichen Einschränkungen eingeführt wurde: So darf der südafrikanische Anwalt für den Misserfolgsfall auf sein Honorar verzichten und im Erfolgsfall einen 100% Zuschlag zu seiner gewöhnlichen Vergütung beanspruchen. Das Gesamthonorar darf aber in vermögensrechtlichen Streitigkeiten 25% der zugesprochenen Summe nicht überschreiten.

3. Wer übt die Aufsicht über die Anwaltstätigkeit aus?

Möglicherweise noch viel entscheidender als die Änderung der einen oder anderen Berufsregel wird in Zukunft die Frage sein, ob die Anwaltschaft in Europa die Kompetenz verliert, die Berufstätigkeit (weitgehend) selbst zu regulieren und zu kontrollieren. 11

In dieser Beziehung zeigen sich ganz neue Tendenzen, vorab in England und Wales, und wenn es nach dem Willen der Regierung geht, neuerdings auch in Irland: Der Entwurf zu einer neuen *Legal Services Regulation Bill 2011*[13] der irischen Regierung sieht unter anderem vor, dass in Zukunft eine sogenannte *Independent Legal Services Regulatory Authority* sowohl die für den Anwaltsberuf geltenden Bestimmungen erlassen als auch die Aufsicht über die Anwälte innehaben soll. Das Besondere ist die vorgesehene Zusammensetzung: von den 11 Mitgliedern sollen 7 Nicht-Anwälte sein, 2 Vertreter des *Bar Council* und 2 Vertreter der *Law Society*. Noch einen Schritt weiter in dieser Beziehung geht Holland: Nach den Vorstellungen des Justizdepartements der Niederlande soll in Zukunft eine Aufsichtsbehörde, die vollständig aus Nicht-Anwälten zusammengesetzt ist, die Aufsicht über die Anwaltschaft haben und insbesondere die Kompetenz, Präsidenten der Rechtsanwaltskammern zu suspendieren oder abzusetzen.[14] 12

Mit der fortschreitenden europäischen Integration bzw. mit der fortschreitenden Globalisierung wächst das Bedürfnis nach Anpassung, wenn nicht sogar Vereinheitlichung mancher Rechtsgebiete, insbesondere in regionalen Wirtschaftsräumen. Je länger desto mehr verstehen Klienten nicht mehr, weshalb es einem Anwalt in einer Rechtsordnung erlaubt sein soll, sich in einer juristischen Person wie einer AG oder einer *LLP* zu organisieren, in einer anderen aber nicht. Desgleichen ist es für Klienten je länger desto weniger verständlich, weshalb ein Anwalt in England, Italien oder etwa in Polen, der Slowakei, Tschechien und Ungarn mit ihm ein Erfolgshonorar vereinbaren darf, in der Schweiz aber nicht. Die Diskussion, was aus anwaltsethischer Sicht heute an Regulierungen 13

13 Publiziert am 12. Oktober 2011.

14 By-law on Mandate of Powers for the Central Supervision of By-laws (http://advocaten.advocatenorde.nl/english/legislation/vademecum.asp; besucht am 31.10.2011).

erwünscht, ja notwendig ist und was nicht, ist insbesondere in Europa in vollem Gang und Ausdruck eines eigentlichen Kulturkampfes zwischen teilweise traditionellen und teilweise vermehrt marktorientieren Berufsbildern des Anwalts. Diese damit abtun zu wollen, dass es sich beim traditionellen Berufsbild um ein «idealistisches», beim marktorientierten um ein «realistisches» handle, greift bei Weitem zu kurz. Diese Diskussion ist noch lange nicht abgeschlossen, und es ist mit Sicherheit noch zu früh, hierzu ein definitives Urteil abgeben zu wollen. Eines zeichnet sich jedoch deutlich ab: Berufs- und Standesregeln lassen sich heute nur noch rechtfertigen, wenn sie dem Rechtsuchenden, nicht dem Anwalt oder der Anwältin, dienen. Auch auf internationaler Ebene wird der Ruf nach globalen Regeln immer deutlicher.[15]

4. Persönliche Einschätzung – Rolle des Anwalts im 21. Jahrhundert

14 Es wäre ein grosser Fehler, berufsspezifische Regeln nur als Beschränkungen zu verstehen. Letztlich stellt sich hier die Frage: Erschöpft sich der Zweck einer wirtschaftlichen Tätigkeit allgemein und der Anwaltstätigkeit im Besonderen, darin, Gewinne zu erzielen? Gilt allein die Maxime: «The business of business is business?», oder kommt der Anwaltstätigkeit in einer demokratischen Gesellschaft nicht doch eine besondere Rolle zu? Hat, wer Macht und Privilegien hat, nicht auch besondere Pflichten? Diese Frage stellt sich heute insbesondere im Bereich der Verantwortung der grossen Unternehmen – und es zeichnet sich ab, dass die Gesellschaft je länger je mehr die gesellschaftliche Verantwortung der grossen Unternehmen einfordern muss und wird. Es ist nicht (mehr) tragbar, dass sich diese unbeachtet einer gesellschaftlichen Verantwortung allein auf ihre eigene Gewinnmaximierung konzentrieren.[16] Desgleichen gilt es für die Anwaltschaft – und damit für jede Anwaltskanzlei und ganz besonders für die grossen, global tätigen Anwaltskanzleien –, in einer Zeit der Globalisierung jene Werte zu bewahren, die für eine funktionierende Rechtsordnung unabdingbar sind und die dadurch den Klienten und der Gesellschaft dienen. Würden umgekehrt alle vermeintlichen Beschränkungen, auch das Verbot, widersprechende Interessen zu vertreten, die Wahrung des Berufsgeheimnisses und die Verpflichtung zur Unabhängigkeit aufgehoben oder auch nur geschwächt, verliert der Anwalt nicht nur das Vertrauen seines Klienten, er entzieht sich selbst die Grundlage für seine Tätigkeit und schafft sich letztlich selbst ab. Es ist zu begrüssen, wenn wie in Holland ab 1. Januar 2011 neuerdings auch professionelle Manager in einer Anwaltskanzlei tätig sein können – es ist aber unabdingbar, dass diese die berufsspezifischen Regeln des Anwaltsberufs nicht nur kennen, sondern pflegen und auch durchsetzen.

---

15 Akira Kawamura: Globale Profession – Globale Regeln, in: BRAK-Mitteilungen 3/2011, S. 114 f.

16 Vgl. dazu Ramon Mullerat: International Corporate Social Responsibility, The Role of Corporations in the Economic Order of the 21st Century, 2010.

Jeder Anwalt und jede Anwaltskanzlei wird gut beraten sein, auch bei der Festsetzung 15
ihrer Unternehmensstrategie die Grundwerte des Anwaltsberufs nicht aufs Spiel zu setzen. Die Unabhängigkeit, die Wahrung des Berufsgeheimnisses und die Vermeidung von Interessenkonflikten sind elementare Grundwerte. Werden sie verspielt um eines kurzfristigen kommerziellen Erfolgs willen, verspielt die Anwaltskanzlei nicht nur ihren guten Ruf, sondern sie verliert auch das Vertrauen der Klienten, und sie zieht sich selbst den Boden unter den Füssen weg.

D. Berufs- und Standesregeln als regulatorische Beschränkungen im Management einer deutschen Kanzlei

HORST FRANKE

1. Einleitung

1 Anwaltskanzleien müssen heute immer häufiger mit «para-anwaltlichen» Dienstleistern wie etwa Banken, Family Offices oder Unternehmensberatungen um (aussergerichtliche) Beratungsmandate konkurrieren. Auch innerhalb der Anwaltschaft selbst nimmt mit immer weiter steigenden Zulassungszahlen der Druck im Wettbewerb um Mandate zu. Der Rechtsanwalt ist längst in der modernen Geschäftswelt angelangt und muss sich in dieser im Wettbewerb behaupten.

2 Im Folgenden soll das deutsche Berufsrecht der Rechtsanwälte auf Einschränkungen für das Management von Anwaltskanzleien untersucht und die damit verbundenen Wettbewerbsnachteile aufgezeigt werden. Dazu wird der deregulierende Weg zum heute geltenden Recht nachgezeichnet und ein Ausblick auf die Zukunft versucht.

3 Nicht zuletzt soll der Beitrag aber auch als energischer Apell für eine fortschreitende Deregulierung des anwaltlichen Berufsrechts dienen. Die Beratungstätigkeit durch Anwaltskanzleien unterliegt in Deutschland trotz signifikanter, durch die Rechtsprechung des Bundesverfassungsgerichts initiierter Liberalisierungstendenzen weiterhin regulatorischen Auflagen und Vorgaben des Berufsrechts. Das Kanzleimanagement wird dadurch insbesondere bei der Akquise und der Aussendarstellung, aber auch bei der strategischen Entwicklung und den damit verbundenen Massnahmen in seiner Entscheidungsfreiheit gegenüber den nicht anwaltlichen Wettbewerbern eingeengt und vor unnötige Konflikte gestellt.

2. Tradiertes Standesdenken und modernes Kanzleimanagement

4 Das Bild der Anwaltschaft war in den ersten Jahrzehnten der Bundesrepublik Deutschland (also ab 1949) von einem Standesdenken geprägt, das bis weit ins 19. Jahrhundert zurückreichte. Der Anwalt als «unabhängiges Organ der Rechtspflege» hatte nach diesem Verständnis primär eine amtsähnliche Stellung, die ihn im Prozess dem Staatsanwalt und dem Richter gleichstellte. Er war in erster Linie Idealen wie der Neutralität, der Zurückhaltung im Aussenauftritt und der völligen Unabhängigkeit von Staat und Man-

danten verpflichtet. Die Gewährleistung des Funktionierens der Rechtsordnung stand als Standespflicht gleichwertig neben der Durchsetzung der Interessen seiner Mandanten. Zugleich übte der Anwalt nach dieser Vorstellung einen «freien Beruf» aus, er unterfiel also weder beamtenrechtlichen Pflichten noch unterlag seine Tätigkeit staatlicher Kontrolle. Seine Vergütung war weitestgehend gesetzlich geregelt, und angesichts geringerer Zulassungszahlen war ein Berufsträger zumeist mit einer ausreichenden Anzahl von Mandaten versorgt, ohne dass es werbender Massnahmen bedurfte. Der Anwalt verstand sich nicht als Unternehmer, betriebswirtschaftliches Denken und Handeln galten als mit dem Standesrecht unvereinbar.

Dieses Selbstverständnis, das insbesondere in den Richtlinien des anwaltlichen Standesrechts gleichermassen Ausdruck und restriktive Präzisierung fand und von der Rechtsprechung stetige Bestätigung erfuhr, herrschte bis weit in die 80er-Jahre des letzten Jahrhunderts vor. Der Anwaltsmarkt war dem entsprechend geprägt von Einzelanwälten und kleinen Sozietäten in der Form von Gesellschaften des Bürgerlichen Rechts, die aufgrund der Singularzulassung nur in einem bestimmten, regional begrenzten Gerichtsbezirk tätig wurden und die zumeist das gesamte Spektrum anwaltlicher Beratungs- und Vertretungstätigkeiten abdeckten. Moderne Gesellschaftsformen wie eine Anwalts-AG oder -GmbH waren damals ebenso undenkbar wie eine überregionale Kanzlei mit mehreren Büros an unterschiedlichen Standorten. 5

Betrachtet man demgegenüber die Situation im Jahre 2011, so offenbart sich schon auf den ersten Blick schnell, welchen Wandel die Anwaltschaft in den letzten 25 Jahren durchlaufen hat. Zwar ist der Anwalt weiterhin nach § 1 der Bundesrechtsanwaltsordnung (BRAO) ein Organ der Rechtspflege. Doch mit einem gewandelten Verständnis dieses berufsrechtlichen Grundpfeilers hat sich auch der Anwaltsmarkt weiterentwickelt. 6

Vor allem wirtschaftsrechtlich ausgerichtete Kanzleien konkurrieren heute hochspezialisiert und im harten, offenen Wettbewerb um Mandate. Die prozessuale Betreuung wird mehr und mehr ergänzt und überlagert durch aussergerichtliche Beratungen. Kanzleien greifen heute auf viele der Massnahmen zur Aussendarstellung und Auftragsakquise zurück, die lange nur klassischen Wirtschaftsunternehmen vorbehalten waren, etwa auf gezielte Werbemassnahmen, PR oder Marketing. Auch das interne Management von Kanzleien wurde im Zuge dieser Entwicklung modernisiert. Mandatierungen auf nationaler und internationaler Ebene werden dabei vom Anwalt, der sich mit einem professionalisierten Selbstverständnis nunmehr in erster Linie als Dienstleister für seinen Mandanten und als betriebswirtschaftlich denkender «Beratungsunternehmer» versteht, auch in direkter Konkurrenz mit Nicht-Anwälten angestrebt. 7

Am Markt finden sich heute viele grosse und mittlere Kanzleien, die in allen bedeutenden Wirtschaftszentren Standorte unterhalten. Gerade im High-end-Segment sind Kanzleien oftmals in internationale Netzwerke integriert oder sogar Teil einer transna- 8 tionalen, fast immer aus dem angloamerikanischen Raum stammenden Law Firm, für die Deutschland heute nur eines von vielen Geschäftsfeldern darstellt.[1] Das Kanzleimanagement in diesem Segment ist entsprechend von einer fortschreitenden «Amerikanisierung» geprägt, die auch auf das Management deutscher Kanzleien abstrahlt. So arbeiten auch «konservative» deutsche Kanzleien ohne internationale Einbindung heute zunehmend mit klassisch angloamerikanischen Managementinstrumentarien wie Vorgaben zu abrechenbaren Stunden, optimierten Partner-Associate-Quoten oder fixen Karriere- und Gehaltsstufen.

9 Das im klassischen Verständnis des Rechtsanwalts als Organ der Rechtspflege verankerte Idealbild der Unabhängigkeit wurde und wird zunehmend durch einen – anders und weiter verstandenen – Freiheitsgedanken ergänzt. Diese neue anwaltliche Freiheit bezieht sich nicht mehr nur auf die Unabhängigkeit von Staat und Mandanten in der Mandatsbearbeitung, sondern auch auf deutlich grössere Spielräume bei der darüber hinausgehenden wirtschaftlichen Betätigung, also auf eine weitgehend unregulierte Selbstbestimmung im geschäftlichen Alltag.

3. Der bisherige Weg der Deregulierung

10 Die Deregulierung der anwaltlichen Berufspflichten und -schranken – oder, anders formuliert, der Übergang vom Standesrecht alter Art zum modernen Berufsrecht der Rechtsanwälte – geht in erster Linie zurück auf die Rechtsprechung. Beginnend in den späten 80er-Jahren des letzten Jahrhunderts erging eine Vielzahl von Entscheidungen insbesondere des Bundesverfassungsgerichts (BVerfG) und des Bundesgerichtshofes (BGH), die die heutige Teilderegulierung einleiteten und konkretisierten.[2]

3.1 Die «Bastille-Entscheidungen» des BVerfG

11 Ausgangspunkt dieses Deregulierungsprozesses waren zwei heute unter dem Namen «Bastille-Entscheidungen» bekannte Beschlüsse des BVerfG vom 14.7.1987 (Az. 1 BVR 362/79 und 1 BVR 537/81). Sie folgten auf eine langjährig vorangegangene Phase konsolidierter Entscheidungspraxis, in der das BVerfG stets sowohl das Recht der Anwaltschaft auf die Ausgestaltung eigener Standesregeln als auch die Bedeutung der Anwaltschaft für die Rechtspflege betont und die damit notwendigerweise verbundenen Einschränkungen der Berufsfreiheit zugleich bestätigt hatte. Bis zu diesem Zeit-

[1] So werden von den 10 grössten in Deutschland tätigen Anwaltskanzleien heute bereits sechs unmittelbar von Grossbritannien oder den USA aus gesteuert.

[2] Einen guten Überblick zur Entwicklung in der Rechtsprechung bieten Prütting, Hans: 20 Jahre anwaltliches Berufsrecht in Deutschland. In: Anwaltsblatt (AnwBl), Heft 1/2009, S. 9 ff. und Hartung, Wolfgang: Das anwaltliche Berufsrecht in der Rechtsprechung des BVerfG seit 1987 – Ein Überblick über die wesentlichen Entscheidungen der letzten 15 Jahre. In: Neue Juristische Wochenschrift (NJW) 2003, S. 261 ff.

punkt waren die anwaltlichen Berufspflichten gesetzlich einzig in den Generalklauseln des § 43 BRAO[3] normiert. Ihre inhaltliche Konkretisierung erfuhren sie demgegenüber durch die Richtlinien gem. § 177 Abs. 2 Nr. 2 BRAO als selbstgegebenes Standesrecht der Anwaltschaft.

In seinen von der früheren Beschlusspraxis diametral abweichenden Beschlüssen befand das BVerfG nunmehr, dass die regulatorischen Vorgaben der Richtlinien, die als Eingriffe in die durch Art. 12 des Grundgesetzes (GG) geschützte Freiheit der Berufsausübung zu qualifizieren seien, der für einen solchen Eingriff notwendigen legitimierenden Grundlage entbehrten. Sie seien weder ein Gesetz noch aufgrund eines Gesetzes ergangen, würden aber gleichwohl regelmässig als echte Rechtssätze verstanden und bei (ehren-) gerichtlichen Entscheidungen als Begründung für Grundrechtseinschränkungen herangezogen. Als Konsequenz daraus befand das BVerfG, dass die Richtlinien zur inhaltlichen Auslegung von § 43 BRAO nur noch in stark begrenztem Umfang herangezogen werden durften. Bis zum Erlass einer Berufsordnung der Rechtsanwälte als Satzungsrecht sollten sie nur noch Anwendung finden, soweit dies zur Weiterführung eines ordnungsgemässen Betriebs unabdingbar war. Das Gericht hob zudem hervor, dass «die durch den Grundsatz der freien Advokatur gekennzeichnete anwaltliche Berufsausübung unter der Herrschaft des Grundgesetzes der freien und unreglementierten Selbstbestimmung des Einzelnen [unterliege] …». 12

Mit dieser Entscheidung entfielen theoretisch fast alle der bis zu diesem Zeitpunkt geltenden Einschränkungen, ohne dass indes eindeutig bestimmt oder bestimmbar war, welche Regelungen als unabdingbar einzuordnen waren. Entsprechend gross war die Unsicherheit in der Anwaltschaft, welche Folgen diese radikale Abkehr von der tradierten Rechtsauffassung nach sich ziehen würde.[4] Zugleich verstanden aber auch viele Sozietäten die mit dieser geänderten Interpretation einhergehenden Lockerungen des Berufsrechts als Chance zum Ausbau ihres Beratungsfeldes und zur Orientierung an betriebswirtschaftlich geprägten Managementprinzipien. 13

3.2 Weitere Deregulierung durch die Rechtsprechung

Da im Nachgang der Entscheidungen völlig unabsehbar war, wie sich die Grenzen anwaltlichen Handelns in Zukunft entwickeln würden, und auf die Kodifizierung der Berufspflichten in den Richtlinien nicht mehr oder nur noch in Ausnahmefällen zurückgegriffen werden konnte, blieben konkrete Entscheidungen über solche Grenzen in der Folgezeit vor allem der richterlichen Auslegung vorbehalten. Es folgte eine Phase weit- 14

---

3 BRAO = Bundesrechtsanwaltsordnung.

4 Noch immer befürworten bei Weitem nicht alle Anwälte die eingeschlagene Richtung, vgl. die Statistiken in Hommerich, Christoph / Kilian, Matthias: Brennpunkte des anwaltlichen Berufsrechts – Das Berufsrechtsbarometer 2009 des Soldan-Instituts. In: Neue Juristische Wochenschrift (NJW) 2010, S. 31 ff. (S. 33 ff.).

reichender Entscheidungen, die signifikante Auswirkungen auf das anwaltliche Berufsbild und damit den anwaltlichen Beratungsmarkt hatten und dessen heutige Erscheinungsform ganz entscheidend mitgeprägt haben.

15 Die nächste – und für die weitere Entwicklung des Anwaltsmarkts in Deutschland vielleicht folgenreichste – Entscheidung folgte bereits am 18.9.1989. Mit Beschluss von diesem Tag (Az. AnwZ (B) 30/89) zur ortsübergreifenden Kooperation eines Anwalts mit einem Steuerberater ebnete der BGH den Weg für überörtliche Sozietäten und ermöglichte damit die – heute ganz selbstverständlich anmutende – Repräsentanz einer Kanzlei an mehreren Standorten. Diese Entscheidung erlaubte damit den Schritt vom örtlich begrenzt agierenden Anwalt hin zur überregional oder sogar bundesweit vertretenen Kanzlei.

16 Die Entscheidung wurde in ihren Auswirkungen später noch weiter gestärkt durch ein Urteil des BVerfG vom 13.12.2000 (Az. 1 BvR 335/97), mit dem das Gericht erstmals die damals in § 25 BRAO geregelte Singularzulassung, also die Beschränkung des Anwalts auf das Auftreten nur vor bestimmten Gerichten, als mit der anwaltlichen Berufsfreiheit unvereinbar einstufte. Die Bestimmung war damit unanwendbar, wurde aber erst 2007 endgültig aus der BRAO gestrichen. Anwälte können damit heute grundsätzlich vor allen Gerichten auftreten, von einzelnen Ausnahmen – etwa der Vertretung in Zivilsachen vor dem BGH, die weiterhin nur den 41 dort zugelassenen Anwälten vorbehalten ist[5] – einmal abgesehen. Damit war es erstmals möglich, bundesweit Mandanten nicht nur zu beraten, sondern auch zu vertreten.

17 Auch in zahlreichen anderen Bereichen des Berufsrechts fielen nach und nach weitere Hürden. Die gesellschaftsrechtlichen Ausgestaltungsmöglichkeiten einer Sozietät wurden nach einer Entscheidung des BGH (Urteil vom 25.11.1993 – Az. I ZR 281/91) zur Zulässigkeit einer GmbH mehrerer Zahnärzte, die damals vergleichbaren berufsrechtlichen Restriktionen unterlagen, erweitert. Die Entscheidung führte zur zeitnahen Anerkennung auch der Anwalts-GmbH (vgl. nur BayObLG, Beschluss vom 24.11.1994 – Az. 3 Z BR 115/94). Umfangreiche Vorschriften zu solchen Rechtsanwaltsgesellschaften finden sich nunmehr in den §§ 59c ff. BRAO.

18 Mit Beschluss vom 10.1.2005 (Az. AnwZ (B) 27/03 und 28/03) erkannte der BGH auch die Anwalts-AG[6] als rechtmässig an, die sich aber bis heute jedenfalls auf breiter Linie nicht durchsetzen konnte. Eine weitere, sich in Deutschland seit einigen Jahren zunehmender Beliebtheit erfreuende Rechtsform ist die der Limited Liability Partnership (LLP). Ursprünglich auf die Eingliederung grösserer deutscher Kanzleieinheiten in angloame-

---

5 Dazu vertiefend Reinelt, Ekkehart: Entwicklungen im anwaltlichen Berufsrecht und Singularzulassung beim BGH. In: Zeitschrift für die Anwaltspraxis (ZAP) 2009, S. 805 ff.

6 Zu den an die rechtssichere Ausgestaltung als Anwalts-AG zu stellenden Anforderungen näher Henssler, Martin: Freie Fahrt für die Anwalts-AG – Besprechung von BGH, Beschluss vom 10. Januar 2005 – AnwZ (B) 27/03 und 28/03. In: Anwaltsblatt (AnwBl) 2005, S. 374 ff.

rikanische Law Firms, die häufig als LLP strukturiert waren, zurückzuführen, organisieren sich mittlerweile auch immer mehr deutschstämmige Kanzleien als LLP. Ermöglicht werden diese Umstrukturierungen durch die aus der Niederlassungsfreiheit des EU-Vertrages resultierende europäische Rechtsformwahlfreiheit.[7]

Ein weiteres Feld, das seit 1987 Gegenstand einer Vielzahl ober- und höchstgerichtlicher Entscheidungen war und dabei weiter konkretisiert wurde, ist die anwaltliche Werbung. Während es dem Anwalt bis dahin gänzlich untersagt war, durch werbende Massnahmen auf seine Tätigkeit hinzuweisen, wurden in der Folgezeit viele Werbemassnahmen als von Art. 12 Abs. 1 GG gedeckt und damit zulässig bewertet. Damit war die alte Auffassung, dass alleine sein Erfolg, den er aber nicht offen vermarkten durfte, ausreichende Werbung für einen Anwalt sei, überholt. Die Rechtsprechung befand etwa die Benennung von Interessenschwerpunkten (BVerfG, Beschluss vom 12.9.2001 – Az. 1 BvR 2265/00) oder sogar die Versteigerung von Rechtsrat über eine internetbasierte Auktionsplattform (BVerfG, Beschluss vom 19.2.2008 – Az. 1 BvR 1886/06) für rechtmässig. Auch das Sponsoring von Kulturveranstaltungen – inklusive dem nach aussen getragenen Kundtun dieser Tatsache – ist von der anwaltlichen Berufsausübungsfreiheit grundsätzlich gedeckt (BVerfG, Beschluss vom 17.4.2000 – Az. 1 BvR 721/99). 19

Die Möglichkeiten eines Kanzleiwechsels einzelner Anwälte wurden durch die Rechtsprechung im Laufe der Jahre ebenfalls konkretisiert und erweitert. Während es früher der Regelfall war, dass Anwälte sozusagen vom Berufseintritt bis zum Rentenalter in einer bestimmten Sozietät verblieben, ist es heute durchaus üblich, dass ein Anwalt im Laufe einer beruflichen Karriere in verschiedenen Kanzleien tätig wird. Aus § 3 der Berufsordnung für Rechtsanwälte (BORA)[8], also dem Verbot des Tätigwerdens bei widerstreitenden Interessen, wurde zunächst gefolgert, dass die Sozietät, in die ein Anwalt wechselt, alle Mandate niederlegen musste, bei denen die Kanzlei, aus der dieser Anwalt kam, auf der Gegenseite stand. Dies sollte unabhängig von der Frage gelten, ob der betroffene Anwalt mit dem konkreten Mandat überhaupt in einer der beiden Kanzleien in Berührung kam. Auch diese Auffassung wurde durch Beschluss des BVerfG vom 3.7.2003 (Az. 1 BvR 238/01) in dieser Reichweite als mit der anwaltlichen Berufsausübungsfreiheit unvereinbar bewertet. Jedenfalls für Konstellationen, in denen der Anwalt in den entsprechenden Mandaten nicht tätig geworden war, musste gemäss der Entscheidung die Möglichkeit vorgesehen werden, im Falle einer Zustimmung der auf beiden Seiten betroffenen Mandanten von einer Mandatsniederlegung abzusehen. 20

7 Dazu näher Weller, Marc Philippe/ Kienle, Florian: Die Anwalts-LLP in Deutschland: Anerkennung – Postulationsfähigkeit – Haftung (Teil I). In: Deutsches Steuerrecht (DStR) 2005, S. 1060 ff.

8 Die BORA ist das im Nachgang der «Bastille»-Entscheidungen erlassene, als Satzung ausgestaltete «interne» Berufsrecht der Rechtsanwälte, dazu näher sogleich unter Ziffer 3.3).

3.3 Gesetzgeberisches Handeln

21 Der Gesetzgeber reagierte (erst) 1994 auf die veränderte Lage, als er im Rahmen einer Überarbeitung der BRAO in den neu eingefügten §§ 191a ff. einer satzungsgebenden Versammlung bei der Bundesrechtsanwaltskammer die Kompetenz übertrug, die nähere Ausgestaltung der beruflichen Rechte und Pflichten der Rechtsanwälte vorzunehmen. Neue Vorgaben des Berufsrechts wurden dann 1997 mit dem Inkrafttreten der von dieser Versammlung ausgearbeiteten BORA geschaffen, die nunmehr wieder unmittelbar berufsrechtliche Pflichten und Rechte benannte und konkretisierte. Die als Satzung ausgestaltete BORA ist durch die Kompetenzübertragung in der BRAO «aufgrund eines Gesetzes ergangen» und genügt damit den in den «Bastille-Entscheidungen» aufgestellten Anforderungen an eine ausreichende Legitimationsgrundlage. Es bedurfte aber auch nach ihrem Inkrafttreten zahlreicher weiterer Entscheidungen des Bundesgerichtshofs und des Bundesverfassungsgerichts, um die Grenzen des berufsrechtlich Zulässigen einigermassen klar zu konturieren.[9] Gänzlich abgeschlossen ist dieser Prozess auch heute noch nicht. Dies ist aber nicht zuletzt auch auf die häufige Änderung von BRAO und BORA zurückzuführen.

22 Der von der Rechtsprechung lange erwarteten Antwort auf die Frage nach der Zulässigkeit sogenannter Sternsozietäten, also der Angehörigkeit eines Rechtsanwalts zu mehr als einer Sozietät, kam das Bundesministerium der Justiz zuvor, als es mit Schreiben vom 29.2.2008 den Beschluss der Satzungsversammlung der Bundesrechtsanwaltskammer, das Verbot von Sternsozietäten aufzuheben, genehmigte.

4. Regulatorische Beschränkungen im geltenden Recht

23 Die im voranstehenden Abschnitt nachgezeichneten Entwicklungslinien der Deregulierung sollen und dürfen aber nicht über die Tatsache hinwegtäuschen, dass für die heutige anwaltliche Beratungspraxis weiterhin bedeutende regulatorische Grenzen bestehen und auch von erheblicher Bedeutung im Beratungsalltag sind. Eine Vielzahl von Einschränkungen ganz unterschiedlicher Art führt weiterhin zu einer Benachteiligung von Anwälten im Vergleich zu – mit ihnen teils unmittelbar konkurrierenden – anderen Beratungsbranchen, ohne dass dies immer gerechtfertigt erscheint.

4.1 Gesellschaftsrechtliche Beschränkungen

24 Es ist Anwaltssozietäten weiterhin unabhängig von ihrer gesellschaftsrechtlichen Ausgestaltung untersagt, fremdes Kapital an der Kanzlei zu beteiligen (vgl. § 59e Abs. 1

9 Vgl. vertiefend zur Entwicklung der Rechtsprechung im anwaltlichen Berufsrecht seit 1999 die Aufsatzreihe von Grunewald, Barbara. In: Neue Juristische Wochenschrift (NJW) 2002, S. 188 ff.; 2004, S. 1146 ff.; 2006, S. 2306 ff.; 2008, S. 3621 ff.; 2010, S. 3551 ff. und 2011, S. 3767 ff.

BRAO). Kooperationen unter einem Dach, etwa in einer «Beratungs-GmbH» oder Partnerschaftsgesellschaft, sind nur mit ganz bestimmten, namentlich benannten «verwandten» Berufen wie Steuerberatern und Patentanwälten möglich. Bei derartigen interdisziplinären Sozietäten ist zu bedenken, dass der einzelne Gesellschafter zwar nur dem für ihn geltenden Berufsrecht unterfällt, die Gesellschaft als solche im Zweifel aber das jeweils strengste Recht anwenden muss.

Alle an einer Anwalts-GmbH oder -AG oder auch einer LLP beteiligten Gesellschafter 25
müssen zudem in der Sozietät tätig sein. Es ist Kanzleien also auch nicht möglich, durch die Aufnahme externer Berufsträger als stille Kapitalgeber zusätzliches Gesellschaftskapital zu akquirieren. Dadurch können insbesondere kurzfristige Expansionsstrategien jedenfalls auf diesem Wege nicht gegenfinanziert werden. Ebenso ist es unzulässig, Dritte, die an der Sozietät nicht unmittelbar als Berufsträger beteiligt sind, am wirtschaftlichen Ergebnis der Kanzlei partizipieren zu lassen.

4.2 Werbung, Marketing und PR

Auch im Bereich der Aussendarstellung folgen weiterhin Einschränkungen aus dem 26
Berufsrecht. Zwar ist Werbung nach § 43b BRAO ausdrücklich erlaubt. Es bleibt Anwälten aber etwa gem. § 6 Abs. 2 BORA weiterhin untersagt, mit Erfolgs- und Umsatzzahlen zu werben. Mandanten dürfen namentlich nur dann benannt werden, wenn sie ihre ausdrückliche Einwilligung erteilt haben. Letzteres ist aber vor dem Hintergrund, dass dadurch auch das vom Mandanten in den Anwalt gesetzte Vertrauen geschützt wird, auch notwendig und richtig – ganz unabhängig davon, dass es ohnehin schon unmittelbar aus der Verschwiegenheitspflicht herzuleiten ist.

Zudem muss anwaltliche Werbung stets auf eine sachliche Unterrichtung ausgerichtet 27
und berufsbezogen sein, § 6 Abs. 1 BORA, und auf jede «anpreisende» oder «marktschreierische» Tendenz verzichten. Was nach diesen Grundsätzen im Einzelfall als zulässig einzuordnen ist, unterliegt einer fortlaufenden – teils widersprüchlich erscheinenden – Rechtsprechung der verschiedensten Gerichte und kann im Rahmen dieser Darstellung nicht vertiefend beantwortet werden. Es sei hier aber festgehalten, dass die unterschiedlichen hierzu im Laufe der Zeit – mit teils kaum nachvollziehbaren Begründungen – ergangenen Entscheidungen nicht gerade zu übermässiger Klarheit in dieser Frage geführt haben.

Gleichzeitig ist es zumindest möglich, moderne Strategien der Aussendarstellung zu 28
verfolgen. So ist eine Kanzleihomepage mit vertiefenden Informationen heutzutage ebenso üblich und zulässig wie etwa die Registrierung in Anwaltssuchmaschinen. Es ist Anwälten erlaubt, auch in populärwissenschaftlicher Weise in nicht spezifisch rechtsbezogenen (auch Massen-)Medien zu publizieren oder Interviews zu geben. Ebenso können Anwälte über gezielte PR-Massnahmen, Pressemitteilungen oder die Teilnahme an (Fach-)Messen auf ihre Wahrnehmung durch Öffentlichkeit, Fachwelt und juristi-

sche Nachwuchskräfte Einfluss nehmen. In Betracht kommt auch die Veranstaltung von Inhouse-Seminaren sowie die Veröffentlichung von Flyern oder Broschüren. All dies ist auch als Instrument der Akquise zulässig.

4.3 Haftung und Haftpflichtversicherung

29 Jeder Rechtsanwalt muss über eine Berufshaftpflichtversicherung zur Deckung sich aus seiner Berufsausübung ergebender Haftpflichtgefahren mit einer Mindestversicherungssumme in Höhe von EUR 250 000 je Schadensfall verfügen, § 51 Abs. 4 BRAO. Im Falle einer Rechtsanwaltsgesellschaft beträgt die Mindestdeckungssumme (unabhängig von der Zahl der Gesellschafter) EUR 2 500 000, § 59j Abs. 2 BRAO.

30 Mandanten ist verbindlich Auskunft über Name, Höhe und räumlichen Geltungsbereich der Haftpflichtversicherung zu geben, § 2 Abs. 1 Nr. 11 der Dienstleistungs-Informationspflichten-Verordnung. Alternativ können sie, wenn keine gewichtigen Interessen des Anwalts entgegenstehen, diese Informationen über den Anwalt auch bei der Rechtsanwaltskammer abfordern (vgl. § 51 Abs. 6 S. 2 BRAO).[10]

31 In klassisch als GbR organisierten Anwaltssozietäten haften grundsätzlich alle Gesellschafter gesamtschuldnerisch neben der Gesellschaft, in Partnerschaftsgesellschaften haftet regelmässig nur der das Mandat bearbeitende Partner neben der Gesellschaft. Bei angestellten Anwälten ist immer die Problematik der möglichen Einordnung als Scheinsozien, die bereits aus der Benennung im Briefkopf abgeleitet werden kann, zu bedenken.

4.4 Angestellte Rechtsanwälte

32 Hier gilt zunächst das Grundgebot, dass Rechtsanwälte nur zu angemessenen Bedingungen beschäftigt werden dürfen. Davon erfasst ist natürlich in erster Linie das Gehalt, aber es ist etwa auch die Pflicht zur Ermöglichung von Fortbildungsmassnahmen zu bedenken. Hier Mindestbedingungen zu benennen ist indes nicht möglich. Diese müssen sich immer am Einzelfall, also der Region, den beruflichen Erfahrungen und möglichen Zusatzqualifikationen, der Kanzleiart, der Mandatsstruktur der Kanzlei etc. orientieren.

33 Die schon zuvor angerissene Problematik im Falle eines Wechsels zwischen zwei Sozietäten, die in der gleichen Sache tätig sind, ist stets im Auge zu behalten. Es bleibt zu beachten, dass – auch wenn der wechselnde Anwalt keine Kenntnisse von den im Einzelfall betroffenen Mandaten hat – die Weiterbearbeitung des Mandats in der neuen Kanzlei weiterhin nur unter Vorbehalt der Zustimmung durch die betroffenen Mandanten auf beiden Seiten möglich ist. Hier bedarf es umfangreicher Kontroll- und Überwa-

[10] Hierzu näher Dahns, Christian: Der Anspruch auf Auskunft über die Berufshaftpflichtversicherung. In: Neue Juristische Wochenschrift-Spezial (NJW-Spezial) 2011, S. 382 f.

chungsmassnahmen, um im Einzelfall eine solche Doppelbeschäftigung beider Kanzleien frühzeitig festzustellen. Zudem empfiehlt es sich dem Management, durch *chinese walls* oder ähnliche Massnahmen die nicht durch die interne Arbeitsteilung gebotene Kenntnisnahme der Verschwiegenheitspflicht unterfallender Tatsachen über Mandanten und Mandate effektiv zu verhindern, um im Zweifelsfall einem mit erheblichen finanziellen Einbussen verbundenen Mandatsverlust vorzubeugen. Zudem sollte stets vergegenwärtigt werden, dass zum Schutz des Mandanten bei einer Missachtung dieser Kontrollpflichten auch eine strafrechtliche Verfolgung wegen Parteiverrats nach § 356 des Strafgesetzbuches (StGB) droht.

Mit zunehmender Kanzleigrösse offenbaren sich hier schnell echte Hemmnisse. Bei 34
heutigen Kanzleiwechseln stehen auf beiden Seiten nicht selten Kanzleien mit mehreren Hundert Anwälten, die im Zweifel in dutzenden laufenden Verfahren jeweils unterschiedliche Parteien beraten. Hier kann sich die Filterung, welche Mandate potenziell betroffen sind, als umfangreiche Aufgabe darstellen. Dies gilt insbesondere im – in diesem Marktsegment häufig vorkommenden – Bereich der aussergerichtlichen Beratung, da hier der Vertreter der anderen Partei unter Umständen gar nicht namentlich bekannt ist. Gleichwohl kommt jeder betroffenen Sozietät die Pflicht zu, ihre betroffenen Mandanten umfangreich über den Sachverhalt zu informieren und um eine Zustimmung zu bitten. Der einseitigen Informationspflicht etwa durch die neue Kanzlei des Anwalts steht die Pflicht zur Verschwiegenheit entgegen.[11]

Reguliert sind ebenfalls die Möglichkeiten, als «Syndikusanwalt» tätig zu werden, also als 35
Anwalt mit eigener Kanzlei zugelassen, zugleich aber in einem regelmässigen Beschäftigungsverhältnis für ein Unternehmen tätig zu sein. So findet sich dezidierte Rechtsprechung zu der Frage, welche Tätigkeiten für ein Unternehmen – oder den Staat – mit der parallelen Ausübung des Anwaltsberufs in welchem Umfang vereinbar sein können.

Auch Anwälte aus anderen Mitgliedstaaten der Europäischen Union können in Deutsch- 36
land als Anwälte zugelassen werden, soweit sie die Anforderungen nach dem EuRAG erfüllen. Sie können dann in Deutschland – auch als angestellte Rechtsanwälte – unter der in ihrem Heimatland erlangten Berufsbezeichnung praktizieren. Sie sind dabei an die berufsrechtlichen Regelungen in Deutschland gebunden. Eine solche Einbindung eines Kollegen aus einem anderen Mitgliedstaat kann sich etwa dann anbieten, wenn die Kanzlei häufig mit dem Recht des entsprechenden Mitgliedstaats in grenzüberschreitenden Fragen zu tun hat und es sich entsprechend lohnt, Fachwissen in diesem Recht langfristig an sich zu binden.

[11] Vgl. dazu und insgesamt vertiefend zu Problemen mit dem Verbot widerstreitender Interessen beim Kanzleiwechsel Hartung, Wofgang: Ist die Vertretung widerstreitender Interessen künftig erlaubt? Ein Beitrag zur Neufassung des § 3 BORA. In: Neue Juristische Wochenschrift (NJW) 2006, S. 2721 (2726).

4.5 Vergütungsvereinbarungen

37 Das Verbot der Unterschreitung der gesetzlichen Mindestgebührensätze dürfte in der wirtschaftsrechtlichen Beratungspraxis kaum eine Rolle spielen. Die Vereinbarung von Stundensätzen für die Mandatsbearbeitung ist anerkannte Praxis, alternativ wird häufig ein Pauschalhonorar vereinbart.

38 Unzulässig ist dagegen in aller Regel die Vereinbarung eines Erfolgshonorars. Dies gilt unabhängig davon, ob ein solches sich auf einen fixen, vorab vereinbarten Betrag oder eine prozentuale Beteiligung an der erfolgreich erstrittenen Summe (sogenannte «quota litis») belaufen soll. Das BVerfG hatte in seinem Beschluss vom 12.12.2006 (Az. 1 BvR 2576/04) zwar das ausnahmslose Verbot der erfolgsabhängigen Vergütung für verfassungswidrig erklärt, zugleich aber betont, dass das grundsätzliche Verbot der Erfolgsorientierung rechtmässig sei. Das Gericht begründete dies damit, dass durch das Verbot eine Übervorteilung des Mandanten verhindert, prozessuale Waffengleichheit gewährleistet und die anwaltliche Unabhängigkeit gewahrt werden solle.

39 Der vom BVerfG angemahnte und mittlerweile in den §§ 49b Abs. 2 S. 1 BRAO, 4a RVG gesetzlich normierte Ausnahmetatbestand[12], der Erfolgshonorare im Einzelfall zulässt, wenn ohne deren Vereinbarung der Auftraggeber von der Rechtsverfolgung abgehalten würde, dürfte in der wirtschaftsrechtlichen Beratungspraxis von geringer Bedeutung bleiben. Inhaltlich korreliert die Bestimmung mit § 49b Abs. 2 S. 2 BRAO, der auch die Finanzierung von Gerichts- Verwaltungs- oder sonstiger Kosten eines Beteiligten durch den Rechtsanwalt verbietet.[13]

40 Bei der Gebührenabrechnung ist weiterhin stets § 352 StGB zu bedenken, nach dem das Erheben von Gebühren oder Vergütungen, von denen der Anwalt weiss, dass der Zahlende sie überhaupt nicht oder nur in geringerem Betrag schuldet, mit Freiheitsstrafe bis zu einem Jahr geahndet werden kann. Die Norm verdeutlicht, dass selbstverständlich auch aus Regelungen ausserhalb des Berufsrechts konkrete Pflichten des Anwalts erwachsen können. Sie stellt zudem eine absolute Grenze der Liberalisierung von Vergütungsvereinbarungen dar; unabhängig vom Grad der Freiheit bei Vergütungsabreden ist der Anwalt selbstverständlich zur Redlichkeit im Abrechnungsverhalten verpflichtet und muss es auch bleiben.

---

[12] Zu den von der Entscheidung des BVerfG gedeckten Optionen des Gesetzgebers näher Kilian, Matthias: Das künftige Erfolgshonorar für Rechtsanwälte, Steuerberater und Wirtschaftsprüfer – Für und Wider der gesetzgeberischen Gestaltungsalternativen. In: Betriebsberater (BB) 2007, S. 1061 ff.

[13] Dazu näher Kilian, Matthias: Das Verbot der Finanzierung fremder Rechtsverfolgungskosten – Ein neues Verbot im Berufsrecht der Rechtsanwälte, Steuerberater, Wirtschaftsprüfer und Patentanwälte. In: Neue Juristische Wochenschrift (NJW) 2010, S. 1845 ff.

5. Ein Blick in die Zukunft

Nach der Darstellung des gegenwärtigen Entwicklungsstandes erscheint es notwendig, abschliessend auch einen Blick in die Zukunft zu versuchen und diejenigen berufsrechtlichen Beschränkungen zu benennen, die abgebaut werden müssen, um die Wettbewerbsfähigkeit wirtschaftsberatend tätiger Anwaltskanzleien dauerhaft sicherzustellen. Der Anwaltsmarkt wird – der allgemeinen Entwicklung in der Privatwirtschaft folgend – in den kommenden Jahren eine weitere Ausdifferenzierung und Spezialisierung erfahren. Dies gilt jedenfalls, soweit man isoliert die überwiegend oder ausschliesslich wirtschaftsbezogen beratenden Kanzleien betrachtet. Das Berufsrecht muss diesen Entwicklungen Rechnung tragen. 41

Dabei sind bestimmte, auch regulatorisch wirkende Grundpfeiler des anwaltlichen Berufsrechts – insbesondere die Freiheit des Anwaltsberufs und die Stellung des Rechtsanwalts als Organ der Rechtspflege mit ihren besonderen Ausprägungen wie der Verschwiegenheitspflicht, dem Gebot der Unabhängigkeit oder dem Verbot der Vertretung widerstreitender Interessen – angesichts ihrer fundamentalen Bedeutung für den Geschäfts- und insbesondere den Rechtsalltag unverzichtbar. Sie tragen nämlich – unabhängig von den aus ihnen erwachsenden Einschränkungen – entschieden zum notwendigen Vertrauen des Mandanten in den beratenden Anwalt und zum Funktionieren des Rechtssystems insgesamt bei. 42

Andere Bestimmungen des Berufsrechts dienen demgegenüber primär dem Schutz des Mandanten vor Übervorteilungen durch den Anwalt. Dies gilt etwa für Grenzen bei der Festlegung von Mandatskonditionen. Während diese Beschränkungen für den klassischen, überwiegend prozessual tätigen «Verbraucheranwalt», der in aller Regel rechtlich unerfahrene Private und kleine Unternehmen vertritt, in einem bestimmten Umfang ihre Daseinsberechtigung weiterhin haben mögen, sind sie im beratungsorientierten Geschäftsfeld der Wirtschaftskanzleien hinderlich und angesichts der Erfahrenheit des potenziellen Mandantenkreises im Umgang mit dem Rechtssystem und Rechtsanwälten auch nicht notwendig. Aus diesem Grund sollte für alle Beratungsleistungen das Vergütungsrecht vollständig liberalisiert und allein der freien Vereinbarung zwischen Anwalt und Mandant und damit dem Wettbewerb unterstellt werden. Da die Beratung durch den Anwalt als gängige Leistung an einem liberalisierten Markt angeboten wird, ist nicht ersichtlich, warum die dabei vereinbarte Gegenleistung für diese Beratungsleistung einem staatlichen Preisdiktat unterliegen sollte, zumal die Sittenwidrigkeit hier eine effektiv überprüfbare, absolute Grenze aufstellt. 43

In diesem Zusammenhang lohnt es auch zu hinterfragen, ob die vom BVerfG im Zusammenhang mit der Frage nach der Zulässigkeit von Streitwertbeteiligungen aufgeworfenen Argumente auch bei wirtschaftsrechtlich orientierten Mandaten im Umgang mit grösseren Unternehmen so Bestand haben können. Dies erscheint zweifelhaft, da insbesondere eine Übervorteilung solcher Unternehmen aufgrund ihrer wirtschaftlichen 44

Erfahrenheit in aller Regel nicht drohen wird. Auch ein Ausserkraftsetzen der prozessualen Waffengleichheit – soweit eine solche überhaupt gesetzlich sichergestellt werden kann[14] – wird bei Wirtschaftsunternehmen in aller Regel nicht drohen. Nicht von der Hand zu weisen ist aber jedenfalls bei Vereinbarung einer «quota litis» das Risiko, das der anwaltlichen Unabhängigkeit droht. Eine prozentuale Streitwertbeteiligung mag nämlich insbesondere bei Mandaten mit hohem Streitwert im mehrstelligen Millionenbereich durchaus dazu verführen, in Aussicht auf den «vorzeitigen Ruhestand» bestimmte Verhaltenspflichten des Anwalts nicht allzu genau zu beachten. Warum aber bei wirtschaftsberatenden Mandaten etwa eine (nachträgliche) Stundensatzerhöhung im Erfolgsfalle oder eine einmalige – moderat bemessene – Erfolgsprämie kategorisch verboten bleiben soll, ist nicht ersichtlich.

45 Auch im Bereich der anwaltlichen Werbung bedarf es fortschreitender Deregulierungsmassnahmen. Die hierzu ergangenen – teils diametralen – Entscheidungen und die fast willkürlich anmutende Beurteilungspraxis in Einzelfällen führt nicht zu abschliessender Klarheit über die Zulässigkeit bestimmter Werbemassnahmen, sondern fördert Unsicherheiten darüber. Zudem steht auch hier nicht zu befürchten, dass potenzielle Mandanten – also im Geschäftsverkehr und auch mit der Wirkung von Werbung vertraute Wirtschaftsunternehmen – sich durch eine bestimmte werbende Massnahme «blenden» lassen. Davon abgesehen verdeutlicht schon die tatsächliche Werbepraxis in diesem Segment, dass Kanzleien bei der Werbung um Mandate und ganz allgemein bei der Aussendarstellung in aller Regel sehr verantwortungsvoll mit dem Werbemedium umgehen. Das Aufrechterhalten berufsrechtlicher Restriktionen für Werbung ist daher nicht angebracht. Stattdessen sollte auch vom Gesetzgeber anerkannt werden, dass die aus dem Gesetz gegen den unlauteren Wettbewerb (UWG) folgenden Grenzen als angemessener Rahmen zur Überprüfung entsprechender Werbemassnahmen ausreichend sind.

46 Ebenso sollten die Begrenzungen für Kooperationen, wie sie aus § 8 BORA folgen, am besten vollumfänglich gestrichen, jedenfalls aber umfangreich gelockert werden. Die Beschränkung auf eine Kooperation mit den in § 59a BRAO genannten Berufsträgern – also Patentanwälten, Steuerberatern, Steuerbevollmächtigten, Wirtschaftsprüfern und Buchprüfern – ist weder zeitgemäss noch sachdienlich. In vielen langfristigen Beratungsmandaten ist gerade Schnittstellenfachwissen über rein rechtliche Fragestellungen hinaus ein Hauptargument für Mandanten, eine bestimmte Kanzlei zu beauftragen. So bietet sich etwa bei der baubegleitenden Beratung eine langfristige Kooperation von Rechtsanwälten etwa mit einem Ingenieur- oder Architektenbüro an. Warum hier der Weg einer im Zweifel über das aktuelle Mandat hinausgehenden «institutionalisierten» Kooperation versperrt bleiben sollte, erschliesst sich nicht. Denn gerade solche auf Dauer angelegten Kooperationen schaffen im Laufe der Zeit Synergien und interdependente Fachkenntnisse, die unmittelbar den Mandanten zugute kommen können. Dass sich

[14] Zweifelnd auch Römermann, Volker, in: Betriebsberater (BB) 2007, Heft 12, S. 623.

bei solchen Kooperationen zwangsläufig Fragestellungen in Bezug auf die Haftung und den Versicherungsschutz ergeben können, sei hier nur am Rande erwähnt. Ein näheres Eingehen auf die damit verbundenen Probleme und Risiken würde den Rahmen dieses Beitrags sprengen.

Ebenfalls einer Überarbeitung bedürften die Bestimmungen zur Mandatsniederlegung 47 im Falle eines Kanzleiwechsels. Angesichts der aufgezeigten Probleme, die sich im Falle eines solchen Wechsels ergeben können, und der damit zusammenhängenden Risiken insbesondere für die aufnehmende Kanzlei sollte eine Zustimmung der betroffenen Mandanten als Voraussetzung für das Fortbestehen des Mandatsverhältnisses nur noch dann erforderlich sein, wenn der wechselnde Anwalt in der alten Kanzlei tatsächlich mit der Betreuung der betroffenen Mandate befasst war und wenn entweder die ehemalige Kanzlei oder der von dieser betreute Mandant dieses tatsächliche Tätigwerden auch positiv nachweisen kann. Dies gilt insbesondere vor dem Hintergrund des § 356 StGB, durch den die alte Kanzlei im Zweifel strafrechtliche Ermittlungen gegen den Anwalt und die Sozietät, in die er wechselt, initiieren kann und es dazu sogar ausreichend sein mag, dass sie eine Beschäftigung mit bestimmten Mandaten im eigenen Haus ohne nähere Nachweise behauptet. Dadurch kann ein geplanter Wechsel in nicht gerechtfertigtem zeitlichem Umfang behindert werden. Auch aus der Perspektive des wechselnden Anwalts erscheint dieses Ergebnis zwingend geboten. Es kann mit der anwaltlichen Berufsausübungsfreiheit nicht zu vereinbaren sein, dass hier Mandanten oder auch die Kanzlei einen Wechsel durch Untätigkeit oder sogar bewusste Behinderungen ohne sachlichen Grund verhindern können, ohne dass der betroffene Berufsträger tatsächlich auch nur von einem Mandat wusste, geschweige denn über der Verschwiegenheitspflicht unterfallende Kenntnisse über ein solches Mandat verfügt. Eine Einschränkung dieser – immerhin verfassungsrechtlich garantierten – Berufsausübungsfreiheit mit subjektiven Befindlichkeiten eines faktisch nicht betroffenen Mandanten der ehemaligen Kanzlei zu rechtfertigen, kann hier nicht der richtige Weg sein.

Die Notwendigkeit einer weiteren Liberalisierung sollte zudem immer auch vor dem Hin- 48 tergrund der fortschreitenden Öffnung des Dienstleistungsmarktes innerhalb der Europäischen Union, die mittelfristig ein stärkeres grenzüberschreitendes Engagement von Kanzleien aus anderen Mitgliedstaaten erwarten lässt, betrachtet werden. Soweit das Berufsrecht im Heimatland einer hier tätigen, aber nicht ansässigen Kanzlei geringere regulatorische Schranken aufweist als das deutsche, verfügen diese Kanzleien entsprechend über einen – je nach betroffenem Bereich möglicherweise erheblichen – Wettbewerbsvorteil beim Konkurrieren um ein Mandat.

49 Zusammenfassend lässt sich konstatieren, dass die deregulierend wirkenden Entwicklungen seit 1987 als positiv zu bewerten sind.[15] Die anfangs von manchen befürchtete «Verrohung der Sitten» hat sich nicht eingestellt, der Respekt der Anwälte gegenüber Kollegen, der Gerichtsbarkeit und dem Rechtssystem sowie Mandanten hat unter den Entwicklungen nicht gelitten. Der fortschreitende Deregulierungsprozess hat vielmehr zu einer Modernisierung des Anwaltsberufs beigetragen, die angesichts einer voranschreitenden Professionalisierung, Internationalisierung und Technologisierung der gesamten Wirtschaft notwendig war, um als beratende Dienstleister den Mandanten mit Arbeit auf höchstem Niveau zur Seite stehen zu können. Der begonnene Prozess ist dabei keinesfalls abgeschlossen. Das anwaltliche Berufsrecht muss sich weiterhin zeitnah an aktuellen Entwicklungen orientieren, um auch in der Zukunft stets qualitativ hochwertige Beratung zu ermöglichen. Auch bei einem fortgesetzten Abbau berufsrechtlicher Schranken ist weder eine Verschlechterung der Beratungsqualität noch eine Abkehr der Anwaltschaft von ihren Grundprinzipien zu erwarten. Dass dabei das Motto «Weniger ist Mehr» gelten sollte, haben die positiven Entwicklungen seit 1987 gezeigt.

50 Eine weitere Liberalisierung bei der Wahl der Gesellschaftsstruktur ist im Laufe des Jahres 2012 zu erwarten. Ausweislich der Antwort des Staatssekretärs des Bundesjustizministeriums Stadler auf eine Anfrage aus dem Bundestag (vgl. BT-Drs. Drucksache 17/7902, S. 17 f.) ist derzeit eine Überarbeitung des Partnerschaftsgesellschaftsgesetzes in Arbeit. Dieses soll nach derzeitigem Kenntnisstand die Partnerschaftsgesellschaft mit begrenzter Berufshaftung («PartGmbB») einführen. Damit soll die Berufshaftung auch für Partnerschaftsgesellschaften auf das Vermögen der Gesellschaft selbst begrenzbar sein, soweit ein ausreichender Versicherungsschutz gewährleistet ist. Inwieweit diese Neuerung am Markt Akzeptanz findet, bleibt abzuwarten.

[15] Dieses Ergebnis wird in der Literatur indes keinesfalls einheitlich geteilt. Vgl. zur kritischen Perspektive etwa Stürner, Rolf / Bormann, Jens: Der Anwalt – vom freien Beruf zum dienstleistenden Gewerbe? Kritische Gedanken zur Deregulierung des Berufsrechts und zur Aushöhlung der anwaltlichen Unabhängigkeit. In: Neue Juristische Wochenschrift (NJW) 2004, S. 1481 ff.

E. Berufs- und Standesregeln als regulatorische Beschränkungen im Management einer österreichischen Kanzlei

Kurt Wratzfeld

1. Einleitung

Nur wenige rechtliche Dienstleistungen sind ausschliesslich Rechtsanwälten vorbehalten. Selbst zur Vertretung vor Behörden und Gerichten wurden zum Teil schon andere Dienstleister zugelassen. Im Bereich der aussergerichtlichen Rechtsberatung kommt es in noch stärkerem Mass zu Überlappungen mit Dienstleistungen anderer Berufsgruppen und damit auch zum Wettbewerb nicht nur der Dienstleister, sondern auch der beruflichen Rahmenbedingungen. Während die Berufsausübung der Rechtsanwälte standesrechtlichen Beschränkungen unterliegt, gelten für im Wettbewerb stehende Dienstleistungsberufe entweder andere Berufsrechte oder auch nur die allgemeinen Schranken des Gesetzes. 1

Rechtsanwälte stehen im Wettbewerb mit anderen (rechts-) beratenden Berufen wie Notaren, Wirtschaftstreuhändern, Steuerberatern, Patentanwälten oder auch (nichtanwaltlichen) Mediatoren. Hinzu kommt, dass in Österreich gesetzliche Interessenvertretungen wie die Arbeiterkammern und Wirtschaftskammern, ebenso wie Vereine (Mietervereinigung, Österreichische Gewerkschaftsbund, Verein für Konsumenteninformation) ihre Mitglieder rechtlich beraten und zum Teil auch vor Gericht vertreten. 2

Der Beitrag behandelt jene berufsrechtlichen Bestimmungen, die Rechtsanwälte bei ihrer Tätigkeit einschränken und sie damit – zumindest potenziell – im Wettbewerb beeinträchtigen. Dabei soll nicht verkannt werden, dass das Berufsrecht der Rechtsanwälte auch Berufsschutz sein kann, der andere Berufe ausschliesst; dies ist aber nicht Gegenstand dieses Beitrags.[1] Zur näheren Standortbestimmung soll vorweg dargestellt werden, welchen berufsrechtlichen Regeln, die für den Wettbewerb von Bedeutung sind, Rechtsanwälte in Österreich unterworfen sind. 3

[1] Dazu und zu teilweise bereits umgesetzten Deregulierungsüberlegungen siehe: Basedow, Jürgen, Die Deregulierung der Rechtsberatung. In: NZ 1990, 187.

2. Freier Beruf – Standesrecht (Berufsrecht)

2.1 Berufsstellung des Rechtsanwalts

4 Der Beruf des Rechtsanwalts wird als sogenannter «freier Beruf» charakterisiert, der aus dem allgemeinen Gewerbe herausgehoben ist. Der österreichische Rechtsanwalt ist kein Organ der Rechtspflege, er vereint in sich sowohl die Pflichten eines Beistands (der neben der Partei für sie spricht) als auch diejenige eines Vertreters (die anstelle der Partei für sie spricht).[2]

5 Im Normalfall setzt der Zugang zum Beruf des Rechtsanwalts den positiven Abschluss des rechtswissenschaftlichen Diplomstudiums an einer Österreichischen Universität, die praktische Verwendung im Ausmass von fünf Jahren und die erfolgreiche Ablegung der Rechtsanwaltsprüfung voraus. Insgesamt dauert die Qualifikation zum Rechtsanwalt zumindest neun Jahre. Im Rahmen der Dienstleistungs- und Niederlassungsfreiheit besteht für europäische Rechtsanwälte die Möglichkeit der Berufstätigkeit in Österreich. Sie können durch Ablegung einer Eignungsprüfung oder Nachweis einer dreijährigen Tätigkeit österreichische Rechtsanwälte werden.

6 Das Berufsrecht der Rechtsanwälte ist zum Teil durch Bundesgesetz geregelt. Die relevanten Vorschriften finden sich auf mehrere Gesetze verteilt; die zentrale Norm ist die Rechtsanwaltsordnung (RAO). Auf gesetzlicher Grundlage hat der Österreichische Rechtsanwaltskammertag Verordnungen erlassen, die nähere Bestimmungen zum Berufsrecht enthalten. Hier sind vor allem die Richtlinien für die Berufsausübung der Rechtsanwälte und Rechtsanwaltsanwärter (RL-BA) zu nennen.

7 Die Berufsvertretung der Rechtsanwälte ist auf Landesebene die Rechtsanwaltskammer. Die Rechtsanwälte und Rechtsanwaltsanwärter, die in der Liste der örtlich zuständigen Kammer eingetragen sind, wählen aus ihrer Mitte die Funktionsträger der Kammer. Auf Bundesebene besteht der Österreichische Rechtsanwaltskammertag, dem die einzelnen Rechtsanwaltskammern angehören. Den Rechtsanwaltskammern steht insbesondere auch die Überwachung der Berufsausübung der Rechtsanwälte zu.

2.2 (Ausschliessliche) Berufliche Befugnisse des Rechtsanwalts

8 Dem Rechtsanwalt steht gesetzlich die umfassende berufsmässige Parteienvertretung in allen gerichtlichen und aussergerichtlichen, öffentlichen und privaten Angelegenheiten zu. Das Vertretungsrecht des Rechtsanwalts besteht vor allen Gerichten und Behörden Österreichs. Es umfasst die Befugnis zur berufsmässigen Parteienvertretung in allen gerichtlichen Verfahren und aussergerichtlichen Rechtsangelegenheiten, sowohl in öffentlich-rechtlichen als auch privatrechtlichen Fragen. Dieses Vertretungsrecht steht ausschliesslich Rechtsanwälten zu, soweit nicht andere gesetzliche Bestimmun-

[2] Orator, Die Unabhängigkeit der Rechtsanwaltschaft und des Rechtsanwalts. In: AnwBl 1993, 443.

gen die Parteienvertretung durch andere Berufe zulassen. Daher dürfen grundsätzlich nur Rechtsanwälte berufsmässig, also regelmässige, auf Gewinn gerichtete Parteienvertretungen übernehmen.[3] Unter Parteienvertretung wird auch die Beratung des Auftraggebers[4] und das berufsmässige Verfassen von Rechtsurkunden[5] verstanden, woraus folgt, dass die Verfassung ganzer Verträge den Rechtsanwälten (und Notaren) vorbehalten ist.

In beiden Bereichen des gerichtlichen und behördlichen Verfahrens geniesst der Rechts- 9
anwalt insoweit Berufsschutz, als nur er zum gewerbsmässigen, also gegen Entgelt erfolgenden Einschreiten als beruflicher Parteienvertreter befugt ist. Dieser Grundsatz hat jedoch in verschiedenen Bereichen Ausnahmen erfahren. Zu denken ist etwa an die Vertretungsbefugnis von Patentanwälten in Patentsachen sowie jene von Steuerberatern in Abgabenverfahren nach der Bundesabgabenordnung (BAO). Bereiche der unentgeltlichen Rechtsberatung können ebenfalls zu einer gewissen Reduktion des Geschäftsfeldes der Rechtsanwälte führen. In diesem Zusammenhang sind Schuldnerberatungseinrichtungen, das umfangreiche Serviceangebot der Arbeiterkammer, der Wirtschaftskammer und des Vereins für Konsumenteninformation sowie das engagierte Einschreiten von Jugendämtern bei der Hereinbringung von Unterhaltsrückständen gegenüber dem säumigen Unterhaltsschuldner zu beachten.[6]

Die sogenannte «Winkelschreiberei», also die unbefugte gewerbsmässige Parteienver- 10
tretung, wird mit Verwaltungsstrafen geahndet.[7]

2.3 Berufspflichten des Rechtsanwalts

Von den zahlreichen Berufspflichten, die für Rechtsanwälte bestehen, sollen jene erwähnt 11
werden, die für das Thema dieses Beitrages hauptsächlich von Bedeutung sind.

Zentrale Norm ist § 9 RAO: Aus der Generalklausel: «(Der Rechtsanwalt) ist verpflich- 12
tet, die übernommenen Vertretungen dem Gesetz gemäss zu führen und die Rechte seiner Partei gegen jedermann mit Eifer, Treue und Gewissenhaftigkeit zu vertreten» werden nicht nur zahlreiche Pflichten abgeleitet,[8] sie betont auch das Berufsethos des Rechtsanwalts.

---

[3] OGH 15.6.2000, 4 Ob 155/00 y.

[4] Tades, Helmuth / Hoffmann Klaus. In: RAO (2005)[8], § 8 Anm 3a.

[5] OGH 1.9.2010, 6 Ob 124/10v; 8.3.2006, 7 Ob 258/05z.

[6] Vgl. Ziehensack, Helmut / Ruprecht, Rene. Berufs- und Standesrecht der Rechtsanwälte (2010), 30.

[7] OGH 4.12.1986, 6 Ob 655/85, EvBl 1987/206, Feil / Wennig, Anwaltsrecht (2010)[6], § 8 RAO Rz. 3 m.w.N.

[8] Feil, Erich / Wennig, Fritz, Anwaltsrecht, § 9 RAO Rz 2 m.w.N.

2.4 Verschwiegenheitspflicht und Doppelvertretungsverbot

13 Rechtsanwälte sind zur Verschwiegenheit über die ihnen anvertrauten Angelegenheiten und die ihnen sonst in ihrer beruflichen Eigenschaft bekannt gewordenen Tatsachen, deren Geheimhaltung im Interesse ihrer Partei gelegen ist, verpflichtet.

14 Mit der Verschwiegenheitspflicht steht das Doppelvertretungsverbot im Zusammenhang. Der Österreichische Rechtsanwaltskammertag hat erst jüngst die einschlägigen Standesvorschriften modernisiert und an den vom Europäischen Gerichtshof anerkannten Grundsätzen der Ausübung der Rechtsanwaltschaft wie Unabhängigkeit, Verschwiegenheit und Freiheit von Interessenkollisionen[9] ausgerichtet.[10]

15 Das Verbot der Doppelvertretung dient der Vermeidung von Interessen- und Vertretungskollisionen. Der Rechtsanwalt kann nicht beide Seiten in einem Rechtsstreit vertreten oder ihnen auch nur einen Rat erteilen. Darüber hinaus darf er auch nicht eine Partei vertreten, nachdem er die Gegenpartei in derselben oder einer damit zusammenhängenden Frage vertreten oder beraten hatte (sogenannte «uneigentliche» Doppelvertretung). Schliesslich ist auch die (bloss) formelle Doppelvertretung untersagt, die vorliegt, wenn ein Rechtsanwalt in einem Rechtsstreit eine Partei vertritt und gleichzeitig in einem anderen Rechtsstreit deren Prozessgegnerin.[11] Das Doppelvertretungsverbot hat seinen Ursprung in der Treuepflicht zum Mandanten. Es ist nicht disponibel; das heisst, es kann von ihm auch mit der Zustimmung des Mandanten nicht abgegangen werden.[12]

16 Das Doppelvertretungsverbot kann der Übernahme von Mandaten vor allem dann entgegenstehen, wenn Rechtsanwälte ihren Beruf im Rahmen einer Rechtsanwaltsgesellschaft ausüben, wobei es für das Ergebnis nicht auf die Rechtsform der Gesellschaft ankommt. Die Standesvorschriften sind nicht bloss auf jeden Gesellschafter allein anzuwenden, sondern sie gelten für die Gesamtheit der Mitglieder der Rechtsanwaltsgesellschaft, soweit nicht im Einzelfall konkrete Gründe dagegen sprechen. Standesrechtlich kommt es dabei nicht darauf an, welcher als Gesellschaftsmitglied tätige Rechtsanwalt einen bestimmten Mandanten beraten oder vertreten hat; auch andere Gesellschafter sind standesrechtlich gehindert, gegen diesen Mandanten einen Dritten zu beraten oder gar zu vertreten, wenn die Rechtssache eine damit zusammenhängende Sache ist.[13] Zu Vermeidung von Doppelvertretung muss die Rechtsanwaltsgesellschaft über eine entsprechende Organisation verfügen und Vorkehrungen treffen, die erkennen lassen, ob

[9] Vgl. C-309/99 (Wouters) und C-550/07P (Akzo Nobel).
[10] Murko, Gernot, § 12a RL-BA neu – Fortentwicklung des Standesrechtes. In: AnwBl 2011, 359.
[11] Murko, Gernot, § 12a RL-BA neu – Fortentwicklung des Standesrechtes. In: AnwBl 2011, 359.
[12] OBDK 17.11.2003, 8 Bkd 2/03, RIS-Justiz RS0109463.
[13] OBDK 20.11.2000, 16 Bkd 14/00; 25.9.2006, 8 Bkd 1/06.

ein zu übernehmendes Mandat mit einem bereits bestehenden Auftragsverhältnis kollidiert.[14]

Lediglich bei der Vertragserrichtung wird die Doppelvertretung für zulässig erachtet.[15] 17
In diesem Fall besteht eine umfassende Interessenwahrungspflicht des Rechtsanwalts gegenüber allen Vertragsparteien, es sei denn, diese sind selbst anwaltlich vertreten. In einem nachfolgenden Rechtsstreit aus dem Vertrag darf der Rechtsanwalt, der allseitig mit der Vertragserrichtung beauftragt war, keine Vertragspartei vertreten.[16]

2.5 Werbung

Das Berufsrecht der Rechtsanwälte hat sich nur zögerlich der Werbung geöffnet: Pro- 18
grammatisch wird der Abschnitt der Berufsausübungsrichtlinien mit dem Satz eingeleitet: «Der Rechtsanwalt wirbt vornehmlich durch die Qualität seiner anwaltlichen Leistung.» Da aber unübersehbar geworden ist, dass es notwendig ist, das eigene Dienstleistungsangebot zu bewerben, um im Wettbewerb zu bestehen, sind die Bestimmungen, die die Werbung durch Rechtsanwälte weitgehend unterbunden hatten, in den letzten Jahren gelockert worden. Werbung von Rechtsanwälten ist nun grundsätzlich zulässig, wenn sie wahr, sachlich, im Einklang mit Ehre und Ansehen des Standes, den Berufspflichten sowie der Funktion des Rechtsanwaltes im Rahmen der Rechtspflege ist.

Dennoch ist weiterhin die Werbung durch Rechtsanwälte Beschränkungen unterwor- 19
fen. Unzulässig ist die

- Selbstanpreisung durch marktschreierische Werbung;
- vergleichende Werbung gegenüber Standesangehörigen;
- Mandatsakquisition unter Ausnützung einer Zwangssituation;
- Überlassung von Vollmachtsformularen an Dritte zwecks Weitergabe an einen unbestimmten Personenkreis;
- Nennung von Mandanten ohne deren Einwilligung;
- das Anbieten oder Gewähren von Vorteilen für Mandatszuführungen («Vermittlungsprovisionen») und
- die Bezugnahme auf Erfolgs- oder Umsatzzahlen.

Auch im Kontakt mit Medien ist der Rechtsanwalt verpflichtet, «in zumutbarer Weise 20
dafür zu sorgen, dass standeswidrige Werbung für ihn durch Dritte, insbesondere durch Medien, unterbleibt». Rechtsanwälte unterliegen daher nach wie vor strengeren Regeln

[14] Feil, Erich / Wennig, Fritz, Anwaltsrecht, § 1a RAO Rz 4.
[15] Feil, Erich / Wennig, Fritz, Anwaltsrecht, § 10 RAO Rz 4.
[16] Feil, Erich / Wennig, Fritz, Anwaltsrecht, § 10 RAO Rz 7.

als einige Mitbewerber auf dem rechtsberatenden Dienstleistungsmarkt, die lediglich die Bestimmungen des Lauterkeitsrechtes einhalten müssen.

2.6 Unzulässige Honorarvereinbarung

21 Der Rechtsanwalt kann sein Honorar frei vereinbaren. Er ist jedoch nicht berechtigt, eine ihm anvertraute Streitsache ganz oder teilweise an sich zu lösen. Damit ist gemeint, dass der Rechtsanwalt die anvertraute Sache nicht als Honorar (oder in Anrechnung hierauf) für sich behalten darf. Darüber hinaus ist es dem Rechtsanwalt absolut untersagt, sich einen prozentual bestimmten Teil des obsiegten Betrages versprechen zu lassen. Damit soll eine Übervorteilung des unerfahrenen Mandanten durch seinen Rechtsanwalt verhindert werden. Daher scheidet die Vereinbarung einer Quotenbeteiligung am Erfolg («Verbot der quota litis») aus.

22 Die Vereinbarung eines Erfolgshonorars oder eines Zuschlags neben dem Honorar ist hingegen zulässig. Das Erfolgshonorar darf aber nicht in einem derartigen Missverhältnis zum Grundhonorar stehen oder so gestaffelt sein, dass es einer Streitanteilsvereinbarung entspricht.[17]

23 Das Verbot der quota litis steht in einem Spannungsverhältnis zur Finanzierung der Kosten eines Gerichtsverfahrens durch Prozessfinanzierungsgesellschaften. Diese Finanzierungsmethode, bei der der Prozessfinanzierer dem Kläger das Prozesskostenrisiko gegen Beteiligung an der dem Kläger zugesprochenen Summe abnimmt, hat sich in den letzten Jahren in Österreich immer mehr verbreitet. Die Zulässigkeit einer solchen Vereinbarung ist von der Rechtsprechung bislang noch nicht zu beurteilen gewesen.[18]

2.7 Berufsrechtliche Einschränkungen der Rechtsanwaltsgesellschaft

24 Den Rechtsanwälten stehen zur Ausübung ihres Berufes gemeinsam mit anderen Rechtsanwälten nicht alle Gesellschaftsformen des Unternehmensrechts zur Verfügung. Auch der Kreis der möglichen Gesellschafter einer Rechtsanwaltsgesellschaft ist aus berufsrechtlichen Gründen eingeschränkt (neben Rechtsanwälten dürfen nur frühere Rechtsanwälte und bestimmte Angehörige von Rechtsanwälten Gesellschafter sein): Dadurch wird einerseits die Beteiligung eines Drittkapitalgebers faktisch ausgeschlossen und andererseits die Vergesellschaftung mit Berufsträgern anderer Berufe wie z.B. Steuerberatern oder Notaren.

[17] OBDK 28.5.1990, Bkd 21/90; OGH 26.4.2006, 7 Ob 8/06m, 15.2.1972, 6 Ob 240/72.

[18] Kritisch Parzmayr, Roland / Schobel, Thomas, Prozessfinanzierung: Zulässiges Erfolgshonorar oder verbotene quota litis? In: ÖBA 2011/57 m.w.N.

Rechtsanwälten stehen die bürgerlich-rechtliche Gesellschaft, die Personengesellschaften des Unternehmensrechts (Offene Gesellschaft und Kommanditgesellschaft) offen sowie die Gesellschaft mit beschränkter Haftung. Nicht zugelassen ist die Aktiengesellschaft. An die Kapitalausstattung der Rechtsanwalts-GmbH sind keine erhöhten Anforderungen gerichtet; allerdings muss eine Rechtsanwalts-GmbH über eine Haftpflichtversicherung mit einer Mindestversicherungssumme von EUR 2 400 000 für jeden Versicherungsfall verfügen. Geschäftsführer der Rechtsanwalts-GmbH dürfen nur Rechtsanwälte sein und jeder Rechtsanwaltsgesellschafter, dessen Berufsbefugnis nicht ruht, muss zur Vertretung und Geschäftsführung befugt sein. Angehörige eines anderen freien Berufs können nicht Gesellschafter einer Rechtsanwalts-GmbH sein, und die Rechtsanwalts-GmbH darf sich ihrerseits nicht an anderen Zusammenschlüssen zur gemeinschaftlichen Berufsausübung beteiligen. Unzulässig ist daher nicht nur die Beteiligung der Rechtsanwalts-GmbH an Gesellschaften anderer Berufsstände (z.B. Wirtschaftstreuhand-GmbH), sondern auch die Beteiligung von Rechtsanwaltsgesellschaften untereinander, oder ein Konzern aus Rechtsanwalts-GmbH.[19] 25

Die Finanzierung durch Dritt-Kapitalgeber wird abgelehnt, weil sie die Unabhängigkeit des Rechtsanwaltes relativiere.[20] Die Vergesellschaftung mit Berufsträgern anderer Berufe (Multidisziplinäre Partnerschaft) ist aus ähnlichen Überlegungen nicht zugelassen: Die Unabhängigkeit des Rechtsanwalts sei gefährdet und die Einhaltung seine Verschwiegenheitsverpflichtung in Frage gestellt.[21] 26

3. Stellungnahme

Das Berufsrecht der Rechtsanwälte in Österreich wurde in den letzten Jahren zwar zögerlich und teilweise mit Vorbehalten aber doch an die Notwendigkeiten angepasst, die der Wettbewerb mit anderen Anbietern von rechtlichen Dienstleistungen mit sich bringt. Soweit das Berufsrecht die Tätigkeit von Rechtsanwälten vor allem im Interesse der Mandanten beschränkt, bietet es zu schematische Lösungen: Ein grosses Unternehmen mit einer versierten Rechtsabteilung ist nicht mit einer Privatperson zu vergleichen, die keinerlei Erfahrung in rechtlichen Angelegenheiten aufzuweisen hat. Dass Mandanten, die in der Lage sind, ihre Interessen selbst zu wahren, auf die Einhaltung des Doppelvertretungsverbots nicht verzichten können, erscheint insbesondere bei der uneigentlichen Doppelvertretung überschiessend. 27

Nicht alle Regelungen ermöglichen Rechtsanwälten die gleiche Teilnahme am Wettbewerb wie den Mitbewerbern. So sind die Richtlinien für die Werbung durch Rechts- 28

[19] Feil, Erich / Wennig, Fritz, Anwaltsrecht[6], § 21c RAO Rz. 2.

[20] Benn-Ibler, Gerhard, Kapitalbeteiligungen an Rechtsanwaltskanzleien. In: AnwBl 2008, 389 ff.

[21] Greiter, Ivo, Pro und Contra zur Mulitdisziplinären Partnerschaft (MDP) – das Contra wiegt schwerer. In: AnwBl 2000, 217 ff.

anwälte noch immer sehr zurückhaltend. Es hat sich gezeigt, dass die Einräumung der Möglichkeit zu werben zu keiner Beeinträchtigung des Ansehens des Rechtsanwaltsstandes durch Werbung von Rechtsanwälten geführt hat. Es würde daher keinen besonders mutigen Schritt darstellen, hier eine weitere Lockerung vorzunehmen; zu erwarten ist dies in nächster Zukunft wohl nicht.

29 Auch die Zulässigkeit der Honorargestaltung wäre zu überprüfen. Nicht jeder Mandant ist unerfahren und in Gefahr, übervorteilt zu werden, sodass ein absolutes Verbot der quota litis zumindest überdacht werden könnte. Sollte die Rechtsprechung zur Zulässigkeit der Prozessfinanzierung positiv Stellung nehmen, könnte dies zum Anlass für weiterführende Überlegungen genommen werden.

30 Die Bedenken, die gegen eine Beteiligung von Berufsträgern anderer Berufe an Rechtsanwaltsgesellschaften bestehen, mögen berechtigt sein; ihnen kann m.E. aber auch Rechnung getragen werden, ohne dass ein (gänzliches) Beteiligungsverbot besteht. Multidisziplinäre Partnerschaften können für bestimmte Mandanten attraktiv sein, denen blosse Kooperationen zwischen Berufsträgern verschiedener Berufe, die auch heute schon verbreitet sind, nicht weit genug gehen, um dem *One-stop-shop*-Prinzip zu entsprechen.

31 Der Ausschluss von Dritt-Kapitalgebern von der Beteiligung an einer Rechtsanwaltsgesellschaft wird nicht zuletzt auch unter dem Gesichtspunkt zu überdenken sein, dass in anderen Rechtsordnungen derartige Beteiligungen zugelassen sind. Die Benachteiligung bei der Kapitalaufbringung kann hier zu einem erheblichen Wettbewerbsnachteil werden.

32 Die Rechtsanwaltskammern und der Österreichische Rechtsanwaltskammertag verhandeln in permanenten Arbeitskreisen Fragen des Berufsrechts. Dass sie bereit sind, die Standesregeln an geänderte Umstände anzupassen, hat sich in der Vergangenheit gezeigt. Dennoch sind hier in der nahen Zukunft keine wesentlichen Veränderungen zu erwarten.

F. Der Umgang mit Interessenkonflikten bei der Wahrnehmung von Verwaltungsratsmandaten durch Anwälte

Michael Pfeifer

1. Der Anwalts-Verwaltungsrat in der Realität des Berufslebens

1 Die Tätigkeit als Mitglied von Verwaltungsräten war in der Schweiz lange Zeit für Wirtschaftsanwälte diskussionslos gang und gäbe. Trotz der weiten Verbreitung des Anwalts-Verwaltungsrates als Erscheinungsform zog er nur geringe Aufmerksamkeit in Judikatur und Literatur auf sich[1]. In den Revisionen des Aktienrechts, des Wettbewerbsrechts und des Anwaltsrechts (beim letzteren insbesondere im Zusammenhang mit der Einführung eines Bundesgesetzes über die Freizügigkeit der Anwältinnen und Anwälte) schärfte sich der Fokus auf Interessenkollisionen und damit auf den Anwalts-Verwaltungsrat. Treffend formulierte Walter Fellmann[2] 2003 zum Anwalts-Verwaltungsrat, «im Rahmen ihrer freiberuflichen Tätigkeit sind Anwältinnen und Anwälte oft in zahlreichen Funktionen tätig. Sie befassen sich nicht nur mit Rechtsberatung und der Vertretung ihrer Klienten vor Gericht, sondern amten auch als Vorstandsmitglieder von Vereinen, als Stiftungsräte oder als Verwaltungsräte grösserer oder kleinerer Aktiengesellschaften. Mit dem Bundesrat lässt sich sogar sagen, dass die aussergerichtliche Tätigkeit der Anwältinnen und Anwälte heutzutage ständig an Bedeutung gewinnt.»

2 Topaktuell halten Bohnet/Martenet[3] fest: «compte tenu de ses compétences professionnelles, il est fréquent que l'avocat soit désigné administrateur de sociétés.» Ausführlicher formulieren Berendonk/Fässler[4], «auch wenn mit der ersatzlosen Streichung der in Art. 708a OR enthaltenen Nationalitäten- und Wohnsitzklausel einer der Gründe,

[1] Im Jahr 1969 erschienenen Zürcher Kommentar zu Art. 707 OR erwähnt Wolfhart Bürgi den Anwalts-Verwaltungsrat nicht. Eric Homburger widmet ihm 1996 im Zürcher Kommentar zu Art. 707 OR eine kurze N 82, in der er festhält, dass, da die Tätigkeit als Anwalts-Verwaltungsrat nicht als «eigentliche Anwaltstätigkeit» im Sinne des Bundesgerichts gelte, ein Berufsverbot die Wählbarkeit als Anwalts-Verwaltungsrat nicht auszuschliessen vermöge. Martin Wernli behandelt 2008 im Basler Kommentar OR II zu Art. 707 OR in N 27 den fiduziarischen Anwalts-Verwaltungsrat und hält ihn für mit den «Standesregeln» vereinbar.

[2] Fellmann, Walter: Kollision von Berufspflichten mit anderen Gesetzespflichten am Beispiel des Anwaltes als Verwaltungsrat. In: Bernhard Ehrenzeller (Hrsg.), Das Anwaltsrecht nach dem BGFA, St. Gallen 2003, S. 166.

[3] Bohnet, François / Martenet, Vincent: Droit de la profession d'avocat, Stämpfli, Berne 2009.

[4] Berendonk Björn und Fässler Patrick: Der Anwalt als Verwaltungsrat und dessen Pflichten in der Überschuldungssituation. In: Anwaltsrevue 5, 2011, S. 207.

wieso Rechtsanwälte Einsitz in den Verwaltungsrat von Aktiengesellschaften genommen haben, entfallen ist, entspricht es doch der Rechtswirklichkeit, dass freischaffende Rechtsanwälte nach wie vor häufig als externe Mitglieder in den Verwaltungsrat gewählt werden. Die Vorteile für die Gesellschaft liegen auf der Hand, wird doch damit Kompetenz in allen rechtlichen Angelegenheiten in das Oberleitungsgremium der Firma geholt.» Diese Feststellung weicht nicht gross ab von dem, was Georg Krneta[5] schon 1994 zum Thema ausgeführt hatte: «Die heutige Geschäftstätigkeit von Unternehmen ist nicht nur geprägt durch rasch ändernde Umweltverhältnisse im Bereich der Märkte, der Produkte und der Konkurrenz, sondern ebenso durch eine zunehmende Reglementierung in Form von neuen Gesetzen und Verordnungen. Entsprechend erhöht sich bei Aktionären das Bedürfnis, auch Juristen in den Verwaltungsrat von Aktiengesellschaften zu wählen. Wirtschaftsrechtlich orientierte Anwälte nehmen entsprechend mehr und mehr Einsitz in Verwaltungsräten.»

3 Dem ist als Beschreibung der Realität des Wirtschaftslebens in der Schweiz nichts beizufügen. Im Hinblick auf die rechtliche Beurteilung von Interessenkonflikten, denen der Anwalts-Verwaltungsrat sich ausgesetzt sehen kann, drängt es sich aber schon an dieser Stelle auf, festzuhalten, dass der Anwalts-Verwaltungsrat, wie andere Mitglieder des Verwaltungsrates, nicht gewählt wird, um der Gesellschaft Zugang zum Recht zu verschaffen[6], sondern um die Geschäfte der Gesellschaft zu führen. Regelmässig wird dem Anwalts-Verwaltungsrat bei dieser Geschäftsführung eine wichtige Rolle bei der Behandlung von spezifisch juristischen Fragen obliegen.

2. Der Anwalts-Verwaltungsrat in Judikatur und Literatur

4 Die Realität des Anwalts-Verwaltungsrates im Wirtschafts- und Rechtsleben der Schweiz bezeugen auch seine Erwähnung in neueren Standardwerken zum Anwaltsrecht[7].

---

5 Krneta Georg: Der Anwalt als Organ einer juristischen Person. In: Das Anwaltsgeheimnis 2, Schulthess, Zürich 1994, S. 11.

6 Kaspar Schiller: Schweizerisches Anwaltsrecht, Schulthess 2009, Rz. 349. Die Bemerkung drängt sich deshalb auf, weil Kaspar Schiller den Zugang zum Recht als die ureigenste Funktion des Anwalts sieht. Dementsprechend gilt ihm die Funktion der Verschaffung des Zugangs zum Recht als Unterscheidungsmerkmal zwischen der eigentlichen und der uneigentlichen Anwaltstätigkeit im Sinne der bundesgerichtlichen Rechtsprechung zum Berufsgeheimnis.

7 Kaspar Schiller, Schweizerisches Anwaltsrecht, Schulthess 2009, Rz. 349, Rz. 903. Spezialpublikationen zum Verwaltungsrat und zum Anwalts-Verwaltungsrat: Georg Krneta, Der Anwalt als Organ einer juristischen Person, in: Das Anwaltsgeheimnis 2, Schulthess 1994; Georg Krneta, Praxiskommentar Verwaltungsrat, Stämpfli, Bern 2001, insbesondere Rz. 125 f.; Walter Fellmann, Kollision von Berufspflichten mit anderen Gesetzespflichten am Beispiel des Anwaltes als Verwaltungsrat, in: Bernhard Ehrenzeller (Hrsg.), Das Anwaltsrecht nach dem BGFA, St. Gallen 2003, S. 165 ff.; Ernst Staehelin: Interessenkollision: Theoretische und reale Aspekte. In: Anwalts-Revue 4/2010, S. 188 ff., behandelnd den Interessenkonflikt eines Anwalts-Verwaltungsrates.

Kantonale Aufsichtsbehörden über die Rechtsanwälte haben immer wieder Konflikte, denen sich Anwalts-Verwaltungsräte ausgesetzt sahen, zu behandeln. Beispielhaft sei auf den Bundesgerichtsentscheid 2C_407/2008 vom 23.10.2008 verwiesen. Kernsatz dieses Entscheids dürfte sein: «Die in Artikel 12 BGFA geregelten Berufspflichten der Anwälte beziehen sich als Folge der offenen Formulierung der Norm nicht nur auf die Beziehung des Anwalts zum eigenen Klienten, sondern erfassen die gesamte Berufstätigkeit des Rechtsanwalts, d.h. dessen sämtliche beruflichen Handlungen.» Dass die Tätigkeit als Anwalts-Verwaltungsrat eine berufliche Tätigkeit des Anwalts ist, wurde vorne dargelegt. 5

Ferner ist auf den Beschluss der Aufsichtskommission über die Anwältinnen und Anwälte des Kantons Zürich vom 4. März 2010[8] hinzuweisen. Zwar behandelt dieser Entscheid den Konflikt zwischen zwei anwaltlichen Mandaten. Er gibt aber infolge der Nähe dieser Konstellation zur Konstellation, in der das Interesse der Gesellschaft, in deren Verwaltungsrat der Anwalts-Verwaltungsrat Mitglied ist, mit dem Interesse eines Mandats des Anwalts-Verwaltungsrates in Konflikt steht, Gelegenheit zu allgemeingültigen Aussagen. Ernst Staehelin stellt, gestützt auf diesen Beschluss der Aufsichtskommission fest, es sei nicht erforderlich, dass die Interessenkollision vor allem oder ausschliesslich aus anwaltlicher Mandatsführung abgeleitet werde, «entscheidend sei einzig der *Sachzusammenhang*» (Hervorhebung beigefügt). Ernst Staehelin schlägt den Bogen zu einem Bundesgerichtsentscheid aus dem Jahre 2008[9], in dem es ebenfalls um einen Interessenkonflikt ging, und in dem das Bundesgericht ausgeführt hatte, Interessenkonflikte könnten sich auch aus Interessenlagen ergeben, die nicht nur anwaltlich begründet sind. Ernst Staehelin folgert, dass sich aus einer Organfunktion des Anwalts-Verwaltungsrates deshalb allenfalls Konfliktsituationen ergeben, weil berufsrechtlich relevante Interessenkollision sich nicht nur aus anwaltlichen Mandaten, sondern aus sämtlichen (privaten und beruflichen) Tätigkeiten des Anwalts ergeben können. Zu den beruflichen Tätigkeiten des Anwalts gehören auch diejenigen als Mitglied eines Verwaltungsrates.[10] 6

3. Interessenkonflikte von Mitgliedern eines Verwaltungsrates allgemein

Interessenkonflikte gelten als zu vermeiden, sie werden als schädlich wahrgenommen. Dies gilt für Interessenkonflikte ganz allgemein und für Interessenkonflikte von Anwälten im Besonderen. Warum? Der Vorbehalt wegen des Vorliegens von Interessenkonflikten, ja sogar wegen möglicher Interessenkonflikte und wegen des Anscheins von 7

[8] Siehe Blätter für Zürcher Rechtsprechung 109/2010, S. 213, und die soeben weiter oben zitierte Kommentierung von Ernst Staehelin.

[9] BGE 2C_407/2008 (23.10.2008).

[10] Ernst Staehelin: Interessenkollision: Theoretische und reale Aspekte. In: Anwalts-Revue 4/2010, S. 189.

Interessenkonflikten wird immer bewusster und artikulierter erhoben. Zum Beleg für diese Tendenz kann auf zwei Entwicklungen verwiesen werden. Angesprochen sind der Swiss Code of Best Practice for Corporate Governance[11] und die Checkliste/Richtlinie betreffend Informationen zur Corporate Governance (RLCG)[12] sowie der Kommentar zur Corporate-Governance-Richtlinie.[13] Weiter kann in diesem Zusammenhang auf die Botschaft des Bundesrates zur Änderung des Obligationenrechts (grosse Aktienrechtsrevision) vom 21. Dezember 2007 verwiesen werden.[14, 15] In Art. 717a (neu), Interessenkonflikte, und in Art. 717b (neu), Verbot gegenseitiger Einflussnahme, werden unter Hinweis auf eine gute Corporate Governance folgende Neuerungen vorgeschlagen. «Da eine entsprechende Bestimmung im geltenden Recht fehlt, wurde bisher versucht, die Frage von Interessenkonflikten unter Beizug der Vorschrift zur Treuepflicht des Verwaltungsrates und zur arbeitsvertraglichen Treuepflicht zu lösen (Art. 321a und 717 Abs. 1 OR)». Der Entwurf hält neu ausdrücklich fest, dass Mitglieder des Verwaltungsrates und der Geschäftsleitung, die Präsidentin oder den Präsidenten des Verwaltungsrates unverzüglich und vollständig über Interessenkonflikte informieren müssen. «... Ein Interessenkonflikt kann auch dadurch bestehen, dass das Organmitglied in einer engen Beziehung zu einem Dritten steht, der mit der Gesellschaft geschäftliche Beziehungen knüpft[16] ... Verwaltungsrat und Geschäftsleitungsmitglieder sind aufgrund der aktienrechtlichen Treuepflicht (Art. 717 OR) gehalten, das Auftreten von Interessenkonflikten soweit wie möglich zu vermeiden. Organmitglieder, welche die Gesellschaft aufgrund eines fehlerhaften Umgangs mit einem Interessenkonflikt schädigen, haften gestützt auf Art. 754 OR. Dies gilt insbesondere auch für die Mitglieder des Verwal-

---

11 Swiss Code of Best Practice for Corporate Governance, II. Verwaltungsrat und Geschäftsleistung, d) Umgang mit Interessenkonflikten und Wissensvorsprüngen, Rz. 16: «Jedes Mitglied von Verwaltungsrat und Geschäftsleitung hat seine persönlichen und geschäftlichen Verhältnisse so zu ordnen, dass Interessenkonflikte mit der Gesellschaft möglichst vermieden werden.»

12 Checkliste/Richtlinie betreffend Informationen zur Corporate Governance (RLCG), 3.2 Weitere Tätigkeiten und Interessenbindungen (Hervorhebung vom Verfasser beigefügt), und Kommentar zur Corporate-Governance-Richtlinie (Stand 20. September 2007), 3. Verwaltungsrat, 3.1 Mitglieder des Verwaltungsrates, c) Pro nicht exekutives Mitglied des Verwaltungsrates, Rz. 7 zur Frage der Intensität einer Verbindung zwischen dem Mitglied des Verwaltungsrates einer anderen Organisation, die eine konkrete Beeinflussung gestattet: «Dies kann z.B. der Fall sein bei einem Verwaltungsrat, der bei einer Beratungsgesellschaft angestellt oder z.B. in einer Anwaltskanzlei tätig ist und diese wiederum mit dem Emittenten in wesentlichen geschäftlichen Beziehungen steht.»

13 Vgl. www.six-exchange-regulation.com.

14 Botschaft zur Änderung des Obligationenrechts (Aktienrecht und Rechnungslegung sowie Anpassung im Recht der Kollektiv- und der Kommanditgesellschaft, im GmbH-Recht, Genossenschafts-, Handelsregister- sowie Firmenrecht) vom 21. Dezember 2007 (BBl 2008 II, S. 1589 ff.).

15 Der Zustand im (noch) geltenden Recht mit der Bewältigung von Interessenkonflikten zwischen Eigeninteressen von Mitgliedern des Verwaltungsrates und der Unternehmung über die Treuepflicht *(duty of loyality)* und Sorgfaltspflicht *(duty of care)* ist auch schön dargestellt im Schweizer Beitrag von Peter Forstmoser im Global Counsel Handbook 2003, Corporate Governance and Directors Duty, S. 157 (www.practicallaw.com/global).

16 Die Formulierung «knüpft» (anstelle «knüpfte» oder «geknüpft hat») lässt darauf schliessen, dass auch mögliche Interessenkonflikte und der Anschein eines Interessenkonflikts erfasst werden sollen.

tungsrates, wenn dieser entgegen Art. 717 Abs. 3 OR untätig bleibt, obwohl er von einem Interessenkonflikt Kenntnis hat.»[17]

Der Anwalts-Verwaltungsrat hat diese Interessenkonflikte selbstverständlich zu vermeiden, nicht nur weil er Anwalt ist, sondern weil er – wie jedes andere Mitglied des Verwaltungsrates – als (Mit-)Führungsverantwortlicher eines Unternehmens dazu verpflichtet ist. 8

4. Interessenkonflikte eines Anwalts-Verwaltungsrates im Besonderen

Der Anwalts-Verwaltungsrat unterliegt als berufsmässig anwaltlich Tätiger auch als Mitglied des Verwaltungsrates eines Unternehmens den anwaltlichen Berufsregeln, soweit diese einen funktionellen Bezug zur konkreten Tätigkeit aufweisen. 9

Während Kaspar Schiller[18] den Anwalts-Verwaltungsrat, weil dieser der Gesellschaft nicht den Zugang zum Recht verschaffen, sondern ihre Geschäfte führen soll, nicht vom BGFA und damit nicht von den Berufsregeln erfasst sieht, vertritt Walter Fellmann[19] die Auffassung, die Berufsregeln des BGFA erfassten «nicht nur die Beziehungen des Anwalts zum eigenen Klienten, sondern ... die gesamte Berufstätigkeit des Rechtsanwalts», d.h. dessen sämtliche beruflichen Handlungen und somit auch das sonstige Geschäftsgebaren. Walter Fellmann stützt seine Schlussfolgerung auf den oben zitierten Bundesgerichtsentscheid vom 23. Oktober 2008 (2C_407/2008) E.3.30 und schliesst damit die Diskussion um die allumfassende Geltung der Berufsregeln in Bezug auf Interessenkonflikte ab. 10

Der Anwalts-Verwaltungsrat ist wegen seines anwaltlichen Fachwissens Mitglied des Verwaltungsrates eines Unternehmens, und es ist kein Grund ersichtlich, weshalb er für diese Tätigkeit nicht den anwaltlichen Berufsregeln unterliegen sollte. Die Funktion der Berufsregel «Vermeidung von Interessenkonflikten» (resp. des Verbots der Verfolgung widerstrebender Interessen) liegt in der Konzentration auf die Wahrung der Interessen einer Richtung und damit letztlich in der Verstärkung der Interessenwahrung. Gleiches gilt für den Anwaltsverwaltungsrat, der in der Verfolgung der Interessen des Unternehmens nicht durch beruflich als Anwalt verfolgte allenfalls gegenteilige Interessen geschwächt sein soll. Dass hinsichtlich der Berufsregel «Berufsgeheimnis» etwas anderes gilt, kann daran nichts ändern. Es kommt auf Sinn und Zweck, auf die Funktion der infrage stehenden Berufsregel an. Während die Funktion der Berufsregel «Vermeidung von Interessenkonflikten» der Konzentration auf die Verfolgung von Interessen einer Richtung (mithin der Vermeidung der Verfolgung sich widerstreitender Interessen) dient, 11

[17] BBl 2008 II, S. 1688.

[18] Kaspar Schiller: Schweizerisches Anwaltsrecht, Schulthess, Zürich 2009, Rz. 349.

[19] Walter Fellmann, in: Fellmann/Zindel, Kommentar zum Anwaltsgesetz, 2. Aufl., Schulthess, Zürich 2011, N 84a.

und beim Anwalts-Verwaltungsrat seine ohnehin bestehende Pflicht zur Vermeidung von Interessenkollisionen unterstützt, dient die Berufsregel «das Berufsgeheimnis» der Wahrung der anwaltlichen Funktion, dem Klienten Zugang zum Recht zu verschaffen, eine Funktion, die zweifellos dem Anwalts-Verwaltungsrat in Bezug auf das Unternehmen, in dessen Verwaltungsrat er Mitglied ist, nicht zukommt.

5. Was sind die hier interessierenden Interessenkonflikte?

12 Der vorliegende Beitrag setzt sich mit Interessenkonflikten auseinander. Ein Interessenkonflikt setzt begriffsnotwendig eine Situation voraus, die Einflüssen mehrerer widerstrebender Faktoren[20] unterliegt, wobei die Faktoren sachlich und/oder persönlicher Natur sein können. Beim im vorliegenden Beitrag behandelten Kontext von Interessenkonflikten eines Anwalts-Verwaltungsrates wird es schwergewichtig um persönliche Faktoren gehen, etwa wenn – um das Problem an einem praktischen Modell zu entwickeln – im Rahmen einer Beratung anlässlich der Verwaltungsratssitzung eines Unternehmens ein Mitglied des Verwaltungsrates, das als in einem kantonalen Anwaltsregister eingetragener Anwalt arbeitet und dem Verwaltungsrat des Unternehmens vorwiegend wegen seiner juristischen Kenntnisse angehört, über die Vergabe eines juristischen Mandats an eine forensisch oder beratend tätige Anwaltskanzlei mit zu entscheiden hat. Wenn sich neben der Anwaltskanzlei, der der Anwalts-Verwaltungsrat als Anwalt angehört, auch noch andere Anwaltskanzleien um das Mandat bemühen, so liegt eine eingangs beschriebene Situation vor. Die sachlichen Faktoren wie Fach- und Spezialwissen für das infrage stehende Mandat, erwartete Effizienz und Kosten der Mandatserledigung werden problemlos im Rahmen einer Abwägung im Verwaltungsrat entschieden werden können. Bei den persönlichen Faktoren wie Nähe zum Problem, um das es im zu vergebenden Mandat geht, und der diesem Problem zukommenden Wertung und Gewichtung im Gesamtkontext des Unternehmens, treten die individuelle Nähe des Anwalts-Verwaltungsrates, der zufolge seiner Arbeit im Verwaltungsrat umfassend orientiert und motiviert ist, in Konflikt zu seiner Objektivität und Neutralität bei der Beurteilung der Mandatsvergabe und Mandatsbearbeitung sowie allenfalls in Konflikt zu seinen indirekten kommerziellen Interessen als Partner der sich um das Mandat bewerbenden Anwaltskanzlei.

[20] Siehe z.B. Monika Roth: Compliance in a nutshell, Dike, Zürich 2011, S. 76: «Im wirtschaftlichen Umfeld bilden Interessenkonflikte häufig Konfliktsituationen.»

6. Konkrete Situationen von Interessenkonflikten für den Anwalts-Verwaltungsrat

Beim vorliegenden Beitrag in einer Publikation, die dem Anwalt als Berufsmann im Dienstleistungssektor gewidmet ist, geht es um das Spannungsfeld zwischen der Tätigkeit des Anwalts in seiner eigentlichen strittigen und beratenden Anwaltstätigkeit und der Tätigkeit als Anwalts-Verwaltungsrat. Folglich interessieren Konflikte zwischen Interessen der Unternehmung, die der Anwalt als Anwalts-Verwaltungsrat zu verfolgen hat, und Interessen, denen der Anwalt in seiner eigentlichen Tätigkeit als Anwalt in strittiger oder beratender Funktion seiner anderen Anwaltstätigkeit verpflichtet ist. Nicht zu behandeln sind demnach Interessenkonflikte, die sich aus widerstrebendenden Mandaten des Anwalts ergeben. Der schon mehrfach erwähnte, im Bundesgerichtsentscheid 2 C_407/2008 (23.10.2008) behandelte Fall, steht nicht im Fokus der Betrachtungen. In der dort behandelten Situation ergab sich der Interessenkonflikt aus der Befassung des Anwalts mit dem Mandat in anderer Sache für eine Scheidungsklientin und der damit kollidierenden Befassung mit einem Mandat für ihren Gegner im Scheidungsverfahren. Die Tätigkeit des Anwalts als Anwalts-Verwaltungsrat für das Unternehmen des Ehemannes war (nur) der «Sachzusammenhang»[21], aus dem beide Mandate entstanden. Die Interessenkollision ergab sich aber direkt aus und zwischen den zwei Anwaltsmandaten. Diese eigentlichen anwaltlichen Mandate führten zum Interessenkonflikt, nicht die Tätigkeit des Anwalts als Anwalts-Verwaltungsrat. 13

Was sind nun Situationen, in denen Gesellschaftsinteressen der Unternehmung, der der Anwalts-Verwaltungsrat als Mitglied des Verwaltungsrates angehört, und Klienteninteressen des als Anwalts-Verwaltungsrat tätigen Anwalts sich widersprechen können?[22] 14

Denkbar sind Konstellationen, in denen der Anwalts-Verwaltungsrat Konkurrenten des Unternehmens, in dem er als Anwalts-Verwaltungsrat tätig ist, vertritt. Keine Rolle spielt dabei, ob der Anwalts-Verwaltungsrat diese Klienteninteressen selbst als Anwalt vertritt oder die Klienteninteressen von der Anwaltskanzlei vertreten werden, der der Anwalts-Verwaltungsrat als Anwalt angehört. In dieser Situation gibt es zwei Lösungen: Entweder der Anwalts-Verwaltungsrat legt sein Mandat als Anwalts-Verwaltungsrat der Unter- 15

---

[21] Ernst Staehelin: Interessenkollision: Theoretische und reale Aspekte, in: Anwalts-Revue 4/2010, S. 189.

[22] Walter Fellmann stellte mögliche Interessenkonfliktsituationen, denen der Anwalts-Verwaltungsrat sich gegenüber sehen kann, in seinem Beitrag, Kollision von Berufspflichten mit anderen Gesetzespflichten am Beispiel des Anwaltes als Verwaltungsrat. In: Bernhard Ehrenzeller (Hrsg.), Das Anwaltsrecht nach dem BGFA, St. Gallen 2003, S. 172, schön zusammen. «Das Beispiel des Anwalts als Verwaltungsrat eignet sich nämlich besonders gut, um mögliche Konflikte zwischen den Berufspflichten nach Art. 12 BGFA und den Pflichten darzustellen, die sich aus anderen Rechtsverhältnissen ergeben können.» Dabei stellen sich etwa folgende Fragen:
- Kann Berufsrecht verbieten, was das Aktienrecht zulässt?
- Kann Aktienrecht verbieten, was das Berufsrecht zulässt?
- Kann Aktienrecht etwas gebieten, das das Berufsrecht verbietet?
- Kann Berufsrecht etwas gebieten, das das Aktienrecht verbietet?

nehmung nieder, oder die Anwaltskanzlei, der der Anwalts-Verwaltungsrat als Anwalt angehört, legt das Mandat, das sie für den Konkurrenten führt, nieder, oder nimmt es erst gar nicht an. Diese strenge Lösung ergibt sich daraus, dass ohne klare Trennung der Anwalts-Verwaltungsrat in einen unlösbaren Widerspruch zwischen den Interessen der Unternehmung, deren Verwaltungsrat er als Anwalts-Verwaltungsrat angehört und die er gemäss Art. 717 OR zu vertreten hat, und den widerstrebenden Interessen des Konkurrenten der Unternehmung als eigener Klient oder Klient der Anwaltskanzlei, der der Anwalts-Verwaltungsrat als Anwalt angehört, gerät. Gemäss dem auch hier gültigen Grundsatz *refrain or explain* muss die Möglichkeit für den Anwalts-Verwaltungsrat, sich für den Interessenkonflikt durch das Unternehmen freizeichnen zu lassen, oder eine Freizeichnung vom Interessenkonflikt beim Konkurrenten für die Führung von dessen Mandat erhältlich zu machen, vorbehalten bleiben. Trotz Freizeichnung wird es aber notwendig sein, dass der Anwalts-Verwaltungsrat bei der Behandlung von Geschäften, die den Konkurrenten, den er als Klient vertritt, betreffen, im Verwaltungsrat des Unternehmens in Ausstand tritt, und dass hinsichtlich des von der Anwaltskanzlei, der der Anwalts-Verwaltungsrat als Anwalt angehört, geführten Mandats für den Konkurrenten des Unternehmens innerhalb der Anwaltskanzlei *chinese walls*[23] errichtet werden.

16 Nur konkrete derartige Interessenkonflikte, etwa wenn die Anwaltskanzlei, in der der Anwalts-Verwaltungsrat als Anwalt arbeitet, tatsächlich vom Konkurrenten des Unternehmens, dem der Anwalts-Verwaltungsrat als Mitglied des Verwaltungsrates angehört, mandatiert wird, machen derartige klare und eindeutige Entscheide notwendig. Lediglich mögliche oder drohende Interessenkonflikte, etwa wenn der Konkurrent des Unternehmens, dessen Verwaltungsrat der Anwalts-Verwaltungsrat angehört, eine ihm zusagende Anwaltskanzlei evaluiert und darunter auch die Anwaltskanzlei, der der Anwalts-Verwaltungsrat als Anwalt angehört, evaluiert wird, begründet noch keinen genügenden Interessenkonflikt.[24] Interessant ist, dass der Kommentar Corporate-Governance-Richtlinien als Erläuterung zu Ziffer 3.1 Bst. c) der Corporate-Governance-Richtlinie, wonach nicht exekutive Mitglieder des Verwaltungsrates Angaben zu machen haben, ob sie mit dem Emittenten oder einer Konzerngesellschaft des Emittenten in wesentlichen geschäftlichen Beziehungen stehen, als Beispielfall die hier besprochene Situation eines Anwalts-Verwaltungsrates behandelt. «Dies kann z.B. der Fall sein bei einem Verwaltungsrat, der bei einer Beratungsgesellschaft angestellt ist oder in einer Anwaltskanzlei tätig ist und wiederum mit dem Emittenten in wesentlichen geschäft-

[23] Siehe Monika Roth: Compliance in a nutshell, Dike, Zürich 2011, S. 80: «Mit dem Begriff Chinese Walls werden organisatorische Massnahmen beschrieben, in denen ... Unternehmen zu verhindern versuchen, dass bei einer Abteilung anfallende vertrauliche Informationen anderen Abteilungen im selben Unternehmen zukommen und so *Interessenkonflikte* auslösen» (Hervorhebung beigefügt).

[24] Bezüglich lediglich drohender oder möglicher Interessenkonflikte siehe Ernst Staehelin: Interessenkollision: Theoretische und reale Aspekte, in: Anwalts-Revue 4/2010, S. 189, und der darin besprochene Entscheid der Aufsichtskommission (Zürich) über die Anwältinnen und Anwälte, vom 4. März 2010 (Blätter für Zürcher Rechtsprechung (ZR) 109/2010, S. 213).

lichen Beziehungen steht.»[25] Der Kommentar konstruiert exakt den hier unter berufsrechtlichen Aspekten behandelten Fall eines Interessenkonflikts und hält ihn unter Corporate-Governance-Gesichtspunkten nur für kritisch (für eine Information!), wenn «die Verbindung zwischen dem Verwaltungsrat und dem Unternehmen ... eng genug (ist), sodass der Verwaltungsrat (konkret) beeinflusst werden kann». Auch bei diesem gesellschaftsrechtlichen Interessenkonflikt muss es sich also um einen konkreten Interessenkonflikt handeln, ein möglicher Interessenkonflikt oder der Anschein eines Interessenkonflikts reicht nicht.

Anders verhält es sich, wenn die Interessen des Unternehmens, in dem der Anwalts-Verwaltungsrat als Mitglied des Verwaltungsrates tätig ist, und die Interessen des Anwalts-Verwaltungsrates als Anwalt in einer Anwaltskanzlei, der das Unternehmen ein Mandat erteilt, im Hinblick auf das Ziel des Mandats gleich gerichtet sind. Immerhin können auch hier Interessenkollisionen zwischen den Interessen des Unternehmens und den Interessen des Anwalts-Verwaltungsrates auftreten. Es handelt sich, wie vorne gezeigt, um persönliche Konflikte, die ernst zu nehmen, aber mit den geeigneten Massnahmen (Ausstand, Chinese Walls) unter Kontrolle zu bringen sind. Hier helfen Ausstandsregeln im Organisationsreglement des Unternehmens und Interessenkonfliktregeln im Gesellschaftsvertrag oder im Organisationsreglement der zu beauftragenden Anwaltskanzlei. 17

7. Erkenntnisse

Der Anwalts-Verwaltungsrat ist Anwalt. Er muss sich bewusst sein, dass über seine Tätigkeit als Anwalts-Verwaltungsrat der «Sachzusammenhang» für Mandate mit unterschiedlichen, sich allenfalls widersprechenden und damit eine Berufsregelverletzung nach Art. 12c BGFA möglich machenden Interessenlagen erweitert wird. 18

Nicht jede mögliche, einen Anschein von Interessenkollisionen begründende Situation, der ein Anwalts-Verwaltungsrat auf der Ebene des Verwaltungsrates im Unternehmen, in dem er Anwalts-Verwaltungsrat ist, mit Ausstand zu begegnen hat, bringt ihn auch in einen konkreten Interessenkonflikt, dem er in Beachtung der Berufsregeln nach Art. 12c BGFA mit Demission aus dem Verwaltungsrat zu begegnen hätte. 19

[25] Kommentar zur Corporate-Governance-Richtlinie, Ziffer 3.1, Bst. c), Rz. 7.

G. Die Berücksichtigung des Anwaltsgeheimnisses in der Kanzleiorganisation

Carole Gehrer

1. Einleitung

1.1 Ausgangspunkt

1 Das Anwaltsgeheimnis ist «eine der wichtigsten Berufspflichten» des Anwalts.[1] Es stellt sicher, dass sich der Klient dem Anwalt rückhaltlos anvertrauen kann, ohne befürchten zu müssen, dass sich seine Offenheit eines Tages zu seinen Ungunsten auswirken könnte. Nur wenn der Klient dem Anwalt alle erheblichen Fakten und Verhältnisse offenlegen kann, ist eine sorgfältige Beratung möglich.[2]

2 Das Anwaltsgeheimnis bedeutet zweierlei: Einerseits trifft den Anwalt eine Schweigepflicht, d.h., er darf die vom Anwaltsgeheimnis geschützten Informationen nicht preisgeben. Andererseits ist er verpflichtet, die notwendigen organisatorischen Massnahmen zum Schutz des Anwaltsgeheimnisses zu treffen (Geheimhaltungspflicht).[3] Verletzt er das Anwaltsgeheimnis, sind strafrechtliche, disziplinarische und zivilrechtliche Folgen möglich.

3 Im Rahmen der Kanzleiorganisation und der Mandatsführung ist deshalb alles vorzukehren, um das Anwaltsgeheimnis zu wahren. Dabei können sich die verschiedensten Fragen stellen: Kann eine Bürogemeinschaft beispielsweise eine gemeinsame Software für die Leistungserfassung und das Klienten- und Dossiermanagement anschaffen? Was ist bei der Prüfung von Interessenkonflikten innerhalb eines Verbundes zu beachten? Was kehrt der Anwalt gegen allfällige säumige Zahler vor? Wer wahrt die Interessen der Klienten und deren Anwaltsgeheimnis im Todesfall des Anwalts?

4 Nach einer kurzen Tour d'horizon über die wichtigsten gesetzlichen Grundlagen werden einzelne ausgewählte Schutzvorkehrungen vertieft, welche zu einer Kanzleiorganisation lege artis und mithin auch zu einer sorgfältigen und gewissenhaften Berufsausübung im Sinne von Art. 12 lit. a BGFA gehören.[4] Abschliessend findet sich eine Liste mit Merkpunkten zu möglichen Vorkehrungen.

---

1 BGE 2P.144/2001, E. 3.

2 BGE 112 Ib 606 E. b), 114 III 105 E. 3a, 115 Ia 197 E. 3d/aa. Vgl. Beschluss der Aufsichtskommission über die Rechtsanwälte im Kanton Zürich vom 2. September 2004, in: ZR 104 (2005) E. 6.

3 Vgl. Schiller, Kaspar: Schweizerisches Anwaltsrecht, Zürich / Basel/Genf 2009, N 532 ff.

4 Vgl. betr. Art. 12 lit. a BGFA und Anwaltsgeheimnis: BGE 2C_247/2010, E. 7.1.

1.2 Gesetzliche Grundlagen

Das Anwaltsgeheimnis ist in der Schweiz auf verschiedenen Ebenen geregelt: Berufsrechtlich unterstehen die (in einem kantonalen Anwaltsregister eingetragenen)[5] Anwälte in Anwendung von Art. 13 BGFA zeitlich unbegrenzt und gegenüber jedermann dem Berufsgeheimnis über alles, was ihnen infolge ihres Berufes von ihrer Klientschaft anvertraut worden ist. Strafrechtlich werden «Rechtsanwälte», also Inhaber eines kantonalen oder ausländischen Anwaltspatents[6], sowie ihre Hilfspersonen, die ein Geheimnis offenbaren, das ihnen infolge ihres Berufes anvertraut worden ist oder das sie in dessen Ausübung wahrgenommen haben, auf Antrag mit Freiheitsstrafe bis zu drei Jahren oder Geldstrafe bestraft (Art. 321 Ziff. 1 I StGB). Auf Verfassungsebene fällt das Anwaltsgeheimnis in den Schutzbereich der Grundrechte der persönlichen Freiheit (Art. 10 Abs. 2 BV) und des Schutzes der Privatsphäre (Art. 13 Abs. 1 BV, Art. 8 EMRK).[7] Ferner ist der Anwalt privatrechtlich zur Diskretion verpflichtet, sei es als Anwalt im Rahmen des Auftragsverhältnisses mit dem Klienten aufgrund von Art. 398 Abs. 2 OR, sei es als angestellter Anwalt aufgrund von Art. 321a Abs. 1 und Abs. 2 OR. Soweit Anwälte Mitglieder des Schweizerischen Anwaltsverbandes sind, unterstehen sie ferner standesrechtlich zeitlich unbegrenzt und gegenüber jedermann dem Berufsgeheimnis über alles, was ihnen infolge ihres Berufs von Mandanten anvertraut worden ist (Art. 15 SSR). Das Prozessrecht schliesslich stellt mittels entsprechenden Verweigerungsrechten sicher, dass das Berufsgeheimnis auch in zivil- und strafrechtlichen Verfahren gewahrt werden kann (vgl. Art. 166 Abs. 1 lit. b ZPO sowie Art. 171 Abs. 1 und Abs. 4 StPO). 5

Weder der Geltungsbereich der verschiedenen das Anwaltsgeheimnis schützenden Regelungen noch die Folgen bei deren Verletzung sind deckungsgleich. Im Rahmen dieses Artikels ist es nicht möglich, die verschiedenen Facetten und Feinheiten der einzelnen Normen zu vertiefen. Die nachfolgenden Ausführungen richten ihr Augenmerk vorab auf Art. 321 StGB und Art. 13 BGFA. 6

Bei der Implementierung von Schutzvorkehrungen stellt sich naturgemäss die Frage, wann das Anwaltsgeheimnis denn überhaupt verletzt wird. In diesem Zusammenhang sei auf folgende Punkte hingewiesen: Strafrechtlich ist nur die vorsätzliche bzw. eventualvorsätzliche Verletzung des Anwaltsgeheimnisses strafbar, wobei sich der (Even- 7

---

[5] Vgl. Art. 2 Abs. 1 BGFA; Fellmann, Walter: Anwaltsrecht. Bern 2010, N 468 (zit. Fellmann); Nater, Hans / Zindel, Gaudenz G.: In: Fellmann, Walter / Zindel, Gaudenz G. (Hrsg.), Kommentar zum Anwaltsgesetz. Zürich/Basel/Genf 2011, Art. 13 BGFA N 26 Fn. 33 (zit. Autor: in: Fellmann/Zindel). Regelmässig gilt Art. 13 BGFA sinngemäss auch für die dem BGFA nicht unterstehenden Anwälte (vgl. z.B. für Kanton SG Art. 1 Abs. 3 Anwaltsgesetz/SG [sGS 963.70] und für den Kanton ZH § 14 Abs. 1 Anwaltsgesetz/ZH [LS 251.1]).

[6] Oberholzer, Niklaus: In: Niggli, Marcel A. / Wiprächtiger, Hans (Hrsg.), Basler Kommentar, Strafrecht II, Art. 111–392 StGB. 2. Auflage, Basel 2007, Art. 321 N 5 (zit. BSK StGB-Oberholzer); Donatsch, Andreas / Wohlers, Wolfgang: Strafrecht IV – Delikte gegen die Allgemeinheit. 3. Auflage, Zürich 2004, S. 479 (zit. Donatsch/Wohlers); Fellmann, N 485.

[7] Vgl. z.B. BGE 2A.247/2000, E. 2c.

tual-)Vorsatz auf das Bestehen eines Geheimnisses und das Offenbaren bezieht.[8] Der objektive Tatbestand von Art. 321 StGB ist dann vollendet, sobald der aussenstehende Dritte von der geheim zu haltenden Tatsache Kenntnis nehmen kann.[9] Unerheblich ist, ob der aussenstehende Dritte von den geheimnisgeschützten Informationen auch tatsächlich Kenntnis genommen hat, da bereits das Zugänglichmachen von geheimnisgeschützten Informationen bzw. das Ermöglichen der Kenntnisnahme als «Offenbaren» im Sinne von Art. 321 StGB gilt.[10] Eine unzureichende Aufbewahrung von Klientenakten kann damit bspw. für eine Verletzung von Art. 321 StGB genügen, wenn der Anwalt (mit Eventualvorsatz) in Kauf nimmt, dass ein Aussenstehender sich Einsicht verschafft.[11] Demgegenüber kann bereits eine fahrlässige Verletzung des Berufsgeheimnisses Disziplinarmassnahmen nach dem BGFA zur Folge haben.[12] Art. 13 BGFA beinhaltet die Pflicht, die erforderlichen Schutzvorkehrungen zum Schutz des Anwaltsgeheimnisses zu treffen (vgl. Art. 13 Abs. 2 BGFA). Eine Unterlassung solcher Schutzvorkehrungen kann folglich Disziplinarmassnahmen nach sich ziehen.[13]

1.3 Den «typischen» Anwalt im Fokus

8 Die nachfolgenden Ausführungen haben den «typischen» Anwalt im Fokus. Gemeint ist der in einem kantonalen Anwaltsregister eingetragene Anwalt, der entweder selbständig tätig oder in einer Anwaltskanzlei angestellt ist. Unternehmensjuristen mit Anwaltspatent unterliegen de lege lata, bezogen auf ihre Tätigkeit für das Unternehmen, nach der herrschenden Lehre nicht dem Anwaltsgeheimnis.[14] Sind bei einem Unternehmen angestellte Anwälte neben ihrer Tätigkeit für das Unternehmen noch anwaltlich tätig, haben sie unter dem Aspekt des Anwaltsgeheimnisses zusätzlich alles vorzukehren, damit das Anwaltsgeheimnis hinsichtlich ihrer anwaltlichen Tätigkeit auch gegenüber

---

8 Donatsch/Wohlers, S. 484; Trechsel, Stefan / Vest Hans: In: Trechsel, Stefan et al. (Hrsg.), Schweizerisches Strafgesetzbuch, Praxiskommentar. Zürich/St. Gallen 2008, Art. 321 N 23, N 26 (zit. Trechsel/Vest).

9 ZR 96 (1997) Nr. 129, S. 289 ff., E. 3.4a).

10 ZR 96 (1997) Nr. 129, S. 289 ff., E. 3.4a/b; BSK StGB-Oberholzer, Art. 321 N 15; Stratenwerth, Günter / Bommer, Felix: Schweizerisches Strafrecht, Besonderer Teil II: Straftaten gegen Gemeininteressen. 6. Auflage, Bern 2008, § 59 N 19 (zit: Stratenwerth/Bommer); Trechsel/Vest, Art. 321 N 23; Fellmann, N 489; siehe auch BGE 1B_101/2008 E. 4.4.1 in fine.

11 BSK StGB-Oberholzer, Art. 321 N 15; Stratenwerth/Bommer, § 59 N 19; Fellmann, N 490.

12 Fellmann, N 467, N 551; Poledna, Tomas: in: Fellmann/Zindel, Art. 17 BGFA N 18; Schiller, N 575.

13 Fellmann, N 548 m.w.H.

14 Trechsel/Vest, Art. 321 N 5; BSK StGB-Oberholzer Art. 321 N 5; Donatsch/Wohlers, S. 479; Pfeifer, Michael: Art. 321 StGB als Grundlage eines uneingeschränkten Anwaltsgeheimnisses – mit Ausführungen zu einem Berufsgeheimnis von Unternehmensjuristen, eine Replik auf Niggli, Anwaltsrevue, 9/2006 S. 331. A.M. Niggli, Marcel Alexander: Gutachten betreffend Anwendung von Art. 321 StGB auf angestellte Unternehmensjuristen vom 5. Aug. 2005, abrufbar unter http://www.unifr.ch/lman/downloads/gutachten/uanwalt4.pdf (besucht am 24. Sept. 2011) und Niggli, Marcel Alexander: Unterstehen dem Berufsgeheimnis nach Art. 321 StGB auch Unternehmensjuristen? Anwaltsrevue 8/2006 S. 277. Das Bundesgericht hat die Frage in BGE 1B_101/2008 E. 4.2 offengelassen.

dem Arbeitgeber bzw. dessen Organen und Mitarbeitern gewahrt wird (z.B. räumliche Trennung von unselbständiger und selbständiger Tätigkeit; gesonderte Aufbewahrung der Akten von Anwaltsmandaten, sodass sie für Organe und Angestellte des Arbeitgebers nicht zugänglich sind; Sicherstellung [gegebenenfalls durch entsprechende Klauseln im Arbeitsvertrag], dass dem Arbeitgeber weder ein Weisungsrecht noch ein Einsichtsrecht in die anwaltliche Tätigkeit zusteht).[15]

2. Kanzleiorganisation im Blickfeld des Anwaltsgeheimnisses

2.1 Anwaltsgeheimnis in Bürogemeinschaften und Anwaltskörperschaften

2.1.1 Grundsatz: Der einzelne Anwalt als Geheimnisträger

Das Anwaltsgeheimnis richtet sich vorab an den einzelnen Anwalt: Jeder einzelne Anwalt 9
hat das Anwaltsgeheimnis (als Geheimnisträger) gegenüber jedermann einzuhalten und darf die geschützten Informationen (unbefugten) Dritten nicht offenbaren. Unbefugte Dritte sind grundsätzlich alle Personen ausser dem Anwalt und dem Klienten. Dies bedeutet, dass der Anwalt geschützte Informationen auch gegenüber Dritten, die selbst einem von Art. 321 StGB geschützten Berufsgeheimnis unterstehen, geheim halten muss.[16] Der Anwalt muss das Anwaltsgeheimnis folglich auch gegenüber Anwaltskollegen wahren und kann sich nicht darauf berufen, dass diese selbst dem Anwaltsgeheimnis unterstünden.[17]

Heutzutage prägen allerdings immer mehr (intensiv oder locker verbundene) Büroge- 10
meinschaften und Anwaltskörperschaften die Kanzleienlandschaft. Je nach Intensität der internen Beziehungen verfügen diese in der Praxis regelmässig über eine gemeinsame Software-Lösung für die Leistungserfassung bzw. das Klienten- und Dossiermanagement, auf welche alle Mitarbeiter zugreifen können. Die Büros der Anwälte (mit den Akten) bzw. das gemeinsame Archiv sind in der Regel allen Anwälten und Mitar-

[15] BGE 130 II 87, E. 6.1 und E. 6.3.2. Vgl. auch Nater, Hans: Anwaltsrubrik. In: SJZ 100 (2004) Nr. 6, 139 ff., 140; Donatsch/Wohlers, S. 479.

[16] BGE 119 II 222, E. 2b/dd; BGE 75 IV 71, E. 1 f.; ZR 96 (1997) Nr. 129, S. 289 ff., E. 3.3; Donatsch/Wohlers, S. 483; BSK StGB-Oberholzer, Art. 321 N 16; Stratenwerth/Bommer, § 59 N 19. Vgl. auch Flachsmann, Stefan: In: Donatsch, Andreas / Flachsmann, Stefan / Hug, Markus / Weder, Ulrich (Hrsg.): Schweizerisches Strafgesetzbuch. 18. Auflage, Zürich 2010, Art. 321 N 10 (zit. Flachsmann). Beschluss der Aufsichtskommission über die Rechtsanwälte im Kanton Zürich vom 2. Sept. 2004 (KG030038), E. 2. Betr. Ärzte: ZR 96 (1997) Nr. 129, S. 289 ff., E. 3.3 b. Betr. Amtsgeheimnis (Art. 320 StGB): BGE 114 IV 44, E. 3a.

[17] Fellmann, N 491; BSK StGB-Oberholzer, Art. 321 StGB N 16; Nater, Hans / Zindel, Gaudenz G.: In: Fellmann/Zindel, Art. 13 BGFA N 70. A.M. offenbar Schiller, N 499, soweit den Dritten gleichwertige Pflichten zum Klientenschutz auferlegt werden.

beitern zugänglich. Interessenkonflikte werden büroweit geprüft, Fälle bürointern mit Kollegen besprochen (sei es um eine Zweitmeinung einzuholen, sei es zum Zwecke des Know-how-Austauschs) und in mittleren sowie grösseren Kanzleien trifft man sich (teilweise auch in entsprechenden Arbeitsgruppen) in regelmässigen Abständen, um über die jeweilige Arbeitsauslastung sowie die aktuellen Fälle zu berichten.

11 Mit Blick auf diese Praktiken stellt sich die Frage, ob das Anwaltsgeheimnis auch gegenüber den eigenen Bürokollegen, welche der nämlichen Bürogemeinschaft bzw. Anwaltskörperschaft angehören, gilt.

2.1.2 Die Anwaltskanzlei als Kreis der Geheimnisträger

12 Zu prüfen ist, wie weit der Kreis des (ursprünglichen bzw. ersten) Geheimnisträgers gezogen wird. Nach Art. 321 StGB gehören der Anwalt und seine Hilfspersonen zum Kreis der Geheimnisträger. Dies bedeutet, dass der Anwalt seinen Hilfspersonen geschützte Informationen zur Kenntnis bringen bzw. ihnen zugänglich machen darf, ohne dass er seinerseits das Anwaltsgeheimnis verletzt.[18] Das Tatbestandsmerkmal der «Offenbarung» i.S.v. Art. 321 StGB kann nur dann erfüllt sein, wenn geheimnisgeschützte Informationen jemandem ausserhalb des Kreises der Geheimnisträger zugänglich gemacht werden.[19] Der Anwalt und seine Hilfspersonen bilden also einen Kreis der (befugten) Geheimnisträger, innerhalb dessen geschützte Informationen ohne Verletzung des Anwaltsgeheimnisses offenbart werden können.

13 Dass der Anwalt und seine Hilfspersonen einen (durchlässigen) Kreis von Geheimnisträgern bilden, ist – auch mit Blick auf die Wirtschaftsfreiheit – sinnvoll. Der Anwalt ist (unter Beachtung der entsprechenden Vorschriften) grundsätzlich frei, sich im Rahmen seiner Berufstätigkeit mit Anwaltskollegen zu einer Bürogemeinschaft oder – jedenfalls nach der Mehrheit der Kantone – zu einer Anwaltskörperschaft[20] zusammenzuschliessen. Dies bedeutet aber auch, dass der Anwalt im gesetzlichen Rahmen gewisse Arbeiten an Hilfspersonen übertragen darf, und dies in der Regel auch tut. Es ist in der Regel nicht effizient, wenn der Anwalt alle Arbeiten (wie z.B. das Kopieren von Schriftstücken, das Versenden der Post, die Installation und Wartung der Software) selbst vornehmen würde.[21] Zum Teil wird der Anwalt auch gar nicht über die notwendigen Kenntnisse ver-

[18] Carboz, Bernard: Le secret professionnel de l'avocat selon l'art. 321 CP: In: SJ 1993, S. 77 ff., S.105 m.w.H.; Staub, Leo / Beutter, Christian: Die ISO-9000-Zertifizierung von Anwaltskanzleien und das Anwaltsgeheimnis: In: AJP 1998, S. 1403 ff., S. 1407; Donatsch/Wohlers, S. 483; Stratenwerth, Günter / Wohlers, Wolfgang: Schweizerisches Strafgesetzbuch, Handkommentar, 2. Auflage, Bern 2009, Art. 321 N 4 (zit. Stratenwerth/Wohlers).

[19] Donatsch/Wohlers, S. 482 f.

[20] Ob sich Anwälte auch nach der Meinung des Bundesgerichts unter der bestehenden Gesetzgebung zu Anwaltskörperschaften zusammenschliessen dürfen, wird voraussichtlich bald entschieden werden. Vgl. hierzu die Medienmitteilung von Bratschi Wiederkehr & Buob vom 11. März 2011, abrufbar unter http://www.bratschi-law.ch/newswriter_files/Medienmitteilung.pdf (besucht am 23. August 2011).

[21] Vgl. Staub/Beutter, S. 1408 f.

fügen (Beispiel: Informatik), sodass er im Rahmen einer sorgfältigen Berufsausübung sowieso gezwungen ist, einen Dritten (d.h. eine Hilfsperson) beizuziehen.

Als Ausgangspunkt für die Beantwortung der Frage, ob auch Bürokollegen des Anwalts zum Kreis der Geheimnisträger gehören, kann die Definition der «Hilfsperson» nach Art. 321 StGB dienen. Nach Donatsch/Wohlers sind damit Leute gemeint, «welche die Schweigepflichtigen bei der Erfüllung ihrer Aufgaben in einer Funktion unterstützen, welche die Kenntnisnahme von Geheimnissen der betreuten Personen in sich schliesst.»[22] Nach diesen Autoren gehören zu diesem durchlässigen Kreis das den Geheimnisherrn behandelnde oder beratende Arbeitsteam, jedenfalls soweit der Austausch von Informationen für die Behandlung oder Beratung erforderlich erscheint. Berufskollegen ausserhalb dieses (relativ eng umschriebenen) Kreises seien, auch wenn sie Art. 321 StGB selbst unterstehen, nicht mehr Hilfspersonen, sodass ihre Orientierung unzulässig ist.[23] Gemäss Stratenwerth/Bommer dürfte heute Einigkeit darüber bestehen, «dass es genügt, wenn [die Mitwirkung bei der Ausübung des Berufs] berufsmässig geschieht, auch in einer untergeordneten Rolle, oder doch in einer Funktion, in der die primär Verpflichteten bei der Erfüllung einer spezifischen Aufgabe unterstützt werden (wie etwa bei der Pfarrfrau [...])».[24] Wohlers definiert die Hilfspersonen als Personen, «die den Schweigepflichtigen als Angestellte oder auch als freie Mitarbeiter aufgrund eines Auftrags bei der Erfüllung seiner Aufgaben unterstützen»[25] und qualifiziert die Offenbarung gegenüber «den in die Ausführung des Auftrags einbezogenen Hilfspersonen» als nicht tatbestandsmässig.[26] Nach Trechsel/Vest ist Hilfsperson, «wer bei der Berufstätigkeit eines der genannten (Haupt-)Geheimnisträgers in der Weise mitwirkt, dass er grundsätzlich von den dabei wahrgenommenen Tatsachen ebenfalls Kenntnis erhält» [27]; sie halten dafür, dass der Informationsaustausch innerhalb einer den Geheimnisherrn behandelnden oder beratenden Ärzteteams, jedenfalls soweit der Austausch für die Behandlung oder Beratung erforderlich ist, nicht tatbestandsmässig ist.[28] Oberholzer verweist auf die vorstehende Definition von Trechsel/Vest und fügt an, dass die Stellung der Hilfspersonen nicht entscheidend sei; «vielmehr genügt es, wenn sie den Geheimnisträger in irgendeiner Funktion bei der Erfüllung seiner Aufgabe unterstützen und dabei Kenntnis von Geheimnissen der betreuten Personen erhalten.[29] Mit Blick auf die arbeitsteiligen Organisationsstrukturen gehören nach Oberholzer bspw. Ärzte verschiedener Fachrichtungen oder Ärzte mit wechselnden Dienstzeiten und deren Hilfspersonen, die in die Behandlung eines Patienten eingebunden sind, zum Kreis der Geheimnisträger, sodass 14

22 Donatsch/Wohlers, S. 480.
23 Donatsch/Wohlers, S. 483.
24 Stratenwerth/Bommer, § 59 N 17.
25 Wohlers, Wolfgang: in: Stratenwerth/Wohlers, Art. 321 N 2.I.
26 Stratenwerth/Wohlers, Art. 321 N 4.
27 Trechsel/Vest, Art. 321 N 13.
28 Trechsel/Vest, Art. 321 N 23.
29 BSK StGB-Oberholzer, Art. 321 N 6.

der gegenseitige Informationsaustausch den Tatbestand von Art. 321 StGB von vornherein nicht erfüllen könne. «Gegenüber allen anderen Ärzten, Pflegekräften, Verwaltungsangehörigen und Dritten ausserhalb der eigenen Abteilung, mögen diese auch im gleichen Spital tätig sein, gilt grundsätzlich die Pflicht zur Verschwiegenheit; es sei denn, diese seien ebenfalls unmittelbar in das Behandlungsgeschehen eingebunden.»[30]

15 Gemeinsam ist diesen in der strafrechtlichen Literatur erläuterten Definitionen, dass eine Hilfsperson (i.S.v. Art. 321 StGB) den Geheimnisträger bei der Erfüllung seiner Aufgabe unterstützt resp. dadurch an der Ausübung seines Berufs mitwirkt. Arbeitsteams gelten – soweit sich die Autoren hierzu äussern – dann als Kreis von Geheimnisträgern, solange sie in die Behandlung resp. Beratung des spezifischen Falls eingebunden sind. Zu den Hilfspersonen werden typischerweise das Kanzleipersonal, Praktikanten, vom Anwalt hinzugezogene Experten[31] sowie nach der hier vertretenen Meinung auch das in Anwaltskanzleien tätige Reinigungspersonal[32] gezählt, soweit es zu Räumen Zugang hat, in welchen Klientenakten aufbewahrt werden (was regelmässig der Fall sein dürfte).

16 Übertragen auf eine Anwaltskanzlei bedeutet dies Folgendes: Wird ein Anwalt von einem Bürokollegen in einem konkreten Mandat unterstützt, gehört dieser Bürokollege zum Kreis der Geheimnisträger. Gleiches gilt bei einem Team von Anwälten, die einen Mandanten gemeinsam betreuen (in Analogie zum Ärzteteam, das einen Patienten behandelt). Da diese Anwälte jeweils in Ausübung ihres eigenen Berufes tätig sind, sind sie in der Regel in ihrer (eigenständigen) Funktion als Anwälte dem Anwaltsgeheimnis unterstellt.[33]

17 Was gilt nun aber für die Anwälte, die ebenfalls zur Bürogemeinschaft oder Anwaltskörperschaft gehören, aber nicht mit dem konkreten Mandat befasst sind? Folgte man der oben erwähnten strafrechtlichen Literatur, würden die nicht mit dem konkreten Mandat befassten Bürokollegen wohl nicht zum Kreis der Geheimnisträger gehören; folglich wären bürointerne Barrieren zum Schutz des Anwaltsgeheimnisses nötig.

18 Der Informationsaustausch in einer arbeitsteiligen Organisationsstrukur zur Erfüllung des Auftrags wird gemeinhin als zulässig erachtet, jedenfalls soweit dieser im Interesse des Klienten ist.[34] Unumstritten (und in Art. 14 Abs. 1 SSR auch ausdrücklich festgehalten) ist, dass das Verbot von Interessenkollisionen auch zwischen den in einer Anwaltskanzlei tätigen Anwälten gilt. Eine Anwaltskanzlei ist hierfür wie ein Anwalt zu behan-

[30] BSK StGB-Oberholzer, Art. 321 N 16.
[31] Trechsel/Vest, Art. 321 N 13.
[32] Vgl. auch Trechsel/Vest, Art. 321 N 13, wonach das Reinigungspersonal dem Berufsgeheimnis unterstellt ist, soweit es Räume reinigt, in denen sich die Patienten aufhalten. A.M. Stratenwerth/Bommer, § 59 N 17.
[33] Vgl. Fellmann, N 487, N 544.
[34] Fellmann, N 492.

deln.[35] Folgerichtig kann ein Auftrag nur dann ordnungsgemäss erfüllt werden, wenn zuerst – innerhalb der ganzen Kanzlei – eine Interessenkollisionsprüfung durchgeführt wird. Damit kann eine Interessenkollisionsprüfung innerhalb der Kanzlei keine Verletzung des Anwaltsgeheimnisses bedeuten, denn diesfalls wäre der Anwalt in einem unlösbaren Dilemma: Einerseits müsste er die Frage einer Interessenkollision innerhalb der Anwaltskanzlei prüfen, andererseits dürfte er die Namen der potenziellen Klientschaft in der Kanzlei nicht offenbaren. Richtigerweise gilt jedenfalls der im Rahmen der Interessenkonfliktprüfung erfolgende Informationsaustausch als im Interesse des Klienten erfolgt, und alle in der Kanzlei tätigen Anwälte gehören damit zum Kreis der dem Geheimnis unterworfenen Personen.[36]

Der Anwalt ist – im gesetzlichen Rahmen – frei, sich mit Berufskollegen zusammenzu- 19
schliessen. Die Gründe für einen Zusammenschluss mit Berufskollegen können vielfältiger Natur sein. Der Zusammenschluss mit Berufskollegen bringt dem Klienten direkt und indirekt Vorteile und liegt daher auch in seinem Interesse. Er kann von einem geballten Fachwissen in den unterschiedlichsten Bereichen und von einer Infrastruktur profitieren, die – im Rahmen einer Einzelkanzlei – in dieser Form nicht wirtschaftlich wäre.

Nach der hier vertretenen Meinung kommt es für die Frage, wie gross der Kreis der 20
Geheimnisträger zu ziehen ist, auf die Intensität der internen Verbundenheit der Anwaltskanzlei bzw. auf die Durchlässigkeit innerhalb der Anwaltskanzlei an.[37] Dabei deuten bspw. folgende Elemente auf eine durchlässige Einheit hin: Durchlässige Büroräumlichkeiten, physischer resp. elektronischer Zugriff auf Klienteninformationen (z.B. via gemeinsame Aktenaufbewahrung, gemeinsame Software-Lösung, gemeinsames Archiv), gemeinsamer äusserer Auftritt (durch Briefpapier, Webseite etc.). Ist die Anwaltskanzlei (im gesetzlichen Rahmen) durchlässig organisiert, muss der Kreis der Geheimnisträger alle in der Anwaltskanzlei tätigen Anwälte und deren Hilfspersonen umfassen. Eine Anwaltskanzlei bildet insofern intern eine «durchlässige Einheit»[38], innerhalb deren die vom Anwaltsgeheimnis geschützten Informationen ohne jede Schranke zirkulieren können und dürfen.[39]

Anwälte, die geheimnisgeschützte Informationen Anwälten derselben Kanzlei (welche 21
eine «durchlässige Einheit»[40] bildet) offenbaren, verletzen das Anwaltsgeheimnis folglich nicht.[41] Mit Blick auf die Organisation innerhalb der Kanzlei bedeutet dies, dass innerhalb des Kreises der Geheimnisträger grundsätzlich keine das Anwaltsgeheimnis schüt-

35 Fellmann, N 313 m.w.H.; Fellmann, Walter: In: Fellmann/Zindel, Art. 12 BGFA N 88 m.w.H.; Schiller, N 905.
36 Fellmann, N 492.
37 Schiller, N 1152 ff. und 1164 ff. zur Durchlässigkeit, und N 1167 ff. zu den Beurteilungskriterien.
38 Schiller, N 1160 f.
39 Schiller, N 505, N 1160 f.
40 Schiller, N 1160 f.
41 Nater, Hans/Zindel, Gaudenz G.: In: Fellmann/Zindel, Art. 13 BGFA N 71; Schiller, N 505.

zenden Vorkehrungen getroffen werden müssen (vgl. aber betr. Geheimhaltungsvereinbarung für Hilfspersonen Kapitel 3.1). Ein gemeinsames Datensystem, ein gemeinsames Archiv, zugängliche Büros etc. sind im Rahmen der durchlässigen Einheit damit zulässig (vgl. aber untenstehende Ausführungen zur Einwilligung des Klienten). Gegen Aussen ist das Anwaltsgeheimnis jedoch strikte einzuhalten.

2.1.3 Der vorsichtige Anwalt: Einwilligung des Klienten

22 Auch wenn nach der hier vertretenen Meinung die Anwaltskanzlei (je nach Intensität der internen Verbundenheit) regelmässig eine durchlässige Einheit darstellt, geht die strafrechtliche Literatur offenbar von einem engeren Kreis der Geheimnisträger aus (vgl. Rz. 14). Die dort genannten Beispiele betreffen regelmässig Ärzteteams. Übertragen auf die Anwälte würden danach Anwälte, die einen Fall gemeinsam bearbeiten, zwar einen Kreis von Geheimnisträgern bilden. Die nicht mit dem konkreten Fall befassten Anwälte würden sich hingegen ausserhalb dieses Kreises befinden. Der vorsichtige Anwalt sollte sich deshalb überlegen, ob er seine Klienten über die Durchlässigkeit der Kanzlei explizit aufklären resp. von seinen Klienten eine entsprechende Einwilligung einholen soll. Eine solche Einwilligung kann auch stillschweigend bzw. konkludent erteilt werden.[42] Gegebenenfalls kann bereits in der Tatsache, dass sich der Klient an einen Anwalt, der in einer Anwaltskanzlei mit mehreren Anwälten tätig ist, gewandt hat, als konkludente Einwilligung gesehen werden. Da der Klient in der Regel aber nicht genau wissen wird, wie die Kanzlei organisiert ist, wäre eine ausdrückliche Einwilligung (z.B. auf dem Vollmachtsformular) empfehlenswert. Diese könnte zum Beispiel wie folgt lauten: «Der Auftraggeber entbindet den Beauftragten für den Informationsaustausch innerhalb der Anwaltskanzlei [Name der Anwaltskanzlei] vom Anwaltsgeheimnis.»

2.2 Anwaltsgeheimnis in Verbunden

23 Zwischen der Anwaltskanzlei, welche wie gesehen (je nach Intensität der internen Verbundenheit) eine durchlässige Einheit bilden kann, und der Aussenwelt verläuft die Grenze. Wo diese Grenze verläuft bzw. wer zur Anwaltskanzlei resp. dem Kreis der Geheimnisträger gehört, ist im Einzelfall zu eruieren. Sind Kanzleien wiederum zu Verbunden zusammen geschlossen, stellt sich die Frage, ob der Verbund als Ganzes ebenfalls eine durchlässige Einheit bildet (vgl. hierzu die in Rz. 20 beispielhaft genannten Kriterien). Regelmässig wird die Verbundenheit zwischen Partnerkanzleien eines Verbundes nur (aber immerhin) in einer – im Vergleich zur Organisation innerhalb der einzelnen Partnerkanzlei – gelockerten Intensität bestehen.

---

[42] BGE 2C_247/2010, E. 7.4; 98 IV 217, E. 2; 97 II 369, S. 370; Fellmann, N 502; Stratenwerth/Bommer, § 59 N 22; Trechsel/Vest, Art. 321 N 28.

Ein Beispiel eines (nicht durchlässigen) Verbundes ist der Verbund «SwissLegal», welchem auch die Kanzlei der Autorin angehört. Partnerkanzleien von *SwissLegal* sind unabhängige Anwaltskanzleien aus verschiedenen Regionen der Schweiz. Diese treten grundsätzlich unter der Marke *SwissLegal* auf, wobei die meisten Kanzleien ihre ursprünglichen Namen mit *SwissLegal* verschmolzen haben. Jede Partnerkanzlei ist in ihrer Organisation unabhängig und verfügt über eigene (den anderen Partnerkanzleien nicht zugängliche) Räumlichkeiten. Klienteninformationen und Akten sind nur den Anwälten bzw. Mitarbeitern der jeweiligen Partnerkanzlei zugänglich. Die EDV-Systeme der einzelnen Partnerkanzleien sind strikt getrennt. Jede Partnerkanzlei stellt demnach eine selbständige Einheit dar und muss als solche das Anwaltsgeheimnis ihrer Klienten wahren, auch gegenüber den anderen Partnerkanzleien der *SwissLegal*-Gruppe. 24

Gleichzeitig sind die Anwälte aber verpflichtet, jeden Konflikt zwischen den Interessen ihrer Klientschaft und den Personen, mit denen sie (d.h. die Anwälte) geschäftlich oder privat in Beziehung stehen, zu meiden (Art. 12 lit. c BGFA). Dass das Verbot von Interessenkollisionen auch zwischen den in einer Anwaltskanzlei tätigen Anwälten gilt, mithin eine Anwaltskanzlei diesbezüglich wie ein Anwalt zu behandeln ist, ist unumstritten. Nach der Rechtsprechung der Zürcher Aufsichtskommission über die Rechtsanwälte gilt das Verbot von Interessenkollisionen auch zwischen Anwälten bzw. Anwaltskanzleien, die demselben Verbund angeschlossen sind.[43] Dies ist richtig, sofern zwischen den in einem Verbund verbundenen Anwälten bzw. Anwaltskanzleien geschäftliche Beziehungen bestehen, die geeignet sind, die Anwälte so zu beeinflussen, dass die Interessenwahrung für den Klienten beeinträchtigt ist (vgl. Wortlaut von Art. 12 lit. c BGFA).[44] Auch solche Verbunde sind deshalb mit Bezug auf Interessenkollisionen als eine einzige Kanzlei zu betrachten. Im Gegensatz dazu gelten Korrespondenzanwälte oder lose nationale und internationale Netzwerke unabhängiger Kanzleien (wie z.B. Lex Mundi, Lexwork etc.) nicht als Verbund und werden somit nicht wie eine einzelne Kanzlei behandelt[45]. 25

Ist ein Anwalt bzw. seine Anwaltskanzlei Mitglied eines solchen Verbundes (welcher mit Bezug auf die Interessenkollision als eine einzige Kanzlei zu betrachten ist), ist er nach dem Gesagten verpflichtet, vor der Mandatsannahme zu prüfen, ob gegebenenfalls eine Interessenkollision vorliegt. Die Prüfung der möglichen Interessenkonflikte ist dabei in jedem Fall innerhalb der (lokalen) Anwaltskanzlei sowie grundsätzlich auch innerhalb des Verbundes vorzunehmen. Dabei ist zu überlegen, ob die verbundsübergreifende Interessenkonfliktprüfung tatsächlich für alle neuen Mandate sinnvoll bzw. erforderlich ist, oder ob es nicht genügen würde, nur bestimmte, mit allfälligem Konfliktpotenzial behaftete Mandate verbundsintern auf Interessenkonflikte zu prüfen. 26

---

43 Beschluss der Aufsichtskommission über die Rechtsanwälte im Kanton Zürich vom 6. November 2003, publiziert in ZR 103 (2004) Nr. 9.

44 Schiller, N 895.

45 Fellmann, N 314; Fellmann, Walter: in: Fellmann/Zindel, Art. 12 BGFA N 88.

27 Im Rahmen des Verbunds *SwissLegal* werden Mandate, die mit Interessenvertretungen einer anderen *SwissLegal*-Partnerkanzlei kollidieren könnten (bspw. Mandate mit einem geografischen Anknüpfungspunkt in der Region einer anderen *SwissLegal*-Partnerkanzlei, wie z.B. Sitz, Wohnsitz, Tätigkeitsort des Klienten bzw. der Gegenpartei), vor der definitiven Mandatsannahme mittels einer Anfrage via Intranet auf Interessenkollisionen geprüft. Allfällige Interessenkollisionen sind dabei dem anfragenden Anwalt innerhalb von 24 Stunden zu melden.

28 Analog zur Überlegung bei der Anwaltskanzlei (vgl. Rz. 18) könnte argumentiert werden, dass im Rahmen der geforderten Interessenkollisionsprüfung auch das Anwaltsgeheimnis nicht verletzt werden könne. In Anbetracht dessen, dass zwischen Partnerkanzleien eines (nicht durchlässigen) Verbunds das Anwaltsgeheimnis aber einzuhalten ist, erscheint diese Argumentation heikel. Für den vorsichtigen Anwalt einer Partnerkanzlei ist es deshalb unerlässlich, dass der Klient den Anwalt für die Prüfung von Interessenkonflikten innerhalb des Verbundes vom Anwaltsgeheimnis entbindet. Es ist zu empfehlen, die Zustimmung des Klienten schriftlich einzuholen. Eine entsprechende Klausel könnte z.B. im Vollmachtsformular vorgesehen werden: «Für die Abklärung von Interessenkollisionen innerhalb des Verbundes [Y], dem [X] angehört, ist der Beauftragte vom Berufsgeheimnis befreit.» Was einfach klingt, kann in der Praxis Schwierigkeiten bergen. Ein Mandant möchte in der Regel zeitnah (innert weniger Stunden resp. max. ein bis zwei Tagen) wissen, ob ihn ein Anwalt bzw. eine Anwaltskanzlei vertreten kann. Hierzu ist aber eine vorgängige verbundsweite Interessenkonfliktsprüfung notwendig. Da zu diesem Zeitpunkt noch keine schriftliche Vollmacht vorliegt (da ja zuerst abgeklärt werden muss, ob eine Mandatsübernahme überhaupt möglich ist), ist die Zustimmung des Klienten zur verbundsweiten Interessenkollisionsprüfung vorab in anderer Weise einzuholen. In der Praxis bietet sich hierzu das Telefonat (was jedoch den Nachteil des fehlenden Nachweises durch Text hat) oder die E-Mail an. In einer E-Mail könnte man dem Klienten bspw. für die Anfrage danken, gleichzeitig aber darauf hinweisen, dass man der guten Ordnung halber noch eine Interessenkollisionsprüfung innerhalb des Verbunds, dem die Anwaltskanzlei angehöre, vornehmen werde und man ohne Gegenbericht davon ausgehe, dass der Klient den Anwalt hierfür vom Anwaltsgeheimnis befreie. Obwohl es grundsätzlich wünschenswert wäre, die Befreiung vom Anwaltsgeheimnis bereits in diesem frühen Stadium in schriftlicher Form zu haben, scheint es im täglichen Umfeld nicht praktikabel, den Klienten bereits vor der Mandatsannahme aufzufordern, eine entsprechende Zustimmung für die Abklärung von Interessenkonflikten zu unterzeichnen. Dies würde von einem potenziellen Klienten wohl als «bürokratisch» und «kompliziert» eingestuft. Der vorsichtige Anwalt wird jedoch sicherstellen, dass er die Einwilligung des Klienten in angemesser Form (E-Mail, Telefonnotiz etc.) bei seinen Akten hat.

2.3 Trennung von berufsspezifischen anwaltlichen und nicht berufsspezifischen Akten

29 Nach der bundesgerichtlichen Rechtsprechung unterstehen dem Anwaltsgeheimnis nur die berufsspezifischen anwaltlichen Tätigkeiten, wie typischerweise die Vertretung von Parteien vor Gericht und die Rechtsberatung.[46] Auch Zahlungen, die in einem unmittelbaren Zusammenhang mit den berufsspezifisch anwaltlichen Tätigkeiten stehen (wie z.B. Überweisungen für Prozesszwecke, Akontozahlungen für anwaltliche Dienstleistungen und Substitutionen oder Zahlungen im Zusammenhang mit anwaltlich geführten Vertrags- oder Vergleichsverhandlungen), werden als zugehörig mitumfasst[47]. Im Gegensatz dazu fallen nicht berufsspezifische anwaltliche Tätigkeiten, also Aktivitäten, die normalerweise von anderen Berufsgruppen wie z.B. Vermögensverwaltern, Treuhandbüros oder Banken wahrgenommen werden, nicht unter das Anwaltsgeheimnis.[48] Als nicht berufsspezifisch anwaltlich (vom Bundesgericht auch «geschäftliche Tätigkeiten»[49] genannt) gelten z.B. die Vermögensverwaltung und die Anlage von Geldern (jedenfalls dann, wenn sie nicht mit einem zur berufsspezifischen anwaltlichen Tätigkeit gehörenden Mandat – so z.B. mit einer Güterausscheidung oder einer Erbteilung – verbunden sind)[50] oder reine Depotgeschäfte, Ausüben von Verwaltungsratsmandaten[51], reine Inkasso- und Zahlungsmandate auf Rechnung Dritter.[52]

30 In der Praxis erbringen Anwälte regelmässig sowohl berufsspezifisch anwaltliche als auch andere, nicht rein anwaltliche Tätigkeiten (z.B. allgemeine Beratung einer Gesellschaft, deren Verwaltungsrat der Anwalt angehört). In solchen Fällen ist zu empfehlen, die beiden Funktionen so gut als möglich auseinanderzuhalten resp. die Akten für die allgemeine berufsspezifisch anwaltliche Beratung und diejenigen im Zusammenhang mit dem Verwaltungsratsmandat getrennt aufzubewahren (z.B. separate physische und elektronische Ordner).[53] Werden die beiden Aktentypen vermischt und wird der Anwalt im Rahmen eines Verfahrens zur Herausgabe der nicht geheimnisgeschützten Akten verpflichtet, ergibt sich ein (wohl nicht unerheblicher) zusätzlicher Aufwand (Trennung der Akten, Abdeckung von geheimnisgeschützten Informationen etc.).[54]

---

46 Vgl. (allerdings im Zusammenhang mit der anwaltlichen Unabhängigkeit) BGE 130 II 87, E. 3.
47 BGE 1P.32/2005, E. 3.4.
48 BGE 112 Ib 606 E. c.
49 BGE 115 Ia 197 E. 3d/bb.
50 BGE 112 Ib 606, E. c.
51 BGE 115 Ia 197 E. 3d/cc.
52 BGE 1P.32/2005, E. 3.2 und 3.4; 135 III 597 E. 3.3.
53 Ebenso Schiller, N 452.
54 BGE 114 III 105, E. d: «Aus dem Umstand, dass das Abdecken mit einem grossen Aufwand verbunden sein könnte, vermag der Rekursgegner nichts zu seinen Gunsten abzuleiten. Er hat es sich selber zuzuschreiben, wenn er seine verschiedenen Funktionen nicht hinreichend auseinandergehalten hat und ihm daraus nun ein zusätzlicher Aufwand entsteht.»

2.4 Vorsorge mit Bezug auf Honorarinkasso

2.4.1 Das Konfliktpotenzial

31 Im Rahmen der berufsspezifisch anwaltlichen Tätigkeit unterstehen sämtliche mit dem Mandat verbundenen Tatsachen (eingeschlossen die physischen und elektronischen[55] Akten) dem Anwaltsgeheimnis. Bezahlt ein Klient die Rechnung nicht, stellt sich die Frage des weiteren Vorgehens. Denn: Bereits die Tatsache, dass ein Mandatsverhältnis besteht, unterliegt grundsätzlich dem Anwaltsgeheimnis.[56] Da im Rahmen der Einleitung einer Betreibung, eines Schlichtungsverfahrens oder eines ordentlichen Verfahrens diverse (je nach Verfahren unterschiedlich detaillierte) Angaben über das Mandatsverhältnis gemacht werden müssen, liegt das Konfliktpotenzial auf der Hand. In der Praxis wird das Problem auf verschiedene Weise angegangen (siehe sogleich). Der Ansatz ist jedoch derselbe: Das Interesse an der Durchsetzung der Honoraransprüche geht dem Interesse des Klienten in der Regel vor, weil sonst der Anwalt generell schlechter gestellt wäre als andere Beauftragte.[57]

2.4.2 In der Praxis

Das Bundesgericht

32 Das Bundesgericht hat in einem (nicht offiziell publizierten) Entscheid vom 31. Juli 2001, also vor Inkrafttreten des BGFA, ausgeführt, dass der im Betreibungsbegehren erwähnte Forderungsgrund «Honorarnote vom ...» zwar wohl auf eine Entschädigung aus einer freiberuflichen Tätigkeit schliessen lasse, nicht aber auf ein bestehendes Mandatsverhältnis. Honorare würden nicht nur aufgrund von Geldforderungen aus anwaltlicher Tätigkeit begründet, sondern könnten auch Entschädigungen für die Tätigkeit als Verwaltungsrat oder für eine wissenschaftliche oder künstlerische Leistung sein. Der entsprechende Hinweis «Honorarnote vom ...» (oder auch «Rechnung vom ...») begründe deshalb, so das Bundesgericht, «höchstens eine nicht belegbare Vermutung, dass es sich um eine Forderung aus einem Mandatsverhältnis handeln könnte».[58] Ob damit tatsächlich keine grundsätzlich geheimnisgeschützte Tatsache offenbart wird, mag bezweifelt werden.

---

55 BGE 1P.32/2005, E. 3.2; BGE 130 II 193 E. 4.2

56 BGE 2C_42/2010, E. 3.1; BGE 6B_30/2010 E. 5.3.3; BGE 2C_508/2007 E. 2.1; BGE 2P.144/2001, E. 3; Beschluss der Aufsichtskommission über die Rechtsanwälte im Kanton Zürich vom 2. Sept. 2004 (KG030038), E. 2; BSK StGB-Oberholzer, Art. 321 N 10; Trechsel/Vest, Art. 321 N 20.

57 GVP 2004 Nr. 75 E. 2; ZR 104 (2005) Nr. 20, E. 4. Vgl. zu den wettbewerbsrechtlichen Aspekten des Anwaltsgeheimnisses Hauser, Silvan: Wettbewerbsrechtliche Aspekte des Anwaltsrechts, SSHW Bd. 274, Zürich / St. Gallen 2008, S. 183 ff.

58 BGE 2P.144/2001, E. 3.

Der Kanton Zürich

Im Kanton Zürich hat die Aufsichtskommission über die Rechtsanwälte 2004 ihre Praxis geändert: In ihrer früheren Praxis stützte sie sich auf den Grundsatz, dass auch das Bestehen der Klientenbeziehung dem Anwaltsgeheimnis unterliegt, und qualifizierte folglich den im Rahmen einer Betreibung bezeichneten Forderungsgrund «Honorarforderung» als Verletzung des Anwaltsgeheimnisses.[59] Nach der neuen Praxis der Aufsichtskommission schütze das Berufsgeheimnis nach Art. 13 BGFA nur diejenigen Geheimnisse, welche die Klientschaft dem Anwalt im Rahmen der Mandatsbeziehung anvertraut. Weitere Tatsachen seien unter dem Aspekt der teleologischen Auslegung von Art. 13 BGFA nicht geschützt. Das führt die Aufsichtskommission zum Schluss, dass – jedenfalls soweit es um die Geltendmachung von Honorarforderungen geht – das Bestehen des Mandatsverhältnisses, die Rechnungsstellung bzw. Hinweise auf offene Honorarnoten im Rahmen von Inkassobemühungen nicht vom Anwaltsgeheimnis (gemäss Art. 13 BGFA) geschützt seien.[60] Quintessenz der Aufsichtskommission: Die Anwälte seien befugt, «ohne ausdrückliche Einwilligung der Klienten bzw. Ermächtigung durch die Aufsichtskommission eine Betreibung gegen die Klientschaft anzuheben und alsdann das Sühnverfahren unter Beilage der Honorarrechnung einzuleiten, vorausgesetzt, dass keine von der Klientschaft anvertraute Tatsachen offenbart werden. Für weitergehende Handlungen, wie z.B. für die Verhandlung vor dem Friedensrichter, an der vom Klienten anvertraute Informationen preiszugeben sind, ist indes nach wie vor eine ausdrückliche Einwilligung des Klienten oder aber eine Entbindung durch die Aufsichtskommission erforderlich».[61] Für die gerichtliche Durchsetzung (und zwar bereits im Rahmen des Schlichtungsverfahrens) muss sich der Anwalt vom Anwaltsgeheimnis entbinden lassen. 33

Die Aufsichtskommission über die Rechtsanwälte des Kantons Zürich stützt sich auf den Wortlaut von Art. 13 BGFA und interpretiert diesen offensichtlich restriktiver als Art. 321 StGB. Richtigerweise umfasst Art. 13 BGFA aber nicht nur alles, was dem Anwalt infolge seines Berufs von seiner Klientschaft anvertraut wurde, sondern – in Übereinstimmung mit Art. 321 StGB – auch das, was er in Ausübung seines Berufs wahrgenommen hat.[62] 34

Der Vorstand des Zürcher Anwaltsverbands empfiehlt denn auch nach wie vor (jedenfalls soweit keine zeitliche Dringlichkeit besteht), vor der Einleitung einer Betreibung 35

[59] Beschluss der Aufsichtskommission über die Rechtsanwälte im Kanton Zürich vom 2. Sept. 2004, ZR 104 (2005) Nr. 20, E. 2 f. zur früheren Praxis.

[60] Beschluss der Aufsichtskommission über die Rechtsanwälte im Kanton Zürich vom 2. Sept. 2004, ZR 104 (2005) Nr. 20, E. 8 f.

[61] Beschluss der Aufsichtskommission über die Rechtsanwälte im Kanton Zürich vom 2. Sept. 2004, ZR 104 (2005) Nr. 20, E. 8.

[62] Fellmann, N 536 m.w.H.; Nater, Hans / Zindel, Gaudenz G.: In: Fellmann/Zindel, Art. 13 BGFA N 97 f.

oder dem Begehren um Durchführung des Schlichtungsverfahrens bei der Klientschaft resp. bei der Aufsichtskommission um Entbindung nachzusuchen.[63]

Der Kanton St. Gallen

36 Gemäss dem (systematisch im Zusammenhang mit dem Honorarbegutachtungsverfahren stehenden) Art. 32 Abs. 3 des St. Gallischen Anwaltsgesetzes (sGS 963.70) ist der Rechtsanwalt «zur Begründung der Honorarforderung vom Berufsgeheimnis befreit». Art. 9 der St. Gallischen Honorarordnung für Rechtsanwälte und Rechtsagenten (HonO, sGS 963.75) sieht ferner eine generelle Befreiung vom Anwaltsgeheimnis vor, soweit dies zur Durchsetzung seiner Ansprüche nach der Honorarordnung erforderlich ist. Die Anwaltskammer des Kantons St. Gallen vertritt die Auffassung, dass sich die gesetzliche Befreiung vom Anwaltsgeheimnis (bereits auf der Grundlage von Art. 9 HonO) auf alle Verfahren bezieht, die auf die Durchsetzung anwaltlicher Honoraransprüche zielen.[64] Soweit der Anwalt bei seinen Inkassobemühungen seine Honorarforderung begründet und dadurch gezwungenermassen prinzipiell geheimnisgeschützte Tatsachen offenbart, verhält er sich also rechtmässig (vgl. Art. 14 StGB). Denn: das kantonale Recht erlaubt sein Verhalten.[65] Nach der Praxis der Anwaltskammer wird auf ein Begehren um Entbindung vom Anwaltsgeheimnis im Zusammenhang mit der Durchsetzung von Honorarforderungen gar nicht eingetreten.[66] Der im Kanton St. Gallen tätige Anwalt muss sich folglich auf die kantonalrechtliche Befreiung vom Anwaltsgeheimnis, soweit dies zur Durchsetzung seiner Honoraransprüche erforderlich ist, verlassen dürfen. Insbesondere braucht es nicht seine Aufgabe sein, sich Gedanken darüber zu machen, ob die kantonalen Bestimmungen eine genügende gesetzliche Grundlage im Sinne von Art. 14 StGB abgeben.[67] Er hat selbstverständlich auch die Möglichkeit, die Einwilligung seines Klienten einzuholen (siehe sogleich).

---

[63] Info 4/11 des Zürcher Anwaltsverbands, Dezember 2011, S. 8; Info 4/05 des Zürcher Anwaltsverbands, Dezember 2005, S. 6, mit Hinweis auf Art. 73 SchKG, wonach der Gläubiger auf Verlangen des Schuldners aufgefordert wird, innerhalb der Bestreitungsfrist die Beweismittel für seine Forderung vorzulegen, was eine Entbindung oder Einwilligung erforderlich macht (vgl. auch Art. 202 f. ZPO).

[64] Entscheid des Präsidenten der Anwaltskammer vom 4. Februar 2005, GVP 2005 Nr. 80, E. 3; vgl. auch Entscheid des Präsidenten der Anklagekammer des Kantons St. Gallen vom 30. Dezember 2003, GVP 2004 Nr. 75, E. 3.

[65] Die infrage stehende Handlung kann auch durch kantonale Bestimmungen erlaubt sein (jedenfalls soweit die kantonalen Bestimmungen in die Zuständigkeit des Kantons fallen; vgl. BGE 94 IV 5, E. 1; 101 IV 314 E. 3; BSK-Seelmann, Art. 14 N 4; Trechsel/Vest, Art. 14 N 2). Vgl. auch BGE 2C_157/2008 E. 2.3.3, wonach die Entbindung vom Berufsgeheimnis nicht bundesrechtlich geregelt ist resp. die kantonalen Aufsichtsbehörden im Rahmen ihrer Aufsichtstätigkeit hierzu befugt sind.

[66] Entscheid des Präsidenten der Anwaltskammer vom 4. Februar 2005, GVP 2005 Nr. 80.

[67] Vgl. BGE 100 Ib 13, E. 4b, wonach sich ein Beamter an die Verordnungen des Bundesrats und an Weisungen des Departements zu halten hat und deren Verfassungsmässigkeit und Gesetzmässigkeit nicht prüfen muss. Siehe auch Fn. 65.

Einwilligung durch den Klienten

In der Praxis ersuchen Anwälte ihre Klienten regelmässig bereits bei Mandatsannahme um Befreiung vom Anwaltsgeheimnis, soweit dies für die Geltendmachung von Honoraransprüchen erforderlich sein sollte. Entsprechende Klauseln finden sich beispielsweise in der Vollmacht oder der Honorarvereinbarung. 37

In der Literatur und vereinzelt auch in der Rechtsprechung[68] werden Bedenken gegen den (auf das Honorarinkasso beschränkten) Vorausverzicht geäussert. Insbesondere wird darauf hingewiesen, dass eine Einwilligung in Kenntnis der konkreten Situation (Offenbarung von bestimmten Informationen, gegenüber bestimmten Personen, zu einem bestimmten Zeitpunkt) und freiwillig erfolgen müsse.[69] Nach Fellmann ist ein «genereller Verzicht im Voraus, etwa durch Unterzeichnung eines Vollmachtformulars mit einer entsprechenden Klausel hinsichtlich der Durchsetzung von Honorarforderungen des Anwalts» nicht zulässig.[70] Schiller äussert sich zum Vorausverzicht im Zusammenhang mit dem Honorarinkasso nicht direkt, sondern nimmt nur zur generellen Einwilligung in die Offenlegung aller Informationen für alle künftigen Situationen Stellung, welche er – was wohl unbestritten sein dürfte – für unwirksam hält.[71] Die Aufsichtskommission über die Rechtsanwälte im Kanton Zürich beurteilte nachfolgende, in einer Anwaltsvollmacht vorhandene Einwilligung als unzulässig: «Zur Eintreibung des Honorars entbindet der Auftraggeber den Beauftragten definitiv und unwiderruflich vom Berufsgeheimnis.»[72] Das Bundesgericht schützte den Entscheid der Aufsichtskommission unter Willkürgesichtspunkten und äusserte sich wie folgt: «Der Beschwerdeführer hielt in seinen Vollmachten unter anderem fest, dass der Auftraggeber den Beauftragten zur Eintreibung des Honorars ‹definitiv und unwiderruflich vom Berufsgeheimnis› entbinde. Hierin erblickte die Aufsichtskommission einen Verstoss gegen das dem Anwalt auferlegte Gebot würdigen Verhaltens (§ 7 Abs. 1 AnwG). Eine derart generelle Verzichtserklärung sei unzulässig, nicht rechtswirksam und deshalb mit den Standespflichten unvereinbar. Diese Auffassung ist verfassungsrechtlich haltbar: Zwar erfolgte die Verzichtserklärung nur bezüglich eines allfälligen Honorarprozesses und kann dem Beauftragten nach den allgemeinen Mandatsregeln eine entsprechende Offenlegung in der Regel nicht verweigert werden (vgl. Fellmann, Berner Kommentar, N 92 zu Art. 398 OR). Der Beschwerdeführer verkennt jedoch, dass auch in diesem Zusammenhang ein im voraus und nicht in voller Kenntnis des massgebenden Sachverhalts erklärter Verzicht auf den Verschwiegenheitsanspruch als nicht unproblematisch beurteilt wird (vgl. Fellmann, a.a.O., N 92 zu Art. 398: ‹in aller Regel …›). Dies muss erst recht im Bereich 38

68 BGE 2P.308/1997, E. 5c/aa (nicht publiziert); Beschluss der Aufsichtskommission über die Rechtsanwälte im Kanton Zürich vom 3. Okt. 2002, KG020002.
69 Fellmann, N 503; Schiller N 598; ZR 97 (1998) Nr. 50 E. 2.1.
70 Fellmann, N 503.
71 Schiller, N 599.
72 ZR 97 (1998) Nr. 50 E. 2.1.

des aufsichts- und strafrechtlich geschützten Anwaltsgeheimnisses gelten. Ein vorweg erklärter, genereller Verzicht auf dieses umginge das zum Schutz des Klienten vorgesehene Verfahren für eine nachträgliche Beurteilung der konkreten Interessenlage vor einer allfälligen Befreiung von der Geheimnispflicht. Eine entsprechende, durch die rechtskundige Partei einseitig vorformulierte Vertragsklausel kann deshalb willkürfrei als mit dem Berufsethos unvereinbar und eines Anwalts unwürdig bezeichnet werden.» (nicht publizierter BGE 2P.308/1997 vom 7. Mai 1998, E. 5c/aa).

39 Im Beschluss vom 3. Oktober 2002 (KG020002) hatte die Aufsichtskommission über die Rechtsanwälte im Kanton Zürich den folgenden, in einer Honorarvereinbarung enthaltenen Passus zu beurteilen: «Der/die Unterzeichnende(n) entbindet(n) hiermit RA XY gegenüber den zuständigen Behörden und dem Zürcher Anwaltsverband vom Anwaltsgeheimnis, soweit es zur Durchsetzung seines Honoraranspruchs notwendig ist. Diese Entbindungserklärung kann jederzeit widerrufen werden» (Beschluss der Aufsichtskommission über die Rechtsanwälte im Kanton Zürich vom 3. Oktober 2002 (KG020002), E. 1). Im Gegensatz zum vorherigen Beispiel konnte die Entbindungserklärung jederzeit widerrufen werden. Diese Entbindungserklärung ist von der Aufsichtskommission als zulässig eingestuft worden.[73]

40 Die Gretchenfrage besteht darin, ob ein Klient (ausdrücklich[74]) im Voraus rechtsgültig für die Durchsetzung der Honorarforderungen auf das Anwaltsgeheimnis verzichten kann. Es könnte argumentiert werden, dass die Einwilligung genügend bestimmt bzw. zumindest bestimmbar sei, da der Klient selbst den Rahmen des (dem Anwalt anvertrauten) Mandats bestimmt und damit auch die Grundlage seiner Honorarforderung festlegt. Er müsse folglich damit rechnen, dass – wenn er eine Rechnung nicht bezahlt – der Anwalt die erbrachten Leistungen rechtsgenügend substanziiert bzw. mit entsprechenden Beweismitteln unterlegt.[75] Ob dem Durchschnittsklienten bei einem Vorausverzicht (ohne entsprechende Aufklärung) bewusst ist, dass er damit einwilligt, dass die anwalt-

---

[73] Beschluss der Aufsichtskommission über die Rechtsanwälte im Kanton Zürich vom 3. Oktober 2002 (KG020002), E. 3.3.

[74] Zum Teil wird in Lehre und Rechtsprechung auch die Meinung vertreten, dass die Verpflichtung des Klienten zur Honorierung des Anwalts bzw. die Nichtbezahlung der Rechnung bereits die stillschweigende Einwilligung enthalte, dass im Streitfall die Durchsetzung der offenen Honorarforderung auf dem Prozessweg durchgesetzt werden kann (vgl. Entscheid des Präsidenten der Anklagekammer des Kantons St. Gallen vom 30. Dezember 2003, GVP 2004 Nr. 75, E. 2; Entscheid der Anwaltskommission des Kantons Obwalden vom 23. Juni 2004, in VVGE 2003/2004 Nr. 5 S. 21 ff., E. 6c; Aufsichtskommission über die Rechtsanwälte des Kantons Zug vom 25. Juni 2002, AK 2001/3, in Anwaltsrevue 9/2002, S. 31 f.; Brückner, Christian: Schweizerisches Beurkundungsrecht. Zürich 1993, N 1157; Schwarz, Jörg: Das Anwaltsgeheimnis: In: Fellmann/Huguenin Jacobs/Poledna/Schwarz (Hrsg.), Schweizerisches Anwaltsrecht, Bern 1998, S. 107 ff., 123;. A.M. Schiller, N 607.

[75] Bekanntermassen trifft den klagenden Anwalt im Rahmen des Prozesses die volle Behauptungs- und Substanziierungslast, d.h., er muss seine Leistungen rechtsgenügend substanziieren und die entsprechenden Beweismittel nennen (vgl. Art. 221 ZPO). Vgl. Zur Behauptungs- und Substanziierungslast des Anwalts BGE 4A_212/2008 E. 3.

lich erbrachten Leistungen einzeln und detailliert (d.h. mit Angabe der Art der Tätigkeit, Ort und Datum der Vornahme) und mit den entsprechenden Unterlagen (z.B. eine vom Anwalt verfasste, für den Klienten heikel ausgefallene Studie, um den entsprechenden Aufwand zu substanziieren und zu beweisen) offengelegt oder Personen als Zeugen (z.B. Teilnehmer an einer Sitzung, an Telefongesprächen) aufgerufen werden, mag jedoch bezweifelt werden. In jedem Fall muss die Einwilligung des Klienten jederzeit (mit Wirkung für die Zukunft, aber nicht rückwirkend) widerrufen werden können.[76]

Mit Blick auf diese Überlegungen und die bundesgerichtliche Rechtsprechung ist dem Anwalt, der solche Vollmachten mit einem entsprechenden Vorausverzicht im Gebrauch hat, zu empfehlen, seine Klienten über das Ausmass und die Konsequenzen des Verzichts aufzuklären. 41

2.5 Anwaltliche Vorkehrungen für den eigenen Todesfall

Das Anwaltsgeheimnis gilt «zeitlich unbegrenzt» (vgl. Art. 13 BGFA). Es gilt während der ganzen Lebensdauer des Klienten und über dessen Tod hinaus auch gegenüber dessen Erben[77] und bindet den Anwalt bis zu seinem Tod.[78] Das Anwaltsgeheimnis, bzw. die daraus fliessende Schweige- und Geheimhaltungspflicht, ist nicht vererblich. Die Erben des Anwalts sind somit – soweit sie nicht als seine Hilfspersonen gelten bzw. selbst dem Anwaltsgeheimnis unterliegen – nicht an das Anwaltsgeheimnis gebunden.[79] Stirbt ein Anwalt, müsste folglich der Zugang zum Büro bzw. zu den Klientenakten gegenüber seinen Erben sofort beschränkt werden. 42

Jeder Anwalt muss zu Lebzeiten dafür sorgen, dass im Falle seines Todes (resp. seiner Handlungsunfähigkeit) die Interessen der Klienten sowie das Anwaltsgeheimnis gewahrt bleiben (so auch Art. 4 SSR).[80] Dies kann bspw. durch eine entsprechende Beauftragung bzw. Bevollmächtigung eines Anwaltskollegen erfolgen, im Todesfall alles hierfür Erforderliche vorzukehren (z.B. sich Klarheit verschaffen über die pendenten Mandatsverhältnisse; Orientierung der Klienten, Gegenparteien, Gerichte und Behörden über den Tod des Vollmachtgebers; Sicherstellen laufender Fristen; Klienten veranlassen, das Mandatsverhältnis so rasch wie möglich neu zu regeln etc.). Vorzugsweise ist eine solche (gegebenenfalls gegenseitige) Beauftragung bzw. Bevollmächtigung schriftlich zu 43

---

76 Fellmann, N 507; BK-Fellmann, Art. 398 N 84; Schiller N 614.; Flachsmann, Art. 321 N 16.

77 BGE 135 III 597 E. 3.4.

78 Art. 321 Ziff. 1 III StGB; ZR 86 (1987) Nr. 22 E. 2; BSK StGB-Oberholzer Art. 321 N 14; Trechsel/Vest, Art. 321 StGB N 19; Nater, Hans / Zindel, Gaudenz G.: In: Fellmann/Zindel, Art. 13 BGFA N 211.

79 Corboz, SJ 1993, S. 77 ff., S. 90 Fn. 56; Donatsch/Wohlers, S. 480; Trechsel/Vest, Art. 321 StGB N 19; Stratenwerth/Wohlers, Art. 321 N 2; Nater, Hans / Zindel, Gaudenz G.: In: Fellmann/Zindel, Art. 13 BGFA N 211; ZR 86 (1987) Nr. 22 E. 2.

80 Nater, Hans / Zindel, Gaudenz G.: In: Fellmann/Zindel, Art. 13 BGFA N 211; Schiller, N 503, N 1234.

erteilen;[81] im Rahmen von Kanzleigemeinschaften bietet sich dazu auch der Partnerschaftsvertrag an.[82]

44 Soweit der beauftragte Anwalt nicht derselben Kanzlei angehört, müssten die Kanzleimitarbeiter als ehemalige Hilfspersonen des verstorbenen Anwalts wohl eine Entbindung vom Anwaltsgeheimnis verlangen.[83] Praktizierte der verstorbene Anwalt in einem Einzelbüro, so stehen naturgemäss keine ehemaligen Hilfspersonen zur Verfügung. Es bleibt nichts anderes übrig, als dass unbefugte Dritte die Klienten anfragen, was mit deren Unterlagen geschehen soll. Dafür müssen sie gezwungenermassen in dem Umfang Einsicht in die Akten nehmen, als dies zur Einholung von Weisungen seitens der Klienten bzw. zum Erhalt einer allfälligen Einwilligung für die Herausgabe der Akten an den Nachfolger erforderlich ist.[84]

45 Denkbar – aber nicht praxisnah (Stichwort: Fristen!) – wäre es, die Klientenakten beim Tod des Geheimnisträgers zu siegeln und z.B. bei der kantonalen Aufsichtsbehörde zu hinterlegen.[85] Aber auch damit wird nicht verhindert, dass ein «unbefugter Dritter» Einsicht in die Akten nehmen muss, und sei es nur, um die Klienten über den Tod des verstorbenen Anwalts zu unterrichten.

46 Es ist deshalb zu empfehlen, eine entsprechende Beauftragung bzw. Bevollmächtigung eines Anwaltskollegen rechtzeitig in die Wege zu leiten.

3. Für den eiligen Leser: Merkpunkte

47 Die nachfolgende Liste zählt beispielhaft mögliche Vorkehrungen auf, die im Rahmen einer Kanzlei getroffen werden sollten, um das Anwaltsgeheimnis effektiv zu wahren. Sie erhebt keinerlei Anspruch auf Vollständigkeit. In den obigen Ausführungen wird auf ausgewählte Punkte vertiefter eingegangen.

---

81 Im Memberbereich des ZAV ist ein Muster eines entsprechenden Auftrags und Vollmacht im Todesfall- und bei Handlungsunfähigkeit abrufbar (www.zav.ch).

82 Schiller, N 1286.

83 Die Aufsichtskommission über die Rechtsanwälte im Kanton Zürich hat angezeigt, dass sie in derartigen Fällen Kanzleimitarbeiter des verstorbenen Anwalts auf entsprechenden Antrag hin ohne Kostenfolgen entbinden würde, damit diese die Akten herausgeben könnten (Info 2/10 des Zürcher Anwaltsverbands, Juli 2010, S. 7).

84 Vgl. für den Fall einer Arztpraxisübernahme BGE 119 II 222, insb. E. 2b/bb/cc/dd.

85 Vgl. BGE 119 II 222, E. 2b/dd zu diesen Überlegungen bei der Übernahme einer Arztpraxis; Trechsel/Vest, Art. 321 N 19.

3.1 Vorkehrungen im Rahmen der allgemeinen Kanzleiorganisation

- Sicherstellen, dass sämtliche Hilfspersonen (Sekretariat, Mitarbeiter einer ausgelagerten Telefonzentrale, Praktikanten, Reinigungspersonal, Handwerker, Informatiker etc.) eine Geheimhaltungsvereinbarung unterzeichnen (vgl. z.B. Muster des Zürcher Anwaltsverbands, abrufbar unter www.zav.ch im Memberbereich)
- Sicherer Zugang zu Büroräumlichkeiten, Akten und (gegebenenfalls ausgelagerten) Archiven
- Sichere IT-Umgebung (Passwortschutz, Firewall, sicherer Zugriff auf System der Kanzlei von Aussen über Internet bzw. mobile Endgeräte etc., E-Mail-Verkehr)
- Sichere Aktenvernichtung (Akten, Kopien etc.)
- Sichere elektronische Datenentsorgung (sichere Entsorgung von alten PCs, Datenträgern, Mobiltelefonen etc.)
- Vorkehrungen für den eigenen Todesfall, damit Anwaltsgeheimnis und Klienteninteressen gewahrt bleiben (z.B. durch Bevollmächtigung bzw. Beauftragung eines Anwaltskollegen; unter www.zav.ch im Memberbereich des Zürcher Anwaltsverbands ist ein entsprechendes Muster «Todesfall- und Handlungsunfähigkeit» abrufbar (vgl. dazu Rz. 42 ff.).

3.2 Spezielle Vorkehrungen im Rahmen eines Mandates resp. bei Mandatsübernahme

- Ggf. Hinweis, dass die Anwaltskanzlei eine durchlässige Einheit darstellt bzw. gegebenenfalls Einwilligung durch den Klienten für die Abklärung von Interessenkonflikten innerhalb eines Verbunds, dem die Anwaltskanzlei angehört (siehe im Einzelnen Rz. 12 ff.).
- Einwilligung des Klienten für E-Mail-Verkehr
- Ggf. Entbindung vom Anwaltsgeheimnis im Zusammenhang mit dem Honorarinkasso (vgl. zur Frage der Zulässigkeit einer Entbindung im Voraus Rz. 37 ff.)
- Getrennte Aufbewahrung der (elektronischen und physischen) Akten für die allgemeine berufsspezifisch anwaltliche Beratung und diejenigen im Zusammenhang mit der übrigen nicht berufsspezifischen Beratung (z.B. Verwaltungsratsmandate); siehe Rz. 29 ff.

3.3 Weiteres

- Akten, Laptop etc. nie an einem unbeaufsichtigten Ort liegen lassen.[85]
- Telefongespräche in der Öffentlichkeit (z.B. Zug) vermeiden.

[86] Vgl. BGE 2C_247/2010, E. 7.4: «Bereits der Umstand, ein vertrauliches Dossier in einem öffentlich zugänglichen Restaurant zu deponieren, verstösst gegen die Sorgfaltspflichten des Anwalts, um so mehr, als er die Unterlagen einem ihm namentlich nicht bekannten Kellner aushändigte und den Inhaber des Restaurants nicht über die Hinterlegung unterrichtete.»

H. Geldwäscherei als Managementthema in der Anwaltskanzlei

FILIPPO TH. BECK/PHILIPPE NORDMANN*

1. Einleitung

Bei Einführung des Geldwäschereigesetzes (GwG)[1] hatten Anwaltskanzleien, bei welchen Finanzintermediäre beschäftigt waren, grundsätzlich zwei Möglichkeiten, sich zu organisieren. Entweder unterstellte sich die gesamte Kanzlei der Geldwäschereiaufsicht oder aber nur die einzelnen Partner, die als Finanzintermediäre tatsächlich individuell tätig waren. Die Partnerschaft von WENGER PLATTNER wählte einen Mittelweg. Da nur eine Minderheit der Partner als Finanzintermediäre tätig war, kam die Unterstellung der gesamten Kanzlei nicht infrage[2]. Daneben entsprach es nicht dem Verständnis von WENGER PLATTNER als vollintegrierte Partnerschaft, die GwG-Compliance jedem Finanzintermediär alleine zu überlassen. Gemäss Beschluss der Partnerschaft unterstellten sich die Finanzintermediäre von WENGER PLATTNER zwar einzeln der Geldwäschereiaufsicht, gleichzeitig wurde aber intern eine zentrale Compliance-Struktur mit den erforderlichen Ressourcen geschaffen, der sich alle Finanzintermediäre zwingend unterziehen müssen. Damit sollte ein hohes Qualitätsniveau bei der Umsetzung der Geldwäschereivorschriften gewährleistet werden. Gleichzeitig sollte das Reputationsrisiko für die Kanzlei minimiert werden. 1

2. Gesetzliche Grundlagen

Geldwäscherei-Phänomene werden in der Schweiz primär mittels der Strafnormen von Art. 305bis (Geldwäscherei) und Art. 305ter (mangelnde Sorgfalt bei Finanzgeschäften und Melderecht) des Strafgesetzbuches (StGB)[3] bekämpft. Ergänzt wird das Abwehrkonzept durch das GwG. Dieses auferlegt den im Finanzsektor tätigen natürlichen und juristischen Personen (sogenannte Finanzintermediäre) Sorgfaltspflichten sowie organisatorische Massnahmen zur Verhinderung der Geldwäscherei und dient somit der Sicherstellung der nach den konkreten Umständen gebotenen Sorgfalt i.S.v. Art. 305ter StGB. 2

* Die Autoren danken Herrn Dr. Benedikt Seiler für die wertvolle Unterstützung beim Verfassen dieses Artikels.

1 Bundesgesetz vom 10. Oktober 1997 über die Bekämpfung der Geldwäscherei und der Terrorismusfinanzierung im Finanzsektor, SR 955.0.

2 Stand August 2011: Von 24 Partnern von WENGER PLATTNER sind sieben als Finanzintermediäre tätig. Zusätzlich beschäftigt die Kanzlei rund 60 weitere Anwälte, Notare und Steuerberater.

3 Schweizerisches Strafgesetzbuch vom 21. Dezember 1937, SR 311.0

Zudem werden die Finanzintermediäre verpflichtet, den Strafverfolgungsbehörden Meldung zu erstatten und verdächtige Vermögenswerte zu sperren, sobald ein begründeter Verdacht auf Geldwäscherei vorliegt[4]. Dem GwG liegt weitgehend das Prinzip der Selbstregulierung zugrunde. Die Umsetzung des Gesetzes erfolgt daher primär nicht durch staatliche Stellen – so waren im Jahre 2010 über 90% aller im Nichtbankensektor tätigen Finanzintermediäre einer Selbstregulierungsorganisation (SRO) angeschlossen[5], welche ihrerseits der staatlichen Aufsicht durch die Eidgenössische Finanzmarktaufsicht (FINMA) unterliegt[6].

3 Die dem GwG unterstellten Finanzintermediäre werden in Art. 2 GwG definiert. Anwälte oder Notare unterstehen nach Abs. 3 dieser Bestimmung dem GwG, soweit sie eine unterstellungspflichtige Tätigkeit ausüben, d.h. «berufsmässig fremde Vermögenswerte annehmen oder aufbewahren oder helfen, sie anzulegen oder zu übertragen». Nach Art. 9 Abs. 2 GwG sind Anwälte und Notare bei Geldwäschereiverdacht jedoch nicht der Meldepflicht unterworfen, soweit ihre Tätigkeit dem Berufsgeheimnis nach Art. 321 StGB untersteht. Daraus hat die Praxis geschlossen, dass lediglich die sogenannten akzessorischen, nicht aber die berufsspezifischen Tätigkeiten vom Anwendungsbereich des GwG erfasst sind[7]. Von einer akzessorischen Tätigkeit ist auszugehen, wenn das kaufmännische Element die anwaltliche Tätigkeit überwiegt[8]. Zu den dem GwG unterstellten Tätigkeiten gehören insbesondere Aktivitäten, welche normalerweise von Vermögensverwaltern, Treuhändern oder Banken vorgenommen werden. Dies gilt unter anderem für reine Depotgeschäfte bzw. Inkassomandate oder die Tätigkeit als Verwaltungsrat einer (Sitz-)Gesellschaft[9]. Die Abgrenzung unterstellungspflichtiger von nicht unterstellungspflichtigen Tätigkeiten im Nichtbankensektor kann im Einzelfall trotz der Konkretisierung mittels beispielhafter Aufzählung im Gesetz (Art. 2 Abs. 3 Bst. a–g GwG) schwierig sein[10].

4 Als Finanzintermediäre tätige Anwälte und Notare sind verpflichtet, sich einer SRO anzuschliessen (Art. 14 Abs. 3 GwG). Dazu besteht eine spezielle SRO des Schweizerischen Anwaltsverbandes und des Schweizerischen Notarenverbandes, die SRO SAV/SNV[11].

---

[4] Art. 9 f. GwG. Vgl. Botschaft zum Bundesgesetz zur Bekämpfung der Geldwäscherei im Finanzsektor vom 17. Juni 1996, BBl 1996 III 1101 ff., S. 1104.

[5] FINMA-Jahresbericht 2010, S. 112 f.

[6] Vgl. Art. 24 ff. GwG.

[7] Bericht der Kontrollstelle über die Bilanzierung der Selbstregulierung vom 31. März 2005, S. 1; FINMA-Rundschreiben 2011/1, Finanzintermediation nach GwG, Rz. 114.

[8] BGE 115 Ia 197, 199 (E. 3.b); BGer. 1P.32/2005 (E. 2.1).

[9] BGE 120 Ib 112, 119 (E. 4); 117 Ia 341, 349 f. (E. 6a/bb); 115 Ia 197, 199 f. (E. 3d/aa); 114 III 105, 107 (E. 3a).

[10] Eingehend hierzu insbes. Mario Giannini, Anwaltliche Tätigkeit und Geldwäscherei, Zürich 2005, S. 234 ff.; Bericht der Kontrollstelle für die Bekämpfung der Gelwäscherei zu Art. 2 Abs. 3 GwG vom 29. Oktober 2008, Rz. 8 ff.; FINMA-Rundschreiben 2011/1, Finanzintermediation nach GwG, Rz. 114 ff.

[11] Es handelt sich um einen Verein i.S.v. Art. 60 ff. ZGB mit Sitz in Bern. Der Vereinszweck besteht darin, eine gesamtschweizerische für Rechtsanwälte und Notare offen stehende Selbstregulierungsorganisation

Sämtliche SRO haben ein Reglement zu erlassen, welches insbesondere die Sorgfaltspflichten i.S.v. Art. 3 ff. GwG der ihr angeschlossenen Finanzintermediäre konkretisiert und die Kontrolle der Einhaltung dieser Pflichten festlegt[12]. Die SRO SAV/SNV ist dieser Verpflichtung nachgekommen. Im derzeit gültigen Reglement vom 15. Juni 2010[13] (SRO-Reglement) werden die im GwG normierten Sorgfaltspflichten entsprechend der Systematik des GwG konkretisiert.

Am 1. Januar 2011 ist die Verordnung vom 8. Dezember 2010 der Eidgenössischen Finanzmarktaufsicht über die Verhinderung von Geldwäscherei und Terrorismusfinanzierung (Geldwäschereiverordnung-FINMA, GwV-FINMA)[14] in Kraft getreten, welche die drei bisherigen Geldwäschereiverordnungen zusammenführt. Sie richtet sich an alle Finanzintermediäre, die dem GwG unterstellt sind und legt fest, wie diese die Bestimmungen zur Verhinderung von Geldwäscherei und Terrorismusfinanzierung umsetzen müssen (Art. 1 GwV-FINMA)[15]. Die Verordnung gilt explizit als Richtschnur für die Genehmigung der Reglemente der SRO (Art. 1 Abs. 2 GwV-FINMA), konkretisiert allerdings lediglich die Sorgfaltspflichten für jene Finanzintermediäre, welche keiner anerkannten SRO angeschlossen und daher gemäss Art. 14 GwG der FINMA direkt unterstellt sind (sogenannte DUFI)[16]. Sorgfaltspflichten der Finanzintermediäre, die Mitglied einer SRO sind, kann die FINMA nicht direkt in der GwV-FINMA regulieren[17]. 5

Anwaltskanzleien, bei denen Finanzintermediäre tätig sind, haben somit primär die Regeln des GwG sowie des SRO-Reglements zu beachten. 6

3. Umsetzung der gesetzlichen Grundlagen in der Kanzlei WENGER PLATTNER

3.1 Grundsätze

Die Organisation der Kanzlei WENGER PLATTNER zeichnet sich dadurch aus, dass die anfallenden Managementaufgaben an den Partnerausschuss delegiert und auf verschiedene ständige Kommissionen verteilt sind. Mitglieder der Kommissionen sind primär 7

---

im Sinne des GwG zu bilden. Der Verein nimmt gegenüber den ihm angeschlossenen Finanzintermediären die gesetzlichen Pflichten im Bereich der Geldwäschereiabwehr wahr und kann in deren Interesse Rechtsmittel gegen Verfügungen, welche diese betreffen, ergreifen; vgl. http://www.sro-sav-snv.ch, zuletzt besucht am 16. November 2011.

12 Art. 25 GwG, andernfalls fehlt es an einer Anerkennungsvoraussetzung, vgl. Art. 24 Abs. 1 Bst. a GwG.

13 Dieses Reglement wurde mit Verfügung vom 8. Juni 2010 durch die FINMA genehmigt.

14 SR 955.033.0.

15 Medienmitteilung der Eidgenössischen Finanzmarktaufsicht vom 16. Dezember 2010. Für die Umsetzung der neuen Bestimmungen sind Übergangsfristen vorgesehen, vgl. Art. 66 GwV-FINMA.

16 Art. 18 Abs. 1 Bst. e GwG; Art. 3 Abs. 1 Bst. b GwV-FINMA.

17 Bericht der FINMA vom 8. Dezember 2010 zur Anhörung vom 10. Juni 2010 zum Entwurf der neuen GwV-FINMA, S. 12.

Partner, vereinzelt auch Senior Associates der Kanzlei. Die Kontrolle der Betreuung von GwG-relevanten Mandaten fällt in den Aufgabenkreis der Qualitätskommission. GwG-Angelegenheiten betreffen namentlich den Fachbereich *private clients*.

8 Jeder Partner und Konsulent von WENGER PLATTNER, der dem GwG unterstellt ist, ist als Einzelmitglied der SRO SAV/SNV angeschlossen[18]. Damit ist jeder Finanzintermediär selbst dafür verantwortlich, dass bei der Betreuung seiner Mandate die Bestimmungen des GwG sowie des SRO-Reglements eingehalten werden. Die Partnerschaft hat aber bei Einführung des GwG beschlossen, eine einheitliche GwG-Organisation für sämtliche Finanzintermediäre aufzubauen. Unterstützung erhalten die Finanzintermediäre deshalb vom Compliance Officer und dessen Stellvertreter, die beide Partner der Kanzlei sind, sowie der Compliance-Assistentin. Die Personalkommission ist schliesslich dafür verantwortlich, dass neu eingestellte Mitarbeiter über das GwG und die GwG-Organisation von WENGER PLATTNER orientiert werden.

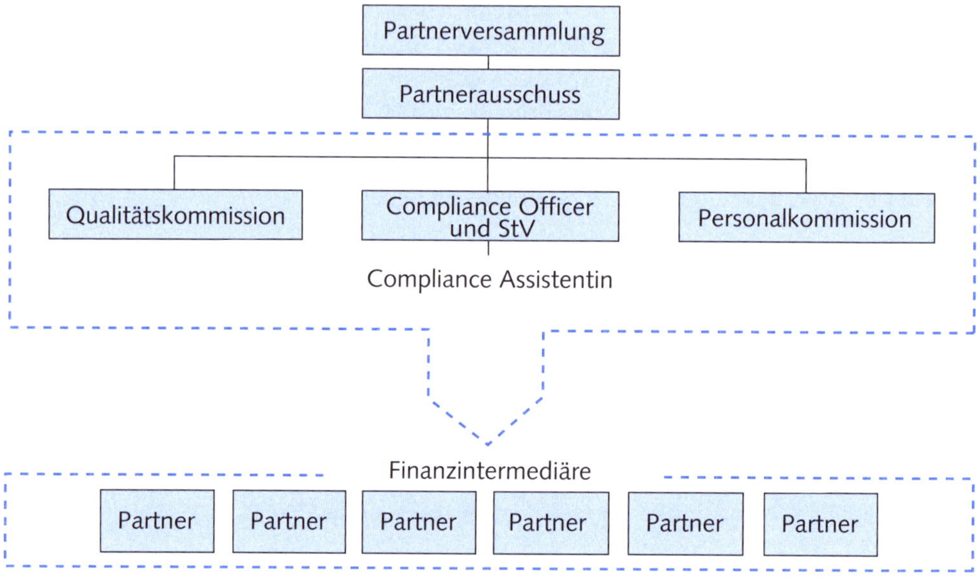

Abb. 1

9 Der Compliance Officer hat zur Betreuung von GwG-relevanten Mandaten eine Wegleitung erstellt, in der die allgemeinen Grundsätze festgehalten sind, welche für die Finanzintermediäre von WENGER PLATTNER gelten. Dieser Wegleitung sind verschiedene For-

[18] Hinsichtlich des Anschlusses an die SRO bestehen generell drei Möglichkeiten: Die Kanzlei schliesst sich als Büro entweder ganz oder teilweise der SRO an oder die Finanzintermediäre einer Kanzlei werden als Einzelmitglieder in die SRO aufgenommen.

mulare beigefügt, die jeder Finanzintermediär zwingend zu verwenden hat. Wegleitung und Formulare wurden von der Partnerversammlung verabschiedet.

Der Compliance Officer und sein Stellvertreter sind in GwG-Angelegenheiten die fachlichen Berater für Partner und Mitarbeiter. Sie sind bei Vorliegen besonderer Abklärungspflichten und bei Vorliegen einer Meldepflicht zwingend beizuziehen. Zum Aufgabenbereich des Compliance Officer gehört zudem die Führung eines Zentralregisters anhand der Angaben, die er von den Finanzintermediären erhält. Weiter koordiniert er die Mitteilungen bzw. Meldungen der Finanzintermediäre an die SRO SAV/SNV. Es steht ihm eine Compliance-Assistentin zur Seite. 10

Die Qualitätskommission hat im Bereich des GwG eine Kontrollfunktion inne und überprüft namentlich in regelmässigen Abständen stichprobenweise das Anlegen, Aufbewahren und Archivieren der GwG-Dossiers. 11

3.2 Mandatseröffnung

3.2.1 Vorfeld der Mandatseröffnung

Im Vorfeld der Mandatseröffnung werden die Klienten anhand der Datensammlung World Check[19] überprüft. Der Zugang zu dieser Datensammlung erfolgt über die Compliance-Assistentin. Stellt sich dabei heraus, dass der Klient in ein Strafverfahren verwickelt oder auf einer Liste über Personen, die der Terroristenfinanzierung verdächtigt werden, aufgeführt ist, so wird der Compliance Officer sofort kontaktiert. Grundsätzlich wird das Mandat in solchen Fällen nicht angenommen. 12

Zur Feststellung von Vertragsbeziehungen mit erhöhtem Risiko i.S.v. Art. 42 SRO-Reglement steht den Finanzintermediären eine Checkliste zur Verfügung, welche eine Aufzählung von Staaten enthält, die aus Sicht von WENGER PLATTNER mit erhöhtem Risiko behaftet sind, sofern relevante Berührungspunkte[20] zu ihnen bestehen. Ebenso werden darin mögliche Geschäftstätigkeiten und Verhaltensmuster von Klienten aufgeführt, welche auf ein erhöhtes Risiko schliessen lassen. Die Checkliste wurde auf Grundlage des Know-hows von WENGER PLATTNER erstellt und wird vom Compliance Officer bzw. der Qualitätskommission regelmässig aktualisiert. 13

Bei Vertragsbeziehungen mit erhöhtem Risiko (Art. 42 SRO-Reglement)[21] und bei ungewöhnlichen Transaktionen (Art. 43 SRO-Reglement)[22] besteht eine besondere Abklä- 14

---

19 World Check ist eine seit über zehn Jahren bestehende Datenbank, welche dem globalen Kampf gegen Betrug und Korruption verpflichtet ist und als Vorreiter unter den Anbietern von *Open Source Research* und *Intelligence* gilt; vgl. http://www.world-check.com, zuletzt besucht am 16. November 2011.

20 Als relevante Berührungspunkte kommen insbesondere infrage: Staatsangehörigkeit, Sitz bzw. Wohnsitz oder Ort der Geschäftstätigkeit der Vertragspartei und/oder des wirtschaftlich Berechtigten.

21 Vgl. auch Art. 12 GwV-FINMA.

22 Vgl. auch Art. 13 GwV-FINMA.

rungspflicht (Art. 6 GwG bzw. Art. 41 ff. SRO-Reglement)[23]. In diesen Fällen zieht der Finanzintermediär den Compliance Officer zwingend bei. Gleich verhält es sich bei Vorliegen einer Meldepflicht (Art. 9 GwG bzw. Art. 61 f. SRO-Reglement).

15 Die Mechanismen betreffend Abklärungs- und Meldepflichten sind sowohl im Vorfeld einer Mandatseröffnung als auch bei einer bestehenden Mandatsbeziehung zu beachten.

3.2.2 Anlegen der GwG-Dossiers

16 Sämtliche GwG-Mandate werden auf schriftliche Mitteilung des Finanzintermediärs vom Compliance Officer in ein Zentralregister eingetragen, welches elektronisch erfasst und dessen Zugang auf die Partner beschränkt ist. Anschliessend teilt die Compliance-Assistentin dem Finanzintermediär die vom System generierte Mandatsnummer mit, um das Dossier mit der entsprechenden Mandatsnummer zu bezeichnen. Geschäftsbeziehungen mit erhöhtem Risiko werden auf den GwG-Dossiers und im Zentralregister speziell bezeichnet. Physisch werden die GwG-Dossiers getrennt von den übrigen Klientendossiers aufbewahrt. An jedem Bürositz[24] werden unter der Leitung des jeweils zuständigen Mitgliedes der Qualitätskommission die entsprechenden organisatorischen Massnahmen getroffen.

17 Jedes GwG-Dossier enthält neben dem Ausdruck aus World Check zwingend folgende Formulare: Identifizierungsformular, Formular «Erste Sachverhaltsdarstellung», Formular «weitere Entwicklung der Geschäftsbeziehung» sowie, soweit erforderlich, das Formular «Feststellung des wirtschaftlich Berechtigten».

3.2.3 Identifizierungspflicht

18 Gemäss Art. 3 GwG und Art. 22 ff. SRO-Reglement (ebenso Art. 39 ff. GwV-FINMA) hat jeder Finanzintermediär bei der Aufnahme von Geschäftsbeziehungen die Vertragspartei zu identifizieren. Zu diesem Zweck wird das Identifizierungsformular ausgefüllt, auf welchem Angaben zur Vertragspartei und allfälligen zeichnungsberechtigten bzw. bevollmächtigten Personen derselben festgehalten werden[25]. Dem Formular wird eine Kopie eines gültigen Passes oder einer gültigen Identitätskarte beigelegt. Bei Aufnahme der Geschäftsbeziehung auf dem Korrespondenzweg werden notariell beglaubigte Kopien der Ausweispapiere und die notariell beglaubigte Unterschrift einverlangt. Bei Personen ohne Wohnsitz in der Schweiz ist zusätzlich eine Überbeglaubigung durch Apostille oder durch eine schweizerische diplomatische Vertretung im Ausland notwendig.

23 Vgl. auch Art. 14 ff. GwV-FINMA.

24 Die Kanzlei WENGER PLATTNER hat Sitze in Basel, Zürich und Bern sowie eine Repräsentanz in Genf.

25 Erforderliche Angaben sind: Name und Vorname oder Firma; Wohnsitzadresse oder Sitz der Gesellschaft; Geburtsdatum oder Gründungsdatum der Gesellschaft; Nationalität (Art. 24 Abs. 1 SRO-Reglement; vgl. auch Art. 39 Abs. 1 GwV-FINMA).

Handelt es sich bei der Vertragspartei um eine juristische Person, wird die Identifikation mit einem Handelsregisterauszug, welcher den aktuellen wirtschaftlichen Gegebenheiten entspricht und nicht älter als 12 Monate ist, dokumentiert. Nicht im Handelsregister eingetragene juristische Personen werden anhand von Statuten, notariell beglaubigten Gründungsurkunden, Gründungsverträgen, Testaten von Revisionsstellen oder gewerbepolizeilichen Bewilligungen identifiziert[26]. Bei juristischen Personen mit Sitz im Ausland erfolgt die Identifikation aufgrund eines aktuellen Handelsregisterauszuges oder eines gleichwertigen Ausweises (z.B. *certificate of incorporation*). Es werden stets Originaldokumente oder beglaubigte Kopien mit Apostille einverlangt[27]. In jedem Fall wird der Klient darauf hingewiesen, dass die Angaben von den Kontrollorganen der SRO jederzeit eingesehen werden können.

Bei Aufnahme neuer Geschäftsbeziehungen dokumentiert der Finanzintermediär die Ausgangslage (insbesondere finanzielle Verhältnisse, geschäftliche Aktivitäten, Bankverbindungen des Klienten, Währung, Herkunft der Vermögenswerte sowie Zweck und Datum des Geschäfts) auf dem Formular «Erste Sachverhaltsdarstellung». Dies erleichtert ihm während laufender Geschäftsbeziehung die Prüfung der Plausibilität des Geschäfts und dessen Fortsetzung und ermöglicht ihm festzustellen, ob Transaktionen ungewöhnlich erscheinen und Anhaltspunkte gemäss Art. 6 Bst. b GwG vorliegen, welche eine besondere Abklärungspflicht erfordern. 19

3.2.4 Feststellung der wirtschaftlich berechtigten Person

Nach Art. 4 GwG sowie Art. 31 Abs. 1 SRO-Reglement (ebenso Art. 49 GwV-FINMA) ist der Finanzintermediär verpflichtet, von der Vertragspartei eine schriftliche Erklärung über den wirtschaftlich Berechtigten einzuholen[28], sofern die Vertragspartei nicht selber wirtschaftlich berechtigt ist oder wenn Zweifel an der Identität des wirtschaftlich Berechtigten bestehen[29]. Ist die Vertragspartei eine Sitzgesellschaft, so wird die wirtschaftlich berechtigte Person in jedem Fall festgestellt[30]. Gleiches gilt bei Kassageschäften im Wert von mehr als CHF 25 000, bei Wechselgeschäften von mehr als CHF 5000 oder bei Geld- und Wertübertragungen i.S.v. Art. 2 Bst. b SRO-Reglement[31]. In diesen Fällen wird das Formular «Festellung des wirtschaftlich Berechtigten» von der Vertragspartei ausgefüllt, unterzeichnet und dem Identifizierungsformular beigelegt. Die Vertragspartei verpflichtet sich dabei, Änderungen betreffend den wirtschaftlich Berech- 20

[26] Art. 27 Abs. 2 und 3 SRO-Reglement; vgl. auch Art. 41 Abs. 2 und 3 GwV-FINMA.
[27] Art. 25 Abs. 3 SRO-Reglement; vgl. auch Art. 42 GwV-FINMA.
[28] Zu den erforderlichen Angaben vgl. Art. 34 SRO-Reglement, welcher Art. 52 Abs. 1 GwV-FINMA entspricht.
[29] Vgl. Art. 31 Abs. 2 SRO-Reglement, wo der Tatbestand «Zweifel an der Identität der Vertragspartei» durch eine Aufzählung der wichtigsten Fälle konkretisiert wird; vgl. auch die entsprechende Aufzählung in Art. 49 Abs. 1 GwV-FINMA.
[30] Art. 4 Abs. 1 Bst. b GwG; Art. 32 SRO-Reglement; Art. 50 Abs. 1 GwV-FINMA.
[31] Art. 33 SRO-Reglement; vgl. auch Art. 51 Abs. 1 GwV-FINMA.

tigten von sich aus umgehend mitzuteilen. Kommen relevante Zweifel auf, hat gemäss Art. 5 GwG und Art. 39 f. SRO-Reglement (sowie Art. 57 GwV-FINMA) eine erneute Identifizierung zu erfolgen. Bleiben ernsthafte Zweifel an der Richtigkeit der Erklärung der Vertragspartei bestehen und können diese nicht durch weitere Abklärungen beseitigt werden, so wird die Aufnahme der Geschäftsbeziehung oder die Ausführung des Geschäfts abgelehnt bzw. abgebrochen[32].

3.3 Weitere Betreuung der Mandate

3.3.1 Weitere Dokumentationspflichten gemäss GwG und SRO-Reglement

21 Wesentliche Veränderungen zur Ausgangslage der Geschäftsbeziehung und die weitere Entwicklung der Geschäftsbeziehung werden auf dem entsprechenden Formular festgehalten. Dies betrifft insbesondere:

- Änderung der Angaben bezüglich Klient;
- Wiederholung der Identifikation, wenn Zweifel über die Identität des Klienten oder über die wirtschaftlich berechtigte Person entstehen (Art. 5 GwG);
- Erfassen von Art und Datum über Veränderung der Geschäftstätigkeit;
- Abklärungen über wirtschaftliche Hintergründe und Zweck von ungewöhnlichen Geschäften, insbesondere bei Bargeschäften, Geschäften mit Inhaberpapieren oder Edelmetallen, welche CHF 100 000 überschreiten[33], oder wenn Gelder auf dem Korrespondenzweg fliessen, es sei denn, die Überweisung erfolge über eine Korrespondenzbank, die einer gleichzeitigen Aufsicht und einer angemessenen Regelung zur Bekämpfung der Geldwäscherei unterstellt ist;
- besondere Abklärungen bei ungewöhnlichen Transaktionen und Anhaltspunkten für kriminelle Machenschaften (Art. 6 Bst. b GwG) und zusätzliche Identifikation;
- Ergebnis von periodischen internen oder externen Kontrollen.

22 Auf diesem Formular werden zudem alle ungewöhnlichen Transaktionen (Überschreiten des Grenzwertes), Bartransaktionen von mehr als CHF 15 000 und Transaktionen über Klientengelderabwicklungskonti in GwG-Mandaten, die den Betrag von CHF 100 000 übersteigen, vorgemerkt.

23 Jeder Finanzintermediär stellt sicher, dass die GwG-Mandate mindestens einmal jährlich anhand dieses Formulars überprüft werden, selbst wenn keine Veränderungen oder

[32] Art. 38 und Art. 40 Abs. 1 SRO-Reglement; vgl. auch Art. 56 Abs. 2 und Art. 58 GwV-FINMA.
[33] Vgl. Art. 43 Abs. 2 Bst. a SRO-Reglement sowie Art. 13 Abs. 3 GwV-FINMA.

besonderen Vorkommnisse stattgefunden haben. Änderungen gegenüber den anderen Formularen werden auf diesem Formular nachgetragen.

Gemäss Art. 16 SRO-Reglement erstattet jeder Finanzintermediär der SRO SAV/SNV jedes Jahr bis spätestens am 15. Februar unter Verwendung des von der SRO vorgegebenen Formulars Bericht über das vorangehende Kalenderjahr. Änderungen im SRO-Anmeldeformular (Adressen, Telefonnummern, juristische Mitarbeiter, Sachbearbeiterinnen etc.) werden dem Compliance Officer gemeldet, der für die Weiterleitung an die SRO SAV/SNV besorgt ist. 24

Ein Finanzintermediär der Kanzlei WENGER PLATTNER war mit folgender GwG-relevanten Problematik konfrontiert: Jahre nach der Eröffnung eines Mandates wurde in einem Drittland gegen den Klienten ein Strafverfahren eingeleitet. Die ausländische Staatsanwaltschaft ersuchte mittels Rechtshilfegesuch, die Blockierung der Klientengelder in der Schweiz zu erwirken, auf welche der Finanzintermediär Zugriff hatte. Die Herkunft dieser Gelder war jedoch derart gut dokumentiert und die entsprechenden Informationen im Dossier abgelegt, dass – entgegen den Ausführungen der ausländischen Staatsanwaltschaft – ausgeschlossen werden konnte, dass es sich um Vermögenswerte krimineller Herkunft handelte. Im Rahmen der Anfechtung der Schlussverfügung im Rechtshilfeverfahren nahm die ausländische Staatsanwaltschaft nochmals Stellung zu ihrem Rechtshilfegesuch, wobei sie einräumen musste, dass sie keinerlei Hinweise besitze, wonach die fraglichen Gelder in einem Zusammenhang mit den von ihr geführten Strafuntersuchungen standen. Gleichwohl hielt sie an ihrem Begehren fest, da nach dem anwendbaren ausländischen Recht der ausländische Staat bei einer allfälligen Verurteilung auf diese Gelder zur Deckung der Verfahrenskosten greifen könne. Aufgrund der Dokumentation der Herkunft der Vermögenswerte und in Anbetracht der ausserordentlich vagen und widersprüchlichen Ausführungen im ausländischen Rechtshilfeersuchen beschloss der Finanzintermediär mit Zustimmung des Compliance Officer, das Mandat weiter zu betreuen.

3.3.2 Interne und externe Kontrollen

Jährlich findet mindestens eine interne stichprobenweise Kontrolle der GwG-Dossiers statt. Zuständig für diese Kontrollen ist die Qualitätskommission, welche die Aufgabe jeweils an eines ihrer Mitglieder am betreffenden Standort delegiert. Der Compliance Officer wird über das Resultat dieser internen Kontrollen sowie über die Kontrollen der SRO SAV/SNV informiert. 25

3.4 Beendigung der Mandate

Jeder Finanzintermediär meldet die Beendigung von GwG-Mandaten dem Compliance Officer und der Compliance-Assistentin. Diese nimmt die erforderlichen Änderun- 26 gen im Zentralregister vor. Bei der Beendigung eines Mandates wird darauf geachtet, dass in den Fällen von Art. 40 SRO-Reglement (Probleme bei der erneuten Identifizierung der Vertragspartei oder Feststellung des wirtschaftlich Berechtigten) der *paper-trail* gewahrt bleibt.

27 Jeder Finanzintermediär stellt sicher, dass die GwG-Dossiers zehn Jahre lang nach Abschluss des jeweiligen Mandates archiviert bleiben[34].

4. Fazit

28 Der von WENGER PLATTNER gewählte pragmatische Weg bei der Implementierung der Geldwäschereibestimmungen hat sich in der Praxis bewährt. Durch den Einzelanschluss der Finanzintermediäre bei der SRO SAV/SNV werden die übrigen Partner der Kanzlei von Aufgaben und Pflichten entlastet, die sie nicht direkt betreffen. Die straffe, zentrale Compliance-Struktur, verbunden mit den zur Verfügung stehenden finanziellen und personellen Ressourcen, dem spezialisierten Know-how und den zwingenden standardisierten Abläufen gewährleisten die dem Verständnis von WENGER PLATTNER entsprechende hohe Qualität bei der Durchsetzung der GwG-Vorgaben. Gleichzeitig stellt die von der Partnerschaft gewählte Organisation sicher, dass die Reputationsrisiken für die Kanzlei auf ein vernünftiges Mass reduziert werden. Wie in den übrigen Geschäftsfeldern von WENGER PLATTNER kann aber auch in diesem Bereich die beste Organisationsform die Eigenverantworung jedes einzelnen Partners nicht ersetzen.

[34] Vgl. Art. 7 Abs. 3 GwG; Art. 51 Abs. 3 SRO-Reglement.

I. Das Legal Opinion Committee im Dienste des Risikomanagements der Kanzlei

Benedikt Maurenbrecher

1. Legal Opinions

1.1 Wesen und Funktion

Im Zuge der Internationalisierung des Geschäftsverkehrs hat es sich auch in der Schweiz 1
und anderen kontinentaleuropäischen Rechtsordnungen eingebürgert, dass sich Parteien einer Transaktion von den beteiligten Anwälten eine Legal Opinion (auf Deutsch: «Anwaltsbestätigung») ausstellen lassen. Im Gegensatz zu anderen Formen der schriftlichen Rechtsberatung wie Memoranden oder klassische Rechtsgutachten stellt eine Legal Opinion keine mit Argumenten untermauerte Beurteilung der Rechtslage dar[1]. Vielmehr werden unter bestimmten Annahmen *(assumptions)* und unter bestimmten rechtlichen Einschränkungen *(qualifications)* das Vorliegen gewisser rechtlicher Voraussetzungen einer Transaktion bestätigt.

Ursprünglich aus dem amerikanischen Rechtskreis stammend, werden Legal Opinions 2
in der heutigen Transaktionspraxis in vielen Bereichen beinahe standardmässig abgegeben. In der Praxis von Homburger sehen wir Legal Opinions namentlich in folgenden Segmenten:

- Nationale und internationale Konsortialkredite mit Beteiligung von Schweizer Kreditnehmern, Garanten und Sicherungsgebern
- Nationale und internationale Aktienplatzierungen und andere eigenkapitalbezogene oder hybride Kapitalmarktinstrumente
- Internationale Anleihensemissionen
- OTC-Derivate, namentlich im Zusammenhang mit dem Abschluss von *ISDA-Master Agreements*
- Sogenannte *asset-based financings*, namentlich Verbriefungen, *covered bonds* sowie Leasing- und *Factoring*-Transaktionen

Schon diese Aufstellung erhellt, dass Legal Opinions vor allem im Rahmen von Finan- 3
zierungs- und Kapitalmarkttransaktionen abgegeben werden und die Adressaten vorab Banken und andere Finanzinstitute sind. Demgegenüber sind Legal Opinions im Verkehr zwischen sonstigen Unternehmen relativ unüblich. Dementsprechend sieht man

[1] Pfenninger/Giger, Die Verantwortlichkeit des Anwalts für Third Party Legal Opinions. SZW 2005 1 ff., 2.

z.B. im Bereich von M&A und anderer Unternehmenstransaktionen kaum Anwaltsbestätigungen.

4 Je nach Transaktionsart und Rechtskreis werden Legal Opinions typischerweise vom eigenen Anwalt, vom Gegenanwalt oder von beiden abgegeben. So werden Anwaltsbestätigungen hierzulande bei Konsortialkrediten in der Regel vom Anwalt der kreditgebenden Banken, bei Leasing-Transaktionen vom Anwalt des Leasing-Nehmers und bei Aktienplatzierungen von beiden verlangt. Soweit ein Anwalt eine Legal Opinion nicht an den eigenen Klienten, sondern an die Gegenpartei adressiert, spricht man von *third party* Legal Opinions.

5 Legal Opinions haben im modernen Rechtsverkehr drei hauptsächliche Funktionen[2]:

- Erstens dienen Legal Opinions der Förderung des Geschäftsverkehrs, indem eine Partei eines Vertrages den Erhalt einer Legal Opinion als *condition precedent* für den Vollzug einer Transaktion verlangt. Der diesbezügliche Prozess hilft, allfällige rechtliche Risiken einer Transaktion zu identifizieren und zu bewältigen. Dies gilt natürlich nur, soweit diese Risiken von der Opinion effektiv abgedeckt sind[3].
- Zweitens erfüllen Legal Opinions eine Sicherungsfunktion als Instrument zur Absicherung der rechtlichen Risiken einer Transaktion. Der Empfänger kann überprüfen, ob die von der Opinion abgedeckten rechtlichen Voraussetzungen einer Transaktion unter den dort aufgeführten Voraussetzungen eingehalten sind. Auch wenn eine Legal Opinion keine Garantie ist, kann der Empfänger den Aussteller unter Umständen bei Fehlschlagen der Transaktion als weiteren Schuldner ins Recht fassen[4].
- Drittens haben Legal Opinions eine Informationsfunktion, indem der Empfänger – namentlich in den *assumptions* und *qualifications* – auf die für die rechtliche Einschätzung des Anwalts wesentlichen Annahmen und auf die relevanten Einschränkungen der rechtlichen Aussagen aufmerksam gemacht wird.

---

2 Vgl. Pfenninger/Giger (2005), 2 f.

3 Ein befreundeter Kollege, welcher im Rechtsdienst einer grossen internationalen Bank arbeitet, hat mir diesbezüglich einmal erzählt, während seiner Zeit in der Rechtsabteilung der Bank in New York hätten es sich er und seine Kollegen zum Sport gemacht, die erhaltenen Entwürfe von Opinions daraufhin zu untersuchen, ob sie überhaupt noch Aussagen enthielten, die nicht über die *assumptions and qualifications* entwertet seien – um den ausstellenden Kanzleien dann entsprechende Hinweise zur «Verbesserung» ihrer Opinions zu machen.

4 Dessen ungeachtet kann man sich in der Praxis zeitweise des Eindrucks nicht erwehren, Empfänger von Legal Opinions betrachteten diese nicht als Instrument zur Erfassung von rechtlichen Risiken einer Transaktion, sondern als eine Art Versicherungspolice. Jedoch: «An incorrect legal opinion does not ‹cure› deficiencies in a transaction, and it is inappropriate and even foolish for a party to a transaction to try to substitute the liability of the opinion-giving lawyer for the obligation of the other party to the agreement» (Gruson/Hutter/Kutschera, Legal opinions in International Transactions, 2003, 20).

1.2 Inhalt

In der Regel sprechen sich Opinions zu Rechtsfragen unter dem lokalen Recht der ausstellenden Kanzlei aus, z.B. über die gehörige Autorisierung und Unterzeichnung von Transaktionsdokumenten, die Gültigkeit bzw. Durchsetzbarkeit von Verträgen oder die gültige Bestellung von Sicherheiten. Zudem beschlagen Opinions häufig die Steuerfolgen einer Transaktion oder die Gültigkeit von Rechtswahl- und Gerichtsstandsklauseln sowie die Durchsetzbarkeit ausländischer Urteile. Eine besondere Kategorie bilden Opinions, in denen die Konkursfestigkeit einzelner Vertragsklauseln oder Transaktionselemente bestätigt wird. Nur ausnahmsweise beschlagen Anwaltsbestätigungen tatsächliche Fragen. Wichtigster Anwendungsfall sind die den US-amerikanischen *10b-5 letters* nachempfundenen *disclosure letters*[5]. In diesen wird bestätigt, dass dem mit der Prospekterstellung befassten Anwalt keine Umstände bekannt sind, wonach der Prospekt unkorrekte oder irreführende Angaben enthält. 6

Obwohl häufig davon die Rede ist, Legal Opinions seien standardisiert, trifft dies jedenfalls in der kontinentaleuropäischen Transaktionspraxis nur teilweise zu[6]. Standardisiert sind häufig nur die Punkte, welche z.B. Banken im internationalen Kreditgeschäft in der Opinion abgedeckt sehen wollen. Im Übrigen sind aber Formate und Formulierungen zwischen den Jurisdiktionen und Anwaltskanzleien sehr unterschiedlich. Zum einen hängt dies damit zusammen, dass die optimale «Übersetzung» der häufig aus der US-Perspektive formulierten Opinion-Punkte ins nationale Recht notwendigerweise zu recht unterschiedlichen Formulierungen führt[7]. Zum anderen haben nationale und internationale Anwaltskanzleien ihre eigenen Standardformulierungen entwickelt. 7

1.3 Sorgfaltsmassstab

Unabhängig davon, ob sich die Verantwortlichkeit des Ausstellers der Opinion nach Auftragsrecht[8] oder Vertrauenshaftung[9] richtet, bemisst sich die geschuldete Sorgfalt nach Schweizer Recht nach dem Verhalten einer gewissenhaften und sachkundigen Person, die den Standards ihres Berufs gerecht wird[10]. Dabei ist zu beachten, dass Legal Opinions als formelhafte Erklärungen in einem Kreis professioneller Marktteilnehmer ausgetauscht werden, bei denen man davon ausgehen kann, dass sie mit den speziellen 8

5 Vgl. etwa Stefan Waller, Das Underwriting Agreement, Diss. Zürich 2010, 191 ff. m.w.H.

6 Anders verhält es sich teilweise in den USA, wo sich die Opinion-Praxis gerade im Kapitalmarktbereich stark angeglichen hat.

7 Vgl. Gruson/Hutter/Kutschera (2003), 42 ff.

8 So die einhellige Auffassung für die Abgabe von Opinions an den eigenen Klienten; vgl. z.B. Michael Feit, Die Haftung des Anwalts für eine Third Party Legal Opinion, Diss. Zürich 2007, 64.

9 So die herrschende Meinung für *third party* Legal Opinions; vgl. z.B. Susan Emmenegger, Haftungsbeschränkung und Haftungsausschluss im Vertrauenskontext, ZBJV 2005 537 ff, 538; ferner BGE 130 III 345.

10 Feit (2007), 129.

Voraussetzungen, Gepflogenheiten und Formulierungen vertraut sind, unter denen Anwaltsbestätigungen im internationalen Rechtsverkehr ausgetauscht werden. Von daher ist insbesondere bei *third party* Legal Opinions ausgeschlossen, dass der Aussteller dem Empfänger neben der Legal Opinion noch Erklärungen zum besseren Verständnis der dort gemachten Aussagen zukommen lassen muss[11].

1.4 Prozess

9 Der Prozess, der zur Ausstellung einer Legal Opinion führt, kann ganz mannigfaltig sein. Ein Extrempunkt mag die Ausstellung einer Legal Opinion über eine von der Klientin für Verbindlichkeiten ihrer ausländischen Tochtergesellschaften ausgestellten Garantie sein, welche der begünstigten ausländischen Bank nach Massgabe eines von dieser vorformulierten Musters abgegeben wird und bei welcher sich der Kontakt zwischen Aussteller und Empfänger auf ein Minimum beschränkt. Das andere Extrem sind Verbriefungen und ähnliche Transaktionen, bei denen Umfang und Formulierung der Opinion in wochenlangen Diskussionen mit den beteiligten Parteien und Ratingagenturen verhandelt werden[12].

10 Ungeachtet dieser Spannbreite des praktischen Ablaufs kann der Prozess zur Abgabe einer Legal Opinion gedanklich in folgende vier Phasen unterteilt werden:

(1) Festlegung von Typ, Umfang und Aussteller einer abzugebenden Opinion

(2) Redaktion und Entwurf der Opinion durch die ausstellende Kanzlei, gefolgt von der Zustellung an den Empfänger und allfälligen Verhandlungen

(3) Parallel zu Schritt 2 Prüfung der wesentlichen zu begutachtenden Transaktionsdokumente mit Blick auf die in der Opinion abzugebenden Bestätigungen

(4) Überprüfung der Formalien der Transaktionsdokumente (Beschlüsse, Unterschriften etc.) und Unterzeichnung der Opinion

[11] Missverständlich Feit, a.a.O. Aus diesem Grund engagieren Adressaten und andere Empfänger von Legal Opinions wie z.B. Ratingagenturen häufig ihre eigenen, mit dem massgeblichen lokalen Recht vertrauten Anwälte, nicht zuletzt mit dem Zweck, die Beschränkungen der Tragweite der empfangenen Legal Opinions besser abschätzen zu können.

[12] Vgl. auch Pfenninger/Giger (2005), 10.

2. Das Opinion Committee

2.1 Das Opinion Committee als Teil des Risikomanagements

2.1.1 Problemstellung

Anwälte und besonders Wirtschaftsanwälte befassen sich mit der Prävention und Bewältigung rechtlicher Risiken ihrer Klienten. Aufgrund dieses Fokus' geraten die Risiken der eigenen Geschäftstätigkeit häufig etwas aus dem Blickfeld. Dies gilt nicht nur für rechtliche Risiken im engeren Sinne (namentlich Haftungsrisiken), sondern auch für die damit zusammenhängenden Reputations- und Kohäsionsrisiken. 11

Zwar ist die zentrale Bedeutung der Qualität der rechtlichen Beratung und Arbeitsprodukte für den Erfolg von Anwaltskanzleien durchwegs anerkannt. Es werden vielerorts auch grosse Anstrengungen zur Sicherstellung einwandfreier juristischer Arbeit unternommen, angefangen bei der internen juristischen Aus- und Weiterbildung der Mitarbeiter über die Entwicklung von Standarddokumenten und Know-how-Sammlungen bis zur Qualitätskontrolle der Arbeitsprodukte mittels Vier-Augen-Prinzip. All dies sind zentrale Voraussetzungen dafür, auch die Risiken im Zusammenhang mit der Abgabe von Anwaltsbestätigungen zu reduzieren. 12

Andererseits ist nicht zu vernachlässigen, dass die Abgabe von Legal Opinions Eigenheiten aufweist, deren Management besondere Beachtung verlangt. Zur Illustration bietet sich das Beispiel einer Opinion über eine besicherte Kreditfazilität an: 13

- Erstens gilt es, die Breite der abzudeckenden Rechtsfragen zu beachten. Angefangen bei gesellschafts- und vertragsrechtlichen Fragen fliessen insbesondere Aspekte des Sicherungsrechts und des Konkursrechts sowie komplizierte IPR- und ZPR-Fragen in die Beurteilung ein. Häufig werden zudem besondere Bestätigungen betreffend (fehlender) Steuerfolgen verlangt.
- Zweitens impliziert die internationale Beschleunigung der Transaktionspraxis, dass die Abgabe von Anwaltsbestätigungen einem ständig zunehmenden Zeitdruck unterliegt. Wird man als Schweizer Anwaltskanzlei z.B. im Rahmen einer ausländischen Kreditfazilität beauftragt, die Sicherheiten zu beurteilen, welche die Schweizer Konzerntöchter zu bestellen haben, dauert es von der Offertanfrage bis zur Abgabe der Opinion häufig nur zwei bis drei Wochen.
- Drittens werden Legal Opinions zunehmend zur Commodity und sind einem entsprechenden Kostendruck ausgesetzt.

Mit der Verbreitung von Legal Opinions ist auch deren Anzahl rapide angestiegen. Bei Homburger dürfte sich die Zahl in den letzten fünf Jahren gut verdoppelt haben. Dabei betreffen die meisten dieser Bestätigungen Transaktionen, deren Wert das Eigen- bzw. Haftungskapital einer Kanzlei um ein Mehrfaches übertrifft. Damit wird klar, dass das 14

Qualitätsmanagement bei Legal Opinions für Anwaltskanzleien aus Haftungs- und Reputationsüberlegungen von existenzieller Bedeutung ist.

2.1.2 Opinion Committee als Antwort

15 Trotz des Bedeutungszuwachses von Anwaltsbestätigungen waren Opinion Committees hierzulande – im Gegensatz etwa zu den USA[13] – bis vor Kurzem kaum verbreitet. Immerhin scheinen sie mit dem Trend zur Anwalts-AG vermehrt Einzug zu halten. Das Homburger Opinion Committee wurde 2003 gegründet. Entscheidend dabei war die Erkenntnis, dass sich die Abgabe von Anwaltsbestätigungen zunehmend zu einer eigenständigen Spezialität entwickelte. Vor diesem Hintergrund erfordert die Bewältigung der damit verbundenen Risiken spezielles Know-how, das besonders erarbeitet, gepflegt und den Anwälten der Kanzlei breit zugänglich gemacht werden muss. Dies wird dadurch erzielt, dass ein Team von Experten herausgebildet bzw. bezeichnet wird, welche als solche kanzleiweit anerkannt sind[14]. Gleichzeitig ist die Einrichtung eines besonderen Opinion Committee ein permanentes Zeichen, dass die Kanzlei einer hochstehenden Opinion-Praxis einen grossen Stellenwert einräumt.

16 Vor diesem Hintergrund verfolgt die Arbeit des Opinion Committee im Wesentlichen drei übergeordnete Zielsetzungen:

- Erstes und wichtigstes Ziel ist und bleibt die Gewährleistung der inhaltlichen Korrektheit der abgegebenen Bestätigungen. Da diese sich häufig auf Transaktionsstrukturen und Rechtsfragen beziehen, zu denen eine (gefestigte) Gerichtspraxis fehlt, setzt dies nicht zuletzt die kanzleiinterne Aufarbeitung der entsprechenden Rechtsfragen und die Koordination der entsprechenden Einschätzungen voraus.
- Allerdings schliessen auch korrekte Legal Opinions Haftungsrisiken nicht aus. Nicht nur kann sich die entsprechende rechtliche Beurteilung als unzutreffend erweisen, insbesondere wenn sich ein Gericht im Nachhinein erstmals oder im Einzelfall mit einer bestimmten Frage konfrontiert sieht. Vor allem aber ist die Kanzlei nicht davor gefeit, bei wirtschaftlichem Scheitern einer Transaktion von einem frustrierten Opinion-Empfänger aus ganz unterschiedlichen Motiven in der Schweiz oder auch im Ausland eingeklagt zu werden. Deshalb gehört zweitens auch die Beobachtung und Eindämmung zusätzlicher Haftungsrisiken im Zusammenhang mit Anwaltsbestätigungen zu den Zielsetzungen des Opinion Committee. In diesem Zusammenhang ist insbesondere die Frage von Bedeutung, inwieweit bei der Formulierung von Muster-Opinions oder im Verkehr mit

[13] Bereits im Jahre 2004 gaben im Rahmen einer Umfrage der American Bar Association (ABA) über 80% der teilnehmenden Kanzleien an, eines oder mehrere Opinion Committees zu haben. Vgl. Committee on Legal Opinions, ABA Section of Business Law, Law Office Opinion Practices, The Business Lawyer, Vol. 60, No. 1, November 2004, 253 ff., 260.

[14] Field/Smith, Legal Opinions in Business, 2nd edition (2009), 12-2.

den Empfängern auf relevante Risiken, welche die inhaltliche Richtigkeit der Anwaltsbestätigung nicht als solche tangieren, offengelegt werden sollen.

- Drittens geht es um die Gewährleistung einer einheitlichen Opinion-Praxis. Kanzleiweit abgestimmter Inhalt und einheitliche Formulierungen erhöhen die Glaubwürdigkeit der vertretenen Beurteilungen und erleichtern die Verhandlungen mit Opinion-Empfängern und deren Anwälten. Es ist sehr unangenehm, wenn man in entsprechenden Diskussionen zu hören bekommt, ein anderer Anwalt der Kanzlei sei bei einer ähnlichen Transaktion vor Kurzem bereit gewesen, eine umstrittene Bestätigung abzugeben, eine bestimmte Formulierung zu akzeptieren oder auf diese oder jene *assumption* oder *qualification* zu verzichten.

Aufgrund dieser Zielsetzungen ist die Arbeit des Opinion Committee auch Teil des inter- 17
nen Kontrollsystems sowie der internen Risikobeurteilung, welche der Verwaltungsrat von körperschaftlich organisierten Anwaltskanzleien jährlich vorzunehmen hat. Zudem unterliegt das interne Kontrollsystem der Prüfung durch die Revisionsstelle[15]. Weiter haben zumindest auch die US-amerikanischen Haftpflichtversicherer zunehmend ein Augenmerk auf der gehörigen Organisation des Opinion-Wesens.

2.2 Aufgaben

Die Aufgaben des Opinion Committee und die Abgabe von Opinions sind von Kanzlei 18
zu Kanzlei sehr unterschiedlich geregelt[16]. Bei Homburger hat das Opinion Committee im Wesentlichen fünf Aufgaben, nämlich

(1) Erstellung von Muster-Opinions;

(2) Aufstellen von Policies für den Umgang mit Opinions;

(3) Begleitung der im Einzelfall abgegebenen Opinions;

(4) entsprechende Ausbildung der Anwälte;

(5) Beobachtung der nationalen und internationalen Entwicklungen.

2.2.1 Erstellung von Muster-Opinions

Zentrale Aufgabe des Opinion Committee ist die Entwicklung von Muster-Opinions, 19
auf die sich die Mitarbeiter der Kanzlei abstützen können. Welche Muster-Opinions zu erstellen sind, hängt von der Ausrichtung der (Transaktions-)Praxis der Kanzlei ab. Bei Homburger ist jede Muster-Opinion mit Erläuterungen versehen, welche dem Benützer

[15] Vgl. Art. 663b Ziff. 12 sowie Art. 721a Abs. 2 Ziff 3 OR. Dazu z.B. Peter Böckli, Schweizer Aktienrecht, 4. Auflage 2009, § 15 N 272 ff.

[16] Vgl. dazu Committee on Legal Opinions (2004), 259 ff.

Hinweise auf den Hintergrund einzelner Absätze und Anleitungen für die Anpassung der Muster-Opinion an einzelne Transaktionen geben.

20 Legal Opinions müssen laufend aufdatiert und periodisch überprüft werden[17]. Dementsprechend steigt der Aufwand für deren Unterhalt parallel zur Anzahl der zur Verfügung gestellten Muster-Opinions. Aus diesem Grund beschränkt sich Homburger auf eine Handvoll von Muster-Opinions, was gleichzeitig den Vorteil hat, die Konsistenz der abgegebenen Bestätigungen insgesamt zur erhöhen. Daneben befindet sich eine Sammlung von Präzedenzfällen für besondere Anwendungsbereiche im Aufbau. Sie gibt dem Anwalt eine erste Indikation, welche Besonderheiten im Rahmen spezieller Transaktionsstrukturen zu beachten sind. Diese kann er dann bei der Redaktion der konkret abzugebenden Opinion einfliessen lassen.

2.2.2 Policies

21 Das Opinion Committee erlässt allgemeine Regeln betreffend Verfahren, Verantwortlichkeit und Sorgfaltspflichten bei Opinions. Zu diesem Zweck regelt es auch das Vorgehen bei Abgabe von Legal Opinions einschliesslich der Fragen:

- dass Legal Opinions stets auf der Basis eines bestehenden und vom Opinion Committee verabschiedeten Musters abgegeben werden dürfen;
- wann und in welcher Form das Opinion Committee zu begrüssen ist[18];
- wie die Opinion und die begutachtenden Dokumente abzulegen sind;
- in welchem Fall/in welcher Form gegebenenfalls eine Aktennotiz zu den Akten zu legen ist, welche die besonderen Abklärungen oder Grundlagen, auf deren Basis eine Opinion abgegeben wurde, zusammenfasst.

22 Darüber hinaus koordiniert das Opinion Committee die kanzleiweite Policy in einzelnen Fragen, beispielsweise:

- ob zu einem bestimmten Vertrag oder einer bestimmten Transaktionsart überhaupt eine Bestätigung abgegeben wird;
- welche inhaltlichen Aussagen mit Bezug auf einen bestimmten Transaktions- oder Vertragstyp gemacht werden;
- über den Umfang der sogenannten *reliance*, also der Frage, ob sich z.B. auch Behörden oder Drittanwälte auf Opinions der Kanzlei verlassen dürfen.

23 Schliesslich kann auch die Entwicklung von Best Practices beim Umgang mit Anwaltsbestätigungen zum Aufgabengebiet des Komitees gehören, so z.B. mit Blick auf Planung

[17] Field/Smith (2009), 12-7.
[18] Vgl. nachfolgend B.3.

des Arbeits- und Zeitablaufs der Opinion sowie in Bezug auf Ausstellung, Handlungen und Verwendungszweck von Opinions.

2.2.3 Begleitung von Opinions im Einzelfall

2.2.3.1 Hilfe und Raterteilung bei der Erstellung

Wie im internationalen Umfeld üblich, unterstützt das Opinion Committee Mitarbeiter 24 der Kanzlei durch Hilfe und Raterteilung bei der Erstellung von Anwaltsbestätigungen im Einzelfall. Da die Abgabe von Legal Opinions für viele Anwälte kein täglicher Teil ihrer Praxis ist, haben sie durch Kontaktnahme mit einem Mitglied des Opinion Committee Zugriff auf das dortige spezifische Fachwissen. Dabei reicht das Spektrum des Einbezugs des Mitglieds des Opinion Committee von der Beantwortung von Ad-hoc-Anfragen im Sinne einer Hotline bis zur umfassenden Involvierung, einschliesslich Kontrolle der entsprechenden Formulierungen und Überprüfung der Beurteilung der sich stellenden Rechtsfragen im Sinne eines Second Partner Review. Vorbehältlich der nachstehend beschriebenen formellen Durchsicht des Entwurfs der Anwaltsbestätigung wird bei Homburger der Umfang des Einbezugs des Opinion-Committee-Mitglieds in Absprache mit dem mandatsführenden Partner festgelegt. Damit kann flexibler auf die Umstände des Einzelfalls eingegangen werden als durch den Erlass allgemeiner Regelungen.

2.2.3.2 Formelle Durchsicht des Entwurfs

Nach dem Gesagten wird bei Homburger grundsätzlich darauf verzichtet, bereits die 25 Erstellung von Legal Opinions systematisch durch ein Mitglied des Opinion Committee begleiten zu lassen. Ebenso wird davon abgesehen, den Entwurf in jedem Fall einer materiellen Prüfung durch das Opinion Committee zu unterziehen. Zum einen würde dies eine vertiefte Kenntnis der Transaktion und der Transaktionsdokumente durch einen aussenstehenden Partner voraussetzen, was – soweit überhaupt praktikabel – sehr aufwendig wäre. Zum anderen würde mit einer solchen Regelung der Grundsatz aufgeweicht, dass der mandatsführende Partner für die inhaltliche Richtigkeit der Opinion zuständig ist. Eine der Gefahren der Einrichtung eines Opinion Committee besteht nämlich darin, dass die Ersteller bewusst oder unbewusst ihre eigenen Bemühungen im Vertrauen darauf zurückschrauben, das Opinion Committee würde allfällige Fehler und Probleme schon bemerken.

Dementsprechend beschränkt sich die Durchsicht durch das Opinion Committee, wel- 26 cher jede bei Homburger ausgestellte Legal Opinion unterliegt, grundsätzlich auf die Frage, ob die Opinion mit den internen Standards und Mustern kompatibel ist. Nur in diesem Rahmen findet parallel eine beschränkte Plausibilitätsüberprüfung statt.

Auf der Zeitachse muss das Opinion Committee spätestens vor Versand der Anwalts- 27 bestätigung an Dritte konsultiert werden. Eine Ausnahme gilt für Fälle ausserhalb der bestehenden Opinion-Praxis, bei denen neue Transaktions- oder Vertragstypen begutachtet werden oder bei denen im Rahmen bestehender Opinions wesentliche neue Aussagen verlangt werden. Hier ist das Opinion Committee unverzüglich zu konsultieren. In der Praxis findet gerade bei schwierigeren Opinions zudem auch sonst der Einbezug bereits in einem frühen Zeitpunkt statt.

2.2.3.3 Entscheid von Einzelfragen

28 Zu regeln ist auch die Frage, wer entscheidet, falls zwischen dem Ersteller einer Anwaltsbestätigung und dem Opinion Committee Meinungsverschiedenheiten bestehen betreffend Inhalt oder Formulierung einer Anwaltsbestätigung. Bei Homburger ist das aus Risikoüberlegungen das Opinion Committee.

2.2.4 Mitarbeiterausbildung

29 Da sowohl die Vorbereitung der Legal Opinion als auch die Überprüfung der Transaktionsdokumente und Formalien regelmässig unter massgeblicher Beteiligung der an der Transaktion beteiligten Mitarbeiter erfolgt, kommt deren Ausbildung zentrale Bedeutung zu. Diesem Zweck dienen – neben dem mandatsbezogenen *counseling* und dem *training on the job* – regelmässige Ausbildungsveranstaltungen für Anfänger und Fortgeschrittene. Hinzu kommt die Information per E-Mail über wichtige aktuelle Entwicklungen (relevante rechtliche Neuerungen, *release* von aufdatierten Muster-Opinions etc.).

2.2.5 Beobachtung der nationalen und internationalen Entwicklungen

30 Die Opinion-Praxis ist national und international einer raschen Entwicklung unterworfen. Diese wird von einer Reihe von Faktoren wie fortschreitende Transaktionspraxis, beschleunigte Gesetzgebungskadenz und zunehmende Zersplitterung der Rechtslage geprägt. Aus diesem Grund empfiehlt es sich, die Opinion-Praxis führender nationaler und internationaler Kanzleien im Auge zu behalten und in die Überarbeitung der eigenen Muster einfliessen zu lassen. Wichtige Gedankenanstösse geben sodann die Publikationen der *International Bar Association*[19] und der *American Bar Association*[20], welche beide über entsprechende *(sub-)committees* verfügen.

2.3 Zusammensetzung

31 Organisation und Zusammensetzung des Opinion Committee sind von Kanzlei zu Kanzlei unterschiedlich geregelt:

- Die wichtigste Weichenstellung liegt in der Frage, ob ein einziges Opinion Committee bestellt wird oder ob diese Aufgabe auf verschiedene Gremien verteilt

---

[19] Vgl. http://www.ibanet.org/Search/Taxonomy.aspx?Taxonomy=Legal Opinions&Taxonomy Uid= a8dc13fd-4175-4117-b28a-f11407470d18 (zuletzt besucht am 24.10.2011).

[20] Vgl. http://apps.americanbar.org/buslaw/tribar/ (zuletzt besucht am 24.10.2011).

wird. Währenddem grosse amerikanische und internationale Kanzleien häufig für viele Fachgebiete separate Opinion Committees haben, ist dies meines Wissens z.B. in der Schweiz nicht der Fall, was auch mit den kleineren Strukturen und dem geringeren Spezialisierungsgrad der hiesigen Kanzleien zu tun haben dürfte.

- Bei der Zusammensetzung ist darauf zu achten, dass diese die Transaktionspraxis der Kanzlei widerspiegelt. Idealerweise führt dies dazu, dass die führenden Spezialisten aller relevanten Transaktions-Praxisbereiche im Opinion Committee vertreten sind. Insbesondere ist aufgrund der zunehmenden Bedeutung von Steuer-Opinions eine entsprechende Beteiligung von Steuerrechtlern wichtig. Darüber hinaus sollte zivilprozessuales und insolvenzrechtliches Know-how eingebunden sein.

Bei Homburger sind nur Partner Mitglieder des Opinion Committee. Die technische 32
Umsetzung von Beschlüssen und die entsprechende Pflege von Dokumenten und Datenbanken können aber ohne Weiteres delegiert werden. Dies kann z.B. dadurch erleichtert werden, dass man eine(n) erfahrene(n) Associate als Sekretär(in) des Opinion Committee bezeichnet.

3. Ausblick

Wir haben gesehen, dass das Opinion Committee einen zentralen Beitrag zum Manage- 33
ment der Haftungsrisiken einer Kanzlei bei Abgabe von Legal Opinions leisten kann. Zudem kann sich eine Kanzlei das im Opinion Committee erarbeitete Expertenwissen über den Bereich der Anwaltsbestätigungen hinaus nutzbar machen.

In der Tat dürften Anwaltsbestätigungen – entgegen landläufiger Ansicht – nicht haf- 34
tungsgeneigter sein als andere Produkte der rechtlichen Beratungen wie z.B. Memoranden und insbesondere E-Mails. Zwar ist der Anwalt bei Legal Opinions aufgrund der häufig grossen Summen und Komplexität der begutachteten Transaktionen und aufgrund der hohen Verbindlichkeit von Legal Opinions stark exponiert. Andererseits eignen anderen Produkten juristischer Beratung ihrerseits Merkmale an, welche das Haftungsrisiko erhöhen:

- Im Gegensatz zur Legal Opinion erschöpfen sich z.B. Memoranden und insbesondere E-Mails nicht in einer standardisierten Fragestellung und Beantwortung.
- Weiter werden gerade in Memoranden nicht nur Schlussfolgerungen präsentiert. Ein Übersehen von wesentlichen Argumenten, Entscheidungen oder Literaturstellen kann je nachdem per se haftungsbegründend werden.

- Schliesslich kann der Ersteller von Memoranden und E-Mails bei der Formulierung der Schlussfolgerungen in der Regel nicht auf standardisierte und vorsichtliche Formulierungen zurückgreifen, und es gibt auch keinen Katalog von *assumptions* und *qualifications*, welcher die Grundlagen und Beschränkungen der Beurteilung klarstellt.

35 Aus diesem Grund sind Veranstaltungen zu Legal Opinions bei Homburger Teil der Grundausbildung für alle Mitarbeiter, auch wenn viele von ihnen nie eine Anwaltsbestätigung entwerfen werden. Eine Schulung in der sorgfältigen Formulierung von juristischen Schlussfolgerungen und eine Schärfung des Bewusstseins, auf welcher (impliziten) Grundlage und mit welchen Einschränkungen eine anwaltliche Beurteilung erfolgt, ist für jeden Anwalt nützlich.

J. Qualitätsmanagement in der Anwaltskanzlei und Zertifizierung nach ISO 9000

Heinz Klarer

1. Servicequalität

Die Qualität in der juristischen Arbeit – die Fachkompetenz – wird vorausgesetzt und ist nicht Thema: Jahrelange juristische Studien, anforderungsreiche Prüfungen und persönliche Weiterbildung sichern diese Qualität. Wie steht es aber mit der «Form», mit dem «Gefäss», innerhalb dessen die anspruchsvolle Anwaltstätigkeit erbracht wird? Wie steht es mit der «Servicequalität»? Entspricht diese in der Kanzlei der hochspezifischen juristischen Tätigkeit? Inwiefern kann ein zertifiziertes Qualitätsmanagement[1] dazu beitragen, diese zu gewährleisten? 1

Anwälte sind gewohnt, unter Zeitdruck mitunter komplizierte Rechtsfragen zu analysieren und Entscheidungsgrundlagen zu schaffen. Die Aufmerksamkeit ist darauf fokussiert, und das ist auch richtig so. Wie steht es aber mit der Kanzleiorganisation, die das schwierige und anspruchsvolle Unterfangen nicht behindern, sondern vielmehr erleichtern soll: Zum Beispiel durch ein durchdachtes Ablagesystem, das chaotische Aktenberge auf an sich geräumigen Schreibtischen und «ad hoc» erstellte Ablagen verhindert, wodurch wertvolle Zeit – auch im Sinn von teuer – für die Suche nach verlegten Dokumenten gespart werden und den Mitarbeitenden die Arbeit erleichtert werden kann. Oder durch die Organisation des Telefondienstes, damit keine Telefonanrufe ins Leere gehen, weil sie wegen fehlender Absprachen nicht entgegengenommen werden. Ferner etwa der Vermittlung einer Corporate Identity nach aussen, etwa in den Schriftstücken, welche die Kanzlei verlassen. Bringen der Aufbau und der Erhalt eines zertifizierten Managementsystems in diesen Organisationsfragen einen Vorteil? Eines ist jedenfalls klar, so oder so: Die Zufriedenheit der Klienten ist nur zu erreichen mit einem Betrieb, in dem die Servicequalität stimmt. Und ohne zufriedene Kunden fehlt es der Kanzlei an der Existenzgrundlage. 2

Die Erbringung von qualitativ hochstehenden Dienstleistungen muss Hand in Hand gehen mit einem geordneten Betriebsablauf. Selbstverständlich gibt es verschiedene Wege, diesen und damit die Servicequalität aufzubauen und zu erhalten. Eine der Möglichkeiten ist der Aufbau eines Qualitätsmanagementsystems, und das bedeutet nicht «Gleichmacherei» mit anderen Betrieben. Jeder Betrieb muss vielmehr sein 3

[1] Der Autor legt seinem Bericht seine Erfahrungen mit dem von ihm nach den Vorgaben der ISO (International Organisation for Standardization, vgl. www. iso.org oder www.iso.ch) aufgebauten zertifizierten Qualitätsmanagement zugrunde.

eigenes Gepräge haben, sein eigenes Erscheinungsbild. Und das wird auch durch eine Zertifizierung nicht anders, ganz im Gegenteil. Die Kanzlei hat sich mit ihrem Erscheinungsbild bewusst auseinanderzusetzen: Wer sind wir, wo wollen wir hin, wie treten wir nach aussen – und nach innen – auf? Es ist denn auch das eigene, auf den eigenen Betrieb zugeschnittene Managementsystem, das zertifiziert wird. Es wird nicht ein System «von aussen» aufgepfropft: Im Zertifizierungs- und in den regelmässigen Aufrechterhaltungsverfahren des Zertifikats wird einzig geprüft, ob alle notwendigen Bereiche geregelt sind und ob diese Regeln in der Praxis auch eingehalten werden, m.a.W., ob es gelebt wird.

4 Ein Betrieb, der ein Qualitätsmanagement-System (ISO 9000, Six Sigma, Baldrige Seven Themes[2] o.Ä.) einzuführen gedenkt, ist gezwungen, seine eigene Organisation anzuschauen, zu überdenken und zu ordnen. Er hat sich auch nach der Einführung des Qualitätsmanagementsystems regelmässig mit seiner Organisation auseinanderzusetzen im Hinblick auf die Frage, ob diese noch angemessen oder zu überarbeiten und damit veränderten Gegebenheiten anzupassen – und damit zu verbessern – ist. Die Notwendigkeit der Fortbildung in juristischer Fachkompetenz ist für einen Anwalt üblicherweise kein Diskussionsthema: sie ist ihm bewusst. Die Notwendigkeit, seinen Kanzleibetrieb weiterzubringen, ist weniger im Bewusstsein verankert. Besteht ein zertifiziertes System, ist die Weiterentwicklung eine Selbstverständlichkeit.

2. Erarbeitung eines Qualitätsmanagements

2.1 Voraussetzungen, Rahmen

5 Der Aufbau eines zertifizierten Qualitätsmanagements kostet: Er verlangt nach Ressourcen in Form von Zeit und Geld. Die Arbeitszeit von Anwälten ist nicht billig. Es ist somit die zeitliche Beanspruchung, die ins Gewicht fällt, nicht die Kosten der Zertifizierung, die sehr überblickbar sind. Wichtigste Voraussetzung, damit das «Projekt Qualitätsmanagement» erfolgreich sein kann, ist denn auch das Mittragen durch die Geschäftsleitung, d.h. in einer Anwaltskanzlei die Partner[3]. Diese müssen bereit sein, den zeitlichen Aufwand zu prästieren. Sind sie nicht überzeugt vom Nutzen, so wird das Projekt über kurz oder lang scheitern. Damit wird aber auch eine weitere Voraussetzung für das Gelingen des Projektes angesprochen, nämlich eine funktionierende Kommunikation in der Kanzlei (auch ein Qualitätsmanagementsystem kann diese nicht ersetzen!) und die Bereitschaft,

---

2 Vgl. weiterführende Erklärungen resp. Literatur unter entsprechenden Stichworten im Internet.

3 In der Schweiz verfügen nur einige wenige Anwaltskanzleien über ein zertifiziertes Qualitätsmanagement. Die Gründe für die geringe Zahl sind nach den Befragungen des Autors u.a. auf die individuelle Denkweise von Anwälten (mangelndes Teambewusstsein), Bedenken gegenüber dem Verhältnis Kosten (v.a. Zeit- und Administrationsaufwand) zu Nutzen und «unbekanntes Terrain» zurückzuführen.

auch Lösungen zu akzeptieren, die etwas anders aussehen als die eigene Vorstellung es zulassen will – ein für Anwälte nicht immer einfaches Unterfangen!

2.2 Vorgehen

Der spiritus rector des Projektes – ein Mitglied der Geschäftsleitung, das vorteilhafterweise über Kenntnisse im Qualitätsmanagement verfügt, die es sich aber durch Weiterbildung[4] ohne Weiteres aneignen kann – hat den Prozess zu organisieren und zu betreuen. Es ist auch an ihm, für die Bereitstellung der notwendigen Ressourcen – so insbesondere zeitlicher Verfügbarkeit von Human Resources – einzutreten. Es ist aber nicht an ihm, das Management-System «in Eigenregie» zu erarbeiten. Die Akzeptanz des Systems wäre durch ein derartiges Vorgehen gefährdet. 6

Die Erfahrung zeigt, dass es sich lohnt, das System in regelmässigen Sitzungen, die z.B. alle 2 Monate stattfinden, zu erarbeiten. Teilnehmer sind je nach Themenkreis die Partner, die Assistenz, die juristischen Mitarbeitenden, die Buchhaltung. So kann gewährleistet werden, dass das im Betrieb vorhandene Know-how in das System einfliesst. Die Dauer des Projektes, d.h. vom Kick-off bis zur Zertifizierung muss auf etwa ein Jahr veranschlagt werden, vorausgesetzt, auf eine zügige Erarbeitung wird Wert gelegt. 7

Aus eigener Erfahrung darf angemerkt werden, dass die Erarbeitung eines Managementsystems erheblich zur Teambildung und zur Bindung an den Betrieb beiträgt. Das setzt aber voraus, dass dem Projekt die notwendige Beachtung zukommt: Vereinbarte Termine für Arbeitssitzungen sollen eingehalten und nicht kurzfristig mit Blick auf das Tagesgeschäft verschoben werden. Es lohnt sich auch, die Sitzungen ab und zu mit einem Social Event zu verbinden: Das steigert die Motivation, am Projekt mitzuarbeiten. 8

3. Aufbau eines Qualitätsmanagements

3.1 Übersicht

Das Managementsystem beschlägt alle Themata des Aufbaus und der Serviceerbringung einer Anwaltskanzlei, somit von der Organisation der Kanzlei über den Bereich der Human Resources, den Einkauf von Material und Drittleistungen, das Rechnungswesen, die Briefschaften, den Postdienst, Fristenkontrolle usw. Es sind dies Bereiche, die unabhängig von der Frage nach einem zertifizierten Managementsystem in jedem Fall in einer Kanzlei festzulegen sind (Es muss ja sowieso gemacht werden, warum dann nicht gleich richtig?). Das zertifizierte Managementsystem regelt diese Abläufe allerdings nicht «ad hoc», wie dies in der Branche oft anzutreffen ist, sondern systematisch. 9

---

[4] Entsprechende Kurse bieten etwa an: Schweizerische Vereinigung für Qualitäts- und Management-Systeme (www.sqs.ch) oder SQM Support Qualität Management (www.sqm.ch).

10 Ein Qualitätsmanagement, das gelebt werden soll, darf kein umfangreiches, mehrere Zentimeter dickes Buch sein. Es soll übersichtlich und leicht lesbar sein; was die Form anbetrifft, so sollen die Abläufe («Prozesse») am besten in Diagrammen festgehalten werden, ergänzt durch Checklisten und allenfalls Formulare (z.B. zur Erfassung von besuchten Weiterbildungen, Gestaltung von Briefen und Rechtsschriften, *self assessment* usw.). Ein elektronischer Zugriff erleichtert die Handhabung des Systems wesentlich.

11 Überblicksweise kann ein Managementsystem für eine Anwaltskanzlei etwa in folgende Kapitel gegliedert werden:

- Vision, Leitbild
- Organisation
- Human Resources
- Leistungserbringung
- Unterstützung
- Verbesserung.

3.2 Im Einzelnen

12 Die verschiedenen Kapitel befassen sich somit einerseits mit den Fragen nach den Zielsetzungen der Kanzlei – nicht zuletzt mit deren ethischer Ausrichtung –, dann aber auch mit den «Spielregeln» der Kanzleiführung und mit den konkreten Abläufen der täglichen Arbeitsweise. Etwas näher betrachtet, werden unter den einzelnen Kapiteln, die wiederum in Unterkapitel gegliedert (sogenannte «Prozesse», die einer Person als verantwortlichem «Prozesseigner» zugeordnet werden) sind, folgende Aspekte behandelt:

3.2.1 Vision, Leitbild

13 Wo stehen wir, wer sind wir, was wollen wir, wohin wollen wir? Die Diskussion dieser grundlegenden Fragen soll dazu führen, die Richtung zu finden, in welche die Kanzlei geführt werden soll. Wer den Hafen nicht kennt, in den er segeln will, für den ist kein Wind ein günstiger, sagte schon Seneca.

14 Vision und Leitbild[5] geben eine grobe Richtung an. Sie sind durch die Geschäftsleitung zu konkretisieren und dienen als Grundlage der Unternehmensstrategie. Diese hinwiederum wird herabgebrochen auf den Businessplan und die *balanced scorecard:*

5 Ausgangspunkt jeglicher strategischer Überlegungen ist die Existenz genereller Ziele. Unternehmensvision und -leitbild übernehmen als weiche Steuerungsmechanismen eine Koordinations- und Orientierungsfunktion, anhand deren die Ableitung strategischer Unternehmensziele sowie eine Abstimmung und Harmonisierung der Ziel- und Interessendivergenzen der Organisationsmitglieder erfolgen kann.

- Im Businessplan[6] werden die Ziele für – Grössenordnung – fünf Jahre formuliert. Diese werden etwa für die Bereiche Fachgebiete (Worauf wollen wir uns konzentrieren?), Mandatsquellen (Auf welche Quellen stützen wir uns besonders?), Human Resources (Brauchen wir zusätzliche Mitarbeitende?), Infrastruktur (Was benötigen wir? Mehr Büroraum, neues IT-System, neue Software für die Buchhaltung o.Ä.) definiert und laufend, d.h. etwa jährlich überarbeitet. 15
- Die *balanced scorecard* (BSC)[7] dient hinwiederum der Vorgabe von Businesszielen (z.B. Umsatzgrösse, Anzahl von verrechenbaren Stunden, Anzahl neuer Mandate nach Bereichen, Gewinn im Verhältnis zum Umsatz usw.). Deren Erreichungsgrad wird überprüft und dient wiederum der Unternehmensanalyse. Die Ergebnisse werden somit periodisch erhoben und mit den Vorgaben verglichen. 16

3.2.2 Organisation

Unter diesem Kapitel wird u.a. die personelle Struktur der Kanzlei erfasst. Die Verantwortung für juristische Sachgebiete wird festgelegt, dann aber auch diejenige für die Führung der Kanzlei bestimmt. Festgelegt werden Teilnehmer und Zeitpunkt von Meetings (z.B. Assistenzmeetings monatlich; Anwaltsmeetings wöchentlich, mit «jour fixe»). 17

Der Bereich widmet sich aber auch der Frage, wie das System verbessert werden kann – somit der Erfassung von Ideen («Chancenmeldungen») und der Art und Weise, wie die Übereinstimmung von Theorie und Praxis überprüft wird (sogenannte Audits: wird das Managementsystem tatsächlich «gelebt»?). 18

3.2.3 Human Resources

Dieser Abschnitt umfasst die Bereiche Rekrutierung (Wo und wie rekrutieren wir?), Weiterbildung (z.B. Vorgabe, mindestens zehn Tage Weiterbildung pro Jahr durch Seminarbesuche o.Ä.), Qualifikation der Mitarbeitenden (In welcher Form soll die Qualifikation erfolgen? Wie oft, z.B. mindestens 2 × pro Jahr? Checkliste der zu behandelnden Themen im Qualifikationsgespräch usw.), Beendigung des Arbeitsverhältnisses (mit Checkliste bezüglich der notwendigen Abmeldungen, zu übergebendem Material etc.). Dieses Kapitel umfasst die in vielen Betrieben vorhandenen Mitarbeiterhandbücher. 19

3.2.4 Leistungserbringung

Je nach Ausrichtung der Kanzlei werden hier – neben Mandatsannahme und Mandatsabschluss – Beratung, Prozessführung, Schiedsgerichtswesen, Willensvollstreckung, 20

[6] Der Businessplan («Geschäftsplan») stellt die Zusammenfassung des unternehmerischen Vorhabens auf Basis der Geschäftsidee dar.

[7] Die *balanced scorecard* ist ein Führungsinstrument resp. ein Konzept zur Messung, Dokumentation und Steuerung der Aktivitäten im Hinblick auf Vision und Strategie des Unternehmens.

Verwaltungsratstätigkeit, Stiftungsratstätigkeit usw. behandelt. Übersichtsweise wird der Ablauf dieser Tätigkeiten erfasst. Dazu gehören z.B. auch Fragen betreffend die Vorschriften über die Geldwäscherei (Was ist bei der Annahme eines Mandates zu beachten?), aber auch etwa eine Checkliste für die ersten Tätigkeiten nach Eintritt des Todesfalls des Klienten im Bereich eines Willensvollstreckungsmandats und – besonders relevant im Fall der Prozessführung – die Fristenerfassung (Wie läuft dies? Wer ist zuständig resp. verantwortlich?).

3.2.5 Unterstützung

21 In diesem Bereich werden v.a. die Abläufe im Bereich der Tätigkeit der Assistenz behandelt, nämlich Empfang und Kommunikation (Telefon, Mail, Fax etc.), Einkauf von Material (Was und wo kaufen wir ein, wer ist dafür zuständig), Postbesorgung (Wer holt die Post, wer bringt sie, wie wird sie verteilt, Stempelung usw.), Finanzen und Rechnungswesen (Monats-, Quartals- oder Jahresabschluss, Erhebung von Zahlen, Bankverkehr, Zeichnungsberechtigung etc.), IT (Welche Hard-, welche Software, wer unterstützt extern usw.), Archivierung (Was, wie, Führung der Archiv- und Safeverzeichnisse u.Ä.), Sicherheit (Verhalten im Notfall, Checklist für den Not-, z.B. Brandfall; Datensicherung usw.).

22 Im Bereich der Unterstützungsprozesse – wie übrigens auch allen anderen – bringt etwa die Definition von Standards in der Servicequalität der Kanzlei besonderen Nutzen (Als Beispiele: Mails werden mindestens alle 4 Stunden abgefragt. Ein Anruf ist spätestens nach 3 × Klingeln entgegen zu nehmen. Der Empfang der Kanzlei ist durchgehend von 8.00 Uhr bis 17.30 Uhr besetzt, o.Ä.). Auch diese Standards sind laufend zu überprüfen auf Einhaltung, Sinn, Machbarkeit usw. und weiterzuentwickeln in regelmässigen internen Fortbildungsveranstaltungen, in denen einzelne Prozesse diskutiert werden (einer bereitet vor, 10 Minuten verwenden, z.B. in regelmässigen Assistenzmeetings oder Anwaltsmeetings).

4. Zertifizierungsstelle

4.1 Wahl

23 Wesentlich ist, dass eine Zertifizierungsstelle gewählt wird, die auch im Vorfeld des Zertifizierungsverfahrens die notwendige Unterstützung bietet im Hinblick auf die Anforderungen, die Form, den Terminplan usw. [8] Es lohnt sich deshalb, bei der Evaluierung der Zertifizierungsstelle mehrere Offerten einzuholen resp. Gespräche zu führen.

---

[8] Der Autor hat sehr gute Erfahrungen gemacht mit der Schweizerischen Vereinigung für Qualitäts- und Management-Systeme (www.sqs.ch), die seines Wissens gegenwärtig auch die meisten der in der Schweiz zertifizierten Anwaltskanzleien betreut.

4.2 Nutzen

Der Entscheid, für eine Kanzlei ein (zertifiziertes) Qualitätsmanagement einzuführen, beweist zwar, dass der Stellenwert, der dem Aspekt «Servicequalität» gebührt, von der Geschäftsleitung erkannt worden ist. Das genügt aber selbstverständlich noch bei Weitem nicht, denn die «Servicequalität» muss tatsächlich auch gelebt werden. Das garantiert ein zertifiziertes Qualitätsmanagement noch nicht. Die regelmässigen Kontrollen (Audits) durch die Zertifizierungsstelle decken entsprechende Mängel auf. Die Audits sollen aber nicht einfach als Kontrollen empfunden werden, sondern es soll im Wesentlichen vom Erfahrungspotenzial des Auditors gezehrt werden: Erstes Ziel des Audits besteht sicher darin, es zu «bestehen», d.h. das Zertifikat zu erhalten resp. zu behalten. Ein wesentliches Ziel muss aber auch darin bestehen, Verbesserungsvorschläge aus der Warte des Auditors zu erfragen (z.B. bezüglich der Fragen von IT-Sicherheit, Form und Behandlung von Verbesserungsvorschlägen etc.). Den Audits wohnt wesentliches Verbesserungspotenzial inne. 24

4.3 Vorbereitung

Ein bevorstehendes Audit gibt regelmässig Anlass, für die ganze Kanzlei Schulungen durchzuführen. In diesem Zusammenhang lohnt es sich, die einzelnen Prozesse durchzugehen und zu hinterfragen, ob sie immer noch dem tatsächlich Gelebten entsprechen (oder auch den gesetzlichen Vorschriften, z.B. im Bereich der Gesetzgebung zur Geldwäscherei) oder ob sie angepasst werden sollen. Diese Schulungen können in sowieso stattfindende regelmässige Sitzungen integriert werden und benötigen keine grossen Vorbereitungen (Der Prozesseigner führt durch die einzelnen Prozesse und erläutert diese) und meist auch keinen grossen Zeitaufwand. 25

5. Aufwand / Nutzen eines zertifizierten Qualitätsmanagements

5.1 Aufwand

Der Aufbau eines zertifizierten Managementsystems ist aufwendig – er bindet Ressourcen und führt zu Diskussionen innerhalb des Betriebs (Wie wollen wir das machen? Wirklich so?). Wer Letztere scheut, ist schlecht beraten, wenn er in ein derartiges Projekt einsteigt – wobei aber die Frage erlaubt ist, ob seinem Unternehmen überhaupt Erfolg beschieden sein kann, wenn es an Diskussionsbereitschaft fehlt. Die Aufrechterhaltung und Weiterentwicklung des Systems verlangen Disziplin, Engagement und ebenfalls nach Resourcen in Form von Zeit und Geld: Im Bereich der Zertifizierung nach ISO wird 26 alle 3 Jahre eine umfassende Überprüfung durch den Zertifizierenden[9] durchgeführt, in den Zwischenjahren erfolgt eine stichprobenweise Überprüfung.

27 Wo liegt denn der eigentliche Nutzen eines zertifizierten Managementsystems für eine Anwaltskanzlei? Überwiegt er den vorstehend beschriebenen Aufwand?

5.2 Nutzen

5.2.1 Führungsinstrument; Kenntnis des eigenen Unternehmens

28 Ein Unternehmen erfolgreich zu führen verlangt, das Unternehmen zu kennen. Das ist auch bei einer Anwaltskanzlei nicht anders. Kenntnis des Unternehmens verlangt aber auch Kenntnis der harten und weichen Faktoren und damit vorgängige Erhebungen, «Messungen». Ein nach ISO zertifiziertes Qualitätsmanagement hat denn auch u.a. zur Voraussetzung, dass die Prozesse gemessen werden. Dies ist relativ einfach im Bereich der Finanzen (Liquidität, Ertrag, Aufwand) und keine Besonderheit in einem zertifizierten Qualitätsmanagement. Wie steht es aber mit den grundlegenden Erfolgsfaktoren, welche letzten Endes die Kundenzufriedenheit widerspiegeln? Auch diese werden im hier beschriebenen System durch Messungen erhoben (z.B. Anzahl neuer Mandate, Anzahl verrechenbarer Stunden, Stundensatz etc.). Aufschluss geben kann z.B. zudem die Anzahl von Reklamationen (wobei auch im Fall von anwaltlichen Dienstleistungen der Klient eher auf weitere Dienste verzichtet als eine Reklamation anzubringen). Möglich sind auch Kundenbefragungen, bewährt hat sich nach den Erfahrungen des Autors aber besser das *self assessment:* Der Mandatsbearbeitende erfasst regelmässig seine Eindrücke über den Verlauf des Mandats. Er erfasst dabei auch allfällige «aussermandatarische» Begegnungen.

29 Die Erkenntnisse aus den Erhebungen sind äusserst wertvoll und bilden je nach Thema Grundlagen für die Entscheide in der Unternehmensführung – zu denen das zertifizierte Qualitätsmanagement verpflichtet und die nicht im Hinblick auf «das wichtige Tagesgeschäft» (das Anwälten immer wieder als «Alibi» dient, sich mit der Leitung und der Administration der Kanzlei nicht befassen zu müssen) einfach aufgeschoben werden können.

5.2.2 Beitrag zum Erhalt und zur Verbesserung der Servicequalität

30 Ein zertifiziertes Qualitätsmanagement verlangt nach regelmässigen Überprüfungen, ob die Standards und Vorgaben, die sich die Kanzlei gegeben hat, eingehalten werden. Diese Überprüfungen erfolgen in internen und externen Audits. Abweichungen sind zu begründen resp. führen allenfalls zur Überarbeitung von einzelnen Prozessen – vor-

[9] Eine Liste der in der Schweiz akkreditierten Zertifizierungsstellen (SAS Schweizerische Akkreditierungsstelle SECO) findet sich auf www.sas.ch oder www.seco.admin.ch/sas (zuletzt besucht am 22.12.2011).

ausgesetzt, der Nutzen ist erkennbar. Die regelmässige Überprüfung der Servicequalität trägt klar zum Erhalt der gewünschten Servicequalität bei.

5.2.3 Erleichterte Einführung neuer Mitarbeitender; Stellvertretung

Wie wird das in dieser Kanzlei gemacht? Diese Frage wird von einem neu eintretenden 31
Mitarbeiter dutzendfach gestellt. Das zertifizierte Qualitätsmanagement beantwortet nicht alle Fragen und ersetzt nicht eine eingehende Einführung eines neuen Mitarbeitenden in seine Aufgaben. Es ist jedoch ein erstklassige Gedächtnisstütze und «Nachschlagewerk», das auch die erwarteten Standards klar definiert. Die in der ganzen Kanzlei vorgegebene und durch das System beschriebene gleiche Arbeitsweise erleichtert die Stellvertretung – auch eine notfallmässig notwendig werdende Stellvertretung – sehr stark: so geben z.B. die für alle Dossiers vorgeschriebenen Mandatsverlaufsblätter eine rasche Orientierungshilfe über den Stand des Mandats.

5.2.4 Rekrutierungsvorteil

Kleineren und mittelgrossen Kanzleien hängt oft der Ruf nach, ein «Konglomerat» von 32
Anwälten mit eigenen Arbeitsweisen und nicht gerade klaren Strukturen zu bilden. Junge Mitarbeitende müssen sich somit auf verschiedene Systeme in ein- und derselben Kanzlei einrichten. Kanzleien mit einem zertifizierten Qualitätsmanagement haben deshalb in diesem Konkurrenzumfeld einen wesentlichen Wettbewerbsvorteil bei der Rekrutierung von erfolgversprechenden hoffnungsvollen jungen Anwälten – und bieten bezüglich der Frage der Organisation auch grösseren Kanzleien Paroli.

5.2.5 Motivation, Teambildung

Jeder Mitarbeitende in einer Kanzlei mit einem zertifizierten Qualitätsmanagement ist 33
gehalten, mit Verbesserungsvorschlägen, sogenannte «Chancenmeldungen» zur Weiterentwicklung des Systems beizutragen. Damit besteht ein institutionalisiertes «Mitspracherecht», das sich motivierend auswirkt und zur Loyalität gegenüber der Kanzlei beiträgt – Verantwortung stärkt die Bindung. Zudem sieht sich jeder Mitarbeitende regelmässig mit der Frage konfrontiert, ob er die Standards, die sich die Kanzlei gegeben hat, eingehalten und inwiefern er einen Beitrag zur Weiterentwicklung der Servicequalität der Kanzlei geleistet hat resp. leistet.

Die gemeinsame Erarbeitung des Systems resp. dessen Weiterentwicklung in regelmäs- 34
sigen Sitzungen oder Schulungen fördert die Diskussionskultur (Das Ziel ist ein gemeinsames, nämlich die Verbesserung des Systems) und trägt wesentlich zur Teambildung bei («Wir arbeiten an unserem Qualitätssystem, das in dieser Form in keiner anderen Kanzlei zu finden ist!»).

5.2.6 Reduktion des Risikos

35 Last but not least: Ein zertifiziertes Qualitätsmanagement trägt zweifellos zur Verhinderung von Fehlern bei: In einem durchdachten, wohlorganisierten Betriebsablauf mit klar zugeordneten Verantwortlichkeiten ist das Gefahrenpotenzial von Fehlern, die zu Haftpflichtansprüchen führen können, herabgesetzt, wenn auch selbstverständlich nicht beseitigt. Fehler, die zu Haftungsfragen führen, sind häufig auf die ungenügende Organisation des Kanzleibetriebs zurückzuführen, wie die Erfahrung zeigt.

36 Tritt trotz eines wohlorganisierten Betriebs mit zertifiziertem Qualitätsmanagement doch einmal der Worst Case ein, dann muss zumindest nicht der Nachweis erbracht werden, dass der Betrieb eigentlich «anständig» organisiert ist. Vielmehr wird dann zumindest von einem wohlorganisierten Betrieb ausgegangen; Erklärungsbedarf besteht bezüglich der Abweichung von der Norm im Einzelfall, die zum Schaden geführt hat.

5.3 Eigene Erfahrung

37 Der Autor hat in den ca. 15 Jahren, in denen er das zertifizierte Qualitätsmanagement einer mittelgrossen Anwaltskanzlei als deren Teilhaber aufgebaut und betreut hat, den Aufwand und Nutzen regelmässig erhoben. Das Resultat der Erhebungen war stets dasselbe: Der Nutzen überwiegt den Aufwand.

38 Dank des zertifizierten Qualitätsmanagementsystems können Vision resp. Leitbild des Betriebs auf die operative Ebene «hinuntergebrochen» werden: Das regelmässige Hinterfragen des Betriebs nach einheitlichen Vorgaben hält das Rad – den Betrieb – in Schwung. Die Führung der Kanzlei wird mithilfe der Instrumente Businessplan und *balanced scorecard* wesentlich erleichtert. Nicht zu unterschätzen sind die Vorteile im Bereich der Human Resources, die Aufgaben im Bereich der Assistenz werden durch die Vorgaben im zertifizierten Qualitätsmanagement wesentlich erleichtert. Das System ist Teil der Kultur der Kanzlei. Der oftmals gehörte Vorwurf, ein derartiges System bringe immensen, unnötigen Verwaltungsaufwand, konnte nie verifiziert werden, ganz im Gegenteil: Das System lenkt in wohlgeordnete Bahnen, was in einer Kanzlei an Administration zu vollbringen ist. Besteht die Bereitschaft, die Spielregeln eines derartigen Systems zu befolgen, das System «zu leben», nicht einfach nur zu «verwalten», liegt der Nutzen weit über dem Aufwand.

39 Um jedoch falschen Erwartungen vorzubeugen, sei klar festgehalten: Ein zertifiziertes Qualitätsmanagement trägt kaum zur Akquisition von Mandanten oder Mandaten bei – schliesslich wird von einer Anwaltskanzlei vorausgesetzt, dass sie ordnungsgemäss organisiert ist. Ein zertifiziertes Qualitätsmanagement, nach dem gelebt wird, leistet aber dennoch einen wesentlichen Beitrag zur Klientenzufriedenheit: Es sichert nämlich, dass die Erwartungen des Klienten nach einem ordnungsgemässen Betrieb auch erfüllt und nicht enttäuscht werden.

K. *Business Continuity Management* in einer Anwaltskanzlei

András Gurovits / Marcel Hadorn

1. Einleitung

Zur Vermeidung und Bewältigung von Störfällen sind in einer Anwaltskanzlei wie auch in jeder anderen Unternehmung die geeigneten Vorkehrungen zu treffen. Es gilt, die möglichen Gefahren zu erkennen[1] und zu analysieren sowie geeignete Massnahmen zu deren Abwehr zu spezifizieren und vorzubereiten. Ebenso gilt es, geeignete Massnahmen zur möglichst raschen Beseitigung von eventuell eingetretenen Störungen zu definieren. Die geplanten Massnahmen sind darüber hinaus zu testen, zu überdenken und gegebenenfalls anzupassen[2]. 1

Die Auseinandersetzung mit Massnahmen zur möglichst reibungslosen Fortführung der Arbeitsprozesse ist somit keine Einmalaufgabe, die sich in der Erstellung eines entsprechenden Massnahmenplanes erschöpft; vielmehr sollte diese Aufgabe als ein iterativer, sich wiederholender Prozess verstanden werden, weshalb sich dafür der Begriff *business continuity management* (BCM) herausgebildet hat. Der Fokus soll dabei nicht nur auf der Wiederherstellung des ordnungsgemässen Betriebs der Anwaltskanzlei liegen *(disaster recovery)*, sondern es sind auch, und vor allem, präventive Massnahmen vorzusehen, welche verhindern, dass sich ein unbedeutender Vorfall *(incident)* zu einem bedeutenden Vorfall *(disaster)* entwickelt. 2

Beginnen muss deshalb jedes BCM-Vorhaben mit einer Analyse der kritischen Betriebsfaktoren, der möglichen sie bedrohenden Risiken sowie mit den eventuellen Auswirkungen, falls sich eines dieser Risiken verwirklicht (vgl. dazu unten, Abschnitt 3, *Business-impact*-Analyse). In einem nächsten Schritt sind diejenigen Massnahmen zu planen, die entweder dazu dienen, den Eintritt eines *incidents* oder eines *disasters* zu verhindern, oder, falls ein solcher Fall eintritt, dessen Auswirkungen möglichst rasch zu besei- 3

[1] Eine Liste möglicher Gefahren findet sich in den Empfehlungen für das *business continuity management (BCM)* der Schweizerischen Bankiervereinigung, http://www.swissbanking.org/11107_d.pdf (Abfrage vom 13. Oktober 2011), S. 4.

[2] Insofern unterscheidet sich der kontinuierliche Prozess des *business continuity managements* (BCM) vom blossen *business continuity planning* (BCP), vgl. dazu Naujoks, U.: Verification/Testing and Monitoring of *business continuity plans.* In: Wieczorek, M. / Naujoks, U. / Bartlett, B. (Hrsg.): Business Continuity – IT Risk Management for International Corporations, New York 2002, Springer-Verlag S. 118 und die graphischen Darstellungen von Snedaker, S.: Business Continuity and Disaster Recovery Planning for IT Professionals, Amsterdam 2007, S. 5, Figure 1.1 sowie Hinterscheid, U.: Ansätze zur Bewältigung existenzbedrohender Unternehmensrisiken – Sicherung globaler Wertschöpfungsprozesse durch betriebliche Kontinuität, Berlin 2008, S. 48, Abbildung 10.

tigen (vgl. dazu unten, Abschnitt 4, *business continuity plan*). Bei beiden dieser Schritte ist die Verhältnismässigkeit im Auge zu behalten, mithin sollte die Wahrscheinlichkeit, dass eine bestimmte Störung eintreten kann, in Relation gesetzt werden zum Aufwand, den die Umsetzung einer bestimmten Massnahme bedingen würde. Letztlich ist BCM auch Risikomanagement, und eine absolute Sicherheit gegen alle möglichen Risiken gibt es nicht.

4 In einem weiteren Schritt sind alsdann die Massnahmen in geeigneter Weise betriebsintern zu kommunizieren sowie – soweit vernünftigerweise möglich – zu testen und im weiteren Verlauf auf Angemessenheit zu überprüfen (vgl. dazu unten, Abschnitt 5, Kommunikation und Tests)[3].

5 In diesem Beitrag werden, nach einer kurzen Übersicht über möglicherweise einschlägige Gesetzesvorschriften des schweizerischen Rechts, diese verschiedenen Phasen kurz beleuchtet.

2. Gesetzliche Organisationspflichten in einer Anwaltskanzlei

6 Der Gesetzgeber verpflichtet eine Anwaltskanzlei nicht explizit zur Einführung und Umsetzung eines *Business-continuity-management*-Systems. Hingegen lässt sich aus den folgenden gesetzlichen Grundlagen schliessen, dass für jede Anwaltskanzlei ein auf ihre Verhältnisse angepasstes *Business-continuity-management*-System zumindest Best Practice ist.

7 Anwaltskanzleien, die als Aktiengesellschaften konstituiert sind, müssen gemäss Art. 663b Ziff. 12 OR im Anhang zur Bilanz Angaben über die Durchführung einer Risikobeurteilung machen. Der Verwaltungsrat hat dabei die Risikoanalyse, die Einschätzung der Risiken und die getroffenen Massnahmen darzulegen[4]. Unterliegt eine Anwaltskanzlei zudem der ordentlichen Revision[5], so hat sie ein internes Kontrollsystem (IKS) aufzubauen, von dessen Existenz sich die Revisionsstelle gemäss Art. 728a Abs. 1 Ziff. 3 OR zu überzeugen hat. Der Verwaltungsrat ist somit verpflichtet, ein auf die konkreten

---

[3] Einen Überblick über die möglichen Schritte zur Erarbeitung eines *Business-continuity-management*-Systems vermittelt das Sicherheitsinstitut (Verein Schweizerisches Institut zur Förderung der Sicherheit) in der Fachpublikation «Kontinuitätsmanagement – Kommen Sie der Krise zuvor», http://www.swissi.ch/fileadmin/ swissi.ch/Dateien/Dokumente/Fachzeitschrift/BCMBroschuere.pdf (abgefragt am 13. Oktober 2011), S. 19.

[4] Neuhaus, M. / Blättler, J. in: Honsell, H., Vogt, N., Watter, R. (Hrsg.): Basler Kommentar Obligationenrecht II , Basel 2008, 3. Auflage, N 41c zu Art. 663b.

[5] Gemäss Art. 727 Abs. 2 OR unterliegen unter anderem als AG organisierte Kanzleien mit mindestens 50 Vollzeitstellen im Jahresdurchschnitt und Umsatzerlösen von mindestens 20 Millionen der ordentlichen Revision.

Umstände des Unternehmens abgestimmtes IKS einzurichten[6], und die Revisionsstelle hat die Dokumentation dieses IKS zu prüfen. Schliesslich verpflichten Art. 957 ff. OR sowie die dazugehörende Verordnung jedes Unternehmen, das zur Eintragung in das Handelsregister verpflichtet ist, zur ordnungsmässigen Führung und Aufbewahrung der Geschäftsbücher. Für nicht als Aktiengesellschaften konstituierte Anwaltskanzleien werden die oben erwähnten Normen betreffend Risikobeurteilung und IKS bei der Konkretisierung ihrer Organisation mit Vorteil analog herangezogen.

Ist die Anwaltskanzlei Arbeitgeberin, so hat sie sodann gemäss Art. 328 Abs. 2 OR die 8
notwendigen und nach den Verhältnissen des Betriebes angemessenen Massnahmen zu treffen, um den Schutz von Leben und Gesundheit der Mitarbeiter zu schützen[7].

Schliesslich haftet der Anwalt oder die Anwaltskanzlei gemäss Art. 398 Abs. 2 OR für 9
eine sorgfältige Ausübung der Mandate. Als Sorgfaltsmassstab ist das berufsspezifische Durchschnittsverhalten anzulegen[8].

Ohne die vorgenannten Gesetzesbestimmungen im Einzelnen zu prüfen, darf für die 10
Zwecke diese Beitrages an dieser Stelle vorausgesetzt werden, dass zu einer zweckmässigen Organisation der Anwaltskanzlei gemäss den Vorgaben des OR auch die Umsetzung eines auf deren Verhältnisse angepassten BCM-Systems gehört.

3. *Business-Impact*-Analyse

Im Rahmen eines BCM-Vorhabens sind zunächst die kritischen Elemente zu analysie- 11
ren, welche die Anwaltskanzlei zu einem ordnungsgemässen Ablauf benötigt (sogenannte *Business-impact*-Analyse)[9]. Im Vordergrund stehen dabei vor allem die für die Kanzlei sensitiven Betriebsmittel und Systeme sowie kritischen Prozesse. Für jeden dieser kritischen Faktoren ist zu fragen, wie lange die Kanzlei auf diesen verzichten kann, bevor sich ein *incident* zu einem *disaster*[10] entwickelt und welches die Auswirkungen auf die innerbetrieblichen Prozesse im Falle einer Störung (*incident* oder *disaster*) sein

6 Watter, R. / Pfiffner D. in: Honsell, H., Vogt, N., Watter, R. (Hrsg.): Basler Kommentar Obligationenrecht II, Basel 2008, 3. Auflage, N 46 zu Art. 728a.

7 Cipolat U. A.: Notfall- und Evakuierungsorganisation: die gesetzlichen Grundlagen, in: Bütler, M. / Schinler, B. / Sprecher, F. / Sutter, P. (Hrsg.): Sicherheit & Recht, 2/2011, S. 100 ff.

8 Weber R. H. in: Honsell H., Vogt N., Wiegand W. (Hrsg.): Basler Kommentar Obligationenrecht I, Basel 2007, 4. Auflage, N 27 zu Art. 398.

9 Vgl. etwa Barnes, J.C.: A Guide to Business Continuity Planning, Chichester 2001, S. 68 f. Eine Anleitung zur Analyse möglicher Auswirkungen von eingetreten Störungen *(business impact assessment process)* findet sich bei: Jackson, C.B.: The Business Impact Assessment Process, in: Doughty., K. (Hrsg.): Business Continuity Planning, Boca Raton 2001, Chapter 14.

10 Eine vertiefte Darstellung über mögliche Risiken findet sich bei Snedaker, S., a.a.O., S. 17 ff.

können[11]. In einer Anwaltskanzlei sind vor allem die folgenden Faktoren als in diesem Sinne kritisch zu betrachten[12]:

- IT-Systeme
- Kommunikationssysteme
- Infrastruktur/Räume
- Mitarbeiter
- Versorgung.

3.1 IT-Systeme

12 Ein Grossteil der Tätigkeiten innerhalb einer Anwaltskanzlei besteht in der Erstellung und Bearbeitung von Dokumenten. Entsprechend sind ein stabiler Zugriff auf und die sichere Speicherung dieser Dokumente bedeutend für einen geordneten Arbeitsablauf. Der fehlende Zugriff auf die entsprechenden Dateien kann die anwaltlichen Arbeitsprozesse massiv stören oder gar zum Erliegen bringen. Kritische Elemente sind dabei je nach der IT-Architektur der betreffenden Kanzlei die zentralen Server-/Rechnersysteme, das Datenmanagementsystem, die Speichersysteme, das interne Netzwerk sowie das Backup-System. Hingegen sind einzelne Arbeitsstationen oder Drucker wohl nicht als besonders kritisch zu betrachten, weil deren Ausfall die Arbeitsprozesse einer Kanzlei in aller Regel nicht erheblich behindern sollte.

13 Mögliche Ursachen für Probleme in diesem Bereich sind etwa technische Störungen/Fehler innerhalb dieser Systeme, Einwirkungen von aussen, wie z.B. Störungen in der Stromzufuhr, Überhitzung der Computerräume oder Gebäudeschäden sowie menschliches Versagen.

3.2 Kommunikationssysteme

14 Die Kommunikation über das Telefon oder über das Internet mit Mandanten und Drittpersonen wie etwa Gegenparteien und Behörden ist für eine Anwaltskanzlei ebenfalls von zentraler Bedeutung. Falls der Telefon- und/oder E-Mail-Verkehr ausfällt oder zumindest erheblich eingeschränkt ist, führt dies zu einer stark spürbaren Beeinträchtigung der Arbeitsprozesse. Auch der Postverkehr gehört zu den Kommunikationsmitteln einer Anwaltskanzlei, doch wird in diesem Beitrag unterstellt, dass dieser nur in Extremsituationen in einem Mass gestört sein dürfte, dass die Kanzlei vom Postdienst keinen

[11] Okolita, K.: Building an Enterprise-Wide Business Continuity Programm, Boca Raton 2010, S. 49 f.

[12] Einen guten Überblick über mögliche Risiken vermitteln Rittinghouse, J. W. / Ransome, J. F.: Business Continuity and Disaster Recovery for Infosec Managers, Amsterdam 2005, S. 30 ff.

Gebrauch mehr machen könnte. Deshalb haben wir der Postverkehr von den vorliegenden BCM-Überlegungen ausgenommen.

Auch in diesem Bereich sind primäre Ursachen für Probleme technische Störungen in 15
den relevanten Systemen, Einwirkungen von aussen sowie menschliches Versagen. Bei den Einwirkungen von aussen kommt primär der Ausfall der Telekommunikationsnetze in Betracht.

3.3 Infrastruktur/Räume

Weitere kritische Faktoren, deren Störung oder Ausfall die Arbeitsprozesse beeinträch- 16
tigen können, sind die Räumlichkeiten der Anwaltskanzlei (insbesondere Büros, Sitzungsräume, Computerräume, Technikräume und Archiv) sowie die Gebäudetechnik (wie etwa Kühl- und Heizungssysteme).

Auch diesbezüglich sind die möglichen Problemursachen mannigfaltig. Diese rei- 17
chen von menschlichem Verhalten (z.B. Einbruchdiebstahl oder Sachbeschädigung) über äussere Einwirkungen (wie etwa Feuer, Wasserschäden oder Erdbeben) zu technischen Störungen (z.B. Ausfall des Kühlsystems im Computerraum oder Ausfall des Gebäudezugangssystems)[13].

3.4 Mitarbeiter

Für Anwaltskanzleien als Dienstleistungsunternehmen sind die darin arbeitenden Men- 18
schen der zentrale Produktionsfaktor[14]. Ab wann der Ausfall von einzelnen oder mehreren Mitarbeitenden zu einem ernsthaften Problem werden kann, lässt sich hier nicht allgemeingültig beurteilen und ist von der Kanzleigrösse sowie -organisation und von den bearbeiteten Mandaten abhängig. In kleineren Kanzleien kann wohl bereits der Ausfall eines spezialisierten Anwalts erhebliche Konsequenzen haben, während in grösseren Kanzleien der Ausfall von mehreren Mitarbeitenden wohl noch bewältigt werden kann. Nicht ausser Acht lassen dürfen wir in diesem Zusammenhang die Bedeutung von unterstützenden Funktionen wie IT und Front Office (Empfang und Telefonzentrale). Auch hier kann der Ausfall einzelner Mitarbeitenden den gesamten Kanzleibetrieb empfindlich beeinträchtigen.

Als mögliche Problemursachen kommen in diesem Bereich primär Krankheit und Unfall 19
in Betracht, während andere Absenzen, z.B. bedingt durch Ferien und Militärdienst, planbar sein und deshalb den Betrieb nicht erheblich stören sollten. Andere Fälle von

---

13 Eine fundierte Beschreibung einer Risikoanalyse mit einem spezifischen Fokus auf Gebäude und Anlagen findet sich in Gustin, J. F.: Disaster and Recovery Planning: A Guide for Facility Managers, 2. Auflage, Lilburn 2002, S. 208 ff.

14 Vgl. auch Barnes, J.C., a.a.O., S. 118.

«höherer Gewalt», wie etwa Zusammenbruch der Verkehrsnetze, sind ebenfalls theoretisch denkbar, aber in der Schweiz glücklicherweise wohl unwahrscheinlich.

3.5 Versorgung

20 Einen weiteren kritischen Faktor bildet die Versorgung, insbesondere mit Strom und Wasser. Ein anhaltender Ausfall der Stromversorgung bringt die Arbeiten in einer Anwaltskanzlei zum Stillstand. Zwar ist die Versorgungssicherheit in der Schweiz weiterhin sehr hoch, doch haben jüngere Störfälle aus dem näheren und weiteren Ausland gezeigt, dass dies durchaus keine Selbstverständlichkeit ist. Je nach verwendeter Gebäudetechnik kann auch eine Störung in der Wasserversorgung problematisch sein, etwa wenn ein Kühlsystem mit Wasser betrieben wird und mangels Nachschub ausfällt.

4. *Business-Continuity*-Plan

21 Nachdem eine Kanzlei ihre kritischen Betriebsfaktoren und die möglichen Konsequenzen von Störungen analysiert hat, geht es nun darum, konkrete Massnahmen zu definieren. Dabei geht es primär um Vorbeugung (Prävention) gegen Störungen und um Wiederherstellung *(recovery)* im Falle von eingetretenen Störungen. Die Massnahmen sind für die in der *Business-impact*-Analyse identifizierten Faktoren gesondert festzulegen und alsdann in einem Massnahmenplan oder einem sogenannten *Business-continuity*-Plan[15] niederzuschreiben.

4.1 IT-Systeme

22 Die Anzahl möglicher Massnahmen ist gross und hängt primär von der IT-Organisation der betreffenden Kanzlei ab. An dieser Stelle kann deshalb nur ein kurzer Überblick über einzelne mögliche Massnahmen gegeben werden, der keinesfalls umfassend sein kann.

23 Beginnen sollte jede Kanzlei damit, dass sie eine klare Systembeschreibung mit den Kontaktdaten der jeweiligen Lieferanten erstellt und diese jeweils auf dem neuesten Stand hält. Das mag zwar banal erscheinen, ist aber zentral. Im Notfall, z.B. beim Ausfall eines Servers, muss rasch reagiert werden können, und zwar auch dann, wenn der IT-Leiter gerade in den Ferien weilt. Um angemessen rasche Reaktionszeiten und Interventionen sicherzustellen, sind sodann regelmässig Wartungsverträge vonnöten (ebenso für präventive Wartungsmassnahmen, die mögliche Störungen frühzeitig erkennen und/oder vermeiden helfen). Diese schlagen finanziell regelmässig erheblich zu Buche, sind aber nach Ansicht der Schreibenden aufgrund der grossen Abhängigkeit einer Kanzlei von

---

15 Vgl. etwa Meglathery S.: Overview of Business Continuity Planning in: Doughty, K. (Hrsg.), a.a.O, Chapter 11, Exhibit 11-2 und Okolita, K., a.a.O., S. 67 f.

IT-Systemen unerlässlich und stellen unvermeidliche operative Kosten dar. Eine Alternative stellt das Outsourcing der eigenen IT-Systeme an einen spezialisierten Dienstleister dar, in welchen Fällen – je nach Ausgestaltung des Vertrages – der Dienstleister für die Wartung zu sorgen hat. Dies reduziert zwar die Kosten nicht zwingend, kann die Kanzlei aber operativ entlasten.

Weitere Massnahmen technischer Natur[16] sind die redundante Auslegung der zentralen 24
Rechner, der Datenserver und Speichersysteme[17] sowie der internen Netzwerkkomponenten und die Verwendung von Komponenten zur unterbruchfreien Stromversorgung, um kurzfristige Stromunterbrüche abfangen oder zumindest ein geordnetes Herunterfahren der Systeme sicherstellen zu können. Auf organisatorischer Seite ist es sodann angebracht, die Zuständigkeiten zu regeln und die Prozesse festzulegen, die zu befolgen sind, wenn eine Störung eintritt. Dabei sollte auch im Auge behalten werden, dass sich Systeme nicht an Bürozeiten halten und durchaus auch in der Nacht oder über das Wochenende ausfallen.

4.2 Kommunikationssysteme

Wie in Abschnitt 3 festgehalten, basiert auch die Kommunikation weitgehend auf elek- 25
tronischen Systemen, sodass das vorstehend Gesagte auch für die Kommunikationssysteme gilt. Ergänzend sei noch angefügt, dass es auf der Hand liegt, dass der Ausfall der zentralen Telefonanlage die Anwaltstätigkeit erheblich beeinträchtigen kann. Entsprechend schnell muss die Kanzlei bei einer Störung reagieren können[18]. Bei der kanzleiinternen Kommunikation ist sodann darauf zu achten, dass diese aufgrund der heute verfügbaren Technologien über herkömmliche Telefonleitungen oder über die Datennetze erfolgen kann. Falls die interne Kommunikation über die Datennetze erfolgt, hängt sie von einem stabilen Datennetzwerk ab, weshalb diese Netze eine hohe Ausfallsicherheit aufweisen müssen.

4.3 Infrastruktur/Räume

Auch diesbezüglich gilt es, eine Vielzahl von möglichen Risiken vorauszusehen und mit 26
geeigneten Massnahmen Vorkehrungen zu treffen. An dieser Stelle erwähnt seien etwa

---

16 Zu weiteren Massnahmen im Bereich Back-up vgl. etwa Wald, E.: Backup and Disaster Recovery, Bonn 2002, S. 63 ff.

17 Eine vertiefte Diskussion über verschiedene Datenspeicherungsarchitekturen findet sich bei Schmidt, K.: High Availability and Disaster Recovery, Concepts, Design, Implementation, Berlin 2006, S. 108 ff. Redundanz kann im Bereich der Speichersysteme insbesondere mit der sogenannten RAID-Technologie erzeugt werden, die je nach Ausgestaltung den unterbruchsfreien Ersatz einer von mehreren Speicherplatten im laufenden Betrieb erlaubt. Für eine Diskussion über den Einsatz der RAID-Technologie vgl. etwa Childs, D.R. / Dietrich, S.: Contingency Planning and Disaster Recovery, A Small Business Guide, Hoboken New Jersey 2002, S. 40 f.

18 Barnes, J.C., a.a.O., S. 113 ff.

die folgenden technischen Massnahmen: Die Beschaffung (und der regelmässige Unterhalt) von Feuermelde- und -löschanlagen, die Bereitstellung von sicheren Archivräumen für die Akten, die sichere Aufbewahrung von Datenträgern zur Datensicherung (in den eigenen Räumen und an einem Zweitstandort) sowie das Bereitstellen von Ersatz-/Notschlüsseln. Angemessene organisatorische Massnahmen umfassen z.B. Evakuationspläne, Zuständigkeitslisten, Lieferantenübersichten mit den entsprechenden Kontaktdaten sowie Handlungsanleitungen[19].

4.4 Mitarbeiter

27 Mitarbeitende sind ständig Unfall- und Erkrankungsrisiken ausgesetzt. Für eine Kanzlei bedrohlich werden kann es, wenn plötzlich eine Mehr- oder Vielzahl der Mitarbeitenden ausfällt. In der Regel sind die Massnahmen zur Sicherheit der Räumlichkeiten auch, oder gar vor allem, auf die Sicherheit der Mitarbeitenden ausgerichtet. Ein sicheres Arbeitsumfeld schützt regelmässig auch die Mitarbeitenden vor Unfällen in den Räumlichkeiten. Auf die Vorgänge und Risiken ausserhalb der Kanzlei haben diese Massnahmen aber naturgemäss keinen Einfluss, und so kann eine Kanzlei gegen Unfälle ausserhalb der eigenen Räumlichkeiten sowie gegen Krankheitsfälle praktisch keine technischen oder organisatorischen Massnahmen ergreifen. Allerdings sollte sich jede Kanzlei überlegen, ob sie nicht gewisse «weiche» Faktoren beeinflussen kann, die das Wohlbefinden der Mitarbeitenden ganz allgemein fördern und damit längerfristig auch die Gesundheit positiv beeinflussen. Zu denken ist dabei etwa daran, trotz Arbeits- und Leistungsdruck ein motivierendes und nicht einschüchterndes oder erdrückendes Arbeitsklima zu schaffen, in dem sich die Mitarbeitenden gefordert, gefördert und geschätzt fühlen und ein Arbeitsumfeld zu ermöglichen, in dem die Mitarbeitenden ihre Bedürfnisse nach Sicherheit, Zusammengehörigkeit und Wertschätzung befriedigt sehen[20]. Solche «weichen» Faktoren und Massnahmen werden nicht primär mit BCM in Verbindung gebracht, doch rechtfertigt es sich nach Ansicht der Schreibenden durchaus, aufgrund der zentralen Bedeutung der Mitarbeitenden für eine Anwaltskanzlei diesen Faktor im vorliegenden Zusammenhang zu diskutieren und ihm angemessene Beachtung zu schenken.

4.5 Versorgung

28 Wenig Einfluss nehmen kann sodann eine Kanzlei auf Probleme in der (externen) Versorgung mit Energie/Strom und Wasser. Sollte der Strom aufgrund von Problemen in der externen Zufuhr ausfallen, können die kanzleiinternen Arbeitsprozesse sehr rasch lahmgelegt werden. Einer Kanzlei stehen naturgemäss nur sehr beschränkte Massnah-

[19] Eine detaillierte Beschreibung von Massnahmen im Bereich Gebäude und Anlagen findet sich in Gustin, J. F., a.a.O., S. 73 ff.

[20] Vgl. dazu etwa die sogenannten Maslow's hierarchy of needs, diskutiert z.B. in Hughes, R.L. / Ginnett, R.C. / Curphy, G.J.: Leadership, 5. Auflage 2006, S. 250 f.

men zur Verfügung, falls der Strom über längere Zeit ausfallen sollte. Notstromgeneratoren (etwa dieselbetriebene) dürften aufgrund der hohen Kosten (und der geringen Ausfallwahrscheinlichkeit) den wenigsten schweizerischen Kanzleien zur Verfügung stehen. Somit verbliebe für solche Extremsituationen einzig die Möglichkeit vorzusehen, in alternative Standorte («Notfallbüros») auszuweichen, die von der Unterbrechung in der Versorgung nicht betroffen sind. Mittels solcher Notfallbüros und geeigneter Fernzugriffe durch die Mitarbeitenden von zu Hause und/oder über mobile Geräte kann gegebenenfalls ein reduzierter Betrieb der Kanzlei aufrechterhalten werden. Ob es geboten und angemessen ist, solche Massnahmen umzusetzen, ist nach Ansicht der Schreibenden besonders stark von einer eingehenden Risikoanalyse und Kostenabwägung abhängig, weil in der Vergangenheit kein massiver Störfall in der Versorgung, der die Arbeitsprozesse von Anwaltskanzleien (und anderen Unternehmen) über einen längeren Zeitraum völlig lahmgelegt hätte, bekannt ist.

5. Kommunikation und Tests

Wie einleitend bereits ausgeführt, erschöpft sich ein effizientes BCM nicht in der Ana- 29
lyse der kritischen Betriebsmittel und Risiken sowie in der Erstellung des Massnahmenplanes[21]. Vielmehr ist es zentral, dass der Massnahmenplan in geeigneter Weise kanzleiintern kommuniziert wird. Sodann sind die Massnahmen auch auf ihre Tauglichkeit hin zu testen. Mit anderen Worten müssen die betreffenden Verantwortlichen ihre Aufgaben kennen, und die Mitarbeitenden müssen wissen, wohin sie sich wenden müssen, wenn ein Problem auftritt. Bestimmte Massnahmen, z.B. die Evakuation in einem Brandfall, sollten zudem getestet werden, um mögliche Schwachstellen aufzudecken und eine rasche Reaktion im Notfall zu gewährleisten.

Da sich eine Kanzlei ständig entwickelt, ist schliesslich das BCM periodisch zu überprü- 30
fen und gegebenenfalls anzupassen. Ebenso sollte die Kanzlei darauf achten, dass die interne Kommunikation und bestimmte Tests periodisch wiederholt werden. Ein BCM-System, das in Vergessenheit gerät und veraltet, ist nutzlos.

[21] Vgl. dazu weiterführend Rittinghouse, J.W. / Ransome, J.F, a.a.O., S. 193 ff.

L. Important Issues and Trends in the Field of Liability Insurance for Law Firms

KEITH TRACEY

1. Introduction

1 From 2004 until now the liability insurance market for law firms has been in a soft phase. Soft cycles are characterized by gradually reducing prices and increasing insurance market capacity. They are subject to rapid correction when capacity shrinks and prices increase rapidly. There was widespread speculation that the recent credit, financial and debt crises would cause such a market correction. To date this has not occurred.

2 Changes to the strategic landscape for law firms and legal services have raised some important issues while emerging risks have driven incremental changes in the liability insurance product and its purchase. Globalization of the demand for legal services and the construction of international delivery capabilities are current trends influencing the nature of liability insurance protection.

3 This discussion is grouped under three themes:

1. The structure of the liability insurance market and its current conditions.
2. Developments in the purchase of liability insurance arising from changes in the market for legal services.
3. Emerging risks and trends in the purchase of liability cover.

2. Insurance market for law firms: Overview

4 The liability insurance market for law firms is a segment of the Professional Indemnity (PI) market that comprises major insurance groups, national and specialist insurers. The larger insurers who provide leading terms and principal PI capacity tend to operate in the major territories and constitute the market for global risks in the international insurance placement hubs.

5 Currently intense competition is fuelling the soft market for individual risks. Professional Indemnity insurance is attractive to insurers since its long tail nature provides a portfolio balance to short-term risk such as property insurance. Long tail refers to the interval between the work in question and the emergence of a claim that might be two years. It can then take several more years to settle. The cover is attractive to insurers in the long term because rates tend to be relatively high, there is a large universe of buyers, and insurance has a mandatory status.

The competition is fuelled by the desire to preserve market share which insurers are keen to maintain, partly in the expectation that rates will increase in time. They are, therefore, managing the underwriting cycle by employing a medium term strategy. This explains why insurers are willing to continue to hold or reduce rates even though their financial results are unsatisfactory, and this sustains the soft market. In a hard market rates move rapidly and insurers enter a period of higher than normal profitability, thus helping to pay for the losses that have driven the market correction. This new phase stimulates competition, the cycle begins anew and rates again start to fall. 6

Professional regulations and legal requirements commonly mandate a compulsory level of insurance and set the policy terms and minimum requirements. National or regional schemes are in place to offer this mandated cover. In some instances a mutual insurance arrangement provides cover, while in others a designated insurer or group of insurers is identified and provides the cover. The form of the insurance can vary also, with some jurisdictions having cover arranged on a master policy for all law firms and in others the individual firm chooses its insurer from a group of approved or qualifying insurers. Schemes that are in a mutual form invariably access the commercial insurance market by purchasing reinsurance for the mutual insurer. Larger firms buy cover excess of these arrangements in the commercial market and often require a more tailored cover. 7

3. The demand for insurance

The limits of indemnity purchased by law firms vary depending on the size of the firm and its perceived risk exposure. A convenient segmentation of law firms' PI programmes is: 8

1. Truly global firms, the majority tending to be based in London or New York.
2. Firms with international risks, being those located in a number of jurisdictions or having an international client base.
3. National firms with no foreign operations, these can vary considerably in size and risk profile.

All buyers have common expectations from their insurer: 9

1. High quality and comprehensive cover. Compulsory schemes usually are based on very broad wordings but may not adequately address the exposures of larger firms.
2. Knowledge of the profession and its risks.
3. A responsive and responsible claims service. Some insurers offer risk management advice and counselling which small and medium sized firms value.
4. A reasonable price and adequate capacity from the market as a whole to cover the perceived exposures to claims.

5. Strong financial security. In a market where new entrants are a common phenomenon, stability of relationship with a committed well-capitalised insurer is a valuable asset around which to build the programme.

10 The key question of how much cover to buy is always difficult to answer. Criteria can include estimates of potential exposure, judged by the size of past claims or perceived exposure to loss, the limits purchased by the firm's peer group, or even the budget available to the firm.

11 Law firms tend to be sophisticated and demanding buyers of insurance. The cover is clearly vital to the firm and its partners (or members). The challenge in obtaining the best result centres on how to differentiate the firm with the insurance underwriters. Navigating the market and dealing with the insurance market conditions and cycles, where pricing movements sometimes appear to have a limited relationship with the underlying risks, can be assisted by the employment of a specialist intermediary.

4. Insurer concerns and the underwriting process

12 A correlation of claims against law firms and economic conditions is assumed but does not always materialize as expected. The number and severity of losses arising from the financial crisis and falling property values have, for example, been below expectations. Insurers were concerned in the post crisis world about the potential for claims from property transactions, fraud and securitizations. Claims have emerged but probably at the lower end of the range of expectations, however, their ultimate value is still unknown. This illustrates the uncertainty inherent in the long-tail nature of claims. In the period of maturity to settlement, factors such as claims inflation and court judgments may introduce additional uncertainty around the ultimate cost.

13 Insurers' underwriting is based on their judgement of the firm in the contextual framework of the risk of the profession as a whole. The judgement on an individual risk is formed from the core underwriting data. This involves a presentation to insurers of the firm's service and geographical mix and practice structure. The key areas of enquiry are:

1. Overview of the firm and changes in the last 12 months.
2. Commentary on major exposures in the service lines and the risk management procedures. What effect is the economy and demand from buyers of legal services having?
3. Description of the risk management function, its effectiveness and its position in the governance and culture of the firm.

4. Claims notified to the policy and an evaluation. Insurers examine the frequency of claims and their severity. Lessons can be drawn from both about potential risk failings or highly exposed areas of the practice.

The presentation to insurance underwriters is therefore a vital issue in seeking to explain the firm's risks and to differentiate it amongst its peers. Areas of differentiation include: 14

- Claims record, being the ultimate evidence of risk and risk management effectiveness.
- The past relationship with the insurer and the market generally.
- Claims management history, the claims process, the frequency of notifications and the quality of information sharing.
- A firm's commitment to staying close to its core expertise.
- The risk management framework, its effectiveness, the commitment of management and its place in the culture of the firm.

Insurers' focus in their due diligence varies depending on the perceived risk of the day. For example in the period following the financial crisis, attention was paid to the exposure to property transactions, mergers & acquisitions, securitizations, fraud generally and Ponzi schemes[1], in particular. They were also on enquiry if the firm had to manage declining fee income and if partners were being laid off. The concern was that the correct resource and expertise were being applied to engagements. 15

Going forward, insurers will be enquiring about international expansion and topical risk exposures for example, clients' monies and financial institutions. Information technology and the risk management around it will be a more significant area of enquiry. 16

5. Liability insurance market conditions for law firms

Market conditions are expected to be stable in the short term but are capable of hardening at short notice. There are some signs of imminent change. 17

1. Premium rates in other classes of insurance have increased and PI insurers in the US are now stating that rates are inadequate due to the unexpected levels of claims cost development and must increase in 2012.
2. Smaller firms in territories where a property boom developed have seen considerable increases in premium costs caused by claims arising from the collapse of val-

[1] Fraudulent investment operation where money from new investors is used to pay returns to the existing investors and the fraudster. Madoff is a recent example of such a scheme.

ues. These firms have less bargaining power in the commercial market. Insurers are aware that the population of small and medium firms represents the potential for an occasional systemic loss.

18 Why is the lawyers' PI market proving to be so resilient? It is a mixed picture ...

19 **The insurance market remains well capitalised by historic standards** and very competitive. However, the profitability of the industry is threatened by reducing premiums (the soft market) and poor investment returns. The key industry financial metrics are poor by historical standards. These are the combined ratio (claims and expenses as a percentage of premiums), return on equity (ROE) and cash flow.

So far, releases of reserves have been supporting financial results but the scope for further releases is low.

20 **Insurers are still holding market share by reacting to competition,** although there is evidence that some markets are managing the cycle. This means that they will reduce their commitment to high hazard risks by managing their capacity down. This could reduce the appetite for PI risks and there is some evidence that this has already happened. However, PI is a class that continues to attract new entrants.

21 **The law firm PI market is competitive,** although there is concern among insurers about claims trends, overall profitability and the adequacy of excess layer prices. Insurers' instincts are to seek increased prices from firms that have claims. Law firms are therefore likely to have different experiences in their insurance renewals depending on their own claims experience.

22 **Insurers have offered rate reductions for many years** as the market has continued to soften. Some insurers have stated that their expected losses are now exceeding their premium income for recent years. There is concern about the potential for high severity law firm PI claims, particularly arising from financial and large corporate transactions.

23 **Insurers are suggesting a need for rate strengthening.** Their ability to achieve this is limited in part by new insurers that have not experienced losses. While in many jurisdictions the losses may not have emerged or been paid, insurers believe the technical pricing is too low, especially for excess layers where the ratio of premium to limit reduces substantially and losses of any size could create momentum for a general price increase.

24 **Solvency II could affect PI prices.** Capital requirements may increase following the implementation of the new EU solvency regime. Additional capital costs could drive prices up. One result might be a movement to allocate risk capital to other less risky parts of the portfolio, which would reduce total market capacity.

25 There are limited options for **primary layer lead markets,** therefore vulnerabilities arising from emerging claims and the uncertainty of economic and financial conditions could cause price increases.

In the short-term what trends could change PI conditions for large law firms? 26

- The payment of large claims by the market.
- More high profile matters arising in the media.
- A materialisation of the concern about a wave of double dip claims from the financial crisis and a period of recession.
- A general increase in insurance rates arising from financial or economic conditions that severely affect the asset side of insurers' balance sheets.

6. The demand for legal services and firm strategy

Shifts in capital and commercial activity and the consequent changing demands for legal services have driven international expansion and merger activity by law firms. The insurance market has had to respond with specific solutions that are determined by the nature of the expansion. Insurance treatment of *best of friends* arrangements and membership of networks differs from a full merger in the same country, or an international arrangement. 27

International programmes and mergers can present complexities: 28

6.1 International practice insurance issues

International programmes pose particular challenges. The objective of a programme with international exposure is to guarantee consistent and comprehensive cover responding in a coordinated fashion to claims and achieving professional and regulatory compliance in each jurisdiction. 29

The key is to make the international programme the governing cover that interacts in a transparent way with local policies. If local wordings are inadequate, the international programme should always respond. It is important that there are no obstructions to claims management processes or decisions taken by local insurers that could prejudice the management of the claim or the position of the international insurers. 30

A well structured international programme will allow excess layers to respond over locally placed policies ensuring the integrity of cover for the full limits purchased, with the international programme responding if its cover is broader than the local policy. International wordings are often broader in scope. 31

The issue of non-licensed or «non-admitted» insurance is gaining increased prominence for international law firms. There is heightened attention from regulators and tax authorities. Insurers are increasingly insistent on regulatory compliance. 32

33 Some territories permit the purchase of non-admitted cover but where local non-licensed insurance rules apply, non-admitted insurance may be entirely prohibited or insurers may be restricted in the payment of claims. Another problem is that payments may become taxable. Indeed a key consideration must be the consequences of a breach.

34 The situation within the EU is subject to the *Freedom of Services Directive* but professional rules commonly dictate that local approved cover is in place.

35 Evidence of insurance cover is generally required by a regulatory or professional body. This is typically for the regulatory or statutory limit that is covered by the local compulsory cover. Global insurers can offer polices in many territories, perhaps utilizing a fronting facility, but where substantial limits are required it is more complicated to provide full regulatory compliance in all territories.

6.2 Mergers

36 Law firm mergers are common occurrences but there has been an increase recently in international merger activity involving UK and US firms and also firms in Australia, Canada and Asia. A merger of equals is likely to result in different treatment than what is essentially a takeover and an international component adds complexity. Care should be taken to make sure insurance arrangements are constructed that reflect the mechanics of the merger and the objective of the firms. Significantly the legal, management and governance structures of the new firm will largely suggest the appropriate insurance programme strategy. Vital issues to resolve in the insurance purchase are arrangements for past liabilities and for liability arising from completed work.

37 Insurers are concerned about the risks in the short term arising from disruption to the respective firms, the future treatment of risk and the integration phase while operations and cultures are being merged. Insurers will enquire about the background and reasoning for the merger. They will be interested in how the firm will be structured and how the management, governance and risk management functions will work.

38 International mergers raise challenges for the creation of the required cover and the flow of liabilities post merger, the sources of claims and their allocation within the new insurance arrangements. Accessing the insurance market in an effective and efficient manner becomes more challenging and as more territories are involved, the insurance compliance and regulatory issues can become more complex.

39 Some transatlantic mergers have employed the Swiss Verein model, with dual management teams and limited degrees of financial integration. This structure presents technical challenges that need sophisticated treatment. Coverage triggers have to be clear in defining which policy responds to avoid both being triggered by the same event.

Decisions around insurance design may be shaped by the jurisdictions involved. For example, buying conditions for firms from different national centres tend to vary. Buying conditions for UK firms as compared to US firms are characterised by lower premium rates, lower retentions and higher available total capacity for limits. 40

7. Emerging risks and trends in the purchase of liability insurance

7.1 Risk appetite and tolerance

What level of risk is the firm willing to accept? What is the tolerance for losses to the firm's key financial metrics arising from hazard losses? What risks are to be transferred and what is their likelihood and potential impact? This is the classical process of risk identification and evaluation that should precede decisions about insurance purchase. 41

In the risk management process, considerable focus should be on catastrophe risk, which excluding strategic risks, and focusing only on hazard risk, probably includes: 42

- Professional risks and resultant reputation damage.
- Disruption caused by physical hazards to the building or surrounding area.
- IT systems failures (cyber risks).

For each of these, risk management and risk controls are key elements in managing the exposure to loss both before and after the event. Business continuity plans, business interruption impact studies and technology risk audits will reduce risk and facilitate pre and post event management. 43

Risk decisions are influenced if insurance covers are available at affordable prices, especially if their purchase brings ancillary benefits in the forms of loss prevention and claims management services. The one time annual premium payment in return for the certainty of future indemnity against the cost of claims provides an excellent hedge against the liability risks of professional practice. 44

The alternative to transferring risk to insurance companies is to establish higher levels of risk retention within the firm. This is normally accomplished by taking a higher retention on each claim. To manage this exposure, a captive insurance company may be used. 45

7.2 Captives

Traditionally captives are utilised by professional service firms for a number of reasons that most often include: 46

- To act as a buffer against actual or potential hard PI insurance market conditions.
- To smooth recurring but annually volatile costs between generations of partners.

47 Captives serve to isolate a fund to pay expected or unquantified future claims costs. This may be seen as a prudent provision for the firm and has been a major motivator for captive formation.

48 The most common application for law firm captives is to insure the primary excess (retained amount for each claim) or a proportion of it. This may be done in conjunction with an increase in the size of the excess (policy retention per claim) that is offered by insurers. The objective is to limit premium increases that might result from insurers paying losses at low levels and to self-insure a level of losses that is reasonably predictable. There are additional costs to be incurred including that claims costs will exceed the range of expectations. In addition to the formation costs, the annual running costs would be the fees of the captive manager and the governance arrangements. Operating costs include audit fees, an insurance license fee and possibly some sundry expenses, for example to cover directors' travel.

49 Depending on risk appetite, different strategies can be employed. One way to obtain a larger premium reduction from insurers would be to accept a much larger retention. Commercial premiums would reduce, but contributions to the captive could mean that the total annual premium costs increase. One course not to be advised is to take coinsurance on excess layers. This involves acceptance of leverage that could be very costly and carries a high requirement for captive capitalisation.

50 Utilisation of a «protected cell captive» may incur lower frictional costs than an owned captive. A protected cell uses third party capital and avoids a full capital contribution from the firm but involves having less control over the captive and its funds.

51 A captive feasibility study would precede a business plan that addresses risk exposure and cost. The amount of capital is a regulatory issue but a good first step is look at the economic capital: that is, the capital required looking at the business case itself before examining regulatory considerations. Regulatory capital is a function of domicile.

52 The key issues are:

- The preference to fund the cost of the excess on an annual basis rather than when it is due to be paid. As stated above, some firms feel that making an annual provision is a better approach to funding, spreading the cost and creating a discipline within the firm of providing for the future cost of risk.
- The economics in terms of expected costs, the limit that needs to be written and the ability to fund that through premiums, capital or other support.

- The commercial market terms and the discount allowed for retraining more risk.
- Domicile, operating costs and capital requirements.

8. Emerging and emergent risks

8.1 Technology and cyber risks:

Law firms have a high level of dependency on technology for communications, knowledge management, client delivery and risk and compliance systems. This reliance can be threatened by security breaches, data loss, viruses and denial-of-service attacks. Liability risks include the transmission of viruses and defamation. Data breaches are increasing, as are the threat levels from criminals, casual hackers and former employees. Cyber extortion is also a concern. Traditional insurances do not respond adequately to these risks. 53

For larger firms in particular there is a significant difference between the inherent risk in this area and the controlled risk, the difference created by the intervention of risk management. Risk management is the first line of defence, and should involve a coordinated effort involving the Chief Information Officer, Human Resources, IT and risk management professionals. 54

Some standard responses include; protection of laptops, protection of removal media, implementation of internal controls and safeguards against hackers. These programmes require management support, the management of jurisdictional issues and changed employee behaviours. 55

Insurance can provide another line of defence. 56

There is clearly cover for some technology exposures in the PI policy. Its exact extent depends on the wording and the circumstances of the claim. Some insurers have offered extensions to make cover affirmative or extending the basic PI policy to some cyber risk. Separate insurance is available through so-called cyber polices. 57

If this form of cover is pursued, risk identification and management may be enhanced in the insurance underwriting process. The experiences of insurers may be a valuable source of information. Risks can be identified and risk controls that are employed elsewhere communicated, in effect creating a knowledge network that assists in identifying vulnerabilities, consequences and responses. 58

The third party liability exposures that can be covered are: 59

- Defamation, libel and slander.
- Infringement of copyright and intellectual property.
- Breach of confidentiality.

- Invasion of privacy rights.
- Misleading advertising.

60 A cyber or technology breach brings potential for reputational damage to the firm, suggesting it has not applied sufficient resource or management to a key part of its operations where client confidentiality and data is at risk. The insurance provides cover for areas that may mitigate such damage:

- Disaster recovery costs.
- Public relations exercises.
- Notification costs.

61 Reputation risk regularly appears on risk registers and appears highly rated in surveys of current or emerging risks. It is often considered as an aggregation of risks and PI and cyber insurers have a role to assist firms in the management of the pre and post event responses.

62 Reputation damage of course can emerge from many sources and the question is sometimes posed if this is insurable as a separate class of risk. Some elements are, as suggested, covered in conventional insurance products. How adaptive is the insurance industry to new liability risks? How well does the availability of liability product respond to the issues and trends facing law firms?

8.2 Innovation in the insurance industry

63 Changing customer preferences, intense competition and emerging risks push insurers to look at innovative products. Some of these are tailored for professional firms where they have previously existed in the corporate insurance environment. A good example in this context is management liability, a development from Directors' & Officers' insurance. Many changes in professional risk exposure have been covered by incremental wording changes in PI policies.

64 The insurance market may not be perceived as being particularly innovative. In fact, there are numerous examples including cyber insurance. Additionally, products have been designed for intellectual property and environmental risks. Innovation has occurred in the transfer and funding of risks in the alternative risk markets, captives being an example.

65 There are good reasons for the perceived slowness of innovation. Risk changes and awareness emerge incrementally and demand takes time to build. Those phases are followed by data gathering for risk assessment purposes and then product design. There is a natural caution where there is insufficient data to quantify and price the technical risk.

Innovation is sometimes forced. In the UK legislation has created Alternative Business Structures and Multi Disciplinary Practices. These will transform the ownership, management and services mix of sectors of the UK legal market. The insurance industry must find ways of adequately insuring entities that do not conform to traditional business forms. There are repercussions for risk profiles, insurance policy language, cost and availability. 66

Reputation is an innovation case in point. Frequently cited as a major risk concern, it poses considerable challenges being intangible and based on belief and expectations. Mitigation can be achieved through business continuity, crisis management and having adequate insurance. As discussed, reputation damage is partially insurable conventionally but there are now some brand protection products on the market that are aimed at corporate and brand protection with cover for pre- and post-loss consulting, media and crisis management costs. It is perhaps a short step to a form of reputation insurance for professionals. 67

9. Summary

The trends for liability insurance for law firms is characterised by uncertainty. More insurers are announcing that they are losing money on their PI portfolios and their ability to offer cover at the existing rates may be in question. With some insurers running combined ratios over 100% some form of retrenchment is possible. 68

The claims picture is mixed. Although claims have not emerged in the number and size that might have been anticipated, there is concern particularly in the US about total claims costs now developing. Future economic prospects also have insurers concerned. 69

Nonetheless substantial excess capacity continues to exist especially if global markets are accessed. Rates are still generally stable with some reductions available for firms with clean claims records. Firms with losses are seeing rate increases tempered by competition. While profitability may be questionable in some jurisdictions, insurer profitability varies by territory and the market is segmented by geography and size. 70

International expansion and mergers create technical challenges for programme design and implementation. 71

Insurers can assist with the identification and management of technology risks. An insurance product is available covering first and third party risks. 72

Pricing of new risks and emerging markets is difficult. New risk exposures can emerge for professional service firms. The reverse takeover issues emerging with Chinese companies in US capital markets for the Big 4 accountants is a current example. 73

74 The insurance market has adapted to changing demands and emerging risks, but does so in a conservative manner.

Kapitel 8
Anwaltliche Soft Skills

A. Einführung und Übersicht

LEO STAUB

1. Was macht einen guten Anwalt aus?

1.1 Definition Soft Skills

Der Begriff Soft Skills wird im deutschen Sprachgebrauch mit «sozialer Kompetenz» 1
gleichgesetzt. Oder wie es der Duden ausdrückt: «Kompetenz im zwischenmenschlichen Bereich, Fähigkeit im Umgang mit anderen Menschen.»[1]

In der anwaltlichen Praxis wird die Bedeutung des Begriffs üblicherweise weiter gefasst. 2
Es gehören nicht nur Fähigkeiten dazu, die in der Interaktion mit Mandanten, Kollegen, Gegenparteien oder Behörden eine Rolle spielen. Unter Soft Skills werden auch charakterliche Eigenschaften und Fertigkeiten verstanden, die der Führung der eigenen Person dienen. Zusammen mit den der sozialen Kompetenz zugerechneten Eignungen und Fähigkeiten ergibt sich so ein bunter Strauss von Kompetenzen, die landläufig als anwaltliche Tugenden bezeichnet werden.

1.2 Anwaltliche Tugenden

Die Liste der anwaltlichen Tugenden ist umfangreich. Ein paar der am häufigsten genann- 3
ten seien hier kurz beschrieben.

1.2.1 Integrität, Vertrauenswürdigkeit und Diskretion[2]

Diese drei Attribute sind die klassischen Anwaltstugenden, ohne die ein Anwalt nicht 4
vorstellbar ist. In der einen oder anderen Form erscheinen sie in vielen berufsrechtlichen Umschreibungen,[3] gelegentlich reduziert auf die minimale Forderung, es könne nur jemand zum Beruf des Anwalts zugelassen werden, der nicht wegen eines Delikts verurteilt wurde, welches mit dem Anwaltsberuf nicht vereinbar sei.[4]

1.2.2 Teamfähigkeit[5]

Teamfähigkeit ist nicht nur wichtig bei der Bearbeitung eines Mandates im Verbund mit 5
anderen Anwälten und mit Sekretariatskräften. Sie entscheidet auch wesentlich darüber,

---

1 Duden Online (gefunden auf http://www.duden.de/rechtschreibung/Soft_Skill am 21. Februar 2012).
2 Staub, Leo: Legal Management. 2. Auflage, Zürich 2006, S. 156.
3 Z.B. § 7 Ziff. 5 BRAO.
4 Z.B. Art. 8 Abs. 1 lit. b BGFA.
5 Staub 2006, S. 156.

ob der Kontakt mit dem Mandanten sowie mit im Einzelfall zugezogenen Spezialisten anderer Fachgebiete erfolgreich gestaltet werden kann.

6 Der Begriff der Teamfähigkeit umfasst dabei zahlreiche der Persönlichkeit des Anwalts zurechenbare Eigenschaften wie Einfühlungsvermögen, Kooperationsfreudigkeit oder die Bereitschaft, unvoreingenommen und offen auf Menschen zuzugehen. Von grosser Bedeutung ist auch die Fähigkeit und Bereitschaft, sich – wenn notwendig – in gewissen Situationen persönlich zurückzunehmen und anderen den Vortritt zu lassen. Letzteres fällt gerade erfolgreichen Anwälten, die sich in ihrem Beruf durch Mut und Engagement besonders auszeichnen, nicht immer leicht.

1.2.3 Belastbarkeit, Flexibilität und Gelassenheit[6]

7 Viele Anwälte sind in Mandaten und für Mandanten engagiert, die gekennzeichnet sind durch eine hohe Beanspruchung aller Mitwirkenden. Grosse internationale Transaktionen etwa, Strafverteidigungen bei schweren Delikten oder streitige Scheidungen können Anwälte psychisch, physisch und zeitlich enorm belasten. Im internationalen Geschäft ist ausserdem oft Arbeit über verschiedene Zeitzonen hinweg notwendig.

8 In solchen Situationen kann nur erfolgreich arbeiten, wer belastbar ist und es schafft, bei aller Hingabe an die Aufgabe eine gewisse professionelle Distanz zu wahren und auch in hektischen Zeiten gelassen zu bleiben.[7] Gefragt ist ausserdem (zeitliche und räumliche) Flexibilität: Reisetätigkeit oder nur schon die zeitliche Abstimmung von Terminen für Telefonkonferenzen mit Teilnehmern aus Asien oder Amerika lassen kein Festhalten an üblichen Arbeitszeiten *(«9 to 5»)* oder an regelmässig arbeitsfreien Wochenenden zu.

1.2.4 Mut, Kampfgeist und Selbstvertrauen

9 Wer Anwalt sein will, braucht Mut.[8] Es ist oft notwendig – aber nicht immer einfach –, im Interesse des Mandanten gegen den Strom zu schwimmen und unpopuläre Standpunkte zu vertreten. Gelegentlich müssen auch unkonventionelle Pfade beschritten oder mit der Abgabe einer Empfehlung Risiken in Kauf genommen werden. Der Anwalt muss sodann eine gute Portion Kampfgeist mitbringen, die ihn auch Niederlagen ertragen lässt, ohne unter deren Eindruck dauerhaft einzuknicken. Das erfordert ein gesundes, nicht leicht zu erschütterndes Selbstvertrauen.

---

6 Staub 2006, S. 157.

7 Ponschab, Reiner: Besserer Anwalt – Wenn die Stressbalance stimmt. In: Anwalts Revue 6-7/2008, S. 292 ff.; Königswieser, Roswita: Gelassenheit. In: Hillebrand, Martin / Ebrû, Sonuç / Königswieser Roswita: Essenzen der systemischen Organisationsberatung. Heidelberg 2006, S. 118 ff.

8 Staub 2006, ebenda.

1.2.5 Analytisches und konzeptionelles Denken

Sorgfältige juristische Arbeit setzt zunächst voraus, dass jemand in der Lage ist, ein Problem seriös zu analysieren. Anwälte müssen darüber hinaus in grösseren Zusammenhängen und strukturiert denken können. Rechtsfragen müssen sodann in ihren weiteren Kontext eingeordnet und in ihrer Interdependenz mit ausserrechtlichen Themen gesehen werden. All dies erfordert die Fähigkeit, auch jenseits des Naheliegenden existierende Denkansätze zu wählen und mit verschiedenen Szenarien und Optionen zu arbeiten. 10

1.2.6 Kreativität, Innovation und Initiative

Die meisten Anwälte beherrschen ihr Fach. Sie wissen um die im Einzelfall zur Anwendung kommenden rechtlichen Bestimmungen und kennen Lehre und Rechtsprechung dazu. Was gute Anwälte zu sehr guten Anwälten macht, ist aber erst die Fähigkeit, mit ihrem Wissen kreativ umzugehen und innovative Lösungen zu erarbeiten, die nicht immer auf der Hand liegen. Oft ist der naheliegende Weg zum Ziel nicht der beste! 11

Gerade in Fällen, die sich zur Krise ausweiten können, ist es zudem wichtig, früh und vorausschauend zu handeln. Die Dynamik in einer krisenhaften Situation gleicht der Bewegung eines Punktes auf einer Spirale: In einer frühen Phase der Entwicklung ist der Spiralradius noch gross und der Punkt läuft relativ langsam in Richtung Spiralausgang. Von der Bildsprache in die reale Situation zurück übersetzt, bedeutet dies, dass, wenn ein Problem früh erkannt wird, sich die Krise erst langsam entwickelt und es noch zahlreiche Handlungsoptionen zu deren Bewältigung gibt. Auf seinem Weg zum Spiralausgang bewegt sich der Punkt auf einem zunehmend enger werdenden Radius immer schneller. Das heisst für den Problemlösungsprozess, dass es immer weniger Optionen gibt und für die notwendigen Entscheidungen immer weniger Zeit bleibt. 12

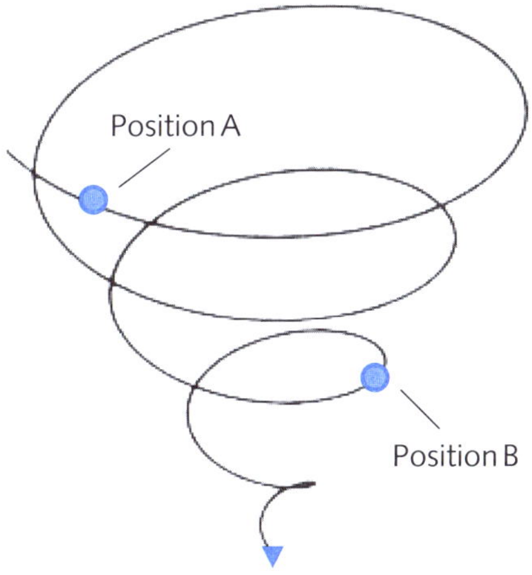

Abb. 1: «Spiralentwicklung» in der Krise

13 Mandanten schätzen es deshalb sehr, wenn ihr Anwalt für sie vorausschaut, Risiken und Gefahren vorhersieht und einen Beitrag zur Risikoprävention leistet. Dazu muss der Anwalt von sich aus tätig werden und aufgrund eigener Initiative – die nicht immer bezahlt ist – Kundennutzen zu schaffen versuchen.

1.2.7 Zeit-Management[9]

14 Anwaltliche Arbeit bringt es zwangsläufig mit sich, dass viele Arbeiten parallel erledigt werden müssen.[10] Der Rückzug auf jeweils nur ein grosses Projekt unter Ausschluss aller anderen Aufgaben ist den wenigsten Kollegen vergönnt.

15 Diese Arbeitsweise stellt besondere Anforderungen an Anwälte. Die anfallenden Aufgaben müssen sorgfältig geordnet und nach Massgabe der einzelnen Abgabetermine sowie der Wichtigkeit priorisiert werden. Es ist nicht immer alles Wichtige dringend – und umgekehrt nicht immer alles Dringende wichtig. Generell gilt: Wichtiges und Dringendes zuerst, weniger Wichtiges delegieren und nicht Dringendes zur Erledigung in ruhigeren Phasen vorsehen! Eine gute Selbstorganisation hilft, Leerzeiten zu vermeiden und den Überblick zu behalten.[11]

1.2.8 Unternehmerisches Denken und Lösungsorientierung

16 Die Fähigkeit zu unternehmerischem Denken hat zwei Ausprägungen: Zum einen muss die Dienstleistung für den Mandanten stets konsequent auf dessen Nutzen ausgerichtet sein. Unternehmerisches Denken bedeutet daher in erster Linie Mandantenorientierung.[12] Dazu gehört immer, dass der Anwalt lösungsorientiert arbeiten muss. Der Mandant ist nicht in erster Linie an klugen juristischen Erwägungen seines Anwalts interessiert. Er will eine Lösung für eine ganz bestimmte Frage und erwartet deshalb von seinem Anwalt eine klare Empfehlung, wie eine gegebene Problemstellung zu bewältigen ist.[13] Juristische Eloquenz und Lösungsorientierung sind zwei unterschiedliche Anforderungen an die anwaltliche Arbeit. In der Praxis ist die Wahrnehmung von Anwalt und Mandant in diesen Punkt nicht immer deckungsgleich.[14]

17 Zum anderen aber ist der Anwalt auch Unternehmer in seiner eigenen Kanzlei. [15] Er betreibt ein Geschäft und ist gezwungen – wenn die Kanzlei nachhaltig erfolgreich sein soll – dieses Geschäft nach wirtschaftlichen Kriterien zu führen.

---

9 Ponschab 2008, S. 294; Staub 2006, S. 159 f.

10 Heussen, Benno: Anwaltsunternehmen führen. 2. Auflage, München 2011, S. 212.

11 Vgl. dazu auch Heussen 2011, S. 78 ff.

12 Vgl. dazu Kapitel 2 vorstehend.

13 Heussen, Benno: Anwalt und Mandant. Köln 1999, S. 178.

14 Vgl. dazu Kapitel 2 vorstehend.

15 Pfeifer, Michael: Der Anwalt heute: Nichtsnutz oder Nothelfer? – Der Anwalt und sein Bild im Spiegel der Öffentlichkeit. In: AJP 1999, S. 804 und 809.

1.2.9 Verkaufsgeschick

Anwälte haben immer etwas zu verkaufen. Gelegentlich ist der Einsatz zur Anpreisung der Kanzlei und ihrer Dienstleistungen im Rahmen eines Pitch notwendig. Meist aber geht es «nur» darum, eine Meinung zu einer Rechtsfrage, einen Rechtsrat, einen Standpunkt in einer Verhandlung oder die Interpretation des Ergebnisses eines Beweisverfahrens vor Gericht zu «verkaufen». 18

Im vorliegenden Zusammenhang ist mit Verkauf nicht der Verkaufsprozess gemeint. Hier soll vielmehr die innere Haltung angesprochen werden, die notwendig ist, damit Anwälte erfolgreich verkaufen. 19

Erfolgreiches Verkaufen setzt zunächst voraus, dass der Anwalt seinem Gegenüber zuhört und empathisch ist, sich in die Situation seines Gesprächspartners hineinversetzt. Erforderlich ist sodann Authentizität: Man soll im Verkauf nicht eine Rolle spielen, von der man glaubt, sie entspreche dem Idealbild eines Verkäufers. Es ist vielmehr entscheidend, dass der Anwalt sich selbst und seinem inneren Wesen treu bleibt. Nur wenn beide Voraussetzungen – Empathie und Authentizität – gegeben sind, kann man jemanden von sich und einer Sache überzeugen, ihm etwas «verkaufen». Diese beiden Attribute sind auch die Ingredienzen von «Überzeugungskraft», die herzlich wenig mit «Überredungskunst» zu tun hat! 20

1.2.10 Konzentration, Fokussierung und Commitment

Um als Anwalt erfolgreich zu sein, muss man sich auf eine Aufgabe konzentrieren, sich ihr ganz hingeben können. Niemand lässt sich von einem Standpunkt überzeugen, der den Eindruck erhält, derjenige, der ihn vertrete, stehe nicht voll und ganz dahinter. Oft lässt sich auch in einer wenig hoffnungsvollen Lage noch ein vernünftiges Ergebnis erzielen, falls sich der Anwalt mit aller Kraft engagiert. Selbst wenn dann eine Sache einmal verloren geht: Der Mandant wird es ausserordentlich schätzen, wenn er sieht, dass sich sein Anwalt – im Rahmen des gesetzlich und berufsrechtlich zulässigen – bedingungslos für ihn eingesetzt hat. 21

1.2.11 Kommunikation und Verhandeln

«Man kann nicht *nicht* kommunizieren!»[16] Dies gilt natürlich auch für Anwälte. Fähigkeiten in der Kommunikation und im Verhandeln sind Schlüsselfertigkeiten im Kompetenzportfolio eines Anwalts. Ihnen soll deshalb nachfolgend etwas vertieft nachgegangen werden. 22

---

[16] Watzlawick, Paul, zitiert bei Dyllick, Thomas / Meyer, Arndt: Kommunikationsmanagement. In: Dubs, Rolf / Euler, Dieter / Rüegg-Stürm, Johannes / Wyss, Christina E. (Hrsg.): Einführung in die Managementlehre. Bd. 4, Bern 2004, S. 117.

2. Das A und O der Anwaltsarbeit ist die Kommunikation

23 Im Dienstleistungsgeschäft ist Kommunikation nicht nur dazu da, um ein Produkt anzupreisen oder das Unternehmen bekannt zu machen. Kommunikation ist auch Teil der Dienstleistung, ja macht in der Regel deren Kern aus. Dies gilt für die anwaltliche Dienstleistung in ganz besonderem Masse.

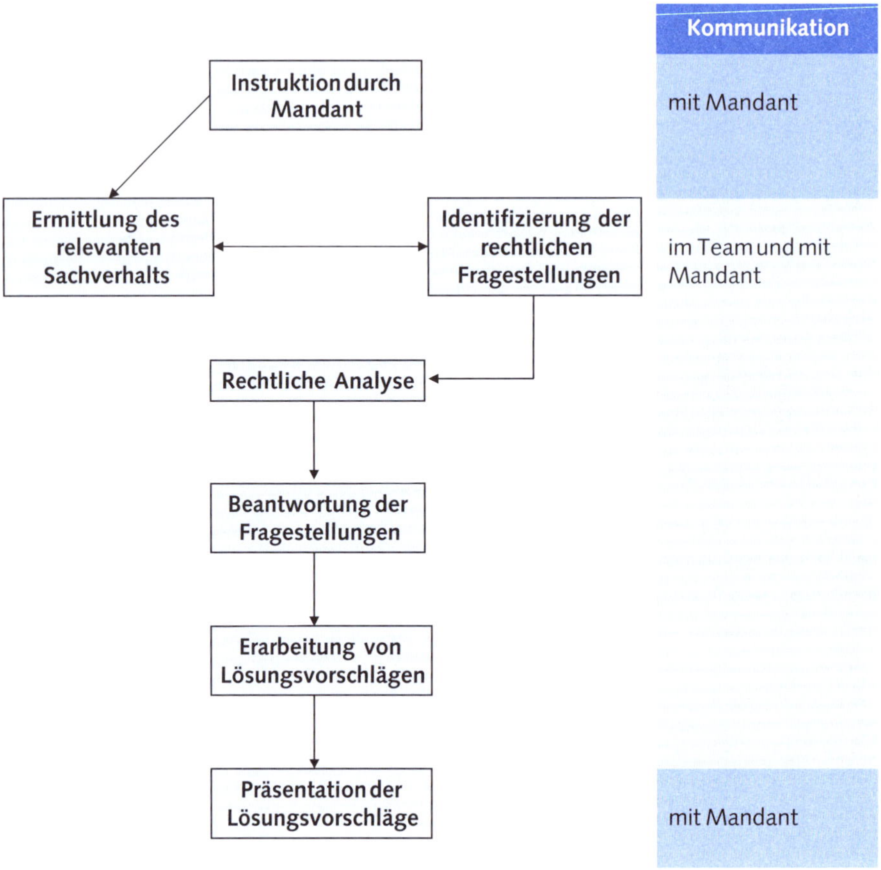

Abb. 2: Kommunikation am Beispiel des anwaltlichen Beratungsprozesses

24 Besonders schön lässt sich dies anhand des Beispiels des anwaltlichen Beratungsprozesses zeigen. In einer ersten Phase dieses Prozesses geht es in der Kommunikation mit dem Mandanten darum, ihm zuzuhören und herauszufinden, was er will («De quoi s'agit-il?»). Mit gezielten Fragen ist die Instruktion so zu steuern, dass am Schluss klar ist, wie der Auftrag des Mandanten an den Anwalt lautet. Darauf kann nicht genug Sorgfalt

verwendet werden! Unklarheiten haben enttäuschte Erwartungen seitens des Mandanten und mangelnde Qualität des Beratungsergebnisses zur Folge.

25 Ist der Auftrag klar, muss anschliessend der Sachverhalt in allen relevanten Details erhoben und müssen die sich stellenden Rechtsfragen identifiziert werden. Auch in dieser Phase ist nicht nur die Kommunikation im Team der die Mandatsarbeit leistenden Anwälte wichtig. Oft sind Rückfragen beim Mandanten notwendig. Je besser die Kommunikation mit dem Mandanten in einem frühen Stadium des Beratungsprozesses ist, desto leichter sind noch Korrekturen und Weichenstellungen im Beratungsprozess möglich. Stellt sich erst später – nachdem bereits viele Fragen abgeklärt und erste Lösungsvorschläge erarbeitet wurden – heraus, dass der anwaltlichen Arbeit falsche Prämissen zugrunde lagen, werden unter Umständen grosse Teile dieser Arbeit obsolet. Die Kosten unsorgfältiger Kommunikation belasten dann nicht nur das Projekt, sondern in der Regel auch die Beziehung zwischen Mandant und seinem Anwalt.

26 Bei der rechtlichen Analyse, der Beantwortung der sich stellenden Rechtsfragen und der Erarbeitung von Lösungsvorschlägen steht die Kommunikation im Team im Vordergrund. Auch kleinere Kanzleien, die nicht regelmässig an grösseren Fällen im Team arbeiten, tun gut daran sicherzustellen, dass die Mandatsführer in komplexen Angelegenheiten nicht einfach einsame Entscheidungen fällen. Der Austausch mit Kollegen ist entscheidend, wenn es darum geht, die Qualität der Beratungsleistung anzuheben und Haftungsprobleme zu vermeiden. In der Praxis ergibt sich dann oft die Schwierigkeit, dass man ein schlechtes Gewissen hat, Kollegen, die selbst mit viel Arbeit belastet sind, um Rat oder um ein Feedback zu einer Idee anzufragen. Dieses Problem verliert an Gewicht, wenn die um ihre Meinung angegangenen Kollegen die zur Diskussion aufgewendete Zeit selbstverständlich – und ohne ihrerseits ein schlechtes Gewissen haben zu müssen – im entsprechenden Mandat abrechnen können.

27 Liegen Lösungsvorschläge auf dem Tisch, kommt wieder die Kommunikation mit dem Mandanten zum Zug. Im Gespräch mit ihm wird der Anwalt verschiedene Lösungsvarianten anhand der relevanten Kriterien gegeneinander abwägen und eine eindeutige Empfehlung abgeben. Dabei ist besonders wichtig, dass der Anwalt sich einer Sprache bedient, die auch sein Mandant versteht.[17] Das bedeutet: Verzicht auf juristische Fachsprache, wo dies möglich ist, kurze und prägnante Sätze, keine lateinischen Formeln, die den Anschein von Gelehrtheit vermitteln sollen (*«in casu»*, *«nemo iudex sine actore»*, *«venire contra factum proprium»*, etc.). Und: Überall dort, wo es um die Darstellung komplexer Abläufe und Strukturen geht, sollen die Kommunikationsinhalte visualisiert werden. Gerade Mandanten mit einem beruflichen Hintergrund als Ingenieure oder Betriebswirtschaftler schätzen es, wenn die wichtigsten Zusammenhänge grafisch

[17] Heussen 1999, S. 185 ff.

dargestellt werden.[18] Grössere schriftliche Ausführungen im Beratungsmandat sollen zudem am Anfang oder Ende des Schriftsatzes mit einer Zusammenfassung *(management summary)* versehen werden.

28 Kommunikation erschöpft sich überdies nicht im Austausch von – mündlichen oder schriftlichen – Verbalien. Im unmittelbaren Kontakt gehört auch die Körpersprache zur Kommunikation.[19] Sie unterstreicht das Gesagte, sie kann es im schlechten Fall aber auch negieren oder bewirken, dass der Kommunikationsabsender nicht ernst genommen wird.

29 Besonders hohe Anforderungen an den Anwalt stellt die Kommunikation, wenn sie über verschiedene Kulturen und Sprachgrenzen hinweg erfolgt. Da ist zuerst einmal erforderlich, dass die Parteien die Sprache, in der die Kommunikation erfolgt, wirklich verstehen. Blosse Kenntnis der Grammatik genügt indes nicht. Erforderlich ist namentlich auch das Wissen um die soziale Bedeutung, die einzelne Elemente der Kommunikation im betreffenden kulturellen Umfeld haben. Diese beeinflusst den semantischen Gehalt von Sprache ganz wesentlich. Eine gekonnte Kommunikation im interkulturellen Kontext setzt denn auch Kenntnisse der Gesellschaft, der Kultur, der Sprache und der Psychologie voraus.[20]

2.1 Konzeptionelles zur Kommunikation

30 Zahlreiche wissenschaftliche Ansätze bieten Erklärungsversuche für Kommunikation. Sie alle operieren mit eigenen Grundannahmen zum Wesen der Kommunikation, isolieren diese und setzen sich aus der gewählten Perspektive mit Kommunikation auseinander. Der wohl am weitesten verbreitete – und hier ebenfalls verwendete – Ansatz ist jener der Kommunikationspsychologie. Er findet in der einen oder anderen Ausprägung auch Verwendung in der Entwicklung von Verhandlungskonzepten, auf die etwas später einzugehen ist.

2.2 Kommunikation von Mensch zu Mensch

31 Nachfolgend seien ein paar wichtige Grundsätze der Kommunikation aus psychologischer Sicht dargestellt.

---

[18] Gomez, José: Moderations- und Präsentationssituationen gestalten. In: Euler, Dieter / Metzger, Christoph: Sozialkompetenzen in Theorie und Praxis. Bd. 2, St. Gallen 2004, S. 23; Bruch, Heike: Moderationstechnik. In: Dubs, Rolf / Euler, Dieter / Rüegg-Stürm, Johannes / Wyss, Christina E. (Hrsg.): Einführung in die Managementlehre. Bd. 5, Bern 2004, S. 50 ff.

[19] Spies, Stefan: Der Gedanke lenkt den Körper – Körpersprache, Erfolgsstrategien eines Regisseurs. Hamburg 2010, S. 21 ff.

[20] Ähnlich für die Anforderungen an interkulturelles Management Thommen, Jean-Paul: Managementorientierte Betriebswirtschaftslehre. Zürich, 8. Auflage 2008, S. 770 ff.

2.2.1 Das Kommunikationsquadrat

Jede Äusserung enthält ein Vierfaches: (1) eine Sachinformation, (2) eine Information über den Absender der Botschaft, (3) einen Hinweis darauf, was ich von meinem Gegenüber halte, und (4) einen sogenannten Appell, der deutlich macht, was ich von meinem Gesprächspartner will.[21] Diese Kommunikationsinhalte sind da, ob ich das will oder nicht. Anwälte neigen dazu, nur der Sachinformation, gegebenenfalls noch dem Appell Bedeutung beizumessen. Viele übersehen, dass beziehungsprägend aber gerade die beiden anderen Informationen sind, die ich mit meinem Kommunikationsverhalten vermittle. 32

2.2.2 Die Zirkularität zwischenmenschlicher Interaktion[22]

Damit wird in der Kommunikationspsychologie der Grundsatz «Wie man in den Wald ruft, so tönt es zurück!» umschrieben. Angesprochen ist der Teufelskreis, der dadurch entsteht, dass ich in einer gewissen Weise kommuniziere, mein Gegenüber darauf adäquat reagiert und damit die von mir transportierte Stimmung in der Kommunikation verstärkt. Das kann zum Guten wie zum Schlechten der Fall sein. 33

Das Verhalten der Kommunikationspartner wird also wesentlich geprägt von der in Gang gesetzten Beziehungsdynamik. Das kann – beispielsweise in Verhandlungen, die man mit dem Gefühl der Überlegenheit über den Verhandlungspartner beginnt – fatal sein. Der Teufelskreis muss gegebenenfalls unterbrochen werden, um das Ergebnis nicht zu gefährden. Schon die Erkenntnis, dass die Art der Kommunikation die Beziehung beeinflusst, ist in der Regel hilfreich. Sobald die Dynamik bewusst wird, gelingt in vielen Fällen der Ausstieg aus dem Teufelskreis. 34

Erfahrene Kommunikatoren werden sich zudem mit der Frage auseinandersetzen, ob es noch andere als die auf erstes Zuhören hin vorgenommenen Deutungen von Botschaften des Gegenübers gibt. Oft ist dies der Fall. Die entsprechende Erkenntnis kann in einer konkreten Situation helfen, die Wahrnehmung vom Gesprächspartner zu verändern und so den Teufelskreis zu durchbrechen. Spricht man mit klugen Untersuchungsrichtern und Staatsanwälten, stellt man fest, dass diese Methode beispielsweise bei Einvernahmen häufig hilft, das Kommunikationsziel trotz anspruchsvoller Ausgangslage zu erreichen. 35

Ein weiterer Ausweg aus der beziehungsmässigen Sackgasse, in die ein Gespräch laufen kann, besteht in der Aufnahme eines sogenannten Meta-Gesprächs.[23] Man tritt einen Schritt zurück und spricht über die durch die Kommunikation ausgelösten Gefühle. Diese Methode wird im «harten» Anwaltsgeschäft möglicherweise als unpassend empfunden. 36

---

[21] Schulz von Thun, Friedemann / Ruppel, Johannes / Stratmann, Roswitha: Miteinander reden – Kommunikationspsychologie für Führungskräfte. 4. Auflage, Hamburg 2005, S. 33.

[22] Schulz von Thun/Friedemann/Stratmann 2005, S. 41 ff.

[23] Schulz von Thun/Friedemann/Stratmann 2005, S. 45.

Anwälte haben Angst, unter Umständen als unprofessionelle «Gefühlsdusel» angesehen zu werden. Immerhin: In der Führungskommunikation – auch in der Kanzlei – kann das Meta-Gespräch gute Dienste erweisen.

2.2.3 Die innere Pluralität[24]

37 «Zwei Seelen wohnen, ach, in meiner Brust!»[25] Mit innerer Pluralität ist der Umstand angesprochen, dass innerlich häufig keineswegs nur eine unangefochtene Überzeugung zu den Kommunikationsinhalten existiert, die geäussert werden. Oft kämpft man mit sich widersprechenden oder sich zumindest deutlich voneinander unterscheidenden Regungen zur beabsichtigten Botschaft an Kommunikationsadressaten. Es ist dann nicht immer leicht herauszufinden, was einem wirklich wichtig ist. Dennoch: Wirkungsvolle Kommunikation von Mensch zu Mensch ist letztlich nur möglich, wenn solche inneren Konflikte reflektiert und bereinigt werden.

2.2.4 Das Werte- und Entwicklungsquadrat[26]

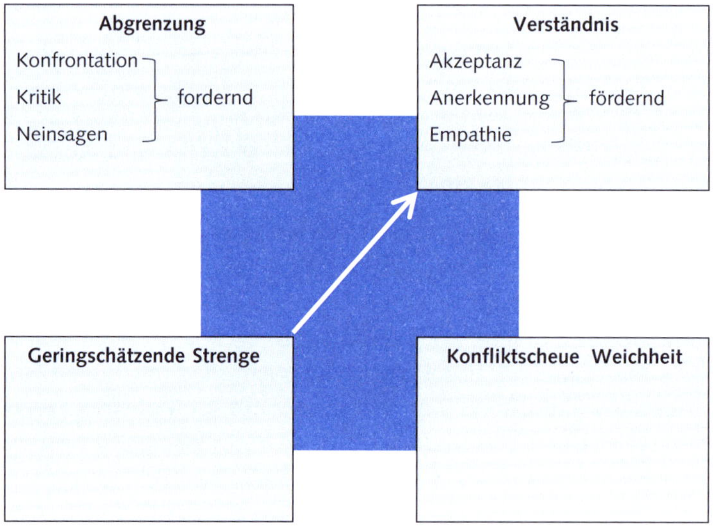

Abb. 3: Das Werte- und Entwicklungsquadrat[27]

[24] Schulz von Thun/Friedemann/Stratmann 2005, S. 45ff.
[25] Von Goethe, Johann Wolfgang: Faust I, Vers 1112.
[26] Schulz von Thun/Friedemann/Stratmann 2005, S. 52 ff.; ähnlich Gomez 2004, S. 39.
[27] Schulz von Thun/Friedemann/Stratmann 2005, S. 57.

In der Kommunikationspraxis gilt es, eine Balance zwischen den Extremen in Haltung und Verhalten zu finden. Der eingezeichnete Pfeil in unserem Beispiel bedeutet, dass ein Anwalt, der seiner ursprünglichen Disposition folgend eine harte, unnachgiebige Haltung einnimmt, sein Kommunikations- und Verhandlungsverhalten entscheidend verbessern kann, wenn er sich in Richtung des Gegenpols bewegt und versucht, einen Ausgleich zwischen Konsequenz und Flexibilität anzustreben. 38

2.2.5 Die Logik sozialer Situationen – ein Situationsmodell[28]

Dieses einfache Modell hilft, in komplexen Kommunikationssituationen zu einem klaren Verständnis solcher Situationen zu kommen. Wendet man das Modell beispielsweise in der Vorbereitung von Verhandlungen an, werden insbesondere auch Elemente sozialer Komponenten bestimmter Konstellationen sichtbar, die noch nicht geklärt sind. Das kann dazu beitragen, kommunikative Fallstricke zu vermeiden. 39

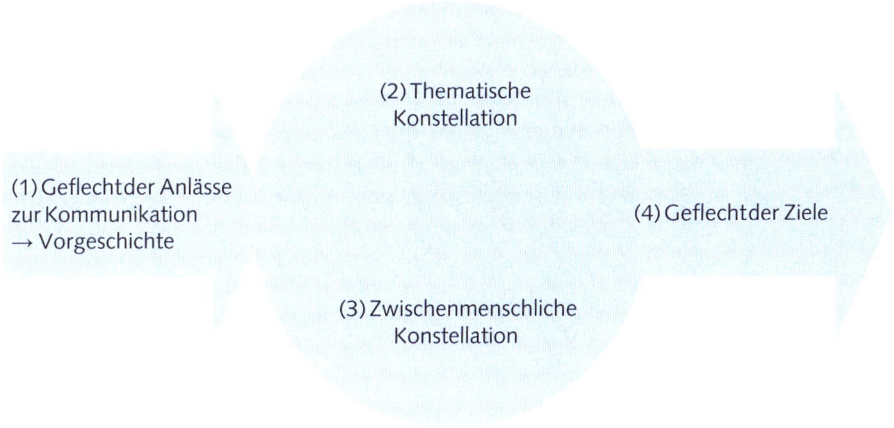

Abb. 4: Situationsmodell nach Schulz von Thun[29]

So wird die Logik der Situation im Einzelfall sichtbar: Wie ist die Vorgeschichte? Welche Themen stehen zur Diskussion an? Welche «Hüte» haben die Beteiligten an, sind die Richtigen beisammen, und wer sind die Entscheider? Zu guter Letzt: Welches sind die Ziele der Diskussion oder Verhandlung? 40

[28] Schulz von Thun/Friedemann/Stratmann 2005, S. 59 ff.
[29] Schulz von Thun/Friedemann/Stratmann 2005, S. 60.

2.2.6 Das Sender-/Empfänger-Prinzip

41 Kommunikation gelingt nur, wenn sich Absender und Empfänger einer Botschaft füreinander interessieren.

42 In erster Linie gilt es herauszufinden, (1) wie die Botschaft zu verstehen ist, (2) was damit erreicht werden soll, (3) was in Sender und Empfänger vorgeht und (4) wie der Kommunikationspartner zu einem steht. Es geht also darum, den Radar für die Botschaften des Gegenübers weit zu stellen und nicht auf einen einzigen der vier genannten Aspekte einzuengen.[30]

43 Im Verlaufe des Gesprächs ist es sodann wichtig, aktiv zuzuhören.[31] Damit können die Beschränkungen der zwangsläufig selektiven Wahrnehmung von Kommunikationsinhalten wenigstens teilweise überwunden werden.[32] Die Kommunikationspartner versuchen, sich in den jeweils anderen hinein zu fühlen. Um sicher zu sein, dass man eine Botschaft im Sinne des Absenders verstanden hat, hilft es, wenn man den Inhalt dieser Botschaft in eigenen Worten quittiert.[33] Der Absender kann auf diese Weise überprüfen, ob die von ihm übermittelte Botschaft so beim Empfänger angekommen ist, wie sie vom Absender gemeint war.

44 Kommunikation führt überdies nur zum Ziel, wenn man Farbe bekennt. Dazu ist eine klare und eindeutige Ausdrucksweise notwendig.[34] Dadurch wird der Absender einer Botschaft für den Empfänger greifbar. Das ist natürlich insbesondere dann bedeutsam, wenn es um die Überbringung unangenehmer Botschaften geht.[35] Richtet sich die Botschaft direkt an den Empfänger, so kann es sich empfehlen, sie als sogenannte Ich-Botschaft auszugestalten («In diesem Punkt bin ich besonders sensibel, weil ....»).[36] Das kann ein schwieriges Gespräch entkrampfen.[37]

---

30 Schulz von Thun/Friedemann/Stratmann 2005, S. 66 ff.
31 Schulz von Thun/Friedemann/Stratmann 2005, S. 70 ff.
32 Königswieser, Roswita: Selektive Wahrnehmung. In: GDI-Impuls 3/87, S. 37 ff.
33 Gomez 2004, S. 21 f.
34 Heussen 2011, S. 51.
35 Schulz von Thun/Friedemann/Stratmann 2005, S. 81 f.
36 Heussen 2011, S. 77.
37 Schulz von Thun/Friedemann/Stratmann 2005, S. 96 ff.

3. Kommunikation zur Konfliktlösung – Mediation

Mediation ist ein Kommunikationsprozess, mit dem versucht wird, in Konflikten zu einvernehmlichen Lösungen zu kommen.[38] Der Mediator leitet diesen Kommunikationsprozess zwischen zwei oder mehreren Parteien und berücksichtigt dabei drei Ebenen: (1) die Sachebene, (2) die Beziehungs- oder emotionale Ebene sowie (3) die Verfahrensebene.[39] Nachfolgend soll der Mediationsprozess in seinen verschiedenen Phasen dargestellt werden. 45

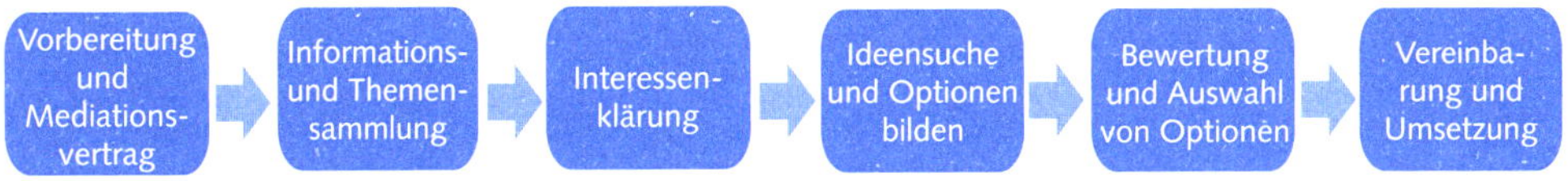

Abb. 5: Mediationsprozess[40]

3.1 Vorbereitung und Mediationsvertrag[41]

In dieser ersten Phase bereitet der Mediator die relevanten Informationen auf und analysiert die Sachlage. Er identifiziert die Beteiligten und klärt deren Erwartungen. Zu letzterem gehören auch die Vorstellungen der Parteien über das Mediationsverfahren. Der Mediator unterbreitet einen Vorschlag zur Organisation und zum Ablauf der Mediation und schliesst mit den Beteiligten einen Mediationsvertrag. 46

3.2 Informations- und Themensammlung[42]

In einem zweiten Schritt wird der Mediator herauszufinden versuchen, worum es im betreffenden Konflikt überhaupt geht. Er nimmt eine Bestandesaufnahme vor und formuliert die zu behandelnden Themen. Anschliessend lässt er die identifizierten Themen von den Konfliktparteien gewichten. 47

---

[38] Vgl. §1 Abs. 1 des Entwurfs der Deutschen Bundesregierung zu einem Mediationsgesetz (zurzeit im Bund-Länder-Vermittlungsausschuss/Stand: 9. März 2012) vom 8. Dezember 2010: «Mediation ist ein vertrauliches und strukturiertes Verfahren, bei dem Parteien mit Hilfe eines oder mehrerer Mediatoren freiwillig und eigenverantwortlich eine einvernehmliche Beilegung ihres Konflikts anstreben.»; vgl. auch Wunderer, Rolf: Führung und Zusammenarbeit – Eine unternehmerische Führungslehre. 9. Auflage, Köln 2011, S. 504 ff.

[39] Kessen, Stefan / Troja, Markus: Die Phasen und Schritte der Mediation als Kommunikationsprozess. In: Haft, Fritjof / Gräfin von Schlieffen, Katharina (Hrsg.): Handbuch Mediation. 2. Auflage, München 2009. S. 294.

[40] Kessen/Troja 2009, S. 295 ff.; ähnlich Bruch 2004, S. 58.

[41] Kessen/Troja 2009, S. 299 ff.

[42] Kessen/Troja 2009, S. 302; Bruch 2004, S. 63 ff.

3.3 Interessenklärung[43]

48 In dieser für den Mediationsprozess zentralen dritten Phase geht es darum, die Interessen und Bedürfnisse der Parteien hinter den eingenommenen Positionen zu erkennen. Die Beteiligten werden angehalten, sich klar zu artikulieren und die Interessen und Bedürfnisse der jeweiligen Gegenpartei(-en) als solche zu anerkennen. Auf diese Weise wird deutlich, wo Konsens und wo Dissens besteht und was den Parteien wirklich wichtig ist.

3.4 Ideensuche und Optionenbildung[44]

49 Nun können Ideen gesammelt werden, wie der Konflikt gelöst werden könnte. Basis für die Suche nach Handlungsoptionen sind die transparent gemachten Interessen der Konfliktparteien. Ziel dieser Phase ist es, den Konflikt aus seiner Enge zu befreien und den Verhandlungsspielraum zu erweitern.

3.5 Bewertung und Auswahl von Optionen[45]

50 Hier tritt der Mediationsprozess in eine sehr anspruchsvolle Phase: Es müssen Lösungen entwickelt werden, die die Interessen und Bedürfnisse aller Konfliktbeteiligter berücksichtigen. Der Mediator hält die Parteien zu Perspektivwechseln an und hilft damit, neue Argumente und Einsichten zu gewinnen. Es werden gemeinsam Bewertungskriterien für die gefundenen Optionen erarbeitet und die Optionen anhand dieser Kriterien bewertet. In einem letzten Schritt dieser Phase muss geprüft werden, ob die angedachten Lösungen machbar sind. Dazu gehört selbstverständlich auch deren juristische Prüfung.

3.6 Vereinbarung und Umsetzung[46]

51 Das erzielte Mediationsergebnis wird nun in einer formellen schriftlichen Vereinbarung niedergelegt. Gegebenenfalls wird die Vereinbarung beurkundet, und es wird die Umsetzung eingeleitet. Unter Umständen sind weitere Treffen zur Überwachung der Umsetzung notwendig, oder es wird die Möglichkeit von Nachverhandlungen in Punkten geschaffen, die noch offen geblieben sind.

---

[43] Kessen/Troja 2009, S. 303 ff.
[44] Kessen/Troja 2009, S. 310 ff.
[45] Kessen/Troja 2009, S. 314 ff.; Bruch 2004, S. 71 ff.
[46] Kessen/Troja 2009, S. 316 ff.

4. Verhandlungskonzepte

Während die Mediation unter Einsatz eines neutralen Dritten einen festen prozeduralen Rahmen für die Suche einvernehmlicher Lösungen in Konflikten bietet,[47] sollen Verhandlungskonzepte helfen, die Parteiinteressen durchzusetzen. Ein Mittler ist nicht vorgesehen, kann aber im Einzelfall trotzdem eingesetzt werden. 52

Die bekanntesten Verhandlungskonzepte nutzen Erkenntnisse aus der Kommunikationslehre und verwenden – dies trifft insbesondere für das nachfolgend dargestellte Harvard-Konzept zu – Elemente der Mediation.[48] 53

4.1 Das Harvard-Konzept «Getting to Yes»

Das Harvard-Konzept folgt einer prozessualen Logik, die eng mit dem Mediationsprozess verwandt ist. 54

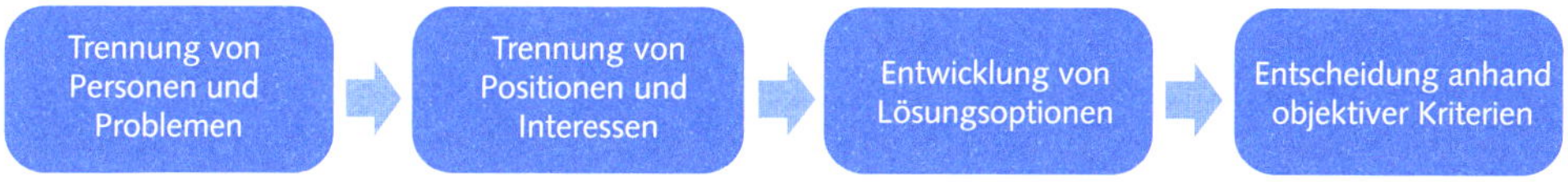

Abb. 6: Verhandlungsprozess nach dem Harvard-Konzept[49]

4.1.1 Trennung von Person und Problemen[50]

Das Konzept geht von der Prämisse aus, dass Verhandlungspartner – oder je nach Konnotation Verhandlungsgegner – nicht einfach gesichts- und bedürfnislose «Sprecher» einer Partei sind, sondern Menschen mit Gefühlen, Werten und persönlichen Überzeugungen. Das bedeutet, dass die Verhandlungspartner nicht nur an einer Lösung des Problems, sondern auch an einer Beziehung zum Gegenüber interessiert sind. Die Auswirkungen dieses Phänomens für die Verhandlungen können negativ oder positiv sein, jedenfalls aber können sie eine Vermischung von Emotion und Sache zur Folge haben. 55

Die Kommunikation in der Verhandlung soll deshalb auf das Wertesystem der Gegenpartei abgestimmt werden. Emotionen müssen zudem angesprochen und emotionale 56

[47] Hagel, Ulrich: Es geht auch anders – Alternative Beilegung von Wirtschaftskonflikten. In: Wegerich, Thomas (Hrsg.): Deutscher Anwalt Spiegel, Jahrbuch 2011/2012. Frankfurt am Main 2011, S. 129.

[48] Die Entstehungsgeschichte alternativer Konfliktregelungsverfahren legt allerdings nahe, dass das in den 70er-Jahren entwickelte Harvard-Konzept zur sachlichen Verhandlungsführung zuerst da war und wesentliche theoretische Grundlagen für die Mediation lieferte. Vgl. dazu Hehn, Marcus: Entwicklung und Stand der Mediation – ein historischer Überblick. In: Haft, Fritjof / Gräfin von Schlieffen, Katharina (Hrsg.): Handbuch Mediation. 2. Auflage, München 2009. S. 189 f.

[49] Fisher, Roger / Ury, William L. / Patton, Bruce M.: Das Harvard-Konzept – Der Klassiker der Verhandlungstechnik. 23. Auflage, Frankfurt 2009, S. 41 ff.; vgl. auch Wunderer 2011, S. 497 ff.

[50] Fisher/Ury/Patton 2009, S. 43 ff.; Wunderer 2011, S. 497 f.

Differenzen geklärt werden. Geschieht das sorgfältig, besteht eine vernünftige Chance, über den Verhandlungsgegenstand zu sprechen, ohne dass die Verhandlungen von persönlichen Befindlichkeiten der Parteien belastet sind.

4.1.2 Trennung von Positionen und Interessen[51]

57 Diese Forderung fusst auf der Erkenntnis, dass in Verhandlungen eingenommene Positionen nicht – oder nicht vollständig – mit den dahinter liegenden Interessen der betreffenden Parteien übereinstimmen. Gelegentlich sind nach aussen hin postulierte Positionen gar geeignet, die wahren Interessen von Verhandlungspartnern zu verschleiern. Jedenfalls aber – und dies ist eine in der anwaltlichen Praxis oft gemachte Erfahrung – führt das Verhandeln um Positionen häufig geradewegs in die Sackgasse oder doch zumindest in den «arabischen Basar».

58 Es geht daher in der Verhandlung darum, die gegenseitigen Interessen sichtbar zu machen und nach Übereinstimmungen in der Interessenlage beider Parteien zu suchen. In vielen Fällen handelt es sich bei diesen Interessen um menschliche Grundbedürfnisse: Sicherheit, wirtschaftliches Auskommen, Anerkennung oder Autonomie. Wenn es um solche Interessen geht, wird ein Verhandlungspartner beim Gegenüber meist auf Verständnis stossen, wenn er seinen Standpunkt fest vertritt und eine gewisse Härte zeigt. Im Gespräch um Interessen ist es daher auch häufig viel leichter, in der Sache konsequent und gleichzeitig respektvoll zu verhandeln.

59 Das Harvard-Konzept geht im Grunde davon aus, dass es in der Regel auf Basis der gemeinsamen Interessen eine Win-win-Position gibt, die allen Verhandlungsparteien dient, und es im Verhandlungsprozess in erster Linie darum geht, diese Win-win-Position zu finden.[52]

4.1.3 Entwicklung möglichst vieler unbewerteter Lösungsoptionen[53]

60 Ist es gelungen, die beiderseitigen Interessen transparent zu machen, ist die Basis für die Entwicklung von Lösungsoptionen gegeben. In dieser Phase der Verhandlungen ist es entscheidend, Optionen nicht vorschnell zu beurteilen, sondern das Spektrum denkbarer Lösungsvarianten möglichst breit zu halten. Ein Brainstorming – unter Umständen gar gemeinsam durchgeführt – kann helfen, originelle Optionen zu erarbeiten.

---

51 Fisher/Ury/Patton 2009, S. 68 ff.; Wunderer 2011, S. 498.

52 Die Erfahrung zeigt natürlich, dass dies längst nicht immer der Fall ist. Kritik an der entsprechenden Prämisse übt unter anderem Schranner, Matthias: Teure Fehler – Die 7 grössten Irrtümer in schwierigen Verhandlungen. Berlin 2009, S. 15 ff.

53 Fisher/Ury/Patton 2009, S. 87 ff.; Wunderer 2011, S. 498 f.

4.1.4 Entscheidung auf der Basis objektiver Kriterien[54]

Bevor nun die gefundenen Optionen bewertet werden, müssen gemeinsam neutrale Kriterien zur Beurteilung der verschiedenen Lösungsvarianten festgelegt werden. Auf der Basis dieser Kriterien können die Varianten dann miteinander verglichen werden. Im besten Fall einigt man sich auf eine der im Verhandlungsprozess erarbeiteten Lösungsoptionen. 61

Selbstverständlich gelingt es nicht immer, nach dem Harvard-Konzept zu verhandeln. 62 Die Methode setzt voraus, dass sich beide Parteien auf die dargestellten Grundsätze einlassen. Kommt hinzu, dass Verhandlungen auch noch ganz am Schluss daran scheitern können, wenn es nicht gelingt, zur übereinstimmenden Beurteilung zu gelangen, eine der entwickelten Lösungsvarianten berücksichtige die Interessen beider Parteien gleichermassen. Es ist deshalb wichtig, dass die Parteien je für sich immer auch eine «Beste Alternative» zur Verhandlungsübereinkunft entwickeln.[55] Auf diese Alternative soll man sich zurückziehen können, wenn die Verhandlung zu keinem befriedigenden Ergebnis führt.

Immerhin: Die Erfahrung zeigt, dass bei einem Minimum an vorhandenem Goodwill 63 beider Parteien die Grundsätze des Harvard-Konzeptes eine Art Vertrautheit zu schaffen vermögen, so dass selbst gescheiterte Verhandlungen nicht notwendigerweise einen psychologischen und sozialen Trümmerhaufen hinterlassen müssen. Das Konzept unterbreitet zudem taktische Vorgehensvorschläge für den Fall, dass sich die Gegenseite nicht darauf einlässt, auf dem Boden der Harvard-Prinzipien zu verhandeln.[56] Auch diese führen aber natürlich nicht immer zum Ziel.

4.2 Verhandeln im Grenzbereich

Einen etwas anderen Ansatz wählt Schranner.[57] Er geht im Wesentlichen davon aus, 64 dass Parteien in Verhandlungen nicht immer guten Willens sind und es Situationen gibt, in denen keine ausdrückliche oder stillschweigende Vereinbarung über die Grundsätze, nach denen Verhandlungen geführt werden sollen, zustande kommt. Weiter stellt er sich auf den Standpunkt, es gebe im wirklichen Leben sehr selten Win-win-Situationen, sondern Verhandlungen würden in der Regel Sieger küren und Verlierer produzieren. Es werden daher insgesamt sieben Empfehlungen formuliert, die auch in schwierigen Situationen zum Erfolg führen sollen.

---

[54] Fisher/Ury/Patton 2009, S. 118 ff.; Wunderer 2011, S. 499 f.

[55] Fisher/Ury/Patton 2009, S. 139 ff.

[56] Fisher/Ury/Patton 2009, S. 151 ff.

[57] Schranner, Matthias: Verhandeln im Grenzbereich – Strategien und Taktiken für schwierige Fälle. 5. Auflage, München 2005.

4.2.1 Analyse des Verhandlungspartners[58]

65 Der Verhandlungspartner soll vor und während der Verhandlung möglichst umfassend analysiert werden. Welche Positionen nimmt er ein? Was sind seine Motive? Welche Erwartungen hat der Verhandlungspartner an die Verhandlungen?

66 Dazu sollen alle verfügbaren Informationen ausgewertet werden, und zwar schon in der Phase der Vorbereitung der Verhandlungen. Besonderes Gewicht kommt aber der Analyse von Verhalten und Sprache (auch Körpersprache) des Verhandlungspartners während der eigentlichen Gespräche zu. Sie sind häufig wesentliche Indikatoren für die hinter den vertretenen Positionen stehenden Verhandlungsmotive und -erwartungen der Gegenseite.

4.2.2 Festlegung von Ziel, Strategie und Taktik[59]

67 Als Verhandlungsziel soll möglichst präzise ein messbares Ergebnis definiert werden. Bei Schranner geht es sodann darum, neben dem optimalen Ergebnis ein Minimalziel festzulegen. Das Minimalziel bezeichnet dann auch die *walk away position*, die Grenze also, die nicht unterschritten werden darf, ansonsten die Verhandlungen ergebnislos abgebrochen werden.[60]

68 Bei der Suche nach der richtigen Verhandlungsstrategie schlägt Schranner eine Festlegung innerhalb eines Richtungsquadrates vor.

[58] Schranner 2005, S. 20 ff.
[59] Schranner 2005, S. 67 ff.; Schranner 2009, S. 46 ff.
[60] Schranner 2005, S. 69.

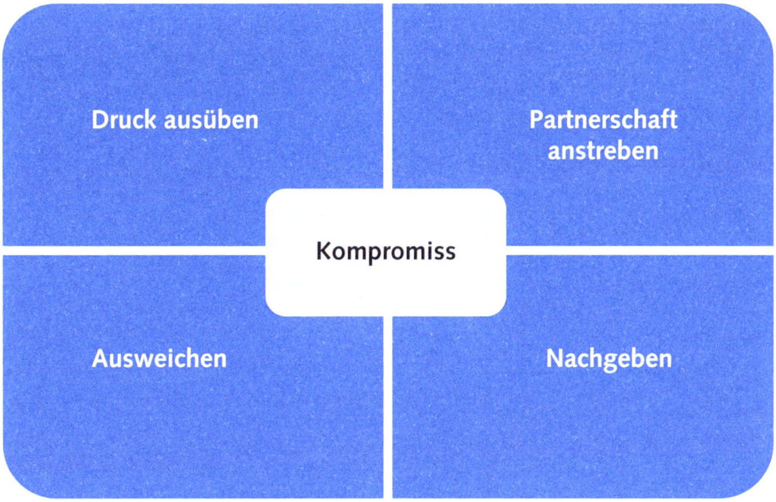

Abb. 7: Richtungsquadrat zur Verhandlungsstrategie nach Schranner[61]

Die Auswahl der passenden Strategie soll Ausfluss der Bedeutung sein, welche die verhandelnde Partei der angestrebten Vereinbarung beimisst, aber auch die realen Machtverhältnisse berücksichtigen, die gemeinsamen Interessen und die Qualität der Beziehung zwischen den Verhandlungspartnern.[62] 69

Anwälte sind in der Regel aufgrund ihrer Erfahrung gut gerüstet, wenn es um die Festlegung der Verhandlungstaktik geht. Sie soll der jeweiligen Situation angepasst sein und der Erreichung des Verhandlungsziels dienen.[63] Wichtig ist, dass der die Verhandlung führende Anwalt über eine möglichst umfassende Klaviatur taktischer Möglichkeiten verfügt und er in der Lage ist, diese Klaviatur in der konkreten Situation auch geschickt und variantenreich zu spielen.[64] Wer immer nur in die gleiche Kerbe haut, kann sich keine taktischen Vorteile erarbeiten. 70

4.2.3 Argumentation[65]

Es empfiehlt sich in der Regel, den Verhandlungspartner zuerst vortragen zu lassen und aktiv zuzuhören. Die eigene Argumentation kann dann auf diesen Vortrag abgestimmt werden. Dabei ist es wichtig, nicht schon zu Beginn der Verhandlungen das ganze Pulver zu verschiessen. Die eigene Argumentation soll zuerst den Nutzen einer Vereinba- 71

---

[61] Schranner 2005, S. 71 ff, insbesondere S. 74.
[62] Schranner 2005, S. 76.
[63] Schranner 2005, S. 81 ff.
[64] Schranner 2009, S. 143 ff.; wobei er selbstverständlich darauf achten muss, authentisch zu bleiben.
[65] Schranner 2005, S. 101 ff.

rung für den Verhandlungspartner darstellen. Werden die Verhandlungen schwierig, soll sodann vorab auf die argumentativen Schwächen des Gegenübers gezielt werden. Und: Indem man sich bemüht, die Sprache des Verhandlungspartners zu sprechen[66] und seine Argumente aufzugreifen, soll ihm signalisiert werden, dass er ernst genommen wird.

4.2.4 Führung in der Verhandlung[67]

72 Das Konzept geht von der Erkenntnis aus, dass die Verhandlung leidet, wenn die Parteien in Stress geraten. Ein böswilliger Verhandlungsgegner wird es vielleicht sogar darauf anlegen, den Verhandlungspartner unter Stress zu setzen.

73 In dieser Situation ist es wichtig, Herr der eigenen Emotionen zu bleiben. Dies kann dadurch geschehen, dass man innerlich auf Distanz geht, auf Angriffe nicht unmittelbar und instinktiv reagiert. Gelingt es, den Schwerpunkt der emotionalen Arbeit in einer solchen Situation auf die eigene Reaktion und nicht auf die (unfaire) Attacke des Verhandlungsgegners zu legen, ist viel gewonnen. Damit bleibt die Steuerungshoheit über die Verhandlung bei der ruhig und überlegt agierenden Partei.

4.2.5 Verhandlungsmacht[68]

74 Verhandlungen sind immer dann besonders anspruchsvoll, wenn zwischen den Verhandlungsparteien ein wirkliches oder vermeintliches Machtgefälle besteht. Damit Verhandlungen erfolgreich sein können, muss daher versucht werden, ein gegebenenfalls vorhandenes Machtgefälle möglichst auszugleichen.

75 Dazu ist es in einem ersten Schritt einmal notwendig, sich jene Elemente bewusst zu machen, die zur Stärkung der eigenen Verhandlungsposition beitragen. Diese Elemente sollen dann auch mit gesundem Selbstvertrauen sichtbar gemacht werden. Die Aspekte, welche zur Verhandlungsmacht der Gegenseite beitragen, sollen daneben durchaus – auch explizit – anerkannt werden. Dadurch, dass diese Anerkennung mit angemessener Balance von Respekt und Selbstbewusstsein ausgesprochen wird, begibt man sich auf Augenhöhe mit dem Verhandlungspartner. So kann es gelingen, ein gegebenenfalls vorhandenes Machtgefälle mindestens teilweise auszugleichen.

4.2.6 Widerstand[69]

76 Verhandlungen gelingen selten, ohne dass auf dem Weg zum Ergebnis Widerstände überwunden werden müssen. Zeichnet sich eine Gefahr für den Fortgang der Verhand-

---

[66] Brandstetter, Franz: Rechtsabteilung & Unternehmenserfolg. 2. Auflage, Bern 2011, S. 120; Heussen 1999, S. 170.

[67] Schranner 2005, S. 121 ff.; Schranner 2009, S. 94 ff.

[68] Schranner 2005, S. 141 ff.; Schranner 2009, S. 121 ff.

[69] Schranner 2005, S. 173 ff.

lungen ab, so soll der Verhandlungspartner rechtzeitig und klar gewarnt werden. Es geht dabei nicht darum, ihn in die Ecke zu treiben. Er soll vielmehr von der Entschlossenheit seines Verhandlungspartners überzeugt und für ein vernünftiges Verhandlungsergebnis gewonnen werden.

Endet die Verhandlung in irgendeiner Phase in einer Sackgasse, so muss die ausgesprochene Warnung wahr gemacht werden, ansonsten die Glaubwürdigkeit der eigenen Verhandlungsführung verloren geht. Der Ausweg aus der Sackgasse über eine «goldene Brücke» soll aber nie versperrt werden. Geht der Verhandlungspartner dann über diese Brücke, ist unbedingt darauf zu achten, dass er nicht durch demonstrativ zur Schau getragenes Triumphgehabe des Siegers gedemütigt wird. 77

4.2.7 Vereinbarung

Verhandlungen sollen in einer formalisierten Vereinbarung enden, die auch einen klaren Plan zu deren Umsetzung mit umfasst. Es kann darüber hinaus für die Qualität der künftigen Beziehung sehr wertvoll sein, zum Abschluss der Vereinbarung ein Symbol zu setzen, indem beispielsweise eine kleine Feier vereinbart oder ein Geschenk ausgetauscht wird. 78

B. Zeitmanagement

Christoph M. Pestalozzi[1]

«Do not get into any trouble you can not remedy by noon the next day.»

David Lyman, Lyman's Laws for Lawyers, 2006

1. Einleitende Bemerkungen

1 Die Anwaltstätigkeit besteht im Wesentlichen im Verkauf eines geistigen Produkts pro Zeiteinheit. Zeit ist ein wertvolles Gut. *Tempus fugit* – die Zeit zerrinnt unaufhaltbar. Man kann sie weder zurückfordern noch zurückgeben wie einen mangelhaften körperlichen Gegenstand. Auch lässt sich Zeit nicht vermehren. Der Zeitaufwand ist, zumindest bis heute, immer noch das wichtigste Kriterium für die finanzielle Bewertung der Anwaltstätigkeit. Zeit ist Geld. Darum lohnt es sich für jeden Anwalt, über das Management seines wertvollsten Guts nachzudenken und Grundlagen zur Zeitoptimierung zu schaffen.

2 Es geht nicht nur darum, Aufgaben in möglichst kurzer Zeit erledigen zu können. Zeitmanagement dient auch dazu, Anwälten ein geordnetes und zeitweise ungestörtes Arbeiten sowie Erholung zu ermöglichen, was letztlich das Arbeitsergebnis verbessert.[2]

3 Gutes Zeitmanagement beginnt bei einer guten Ordnung. Wichtig sind Prioritätensetzung und der angemessene Umgang mit Zeitdruck und Fremdbestimmung durch den Klienten. Insbesondere bei der Bearbeitung grosser Fälle in Teams ist die zeitliche Planung entscheidend für die abgelieferte Qualität.

4 In den nachfolgenden Ausführungen wird berücksichtigt, dass Anwälte typischerweise Individualisten sind. Jeder hat sein eigenes System, seinen Stil, seine Arbeitsweise. Massnahmen zur Verbesserung des Zeitmanagements haben nur dann Aussicht auf dauerhafte Wirkung, wenn sie der Persönlichkeit des jeweiligen Anwalts entsprechen.

2. Mehr Zeit durch gute Ordnung

2.1 Ordnung im eigenen Büro

5 Bekanntlich gibt es Menschen, die sich in ihrer eigenen Unordnung bestens zurecht finden; hinter ihrem Chaos lässt sich angeblich eine gewisse Ordnung ausmachen. Dennoch führt ein regelmässiges Entrümpeln des eigenen Büros, insbesondere des eigenen

---

1 Der Autor dankt Frau Rechtsanwältin Dr. Ursina Brack und Herrn Rechtsanwalt Dr. Matthias Seemann, beide Associates bei VISCHER AG, herzlich für ihre wertvolle Mitarbeit.

2 Vgl. dazu Benno Heussen, Time Management für Anwälte, 3. Auflage, München 2009, S. 28 f.

Schreibtisches, insgesamt zu einem Zeitgewinn. Sind die zu bearbeitenden Fälle strukturiert auf dem Pult aufgereiht oder im Regal versorgt, kann zeitraubendes Wühlen in Aktenbergen vermieden werden. Zudem ist ein aufgeräumter Schreibtisch eine gute Voraussetzung für einen aufgeräumten Geist. Saubere Akten schaffen beim Klienten überdies Vertrauen.

Vor dem Verlassen des Arbeitsplatzes am Abend oder zumindest vor dem Wochenende ist ein idealer Zeitpunkt für ein kurzes Aufräumen. Dabei sind auch allfällige «Nester» von bisher nicht abgelegten Dokumenten dem Ablagesystem zuzuführen. Kann man aus unerwarteten Gründen am anderen Tag nicht rechtzeitig erscheinen, wird ein Dokument aber dringend gesucht, ist es für die anderen Mitarbeiter im Team von grossem Vorteil, dieses rasch finden zu können. Die Zeitersparnis einer solchen Ordnung ist gross, sodass die Zeit für das Aufräumen in jedem Fall mehr als wettgemacht wird. 6

2.2 Ordnung bei laufenden Mandaten: To-Do-Listen

Um bei den parallel laufenden, verschiedenen Mandaten stets den Überblick über den aktuellen Stand zu behalten, bewährt sich das Arbeiten mit einer To-Do-Liste in Form einer Mandatsübersichts-Tabelle. Dabei handelt es sich um eine Auflistung sämtlicher aktueller Mandate mit einem kurzen Stichwort, was derzeit von wem erledigt wird bzw. bis wann erledigt werden muss. Zudem empfiehlt es sich, die einzelnen Arbeiten mit Prioritäten zu versehen. 7

Der Anwalt sollte seine To-Do-Liste am besten jeden Abend, mindestens aber einmal wöchentlich aktualisieren. So genügt ein kurzer Blick auf die To-Do-Liste, um bei jedem laufenden Mandat sofort wieder auf dem aktuellen Stand zu sein. Dadurch kann man sich das mehrmalige Durchblättern der letzten Korrespondenz bzw. das Durchlesen der letzten Akten- oder Telefonnotizen meist ersparen. 8

2.3 Ablagesysteme

Anwälte sind zur sorgfältigen Aufbewahrung ihrer Schriftstücke während zehn Jahren verpflichtet. Damit soll u.a. gewährleistet werden, dass bei allfälligen späteren Diskussionen über die damalige Mandatstätigkeit jederzeit Rechenschaft abgelegt werden kann. 9

Es versteht sich von selbst, dass mehrere Ablagesysteme denkbar und auch sinnvoll sein können. Wichtig ist bei jeder Variante, dass als Resultat eine vollständige, chronologische oder thematische Ablage das jederzeitige Auffinden gesuchter Dokumente ermöglicht. Für jeden auch damals nicht involvierten Anwalt der Kanzlei muss das Ablagesystem bekannt sein; noch besser ist ein selbsterklärendes Ablagesystem. Damit beschränkt sich der Zeitaufwand für das Durchstöbern von alten Ordnern auf ein Minimum. 10

11 Empfehlenswert ist es, mandatsweise zumindest die wichtigsten Dokumente auch elektronisch abzuspeichern. Dies ermöglicht den jederzeitigen Zugriff von verschiedenen Arbeitsplätzen aus, und die Suche nach dem Standort der Papierakten kann unterbleiben.

12 Wichtig ist weiter, dass bereits bei der Mandatsannahme im Team der bearbeitenden Anwälte und der Sekretariatsmitarbeitenden geklärt ist, wie die Akten des Mandates abgelegt und geordnet werden. Sammelt das Sekretariat alle Korrespondenz? Liegt der Aktenordner beim zuständigen Partner? Wo werden Originale aufbewahrt? Welche Dokumente werden auch elektronisch abgelegt? Prozessakten, Schiedsgerichtsakten, Transaktionsakten, Gesellschaftsakten sollen nach einem «miliztauglichen» Standardsystem in der Kanzlei geführt werden.

3. Mehr Zeit durch gezieltes Wissensmanagement

13 Wie oft kommt es im Anwaltsalltag vor, dass sich der Anwalt vage an einen vor langer Zeit bearbeiteten Fall erinnert, der in der einen oder anderen Hinsicht Ähnlichkeiten mit dem aktuell zu behandelnden Problem aufweist. Doch wie hiess der Fall schon wieder? Wo sind die Unterlagen dazu abgelegt? Zu welchem Ergebnis ist man damals bei der konkreten Frage im Team gekommen?

14 Anwaltsarbeit ist kreativ und besteht daraus, für Probleme der Klienten konkrete und umsetzbare Lösungen zu finden. Zur Optimierung des Zeitmanagements ist es von grosser Wichtigkeit, entwickelte Ideen, abgeklärte Rechtsfragen, allgemeingültige Auskünfte von Behörden möglichst zeitnah zu notieren und sinnvoll abzulegen.

15 Eine Sammlung der von den Anwälten erstellten, besonders relevanten Notizen sollte in einem zentralen, von allen Mitarbeitern einer Kanzlei einsehbaren Wissensmanagementsystem abrufbar sein. Das Wissensmanagementsystem dient dem raschen Auffinden von Informationen, die in verschiedenen Mandaten von Interesse sein könnten. Je besser nachvollziehbar das Wissensmanagementsystem gegliedert ist, desto grösser der Zeitgewinn für jeden einzelnen Anwalt. Idealerweise ist das Informationssystem elektronisch so ausgestaltet, dass mittels Suchbegriffen auf die gespeicherten Unterlagen zugegriffen werden kann. Auch ausserhalb der eigentlichen Wissensmanagement-Datenbank ist es sinnvoll, wenn sämtliche elektronisch abgespeicherten Dokumente mittels Suchbegriffen durchsucht werden können.

16 Ein solches Wissensmanagement dient nicht nur dem Wissensaustausch und der Pflege des kanzleiinternen Know-hows, sondern hilft auch Zeit zu sparen. Lange Recherchen können unterbleiben, wenn ein Anwalt der Kanzlei dieselbe Frage bereits ein-

mal abgeklärt und im – sorgfältigst zu pflegenden – Wissensmanagementsystem hinterlegt hat.[3]

4. Umgang mit Zeitdruck

17 Anwälte sind notorisch unter Zeitdruck und arbeiten entsprechend viel und lange. Eine der wichtigsten Kompetenzen eines Anwaltes liegt daher darin, unwichtige von wichtigen, nicht dringende von dringenden Aufgaben zu unterscheiden und für deren Bearbeitung entsprechende Prioritäten zu setzen. Wichtige und dringende Aufgaben geniessen erste Priorität. Unwichtigere Aufgaben können vorerst beiseite geschoben oder z.B. delegiert werden. Delegierbare Aufgaben sollten wenn immer möglich tatsächlich delegiert werden, und zwar möglichst frühzeitig. Es braucht Selbstdisziplin, um die Frage nach der Wichtigkeit und Dringlichkeit der einzelnen Aufgaben möglichst objektiv zu beantworten.

18 Bei der Setzung von Prioritäten muss insbesondere differenziert werden zwischen objektiv gerechtfertigtem und subjektiv nicht gerechtfertigtem Zeitdruck. Objektiv gerechtfertigte Dringlichkeit besteht dann, wenn vom Gesetz, einer Behörde oder dem Markt, z.B. bei einer grossen Transaktion, Fristen vorgegeben werden. Fristen einzuhalten ist selbstverständlich eines der obersten Gebote des Anwalts, wenn nicht das oberste.

19 Ungerechtfertigt ist subjektiver Druck, den sich ein Anwalt selbst oder die Anwälte intern gegenseitig machen. Heikel ist die Abfederung von künstlichem Druck, den ein Klient erzeugt (näher dazu sogleich unter 5). Bei lediglich subjektivem Hintergrund des Zeitdrucks muss der Anwalt auch einmal in der Lage sein, Aufträge zeitlich nach hinten zu schieben. Eine solche Verschiebung ist dem Gegenüber, insbesondere dem Klienten, möglichst frühzeitig mitzuteilen, um zu vermeiden, dass dieser zwischenzeitlich nachfragt und auf diese Weise wiederum Zeitdruck entsteht.

20 Gerade bei erhöhtem Zeitdruck hat der Anwalt darauf zu achten, dass er nicht in operative Hektik verfällt und «blind» seinen Pendenzenberg abzuarbeiten beginnt. Ebenfalls nicht förderlich ist es, in ebendieser Hektik alles gleichzeitig erledigen zu wollen, ohne jeweils eine gewisse Zeitdauer konsistent nur an einer Aufgabe zu arbeiten. Dies braucht oftmals viel persönliche Disziplin.

21 Zum Umgang mit Zeitdruck eignet sich die bereits erwähnte To-Do-Liste, indem die einzelnen Aufgaben mit Prioritäten versehen werden. Es versteht sich von selbst, dass ein normaler Arbeitstag eines Anwalts kaum 100% plan- und vorhersehbar ist. Täglich kommen weitere Pendenzen hinzu, die zusätzlich zu erledigen sind. Entsprechend müssen die Prioritäten laufend «umgeschichtet» werden. Aber es gilt der Grundsatz, «nur wer plant, darf improvisieren». Darum ist es umso wichtiger, die bekannten Aufgaben

[3] Zum Ganzen Heussen, op. cit., S. 8 ff.

in realistischer Einschätzung auf die Arbeitszeit zu verteilen, nämlich so, dass sich auch die spontan anfallenden Zusatzaufgaben in den Arbeitstag eingliedern lassen.[4]

22 Wichtig ist es zudem, sich als Anwalt auch unter Zeitdruck regelmässig kurze Pausen zu gönnen. Je besser das Zeitmanagement ist, desto entspannter kann eine Pause auch genossen werden. Stellt der Anwalt fest, dass er «keine Zeit» für Pausen und Sozialkontakte mehr hat, oder dass sich übermässige Ungeduld oder Gereiztheit einstellen, so ist dies ein Alarmsignal und gibt Anlass, über das Zeitmanagement nachzudenken.

5. Umgang mit Fremdbestimmung

23 Anwälte sind Dienstleistungserbringer und damit primär fremdbestimmt. Sie sind auf den Mandatsfluss angewiesen. Die zeitliche Komponente ist aus Sicht des Klienten oftmals ebenso wichtig wie es inhaltliche Fragen sind. Da der Klient meist pro Zeiteinheit bezahlt und oftmals erst dann einen Anwalt einschaltet, wenn es wirklich eilt, pocht der typische Klient auf einen möglichst frühen Ablieferungstermin.

24 Fehlen gesetzliche oder richterliche Fristen, fühlt sich der Klient oftmals frei, selbst einen – manchmal unrealistischen – Termin für eine gewünschte Abklärung oder dergleichen anzusetzen. Anwälte unterliegen einem Wettbewerbsdruck und müssen den Dienstleistergedanken verinnerlichen. Der Mandant ist grundsätzlich König.

25 Um die eigene Work-Life Balance aber einigermassen aufrechtzuerhalten und das eigene Zeitmanagement nicht aus dem Ruder laufen zu lassen, muss ein Anwalt auch manchmal Nein zu den Zeitvorgaben des Klienten sagen können. Es ist wichtig, dass sich zumindest der mandatsführende Partner wirksam vom Klienten abgrenzen kann und nicht jede noch so kühne Zeitvorgabe akzeptiert. Damit setzt der Partner auch seinen Mitarbeitern gegenüber ein wichtiges und richtiges Zeichen. Der Anwalt soll sich nicht scheuen, dem Klienten aufzuzeigen, welche Arbeiten im Einzelnen zu erledigen sind und dass seriöse Abklärungen eine gewisse Zeit benötigen. Aus der Hüfte zu schiessen ist langfristig schlecht fürs Geschäft.

26 Ein Gefühl dafür zu entwickeln, welchem Klienten man als Anwalt auch einmal mit einem Nein zu einer vorgegebenen Frist begegnen kann, ohne den Klienten gleich zu verlieren, ist schwierig, aber wichtig. Für junge Mitarbeiter ist es hilfreich, wenn der Partner mit gutem Beispiel vorangeht und ein klares Auftreten gegenüber Klienten pflegt, das nicht sklavisch zu sein braucht. Dieses besteht darin, dass weder der Dienstleistungsgedanke zu kurz kommt noch eine völlige Fremdbestimmung durch die Klienten Platz greift. Dienstleistung hat auch legitime Grenzen.

[4] Vgl. Eberhard Fedtke, Zeitmanagement – Der richtige Umgang des Anwalts mit der Zeit, Herne / Berlin 2001, S. 38 ff.

6. Minimierung von Zeitfressern

Anwälte müssen sich bewusst machen, in welche Zeitfallen sie täglich tappen, um diese dann gezielt zu minimieren. Das Problem der Zeitfallen ist vielschichtig. Zeitfallen bestehen nicht nur darin, dass vernünftige Massnahmen des Zeitmanagements unterlassen werden. Sie können auch in persönlichen Eigenschaften des Anwalts, seiner aktuellen Situation oder seinem Arbeitsumfeld liegen. 27

Bereits das Wissen darum, wobei oder weshalb man täglich Zeit verliert oder verschwendet, ist ein wichtiger Schritt hin zu einem effektiven Zeitmanagement. Mögliche Zeitfresser sind:[5] 28

- ungenügendes Ablagesystem;
- Unordnung auf dem Schreibtisch;
- fehlende To-Do-Liste;
- Unfähigkeit, Nein zu objektiv nicht nötigen Zeitvorgaben zu sagen;
- Konzentrationsmangel und Stress wegen konstanter Arbeitsüberlastung;
- unrealistische Zeitpläne (z.B. alles immer sofort erledigen wollen);
- unnötige Wartezeiten bzw. unnötige Besprechungen;
- zu wenig Delegation;
- mangelnde Kommunikation (z.B. schlechtes Zuhören oder unklare Anweisungen);
- mangelnde Motivation bzw. mangelnde Selbstdisziplin.

Es ist jedem Anwalt zu empfehlen, einzelne Zeitfresser in seinem Alltag zu analysieren, zu minimieren oder gar zu eliminieren. Am effektivsten ist auch hier, keine unrealistischen Vorsätze zu fassen, sondern sich zunächst auf einen oder zwei Punkte zu konzentrieren. Perfekt ist ohnehin niemand in diesem Bereich. 29

7. Besondere Anwendungsfälle

7.1 Zeitmanagement in grossen Gerichtsverfahren

Bei grossen (Schieds-)Gerichtsverfahren spitzt sich das Problem des optimalen Zeitmanagements drastisch zu. Insbesondere wurden mit der neuen eidgenössischen Zivilprozessordnung ab 1. Januar 2011 zum Teil verkürzte Rechtsmittelfristen eingeführt, was den schweizerischen Anwälten das Leben zusätzlich erschwert. Nur eine durchdachte 30

[5] Diese Aufzählung basiert zum Teil auf der Liste von Heussen, op. cit., S. 116 f.

Zeitplanung und ein rigides Zeitmanagement ermöglichen es einem Team von Anwälten, gemeinsam eine qualitativ einwandfreie Rechtsschrift auf einen bestimmten Zeitpunkt hin fertigzustellen. Darum ist dem Zeitmanagement insbesondere in umfangreichen Gerichtsverfahren grösste Bedeutung einzuräumen.

31 Bei (Schieds-)Gerichtsverfahren muss natürlich vorab geprüft werden, wie viel Zeit zur Verfügung steht. Dies wird regelmässig durch eine gesetzliche oder (schieds-)gerichtliche Frist bestimmt. Danach ist abzuklären, welche Mitarbeiter mit welchen fachlichen und zeitlichen Kapazitäten zur Verfügung stehen. Ferienabwesenheiten aller Beteiligter müssen bekannt sein.

32 Ein Teamleader ist zu bestimmen, der die Aufsicht innehat und eine zeitliche «Helikoptersicht» einnimmt. Dieser definiert einen Ablaufplan, der allen Teammitgliedern bekannt ist und an den sich zwingend alle halten. Jeder Mitarbeiter ist genau zu instruieren, welche Aufgaben er zu erledigen hat. Idealerweise werden Themata aufgeteilt, z.B. Sachverhalt, materielles Recht, prozessuale Fragen, internationales Kollisionsrecht, Quantitatives. Themen können z.B. an zwei oder drei Anwälte delegiert werden, und diese bestimmen dann selbständig, wer welche Einzelfrage bearbeitet.

33 Eine genaue Planung bringt Ruhe und Sicherheit, und nur wer gut plant, darf – wie schon erwähnt – auch einmal improvisieren. Wichtig ist, am Anfang keine chaotische Hektik aufkommen zu lassen. Unerlässlich ist es, zunächst den rechtlich relevanten Sachverhalt genau zu eruieren, aufzuarbeiten und chronologisch festzuhalten. Nur so ist es möglich, dass anschliessend alle Teammitglieder der Taskforce auf derselben faktischen Grundlage recherchieren und an der Rechtsschrift arbeiten.

34 Dabei spielen die oftmals zahllosen Beilagen der Rechtsschrift eine wichtige Rolle. Diese sind fortlaufend zusammenzustellen und während der Arbeit mit einem festgelegten Code-System zu bezeichnen. Sämtliche verwendeten Beilagen sind elektronisch und für alle Teammitglieder jederzeit greifbar abzulegen. Die genaue und definitive Bezeichnung der Beilagen darf erst bei der finalen Redaktion erfolgen, um Doppelbezeichnungen zu vermeiden. Die für die Schlussredaktion erforderliche Zeit ist grosszügig zu budgetieren. Die Schlussarbeiten benötigen meist mehr Zeit als anfänglich gedacht. Mit Friktionen ist immer zu rechnen, und wenn es nur der Fotokopierer ist, der kurz vor Fristenablauf in der Nacht aussteigt.

35 Der Teamleader muss für die Teammitglieder jederzeit ansprechbar sein, er muss in allen Fragen mitdiskutieren können. Zudem muss er die Freiheit haben, sämtliche Entwürfe ohne detaillierte Rücksprache mit den Teammitgliedern zu redigieren und zu korrigieren. Allein der Teamleader hat Zugriff auf das Masterfile, ausser er räumt einem Teammitglied für eine bestimmte Zeitdauer die Berechtigung dazu ein. Am Schluss darf für den Leser nicht mehr erkennbar sein, welches Teammitglied welchen Teil der Rechtsschrift geschrieben hat. Es soll eine homogene Teamarbeit sein, kein Stückwerk.

Sind externe (Korrespondenz-)Anwälte in die Erarbeitung einer Rechtsschrift involviert, sind genaue Abliefertermine festzulegen. Es ist auf die Einhaltung der Termine strikte zu achten. Der Beizug externer Anwälte ist dann äusserst anspruchsvoll, wenn im Prozess ausländisches Recht anwendbar ist und deshalb ausländische Judikatur und Literatur eingearbeitet und verstanden werden müssen. 36

Die von den einzelnen Teammitgliedern verfassten Teile müssen sorgfältig zusammengefügt werden. Um diese sehr mühsame und zeitraubende Integrationsarbeit zu erleichtern, sind gleich bei Arbeitsbeginn gemeinsame Regeln zu definieren: Mit welcher Dokumentvorlage wird gearbeitet? Wie werden die Parteien bezeichnet (z.B. «Kläger» und nicht «Berufungskläger» oder «Appellant»)? Wie werden zentrale, in der Rechtsschrift immer wiederkehrende Begriffe verwendet (z.B. «Bootsmotor» und nicht «Schiffsmotor» oder «Schiffsantrieb»). Wie werden Rechtsprechung und Literatur zitiert? Auf welche Weise erfolgen Datumsangaben (z.B. «3. Oktober 2009» und nicht «3.10.2009»)? Wie viele Titelebenen soll es geben? Wie werden Abkürzungen verwendet? Mit solchen Vorgaben kann zugunsten der Schlussredaktion unglaublich viel Zeit gespart und Druck gemindert werden. 37

Für die Durchsicht der zusammengeführten Entwürfe haben sich sogenannte *beamer sessions* bewährt. Das sind Zusammenkünfte sämtlicher Teammitglieder in einem Raum, wobei der Entwurf über einen Beamer für alle sichtbar projiziert, diskutiert und direkt «à la minute» verbessert wird. Parallel dazu wird die gegnerische Rechtsschrift projiziert. Solche *beamer sessions* können auch gut mit Klienten und Korrespondenzanwälten durchgeführt werden. Rechtsschriften können so sofort vom Klienten «abgesegnet» werden, ein grosser Zeitgewinn. 38

Rechtsschriften müssen vor der Einreichung auf jeden Fall dem Klienten zur Durchsicht überlassen werden. Auch dies erfordert, insbesondere bei umfangreichen Rechtsschriften, Zeit. Es empfiehlt sich, frühzeitig mit dem Klienten zu vereinbaren, wann und wie oft er Entwürfe zur Durchsicht erhält. Dem Klienten ist sodann mitzuteilen, bis wann er spätestens seine letzten Instruktionen liefern muss. Hat ein Teammitglied einen direkten Kanal zum Klienten für kleinere Rückfragen, erleichtert dies die Sachverhaltsabklärung auf unterer Ebene und die Redaktion des entsprechenden Teils der Rechtsschrift. Es ist sicherzustellen, dass jegliche Kommunikation mit dem Klienten Eingang ins (elektronische) Dossier findet und somit keine wichtige Information für andere Teammitglieder verloren geht. 39

Unerlässlich ist in Grossprozessen auch, das Sekretariat von Anfang an einzubeziehen, es regelmässig aufzudatieren und genügend früh auf mögliche Grosseinsätze (Nacht, Wochenenden) vorzubereiten. Richtig vorbereitet, motiviert und instruiert erweisen Sekretariatsmitarbeitende den Anwälten auch in Grossprozessen unverzichtbare Dienste. 40

7.2 Zeitmanagement bei umfangreichen Akten

41 Oftmals besteht ein ganzer Berg von Vorakten, ja ganze Aktenschränke müssen durchgeschaut werden. Das Einlesen in den Fall und in die vorhandenen Unterlagen ist für die Planung des weiteren Vorgehens, die Bestimmung der Strategie und die Ausfertigung von Rechtsschriften unerlässlich.

42 Es empfiehlt sich, während des Durchforstens der Akten mit Post-it-Zetteln wichtige Dokumente zu markieren und zu beschriften, Gedankengänge als Stichworte auf separaten Blättern zu notieren und nach einer ersten umfassenden Sichtung eine Zusammenstellung aller Notizen anzufertigen. Die Notizen enthalten wo immer möglich einen Querverweis auf einzelne Aktenstücke, um zu vermeiden, dass später bei der Suche der entsprechenden Belege ganze Ordner erneut durchforstet werden müssen.

43 Bereits bei der Zusammenfassung aller Notizen wird sich abzeichnen, wo der Sachverhalt noch Lücken aufweist, was beim Klienten nachgefragt werden muss, inwieweit Beweisdokumente vorliegen und nach welchen Schriftstücken noch gesucht werden muss. Auf diese Weise kann der Anwalt zeitnah beim Klienten oder bei Behörden konkrete Fragen stellen und genau bezeichnete Dokumente einverlangen. Möglich wird dadurch ein strukturiertes, zielgerichtetes Vorgehen, das Zeitgewinn garantiert.

8. Zum Schluss: Vier einfache Regeln

44 Tipps zur Optimierung, wie sie im vorliegenden Beitrag enthalten sind, sind zwar einfach zu geben und auch zu verstehen, aber die konkrete Umsetzung ist oft viel schwieriger als erwartet, denn die Macht bisheriger Gewohnheiten ist stark.

45 Massnahmen zur konkreten Verbesserung des Zeitmanagements sind nur dann erfolgreich, wenn sie sich auf einzelne einfache Regeln konzentrieren, da ansonsten das Zurückfallen in alte Gewohnheiten vorprogrammiert ist. Bewährt haben sich die folgenden vier praktischen Regeln.

8.1 Wichtigste oder unangenehmste Aufgabe am Morgen als Erstes erledigen

46 Die wichtigste Arbeit des Tages sollte jeweils gleich am Morgen nach dem Eintreffen im Büro erledigt werden. Hat man diese Aufgabe erledigt, tritt eine erste Erleichterung ein und der Kopf ist frei für neue Aufgaben. Die neuen Aufgaben werden viel unbekümmerter erledigt, wenn der Anwalt nicht immer gestresst an seine noch vor ihm liegende, wichtigste Aufgabe denken muss.

47 Statt der wichtigsten kann manchmal auch die unangenehmste Aufgabe als Erstes erledigt werden. Es handelt sich dabei vielleicht nicht um die objektiv wichtigste Arbeit.

Dennoch tritt nach der Erledigung eine mindestens ebenso grosse Erleichterung ein wie bei wichtigen Aufgaben. Zudem hilft eine solche Erledigung gegen das Problem des chronischen Aufschiebens, das naturgemäss vor allem die unangenehmen Aufgaben betrifft.[6]

Die Erledigung der wichtigsten oder unangenehmsten Aufgabe des Tages gleich am 48
Morgen ist zudem zu empfehlen, weil die meisten Menschen biologisch gesehen jeweils am Vormittag die höchste Konzentrationsfähigkeit und Produktivität aufweisen.[7]

8.2 Zeitabschnitte ohne Störungen festlegen

Die effizienteste Zeit vieler Anwälte ist die Nacht, der ganz frühe Morgen oder das 49
Wochenende. Hauptgrund ist, dass zu diesen Zeiten keine permanente Arbeitsunterbrechung durch Telefonanrufe und E-Mails erfolgt.

Für ein effizientes Arbeiten empfiehlt es sich, auch während der Wochentage eine oder 50
zwei «störungsfreie Zeitspannen» einzuführen und dies dem Sekretariat bekannt zu geben. Während dieser Phasen werden keine Telefonate entgegengenommen (ausser sie seien wirklich dringend) und keine E-Mails gelesen und beantwortet.[8] Diese Massnahme steigert die Arbeitsqualität. Insbesondere in komplexen Mandaten, die Massarbeit und kreative Lösungen erfordern, ist regelmässig eine ungestörte Zeit von mindestens einer Stunde erforderlich, um sich in Akten vertiefen und den Gedanken wirklich freien Lauf lassen zu können.

Je nach Vorliebe kann auch umgekehrt vorgegangen werden, indem täglich ein oder 51
zwei fixe «Telefon- und E-Mail-Stunden» eingeplant werden, in denen versucht wird, die Mehrzahl der Telefonate und E-Mails zu bewältigen.

Anwälten mag es schwer fallen, sich von sämtlichen elektronischen Geräten und Hilfs- 52
mitteln abzunabeln, das Smartphone auszuschalten und den Computer zu Hause nicht nochmals zu starten. Doch gerade die wenigen wirklich ungestörten Momente können dazu beitragen, die persönlichen Batterien neu zu laden und die Arbeit später umso fokussierter wieder aufzunehmen.

8.3 Aufgaben delegieren

In jedem Anwaltsteam ist es wichtig, Aufgaben sinnvoll auf verschiedene Schultern zu 53
verteilen. Teamwork funktioniert auch unter individualistisch veranlagten Anwälten. Ein positiver Nebeneffekt des Delegierens von Aufgaben liegt in der konsequenten Anwen-

---

6 Vgl. Fedtke, op. cit., S. 98 f.

7 Heussen, op. cit., S. 30 f.

8 Vgl. Fedtke, op. cit., S. 111 f.

dung des Vier-Augen-Prinzips. Jede delegierte Aufgabe wird vom Delegierenden durchgesehen, bevor sie dem Klienten weitergeleitet wird.

54 Der erfahrene Anwalt muss aber zuerst das Gefühl entwickeln, welche Aufgaben er wem in welchem Ausmass delegieren kann und welche er selbst zu erledigen hat. Die Delegation von Aufgaben erfordert vom delegierenden Anwalt die genaue Formulierung des Auftrages mit einer festgelegten Abgabefrist. Nach der Ablieferung durch den Mitarbeiter darf die Arbeit nicht ungebührlich lange unbearbeitet herumliegen, da dies für den Mitarbeiter wenig motivierend ist.

55 Um Zeit zu gewinnen, muss sich der Anwalt gleich beim Erhalt eines neuen Mandats entscheiden, mit wem im Team er das Mandat am besten abwickeln kann. Zur Beurteilung dieser Frage müssen dem Anwalt die Stärken, Schwächen und praktischen Erfahrungen seiner Mitarbeiter bekannt sein. Und selbstverständlich muss sich der Anwalt auch ehrlich eigene Stärken und Schwächen eingestehen, um eine effiziente und fachlich einwandfreie Abklärung des Problems zu gewährleisten. Wichtig ist dabei insbesondere, Spezialwissen der Anwälte einer Anwaltsfirma optimal zu nutzen. Generalisten verbringen unnötig viel Zeit damit, sich in ein Thema oberflächlich einzulesen – mit qualitativ manchmal fraglichem Output. Nicht selten hätte ein Spezialist der Kanzlei innert kürzester Zeit eine kompetente Auskunft erteilen können. Und grundsätzlich soll man seinen Kollegen oder Mitarbeitern auch etwas zutrauen.[9]

56 Um auch jungen Kollegen die Möglichkeit zu geben, sich weiterentwickeln zu können, sollte sich der Anwalt von der Einstellung «bis ich das diesem Mitarbeiter erklärt habe, habe ich es schon lange selbst erledigt» möglichst rasch verabschieden. Auch wenn dies in den ersten Fällen tatsächlich so sein mag, lernt der junge Kollege schnell und wird bei einem nächsten Mandat ohne lange Erläuterungen die delegierte Arbeit erledigen und den Partner damit zeitlich entlasten.[10] Dasselbe gilt auch für die Delegation von Aufgaben an Sekretariatsmitarbeitende.

57 Nicht zu vernachlässigen ist die Zeit, die man zur Kontrolle der erledigten delegierten Aufgaben aufwenden muss. Insbesondere bei Mitarbeitern, mit denen man noch kaum zusammengearbeitet hat, ist dafür genügend Zeit einzuplanen.

58 Das Hin- und Herschieben von Entwürfen zwischen verantwortlichem Partner und Mitarbeiter bis zum Endprodukt für den Klienten ist ein Zeitfresser und nicht effizient. Besser, man setzt sich zu zweit vor den Bildschirm und fertigt auf der Grundlage eines ausgearbeiteten Entwurfs das Endprodukt miteinander an. Das geht nicht immer, aber oft. Es ist immer wieder erstaunlich, wie die Qualität des Endprodukts in der zielgerichteten Diskussion des Problems vor dem Bildschirm noch wesentlich angehoben werden kann.

---

9 Fedtke, op. cit., S. 114 ff.
10 Heussen, op. cit., S. 79.

8.4 To-Do-Liste am Abend erstellen

To-Do-Listen zu erstellen und die einzelnen Aufgaben mit Prioritäten zu versehen, erfordert ein wenig Zeit. Diese Zeit soll man sich am Abend jeden Arbeitstages nehmen, um am darauffolgenden Tag Zeit zu sparen. Eine Planung mittels To-Do-Liste am Vorabend ermöglicht ein sofortiges Einsteigen in den nächsten Arbeitstag. So kann bereits am Vorabend die wichtigste oder unangenehmste Aufgabe bestimmt und an die erste Stelle gesetzt werden. 59

Ob die To-Do-Liste in Papierform, am Computer, in einem Schreibheft oder im Rahmen der Agenda geführt wird, ist nicht entscheidend. Jeder Anwalt hat diesbezüglich eigene Präferenzen. Bewährt hat sich auch eine To-Do-Liste für die ganze Woche und den ganzen Monat. Ob diese Listen für die verschiedenen Zeiträume separat oder integriert geführt werden, hängt wiederum von der Vorliebe des jeweiligen Anwalts ab. 60

Ein letzter praktischer Tipp: Legt sich der Anwalt die Akte des Falles, den er am anderen Morgen gleich zuerst bearbeiten will, bereits auf den Schreibtisch, kann er am Morgen sofort mit der Arbeit starten und den so erlangten psychologischen Schwung in den ganzen Arbeitstag mitnehmen.[11, 12] 61

---

11 **Verwendete Internet-Seiten (Stand: 15. Dezember 2011):**
www.ra-braune.de/Wordpress/archives/517
www.partner-newsletter.de/artikel/2006-03_Timemanagement.htm
www.careeracademy.de/de/programm/workshop_8_zeitmanagement/
http://www.datev.de/portal/ShowPage.do?pid=dpi&nid=67165
www.juraforum.de/fuer-anwaelte/kanzleiorganisation/zeitmanagement
www.jurawelt.com/literatur/sachbuch/9549
http://rc.lsuc.on.ca/jsp/pmg/timeManagement.jsp
http://law.about.com/od/timemanagement/a/Lawyer-Time-Management-3-Essential-Tips-For-Effective-Lawyer-Time-Management/.

12 **Weiterführende Literatur:** Benno Heussen: Time-Management für Anwälte, 3. Auflage, München 2009; Eberhard Fedtke: Zeitmanagement – Der richtige Umgang des Anwalts mit der Zeit, Herne / Berlin 2001; Lawrince M. Kohn: Ten Time Management Tips, in: American Bar Association, Family Advocate, Ausgabe Winter 2000; Mark Powers: Law Office Management: Practice Building Secrets: Learning to manage your time, in: State Bar of Texas, Texas Bar Journal, Ausgabe Juli 1999; Amiram Elwork: Time Management for Lawyers: A psychological perspective, in: State Bar of Michigan, Michigan Bar Journal, Ausgabe Februar 2010; Debra Bruce: Feature: Solo/Small Firm Practice: Successful Lawyer Time Management, in: State Bar of Texas, Texas Bar Journal, Ausgabe Juni 2009.

C. Verhandeln unter Druck und in Extremsituationen

MATTHIAS SCHRANNER

1. Einleitung

1 Verhandeln gehört für Anwälte zum täglichen Brot. Viele Kolleginnen und Kollegen beherrschen die Verhandlungskunst auch sehr gut. Oftmals wird aber intuitiv verhandelt. Gibt es einen generischen Verhandlungsprozess, der sich als erfolgreich erwiesen hat? Wie werden Verhandlungsziele formuliert, und wie wird die Verhandlungstaktik festgelegt? Welche Handlungsoptionen schliesslich gibt es, wenn man in extreme Verhandlungssituationen und massiv unter Druck gerät?

2. Verhandeln als «tägliches Brot» und Extremverhandlungen

2 Für Anwälte ist Verhandeln tatsächlich ein alltäglicher Vorgang. Es gibt einen Konflikt, und dieser Konflikt wird über eine geschickte Verhandlung gelöst. Die Prinzipien der Verhandlungsführung wie «Motive hinter den Positionen» sind vertraut, gut geschult und jederzeit abrufbar.

3 Was aber, wenn es zu einer persönlichen Betroffenheit kommt? Wenn ein Anwalt sich emotional in die Sache begibt, sich freut, sich ärgert und dadurch die rationale Verhandlungsstrategie aufgibt? Dann wird die Verhandlung zu einer Verhandlung unter Druck.

4 Menschen empfinden «Druck», sobald eine Gefahr erkannt wird. Diese Gefahr muss nicht realistisch oder nachvollziehbar sein, es reicht das Empfinden einer Gefahr.

5 Wer eine Gefahr empfindet, wird emotional. Emotionen wie Angst, Ärger oder Wut übernehmen die Oberhand über Rationalität und Vernunft. Anwälte sind eher rationale und vernünftige Menschen und doch gibt es Situationen, wo auch Anwälte sich ärgern. Ärger kann man nicht komplett vermeiden, vor allem in schwierigen Verhandlungen mit unfairen Attacken und ungerechtfertigten Forderungen kann es zu einer emotionalen Reaktion eines Anwalts kommen.

6 Damit auch in schwierigen Verhandlungen jede Situation gemeistert werden kann, sollte die Emotion in «Leitplanken» gehandhabt werden. In einem Verhandlungsprozess wird die «Leitplanke» Strategie genannt und bis zum Ende des Verhandlungsprozesses durchgehalten.

Anwälte sollten drei wichtige Elemente immer vorbereiten, sei es bei langfristigen Projekten, bei Ad-hoc-Verhandlungen oder auch bei privaten Verhandlungen: 7

1. Ziel
2. Strategie
3. Taktik

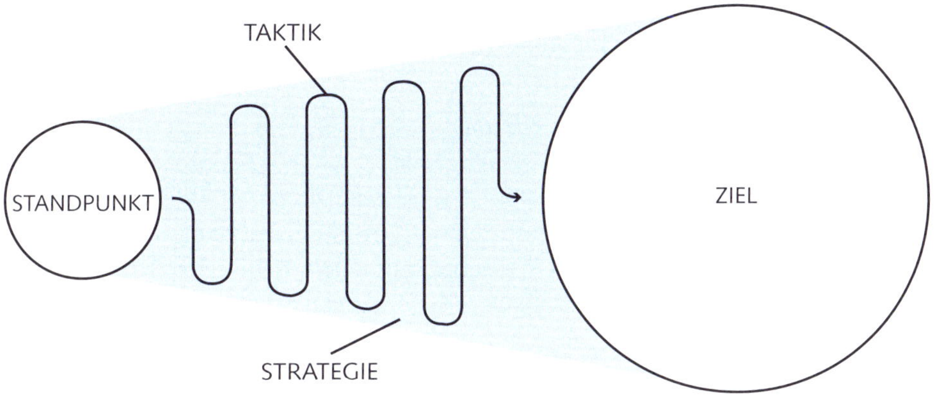

Abb. 1

3. Strategische Vorbereitung

In einer Verhandlung wird zwischen technischer und persönlicher Dominanz unterschieden. 8

Mit einer professionellen Vorbereitung erhöhen Sie Ihre technische Dominanz, was letztendlich auch zu einer Erhöhung Ihrer Sicherheit und somit Ihrer persönlichen Dominanz führt. 9

Die folgenden Punkte sollten Anwälte unbedingt vor jeder Verhandlung vorbereiten, sonst geht die technische Dominanz verloren. 10

3.1 Ziel

Ein Ziel ist das oberste Ende der Fahnenstange, und es wäre optimal, wenn dieses Ziel erreicht werden könnte. 11

In schwierigen Verhandlungen kann dieses Ziel nicht erreicht werden. Das Gegenüber wird dagegen agieren, Druck aufbauen und aufzeigen, dass es keine Möglichkeit zur Zielerreichung gibt. Aus meiner Erfahrung kommt jetzt die schwierigste Frage: an welchem Punkt wird die Verhandlung abgebrochen? 12

13 Sollte ein Anwalt mehr nachgeben, damit es keinen Abbruch der Verhandlung gibt? Die Angst wird Sie jetzt in den Griff nehmen. Die Angst, die Verhandlung zu verlieren, den Mandanten zu verlieren, das Honorar nicht durchsetzen zu können.

14 Es spielt keine Rolle, ob ein Anwalt sein eigenes Ziel verfolgt (beispielsweise eine Honorar-Verhandlung) oder die Ziele des Mandanten durchbringen möchte. Wichtig ist in jedem Fall, das Maximumziel zu definieren. Ein Maximumziel motiviert den Anwalt und sein Team, man weiss, was man erreichen möchte und freut sich auf die Zielerreichung.

15 Viel schwieriger ist das Definieren des Minimumzieles, also der Punkt, an dem die Verhandlung abgebrochen wird. Der Mandant sieht meist die sogenannte *Walk-away*-Position weit entfernt von der *Walk-away*-Position des Anwalts. Unterschiedliche Werteprägungen und Erfahrungen führen in der Vorbereitung einer Verhandlung zu intensiven Diskussionen. Leider wird diese Diskussion oft vermieden, damit es mit dem Mandanten keinen Streit vor der Verhandlung gibt: Ein fataler Fehler!

16 Dann treten die Spannungen und unterschiedlichen Sichtweisen während der Verhandlung zutage, meist sichtbar für die Gegenseite.

Verhandlungstipp

Anwälte sollten deshalb zwei Elemente vor jeder Verhandlung schriftlich festhalten:

1. **das Maximumziel – was möchte ich erreichen?**
2. **das Minimumziel – was muss ich mindestens erreichen, damit ich die Verhandlung fortsetzen werde?**

Ein Maximumziel ist positiv und zukunftsorientiert. Negative und vergangenheitsorientierte Ziele sollten Sie deshalb vermeiden.

Positive und zukunftsorientierte Ziele:

- Steigerung des Honorars um 5% bei Mandat A bis Jahresende;
- Vorgerichtliche Einigung mit allen Beteiligten;
- Nettoeinkommen soll stufenweise innerhalb von zwei Jahren um 5% steigen.

Negative und vergangenheitsorientierte Ziele:

- Umsatzrückgang verhindern;
- Eine Eskalation vermeiden;
- Es soll alles bleiben, wie es ist.

Wichtig ist selbstverständlich noch, das eigene Ziel vor Beginn der Verhandlung nicht zu kommunizieren. Die Vorbereitung ist für Sie gedacht, nicht für Ihr Gegenüber.

Ich habe oft beobachtet, dass vor einer wichtigen Verhandlung die Agenda mit der eigenen Zielsetzung versendet wird.

Verhandlungstipp

- **Setzen Sie sich positive und zukunftsorientierte Ziele!**
- **Vermeiden Sie negative und vergangenheitsorientierte Ziele!**
- **Kommunizieren Sie Ihr Ziel nie vor der Verhandlung!**

3.2 Strategie

Eine Verhandlungsstrategie hängt von zwei Elementen ab: 17

1. Forderungen
2. Kooperation

3.2.1 Forderungen

Zu Beginn unserer Beratungen befragen wir die Kunden immer zu Ziel und Strategie. 18

Das Maximumziel wird immer sehr schnell genannt, das Minimumziel ist in 95% der 19 Verhandlungen nicht definiert.

Die Strategie unserer Kunden können wir gut anhand der Anzahl und Formulierung der 20 Forderungen erkennen. Wer viele konkrete Forderungen erhebt, fühlt sich in einer starken Verhandlungsposition und kann dadurch die ZOPA *(zone of possible agreement)*, also die Verhandlungsmasse, erhöhen.

Leider ist es meist so, dass sich unsere Kunden zu Beginn der Beratung in einer schlech- 21 ten Position wähnen und deshalb wenige und vor allem unkonkrete Forderungen vorbereitet haben.

Unkonkrete Forderungen sind beispielsweise: 22

- «Wir wollen den status quo halten!»
- «Es darf auf gar keinen Fall zu einem Streit führen!»
- «Wir wollen eine langfristige Partnerschaft!»

Die Vorbereitung der Forderungen ist ein zentraler Punkt. Sie sollten vor jeder Verhandlung mindestens zehn Forderungen schriftlich festhalten.

Nachdem Sie zehn Forderungen notiert haben, sollten Sie Prioritäten verteilen. Nutzen Sie hierzu bitte eine farbliche Aufteilung:

- Rot – diese Forderung müssen Sie durchbekommen
- Gelb – diese Forderung sollten Sie durchbekommen
- Grün – das ist ein «Dummy». Sie stellen diese Forderung nicht, weil sie diese unbedingt durchsetzen möchten, sondern um Ihre Zielsetzung zu verschleiern und um die ZOPA, Verhandlungsmasse, aufzubauen.

23 Diese gelben und grünen Forderungen ermöglichen Ihnen, von der inhaltlichen Vorbereitung in die strategische Vorbereitung vorzustossen. Je mehr Forderungen Sie konkret in die Verhandlung einbringen, desto machtvoller und strategischer werden Sie.

3.2.2 Kooperation

24 Die Kooperationsbereitschaft hängt davon ab, ob eine Verhandlungspartei lang- oder kurzfristig orientiert ist. Eine langfristig orientierte Verhandlung verlangt sehr viel Kooperationsbereitschaft, also der Bereitschaft zu nehmen und zu geben. Wir hören bei vielen Kunden: «Win-win ist uns wichtig» und «Wir wollen eine langfristige Partnerschaft». Das sind oft nur Lippenbekenntnisse, denn kaum einer ist bereit auch zu geben.

25 Bei einer kurzfristigen Partnerschaft gibt es kein Wiedersehen, hier wäre auch «Druck» möglich.

26 Ein Anwalt sollte sich entscheiden, ob er geliebt oder respektiert werden möchte. Wer geliebt werden möchte, wird Konflikte vermeiden. Wer Konflikte vermeidet, handelt kurzfristig, denn in einer langfristigen Partnerschaft gehört das Klären von Konflikten dazu. Das Klären von Konflikten führt also zur langfristigen Partnerschaft und zu gegenseitigem Respekt.

3.3 Taktik

27 Gerade von Anwälten darf man eine strategische und vor allem taktische Verhandlungsführung erwarten. Die Taktik dient dazu, die Strategie umzusetzen und jederzeit im *driver seat* zu sein.

28 Aus meiner Sicht sind die folgenden Taktiken für Juristen hilfreich:

3.3.1 Agenda

29 Starten Sie bitte jede Verhandlung mit einer Agenda. Auch und vor allem eine kurze und unstrittige Agenda ist eine grosse Hilfe. Sie definieren gleich zu Beginn, was wird verhandelt und was nicht.

Zudem können Sie jeden Agendapunkt mit einer zeitlichen Begrenzung kommunizie- 30
ren. Sie können beispielsweise sagen, dass für Agendapunkt Nr. 2 ein zeitlicher Rahmen von 30 Minuten sinnvoll ist.

Somit können Sie bei Nr. 2 nach 30 Minuten auf die Agenda verweisen und zum nächs- 31
ten, Ihnen vielleicht besser ins Konzept passenden Punkt, wechseln. Oder Sie sagen, dass gerade dieser Punkt für alle von grossem Interesse ist und Sie deshalb möchten, dass nicht 30 sondern 45 Minuten dafür verwendet werden. Sie können also das tun, was für Sie besser ist.

3.3.2 Inhalt wiedergeben

Es mag sich banal anhören, aber Sie sollten Ihrem Gegenüber ständig zeigen, dass Sie 32
sehr an ihm interessiert sind. Benutzen Sie oft kleine Ermutiger wie «aha» oder «ok» und schreiben Sie viel mit.

Reflektieren Sie, dass Sie den Inhalt verstanden haben. 33

Wiederholen Sie mit eigenen Worten, was Sie verstanden haben und versichern Sie sich 34
über die Richtigkeit.

Nutzen Sie Redewendungen wie «Wenn ich Sie richtig verstehe...» oder «Wenn ich das 35
mit meinen Worten beschreibe...»

Wichtig ist herbei, dass Sie das Gesagte umschreiben und mit eigenen Worten zusam- 36
menfassen. Natürlich geben Sie mit Ihrer Zusammenfassung der Verhandlung eine neue, für Sie günstige Richtung.

3.3.3 Gefühl wiedergeben

Hier wird es schon sehr viel schwieriger. Das Beschreiben von Gefühlen in Verhandlungen 37
kommt fast immer dem Betreten eine Eisfläche gleich. Ein falsches Wort oder eine falsche Betonung und Sie verlieren den Halt und somit die Führung in der Verhandlung.

Beispiel

Sie telefonieren mit dem Bankräuber und möchten über die Gefühlsebene in die Verhandlung einsteigen.

Sie wissen um die Lage des Bankräubers und wissen natürlich auch um die Aussichtslosigkeit seines Tuns. Seine Situation ist tatsächlich sehr schlecht für ihn, und er wird wohl mit einer gewissen Angst, also einem Gefühl, handeln.

Sie haben nun die Möglichkeit, über das Beschreiben seiner Situation oder über das Beschreiben des Gefühls an ihn heranzutreten.

Nehmen wir an, Sie beschreiben die Situation und erzählen wahrheitswidrig, dass Sie auch schon mal eine Bank überfallen haben. Sie sagen dem Bankräuber, dass Sie bei

Ihrem eigenen letzten Banküberfall sich in einer ähnlichen Situation befunden haben. Sie tauschen sich über die Wahl der Waffen, die Haltung der Geiseln und die Möglichkeiten zur Flucht aus.

Wie würde wohl ein Geiselnehmer auf diese Herangehensweise reagieren? Würde er sich freuen, dass er jemanden als Gesprächspartner hat, der schon eine ähnliche Situation gemeistert hat?

Nein, er würde diesen Versuch als respektlos ihm gegenüber abtun.

Nehmen wir an, Sie beschreiben das Gefühl und erzählen dem Bankräuber, dass Sie das Gefühl der Ausweglosigkeit gut kennen. Sie waren selbst schon manchmal in einer Lage, wo Sie gerade jetzt keinen Ausweg sehen konnten.

Gefühle sind universal, jeder kennt sie, und jeder kann sie nachvollziehen. Wenn Sie Gefühle beschreiben, dann haben Sie einen schnellen und authentischen Zugang zu Ihrem Gegenüber gefunden.

Wenn Sie die Situation ansprechen, dann wird Ihr Gegenüber das sofort als nicht-authentisch entlarven und als respektlos abtun. Er wird sich denken, wie kann sich dieser Mensch so eine Beschreibung anmuten. Sie werden heuchlerisch und nicht glaubwürdig wahrgenommen. Und das ist wirklich schlimm in einer Verhandlung.

Wenn Sie die Gefühle ansprechen, dann beschreiben Sie ein Gefühl, das Sie selbst aus anderen Bereichen kennen. Eben dieses Gefühl der Ausweglosigkeit werden Sie kennen.

Gerade als Anwalt werden Sie oft als zu rational oder gar als gefühlskalt bewertet. Das sollten Sie als Kompliment und nicht als Nachteil verstehen. Bleiben Sie während einer Verhandlung in der Rolle des Experten, der eine andere Sichtweise und eine andere Erfahrung hat! Sie sollten nie sagen, dass Sie Ihr Gegenüber oder Mandanten verstehen, sonst beschreiben Sie Situationen.

Aber das Ansprechen von Gefühlen kann positiv sein, wenn Sie es dosieren und ehrlich meinen.

3.3.4 Überbringen einer schlechten Nachricht

38 Ich werde oft gefragt, wie ich solche Situationen aus meiner Erfahrung bewerte. Sollte man die schlechte Nachricht gleich ansprechen oder mit Small Talk einleiten oder gar so hinleiten, dass der Verhandlungspartner die schlechte Nachricht selbst entdeckt?

39 Hier habe ich einen sehr klaren Tipp: sofort ansprechen!

40 Irgendwann müssen Sie es ohnehin sagen, und mit diesem Gerede um den heissen Brei wird alles noch viel schlimmer. Sagen Sie, was Sache ist und halten Sie dann den Mund! Alles, was Sie nach der schlechten Nachricht noch nachschieben, verwässert Ihre Aus-

sage, und zudem kann man es gegen Sie verwenden. Also, klare Aussage und dann nichts mehr sagen!

Sollte Ihr Gegenüber emotional reagieren, dann vereinbaren Sie bitte zeitnah einen Termin für die nächsten Schritte. Bitte nie denken, dass es ja gar nicht so schlimm ist und Ihr Gegenüber das schon irgendwie verstehen wird. Nein, er kann es nicht verstehen, weil seine Emotionen klares Denken verhindern und somit Rationalität unmöglich ist. 41

3.3.5 Nichts sagen

Diese Taktik scheint die einfachste zu sein. Leider ist gerade dieses «Nichts sagen» so schwer. Es bedeutet nichts zu sagen, nicht mit der Sprache, nicht mit der Körpersprache, nicht mit Andeutungen über Dritte … einfach nichts. 42

In meinen schwierigsten Verhandlungen gab es oft Situationen, wo ich nicht wusste, was ich sagen sollte. Jede Aussage hätte als Provokation verstanden werden können, hätte die Verhandlung eskalieren lassen können. 43

Deshalb halte ich mich an einen alten Grundsatz der Dialektik: «Wenn Sie nichts zu sagen haben, sagen Sie nichts!» 44

D. Scripting Successful Concentration for Lawyering Tasks

ADINA MORNELL

1. Prologue

1 Before the workday has officially started, a lawyer's volitional and unconscious processes have set the stage for the drama that will unfold. The successful advocate must wrangle with choices and actively define his role in this play, rather than just participating. For this, he needs knowledge of the mechanisms of attention and distraction. He must grasp that the demands of the workplace, technological advances, and changes in society have altered the props and the scenery of the legal profession. With knowledge of these influences plus awareness of the physical, cognitive, emotional and behavioral components of human action, he can even change the plot.

2 The mantra of the 21st century is not only «not enough time» but also «not enough focus.» It has become ever more difficult to access the uniquely human ability to participate in deep and creative thought[1], yet this is an absolute necessity for the lawyering trade. Reading, reviewing, researching, responding, drafting, scheduling, organizing, supervising, and preparing: the laundry list of lawyers' tasks contains acts that require vigilance and energy. Concentration – used here as a synonym for optimal and effective attention – is at the core of these activities. Obviously, no one can survive law school without the ability to narrow the scope of one's focus to the assignment at hand. So it is not the inability to concentrate that is a problem for lawyers, but rather the sand traps of urgent and necessary work (such as answering e-mails, or filling out time sheets) that distract from assignments that are overly challenging, subliminally threatening, and unconsciously rewarding to avoid. The procrastination mechanism is just one example of behavior that, if unrecognized, can increase stress and self-dissatisfaction to the point of burnout. This chapter uses a psychological model as a heuristic approach to identify sources and causes of distraction. Then it suggests coping strategies that maximize one's capacity to funnel attention and effort to the right tasks.

2. Lights on

3 In the latter half of the 20st century, the science of Human Factors grew out of accident analysis in the fields of aviation, medicine, and nuclear reactor safety. After years of

[1] Carr, N. (2010). The Shallows. What the Internet is Doing to Our Brains. NY: W.W. Norton & Co.

fault finding and finger pointing at individual mechanical and human errors as the cause of near-misses and catastrophic mishaps, there was a need to identify methods of prevention applicable to the individual case at hand as well as situations in the future. Of the two resulting concepts, the *system-centered* model[2] more aptly fits the legal mindset. In fact, advocates are trained to think systemically, to understand the overall structure of a situation and look for weaknesses in the parts of such systems. Because this chapter illuminates individual competence, the *person-centered* SHELL model[3] will be employed instead, to structure the examination of common situations in which a lawyer's concentration and performance are inextricably linked.

Abb. 1: SHELL Model © Mornell / Levin

In critical accident investigations based on this model, one looks at the interfaces between resources named *Software, Hardware, Environment,* and *Liveware* shown in the figure. The L at center of this diagram stands for both Liveware and Lawyer, in this case, the lawyer conducting the investigation. Of interest here are the interfaces *between* the cogs. Do the edges of two cogs interlock, allowing for smooth functioning, or is friction created due to a mismatch, slowing the system down? These are the questions posed in accident analysis. The following examines these resources with regard to the legal profession, troubleshooting difficulties, and suggesting solutions. 4

2 See: Reason, J. (2000). Human error: Models and management. BMJ, *320,* 768-770.

3 The relationship and interactions between man, machine, and environment were originally pictured as a set of building blocks (SHELL): Edwards, E. (1988). Introductory overview. In E. L. Wiener & D. C. Nagel (Eds), Human factors in aviation (pp. 3–25). San Diego: Academic Press.

2.1 S: Software

5 In the original definition, all of rules, regulations, procedures, customs, practices, and habits, which govern the organization and operation of the system collectively, are *software.* The body of law itself, the legal firm's standards, its expectations of its associates, both in the quality and quantity of the workload, as well as the demands individual lawyers place on themselves to balance their professional and personal lives, also belong to this category. The content of the work required – an ambiguous or questionable law; a conflict of values between client and counsel; or a missing attractiveness of the assignment – can also cause tension at this interface.

6 The Internet adds additional stress to the interface between L and S. Online resources provide access to information previously sought from books or consultation with colleagues. When the search engine produces feedback (hits), neurotransmitters[4] produce the sensation of pleasure. Finding and collecting commentaries and relevant cases thus activates the body's own reward system. Filing these results requires little attention or brain capacity – quite a contrast to the tedious work of processing this information, committing it to memory, and turning it into knowledge. Being distracted has aptly been called *otherwise attracted,*[5] and time spent online is a prime example of this phenomenon. The superficially productive and mentally less demanding act of surfing supplants time needed for the arduous task of actually reading the material, for which focus and deep thought is required. Memory consolidation[6] requires interest and motivation; and is hindered or precluded by distraction or stress.

7 Information and work overload as well as time constraints cause friction at this L/S interface. With more to do than hours available, one attends to those assignments perceived as urgent first.[7] And one gravitates towards tasks that have high chances of completion within a concrete time frame – the interface between L and S functions smoothly here. *Blissful productivity*[8] occurs when churning out e-mails and depleting items from an overcrowded inbox. Without employing a hierarchy to separate the critical from the trivial and the time-sensitive from the non-urgent, one is indeed busy and working hard, while (unconsciously) postponing particularly tough projects as well as mundane, yet necessary, duties.

---

4 Dopamine is released creating pleasure, both when successful acts and/or novel stimuli are presented to the brain.

5 Langer, E.J., The Power of Mindful Learning. 1997, Cambridge, MA: Da Capo Press, p. 36.

6 The process requires linking new material to existing knowledge structures, thus filing it in long-term memory's network of meaning.

7 In the «temporal delay phenomenon» the closer one gets to a reward or feeling of accomplishment, the more valuable the rewards seems. See: Gura, T., I'll Do It Tomorrow. Scientific American Mind, 2008. *19*(6): p. 26-33.

8 A motivational factor identified in gaming: McGonigal, Jane (2011). Reality is Broken. Why Games Make Us Better and How They Can Change the World. New York: Penguin Press.

To detect a suboptimal match at the interface between L and S, one must scrutinize work schedules and task choices that support the quick and efficient over the time-consuming and intense. While those projects that «fit» (e.g. overtly manageable, ethically agreeable, enjoyable) will be accomplished, those involving conflict will be continually cycled to the bottom of the virtual inbox until looming deadlines leave no way out. 8

Procrastination may have evolutionary roots. In terms of human survival, the proverbial «a bird in the hand is worth two in the bush» when the future is unpredictable, immediate gratification is biologically more motivating than rewards promised in the distant future. Task aversiveness triggers putting things off, and the short-term delights of avoidance, catch one in a system of denial and deception. Threats of catastrophic repercussions pair with urgency and determination to reach the deadline, and complete concentration becomes easy. Each of these last-minute «crunches» links stress to productivity, causing an addiction to stress. One fears that low-pressure situations are less «creative,» despite evidence that anger or panic fuel brainstorming only briefly. Overtly, concentration is sustained, but at the cost of flexible thinking.

2.2 H: Hardware

Historically, tools have a profound influence both on what one does and on how one does it.[9] Today's technology, developed with the intention of increasing efficiency, may instead serve to confound tasks or increase workload. Lauded as progress, electronic devices are supposed to be friends, making communication and access to information faster and simpler. Instead, webpages spiced with hyperlinks divert reading paths, audio and visual stimuli divide attention, with even the dictionary function offering built-in distraction at a tremendous cost to efficiency[10]. Incoming messages and feeds clutter the «to do» list, turning these allies into enemies. Users are held hostage and unable to concentrate fully – or to go offline[11]. 9

Multi-tasking is a myth: a congenial euphemism for distraction. The brain can only switch between tasks, not perform more than one at once. Toggling from writing e-mails to reading legislature results in work fragmentation: focus is divided, concentration fractured. With hardware innovation and cloud computing, the entire office has become portable: 24/7 availability feigns productivity, overshadowing disturbances attributed 10

9 Postman, N. (1993). Technopoly. The Surrender of Culture to Technology. New York: Vintage Books.

10 Time spent on an additional task can cause a delay of up to a half an hour before one gets back on track, yet we are biologically programmed to react positively to «novelty, excitement and variety», see: Gosline, A. (2007). Bored? Scientific American Mind, *18*, 20–27.

11 Social connectedness is a motivational determinant of behavior in Self-Determination Theory. Ryan, R. M. & Deci, E. L. (2000). Self-Determination Theory and the Facilitation of Intrinsic Motivation, Social Development, and Well-Being. American Psychologist *55* (1): 68–78.

to the L/H interface. It is hard to judge progress or accomplishments achieved; self-satisfaction and motivation suffer.

11 Known problems found at the L and H interface are computer crashes, slow network connections, and poorly configured workspaces – all of these can disrupt concentration. A more subtle, equally intrusive, yet rarely identified, effect of H on L is the use of the keyboard instead of the pen. The supposed efficiency of word-processing keeps one typing instead of making notes or drafting briefs by hand. This has an effect on thinking patterns.[12] The act of manually writing or sketching a diagram taps into both brain hemispheres and it permits non-linear flashes of insight that are often the key to problem-solving. Developing a new angle of defense may require intense occupation with the subject as well as reflection. Even a state of emptiness associated with boredom can be the prequel to this creative act. This is rarely achieved typing on a keyboard; most certainly prohibited by the *continual partial attention*[13] of computer use.

2.3 E: Environment

12 The resources S, H, plus the human component, L, do not exist in a vacuum, but rather within an environment made up of physical, economic, political, and social factors. Even – or especially – top achievers from the best universities working at first-rate law firms are subjected to fierce, global competition in a crisis-oriented, time-pressured, money and success-driven culture. That is the reality represented in the cog E. A society spoiled by answers at the press of a button produces clients demanding quick fixes with little patience for the thought processes required for innovative solutions. The prompt turnaround facilitated by S and H has shortened the expected response time almost to the speed of video game controllers.

13 E includes the physical environment at the office. A special threat to concentration at this interface is the acoustics of the workplace. Low-level noise, especially at a volume not consciously identified as an audible distraction, can cause an assignment to be labeled as boring[14]. The brain expends effort to attend to or block the intrusive sound, leaving less mental strength available for the job. Thus, trouble at the L/E intersection causes one to attribute an unwarranted negative valence to a task or case.

---

12 Carr, N. (2008). Is Google making us stupid? What the Internet is doing to our brains. Atlantic Monthly (July/ August).

13 Linda Stone's discovery of this phenomenon dates back to the 1980's and has since been validated by neuropsychology: www.lindastone.net

14 Damrad-Frye, R., & Laird, J. D. (1989). The experience of boredom: The role of the self-perception of attention. Journal of Personality and Social Psychology, *57*(2), 315–320.

2.4 L: Liveware

Two cogs for Liveware dominate the SHELL model. L in the middle is the lawyer attempting to focus. The L on the outer ring symbolizes either a further individual or the dynamic world of social interactions[15]. The match or mismatch of this interface is tested when delegating and supervising coworkers, interacting with clients and opposing attorneys, or when any form of social network is involved[16]. In all of these cases, the spokes of these L's must correspond in order for the system to function. The shape of the surface on both sides of the interface will depend in turn upon each individual's physiological, cognitive, behavioral, and emotional makeup. These four components collectively determine the dispositional valance of the situation and influence the success or failure of the interaction. 14

The Four Components of Activation

The physiological response of an individual ideally mirrors the amount of alertness and drive needed at the moment. Neurotransmitters and hormones commanded by the arousal and effort systems mobilize the entire body to function in the appropriate gear. The collaboration between central L and all other resources functions suboptimally when there is too much or too little activation. For example, one needs more energy to introduce a plea before a judge than to fill out billing sheets at one's desk – at least in theory. When fear or aversion is involved, whether conscious or unconscious, the physiological reaction to the situation may be mismatched and counterproductive. In prehistoric times, racing heartbeat, increased muscle power, or tunnel vision, were advantageous responses to danger for the human organism. In today's courtroom, the antagonistic automatic nervous systems[17] continue vying for survival, even when the «threat» is intellectual or imagined. 15

When somatic symptoms are understood as the positive prerequisites or side effects of concentration and vigilance, instead of as impediments to top performance, their influence can be mediated. Most problems ensue not through the symptoms themselves, but through the personal interpretation of arousal: this is the cognitive component of activation. Physical and mental processes are part of the feedback loop *fear feeds fear.*[18] Butterflies in the stomach trigger the association of nervousness, which can lead to catastrophic thoughts such as «I'm going to fail.» Other cognitive disturbances include siz- 16

[15] The single L on the outer ring could represent multiple L's – e.g., all employees of a law firm, family members, and circle of friends of the person represented by the middle L.

[16] On-the-job disturbances caused by colleagues' questions, meetings with visitors, phone calls and e-mails, could all arguably belong to more than one interface. The SHELL is merely an investigative and descriptive tool intended to aid awareness and spark discussion; no theoretical model will ever mirror reality completely.

[17] Fight and flight are expressions of sympathicus, freeze or faint of parasympathicus activation.

[18] Mornell, A. (2002). Lampenfieber und Angst bei ausübenden Musikern. Frankfurt a. M.: Peter Lang.

ing up persons nearby and concluding that they have detected one's insecurity; or magnifying minor mistakes, judging them to be consequential and irreparable.

17 Elevated activation as a result of arousal works constructively, when it assists the recall of facts needed to argue a case. Arousal is instead detrimental to performance, when increased blood flow to the brain (re-)activates memories of past failures, or sidetracks attention to something irrelevant to the current situation, such as whether or not the car door is locked. Extraneous trains of thought are a form of self-fulfilling prophecy: out of fear of being distracted and failing, one becomes other-attracted and this lack of focus causes mistakes.[19]

18 One's behavior in a stressful situation, the third component, is modulated by these first two, and reciprocally affects them. Reactions to distraction range from facilitating (channeling all effort to perform better) to debilitating (when presupposed disaster undermines attitude and promotes resignation) repertoires of behavioral choices. The depth and extent of preparation prior to this moment has limited or expanded the options available for response in real time. These, in turn, have been driven by the mechanism of self-handicapping.

19 The human behavioral pattern identified as *self-handicapping* (SH) protects the ego in approach-avoidance conflicts, and reflects the on-going balance act between confidence in one's competence, and fear of inadequacy. SH encompasses all behavior in advance of the situation[20] that allows one to externalize and minimize failure, or internalize and augment success afterwards. SH builds elaborate systems of excuse, fabricated often unconsciously in anticipation of a poor performance: «It's no surprise that I didn't win the case, but I could have, if I had had more time.» If the trial goes well, this triumph is proof of even greater potential: «Just think of how much better I could have done if ...» it hadn't been for unforeseen obstacles. A sick child needing care (L/L), a schedule conflict (L/S), a server outage (L/H), or flight canceled due to inclement weather (L/E), all fall into this category of supposedly unavoidable events beyond one's influence that provide great exit strategies for responsibility. Last-minute «brilliant» achievement under the crunch of a deadline is common SH behavior.[21] If sufficient backup plans were in place, none of these impediments would be a problem, but that would remove the psychological benefit of the excuse. Under the cloak of pro-

19 This metaphorical train wreck reflects one's prior appraisals of the probability of success (self-efficacy), see: Bandura, A. (1977). Self-efficacy: Toward a unifying theory of behavioral change. Psychological Review, *84*(2), 191–215.

20 «Anticipatory excuse making»: Rhodewalt, F. (1990). Self-handicappers: Individual differences in the preference for anticipatory, self-protective acts. In R. L. Higgins, C. R. Snyder & S. Berglas (Eds), Self-handicapping: The paradox that isn't (pp. 69-106). New York: Plenum Press, p. 81.

21 «I can't work without pressure» is the justification, not the real reason, for avoidance behavior.

crastination one creates extenuating circumstances to reduce personal responsibility for potential mediocrity or failure.[22]

Finally, emotions manipulate the strings of the three other components. Personality traits, the perceived importance of the assignment[23], and prior experience, are three possible sources of emotion. Perfectionism, intrinsic and extrinsic motivation, sibling rivalry and family systems, aggressiveness or conflict avoidance: all of these weave the fabric that is the personal psyche. Fear of failure, fear of abandonment and loss of love, but also a missing vision of success, all undermine confidence and syphon off energy needed for concentration. Wear on the emotional costume of any L can grind the system to a stop. Recognition of the internal mechanisms influencing human actions and reactions is the first step towards problem-solving. 20

3. Action

The center of the human-centered model is L, and thus the core of all coping strategies is self-perception, self-awareness and self-assessment: antidotes to denial and maintenance of the status quo. Honesty about one's own strengths and weaknesses is part of the picture; one has to be willing to face even unconscious *modus operandi*. The more one understands about the workings of L, the less victimized one is by others' – or one's own – behaviors[24]. Self-handicapping principles pervade old work habits whose past «success» does not certify them to be healthy or optimal. When self-knowledge replaces superstition, especially concerning distraction, attitude, and choice, change is possible. 21

A tangible vision of success, a precise image of the ultimate goal of a project, replaces a tendency to engage in SH, which is motivated by a vision of failure. A negative view (boring, unpleasant, threatening or confusing) of a task magnifies its onerousness while discounting the incentives to accomplish it. The positive attitude[25] found in activated – not relaxed, negative, sad or anxious – mood states, proliferates constructive thinking. 22

To combat procrastination and other threats to concentration, it is necessary to fix intermediate goals and their deadlines[26]. When a pre-defined sub-goal is reached, neuro- 23

22 The «logic» of SH includes rationales such as: «if the plea is turned in on time, a coworker or boss will have time to find fault with it» and «with limited time available, there is no way to reach my own personal standards of quality.» These, too, are protective shields against attacks on self-competence.

23 State anxiety.

24 The tendency to place blame on other L's is another common SH-strategy.

25 Baas, M., De Dreu, C. K. W., & Nijstad, B. A. (2011). Creative production by angry people peaks early on, decreases over time, and is relatively unstructured. Journal of Experimental Social Psychology, *47*, 1107–1115.

26 «Implementation intentions»: Wieber, F., & Gollwitzer, P. M. (2010). Overcoming procrastination through planning. In C. Andreou & M. D. White (Eds), The thief of time: Philosophical essays on procrastination (pp. 185–205). New York: Oxford University Press.

transmitters are released, rewarding and improving learning and long-term memory. Steps taken to squelch the tendency to postpone (and the addiction to the negative arousal of stress), make deliberate preparation possible, without the adrenaline rush of an impending deadline. Adding challenge to routine responsibilities instead of making them easier, and fixing one's own bonuses for these accomplishments, replaces resignation and drudgery with the tactics of experts[27].

24 Setting one's own stage for productive work means applying practical solutions such as better time management[28]. Those elements of S, H, and E that can be modified for a better fit should be identified. Instead of waiting for peace and quiet (E), or the empty inbox (S) one must take action – e.g., leaving the computer (H) for the legal pad and pencil, or dictating a letter instead of typing it, are techniques that reduce distraction and increase focus.

25 As to the lawyer (L) himself, stamina is needed to thwart continual interruption, no matter how attractive. Determining when short-term distraction is beneficial, averting discomfort for a period of time, and when it is an SH excuse not to engage in meaningful and necessary concentration, needs practice. By warding off extraneous thoughts during non-stress situations, one hones attentional skills, so that complete attention can be conjured up at will «when it counts.»

4. Epilogue

26 If «all the world's a stage,» the SHELL model allows a dismantling and reconstruction of the set. Information about the policies, technology, and socio-economic climate behind the scenes, paired with knowledge of human neuropsychological reward systems, manipulating decision-making processes and action of the players, makes change of mindset and behavior possible. Analysis of real-life situations provides the necessary props for the individual to become both the playwright and lead actor, determining the outcome of the story.

[27] Ericsson, K. A. (Ed.). (1996). *The road to excellence:* The acquisition of expert performance in the arts and sciences, sports, and games. Mahwah, N.J.: Lawrence Erlbaum Associates.

[28] Using the morning to do thought-intensive work, setting aside a time of the day that is less energized to answer e-mails, etc., are principles based on the human circadian clock.

E. Umgang mit Gerichten und Behörden

Georg Naegeli

1. Einleitung

Oft kreuzen die beruflichen Pfade von Anwälten diejenigen von Gerichten und Behörden. Dabei treten erstere bei objektiver Betrachtung letztlich als Bittsteller für die Mandantin auf, die eine Bewilligung, ein Urteil, Gerechtigkeit oder einfach nur angehört werden will. Anwälte identifizieren sich mit der Causa ihrer Mandantin und mögen dazu neigen, deren Sache forsch und fordernd vorzutragen. Das kommt bei Gerichten und Behörden nicht immer gut an; sie handeln in einem rechtlichen Rahmen, der ihnen mehr oder auch weniger Spielraum gewährt, und ihr vorderstes Ziel ist nicht, die Mandantin des Anwalts zufriedenzustellen, sondern richtig bzw. im Rahmen ihres Ermessens zu entscheiden. 1

Wie sollen sich Anwälte in diesem Spannungsfeld verhalten? Wie mit Angehörigen von Gerichten und Behördenmitgliedern umgehen? Die nachfolgenden Zeilen erheben nicht den Anspruch, endgültige Antworten auf diese Fragen zu geben. Es gibt keinen lernbaren richtigen Umgang mit Gerichten und Behörden. Es gibt aber Erfahrungen, aus denen man lernen kann, welche Verhaltensmuster bei Gerichten und Behörden bessere Chancen haben. Die nachstehenden Zeilen befassen sich mit einigen solchen Erfahrungswerten, allerdings ohne Anspruch auf Vollständigkeit und, natürlich, wie immer ohne Gewähr.[1] 2

2. Wie man in den Wald ruft, so schallt es heraus

Eine Binsenwahrheit. Und doch ist es manchmal erstaunlich, wie wenig sie beachtet wird. 3
Wer sich in einer Eingabe wortreich darüber beschwert, dass die vom Gericht angeordnete Sistierung «lediglich eine weitere Schikane [sei], wie sie am Gericht gegenüber Invaliden, die Schadenersatzforderungen gegen Versicherungen stellen, leider System geworden sind», und den Richtern vorwirft, sie hätten «mehrmals sinngemäss ausgeführt, dass sie sich eigentlich zu schade sind, um sich den Arbeitsstrapazen langatmiger Beweisbeschlüsse und mühseliger und zeitraubender Zeugeneinvernahmen, wie sie in Schadenersatzprozessen auch wegen der intransi[n]genten Haltung der Versicherer üblich geworden sind, zu unterziehen», der muss sich nicht wundern, wenn das beim

[1] Weiterführende Literatur: Peter Hafter, Strategie und Technik des Zivilprozesses, 2. A. Zürich 2011; Adolf Lüchinger, Über die Beziehungen zwischen Richtern und Rechtsanwälten, Anwaltsrevue 11-12|2005, 462 ff.; Barbara Merz, Wie ich mir (rechtliches) Gehör verschaffe, Manuskript, Tagung Aktuelle Fragen im Zivilprozessrecht, Universität St. Gallen, 26. Oktober 2006.

Gericht schlecht ankommt. Der betreffende Kollege kam zwar an einer aufsichtsrechtlichen Sanktion vorbei, da der Aufsichtskommission über die Anwältinnen und Anwälte die dem Gericht zur Verfügung stehenden Sanktionen als ausreichend erschienen,[2] aber einen Dienst hat er seiner Mandantin mit den verbalen Entgleisungen bestimmt nicht geleistet.

4 Wenn Sie Angehörigen eines Gerichtes oder einer Behörde gegenübertreten, so lassen Sie sich nicht von dem nicht auszurottenden Vorurteil leiten, dass 90% aller Staatsangestellten dumm und faul seien. Behandeln Sie sie mit dem Anstand und der Achtung, mit der Sie selbst behandelt werden möchten. Damit ist schon viel gewonnen.

5 Zum Geheimnis des erfolgreichen Umgangs mit Behörden kann auch die korrekte Anrede gehören. Soll man «Frau Oberrichterin» sagen, oder ist das überholt? Schafft ein vertrautes «Herr Kollege» Beziehungsnähe, weil es eine Begegnung auf Augenhöhe suggeriert, oder wird es vom Behördenmitglied als anbiedernd empfunden? Es gibt keine allgemeingültigen Antworten. Wichtig ist zu versuchen, die Neigungen des Gegenübers zu ergründen. Jüngere Behördenmitglieder mögen unkomplizierter sein (eine Erfahrung, die sich allerdings auch nicht immer bewahrheitet) und keinen Wert auf Titel legen. Im Zweifel wird es sich dennoch empfehlen, das Behördenmitglied eher förmlich anzureden. Dies wird eher als Ausdruck der gebührenden Achtung denn als übertriebene Unterwürfigkeit verstanden werden.[3]

6 Abgesehen davon, dass der anständige Umgang mit anderen Menschen – zu denen auch Behördenmitglieder, Richterinnen, Beamte gehören – eine kulturell wertvolle Errungenschaft ist, gibt es gerade auch dort gute Argumente dafür, wo ein gewisses Machtgefälle besteht. Denken Sie daran, dass Gerichte und Behörden am längeren Hebel sitzen. Ihre Mandantin hat nichts davon, wenn Sie zwar die an Arbeitsverweigerung grenzende scheinbare Untätigkeit der Behörde, bei der Ihr Antrag seit Monaten pendent ist, mit scharfen Worten rügen, aber damit nur erreichen, dass die Behörde nun auch noch sauer auf Sie ist. Das wird das Verfahren nicht beschleunigen. Man kennt die wahren Gründe für das Verhalten einer Beamtin, das man missbilligt, nicht immer – es mögen durchaus valable sein.

3. Wie soll der Anwalt mit «schwierigen Fällen» umgehen?

7 Manchmal steht man als Anwalt beim Umgang mit Behördenmitgliedern der schwierigeren Art an. Der Staatsanwalt ist aggressiv und behindert systematisch die Arbeit der

[2] ZR 109, 2010, Nr. 5.

[3] Für einen alten Zopf halte ich allerdings Grussformeln wie «Mit vorzüglicher Hochachtung» oder, noch geschraubter, «Genehmigen Sie den Ausdruck meiner vorzüglichen Hochachtung». Freundliche Grüsse tuns vollkommen.

Verteidigung unter Berufung auf die Interessen der Strafuntersuchung. Der Beamte, der die seit Langem beantragte Bewilligung bearbeiten sollte, ist auf Tauchstation. Nachdem das Gericht den Schriftenwechsel mit scharfen Fristen durchgepeitscht hat, geschieht jahrelang nichts.

Was tun? Gleich mit einer Aufsichtsbeschwerde einfahren ist meistens nicht ratsam. Die Tendenz der Gerichte und Behörden, Aufsichtsbeschwerden aus Prinzip abzuweisen, ist gross.[4] Das heisst allerdings nicht, dass hinter den Kulissen nichts geschieht. Eine Aufsichtsbeschwerde kann die angerufene Behörde durchaus veranlassen, den fehlbaren Beamten an seine Pflichten zu mahnen. Meistens wirkt der Wink. 8

Trotzdem sollte die Aufsichtsbeschwerde die Ultima Ratio sein. Schöpfen Sie vorher friedlichere Optionen aus, wenn Sie solche haben. Suchen Sie ein klärendes Gespräch mit dem Staatsanwalt. Wenn es nicht nützt, telefonieren Sie dem Stellenleiter oder der Aufsichtsbehörde, schildern Sie das Problem und schlagen Sie eine Aussprache zu Dritt vor. Versuchen Sie den Beamten auf Tauchstation telefonisch zu erreichen und schildern Sie ihm die Nöte der Mandantin, die dringend auf die Bewilligung angewiesen ist. Oder versuchen Sie herauszufinden, wer sein Vorgesetzter ist, und versuchen Sie es bei diesem. Bleiben Sie bei Ihren Vorstössen sachlich, aber engagiert; vermitteln Sie den Eindruck, dass Sie nicht generell die Kompetenz der Behörde in Zweifel ziehen, sondern die Mandantin wegen des beanstandeten Verhaltens ein echtes Problem hat. Auch hier gilt: je mehr sich die angesprochenen Behördenmitglieder ernst genommen fühlen, desto eher wird man Ihr Anliegen ernst nehmen. 9

4. Vom Verbot des Berichtens – einseitige Kontakte zu Behörden

Besonders heikel sind einseitige telefonische oder mündliche Kontakte zwischen Anwältin und Gericht. Schon die zürcherische Verfahrensordnung des 19. Jahrhunderts verbot «das Berichten», worunter die ausserhalb des Prozessverfahrens vorgenommene Unterrichtung der Richterin durch eine Partei verstanden wurde.[5] Der Grund liegt auf der Hand: In einem Zwei-Parteien-Verfahren bergen einseitige Kontakte zwischen Richter und einer Partei die Gefahr der unsachlichen Beeinflussung des Richters; die andere Partei wird von einem Gespräch über die Streitsache ausgeschlossen, die Waffengleichheit wird verletzt. 10

Die Rechtsprechung reagiert sensibel auf einseitige Kontakte. So wurde 1995 das Ablehnungsbegehren gegen einen Einzelrichter gutgeheissen, der telefonischen Kontakt mit dem Anwalt der Kläger gehabt hatte. Dem Fall lag ein Begehren um Erlass einer super- 11

4 Einige Aufsichtsbehörden geben das im vertraulichen Gespräch ganz offen zu.
5 Weiterführend Alfred Temperli, Vom Verbot des Berichtens, in FS von Castelberg, Zürich 1997, 245 ff.

provisorischen Massnahme zugrunde, welches der Einzelrichter vorerst nicht bewilligte. Am selben Tag, an dem das Telefon stattfand, liessen die Kläger eine Eingabe mit einem «konkretisierten Rechtsbegehren» einreichen, worauf der Einzelrichter das Verbot auf einseitigen Antrag hin erliess. Das später mit dem Fall befasste Zürcher Kassationsgericht erwog, es sei dem Richter nicht schlechthin verboten, mit einer Partei oder deren Vertreter telefonisch oder sonstwie in Kontakt zu treten. Bei der Beurteilung, ob der Richter durch seinen Kontakt mit einer der Parteien den Anschein von Befangenheit erwecke, sei aber ein strenger Massstab anzuwenden; bereits ein geringfügiger Anlass, der geeignet sei, das Vertrauen in die Unvoreingenommenheit und Unparteilichkeit zu erschüttern, müsse zum Ausstand des betreffenden Justizbeamten führen. Der Umstand, dass die Kläger am selben Tag, an dem das beanstandete Telefon stattgefunden hatte, ein verbessertes Rechtsbegehren einreichten und in der Folge das Massnahmebegehren gutgeheissen wurde, begründete gemäss dem Kassationsgericht den Anschein, die neue Eingabe stehe mit dem Telefonat in Zusammenhang.

12 Das heisst nicht, dass Telefongespräche mit Behördenmitgliedern grundsätzlich zu unterlassen seien. Doch ist in einem strittigen Zweiparteien-Verfahren Zurückhaltung geboten; die einseitige Diskussion materieller Aspekte des Falles ist riskant und kann, wenn sie der Gegenseite bekannt wird, ein aussichtsreiches Ablehnungsbegehren gegen das betroffene Mitglied des Gerichtes auslösen.

13 In anderen Konstellationen ist das Telefon aber ein sehr geeignetes, auch von Behördenmitgliedern oft geschätztes Medium für ein informelles Gespräch über die anhängige Sache. Am Telefon können Haltungen diskutiert werden, die noch nicht eingenommen sind; es kann herausgehört werden, was für Gedanken sich die Behörde über einen bestimmten Antrag macht, es können gemeinsam weiterführende Lösungen erwogen werden. Entscheidend ist, dass die Art des Verfahrens solche Kontakte zulässt, dass darin nicht der unzulässige Versuch der Beeinflussung der angerufenen Behörde erblickt wird.

14 Letzteres kann u.U. verhindert werden, indem die Anwältin das Gespräch aktenkundig macht. So kann es sich empfehlen, der zuständigen Behörde eine bestimmte Haltung schriftlich zu kommunizieren und ihr dann mitzuteilen, dass man sich zur Diskussion des Vorgebrachten erlauben werde, telefonischen Kontakt mit der Behörde aufzunehmen. Damit wird auch ein Überfall auf die zuständige Sachbearbeiterin vermieden; sie kann sich angemessen auf das Gespräch vorbereiten (und sich auch überlegen, ob sie sich darauf überhaupt einlassen will). Alternativ oder kumulativ kann nach einem Telefongespräch der Behörde eine kurze Zusammenfassung der Ergebnisse gesandt werden. Auch dies dokumentiert das Gespräch und erlaubt es der Behörde, korrigierend einzugreifen, falls die zugestellte Zusammenfassung nicht ihrer eigenen Wahrnehmung der Unterhaltung entspricht. Damit ist zugleich gesagt, dass eine solche Zusammenfassung mit Vorteil wahrheitsgemäss und neutral ausfallen sollte; der Versuch, das Ergebnis der Diskussion tendenziös im Interesse der eigenen Mandantin zusammenzufassen, wird

die Behörde nur verärgern und könnte sie dazu veranlassen, inskünftig Telefongespräche mit dem Anwalt zu vermeiden.

Bei Gerichten spricht nichts gegen telefonische Erkundigungen über formale Aspekte des Verfahrens, z.B. eine Anfrage über die Fristerstreckungspraxis eines ausserkantonalen Gerichts oder dergleichen. Dabei empfiehlt es sich, die Anfrage nicht gleich an die Präsidentin oder den Instruktionsrichter zu richten, sondern zunächst einmal den Gerichtsschreiber zu verlangen und es diesem zu überlassen, ob er die Auskunft selbst erteilen kann oder es vorzieht, weiterzuverbinden. 15

5. Neun Tipps für einen pfleglichen Umgang mit Gerichten

Es gibt einige Verhaltensweisen, mit denen sich Anwältinnen und Anwälte vor Gericht garantiert unbeliebt machen. Nachstehend werden einige davon aufgezählt, die jedenfalls nach den Erfahrungen des Schreibenden besonders schlecht ankommen. 16

5.1 Unsystematische Eingaben

Für Gerichte sind unsystematisch aufgebaute Eingaben ein Ärgernis. Sie erschweren es, rasch den Überblick über den Streitgegenstand zu gewinnen, und sie neigen dazu, repetitiv zu sein. Zudem sind sie eine schlechte Visitenkarte für den Anwalt, der für sie verantwortlich zeichnet. Vermeiden Sie insbesondere eine ständige Durchmischung von Sachverhalt und rechtlicher Würdigung. In der Regel empfiehlt es sich, zuerst die Fakten darzustellen (die Geschichte zu erzählen) und sie dann rechtlich zu würdigen. Im Einzelfall kann sich ein anderes Vorgehen aufdrängen. Wichtig ist, dass man die Methode durchzieht, für die man sich entschieden hat. Rechtliche Erwägungen haben im Abschnitt über den Sachverhalt nichts zu suchen; umgekehrt zeigen Beweisofferten im Abschnitt über die rechtliche Würdigung an, dass man etwas falsch gemacht hat. Einzelne Querverweise sind wichtig und richtig; wenn aber die Eingabe von Querverweisen nur so strotzt, indiziert dies, dass der Aufbau missglückt ist. Kernbotschaften der Eingabe mögen ein- oder auch mehrmalige Wiederholungen rechtfertigen. Die Regel ist aber, dass Wiederholungen das Gericht langweilen, wenn nicht gar ärgern. 17

5.2 «Querulantenschaltung»

So bezeichnet man am Gericht zuweilen Eingaben, in denen der Text oben links beginnt und mehr oder weniger ohne Absatz und Pause unten rechts aufhört – in 8pt-Schrift und mit einem minimalen Zeilenabstand. Solche Eingaben sind kaum leserlich. Je besser der Text gegliedert wird, desto einfacher wird die Eingabe lesbar. Machen Sie nicht zu grosse Absätze. Streuen Sie da und dort ein Zitat ein, das den Lesefluss auflockert. 18

Nehmen Sie Rücksicht auf ältere, kurzsichtige Richterinnen und Richter; sie haben, wie der Schreibende, Mühe mit Schriftgrösse 10 und kleiner und bevorzugen (mindestens) Schriftgrösse 11 und Zeilenabstand 1,5. Das Handelsgericht des Kantons Zürich wünscht sich gar Schriftgrösse 12. Auch ein hinreichender Rand links und rechts trägt dazu bei, dass Ihre Eingabe leicht lesbar wird. Sie bzw. Ihre Mandantin wird davon profitieren.

5.3 Fehlendes Inhaltsverzeichnis

19 Umfangreichere Eingaben sollten unbedingt ein Inhaltsverzeichnis haben. Inhaltsverzeichnisse sind Orientierungshilfen. Wenn die Richterin sich daran erinnert, dass irgendwo in der Rechtsschrift ein bestimmtes Argument vorgebracht wurde, das ihr wichtig erscheint, und sie es eine halbe Stunde lang suchen muss, weil die 100 Seiten starke Eingabe kein Inhaltsverzeichnis hat, trägt das nicht zu guter Laune bei. Ein hinreichend detailliertes Inhaltsverzeichnis erlaubt zudem der Richterin, sofort zu erkennen, mit welchem Gedankengang der Anwalt die Anträge seiner Mandantin zur Lösung der Streitsache begründet.

5.4 Fehlende Quellenangaben

20 Fehlende Quellenangaben erschweren die Bearbeitung des Falles. Besonders ärgerlich sind sie bei Zitaten; die Richterin möchte kontrollieren können, ob Sie richtig und vollständig zitiert haben. Schlecht ist es auch, eine rechtliche Argumentation mit dem Hinweis auf frühere Ausführungen einzuleiten («Wie dargelegt […]»), ohne darzutun, an welcher Stelle dieser oder einer früheren Rechtsschrift dies dargelegt wurde.

5.5 Langfädige Eingaben; Wiederholungen

21 In der Kürze liegt die Würze. Zwar ist es beileibe nicht immer möglich, dem Gericht eine kurze Rechtsschrift vorzulegen, weil die Realität oft von einer gewissen Komplexität ist, die dargelegt sein muss. Aber es besteht keine Notwendigkeit, belanglose Nebensächlichkeiten in aller Ausführlichkeit darzustellen, wenn der Entwurf der Rechtsschrift ohnehin schon hundert Seiten oder mehr umfasst. Beschränkten Sie sich auf das Notwendige und Nützliche. Das gilt auch in Bezug auf Wiederholungen.

5.6 Unvollständige Beilagen

22 Reichen Sie nicht nur die Seite zwei eines fünfseitigen Dokumentes ein, wenn es auch anders geht. Das Gericht wird den Verdacht schöpfen, dass Sie die übrigen Seiten nur deshalb nicht einreichen, weil sie für den Standpunkt Ihrer Mandantin nachteilig sind. Und wenn dies tatsächlich so ist und die Gegenseite das Dokument kennt, wird sie den wahren Sachverhalt aufdecken. Das wird das Vertrauen des Gerichtes in Ihre Eingabe nicht fördern.

5.7 Polemik; Überheblichkeit; Arroganz; Zynismus

Manchmal kommen Rechtsschriften und Plädoyers sehr aggressiv daher. Die Gegenseite wird schlecht gemacht, die eigene Mandantin masslos überhöht, die vertretene Rechtsauffassung unter Hinweis auf eine vierzigjährige Berufspraxis als das Mass aller Dinge dargestellt. Das kommt alles schlecht an. Natürlich muss der Anwalt Klartext über die Gegenpartei reden, wenn dies zur sorgfältigen Darlegung des eigenen Standpunktes gehört; aber es wirkt mehr, wenn dies in aller Sachlichkeit geschieht: *suaviter in modo, sed fortiter in re.*[6] Wer mit übertriebener Polemik, Überheblichkeit, Arroganz oder Zynismus auftritt, lenkt das Gericht vom Kern des eigenen Prozessstandpunktes ab. 23

5.8 Fehlender Respekt gegenüber Gericht und Behörden

Manchmal ärgert sich eine Anwältin, zu Recht oder zu Unrecht, masslos über das Verhalten oder die Rechtsauffassung des Gerichtes – sei dies nach Anhörung des Referats des Instruktionsrichters in einer Vergleichsverhandlung, sei es nach Durchsicht des Urteils, das die erhobene Klage abweist oder die Klage der Gegenpartei gutheisst. Selbstverständlich ist es legitim und geboten, klarzustellen, dass man mit der vorgetragenen Rechtsauffassung oder dem gefällten Urteil nicht einverstanden ist. Doch sollte dies sachlich erfolgen. Es nützt überhaupt nichts, in der Berufungsschrift vorzutragen, man habe noch nie so etwas Dummes wie das angefochtene Urteil gelesen. Dies wird höchstens dazu führen, dass sich die Berufungsinstanz instinktiv mit der Vorinstanz solidarisiert. Stark ist es, die Rechtsauffassung der Vorinstanz sachlich, aber klar und überzeugend zu widerlegen. 24

5.9 Versuch, das Gericht irrezuführen

Immer wieder liest man in Eingaben unvollständige Zitate. Immer wieder kommt es vor, dass nur der Teil des Sachverhaltes vorgetragen wird, der die eigene Position unterstützt, und jede Auseinandersetzung mit den nachteiligen Aspekten des Sachverhaltes fehlt. Ein solches Vorgehen kann manchmal einem Versuch der Irreführung des Gerichtes gleichkommen. Das sollte tunlichst unterlassen werden. Meistens fliegen solche Versuche mit dem nächsten Parteivortrag der Gegenseite auf, weil sie das Zitat vervollständigt oder das Schreiben einreicht, welches die Unvollständigkeit der Sachdarstellung blosslegt. Gerichte reagieren nicht gnädig auf Irreführungs- und Manipulationsversuche. 25

---

[6] Massvoll in der Art, aber stark in der Sache.

6. Schlussbemerkung

26 Die vorstehenden Zeilen raten zu einer gewissen Umsicht im Umgang mit Gericht und Behörden – namentlich, was den Umgangston betrifft. Bei alledem darf nicht vergessen werden, was die oberste Pflicht der Anwältin bzw. des Anwaltes ist. Anwälte sind nicht Diener des Rechts; sie haben nicht den Behörden gefällig zu sein, die sie im Namen ihrer Mandanten anrufen. Anwälte sind Beauftragte; sie sollen nach bestem Wissen und Gewissen ihren Mandanten zu dem verhelfen, was Gegenstand des Auftrags ist. Demgemäss haben Anwältinnen und Anwälte in jedem Einzelfall abzuschätzen, welche Taktik bei der Mandatserfüllung am meisten Erfolg verspricht. Ein taktisches Element ist die Art des Umgangs mit dem angerufenen Gericht bzw. der betroffenen Behörde. Die vorstehenden Ausführungen mögen Tipps für taktisch richtiges Verhalten in solchen Situationen geben. Wenn im Einzelfall ein anderes Verhalten taktisch richtiger erscheint, so ist diesem im Interesse der Mandantin der Vorzug zu geben.

27 Die erfolgreiche Auftragserfüllung im Rahmen der Rechtsordnung ist oberste Maxime des anwaltlichen Handelns.

F. Kommunikation in gerichtlichen Auseinandersetzungen

Uwe Wolff

1. Einleitung

Wir leben in einer medienzentrierten Welt. Medien in ihren unterschiedlichsten Formen durchdringen alle unsere Lebensbereiche. Diese zunehmende Medialisierung macht auch vor dem Recht und der Justiz keinen Halt. Neben dem regulären Gericht *(court of law)* ist seitens der Medien ein zweiter Gerichtssaal eröffnet *(court of public opinion)* worden. Die Vertreter der Justiz stehen damit vor einer neuen Herausforderung: Die Kommunikation während juristischer Auseinandersetzungen. Eine fallbegleitende Öffentlichkeitsarbeit birgt Risiken, aber auch grosse Chancen für die Kanzleien und deren Mandanten. Mit der noch jungen Kommunikationsdisziplin *Litigation*-PR, also strategischer Rechtskommunikation, lassen sich Fälle nicht nur im Gericht, sondern auch im Gerichtshof der Öffentlichkeit gewinnen. 1

2. Definition Litigation-PR/strategische Rechtskommunikation

Der Begriff *Litigation*-PR setzt sich zusammen aus dem englischen Wort *litigation,* also der gerichtlichen Auseinandersetzung und der Abkürzung für den Begriff Public Relations, was man vereinfacht mit Öffentlichkeitsarbeit übersetzen kann. Es handelt sich um das Management von Kommunikationsströmen während einer juristischen Auseinandersetzung. 2

2.1 Ziele der Litigation-PR

Litigation-PR steuert die Kommunikationströme vor, während und nach einer juristischen Auseinandersetzung mit dem Ziel, nicht nur den Fall im Gericht *(court of law)* sondern auch im Gerichtshof der Öffentlichkeit *(court of public opinion)* zu gewinnen. Dabei verfolgt die Litigation-PR zwei Hauptziele: 3

- Die juristische Auseinandersetzung (straf- und zivilrechtlich) wird mithilfe der Öffentlichkeit (Medien, Politik, Interessengruppen, Investoren etc.) im Sinne des Mandanten beeinflusst.
- Die Reputation des Mandanten (Unternehmen, Unternehmer, Prominenter) wird während einer juristischen Auseinandersetzung geschützt.

4 Bei einer effektiv betriebenen Litigation-PR kommt es zu einer Fusion der beiden mächtigsten Sphären unserer demokratischen Gesellschaft: Der Sphäre der Juristen und der Sphäre der Öffentlichkeit, also vornehmlich der Medien, der gesellschaftlich relevanten Interessenvertretungen, der Aktionsgruppen oder der Politiker. Diese beiden Sphären verschmelzen zu einem neuen, extrem wirkungsvollen Schwert, mithilfe dessen sich die Gerechtigkeit den Weg durch alle Widrigkeiten bahnt und ihr hilft, sich letztendlich auch dort zu zeigen, wo sie bisweilen schon gar nicht mehr erwartet wird. Mit Litigation-PR können juristische Auseinandersetzungen abgekürzt werden. Litigation-PR ist ein modernes Instrument zur Durchsetzung der Ansprüche des Mandanten und zur Verstärkung der juristischen Strategien.

2.2 Für wen ist Litigation-PR geeignet?

5 Litigation-PR ist, wie die anwaltliche Beratung auch, eine hochspezialisierte und zu entlohnende Dienstleistung. Sie richtet sich vor allem an Unternehmen, Manager, Finanzdienstleister, Verbände, Nicht-Regierungsorganisationen, *wealthy individuals* und prominente Personen, die im Rampenlicht der Öffentlichkeit stehen. Litigation-PR wendet sich an Mandanten (Unternehmen, Individuen), die Ansprüche beim Gegner durchsetzen wollen und an diejenigen, deren Reputation durch eine gerichtliche Auseinandersetzung bedroht ist. Sie richtet sich auch an Individuen oder Organisationen, die angesichts eines scheinbar übermächtigen Gegners ihren Fall gewinnen wollen. Strategische Rechtskommunikation – geschickt appliziert – kann auch juristische Auseinandersetzungen abkürzen, was Unternehmen Kosten und Ressourcen spart.

3. Ursprung der Litigation-PR

6 Litigation-PR hat ihren Ursprung in den USA, einem Land, in dem eine Geschworenen-Jury über Schuld und Unschuld der Angeklagten entscheidet. Das Ziel der amerikanischen Anwälte und Staatsanwälte ist es, die Jurymitglieder von Schuld oder Unschuld des Angeklagten zu überzeugen, während der Richter dort eine weitgehend moderierende Funktion einnimmt.

7 In den Achtzigerjahren wurden eine Reihe hochfliegender Wall Street-Grössen vor Gericht gestellt, darunter auch der berüchtigte *Junk-Bond*-Händler Michael Milken, der die Vorlage für den Film «Wall Street» lieferte. Bei diesen publicityträchtigen Prozessen spielten die Medien, die über jedes noch so winzige Detail berichteten und damit das Urteil der Öffentlichkeit beeinflussten, eine entscheidende Rolle. Angesichts dieses Mediendrucks wurde den Anwälten klar, dass sich hier eine zweite Jury anschickte, über Wohl und Wehe ihrer Mandanten zu urteilen: die Jury der Öffentlichkeit, die es nun ebenfalls für den Mandanten einzunehmen galt.

8 Die Anwälte mussten erfahren, dass man zwar einen Prozess im Gerichtssaal, also im *court of law,* gewinnen kann, dass aber eine gleichzeitige Niederlage in der Öffentlichkeit, also im *court of public opinion,* ebenso drastische, wenn nicht sogar drastischere Folgen für den Mandanten nach sich ziehen kann. Und noch etwas erkannten Anwälte und Staatsanwälte: Mithilfe der Öffentlichkeit lassen sich juristischen Abläufe und Ereignisse beeinflussen. Es war genau diese Erkenntnis, die zur Geburtsstunde der Litigation-PR führte.

9 Gefragt waren also neben den Anwälten nun auch Spezialisten, welche die Öffentlichkeit bei *publicity*-trächtigen Prozessen im Sinne des Mandanten steuern können. Spezialisten, die einerseits die Mechaniken einer rechtlichen Auseinandersetzung kennen, andererseits aber auch die Klaviatur der Öffentlichkeit – und hier vor allem die der Medien – beherrschen.

10 Tatsächlich fanden sich solche Spezialisten. Zusammen mit den mandatierten Anwälten entwickelten sie ganzheitliche medial-juristische Strategien, mit denen Fälle sowohl im Gericht als auch im Gerichtssaal der Öffentlichkeit gewonnen werden können.

3.1 Litigation-PR in den USA

11 Heute ist es bei *publicity*-trächtigen Auseinandersetzungen in den USA oft so, dass ein klagendes oder beklagtes Unternehmen zuerst einen Anwalt anruft. Der zweite Anruf geht dann an einen Litigation-PR-Spezialisten. In Strafverfahren werden Litigation-PR-Spezialisten sowohl von der Verteidigung als auch von der Staatsanwaltschaft konsultiert. In Zivilverfahren wird Litigation-PR von den Klageparteien eingesetzt, um die anwaltliche Durchsetzungskraft (beispielsweise bei Produkthaftungsklagen) zu stärken und um den Gegner in seiner Argumentation und Position zu schwächen. Inzwischen gibt es in den USA ernstzunehmende Diskussionen darüber, ob ein Anwalt, der seinem Mandanten in einem *publicity*-trächtigen Fall nicht zu einer Medienstrategie rät oder der es versäumt, einen Litigation-PR-Experten zu konsultieren, wegen Falschberatung *(malpractice)* belangt werden könnte.

3.2 Zur Litigation-PR in Kontinentaleuropa

12 Vor rund zehn Jahren führte der Autor dieser Zeilen Litigation-PR in Kontinentaleuropa ein. Es handelte sich damals um eine für den nicht angelsächsischen Raum neue Kommunikationsform, die ihren Ursprung in der Geschworenengerichtsbarkeit der USA hat.

13 Bis vor zehn Jahren konnte auf unserem Kontinent noch keine verbrieften Erfahrungen mit professioneller Litigation-PR verzeichnet werden. Gut, es gab immer schon Anwälte, vor allem Strafverteidiger, die durchaus erfolgreich die Öffentlichkeit für ihre Mandanten instrumentalisiert hatten, doch eine institutionalisierte, wissenschaftlich fundierte

und über das Medienumfeld hinausragende, strategische angelegte und professionalisierte Rechtskommunikation gab es bis dahin nicht.

14 Das hat sich geändert. «Litigation-PR ist eine konsequente Anwendung der Medien- und Öffentlichkeitslogik auf juristische Verfahren», konstatiert der Berliner Rechtsgelehrte Volker Boehme-Nessler.[1] Er hält dies für eine «beinahe zwangsläufige» Entwicklung in einer Medien-Gesellschaft, in der die Medien zunehmend alle Bereiche der Gesellschaft durchdringen und diese immer stärker prägen. Dabei stellt er die Frage: «Warum sollten das Recht und die Justiz von dieser Tendenz zur Medialisierung ausgenommen sein?»

15 Die Antwort darauf liefert die Realität: Recht und Justiz sind inzwischen stärker medialisiert, als es so manch einem seiner Vertreter recht sein mag. Dieser Trend, mit seinen für die Rechtsprechung negativen und auch positiven Implikationen, lässt sich nicht mehr umkehren.

16 Die sogenannten Experten aus der Juristerei und den Medien lagen mit Ihren Unkenrufen, Litigation-PR funktioniere nicht in einem Umfeld, in dem es keine Geschworenengerichtsbarkeit gäbe, falsch. Sie hatten dabei an die Geschworenen im Gericht gedacht und darüber hinaus nicht beachtet, dass sich jenseits des Gerichtssaals längst eine andere, mitunter weitaus mächtigere Jury herangebildet hat, nämlich die der Öffentlichkeit.

17 Inzwischen hat sich Litigation-PR, die wir auch «strategische Rechtskommunikation» nennen, zu einer anerkannten Kommunikationsdisziplin entwickelt. Es gibt zunehmend mehr Kommunikationsunternehmen, die Litigation-PR in ihr Portfolio aufgenommen haben. Es erscheinen Bücher zur Litigation-PR. Seminare, Tagungen, Symposien werden zu diesem Thema abgehalten, Fachbeiträge werden in juristischen Zeitschriften publiziert, Blogs geschrieben. Inzwischen ist Litigation-PR auch in der Wissenschaft angekommen und wird dort diskutiert.[2]

18 Vor allem aber: Litigation-PR wird praktiziert. Zwar sind es derzeit nur eine Handvoll ernstzunehmender Spezialisten, die sich im deutschsprachigen Raum auf Litigation-PR konzentrieren und entsprechende Erfahrungen aufweisen können, doch ihre Zahl verstärkt sich mit der stark wachsenden Zahl der Unternehmen und Juristen, die zunehmend auf die Fähigkeiten und Kenntnisse von Litigation-PR-Experten zurückgreifen.

19 Damit findet Litigation-PR auch immer öfter Eingang in das Dienstleitungsangebot von modernen Anwaltskanzleien. Dabei wird in der Kommunikation mit dem Mandanten auf eine Kooperation mit einem Litigation-PR-Spezialisten verwiesen, der bei Bedarf hinzugezogen werden kann. Die Kooperation mit einem Litigation-PR-Experten erweist sich dabei als ein Dienstleistungsangebot, was die Kanzlei aus dem Feld ihrer Mitbewerber

[1] Boehme-Nessler (Hrsg) «Die Öffentlichkeit als Richter?» S. 21, Baden-Baden, 2010.

[2] So beim 1. Berliner Tag der Rechtskommunikation vom 14.1.2010 in der Hochschule für Technik und Wirtschaft unter der Leitung von Prof Dr. Dr. jur. Volker Boehme-Nessler.

heraushebt, ihr damit zu einem Wettbewerbsvorteil verhilft und ihr einen sogenannten *unique selling point (USP)* verschafft.

4. Grundlagen einer europäischen Litigation-PR

20 Im Gegensatz zu den USA ist Litigation-PR in Europa noch eine relativ junge Disziplin, die gerade dabei ist, sich selbst klar zu definieren. Eine europäische Litigation-PR muss – im Gegensatz zu den viel homogeneren USA – auch immer die rechtlichen, medialen und gesellschaftlichen Eigenheiten der verschiedenen europäischen Länder berücksichtigen.

4.1 Medialisierte Gesellschaft

21 Wir leben in einer medienzentrierten Welt. Medien in ihrer unterschiedlichsten Form durchdringen unser Leben und sind damit allgegenwärtig. Sie beeinflussen unser Denken und unser Handeln, heute mehr denn je. Wir werden umspült von 24-Stunden-Nachrichtensendern im TV und im Radio. Wir nutzen internetbasierende Medien wie Blogs, Twitter, Facebook etc., denen inzwischen sogar die Macht zugesprochen wird, zum Sturz von Politikern und Regierungen beizutragen. Diese elektronischen Medien addieren sich zu den herkömmlichen Printmedien wie Zeitungen und Zeitschriften, die in einer noch nie dagewesenen Vielfalt um die Gunst des Publikums konkurrieren und die ständig mit neuem Nachrichtenmaterial versorgt werden wollen. So reicht der Einfluss der Medien inzwischen auch in Bereiche hinein, die bis vor zehn, fünfzehn Jahren noch als eher medienresistent galten. Dazu gehört die Justiz.

4.2 Justizberichterstattung als Nachrichtengrundlage

22 Die Berichterstattung über juristische Auseinandersetzungen im Zivil- und im Strafbereich ist für die Medien ein elementares Tagwerk. Wer die Wirtschaftsteile der grossen Tageszeitungen und Magazine aufmerksam liest, der stellt schnell fest, dass kein Nachrichtenprodukt mehr ohne Justizberichterstattung auskommt. Medienbeherrschende Kachelmann-Prozesse sind da eher die Ausnahme. Es ist vielmehr die Vielzahl juristischer Auseinandersetzung im Bereich des Unternehmens- und Finanzsektors, die sich in den Wirtschaftsressorts der Medien ausbreiten. Tatsächlich ist es so, dass die Berichterstattung über juristische Auseinandersetzungen in den vergangenen Jahren gerade bei den sogenannten Leitmedien in Deutschland stark angestiegen ist.[3]

---

3 «Die zunehmende Bedeutung der Rechtskommunikation». Eine Kurzstudie von Holzinger Associates vom 28.3.2011.

4.3 Einfluss der Medien auf die Justiz

23 Die Folge dessen ist unübersehbar: Der Einfluss der Medien auf die Justiz nimmt rasant zu.[4] Die geballte Urteilsmacht der Öffentlichkeit trifft mit voller Wucht auf die Handelnden in einer juristischen Auseinandersetzung. Wissenschaftliche Studien belegen, wie eine massive Öffentlichkeit sowohl Richter als auch Staatsanwälte[5] und Rechtsanwälte in ihrer Beurteilung und ihrem Handeln beeinflusst.

4.4 *Court of Law vs. Court of Public Opinion*

24 Die Medien – und nicht nur diese – tagen also in einem zweiten Gerichtssaal, nämlich dem «Gerichtshof der Öffentlichkeit» *(court of public opinion)*[6], in dem ebenfalls geurteilt wird. Diese Urteile unterliegen allerdings gänzlich anderen Gesetzen als die Urteile eines ordentlichen Gerichts und haben bisweilen drastische Folgen für den Mandanten. Die Urteile des *court of public opinion* haben starken Einfluss auf laufende juristische Verfahren. So sehen sich Staatsanwaltschaften angesichts eines massiven öffentlichen Interesses durchaus genötigt, Anklage zu erheben, wo sie normalerweise einstellen würden. Oder Staatsanwaltschaften ziehen in die nächste Instanz, weil der Druck der Öffentlichkeit (einschliesslich des politischen Drucks) ursprünglich freigesprochene Angeklagte abgeurteilt sehen will.[7]

5. Anwendungsfelder der Litigation-PR

25 Litigation-PR kann so ziemlich in allen Rechtsfeldern angewandt werden. Allerdings sollte sie sich dort raushalten, wo es zu Schäden in zwischenmenschlichen-familiären Beziehungen gekommen ist oder kommen kann, sprich: Familienrecht und auch Erbrecht. Auch wenn in den USA Millionärs- und Prominentenehen mit viel Medienrummel (und entsprechender Litigation-PR) geschieden werden und mithilfe der Öffentlichkeit um Kinder und Unterhalt gekämpft wird[8], so rät der Autor dieser Zeilen vom Einsatz der Litigation-PR in diesen Rechtsfeldern ab.

---

4 Holzinger/Wolff, Im Namen der Öffentlichkeit – Litigation-PR als strategisches Instrument bei juristischen Auseinandersetzungen, Wiesbaden 2008.

5 Kepplinger, Die Öffentlichkeit als Richter? Empirische Erkenntnisse zu einer brisanten Frage, in: Boehme-Nessler (Hrsg.): Die Öffentlichkeit als Richter?, S. 154 ff.; Kepplinger/Zerback, Publizistik 2009, 216 ff.

6 Haggerty, In the Court of Public Opinion: Strategies for Litigation Communications, American Bar Association (2nd edition 2009).

7 Ein gutes Beispiel dafür ist der sogenannte Mannesmann-Prozess vor dem Landgericht Düsseldorf, als das Gericht unter der Vorsitzenden Richterin Brigitte Koppenhöfer die Angeklagten, darunter auch Deutsche-Bank-Chef Josef Ackermann, freigesprochen hatte. Die öffentliche Empörung war gross. In der zweiten Instanz wurden die Angeklagten dann verurteilt.

8 Zuletzt wieder bei der öffentlichkeitsträchtigen Scheidung von Schauspieler und Ex-Gouverneur Arnold Schwarzenegger und seiner Frau Maria Shriver. Als öffentlich gemacht wurde, dass Schwarzenegger sei-

5.1 Litigation-PR im Strafrecht

Die Medien beziehen Litigation-PR in ihren Berichten vornehmlich auf das Strafrecht. Strafrechtliche Fälle machen jedoch einen vergleichsweise geringen Anteil der bearbeiteten Fälle aus. Die Mehrheit ist zivilrechtlicher Natur. 26

Gerade im strafrechtlichen Bereich ist es bei Fällen, die eine massive Aussenwirkung entfalten, inzwischen unabdingbar, zusammen mit den mandatierten Anwälten eine auf den Fall zugeschnittene Litigation-PR-Strategie zu entwickeln und diese auch anzuwenden. Beobachter der Justiz meinen in jüngster Zeit eine Art medialer Aufrüstung der Staatsanwaltschaften ausgemacht zu haben.[9] Damit geht eine wachsende Gefahr für den Mandanten einher, dass medial hyperaktive Staatsanwaltschaften mit unbedachten, aber auch mit gezielten Äusserungen in der Öffentlichkeit eine nicht hinzunehmende Vorverurteilung oder gar soziale Exekution[10] des Beschuldigten bewirken. 27

Unmittelbar nach Bekanntwerden eines staatsanwaltschaftlichen Ermittlungsverfahrens sind beschuldigte Personen der Zeitgeschichte und Unternehmen bestens beraten, sich nicht nur einen kompetenten Strafverteidiger zu suchen, sondern mit einem Litigation-PR-Experten sofort daran zu arbeiten, die drohende Vorverurteilung in den Medien – basierend vor allem auf der vorläufigen Informationshoheit der Staatsanwaltschaft – bestmöglich zu verhindern, beziehungsweise einzudämmen. Diese frühe Phase ist besonders (zeit)kritisch, wie der renommierte Strafrechtler Claus Roxin ausführt: «Wenn die Polizei die Pressereporter über ihre Ermittlungen in allen Einzelheiten informiert, kann sie dadurch die publizierte Meinung bis zu einem erheblichen Grade steuern. Denn die Medien haben zunächst keine anderen Informationen und schildern daher die Vorgänge aus Sicht der Polizei, zumal sie andernfalls damit rechnen müssen, von weiteren Informationen ausgeschlossen zu werden. Es ist klar, dass es auf diese Weise zu massiven Vorverurteilungen kommen kann, obwohl die anfänglichen Ergebnisse und Hypothesen der Polizei oft äusserst unsicher sind. Dass dies keine übertriebenen Befürchtungen sind, scheint gesichert zu sein.»[11] Gerade im Zuge der ersten Ermittlungen wird in den Medien bereits das «Charakterbild» des von den Ermittlungen Betroffenen erschaffen. Die ersten Vorverurteilungen finden statt. Wer in der frühen Phase nicht sofort mit einer entsprechend sorgsam orchestrierten Informationspolitik entgegensteuert, der riskiert extrem viel, besonders dann, wenn er Chef eines Unternehmens ist. Banken ziehen Kreditlinien zurück, Geschäftspartner reagieren ver- 28

ner von ihm betrogenen Ehefrau keinen Unterhalt bezahlen wolle, brach ein Sturm der Entrüstung los. Schwarzenegger gab klein bei und sprach von einem «Missverständnis».

9 «Zwischenruf: «Litigation-PR – Prozessführung über Medien?» von Gisela Friedrichsen in der ZRP 8/2010, S. 263 ff.

10 Wolff «Warum die Gerechtigkeit PR-Spezialisten braucht» in Boehme-Nessler (Hrgb.), Die Öffentlichkeit als Richter – Litigation-PR als neue Methode der Rechtsfindung, Baden-Baden 2010, S. 127.

11 Claus Roxin, Strafrechtliche und strafprozessuale Probleme der Vorverurteilung, in: Neue Zeitschrift für Strafrecht, Heft 4, 11, S. 158.

unsichert oder stornieren Aufträge, das Image des Unternehmens erleidet Schaden und die Motivation der Mitarbeiter ist dahin.

29 Litigation-PR zielt im Bereich des Strafrechtes auch darauf ab, fallrelevante Informationen zu beschaffen, die gegebenenfalls die Anklage zusammenbrechen oder zumindest teilweise in sich zusammenfallen lassen kann.

5.2 Litigation-PR im Zivilrecht

30 Im zivilrechtlichen Bereich kann Litigation-PR ihr gesamtes Spektrum ausleben.[12] Ob im Arbeitsrecht, Patentrecht, Bank-und Kapitalmarktrecht, bei Firmenübernahmen oder Insolvenzen, bei der Produkthaftung, im Kartellrecht, Medizinrecht, Umweltrecht oder in Versicherungsfragen – strategische Rechtskommunikation kann fast überall angewendet werden.

31 Aufseiten der (potenziellen) Kläger eingesetzt, verfolgt Litigation-PR den Zweck, die gegnerische Partei nicht nur juristisch, sondern auch in der Öffentlichkeit erheblich unter Druck zu setzen. Ziel ist dabei, einen drohenden, sich womöglich über viele Jahre hinziehenden Rechtsstreit vor den Gerichten idealerweise zu vermeiden – auch, indem Anspruchsgegnern angemessen verdeutlicht wird, dass sie unter bestimmten Umständen durch lang anhaltende öffentliche Diskussionen über den strittigen Sachverhalt mehr Schaden nehmen können, als durch den eigentlichen zukünftigen Rechtsstreit.[13]

32 Im Zivilrecht kommt der Nachrichtendramaturgie besondere Bedeutung zu. Das liegt daran, dass die Klägerseite selbst den Zeitpunkt bestimmen kann, an dem sie Klage einreicht, und es ist vor allem der Tatsache geschuldet, dass zwischen den einzelnen zivilprozessualen Schritten mitunter Wochen oder gar Monate vergehen können. Der Litigation-PR-Profi muss vor allem in diesen Informationstälern, die zwischen zwei zivilprozessualen Schritten liegen, Nachrichtenevents schaffen, damit der Fall in der Öffentlichkeit nicht in Vergessenheit gerät. Journalisten haben ein kurzes Gedächtnis, das ständig aufgefrischt werden muss. Das geht nur über solche Nachrichtenevents, die die Informationssuppe während der juristischen Auseinandersetzung am köcheln halten, sehr zum Ärger des Anspruchsgegners, der hofft, dass der Öffentlichkeits-/Mediensturm bald über seinen Kopf hinwegzieht und dann Ruhe einkehrt.

---

[12] Holzinger/Wolff, Im Namen der Öffentlichkeit – Litigation-PR als strategisches Instrument bei juristischen Auseinandersetzungen, Wiesbaden 2008.

[13] Detailliert beschreibt den Einsatz von Litigation-PR bei zivilrechtlichen Auseinandersetzungen sowohl für die Kläger als auch die Beklagtenseite: Holzinger/Wolff, Im Namen der Öffentlichkeit – Litigation-PR als strategisches Instrument bei juristischen Auseinandersetzungen, Wiesbaden 2008.

6. Zusammenarbeit mit Anwälten

Die enge Zusammenarbeit zwischen Litigation-PR-Spezialisten und den mandatierten Anwälten ist essenziell für eine funktionierende Litigation-PR, um eine wirkungsvolle medial-juristische Strategie entwickeln und anwenden zu können. Dabei muss die Zusammenarbeit zwingend auf Augenhöhe geschehen, das heisst, beide Seiten müssen sich darüber im Klaren sein, dass sie gemeinsam für den Mandanten arbeiten und dass weder der Anwalt noch der Litigation-PR-Spezialist und schon gar nicht der Mandant nicht vorher abgesprochene Bewegungen in Richtung Öffentlichkeit oder in Richtung des juristischen Gegners tätigen dürfen. Anwälten fällt es mitunter sehr schwer, sich von dem Gedanken zu verabschieden, dass juristische Auseinandersetzungen mit juristischen Mitteln alleine zu gewinnen sind. 33

6.1 Ängstliche Strafverteidiger

Obwohl sich immer wieder vereinzelt Strafverteidiger in prominenten Fälle gerne aktiv die Unterstützung der Öffentlichkeit für ihren Mandanten sichern, zeigt sich die Mehrheit ihrer Kollegen geradezu verschlossen gegenüber solchen medial-juristischen Strategien und reagieren während der Ermittlungsphase überaus ängstlich auf Medien oder Öffentlichkeit. Ihre durchaus berechtigte Befürchtung, gewisse Äusserungen des Verteidigungsteams oder des Mandanten in Richtung Öffentlichkeit könnten sich negativ auf die Staatsanwaltschaft und die Ermittlungsergebnisse auswirken, schränken Strafverteidiger – und nicht nur diese – regelrecht in einer ganzheitlichen Betrachtungsweise des Falles ein und führen zu einem juristischen Tunnelblick. Ebenfalls nicht sehr hilfreich für den Mandanten ist das etwas hilflose «Kein Kommentar» eines Anwaltes, der von den Medien auf seinen Mandanten angesprochen wird. Untersuchungen aus den USA belegen, dass diese Aussage sehr oft als ein Schuldeingeständnis gewertet wird. 34

Viele Strafverteidiger sind der festen Überzeugung, dass sie ihren Mandanten alleine mit juristischen Mitteln aus der Bredouille bekommen können und sollen. Das mag auch in bestimmten Fällen zutreffen, aber in mindestens genauso vielen Fällen müssen diese Strafverteidiger auch mitansehen, wir ihre Mandanten – immer wieder auch von der Staatsanwaltschaft – während der Ermittlungsphase in der Öffentlichkeit demontiert, vorverurteilt oder abgeurteilt werden. Ein solcher Anwalt arbeitet nach der fragwürdigen Methode «Operation gelungen – Patient tot». Wenn ein Anwalt im Fall einer bevorstehenden oder bereits laufenden Kommunikationsattacke seitens seiner juristischen Gegner nicht mit einer zielgerichteten Gegenkommunikation reagiert oder sich weigert, mit entsprechenden Experten zusammenzuarbeiten, dann agiert dieser gegenüber seinem Mandanten fahrlässig. 35

6.2 Medienanwälte als Litigation-PR-Anwälte?

36 In letzter Zeit werden von den Medien immer wieder Anwälte mit Litigation-PR in Verbindung gebracht. Tatsächlich gibt es Anwälte, die ihren Mandanten erklären, dass sie Litigation-PR betreiben und sich auch noch «Litigation-PR-Anwalt» nennen. Doch das ist ungefähr so, als würde ein Tier von sich behaupten, es sei ein «Katz-Hund» oder ein «Wurm-Fisch». Einen «Litigation-PR-Anwalt» gibt es nicht. Der Grund dafür ist simpel: Anwälten fehlt es in aller Regel an Kenntnissen und Erfahrungen im Medienbereich. Dafür sind sie auch nicht ausgebildet worden. Anwälte sollen sich auf das konzentrieren, was sie wirklich können und wofür sie ausgebildet wurden: die Juristerei und sonst nichts. Das erwartet der Mandant von seinem Anwalt. Genauso erwartet er von einem Heizungsmonteur, dass dieser sich mit seiner Rohrzange um die defekte Heizung kümmert und sich nicht auch noch nebenher mit dem Inhalt seiner Werkzeugkiste an einer Operation am offenen Herzen versucht.

37 Warum können Anwälte keine Litigation-PR leisten? Das Denken von Anwälten und Medienmenschen ist grundsätzlich verschieden. Während der Anwalt in einer starren Welt von Gesetzen und juristischen Abläufen denkt und handelt, mutet die Arbeit des Journalisten geradezu anarchistisch an. Der Journalist geniesst bei seiner Arbeit Freiheiten, die einem Juristen nicht vergönnt sind. Seine Arbeit verfolgt andere Ziele und richtet sich auch an ein gänzlich anderes Publikum.[14] Und noch etwas widerstrebt der Seele des Juristen zutiefst: Journalisten vereinfachen Sachverhalte, spitzen sie zu, bewerten. Sie betreiben eine ganz andere Art der «Beweisführung» und interessieren sich in aller Regel nicht für die juristischen Finessen, die einen Juristen so sehr begeistern können.

38 In den wenigsten Fällen kennt sich der Anwalt mit den Mechaniken und den Bedürfnissen der Medien aus. Das gilt auch für Medienanwälte. Sicherlich gab und gibt es Naturtalente unter den Anwälten, welche die Medienklaviatur wirklich gut bedienen.[15] Doch allein die Tatsache, dass selbst bekannte Medienanwälte bisweilen dramatisch daran scheitern, mit den ihnen zur Verfügung stehenden Mitteln die Medien im Zaum zu halten, wie es der Fall Kachelmann und der Fall des AWD-Gründers Carsten Maschmeyer zeigt, macht deutlich, dass diese «Medienexperten» immer wieder die Schnelligkeit, die Motivation, die Entscheidungsprozesse und auch die Komplexität der Medienwelt nicht erkennen.[16] Wenn ein Medienanwalt ungehemmt gegen die Medien vorprescht, kann das verheerende Folgen für seinen Mandanten haben.[17] Die Spiegel-Gerichtsreporterin

---

[14] Wolff, Medienarbeit für Rechtsanwälte – Ein Handbuch für effektive Kanzlei-PR, Wiesbaden 2009.

[15] An dieser Stelle seien genannt: Kurt Groenewold, Verteidiger des Hitler-Tagebuch-Fälschers Konrad Kujau, oder Christoph Rückel, Verteidiger des Baubetrüger Utz Jürgen Schneider oder Wolfgang Kubicki, Verteidiger des in der VW-Affäre verstrickten Managers Klaus-Joachim Gebauer.

[16] Mit welcher Wucht das ungehinderte juristische Vorpreschen von Maschmeyers Medienanwalt auf dessen Mandanten zurückfiel, s. Ralf Wiegand «Die Papierflut-Taktik» in Süddeutsche Zeitung vom 12.1.2011.

[17] Ebd.

Gisela Friedrichsen dazu: «Ein Einsatz von Medienanwälten kann sich durchaus kontraproduktiv auswirken».[18] Gerade in unserer medienzentrierten Welt, mit ihren stark verkürzten Nachrichtenzyklen, mit dem komplexen Zusammenwirken von traditionellen und modernen, internetbasierten Medien ist es geradezu fahrlässig, in Fällen, die eine hohen Aufmerksamkeit der Öffentlichkeit mit sich bringen, dem Anwalt die Medienarbeit zu überlassen.

7. Kritik

Kritik an der Litigation-PR gibt es zur Genüge. Leider wird sie oftmals geäussert von Juristen und Medienvertretern, die sich nicht eingehend mit dem Thema beschäftigt haben. Juristen sehen die Justiz und die Rechtsprechung grundsätzlich durch Medien und Öffentlichkeit gefährdet und würden am liebsten immer noch hinter verschlossenen Türen tagen. Zusammen mit Medienvertretern wittern sie hinter Litigation-PR den Versuch, Richter und Medien zu manipulieren und sehen darin einen Angriff auf die Rechtsfindung. Vorteile und Chancen der Litigation-PR, vor allem für bestimmte Mandantengruppen, werden dabei gerne ausgeblendet. Tatsache ist jedoch, dass Litigation-PR für das aktuelle Rechtssystem durchaus eine Herausforderung darstellt. 39

7.1 Manipulation durch Litigation-PR?

Die Behauptung, Litigation-PR habe etwas mit Werbung zu tun, basiert auf einem grossen Missverständnis.[19] Werbung und Public Relations, das lässt sich in der Fachliteratur nachschlagen, sind zwei unterschiedliche Paar Schuhe. Auf diesen Unterschied einzugehen, würde an dieser Stelle zu weit führen, deshalb nur so viel: Sowohl Werbung als auch Public Relations sehen sich den Befürchtungen von Laien gegenüber, die ihnen unterstellen, sie würden die Unbedarften unter uns im Unterbewussten angreifen, ihr Denken verändern und zu Handlungen anleiten, die sie eigentlich gar nicht vollziehen wollten. Man wolle sie also mithilfe von Werbung und Public Relations manipulieren. 40

Im Zusammenhang mit Litigation-PR ist das natürlich Humbug. Sicherlich ist der Terminus Litigation-PR nicht der gerade glücklichste Begriff für diese Kommunikationsform. Eigentlich wäre er besser mit «strategischer Rechtskommunikation» zu übersetzen. Doch der Begriff stammt aus den USA, wo Public Relations einen höheren Stellenwert hat. Es ist vor allem der Begriffsbestandteil «PR», also Public Relations, der bei Journalisten und 41

[18] Zwischenruf: «Litigation-PR – Prozessführung über Medien?» von Gisela Friedrichsen in der ZRP 8/2010, S. 263 ff.

[19] Zuletzt wieder geäussert in Zwischenruf: «Litigation-PR – Prozessführung über Medien?» von Gisela Friedrichsen in der ZRP 8/2010, S. 263 ff.

Juristen geradezu allergische Reaktionen auszulösen scheint, weil sie glauben, jemand wolle sie manipulieren.[20]

42 Doch Litigation-PR will nicht manipulieren. Litigation-PR stellt vielmehr eine alternative Sicht des betreuten Falles vor und schildert dessen wirtschaftliche, soziale und gesellschaftlichen Implikationen. Litigation-PR-Spezialisten präsentieren die Perspektive ihres Mandanten. Litigation-PR-Spezialisten sind auch keine «Spin-Doktoren des Rechts», weil sie nicht *spinning* betreiben, also keine Realitäten verdrehen. An dieser Stelle lässt sich auch gleich ein weiterer Mythos beseitigen: Litigation-PR-Spezialisten treten nicht an, um Richter direkt zu beeinflussen, sondern um Einfluss zu nehmen auf die juristische Auseinandersetzung in ihrer Gesamtheit und das möglichst (im Strafprozess) weit vor der Hauptverhandlung.

43 Der Autor vertritt den Standpunkt, dass sich weder ein souveräner Richter noch ein souveräner Journalist von Litigation-PR-Spezialisten beeinflussen oder gar manipulieren lässt. Litigation-PR-Spezialisten können niemanden dazu zwingen, eine bestimmte Sichtweise des Falles anzunehmen. Es steht den vom Litigation-PR-Spezialisten angesprochenen Personen frei, sich dessen Sichtweise anzunähern.

7.2 Litigation-PR und Rechtsfindung

44 Es ist nicht das Ziel der strategischen Rechtskommunikation, Druck auf Richter auszuüben, um die Rechtsprechung zu verbiegen, so wie es einmal BGH-Präsident Klaus Tolksdorf behauptet hatte.[21] Er ist es auch, der in dem ersten deutschen Standardwerk zur Litigation-PR (Titel: «Im Namen der Öffentlichkeit – Litigation-PR als strategisches Instrument bei juristischen Auseinandersetzungen») einen «Sturmangriff» auf die Rechtsfindung sieht.[22] Tatsächlich kann Litigation-PR sogar entscheidend zur Rechtsfindung beitragen. Im Zuge einer Litigation-PR-Kampagne wird mitunter sehr viel Zeit und Energie darauf verwendet, die Hintergründe eines Falles zu recherchieren. Dabei wird das Umfeld der juristischen Gegner ausgeleuchtet, deren Motivationen herausgearbeitet *(case intelligence)* und in Dossiers aufgearbeitet. Nicht selten treten dabei auch fallrelevante Informationen zutage, die sowohl den Anwälten, aber auch der Staatsanwaltschaft bis dahin nicht zugänglich waren und die für den Mandanten entlastend wirken können. Es kommt auch vor, dass man dabei nicht einmal mehr selbst auf die Suche nach entlastenden Material gehen muss, wenn beispielsweise gutmeinende Menschen – durchaus auch aus dem Lager der juristischen Gegner – bei der entsprechenden Kanzlei mit

[20] Nebenbei bemerkt: Gerichtsreporter gehören für uns *Litigation*-PR-Spezialisten zu denjenigen Medienleuten, die für uns den geringsten «Nutzwert» haben, weil sie immer erst dann auftreten, wenn die Hauptverhandlung schon am Laufen ist und damit unsere Möglichkeiten, eine alternative Sicht des Falles darzustellen, am geringsten sind.

[21] «Warnung vor Manipulation», Frankfurter Allgemeine Zeitung vom 4.2.2009 Seite 21.

[22] ebda.

entlastendem und prozessentscheidendem Material vorstellig werden, natürlich unter dem Deckmantel der Anonymität. So ist es kein Einzelfall, dass entlastende Dokumente, deren Existenz vom Gegner zuvor bestritten wurden, durch lancierte Berichterstattung oder durch Recherche auftauchen und dann durchaus zur Rechtsfindung beitragen.

8. Schlussbemerkung

Litigation-PR ist eine neue, zeitgemässe Kommunikationsform, die in einen Bereich vor- 45
dringt, dem weite Kreise der Welt der medialen Kommunikation und der Öffentlichkeitsarbeit skeptisch bis ablehnend gegenüberstehen. Doch glücklicherweise setzt sich in der Juristerei zunehmend die Erkenntnis durch, dass professionelle Kommunikation in dieser medienzentrierten Welt notwendiger denn je wird und dass Kommunikation helfen kann, einen Fall zu gewinnen, im Gericht selbst und auch im Gerichtshof der Öffentlichkeit. Litigation-PR bietet Kanzleien ein perfektes Instrumentarium, um dem Mandanten einen umfassenden, ganzheitlichen Schutz anzubieten, sowohl im Gericht als auch im Gerichtssaal der Öffentlichkeit.

G. Warum gute Anwälte nicht immer gute Manager sind

Wolfgang Weiss

1 Der Titel soll nicht den Eindruck erwecken, dass Juristen generell für eine Management-Rolle ungeeignet seien. Die Merkmale, welche einen guten Juristen ausmachen, sind statistisch messbar,[1] werden in der Ausbildung und in der täglichen Praxis weiterentwickelt und tragen dazu bei, dass sich juristische Exzellenz bildet. Es gibt viele Rechtsanwälte, welche gerade auf diese Qualitäten aufbauend ausgeprägte Eigenschaften entwickeln, welche sie dann dazu befähigen, juristische Spitzenleistungen zu erbringen. Genau diese können jedoch bei der Ausübung eines Managementamts hinderlich sein. Wie generell bei Stärken und Schwächen sollte man Stärken stärken (ausbauen) und Schwächen – da man sie nicht beseitigen kann – managen. Voraussetzung hierfür ist das Bewusstsein, dass bestimmte Fähigkeiten bei einer betriebswirtschaftlichen Tätigkeit eher hinderlich sind. Wenn dieses Bewusstsein vorhanden ist, gelingt es gedanklich, «den Hebel umzulegen» und bewusst vom «Juramodus» in den «Managementmodus» umzuschalten und dann besonders aufmerksam mit den Herausforderungen der täglichen Praxis umzugehen. Bestimmte Managementleistungen von Juristen (früher waren die DAX-Vorstände überwiegend mit Juristen besetzt, jetzt beschränkt sich dies oftmals auf Compliance and Law) beruhen möglicherweise gerade auf dieser Fokussierung. Eine ganz andere Frage ist es, ob ein guter Manager gleichzeitig ein guter Leader ist. Dies bedingt einander nicht, und es gibt viele hervorragende Anwälte, welche gleichzeitig ausgezeichnete Leader sind, aber lausige Manager, während es hervorragende Manager gibt, welchen Leadership-Qualitäten abgehen.

1. Profil der Juristen

2 Seit ungefähr 44 Jahren wird (überwiegend in Amerika, aber auch in anderen Englisch-sprachigen Ländern) ein *profiling,* d.h. eine statistische, IT-gestützte Auswertung von Persönlichkeitsprofilen von Legal Professionals, Vertriebsmitarbeitern und anderen Executives durchgeführt. Mittlerweile sind weit über eine Million Persönlichkeitsprofile in der Datenbank hinterlegt, sodass eine statistisch verlässliche Aussage möglich ist. Larry Richard[2] hat über tausend Anwälte mit dem Caliper-Profil untersucht. Im Folgenden stützt sich meine Darstellung auf dessen Forschungsergebnisse.

[1] Siehe Analyse von Dr. Larry Richard, Herding cats: The Lawyer Personality Revealed. In: Report to Legal Management, Volume 29, Number 11, August 2002, Seite 2 f. (im Folgenden Richard (1)).

[2] Siehe Herding Cats: The Lawyer Personality Revealed. In: LAWPRO Magazine, «Personality & Practice» Winter 2008 (Vol. 7, Nr. 1), Seite 2 f., (im Folgenden: Richard (2)).

Richard hat bei der Untersuchung der Anwälte in Managementfunktionen zwei Schwerpunkte gesetzt. Zum einen untersucht er Gründe für den Unterschied zwischen *rainmakers*, d.h. sehr starken, vertriebsorientierten Partnern einerseits und «Service»-Partnern, welche eher technische und unterstützende Tätigkeiten ausüben andererseits.[3] Daneben untersucht er auch, welche Schwierigkeiten sich bei dem «Management» von Rechtsanwälten ergeben. Die Untersuchung zeigt, dass bei Anwälten im Vergleich zur Allgemeinbevölkerung bei einer Reihe von Persönlichkeitsmerkmalen erhebliche Abweichungen vom statistischen Durchschnitt festgestellt werden konnten. Derer sollte man sich bewusst sein, um besondere Schwierigkeiten, welche bei dem Management von Anwälten auftreten können, zu antizipieren. 3

1.1 Autonomie

Lassen Sie uns mit dem Offensichtlichen beginnen: Im Verhältnis zur Allgemeinbevölkerung sehr viel ausgeprägter ist die Unabhängigkeit (Autonomie). Darunter versteht man die Fähigkeit, selbständig zu arbeiten, aber auch den Unwillen, sich führen oder managen zu lassen. Dieses Persönlichkeitsmerkmal beträgt bei Rechtsanwälten 89%.[4] 4

Diese Anlage wird dadurch verstärkt, dass die Juristenausbildung immer noch überwiegend an dem Idealbild des Richters orientiert ist und der Anwalt als «unabhängiges Organ der Rechtspflege»[5] eine der drei Säulen der Justiz – neben der Richterschaft und der Staatsanwaltschaft – darstellt. Diese formelle Unabhängigkeit wird dadurch bestärkt, dass der Rechtsanwalt einen freien Beruf ausübt[6] und damit nicht der Gewerbeaufsicht[7] unterstellt ist und somit ein hohes Mass an individueller Freiheit in der Ausübung seines Berufs besitzt. Die staatliche Ausbildung, insbesondere das Referendariat, verstärkt dieses bei vielen Juristen vorhandene Persönlichkeitsmerkmal noch.[8] 5

1.2 Skepsis *(scepticism)*

Noch stärker vom Durchschnitt der Allgemeinbevölkerung weicht die Eigenschaft Skepsis ab, welche mit 90% nahezu jedem Anwalt zueigen ist.[9] 6

---

3 Siehe Richard (2), Seite 3.

4 Die Studie geht als Annahme davon aus, dass die Persönlichkeitsmerkmale in der allgemeinen Bevölkerung gleichmässig verteilt sind. Eine statistische Erhebung hat es dazu meiner Kenntnis nach nicht gegeben.

5 Vgl. § 1 Bundesrechtsanwaltsordnung (BRAO).

6 Vgl. § 2, Abs. I, BRAO.

7 Vgl. § 2, Abs. II, BRAO.

8 Siehe Herding Cats: The Lawyer Personality Revealed, Report to Legal Management, August 2002, Volume 29, Number 11.

9 Siehe Richard (1), Seite 4.

7 Personen mit einem hohen Anteil an Skepsis neigen dazu, oft argwöhnisch zu sein, manchmal sogar zynisch. Sie beurteilen, fragen nach, sind in der Lage, klare Analysen von Fehlern und Schwachstellen zu liefern sowie ein sorgfältiges Abwägen von Argumenten durchzuführen.

8 Gerade diese Fähigkeit ist es, welche für eine sorgfältige Ausübung des Juristenberufes sehr wertvoll ist. In gleicher Weise ist es aber eine Eigenschaft, die ausserhalb der Mandantenbeziehung schwierig werden kann. Insbesondere bei kanzleiinternen Aufgaben, wie der Förderung von jüngeren Rechtsanwälten (Mentoring), wäre es hilfreicher, wenn dies in einem Klima von Vertrauen und Zusammenarbeit geschehen würde.

9 Es ist daher nicht verwunderlich, dass junge Associates immer wieder nach gutem Feedback fragen und dies einfordern.

1.3 Dringlichkeit *(urgency)*

10 Immerhin noch mit 21% Abweichung tritt die Dringlichkeit bei Anwälten häufiger als in der Allgemeinbevölkerung auf. In der Originaluntersuchung[10] wird dieser Begriff *urgency* genannt, was mit Dringlichkeit nur unzureichend übersetzt ist. Dieser Begriff umschreibt ein Merkmal, welches für Unruhe, Ungeduld, den inneren Zwang, Dinge fertig zu bekommen und diese sofort umzusetzen, steht. Meine Frau hat dies (in Bezug auf mich) einmal ganz treffend formuliert: «Er will alles, sofort!»

11 Bei der Verabschiedung eines langjährigen Partners hat eine seiner Sekretärinnen ein Beispiel erwähnt, welches *urgency* besser beschreibt als viele Worte: Während einer Sitzung hat der Kollege ihr einen Arbeitsauftrag erteilt und wollte am Ende derselben Sitzung (!) von ihr die Ergebnisse des Auftrags bekommen.

12 Diese «Schrittmacher»-Funktion ist eine der wesentlichen Pluspunkte, warum M&A-Anwälte erfolgreich grosse Transaktionen umsetzen können. Mandanten lieben es, wenn sie jemanden an ihrer Seite haben, der Dinge vorantreibt und Projekte abschliesst. Auf der anderen Seite kann dieses Merkmal negative Erscheinungen wie «in das Wort fallen», Impulsivität, die Vorwegnahme von Ergebnissen etc. haben.[11]

13 Dieser Drang, Effizienz und Effektivität in allem zu suchen, kann sich vor allem negativ auf Sozialbeziehungen auswirken. Menschen mit *urgency* gelten als schlechte Zuhörer, werden als *brusque* (allzu direkt) bezeichnet oder können Mitmenschen oft frustrieren. Richard beschreibt dies treffend: «urgent lawyers who try to be ‹efficient in relationships› may eventually realize what an oxymoron this idea is».[12]

---

[10] Siehe Richard (1), Seite 4.
[11] Siehe Richard (1), m. w. N.
[12] Siehe Richard (1), Seite 4 am Ende.

1.4 Geselligkeit *(sociability)*

14 Während bei den ersten drei Persönlichkeitsmerkmalen bei Anwälten im Verhältnis zur Allgemeinbevölkerung ein deutlich ausgeprägteres Vorhandensein feststellbar war, sind die beiden folgenden Merkmale bei Anwälten deutlich niedriger ausgeprägt als in der Allgemeinbevölkerung:

15 Mit einem Prozentsatz von nur 12,8% ist die Geselligkeit *(sociability)* bei Anwälten ausserordentlich niedrig ausgeprägt.[13] Unter Geselligkeit versteht man den Bedarf, mit Menschen in Beziehung zu treten, Kontakte aufzunehmen und mit anderen generell zusammen zu sein.

16 Menschen, die einen so niedrigen Bedarf an sozialer Interaktion haben, bevorzugen intellektuelle Tätigkeiten, Emotionen werden eher ausgeblendet, und es besteht eine geringe Initiative zum Aufbau neuer sozialer Beziehungen. Man fokussiert sich auf die bereits bestehenden Beziehungen. Rechtswissenschaft ist ein Beruf, welcher am besten mit Logik und Intellekt bewältigt wird. Gerade der Aufbau neuer Beziehungen verursacht für viele Kollegen eine grosse mentale Anstrengung, weshalb man sich auf bekannte und bewährte Beziehungen verlässt. Der Spagat zwischen der intellektuellen Anstrengung, der Arbeit am Gesetzestext, bzw. am Vertrag auf der einen Seite und die Einbettung in ein menschliches Beziehungsumfeld ist für manche Kollegen schwer zu halten. Beziehungen zu Mandanten, aber auch zu Mitarbeitern sind ein wesentliches Qualitätsmerkmal für einen guten Sozialorganismus und gerade die jungen Kollegen geniessen es, wenn man *quality time* mit ihnen verbringt und sie bei der Entwicklung ihrer *people skills* unterstützt.[14]

1.5 Resilenz *(resilience/ego strength)*

17 Ebenfalls deutlich niedriger (mit einem Wert von 30%) ist die Resilenz[15] bei Juristen ausgeprägt. Als solches bezeichnet man die Eigenschaft, negatives Feedback schlecht annehmen zu können und sehr empfindlich gegenüber Kritik zu sein. Menschen mit dieser Eigenschaft reagieren oft abwehrend, selbstschützend und defensiv. Kritik wird als Angriff auf die eigene Persönlichkeit oder als Abwertung der eigenen Meinung aufgefasst. Dies macht ein konstruktives Gespräch schwierig. Unter der manchmal rauen und aggressiv auftretenden Oberfläche können Anwälte sehr sensibel sein und Kritik nur schlecht verarbeiten. Dies erklärt auch, warum in so vielen Partnerversammlungen Diskussionen entstehen, weil die Diskussion um die Sache manchmal mit einem Angriff auf die eigene Meinung/Persönlichkeit verwechselt wird.[16]

[13] Siehe Richard (2), Seite 4.
[14] Siehe Richard (2), Seite 4.
[15] Vgl. Richard (2), Seite 4.
[16] Siehe auch dazu Richard (2), Seite 4.

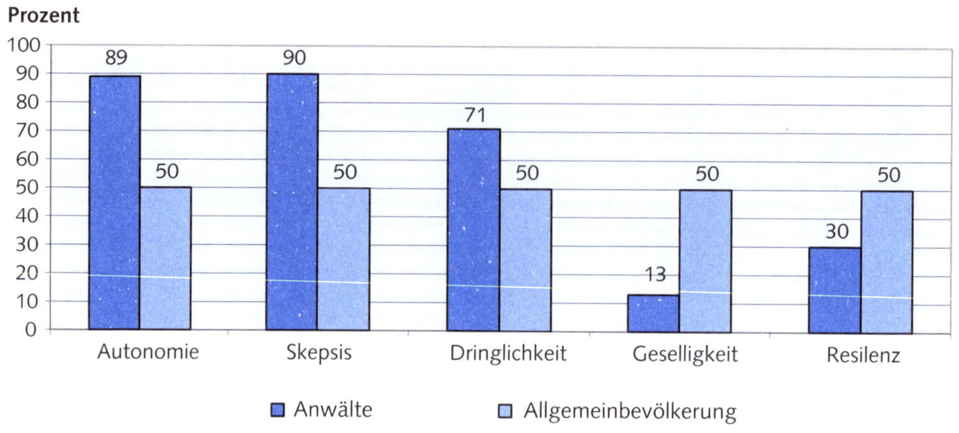

Abb. 1: Quelle: Herding Cats: The Lawyer Personality Revealed Report to Legal Management, August 2002, Volume 29

18 Diese fünf Ausprägungen, in welchen das Profil der Rechtsanwälte erheblich von dem Durchschnitt der Allgemeinbevölkerung (positiv wie negativ) abweicht, führt dazu, dass das Management einer solchen Gruppe von Einzelindividuen eine komplexe Aufgabe ist: «Managing lawyers is like herding cats.»[17] Diese Formulierung trifft die Herausforderung sehr gut. Da sich die Anwälte aufgrund ihrer hohen Autonomie, ihrer *self-protectiveness* nur ungern leiten lassen, ist die einzige Methode, eine Gruppe von hochqualifizierten Anwälten zu führen, das *alignment,* d.h. das Wecken und Bestärken gemeinsamer Interessen. Nur wenn die Gruppe der Anwälte davon überzeugt ist, dass sie ein gemeinsames Ziel haben, werden sie auch in die gleiche Richtung marschieren. Als Instrument stehen dem Rechtsanwalt als Manager daher nicht die hierarchische Struktur, sondern ausschliesslich die Überzeugungskraft und die besseren Argumente zur Umsetzung von Management-Zielen zur Verfügung.

19 Im Folgenden werde ich darstellen, welche Herausforderungen sich einem anwaltlichen Manager/Manager von Anwälten im Verhältnis zu einem Kaufmann/Manager in einem «normalen» Unternehmen stellen.

[17] Siehe Richard (2), Seite 2.

2. Anforderungen an einen anwaltlichen Manager

Die Arbeitsweise der Rechtsanwälte unterscheidet sich von der eines Kaufmanns/Managers zum Teil gravierend. In der nachfolgenden Übersicht habe ich die wesentlichen Gegensätze im Überblick dargestellt:[18] 20

Anwalt	Kaufmann / Betriebswirt
Detailorientiert	Holistisch
Ausnahmeorientierung	Regelorientierung
«Iudex non calculat», Abwägen (Ausnahme: Banking, Finance)	Genaue Rechnung, Nutzung von Statistik
Übergeordnete Interessen, «Gerechtigkeit» (Ausnahme: *litigation, M&A,* «Interessenvertreter»)	Eigener/Vorteil der Firma, Verteilungskampf
Argumentation/Diskurs	Entscheidung/Umsetzung, *time value for money*
Konsens der Partner, «Gemeinschaft von Experten»	Hierarchie, Arbeitsteilung
Maximum, hoher Qualitätsanspruch	Serviceorientierung, Optimum (eigennützig)

2.1 Zu den Spannungsfeldern im Einzelnen:

2.1.1 Detail

Der Jurist ist gewohnt, am Gesetz oder an der Auslegung eines Urteils zu arbeiten und 21
braucht für eine sehr gute Erledigung seiner Aufgaben ein grosses Interesse am juristischen Detail. Der Kaufmann dagegen ist an dem System interessiert, er denkt grundsätzlich in Sozialorganismen (Betrieb).[19] Es geht ihm immer um die Steuerung eines Sozialorganismus. Das heisst, er muss holistisch/ganzheitlich herangehen und die Auswirkungen einer Einzelentscheidung auf das Gesamtsystem berücksichtigen. In der täglichen Praxis fällt mir immer wieder auf, welche Auswirkungen dies haben kann: Wenn es z.B. um die Erreichung von Kennzahlen geht, sieht der Kaufmann diese im Gesamtzusammenhang. Der Jurist dagegen versucht, die Kennzahl im Einzelnen zu verstehen und zu beeinflussen. Dies ist die Auswirkung des Merkmals Skepsis und führt oft dazu, dass man stundenlang über die Defizite bestimmter Kennzahlen diskutiert, weil diese – notwendigerweise – nicht alle Steuerungsgrössen umfassen können. Deswegen arbeitet der Betriebswirt auch mit einem Baukasten (Management-Cockpit), dessen Gesamt-

[18] Oftmals fühlen sich die anwaltlichen Manager als «Prügelknaben», weil sie ihren autonomen Kollegen Vorgaben machen, siehe dazu Tanja Podolski, Die Prügelknaben: JUVE Rechtsmarkt 12/08, Seite 33 ff.

[19] Als Vergleich habe ich hier bewusst dem Betriebswirt, welcher sich mit der Steuerung von Unternehmen beschäftigt, herangezogen. Im Gegensatz zum Volkswirt, der von seiner Ausbildung und Arbeitsweise näher an den Juristen herankommt.

schau ihm einen raschen Überblick über den Zustand des Sozialorganismus gibt. Werden aus diesem Baukasten einzelne Bausteine herausgelöst, so ergeben sich oft kontraproduktive Effekte.

2.1.2 Regelorientierung

22 Wenn der Jurist eine Vorschrift im Auge hat, denkt er an die Regel, vor allem aber (insbesondere wenn es sich um einen Litigator oder einen Vertragsjuristen handelt) an die Ausnahme von der Regel, an «Schlupflöcher» und Umgehungstatbestände. Sobald er solche entdeckt hat, versucht er die Regel so zu konstruieren, dass möglichst wenig «Spielraum» für Umgehung besteht.

23 Der Kaufmann orientiert sich an dem Regelverhalten. Da er an Effizienz interessiert ist, versucht er eine Verhaltenssteuerung, welche möglichst viele Nutzer erfasst. Er lässt bewusst Ausnahmen «links liegen», da er mit möglichst wenig Aufwand möglichst regelkonformes Verhalten zu erreichen versucht. Übersetzt in den betrieblichen Alltag bedeutet dies, dass Nicht-Juristen jede «Norm» (Verhaltensvorschlag) annehmen und versuchen werden, sich normgerecht zu verhalten. Juristen dagegen versuchen, die Grenzen der Norm und mögliche Ausnahmetatbestände zu erfassen und beginnen, über deren Sinn oder Unsinn zu diskutieren (siehe oben Resilenz). Dies verlangsamt den Umsetzungsprozess und führt im Extremfall dazu, dass das Regel-Ausnahme-Verhältnis aufgeweicht wird und es mehr Ausnahmen als regelkonforme Anwendungen gibt. In der Betriebswirtschaft ist dieses Phänomen als Pareto-Prinzip[20] bekannt. Den geringsten Aufwand verursachen die ersten 80% der Regelumsetzung. Für die Erreichung einer 100-prozentigen Konformität (und damit der letzten 20%) wird ein stets progressiver Aufwand notwendig sein.

2.1.3 Abwägen/Rechnen

24 Ein weiteres wichtiges Unterscheidungsmerkmal ist die quantitative (Zahlen-)Orientierung des Kaufmanns. Er versucht, möglichst exakte finanzielle Ziele zu erreichen und den Lebenssachverhalt zu quantifizieren (in Zahlenverhältnisse umzusetzen). Dabei bedient er sich des Hilfsmittels der Statistik, welche es ihm ermöglicht, eine möglichst präzise Wiedergabe von Verhaltensweisen, Lebenssachverhalten, etc. zu erkennen, um daran seine Steuerungsmechanismen anzusetzen.

25 Der Jurist dagegen («iudex non calculat») versteht sich im Abwägen der verschiedenen Argumente und versucht (auch bei finanziellen Dingen), eine fallgerechte Lösung zu erreichen. Von dieser Regel gibt es aber auch in der juristischen Praxis Ausnahmen.

---

[20] Vgl. Richard Koch, The 80/20-Principle. The secret of achieving more with less, New York, 1997 m.w.N.

So sind die im Banking-Bereich und im Corporate-Finance-Bereich tätigen Juristen eine grosse Hilfe bei der finanziellen Umsetzung von Zielen.

2.1.4 Eigeninteresse

In diesem Zusammenhang ist auch zu erwähnen, dass der Kaufmann im wirtschaftlichen Verteilungskampf (übrigens ähnlich dem Litigator) primär den eigenen Vorteil, den Vorteil für seine Firma, erreichen will. Dabei ist er weniger am grossen gesellschaftlichen Ganzen interessiert, sondern an der Durchsetzung der Interessen «seiner» Firma. 26

Es fällt auf, dass Juristen sehr oft das «grosse Ganze» im Sinn haben und bei (auch für sie selbst negativen) Regelungen versuchen, eine Optimierung des Gesamtsystems zu erreichen. Praktische Auswirkungen haben diese unterschiedlichen Mechanismen z.B. bei Fragen der Mitarbeitervergütung, der Boni etc. Hier setzt der Betriebswirt in erster Linie auf die Steuerungsfunktion des Bonus. Er erwartet, dass ein besser bezahlter Jurist Anreiz für schlechter bezahlte Juristen sein sollte. Bei Juristen führt dies eher zur «Gerechtigkeits»-Diskussion. Für eine Bonus-(Meilenstein)-Honorierung ist es notwendig, Messkriterien zu definieren. Im juristischen Umfeld können dies Veröffentlichungen, Geschäftsentwicklungstätigkeiten, Know-how-Vorschläge, Betreuung von Referendaren sowie finanzielle Ziele wie Auslastung, Abrechnung etc. sein. Diese Grössen müssen dann in einem Bewertungsprozess zusammengefasst werden. Bei Rechtsanwälten führt dies oft zu zeitlich aufwendigen Diskussionen, z.B. über die «Wertigkeit» einer bestimmten Publikation im Verhältnis zu einer Vergleichspublikation. Oft ist der zeitliche Aufwand, eine Leistungshierarchie zu erstellen, im Verhältnis zu der damit beabsichtigten Steuerung zu hoch. Darüber hinaus kann eine als «ungerecht» empfundene Bonusbewertung genau das Gegenteil bewirken, nämlich eine Demotivierung des Mitarbeiters, welcher sich in seinem Engagement ungerecht behandelt fühlt. 27

2.1.5 Entscheidungsgeschwindigkeit

Juristen (insbesondere bei Partnerversammlungen) neigen dazu, die aufgestellten Themen in ihrem Facettenreichtum zu diskutieren. Getreu nach dem Motto: Es wurde zwar alles gesagt, aber noch nicht von jedem. Oft verheddert man sich in Details, man erlebt auch, dass Argumente kunstvoll vorgetragen werden und der Diskurs um des Diskurses Willen geführt wird. 28

Kaufleute sind stärker an dem *Time value for money*-Gedanken orientiert, d.h., auch die Entscheidung hat ihren ökonomischen Grenznutzen und je schneller eine Entscheidung getroffen wird, umso besser. Dies beinhaltet allerdings auch die Bereitschaft, eine sich in der Praxis als Fehler herausstellenden Entscheidung sofort zu revidieren, womit sich Juristen oftmals schwer tun. 29

2.1.6 Konsens

30 In der Regel sind Juristen in Partnerschaften organisiert. Sie sind «Gemeinschaften» von Experten und als Einzelkämpfer/Richter (Autonomie) sozialisiert. Dies führt dazu, dass man sich mit kollegialem Respekt begegnet und grosser Wert auf den Konsens der Partner gelegt wird. Dies bedeutet, dass Entscheidungen sehr aufwendig «gesoundet» werden, d.h., die Meinung massgeblicher Partner eingeholt wird. Über diesen Weg wird zunächst informell versucht, einen Konsens der Partner zu erreichen. Wenn es eine Konsens-Linie gibt, so wird die (oftmals dann gar nicht mehr notwendige) formelle Willensbildung herbeigeführt.

31 In kommerzieller ausgerichteten Organisationen (insbesondere am Kapitalmarkt zugelassene AGs) werden Entscheidungen in der Hierarchie gefällt und umgesetzt. Diese Organismen sind arbeitsteilig. Jedem Mitglied wird eine Verantwortlichkeit, aber auch Zuständigkeit zugewesen. Der CEO kann durch die Organisation «durchregieren», was sowohl die Geschwindigkeit als auch die Effektivität der Entscheidungsumsetzung erhöht. Nachteilig ist hier der oft unterlassene Minderheitenschutz, was bei Entscheidungen zu Fehlern führen kann, welche der Kaufmann durch eine Reversibilität der Entscheidung aufheben kann.

2.1.7 Maximum

32 Als letztes Unterscheidungsmerkmal möchte ich die Service-Orientierung erwähnen. Der Jurist versucht immer, sich in die Situation seines Gegenübers zu versetzen, versucht herauszufinden, wie der andere denkt und handeln würde.

33 Beim Kaufmann steht im Vordergrund, ein Service-Optimum zu erreichen. Dies bedeutet, dass er nicht den Idealzustand seines Kunden erreichen will, sondern die von ihm subjektiv empfundene Zielerreichung, d.h., der Kunde soll gerade noch zufrieden sein, während der eigene Einsatz des Anbieters auf dieses Optimum reduziert ist.

34 Dies unterscheidet sich sehr oft von der Vorgehensweise des Juristen, der – an eigenen Qualitätsanforderungen gemessen – einen in jeder Beziehung zufriedenen Mandanten erreichen will (Maximum)[21] und deshalb oft Leistungen erbringt (sowohl zeitlicher als auch inhaltlicher Art), die über die Erwartung des Mandanten hinausgehen. In der Vergangenheit wurden diese (Zusatz-) Leistungen im Übrigen honoriert. Aktuell kann man feststellen, dass sich Mandanten zunehmend von einer Honorierung dieser allumfassenden Beratung zurückziehen.

---

21 Siehe dazu auch Mathias Otto, Mandantenerwartungen an die Führungspersönlichkeit einer Kanzlei. In: Anwaltsblatt 5/2010, Seite 304. Otto weist richtig darauf hin, dass die Erwartung der Rechtsabteilungen eigentlich dahin geht, von dem Juristen einen ressourcengerechteren und damit preisadäquateren Rat zu bekommen.

3. Was lernen wir daraus?

Juristen und Kaufleute verhalten sich in vielen Fragen unterschiedlich. Oft ist für die Steuerung der Law Firm als Betrieb eine kaufmännische Herangehensweise effizienter. Deshalb sollte sich jeder Jurist, welcher eine Managmentfunktion übernimmt, darüber im Klaren sein, dass seine in der typischen, juristischen Arbeitsweise erlernten Handlungsmuster betriebswirtschaftlich nicht immer zu einem Optimum führen. Gerade die Kenntnis dieser Unterschiede, das bewusste Managen des «Anders-sein», hat in der Vergangenheit dazu geführt, dass viele hervorragende Unternehmensführer einen juristischen Background hatten und viele Rechtsanwaltskanzleien hervorragend von anwaltlichen Managern geführt werden. 35

Kapitel 9
Zukunft des Anwaltsgeschäfts

A. Die Auswirkungen der Finanzkrise auf die Kanzleistrategie und die Struktur des Rechts

George M. Williams Jr.

1 Langfristige Trends in der Entwicklung grösserer Kanzleien in den USA sind zurzeit schwer auszumachen, weil Festlegung und Erfolg verschiedener Kanzleistrategien stark von der Konfrontation mit der Finanzkrise geprägt sind. Diese Konfrontation deckt unter anderem die Grenzen der Planung auf. So wichtig Planung und Sorgfalt auch sein mögen, die Wirkung der Finanzkrise auf Kanzleien in den USA hat gezeigt, wie sehr die Planung von der Fähigkeit abhängt, sinnvolle und glaubwürdige Vorstellungen über die Zukunft zu haben. Wenn solche Vorstellungen fehlen und Kanzleien unter finanziellem Druck stehen, dann sieht die Planung eher wie Experimentieren aus, weil die Wirkung der plausibel aussehenden Schritte mehr als in «normalen» Zeiten ungewiss ist. Dies hängt zum Teil damit zusammen, dass in Krisenzeiten alte Gewissheiten nicht mehr so gewiss sind und nicht so schnell durch neue Gewissheiten ersetzt werden, und zum Teil damit, dass der Zeitraum für Anpassungen und Entscheidungen enorm verkürzt wird. Die Planung wird in solchen Situationen eher zu einer Methode, bekannte Risiken und Möglichkeiten nicht zu übersehen sowie zu einer Art Risikomanagement, nämlich eine Mahnung, aufzupassen, und eine Liste von Vorschriften, die man im Falle eines Fehlschlags beachten muss und die man zur Schadensbegrenzung verwenden kann.[1]

2 In einer finanziellen Krise versucht eine Kanzlei wohl zuerst, ihre Kosten zu senken, was nicht nur mit sorgfältiger Haushaltsführung zu tun hat, sondern auch die Arbeitsmittel der Anwälte und die Beziehungen der Anwälte zueinander betreffen kann. In manchen Fällen muss z.B. entschieden werden, ob und wie Anwälte (auch Partner) entlassen werden müssen, weil gewisse Transaktionsarten, wie Verbriefungen (d.h., die Emission von *asset backed securities*) oder Immobilieninvestitionen, nicht stattfinden und für die vorhersehbare Zukunft nicht stattfinden werden. Wenn jüngere Anwälte entlassen bzw. in geminderter Anzahl angestellt werden, muss die Kanzlei berücksichtigen, welche Auswirkungen dies sowohl auf die Arbeitsfähigkeit und Finanzen der Kanzlei sowie auf die künftige Attraktivität der Kanzlei für angehende Anwälte haben könnte. Entscheidungen über die Last, die von den Partnern getragen werden soll, implizieren nicht nur eine mögliche Umverteilung der Gewinne der Kanzlei, sondern auch Überlegungen zu den Vor- und Nachteilen der existierenden Entscheidungsstrukturen innerhalb der Kanzlei.

[1] Zu diesem Thema im Allgemeinen liefert Gary Klein in Street Lights and Shadows: Searching for the Keys to Adaptive Decision Making (Cambridge, MA: MIT Press, 2009) eine interessante populärwissenschaftliche Einführung.

3 Solche reaktiven Massnahmen hängen jedoch grundsätzlich davon ab, wie die jeweilige Kanzlei die Zukunft während und nach der Finanzkrise einschätzt, was wiederum von einer Reihe anderer Faktoren abhängt:

- Die wahrscheinlichen Ursachen und Auswirkungen der Finanzkrise;
- Die möglichen Reaktionen der Behörden, der Geschäftswelt und der Bevölkerung im Allgemeinen auf die Finanzkrise;
- Die Umgestaltung des Finanzrechts – vor allem des Aufsichtsrechts – infolge der Finanzkrise;
- Die Übernahme weiterer Beratungsaufgaben durch die internen Anwälte von Mandanten;
- Die Verschärfung des Kostendrucks und der Ausbau des Auswahlverfahrens für externe Anwälte seitens der Mandanten;[2]
- Die Vorstellung, dass die Berechnung von Anwaltsgebühren nach Stundensätzen unter Umständen nicht mehr sinnvoll wäre;
- Der Zwang, gleichzeitig für angehende Anwälte und für Partner wirtschaftlich und beruflich interessant zu sein;[3]
- Unterschiedliche Vorstellungen davon, wie in einer Grosskanzlei die Entscheidungskompetenzen am besten zu verteilen sind, um Partner an die Kanzlei zu binden und gleichzeitig wirtschaftlich effizient zu handeln;
- Der relative Bedarf zweier Arten von Beratungsdienstleistungen, nämlich der Lösung komplizierter Probleme durch einzelne oder wenige Spezialisten und der Durchführung massiver Projekte (z.B. Fusionen, Insolvenzen und Gerichtsprozesse) durch die organisierte Zusammenarbeit vieler und zu einem erheblichen Teil jüngerer Anwälte;
- Der Bedarf an ausländischen Büros und sonstigen Verbindungen; und

[2] Auf S. B5 des Wall Street Journal vom 2. August 2011 findet sich ein interessanter Artikel über eine ungewöhnliche Variante des Kostendrucks, nämlich die Durchführung einer *reverse auction* oder holländischer Versteigerung, um die Kanzlei zu bestimmen, welche für eine Mandantin relativ unkomplizierte juristische Aufgaben, wie die Erstellung von Musterverträgen, erledigen sollte. Auf S. B4 des Wall Street Journal vom 3. August 2011 findet sich wiederum ein Artikel über eine Klage, die gegen eine Kanzlei erhoben wurde, weil die von ihr angeheuerten *contract attorneys* (Anwälte, die nur auf bestimmte Zeit, z.B. für ein bestimmtes Projekt, benutzt werden) gewisse Due-Diligence Aufgaben angeblich nicht sorgfältig ausgeführt hätten. Die Verwendung von solchen *contract attorneys* gehört zu den Methoden, die gegen den Kostendruck eingesetzt werden.

[3] Dieser Faktor betrifft das Gehalt junger Anwälte, die Methoden der Gewinnaufteilung unter Partnern und die Verteilung der Entscheidungskompetenzen unter Partnern.

- Das Erfordernis (mindestens in den USA), dass die Bewertung dieser Faktoren in einem Unternehmen stattfinden muss, an dem nur zugelassene Anwälte als Eigentümer beteiligt sein dürfen.

Diese Faktoren können beinahe beliebig erweitert und präzisiert werden. Den meisten 4 gemeinsam ist die gegenwärtige Unsicherheit in ihrer Bewertung. Hinzu kommt, dass eine Entscheidung oder Stellungnahme zu einem der Faktoren einen Einfluss auf die Bewertung der anderen hat, d.h. sie sind Symptome eines systematischen Drucks. Inwiefern dieser Druck einen nachhaltigen Einfluss auf die Strukturen und Arbeitsweisen von Grosskanzleien in den USA haben wird, nachdem die Nachwirkungen der Finanzkrise etwas abgeklungen sind, ist ungewiss. Anlass für intensive Überlegungen und Kommentare sind sie auf jeden Fall.[4] Und für zahlreiche Unwägbarkeiten sorgen sie täglich.

Eine weitere Unwägbarkeit, die möglicherweise die Arbeitsmethoden von Kanzleien und 5 den Bedarf an Anwälten und anderen Fachkräften verändern könnte, stellt die Umorientierung des Finanzrechts auf das Wohl des Finanzsystems (anstatt des einzelnen Finanzinstituts) dar. Demnach ist es nicht nur wichtig, dass ein Finanzinstitut gesund ist und richtig geführt wird, sondern auch von grosser Bedeutung, was für einen Einfluss der Zustand des Instituts auf die Funktionstüchtigkeit des ganzen Finanzsystems hat, welche Wirkungen das Finanzsystem auf den Zustand des einzelnen Instituts hat, und wie man den Zustand des gesamten Finanzsystems verstehen und bewerten soll.

Tatsachen überhaupt als Tatsachen zu erkennen und die juristischen Konsequenzen sol- 6 cher Tatsachen für einen Mandanten zu eruieren, der als Finanzinstitut am Finanzsystem teilnimmt und beaufsichtigt wird, erfordert die Entwicklung einer Sichtweise, die bisher in den meisten Fällen kaum hätte Anwendung finden können. Diese Sichtweise umfasst natürlich ein Verständnis für die möglicherweise internationalen Auswirkungen von beinahe jeder Aktivität, welche dieses Institut unternimmt. Ein solches Verständnis ist seit Langem erforderlich, wenn man Institute berät, die an internationalen oder grösseren regionalen Märkten teilnehmen. Meines Erachtens reicht ein Sinn für die Bedeutung der Globalisierung jedoch nicht mehr aus. Jetzt muss man zusätzlich in der Lage sein, nicht nur längere Ketten von Auswirkungen instinktiv zu begreifen, sondern auch die Rekursivität und Nichtlinearität mancher Auswirkungen, und ausserdem muss man verstehen, dass ein einzelnes Finanzinstitut im gewissen Sinne nur ein Teilzustand des Gesamtsystems ist, dessen Aktivitäten und Entscheidungen und deren Auswirkungen nicht unabhängig vom Gesamtzustand dieses Systems sind.

Eine ähnliche Kompetenz ist zunehmend auch auf anderen Rechtsgebieten, z.B. dem 7 Umweltrecht, erforderlich, weil auch dort dynamische, systembezogene Wirkungen von wesentlicher Bedeutung sind. Möglicherweise sind alle Bestrebungen, Unternehmen für

[4] Larry Ribstein schreibt in der Wisconsin Law Review (Jahrgang 2010, Ausgabe 3, S. 749–815) z.B. über «The Death of Big Law», d.h. über das Ableben der Institution der Grosskanzlei im herkömmlichen (US-amerikanischen) Sinne, obwohl am Schluss die Diagnose doch etwas ambivalent erscheint.

die mit ihnen in Verbindung gebrachten Externalitäten mindestens teilweise verantwortlich zu machen, gute Beispiele für die zunehmende Notwendigkeit einer derartigen Kompetenz. Die Feststellung einer bedeutsamen Externalität erfordert nämlich einen Sinn für die Dynamik und Struktur aller Auswirkungen einer bestimmten Tat oder Aktivität.

8 Um auf relevante Weise systembezogen denken zu können, müssen Anwälte unter anderem ausarbeiten, wie die Betreuung von Mandanten von diesem systembezogenen Denken beeinflusst wird. Anwälte sind es gewohnt, die Verantwortung ihrer Mandanten sehr eng aufzufassen. Wie wird das Verständnis des Begriffs «Verantwortung» z.B. dadurch geändert, dass Externalitäten mit einbezogen werden und die Stellung eines Unternehmens an einem ganz bestimmten und nicht nur allgemeinen Ort in einem aktiven Netzwerk anderer Unternehmen mitsamt der Natur zunehmend erkannt wird? Welches Wissen muss man haben, und wie muss man denken können, um ein solches Verständnis zu entwickeln? Müssen angehende Anwälte nicht nur talentiert sein oder Kenntnisse der Wirtschaftswissenschaften haben, sondern auch mindestens ein Gefühl für gewisse mathematische Gebiete, die Klimawissenschaft und Teile der Biologie besitzen? Müssen Kanzleien naturwissenschaftlich oder mathematisch ausgebildete Nichtjuristen anstellen oder engere Geschäftsbeziehungen mit solchen Experten eingehen? Inwiefern müssen Kanzleien eine (Teil-)Verantwortung für das Wohl des jeweiligen sozial, menschlich oder wirtschaftlich wichtigen Systems übernehmen, und wäre eine solche Übernahme mit unserer Auffassung der Beziehung zwischen Anwalt und Mandant sinnvoll vereinbar?

9 Natürlich wird nicht jeder Fall zu einem wissenschaftlich komplizierten Puzzlespiel. Auf die Dauer werden sich wohl auch einige Faustregeln herausbilden, welche die Analyse gewisser Situationen erleichtern. Trotzdem kann es sein, dass sich Grosskanzleien sowohl mit möglichen Änderungen der wirtschaftlichen Bedingungen ihrer Existenz als auch mit einer begrifflichen Umgestaltung einiger wesentlicher Arbeitsgebiete zurechtfinden müssen. In einer solchen Situation ist Schöpfung vielleicht wichtiger als Planung.

B. Trends in the Global Legal Services Market

Julia Chain / Nicholas Bruch

The past decade has seen the best and worst of times in the legal services industry with 1 an unprecedented flurry of activity both positive and negative. Throwing off the gloom of the recession of the 1990s, in early 2000 law firms in most major economies began a decade of fast expansion, with many leading US and UK firms doubling their revenue in less than 10 years. During these boom years, law firms enjoyed rising hourly rates, expanding margins and a seemingly endless pool of corporate mergers, IPOs and other high value legal engagements. In this environment the size of fees was very much a secondary concern and bills, which were rarely itemised, were often paid in full without a second glance. Many law firms expanded geographically, following their Fortune 500 and FTSE client base into mature and, later, developing markets, investing in smart new offices which were often not expected to be profitable for some considerable time. This era of easy prosperity was the back drop to the 2008–2009 global economic downturn which brought the most challenging period for law firms in over two decades. As the global economy came to a grinding halt, much of the legal services industry followed. Top performing practice areas such as Real Estate and Banking, which had brought in a steady stream of revenue during the boom years, simply dried up. Revenues among top 100 US and UK firms for 2009 were down by more than 10 per cent; margins fell by five percentage points; over 4,000 lawyers were laid off; and profits per equity partner reduced by double digits in many segments of the market[1]. Perhaps more concerning was the rise of a new long term threat to profitability – the cost conscious corporate client. Law firm clients, who had suffered similar hardships during the downturn, began rethinking their relationships with their legal services providers. Clients began demanding fixed fees, risk sharing agreements, discounted rates and stringent up front budgets. Furthermore many corporate clients were asking their law firm service providers to fundamentally rethink the way they delivered legal services. Law firms were asked to consider outsourcing low value routine legal work to low cost centres in India and other emerging markets; to embrace e-billing, e-discovery and other new technologies; to negotiate alternative fee arrangements (AFAs); and experiment with new business models that reshape the way law firms have been traditionally structured and call the partnership model into question. The negative financial impact of the downturn has lessened somewhat in the past 18 months, with many leading law firms posting significantly better profitability figures in 2010 but the demands from corporate clients not only to monitor costs far more closely, but also to operate differently and more innovatively has continued unabated. Many legal industry watchers argued that fixed

[1] Financial data has been sourced from Amlaw 200 for the US market and Legal Business 200 for the UK market.

fees would be a temporary measure. This has simply not been the case. The adoption of fixed fees and other AFAs has gained pace since the global economic downturn and many general counsels appear set on increasing their use in the coming years. It is clear that the relationship between the law firm and its corporate clients will never be the same again.

2 Several other trends of the past decade have also contributed to the changing relationship between law firms and clients. The most obvious example is the globalization of the world economy and the legal service market. Globalization began over three decades ago and has now progressed through several stages. For the legal services industry the first stage centred on transatlantic international expansion, with large US and UK firms opening offices in mature markets outside their home country. In the last decade, economic growth in emerging markets, which rebounded more quickly from the global economic crisis, has outstripped growth in more mature markets, accelerating the pace of globalization. New office openings among top US and UK law firms barely slowed during the downturn. In some regions, particularly Asia and the Middle East, office openings even gained pace[2].

3 When seen together these trends pose important implications for law firm managers and General Counsel (GCs) alike. Globalization complicates the business of law firm management significantly. Truly global law firms have to engage with clients and projects across borders, manage revenue streams in multiple currencies and run complex multi-unit businesses across a plethora of time zones, cultures and languages. Furthermore globalization has increasingly become a competitive weapon. In recent years, an elite group of international business law firms has used their global network of offices as a competitive tool to win clients. It is projected that this trend will accelerate in the coming years and in turn force other top tier domestic firms to invest in significant international capabilities or choose an alternative competitive strategy which will largely involve committing to establishing dominance in a niche market both domestically and globally. Either choice – to go genuinely global or focus on a niche market – will require a commitment to a particular firm-wide strategy, value proposition and the investment capital to sustain the chosen market position.

4 For GCs the challenge has been to reduce external legal costs and effectively get ‹more for less› from their law firm service providers. That challenge has caused many GCs to look for alternatives to the traditional law firm structures and pricing models. GCs are increasingly considering solutions that bypass the law firms altogether, particularly for low value work that can arguably be done by non-lawyers. This has important implications for law firms as it may remove a whole range of tasks from their service offering and leave them with a narrower market focused on very specific high value or niche work. In pricing, the shift to fixed fees and other AFAs has different but equally impor-

[2] NLJ 250.

tant implications for law firm management. Under the hourly rate structure, profitability was almost guaranteed through the cost plus pricing system. Fixed fees and other AFAs will fundamentally change the nature of financial planning and calculating profitability. Risk will be shifted from client to service provider and law firms will be forced to price and manage the legal services they provide to their clients far more accurately. These skills, which firms have not excelled at in the past, will be essential to delivering reliable profitability. As profits are required for long term investment, this will have important implications for globalization and a firm's ability to sustain its market position and fend off competitors. In this chapter, we will first look at each of these trends separately, investigating their origins, their impact on various segments of the legal industry and their likely future trajectory. We will then evaluate the effect of these trends on each other and their impact on law firm management in general highlighting best practices, market leaders and common stumbling blocks.

1. Globalization of Legal Markets

The origin of the globalization of the legal market lies in broader macroeconomic trends 5
that have been building pace over the past three decades. Law firms are service providers and therefore are reliant on their client base. For large UK and US law firms this client base predominantly includes Global 500 and FTSE[3] companies. This group of companies has become increasingly international over the past three decades for two related but separate reasons. The first reason is that the home market clients of western law firms have been expanding globally, into new developed and developing markets, at an increasingly rapid pace. This trend began three decades ago when western based Global 500 companies began expanding into mature markets outside their home countries. This caused US and UK law firms to begin increasing their transatlantic and European capabilities. Shortly after this shift, multinational corporations began to focus on low cost emerging markets primarily for cost reduction reasons. In recent years however, the nature of international expansion among this group of clients has changed fundamentally. Fast growth in emerging markets combined with slower growth in mature markets has forced many leading western corporations to develop a strategy for growth in developing countries. Consequently, Global 500 companies began expanding internationally for market seeking reasons as well as cost reasons. As market seeking investment is often more complex than cost cutting, which can often be managed via outsourcing contracts, this has fundamentally changed the nature of the demand for legal services in many emerging markets. While routine contract work can often be based on US or UK law and carried out remotely from home offices, market seeking operations necessitate local expertise and an enduring presence. This in turn requires law firms to have

[3] Financial Times Stock Exchange Index.

well staffed offices of local experts in key emerging market jurisdictions. Consequently, there has been a shift away from the «fly in fly out» strategy of small offices that many western firms had operated under in the 1990s and early 2000s. The second reason that western law firms have been expanding internationally is the rise of competitive multinational emerging market corporations such as Tata (India), Cemex (Mexico), HTC (Taiwan), Lenovo (China), Petrobras (Brazil), Gazprom (Russia) and many others. These corporations have leveraged strong growth in their home markets to become globally recognized leaders in their respective industries. In the past decade emerging market companies expanded their share of the FT Global 500 by 21 percentage points in terms of value, from 4 per cent in 2000 to 25 per cent in 2010[4]. Similar to their mature market peer group, which includes corporate giants such as IBM, Nestle, GM, and Vodaphone, these emerging market companies offer law firms a large volume of medium to high fee engagements. It is for this reason that many leading US and UK firms have and still spend significant resources courting these companies. This is done via traditional business development as well as building relationships with the domestic firms who have historically had close ties with emerging market leaders. Herbert Smith's relationship with the leading Indian firm AZB & Partners and the resulting stream of Tata related engagements that have flowed out of it is a prime example of this strategy.

6 The result of these trends has been a vast expansion of US and UK law firm operations in foreign markets – developed as well as developing. Currently 23 per cent of offices among top 100 US firms are outside of North America[5]. Between 2000 and 2010, lawyers among the top 100 US firms grew by 516 per cent in the Middle East (from 69 lawyers to 544); 221 per cent in Western Europe (3,556 to 11,422); 221 per cent in Eastern Europe (309 to 984); and 147 per cent in Asia (1,519 to 3,755); compared with 170 per cent in North America (79,918 to 215,116)[6]. A closer look at these figures reveal that a small number of firms make up a disproportionate amount of emerging market offices and lawyers. Among the top 100 US firms 72 per cent of emerging market based lawyers are from 15 firms[7]. While hard data on UK firms is not available, anecdotal evidence suggests that similar patterns exist there. This group of mainly UK and US firms, which we call «International Business Law (IBL) firms» is composed of 24 global firms[8] who have grown an impressive network of global offices and offer a full range of services in most major global financial centres. Unlike many of their competitors these firms have

4 FT Global 500.

5 Legal 500.

6 NLJ 250.

7 NLJ 250.

8 International Business Law Firms include: Baker & McKenzie; DLA Piper; White & Case; Mayer Brown; Hogan Lovells; Herbert Smith; Norton Rose; Ashurst; Simmons & Simmons; Latham & Watkins; Jones Day; Weil, Gotshal & Manges; K&L Gates; Reed Smith; Wilmer Cutler Pickering Hale & Dorr; Dewey & LeBoeuf; Orrick, Herrington & Sutcliffe; Akin Gump Strauss Hauer & Feld; Dechert; Milbank, Tweed, Hadley & McCloy; Eversheds; Squire, Sanders & Dempsey; SNR Denton.

continued to expand globally throughout the economic downturn. Between 2006 and 2010, DLA Piper opened 10 offices and Hogan Lovells (or its pre-merger constituent firms) opened 7, many of which were in emerging market financial centres[9]. This continued dedication to global expansion among the IBL firms points to the group's strategy and competitive value proposition. IBL firms aim to become the law firm of choice for Global 500 corporations and therefore are aiming to build an unmatched speciality in emerging and mature market legal services and cross boarder capabilities. It is worth noting that this strategy is not the «fly in, fly out» strategy which is often employed by Global Elite[10] firms, but rather focuses on building fully functional local offices in key business centres around the world. Consequently these firms offer a full range of services in most of the markets they operate in and specifically target corporate and commercial practice areas such as cross border mergers and acquisitions; international financial transactions; international trade; and cross boarder litigation.

The IBL strategy appears to be working successfully in many markets. IBL firms have 7 been able to leverage their expertise, brand and relationships to create formidable positions throughout the developing world. IBL firms currently dominate the Hong Kong, Singaporean, Russian and UAE legal markets. These positions have been amassed slowly through mergers, raids and «greenfield» operations. In some cases, leading positions have been created through mergers of two IBL firms, creating mega firms with massive global reach – SNR Denton and Hogan Lovells being two such examples. Surprisingly, the success of IBL firms has not been contained to developing markets. Breaking into developing markets could be seen as relatively easy. Western firms had many advantages over developing market firms. IBL firms and Global Elite firms could import expertise from their home markets; use their well known brands to steal partners and attract clients; and deploy their well funded war chests toward mergers or office openings. On top of this, developing market firms had long been protected by legal barriers and were therefore often mismanaged and vulnerable to competition. In markets where barriers have come down this left domestic firms vulnerable to well managed western firms. These experiences with liberalization partially explain why domestic firms in India, South Korea, Indonesia and other developing markets support continued legal barriers that forbid foreign firms from freely operating. In contrast to the advantages that Western firms enjoyed in developing markets, in mature markets IBL and Global Elite firms faced long standing domestic firms with a history of good management, strong client relationships and well respected local expertise. Despite this, the IBL and Global Elite firms have thoroughly penetrated many mature markets. To take Europe as an example, IBL

9 The Lawyer.

10 Global Elite firms include: Skadden, Arps, Slate, Meagher & Flom; Clifford Chance; Linklaters; Freshfields Bruckhaus Deringer; Allen & Overy; Sullivan & Cromwell; Cleary Gottlieb Steen & Hamilton; Simpson Thacher & Bartlett; Davis Polk & Wardwell; Shearman & Sterling; Slaughter & May; Wachtell, Lipton, Rosen & Katz; Cravath, Swaine & Moore.

and Global Elite firms, which began penetrating the continent in the late 1980s, hold eight out of the top ten leading positions in the German legal market, with the remaining two domestic firms formally allied to IBL firms[11]. In France only two purely domestic firms – those with no formal alliance – hold spots in the top ten, Italy has 3 domestic firms in the top 10, Spain has 3, and the Netherlands has 4. Clearly the IBL strategy has been successful in mature markets as well as developing markets.

8 The success of IBL firms is due as much to global macro-economic trends pushing globalization as it is to the clarity of their strategy. IBL firms have clearly defined their client base – large global corporations or similar size institutions – and identified a viable value proposition that speaks to their needs – a full service offering in the major jurisdictions in which their clients have operations. To support this strategy they have focused on building relationships with Global 500 headquarters offices and relentlessly invested in new global capacity despite economic conditions. Their success is due, at least in part, to this strategic diligence and corresponding management focus. The rest of the legal market should pay close attention to these trends. Many firms have expanded internationally in a haphazard and unfocused manner. Many also believe that small satellite offices in Hong Kong, London and Dubai will allow them to compete with the IBL firms and maintain their domestic market position. The experience in Europe argues otherwise and sends a clear message to managing partners around the world. Law firms that compete for IBL related work will come under increasing pressure to justify their value add. This is not to say that there is no room for specialist and purely domestic firms in the market place but their strategy and value proposition must be clearly defined and expertly executed with economic models to match. Specialist firms will have to develop unmatched expertise in their core competencies and will also have to build complementary offerings in related areas (Example: Insurance & Transport or Transactions & M&A) to ensure they can offer a «full-service» experience in their particular niche. Similar to the IBL firms, specialists will need to follow their client base with new offices in well chosen strategically important jurisdictions. Firms specializing in Transport law for example may need offices in Singapore and Hong Kong but not in New York. Successful firms will need to continually invest in their core competencies and supporting infrastructure.

9 Purely domestic firms will have to make difficult decisions. It appears increasingly unlikely that domestic firms will be able to maintain leading positions in key legal market in the longer term. Ultimately, many will have to choose between mergers or accepting a secondary or tertiary role in their markets. This will likely entail less complex engagements and correspondingly lower billing rates, but with the right economic structure does not necessarily mean lower profitability. Domestic firms will have to trade on their knowledge of domestic markets, lower billing rates, and proximity to their clients. Large mul-

[11] Market rankings have been calculated using the Huron Reputation Index which is a weighed composite of firm rankings in key practice areas chosen specifically for each market.

tinational corporations have already begun shifting their high value complex work away from domestic firms but have also shifted a greater amount of low value routine work towards them for cost reasons. Domestic firms will increasingly rely on domestic corporations and this stream of low value work from multinational corporations for the bulk of their revenue. These engagements will require higher leverages and tight financial management to guard against lower profitability.

Firms unwilling to commit to a pure-play strategy will face the most pressure. Domestic 10
firms with a few small foreign offices will face considerable pressure on profitability, as their foreign offices are unlikely to successfully compete in their market and will therefore need to be subsidized by the home office. Specialist firms with practice areas not related to their core competency will face similar problems. Smaller IBL firms will come under pressure to increase their scale or take a secondary role in the market. Mega mergers like SNR Denton and Hogan Lovells are likely to increase these pressures. Macroeconomic forecasts for the next decade also appear to support an acceleration of these trends. GDP growth is expected to continue to be sluggish in mature markets for the next year to 18 months and then revert to normal growth levels of 3 per cent to 5 per cent[12]. In contrast emerging markets are expected to continue growing at double that pace or more for the foreseeable future. China, which overtook the United States as the world's largest manufacturer last year, is expected to become the world's largest economy sometime around 2020. As China and other emerging markets grow they will become increasingly complex in a development pattern that will mimic the economic trajectory of South Korea, Taiwan, Hong Kong and Japan. This is likely to entail larger and more complex financial transactions, greater frequency of mergers, more sophisticated financial markets and greater liberalization. This combination of global economic growth; rising importance and sophistication of emerging markets; greater liberalization; and the lack of domestic legal services capacity in many emerging markets will play strongly into the strategy of IBL firms; the Global Elite; a small group of specialist firms; and a select group of well managed emerging market firms who have resisted mergers.

2. Legal Process Outsourcing

Legal Process Outsourcing (LPO) refers to the practice of a law firm or corporation 11
obtaining legal support services from an outside law firm or legal support services company. LPO providers often use innovative business models, low cost labour, and technology to drastically reduce the cost of legal services. In the past, the LPO industry was limited to low value routine transactional work and plagued with problems of inconsistency and poor quality. This left corporate clients with the unenviable choice between low cost, low quality LPO services and high cost, high quality law firm services. In recent

[12] International Monetary Fund.

years however, LPO providers have solved many of their quality issues with a mix of greater training and better use of technology. This has allowed them to move beyond speciality transactional work into more complex services that require greater knowledge of their clients businesses and on-going relationships. It has also brought about a period of fast expansion, with the LPO industry posting annual growth of 60 percent or more over the last several years. This has important implications for law firms. Corporate clients are increasingly demanding that their legal services providers unbundle engagements and embrace the LPO model. Studies have shown that only a small segment of many legal engagements require the expertise upon which law firms base their value proposition. It is estimated that 58 per cent to 90 per cent of litigation costs are attributable to document review, an easy task to be outsourced. A prominent U.S. insurance company recently reported that 70 per cent of the labour in a typical insurance or liability case can be outsourced with no implications to outcomes. These findings and the increasing capabilities of LPO providers has caused many clients to demand that law firms unbundle their services and outsource the routine low value segment of engagements to LPO providers. In some cases, law firms have been bypassed altogether with corporations going directly to LPO providers. This poses two risks for law firms. The first is that LPO providers will take an increasingly larger share of the legal services market over time and in turn leave law firms with an increasingly smaller market. Given the progress of the LPO industry in recent years into higher value segments this outcome appears almost inevitable. Many law firms have responded to this trend by setting up LPO units or building ties with LPO providers. This strategy could ensure that law firms maintain their status as the primary relationship manager to corporate clients, with LPO providers working under the direction of law firms, which would allow law firms to take a greater share of profits from LPO services. The second threat that law firms face from the rise of LPOs is that entire segments of legal work may become commoditised and thus much less profitable. Commoditisation appears inevitable for many low value legal services as a result of increased competition by the many LPO providers pouring into the market and their fixed fee strategy. Given the competitive nature of the legal industry and the sophistication of corporate clients, it seems unlikely that law firms will be able to continue to justify higher prices for their low value work. To maintain current profitability levels law firms will have to embrace the LPO model of high leverage, low cost labour and use of technology to lower costs. In some instances this may require setting up offices in low cost emerging markets such as India or the Philippines, both of which have focus points for the offshore LPO industry. In other cases, onshore offices in lower cost regions may be more appropriate. For smaller firms, who are ill-equipped to manage LPO back offices, strong ties to independent LPOs may be necessary to remain competitive. Regardless of the strategy, law firms must recognise that LPOs are here to stay and that they will not remain competitive without embracing this new business model.

3. Increased Pressure on Profitability the Rise of Alternative Fee Arrangements

Since the beginning of the economic downturn a persistent trend has been the growing pressure from law firm clients on the use of fixed fees and other billing methods not based on the hourly rate, also known as Alternative Fee Arrangements (AFAs). While these new billing methods are not a threat in themselves they do pose significant challenges to law firms. The legal industry has been based on the hourly rate billing system for over three decades. This structure has defined how law firms charged clients, managed projects and evaluated the performance of their associates and partners. Most importantly, the hourly rate system drastically simplified the process of managing law firm profitability through the cost plus pricing system. Using hourly rates, law firms simply had to calculate the cost of an hour of work by dividing a fee-earners total cost, including overhead, by the amount of hours he or she was expected to bill per year and then add the desired profit margin. So long as the firm did not over hire, which would lower utilisation rates, incur excessive fixed costs, or fail to bring in the expected amount of work, profitability was nearly always assured. Fundamentally this meant that law firm managers were only required to manage two variables: costs and inflow of work. Project management, at least in terms of profitability, had a minor role at best. 12

In the past few years this has changed significantly. Cost reduction efforts by corporate clients, under pressure from the economic downturn, were the initial driver of AFA adoption. Throughout 2008 and 2009 General Counsels (GCs) were under significant pressure to decrease costs while maintaining service levels. In 2009, 79 per cent of Chief Legal Officers reported that they planned to reduce legal spend through the use of AFAs[13]. While the need for cost reduction explains the corporate clients push for AFAs during the downturn it fails to explain why law firms and corporate legal departments have continued to embrace AFAs in 2010 and 2011. Early experiments with AFAs revealed that they not only reduced cost but could also provide greater predictability and better value for money. These two factors have turned out to be as important, or even more important, than AFAs cost reduction impacts. Greater predictability of annual costs is particularly important in periods of tight budgeting where there is little room in corporate budgets for cost overruns that can be the difference between a good year and a bad year. Better value for money is equally important during these periods due to executives desire to squeeze greater value out of each dollar. This helps explain why pressure for AFA adoption has consistently grown over the past several years. A 2010 survey of senior GCs revealed that, for the first time, over half of US and UK corporations were using AFAs as a method of pricing some part of their outsourced legal work[14]. 13

[13] ACC 10th Annual Chief Legal Officer Survey.

[14] Fulbright's 7th Annual Litigation Trends Survey, 2010.

14 These changes will have a significant impact on the way law firms price their services, manage their engagements and earn their profits. AFAs such as fixed fees shift significant risk from the client to the law firm. Risk management is, in some respects, new to law firms. While firms have had to manage the risk of non-payment under the hourly rate structure, clients bore the risk of cost overruns and bad outcomes in most cases. Under many AFAs however, this is not true. For outcome linked AFAs, such as contingency fees or value pricing, non-payment or partial payment is built into the billing structure. For fixed fees or capped fees law firms agree to deliver services at a given cost and therefore accept the risk of cost overruns. These new risks will have to be managed closely to ensure consistent and predicable profits. Broadly speaking this will require three new sets of skills that law firms have not excelled at in the past; tighter project management, with a keen eye toward profitability management; proper pricing; and information gathering and dissemination.

15 All three of these skills must be in place for successful profitability management in the AFA era. The increasing use of fixed fees for example, has created significant cost overrun risk for many law firms. To manage these risks firms will have to vet potential projects thoroughly before agreeing on a price as any under pricing will be difficult to recover and will ultimately impact profitability. Firms will therefore need to anticipate contingencies for each engagement and price the risk of unforeseen events into billing rates or set them as assumptions which if broken trigger a discussion about increased fees. A well kept database on past engagements will be vital to this process. Partners pricing engagements should reference past projects and historical averages for each portion of the proposed engagement. This will help standardise pricing and foster constructive conversations with clients on the justification for billing rates and the implications of cost reduction efforts. Once prices have been agreed, team leaders will have to manage fixed fee engagements closely to ensure that they remain on plan and under cost. This will require regular reporting and a steady stream of information on hours billed against the engagement and real time profitability figures. In cases where costs have exceeded the initial plan, team leaders should shift time from high fee-earners to low fee-earns to reduce costs.

16 Many of these skills will not come naturally to law firms and their partners. Operating under the hourly rate structure for three decades will leave many firms poorly suited to suddenly begin managing these new risks. Those who do manage this change well will have two important advantages over their competitors. The first advantage is a cornerstone of success in competitive markets – better value for money. Firms who learn to manage their projects tightly and price appropriately will more consistently deliver to their clients good outcomes at competitive prices while maintaining profit margins. This will allow them to build stronger relationships with their existing clients and attract additional customers. The second advantage is less clear but perhaps more important.

Firms which successfully deliver stable and predictable profits will be able to invest in their businesses and attract talent, thereby securing their future market position.

In competitive markets, such as the global legal services industry, investment is a core component of long term viability. Law firms consistently have to invest in new partners, practice areas and infrastructure including premises and technology. Firms who ignore investment will find themselves overtaken by their competitors or forced into mergers to remain relevant. Take the IBL firms as example; this group's success has been rooted in their relentless investment programmes over the past decade. Beginning in the late 1990s these firms began deploying their hard earned profits toward the strategic goal of building unmatched global capabilities. Those who diligently pursued this investment strategy are beginning to reap the rewards, with higher profitability, more stable revenues and first tier rankings in major fast growing emerging markets. These investment programmes could not have been possible without supporting financial plans and profitability management. 17

In today's competitive landscape, where the market is separating into distinct segments, such investment will be important at all levels of the marketplace. Firms will face increasing competition as their client pool becomes narrower and their market segments become more rigidly defined. Domestic firms, which had previously enjoyed a stream of relatively complex work from Global 500 companies, may find this pool of clients no longer interested in their high value services due to the more targeted value proposition of the IBL firms. In such circumstances domestic firms will increasingly rely on lower value segments of the market and domestic clients. This narrower focus on a distinct subset of engagements will increase competition among peer firms and in turn put pressure on margins. To combat this, domestic firms will have to invest in technology to keep their costs low and improve the skills of partners in project management and supervision to allow them to drive higher leverage service models. Likewise specialists firms will have to continually invest in their core competencies and complimentary practices to maintain their specialist value proposition and fend off competitors and new entrants. 18

Ultimately these trends, market segmentation driven by globalization, pressure on profitability, and the emergence of the LPO market will force firms to become more diligent and rigorous in their management. Market segmentation will require a clear strategic focus and a deep understanding of the value add, strategic goals, future trajectory and the core competencies that Law Firms will be required to demonstrate in order to deliver on the plan. The pressure on profitability will require greater operational focus leading to standardization of practices, better data management to inform decision making and tighter profitability management at every level of the organization. These changes will not be easy and many law firms will find themselves on the wrong side of the trend line. Those who recognize these changes as an opportunity and alter their business models to address them will find themselves well positioned to compete and will ultimately benefit the most. 19

C. Die Zukunft des Anwaltsmarktes

Klaus-Stefan Hohenstatt

1 Der Anwaltsmarkt in Deutschland hat sich in den zurückliegenden Jahrzehnten erfreulich entwickelt. Unternehmen und Privatleuten steht ein exzellent ausgebildeter und hoch differenzierter Dienstleistungsbereich zur Verfügung, der eine wichtige Stütze des Rechtsstaats und – ebenso wichtig – einen zentralen wirtschaftlichen Standortvorteil darstellt. Den Unternehmen stehen internationale Sozietäten sowie grosse und mittelgrosse deutsche Kanzleien – auch diese zunehmend mit internationalen Verbindungen – zur Verfügung. Es sind heute vermutlich keine Transaktionen oder Streitigkeiten mehr denkbar, die nicht in uneingeschränkt kompetenter Weise von in Deutschland ansässigen Anwaltsfirmen übernommen werden könnten. Diese für das Land zentral wichtige Entwicklung des modernen Anwaltsmarktes ist gerade einmal etwas mehr als 20 Jahre alt[1]. Diese «Revolution» des Marktes ist häufig genug beschrieben worden. Sie ist Vergangenheit. Längst sind all diese Errungenschaften selbstverständlich, und schon längst hat eine neue – ebenso umwälzende – Entwicklung eingesetzt, die den Markt abermals grundlegend neu erschaffen wird.

2 Niemand kann diese komplexe Entwicklung komplett erfassen – und vieles kommt auf die Perspektive an. Die folgenden Thesen wage ich trotzdem, wobei meine Perspektive die eines Partners mit Managementaufgaben in einer internationalen Wirtschaftssozietät mit starker Präsenz in Deutschland, England, Kontinentaleuropa und Asien ist – aus anderem Blickwinkel würde man möglicherweise andere Schwerpunkte setzen.

1. These 1: Deutschland bleibt der gewichtigste Anwaltsmarkt in Kontinentaleuropa mit einem substanziellen Beratungsvolumen

3 Gute Nachrichten zuerst. Deutschlands Wirtschaft mag sich für viele zu schwerfällig entwickeln, und gemessen an den Schwellenländern sind unsere Wachstumsperspektiven in der Tat allenfalls marginal. Dennoch hat sich Deutschland im Vergleich mit den anderen EU-Staaten gut behauptet und insbesondere die internationale Ausrichtung der Wirtschaft noch verstärkt. Dies ist die Grundlage für einen Anwaltsmarkt, der im Bereich des Wirtschaftsrechts nach wie vor attraktive Möglichkeiten generiert, auch wenn mit mehr als 150000 zugelassenen Rechtsanwälten[2] bereits eine kaum für möglich gehaltene Anwaltsdichte eingetreten ist. Das obere Qualitätssegment der wirtschaftsrechtlich beratenden Anwaltskanzleien wird von der zunehmenden Anwaltsdichte kaum berührt.

1 Vgl. in diesem Band Manfred Finken, Kapitel 1.
2 Vgl. BRAK-Mitt. 2/2011, S. 7.

Die Zahl hochbegabter Nachwuchsjuristen bleibt begrenzt – und diese teilen sich ein Honorarvolumen von ca. 3,5 Mrd. Euro[3].

2. These 2: In den Schwellenländern und den neuen Märkten ergeben sich interessante Wachstumsmöglichkeiten für internationale Kanzleien – auch für deutsche Anwälte

Im Jahr 2010 war Deutschland weltweit der zweitgrösste Auslandsinvestor nach den USA und vor Frankreich[4]. Das Volumen der deutschen Investments betrug rund 105 Mrd. Euro. Der Anteil der Auslandsinvestitionen am gesamten Investitionsvolumen wird vermutlich weiter ansteigen. Diese Entwicklung bietet vielfältige Möglichkeiten für deutsche Anwälte. Dies klingt selbstverständlich, ist es aber nicht unbedingt. Zum einen verfügen viele grosse Unternehmen inzwischen über ein Netzwerk an bevorzugten Kanzleien im Ausland, mit denen sie direkt zusammenarbeiten können. Und wenn die Koordination und die Führung einer Transaktion durch eine internationale Kanzlei gefragt ist, denkt man eher an deren UK- oder US-Büros als an deutsche Anwälte. Gerade die englischen Sozietäten haben früh erkannt, dass sich die Enge des Heimatmarktes am besten überwinden lässt, wenn man auch Hong Kong oder Dubai als «Heimatmarkt» betrachtet. Entsprechend gross ist derzeit noch deren Vorsprung in vielen *new markets*. «Harte» Kompetenzlücken bestehen indes nur selten. Die Dominanz englischen oder amerikanischen Rechts bedeutet nicht, dass deutsche Anwälte z.B. bei ausländischen Infrastrukturprojekten nicht an zentraler Rolle mitwirken könnten. Für den deutschen Teil internationaler Kanzleien und für die international ausgerichteten deutschen Kanzleien wird es in den nächsten Jahren von entscheidender Bedeutung sein, ob sie durch eigene Mandate in den «neuen Märkten» ihre Ausgangsbasis verbreitern und damit die Schwächen des Heimatmarktes ausgleichen können. Meine eigene Kanzlei generiert mehr als einen Drittel ihre Umsatzes in Ländern, in denen wir nicht über Büros verfügen – dies zeigt recht deutlich, welche Wachstumsperspektiven hier entstehen könnten. 4

3. These 3: Die Elite setzt sich ab

Über den Erfolg einer Anwaltssozietät entscheiden die Mandanten und – ebenso wichtig – der juristische Nachwuchs. Beide «Zielgruppen» verfügen heute über eine weitaus 5

3 Quelle: gemäss den «Juve»-Rechtsmarkt-Oktoberausgaben der Jahre 2007 – 2010 entwickelte sich der Honorarumsatz der TOP 50 Wirtschaftskanzleien in Deutschland von 3,17 Mrd. Euro im Jahre 2007 auf 3,59 Mrd. Euro im Jahre 2009. Im Folgejahr (2010) wurde erstmals ein geringfügiger Rückgang auf 3,49 Mrd. Euro verzeichnet; vgl. hierzu auch Hartung/Weberstaedt, Anw.-Bl. 2011, 607, 608.

4 World Investment Report 2011 der UN-Handelskonferenz – UNCTAD.

bessere Marktübersicht, als dies noch vor kurzer Zeit der Fall war. Vor etwa zehn Jahren wurden «die Grosskanzleien» ohne grosse Differenzierung als letztlich einheitliche Gruppe angesehen, in der sich die einzelnen Wettbewerber nur schwer voneinander abgrenzen konnten. Ähnlich geschah es im sogenannten *magic circle,* der als Kategorie auch in UK zunehmend infrage gestellt wird; zu unterschiedlich sind die strategische Ausrichtung und auch die Qualität der Firmen. So auch in Deutschland. Eine lang andauernde Wachstumsphase in den 90ern und – unterbrochen von einer nur kurzen Krise – im ersten Jahrzehnt des neuen Jahrtausends haben die zum Teil signifikanten Qualitätsunterschiede und die teilweise erheblichen strategischen Differenzen verdeckt. Kanzleien mit einem *gearing* von 1:5 wurden «in einen Topf geworfen» mit solchen, die fast noch traditionell mit niedrigem oder moderatem *gearing* unterwegs sind, klassische Corporate/M&A-Firmen mit grossen Kanzleien, in denen fast 50% des Umsatzes mit Finanzmarktprodukten verdient wurden. Die Finanzkrise 2008 und die sich seitdem fortsetzende Krisenlage haben jedoch für eine sehr viel differenziertere Wahrnehmung gesorgt. Die Regierungen wichtiger Industrienationen, wichtige Banken und in die Krise geratene Industrieunternehmen haben in schwerster Stunde auf diejenigen Berater vertraut, die aus ihrer Sicht Garant für kompromisslose Qualität sein konnten – im Zweifel auf «Nummer sicher». Auf diese Weise konnten sich in England Slaughter&May, Freshfields Bruckhaus Deringer und Linklaters deutlich vom *magic circle* absetzen. Gleiches gilt für Deutschland mit Freshfields und Hengeler Müller. Dies hat sich mit einiger Verzögerung auch in der Ertragslage der Sozietäten niedergeschlagen. In einigen der grossen Kanzleien haben sich in der Krise Umsatz und Gewinn drastisch reduziert, mit der Folge, dass diese Sozietäten kurze Zeit später mit schmerzhaften Partnerabgängen zu kämpfen hatten.

6 Dies bedeutet: Die «Spitzengruppe» wird differenzierter gesehen. Es haben sich «Top Brands» herausgebildet, die den Kanzleien, die sich nach oben absetzen konnten, erheblichen Rückenwind bei der Vergabe grosser und schicksalhafter Mandate bescheren. Es wäre allerdings verfrüht, schon jetzt von einem neuen – kleineren – *magic circle* zu sprechen. Dies entspräche einem viel zu statischen Marktverständnis. *Complacency* führt zwangsläufig zur Erosion der einmal gewonnenen Marktstellung – dies gilt in einem um vieles transparenteren Markt stärker als je zuvor. Aber mit einer Fehlvorstellung hat die Finanzkrise jedenfalls Schluss gemacht, nämlich der, dass sich die Kanzleien im oberen Marktsegment nicht von ihren Wettbewerbern differenzieren könnten. Sie können!

4. These 4: Der Innovationsdruck im *1st Tier* nimmt zu – Die «zweite Reihe» hat Marktanteile hinzugewonnen

7 Selbst bei den Marktführern, die sich besonders erfolgreich durch die Krise gearbeitet haben, sind – wenig überraschend – in den letzten Jahren die Bäume nicht in den Himmel gewachsen. Angesichts der drastischen Ergebniseinbrüche bei Banken und Industrieun-

ternehmen zwischen 2008 und 2010 war es schon als enormer Erfolg anzusehen, wenn führende Kanzleien stabil blieben oder nur marginale Umsatzrückgänge verschmerzen mussten. Immerhin war das für diese Kanzleien massgebliche Geschäft mit Unternehmensübernahmen, Private M&A und dem Private Equity-Geschäft in diesem Zeitraum deutlich rückläufig. Die Krise hat – über diesen Effekt hinaus – dazu beigetragen, dass grosse und mittlere Unternehmen in verstärktem Masse Mandate an Kanzleien aus der «zweiten Reihe» vergeben haben. Dies hat dort teilweise zu Umsatzzuwächsen geführt, die bei einer reinen Volumenbetrachtung den Abstand zwischen *tier 1* und *tier 2* etwas verkleinert hat. Die grössere Kostenorientierung vieler Mandanten, die diese Entwicklung verursacht hat, wird mit grosser Sicherheit anhalten; sie wird das Ende der Krise (wann immer es dazu kommen wird) überdauern. Es liegt bei den Marktführern, immer wieder auf's Neue ihren «Mehrwert» unter Beweis zu stellen. Das wird ihnen bei richtigem Verständnis nicht nur bei Transaktionen gelingen, die angesichts ihrer Komplexität von vornherein eine Kanzlei besonderen Zuschnitts erfordern. Es wird sich vielmehr zeigen, dass auch in der hochwertigen Dauerberatung oder in Spezialbereichen letztlich alles darauf ankommt, die klügsten und innovativsten Anwälte zu beschäftigen. Ein letztlich überschaubarer Preisvorteil wird durch einen Mangel an Kreativität, Sorgfalt und Effizienz blitzschnell aufgebraucht. Dies aufzuzeigen und den Mandanten transparenter zu machen, worin ihr «Mehrwert» liegt, wird für die Kanzleien im obersten Marktsegment immer zentraler.

5. These 5: Boutiquen und Spin-offs zwingen die grossen Sozietäten zu einer klareren Strategie

Der Brand von Anwaltskanzleien spielt bei der Mandatsvergabe sicherlich eine erhebliche Rolle. Es ist in der Regel risikoärmer, «bekannte Namen» zu beauftragen als das Wagnis einzugehen, eine Boutique einzuschalten. Geht etwas (wirklich oder vermeintlich) schief, wird man niemandem ein «Auswahlverschulden» zur Last legen, der sich für eine erstklassige Firma entschieden hat. Dieser Effekt mag den Marktführern manchmal helfen, gerade bei besonders risikoreichen Mandaten und grossen Transaktionen. Sich darauf im Sinne einer Strategie zu verlassen, wäre jedoch fahrlässig. Das «*Up-or-out*»-Prinzip der meisten Elitesozietäten führt fast zwangsläufig dazu, dass sich immer mehr in grossen Sozietäten ausgebildete Rechtsanwälte auf dem Markt befinden. Da ihnen häufig auch in Rechtsabteilungen und konkurrierenden Kanzleien keine attraktiven Karrieremöglichkeiten offenstehen, machen sie sich zunehmend in kleinen bis mittelgrossen «Boutiquen» selbständig[5]. Diese konkurrieren nicht unbedingt direkt mit ihren bisherigen Arbeitgebern um genau dieselben Mandate. Aber die Kreise überschneiden sich durch- 8

[5] Laut den «Juve»-Handbüchern 2004/2005 bis 2010/2011 ist die Zahl der Spin-offs von grösseren Wirtschaftskanzleien von 8 auf ca. 12–15 jährlich angestiegen.

aus. Es ist eben (noch) nicht alles *rocket science*, was in den grossen Sozietäten bearbeitet wird. Und gerade diesen Teil des Geschäfts werden Mandanten noch vermehrt an kleinere Sozietäten vergeben, wenn sie diese Aufgaben nicht sogar verstärkt intern erledigen. Dies wird die Marktführer dazu zwingen, noch sehr viel fokussierter über ihre Strategie nachzudenken. Sie müssen sich auf diejenigen Mandate konzentrieren, für die sie als grosse und hoch spezialisierte Sozietäten nachweislich besser aufgestellt sind als ihre Wettbewerber aus der zweiten Reihe – und insbesondere als ein 3 oder 5 Anwälte-Spin-off. Dies bedeutet: Je «inselhafter» Partner oder Dezernate in grossen Sozietäten operieren und je weniger sie mit anderen Fachbereichen und Standorten vernetzt sind, desto eher werden sich Mandanten fragen, weshalb sie *top rates* bezahlen sollen. Am wenigsten angreifbar – gerade auch von Spin-offs – sind Anwaltsteams, die fachübergreifend und vernetzt an komplexen Mandaten arbeiten. Sie bieten ihren Mandanten einen deutlichen Mehrwert, der in dieser Qualität weder von *2nd-tier*-Firmen noch von Spin-offs erzeugt werden kann.

6. These 6: Das *1st Tier* wird in absehbarer Zeit nicht wachsen. Grösse ist kein Selbstzweck.

9 Der katastrophale Verschuldungsgrad der öffentlichen Haushalte in den USA, Europa und in der westlichen Welt allgemein und die dagegen ergriffenen Massnahmen werden mit einiger Sicherheit negative Auswirkungen auf die Wachstumsaussichten in diesen Regionen mit sich bringen. Dies wird sich nicht unbedingt auf alle Beratungsbereiche auswirken. *Litigation*, wichtige Bereiche aus dem Kartellrecht und das Arbeitsrecht etwa werden sich diesem Trend vermutlich widersetzen können. Auch die finanzrechtliche Praxis kann von Krisensituationen profitieren, wie sich in den ersten Jahren der Finanzkrise gezeigt hat. Die Kernbereiche der führenden Praxen in Deutschland benötigen jedoch ein anderes Klima[6]. Eine freie und prosperierende Wirtschaft ist die beste Grundlage für erfolgreiche Wirtschaftssozietäten. Angesichts der insofern gedämpften Aussichten wäre es überraschend, wenn die *1st Tier*-Praxen in den nächsten Jahren deutlich wachsen würden. Wahrscheinlich ist eher, dass es – auch der Demografie folgend – zu einer vorsichtigen Kapazitätsreduzierung kommen wird, jedenfalls sofern es – siehe These 2 – nicht gelingt, das Mandatsvolumen in den «Neuen Märkten» deutlich auszubauen. Wer ohne solche Wachstumsperspektiven unter allen Umständen Kapazitätsrückgänge vermeiden möchte, riskiert, dem Premium-Markt mit einem Überangebot gegenüber zu treten. Um dann die notwendige Auslastung sicherzustellen, müssen substanzielle Zugeständnisse beim Pricing und bei der Mandatsqualität gemacht werden – ein Weg, der mit hoher Wahrscheinlichkeit aus dem *1st Tier* herausführt.

---

[6] Vgl. zum deutlich rückläufigen Transaktionsvolumen seit 2008 Hartung/Weberstaedt, Anw. Bl. 2011, 607, 608.

Die grösseren Kanzleien der zweiten Reihe haben hingegen noch Wachstumsperspektiven. Sie können sich in aller Regel ein höheres *gearing* erlauben, allerdings um den Preis, dass sie von ihren Mandanten mit extrem hohen Erwartungen in punkto Effizienz und Preisgestaltung konfrontiert werden. Die «Paketvergabe» des Prozessgeschäfts der Deutschen Bank an eine *2nd Tier*-Kanzlei ist symptomatisch für diesen Trend. Grösse bzw. Wachstum werden sich in diesem Segment nur bezahlt machen, wenn diese Kanzleien eng geführt und konsequent auf Effizienz getrimmt werden. Für das Selbstverständnis dieser häufig noch sehr traditionellen Partnerschaften ist dies ebenso eine Herausforderung wie für deren Stellung auf dem Recruitmentmarkt. 10

7. These 7: Die beste Strategie ist guter Nachwuchs. Dies setzt zukünftig einen deutlichen Kulturwandel bei den Sozietäten voraus.

Die weltweit erfolgreichsten Sozietäten nehmen immer Spitzenplätze bei den Rankings unter Juraabsolventen ein. Nur wer die exzellentesten Juristen und Persönlichkeiten einstellt und die besten unter ihnen in die Partnerschaft hineinentwickeln kann, wird seine Spitzenposition bewahren. Dies ist eine Binsenwahrheit, wenngleich eine schon heute erstaunlich oft vernachlässigte. Es bedeutet eine enorme Anstrengung, über die vielfältigen mandats- und geschäftsbezogenen Anstrengungen hinaus eine Arbeitsumgebung zu schaffen, in der sich junge Juristen entfalten und weiterentwickeln können. Die Vergütung wird noch weniger als bislang den Ausschlag geben. Es sind die Qualität der Ausbildung, das menschliche Klima und – zunehmend – die Work-Life Balance, die entscheiden. Diese Herausforderung, die sich übrigens keineswegs nur gegenüber dem weiblichen Nachwuchs stellt, wird umso ernster, desto stärker es anderen juristischen Arbeitgebern gelingt, hoch qualifizierten Nachwuchs an sich zu binden. Die Unternehmen haben durch die Professionalisierung ihrer Rechtsabteilungen und deren Ausbau in den letzten Jahren ihre Attraktivität für den juristischen Nachwuchs deutlich gesteigert. Die in grossen Konzernen realisierbaren Nebenleistungen und insbesondere das dort einfacher umsetzbare Versprechen zeitlicher Flexibilität stellen für die Sozietäten eine durchaus ernsthafte Konkurrenz dar. Macht man sich klar, wie begrenzt die Zahl der mit zwei Prädikatsexamina ausgestatteten Absolventen ist[7], wird zudem deutlich, dass es sich die führenden Kanzleien nicht mehr länger erlauben können, so wenige weibliche Juristen als Partnerin aufzunehmen wie dies bislang ganz überwiegend der Fall war. Von heute auf morgen lassen sich hier allerdings keine nachhaltigen Erfolge erzielen. Mit einem besseren *part-time* Programm ist es nicht getan. Die Kanzleien müssen 11

[7] Nach der sogenannten Trendence-Studie (www.trendence.com) geht man von jährlich ca. 1200 solchen Absolventen aus, von denen sich derzeit ca. 50% für die Karriere in einer Wirtschaftssozietät interessieren.

vielmehr nachhaltig an ihrer Kultur und damit am Verhalten und Selbstverständnis ihrer Partner(innen) arbeiten, wenn sie für exzellente Juristinnen erste Wahl werden wollen. Misslingt dies, werden sich die Kanzleien von einem sehr hohen – wachsenden – Teil des Nachwuchsmarktes abschneiden.

8. Schlussbetrachtung

12 Die vorstehenden Beobachtungen und strategischen Einschätzungen, die natürlich äusserst subjektiv sind, machen deutlich, wie vielfältig und wie ernsthaft die Herausforderungen sind, denen sich führende Wirtschaftskanzleien in Deutschland verstärkt ausgesetzt sehen. Der Wettbewerb hat sich deutlich verschärft. Dies ist für die Mandanten gut, für einen funktionierenden Markt wichtig, für die Angebotsseite aber natürlich äusserst «ungemütlich». Aber so ist das nun einmal in der Marktwirtschaft. Das Management von Anwaltskanzleien bleibt daher ohne Zweifel eine äusserst spannende Aufgabe. Ebenso spannend wird es sein, in fünf bis zehn Jahn wieder Bilanz zu ziehen und zu sehen, wer sich am besten behauptet hat.

D. Trends und Zukunft im Anwaltsgeschäft der Schweiz

Michael Hüppi

1. Einleitung

Die Struktur und die Rahmenbedingungen für die Anwaltschaft in der Schweiz haben sich in den vergangenen 10 Jahren grundlegend verändert. So ist nicht nur die Zahl der Anbieter anwaltlicher Dienstleistungen markant gestiegen, sondern auch die Kanzleistruktur hat sich wesentlich verändert, und der Anwalt erbringt seine Dienstleistungen unter veränderten Rahmenbedingungen. 1

Der Mitgliederbestand des Schweizerischen Anwaltsverbandes (SAV) hat sich von 6222 im Jahr 2000 auf 8423 Anwälte im Jahr 2010 erhöht. Dies entspricht einem Zuwachs von 35,4%. Parallel dazu sind immer grössere Anwaltskanzleien entstanden. Schweizweit bestanden am 1. Januar 2010 bereits zwei Anwaltskanzleien mit (je) mehr als 100 und 9 Kanzleien mit 50 bis 100 Anwälten. 50 Kanzleien wiesen eine Betriebsgrösse von 20 bis 50 und 64 Kanzleien eine solche von 10 bis 20 Anwälten auf. Umgekehrt hatte der SAV per 1. Januar 2010 nur noch 729 Mitglieder, welche ihren Beruf in Einzelkanzleien ausübten. Dies entspricht noch 8,65% aller SAV-Mitglieder und absolut ausgedrückt einer Halbierung der Anzahl der Einzelkanzleien innerhalb der vergangenen 10 Jahre. 2

Die Rahmenbedingungen, in denen der Anwalt seine Dienstleistungen erbringt, haben sich in den vergangenen 10 Jahren ebenfalls verändert. Nachdem bereits in den 90er-Jahren das Werbeverbot gelockert wurde und es dem Anwalt zugestanden wurde, in Form und Inhalt sachlich über sein Dienstleistungsangebot zu orientieren, fiel in den vergangenen 10 Jahren auch der Tarifschutz für Anwälte weg, Unternehmensjuristen bemühen sich selbstbewusst um die Zuerkennung anwaltlicher Privilegien (Anwaltsgeheimnis) und Dienstleister aus Treuhand, Unternehmensberatung, Rechtsauskunftsstellen von Verbänden, Banken und Versicherungen bewegen sich immer prominenter im Markt der Dienstleistungen, welcher traditionell Anwälten vorbehalten war[1]. 3

Zusammenfassend ist festzustellen, dass der Wettbewerb im Anwaltsgeschäft härter geworden ist und zwar in allen Segmenten des Anwaltsmarktes. 4

---

[1] Staub, Leo: Strategieentwicklung in der Anwaltskanzlei. In: Anwalts-Revue 6-7/2009, S. 300.

2. Ist-Zustand

5 Aufgrund des enorm gewachsenen Wettbewerbsdrucks kann es sich kein Anwalt, keine Einzelkanzlei und auch keine Law Firm leisten, sich dem Drang der Kommerzialisierung zu entziehen. Eine Anwaltskanzlei muss geführt werden wie ein wirtschaftliches Unternehmen, ist sie doch genauso den Regeln des Marktes unterworfen wie jedes andere Unternehmen auch. Die Anwaltskanzlei muss sich in einer globalisierten Wirtschaft bewähren, einer Wirtschaft, welche auch vom Anwalt «Internationalisierung» abverlangt. Ebenso sind auch im regionalen und lokalen Anwaltsgeschäft Trends im Gange, die das anwaltliche Dienstleistungsgeschäft beeinflussen und prägen.

6 Dabei gibt es einen Markt für anspruchsvolle wirtschaftsrechtliche Dienstleistungen für national und international ausgerichtete Unternehmen einerseits, wie auch einen Markt für anwaltliche Dienstleistungen im Rahmen der anwaltlichen Grundversorgung von Privatpersonen und regional tätigen Unternehmen andererseits[2].

7 Um in diesem Markt zu bestehen, müssen sich die Anwälte dauernd mit der Frage auseinandersetzen, ob ihre Strategie und ihr Geschäftsmodell für die nahe und mittelfristige Zukunft tragfähig sind, ihr Angebot für den Markt in der aktuellen Situation attraktiv ist und wie sich der Wettbewerb künftig entwickeln wird.

3. Spezialisierung

8 Der in den letzten 10 Jahren zu beobachtende «Trend zur Grösse»[3] hat seine Ursache in der zunehmenden Verrechtlichung des täglichen Lebens sowie in der Ausdehnung der staatlichen Tätigkeit. Das Recht wird immer komplexer und komplizierter[4]. Immer häufiger entstehen Erlasse, welche eine einzelne Frage möglichst umfassend und wasserdicht zu regeln versuchen. Anstelle von allgemeingültigen Rechtsnormen werden heute vermehrt Ausnahme- und Spezialbestimmungen erlassen[5].

9 Dass es dem rechtsuchenden Publikum nicht möglich ist, sich über die eigenen Rechte und Pflichten im Klaren zu sein, liegt wohl auf der Hand und ist gleichzeitig auch der Grund für die Tätigkeit der Anwälte. Neu hingegen ist, dass es durch die zunehmende Anzahl von Spezialerlassen und Sonderbestimmungen zunehmend auch den Anwälten Schwierigkeiten bereitet, den Überblick zu behalten.

---

2 Staub, S. 300.

3 Häner, Isabelle: Das veränderte Berufsbild des Anwalts und der Anwältin. In: Das Anwaltsrecht nach dem BGFA. St. Gallen 2003, S. 13.

4 Schiller, Kaspar: Funktion des Anwalts im Rechtsstaat. In: Professional Legal Services: Vom Monopol zum Wettbewerb. Zürich 2000, S. 173.

5 Schiller, S. 173 f.

Um dem rechtsuchenden Publikum trotz der Zunahme komplexer Spezialerlasse und Sonderbestimmungen eine optimale Beratung und Vertretung bieten zu können, sind Anwälte gezwungen, sich auf eines oder mehrere Rechtsgebiete zu spezialisieren[6]. Erst die Spezialisierung ermöglicht es ihnen, sich mit den Gegenanwälten und den Spezialisten der staatlichen Stellen zu messen und den Interessen ihrer Mandanten zum Durchbruch zu verhelfen. 10

Neben den hochspezialisierten Anwälten hat es jedoch immer noch Platz für den Allgemeinpraktiker, der für KMU sowie für Privatpersonen nach wie vor eine wichtige Ansprechperson ist. Der Allgemeinpraktiker sammelt die Fakten, gibt eine erste Einschätzung ab und zieht die allenfalls notwendigen Spezialisten bei[7]. Der Allgemeinpraktiker geniesst als erste Anlaufstelle für sämtliche Probleme das Vertrauen des langjährigen Mandanten und funktioniert als Vermittler, welcher den Mandanten mit den ihm (noch) unbekannten Spezialisten zusammenbringt. Dem Allgemeinpraktiker kommt aber auch die Funktion zu, den Mandanten nach einer ersten Lagebeurteilung von aussichtlosen Prozessen abzuhalten und ihm den Gang zum, oft teuren, Spezialisten zu ersparen. 11

4. Von der Kleinkanzlei zur Law Firm

Die Spezialisierung bringt es mit sich, dass Anwälte nur noch in einzelnen Rechtsgebieten tätig sind. Für ausserhalb des jeweiligen Spezialgebiets liegende Rechtsfragen müssen dann weitere Spezialisten beigezogen werden, oder das (Teil-)Mandat wird an diese abgegeben. 12

Es liegt in der Natur der Sache, dass kein Anwalt gerne Mandate an andere Anwälte oder Kanzleien «abgibt». Gleichzeitig liegt es auch im Interesse der Rechtsuchenden, trotz sich stellender unterschiedlicher Spezialfragen einen einzigen Ansprechpartner zu haben, der für den Mandanten resp. für das Mandat zuständig ist und die Bemühungen der einzelnen (Fach-)Spezialisten koordiniert. 13

Um das für die Bearbeitung eines Mandats notwendige Spezialwissen bereitstellen und gleichzeitig den Mandanten in der eigenen Anwaltsfirma halten zu können, ist es notwendig, dass sich verschiedene Spezialisten zu einer Kanzlei zusammenschliessen. Dabei kommt der (Partner-)Anwalt selten allein. Neben den Anwälten nimmt auch die Zahl juristischer und nicht juristischer Mitarbeiter stetig zu. Dabei entstehen in der Schweiz Anwaltsunternehmen, sogenannte Law Firms, mit bis zu 200 Mitarbeitenden und Umsätzen von Dutzenden von Millionen Franken[8]. 14

[6] Bollmann, Hans: Anwaltskanzleien als Unternehmen. In: Recht im Spiegel der NZZ, 10/2002, Nr. 234, S. 15 f.

[7] Schiller, Kaspar: Schweizerisches Anwaltsrecht. Zürich/Basel/Genf 2009, N 1669.

[8] Bollmann, S. 15 f.

5. Vom Prozessvertreter zum Berater

15 Die fortschreitende Dichte an Rechtsnormen und deren zunehmende Komplexität wirken sich nicht nur auf die Kanzleistruktur, sondern auch auf die von den Anwälten angebotenen Dienstleistungen aus[9]. Während Anwälte früher hauptsächlich als reine Prozessvertreter tätig waren[10] und zumeist erst bei sich abzeichnenden Rechtsstreitigkeiten beigezogen wurden, begleiten sie heute Projekte von der Expertise bis zur Implementierung. Dabei ist die anwaltliche Tätigkeit nicht auf das Führen von juristischen Auseinandersetzungen, als vielmehr auf deren Vermeidung gerichtet.

16 Aufgabe des Anwalts ist es, den Mandanten frühzeitig auf mögliche juristische Stolpersteine und Probleme hinzuweisen. Das Aufzeigen möglicher Lösungen setzt dabei aufseiten des Anwalts neben juristischem Spezialwissen auch Kenntnisse der jeweiligen Unternehmenstätigkeit voraus.

17 Der Anwalt ist heute nicht mehr Rechtsvertreter im Einzelfall, sondern vielmehr langfristiger branchenübergreifender Rechtsberater eines Mandanten[11]. Die langfristige Zusammenarbeit und das daraus hervorgehende Vertrauensverhältnis führen dazu, dass der Anwalt zur ersten Anlaufstelle für sämtliche juristischen Probleme des Mandanten wird.

6. Anwalt und Marketing

18 Die Zahl der Anwälte in der Schweiz hat sich in den letzten 20 Jahren in etwa verdoppelt. Das Angebot an Rechtsdienstleistungen stieg dabei stärker als die Nachfrage[12], was zu vermehrter Konkurrenz zwischen den Anbietern von Rechtsdienstleistungen führte. Diese Entwicklung wurde durch die Einführung der Freizügigkeit der Anwältinnen und Anwälte im Juni 2002[13] noch zusätzlich begünstigt.

19 Weiter kommt hinzu, dass der Rechtsberatungsmarkt in der Schweiz nicht reglementiert ist. Jeder darf in der Schweiz Rechtsberatungsdienstleistungen erbringen. Dies hat zur Folge, dass Anwälte im immer wichtiger werdenden Markt der Rechtsberatung nicht nur mit anderen Inhabern eines Anwaltspatents, sondern auch mit anderen, branchenfremden Dienstleistern, wie beispielsweise grossen Treuhandgesellschaften oder Rechtsabteilungen grosser Banken, in Konkurrenz stehen[14]. Dies ist insofern problematisch, als diese den Standesregeln der Anwälte nicht unterstehen.

---

9 Sprenger, Thomas: Anwaltsgeheimnis des Unternehmensjuristen. Zürich/Basel/Genf 2011, S. 42.
10 Schiller, N 21.
11 Schiller, N 1673.
12 Schiller, N 1666 f.
13 Eingeführt durch das Bundesgesetz über die Freizügigkeit der Anwältinnen und Anwälte, SR 935.61.
14 Roš, Mirko: Soll der SAV den «Fachanwalt SAV» bzw. die «Fachanwältin SAV» einführen?, in: Anwalts-Revue 2/2002, S. 7.

20 Um am Markt bestehen zu können, muss sich der Anwalt von der Masse der Dienstleistungsanbieter abheben. Die Herausforderungen für die Anwälte als Marktteilnehmer sind immens gestiegen. Diesen Herausforderungen müssen sich auch die Anwälte stellen. Sie müssen sich mit der Frage auseinandersetzen, ob ihre Strategie und ihr Geschäftsmodell für die nahe und mittelfristige Zukunft tragfähig sind. Neben der Beurteilung des Marktangebots ist auch den Zielgruppen ein Augenmerk zu schenken. Anwälte sind gezwungen, ihr Zielpublikum über ihr Angebot und ihre Stärken zu informieren[15]. Nachdem das Werbeverbot für Anwälte gelockert wurde, wird dies heute mittels Broschüre oder Homepage gemacht[16]. Gerade der Homepage kommt im digitalen Zeitalter immer grössere Bedeutung zu. Ein professioneller Internetauftritt ist daher für jeden Anwalt sowie für jede Anwaltsunternehmung ein absolutes Muss.

21 Ist das Zielpublikum erst einmal auf den Anwalt aufmerksam geworden, so gilt es, die besonderen Fähigkeiten derselben hervorzuheben. Der vor wenigen Jahren eingeführte Titel «Fachanwalt SAV» bildet hierzu eine hervorragende Möglichkeit[17], kann doch der Anwalt damit die vertieften Kenntnisse in einem bestimmten Rechtsgebiet kommunizieren, ohne dabei aufdringlich zu wirken.

22 In der ganzen Diskussion um die beste Strategie bei der Gewinnung neuer Mandanten darf aber nicht vergessen werden, dass auch bestehende Mandanten gehegt und gepflegt werden wollen. So gilt es denn auch, die bestehenden Mandanten durch kleine Aufmerksamkeiten an den jeweiligen Anwalt oder an eine bestimmte Anwaltsunternehmung zu binden. Dazu dienen Mandantenapéros, Vorträge, Round Tables oder Newsletter. Solche Veranstaltungen geben den Anwälten Gelegenheit, sich bei den Mandanten wieder ins Gedächtnis zu rufen. Dies hat zusätzlich den angenehmen Effekt, dass zufriedene Mandanten nicht nur selbst weitere Dienstleistungen in Anspruch nehmen, sondern die entsprechenden Anwälte auch ihren Bekannten weiterempfehlen.

[15] Schiller, N 1670.

[16] Pfeifer, Michael: Entwicklungen im Anwaltsmarkt: Der Beruf der Rechtsanwältin und des Rechtsanwalts im Wandel – ein Zustandsbericht. In: Anwalts-Revue 2/2002, S. 5.

[17] Roš, S. 7 f.

Sachregister

Die Schlagworte sind alphabetisch erfasst. Die arabischen Zahlen beziehen sich auf das Kapitel, die Buchstaben auf den Autorenbeitrag und die Zahlen nach dem Punkt auf die entsprechende Randziffer.

A

B

C

D

E

F

G

H

I

K

L

M

N

O

P

Q

R

T

U

V

W

X

Z